U0876633

资治通鉴

全本全注全译

第十一册

晋纪 宋纪

[宋]司马光 编著
张大可 韩兆琦 等 注译

浙江人民出版社

中文简体版通过成都天鸢文化传播有限公司代理，经三民书局股份有限公司授予浙江人民出版社有限公司在中国大陆地区独家出版发行，非经书面同意，不得以任何形式，任意重制转载。

浙江省版权局
著作权合同登记章
图字:11-2023-344号

图书在版编目（CIP）数据

资治通鉴全本全注全译. 第十一册 / （宋）司马光编著 ; 张大可等注译. -- 杭州 : 浙江人民出版社, 2024. 10（2025. 6重印）. -- ISBN 978-7-213-11676-6

Ⅰ. K204. 3

中国国家版本馆CIP数据核字第2024VS1528号

资治通鉴全本全注全译　第十一册

ZIZHI TONGJIAN QUANBEN QUANZHU QUANYI

［宋］司马光　编著　　张大可　韩兆琦　等　注译

出版发行：浙江人民出版社（杭州市环城北路 177 号　邮编　310006）
　　　　　市场部电话：(0571) 85061682　85176516
选题策划：胡俊生
项目统筹：潘海林　魏　力
责任编辑：齐桃丽　魏　力
营销编辑：陈芊如
责任校对：马　玉
责任印务：程　琳　幸天骄
封面设计：北京之江文化传媒有限公司
电脑制版：北京之江文化传媒有限公司
印　　刷：浙江新华数码印务有限公司
开　　本：710 毫米 × 1000 毫米　1/16　　印　　张：38.5
字　　数：754 千字　　插　　页：4
版　　次：2024 年 10 月第 1 版　　印　　次：2025 年 6 月第 2 次印刷
书　　号：ISBN 978-7-213-11676-6
定　　价：124.00 元

如发现印装质量问题，影响阅读，请与市场部联系调换。

目　录

卷第一百一十五　晋纪三十七

起屠维作噩（己酉，公元四〇九年），尽上章阉茂（庚戌，公元四一〇年），凡二年。

【题解】

本卷写晋安帝义熙五年（公元四〇九年）、义熙六年共两年间的东晋与各国的大事。主要写：南燕主慕容超挑起与东晋的边境摩擦，掠掳东晋的人口，东晋刘裕讨伐南燕，南燕主不听公孙五楼等人的谋略，坐失机宜，被刘裕大破于临朐，刘裕进而围困并攻克广固，慕容超突围被俘，送建康斩之，南燕遂灭。卢循闻刘裕北伐，出广州北上侵占庐陵、豫章、长沙等郡；寻阳守将何无忌率军迎战，被徐道覆大破于豫章，何无忌战死，东晋朝廷大骇。刘裕破南燕后正待经营洛阳、关中，闻讯率军南返；刘毅请讨卢循，不听刘裕告诫，急躁轻进，被卢循大破于桑落洲，而后卢循大军直取建康；刘裕驻军于石头城，随方应对，卢循无从得逞，渐渐败退，西返寻阳；刘裕派部将王仲德、刘钟追击卢循，破卢循守将范崇民于南陵；刘裕又派部将孙处、沈田子自海道袭取广州，颠覆了卢循的巢穴，稳定了岭外诸郡。谯纵乘晋内乱，派桓谦与秦将苟林合攻荆州，被刘裕部将刘道规、檀道济、鲁宗之等大破于江陵，桓谦、苟林败死；桓石绥起兵应卢循，

【原文】

安皇帝庚

义熙五年（己酉，公元四〇九年）

春，正月庚寅朔①，南燕主超朝会群臣，叹太乐不备②，议掠晋人以补伎③。领军将军韩𧩙曰："先帝④以旧京倾覆⑤，戢翼三齐⑥。陛下不养士息民，以伺魏衅，恢复先业，而更侵掠南邻以广仇敌，可乎？"超曰："我计已定，不与卿言。"

辛卯⑦，大赦。

庚戌⑧，以刘毅为卫将军、开府仪同三司。毅爱才好士，当世名

自称荆州刺史，被晋梁州刺史傅韶所破杀，桓氏家族被灭绝。徐道覆进攻江陵，被刘道规、刘遵大破之，徐道覆逃回寻阳。刘裕大军进驻雷池，大破卢循、徐道覆军于大雷，战争激烈，卢循、徐道覆逃过岭南。魏主拓跋珪既迷信天人感应的邪说，又因服用寒食散而导致病情严重，喜怒无常，人不自保，盗贼公行，表现出一副下世的光景。拓跋珪被其子拓跋绍所杀，魏太子拓跋嗣与朝廷大臣合力杀死拓跋绍，平定叛乱，即位为帝，诏长孙嵩等八人共听朝政，重用燕凤、封懿等人，魏国秩序重得稳定。本来已经归附姚氏的乞伏乾归又逃回苑川自立，攻取了秦国的金城以及略阳、南安诸郡，以见西秦的势力转强，政治有序。北燕主高云被部下政变所杀，大臣冯跋平定叛乱，自立为王，国号仍称"燕"，部下冯万泥、冯乳陈发动叛乱，被冯跋所讨平。后秦主姚兴与夏主赫连勃勃、南凉秃发傉檀与北凉沮渠蒙逊之间的相互攻伐，互有胜负。

【语译】

安皇帝庚

义熙五年（己酉，公元四〇九年）

春季，正月初一庚寅，南燕主慕容超在金殿接受文武百官朝贺的时候，感叹皇家乐队不齐备，于是商议劫掠东晋人来充当乐伎。担任领军将军的韩𧨳说："先帝因为旧日的都城中山沦陷于敌人之手，所以才临时寄居于广固，收敛起翅膀以等待时机。陛下不能休养士民，暗中观察魏国的动向，寻找有利时机，以求恢复祖先的大业，反而还要侵略南部的邻国以增加自己的敌人，这怎么可以呢？"慕容超说："我的计划已定，不想跟你多说。"

正月初二辛卯，东晋实行大赦。

正月二十一日庚戌，东晋任命刘毅为卫将军、开府仪同三司。刘毅敬重有才能的人，喜好结交朋友，当时那些有声望的社会名流无不像车轮上的辐条凑向车轴一

流莫不辐凑⑨，独扬州主簿吴郡张卲不往。或问之，卲曰："主公⑩命世人杰⑪，何烦多问⑫！"

秦王兴遣其弟平北将军冲、征虏将军狄伯支等帅骑四万击夏王勃勃。冲至岭北⑬，谋还袭长安，伯支不从而止，因鸩杀伯支以灭口。

秦王兴遣使册拜谯纵为大都督、相国、蜀王，加九锡⑭，承制封拜⑮，悉如王者之仪。

二月，南燕将慕容兴宗、斛谷提、公孙归等帅骑寇宿豫⑯，拔之，大掠而去，简⑰男女二千五百付太乐⑱教之。归，五楼之兄也。是时，五楼为侍中、尚书、领左卫将军，专总朝政，宗亲⑲并居显要，王公内外无不惮之。南燕主超论宿豫之功，封斛谷提等并为郡、县公。桂林王[1]镇⑳谏曰："此数人者，勤民顿兵㉑，为国结怨㉒，何功而封？"超怒，不答。尚书都令史㉓王俨谄事五楼，比岁㉔屡迁，官至左丞。国人为之语曰："欲得侯，事五楼。"超又遣公孙归等寇济南㉕，俘男女千余人而去。自彭城以南，民皆堡聚㉖以自固。诏并州刺史刘道怜镇淮阴㉗以备之。

乞伏炽磐入见秦太原公懿㉘于上邽㉙，彭奚念乘虚伐之。炽磐闻之，怒，不告懿而归，击奚念，破之，遂围枹罕。乞伏乾归㉚从秦王兴如平凉㉛。炽磐克枹罕，遣人告乾归，乾归逃还苑川㉜。

冯翊㉝人刘厥聚众数千，据万年㉞作乱，秦太子泓遣镇军将军彭白狼帅东宫禁兵讨之，斩厥，赦其余党。诸将请露布㉟，表言广其首级㊱。泓不许，曰："主上委吾后事，不能式遏寇逆㊲，当责躬㊳请罪，尚敢矜诞㊴自为功乎？"

秦王兴自平凉如朝那㊵，闻姚冲之谋㊶，赐冲死。

样聚拢在刘毅的周围，只有担任扬州主簿的吴郡人张邵不与刘毅交往。有人问张邵为何如此，张邵回答说："主公刘裕乃是举世罕见的杰出人物，你何必还要多问！"

后秦王姚兴派遣自己的弟弟平北将军姚冲、征虏将军狄伯支等率领四万名骑兵前往袭击夏王刘勃勃。姚冲率军抵达九嵕岭以北时，阴谋回军袭击后秦的都城长安，遭到狄伯支的拒绝，姚冲虽然因此而没有杀回长安，但为了灭口，便用毒酒杀死了狄伯支。

后秦王姚兴派使者前往成都，册封西蜀成都王谯纵为大都督、相国、蜀王，加授谯纵车马、衣服、乐则、朱户、纳陛等九种赏赐，有权用后秦王姚兴的名义直接封官拜爵，其他仪仗之类都如同帝王一样。

二月，南燕将领慕容兴宗、斛谷提、公孙归等率领骑兵入侵东晋的宿豫，将宿豫攻克，大肆劫掠了一番后离去，从中挑选了二千五百名男女，交给主管宫廷音乐歌舞的太乐署，让太乐署对他们进行教育。公孙归，是公孙五楼的哥哥。当时公孙五楼正担任侍中、尚书、领左卫将军，独揽朝政，他的族人、姻亲全都身居要职，朝廷内外的王公大臣没有人不惧怕公孙五楼。南燕主慕容超评定攻伐宿豫的功劳，封斛谷提等全都为郡公、县公。桂林王慕容镇劝阻说："这几个人劳烦百姓，消耗武力，给国家招来仇怨，有什么功劳值得封赏他们？"慕容超听了慕容镇的话非常愤怒，连理都没理他。担任尚书都令史的王俨因为一味地谄媚讨好公孙五楼，所以连年得到提升，竟然做到了左丞。南燕人因此编了句顺口溜说："欲封侯，事五楼。"南燕主慕容超再次派公孙归等率军进犯东晋的济南，俘虏了一千多名男女而去。于是东晋境内，从彭城往南，各地民众全都聚居筑堡，进行守卫。东晋安帝司马德宗下诏，令担任并州刺史的刘道怜率军驻守淮阴，以防御南燕的进攻。

乞伏炽磐从苑川前往上邽晋见后秦太原公姚懿，彭奚念趁乞伏炽磐外出，苑川空虚的机会率军攻伐苑川。乞伏炽磐接到报告后，非常愤怒，也没有跟太原公姚懿告辞就立即赶回苑川，率军反击彭奚念，将彭奚念击败，趁势包围了彭奚念据守的枹罕。乞伏乾归跟随后秦王姚兴前往平凉。乞伏炽磐攻克了枹罕，立即派人告诉了自己的父亲乞伏乾归，乞伏乾归从平凉逃回了苑川。

后秦冯翊郡人刘厥聚集起数千人，占据了万年县造反，后秦太子姚泓派遣担任镇军将军的彭白狼率领着东宫太子的禁卫军前往万年讨伐刘厥，将刘厥杀死，赦免了刘厥的余党。诸将都向太子姚泓请求公开发布这次胜利的消息，请求在写给后秦王姚兴的表章中夸大战果，虚报被杀死的叛军人数。姚泓没有同意，他说："主上把后方留守的重任交付给我，我不能事先做好预防，阻止叛乱的发生，本来应该自省检讨，向主上请罪，怎么还敢自我夸耀，把它当作功劳呢？"

后秦王姚兴从平凉前往朝那，此时听到了平北将军姚冲在岭北企图发动叛乱，回击长安，并毒死征虏将军狄伯支的消息，于是下诏令姚冲自杀。

三月，刘裕抗表㊷伐南燕，朝议皆以为不可，惟左仆射孟昶、车骑司马谢裕、参军臧熹以为必克，劝裕行。裕以昶监㊸中军留府㊹事。谢裕，安之兄孙也。

初，苻氏之败㊺也，王猛㊻之孙镇恶来奔，以为临澧㊼令。镇恶骑乘非长㊽，关弓甚弱㊾，而有谋略，善果断，喜论军国大事。或荐镇恶于刘裕，裕与语，说之，因留宿。明旦，谓参佐㊿曰："吾闻将门有将，镇恶信然[51]。"即以为中军参军。

恒山[52]崩。

夏，四月，乞伏乾归如枹罕，留世子炽磐镇之，收其众得二万，徙都度坚山[53]。

雷震魏天安殿东序[54]，魏主珪恶之，命左校以冲车[55]攻东、西序，皆毁之。初，珪服寒食散[56]，久之，药发，性多躁扰，忿怒无常，至是浸剧[57]。又灾异数见[58]，占者多言当有急变生肘腋[59]。珪忧懑不安，或数日不食，或达旦不寐，追计平生成败得失，独语不止。疑群臣左右皆不可信，每百官奏事至前，追记[60]其旧恶，辄杀之。其余或颜色变动，或鼻息[61]不调，或步趋[62]失节，或言辞差缪，皆以为怀恶在心，发形于外，往往手[63]击杀之，死者皆陈天安殿前。朝廷人不自保，百官苟免[64]，莫相督摄[65]；盗贼公行，里巷之间，人为希少[66]。珪亦知之，曰："朕故纵之使然，待过灾年，当更[2]清治[67]之耳。"是时，群臣畏罪，多不敢求亲近，唯著作郎崔浩[68]恭勤不懈，或终日不归。浩，吏部尚书宏之子也。宏未尝忤旨，亦不谄谀，故宏父子独不被谴[69]。

夏王勃勃率骑二万攻秦，掠取平凉杂胡七千余户，进屯依力川[70]。

己巳[71]，刘裕发建康，帅舟师自淮入泗[72]。五月，至下邳[73]，留船

三月，刘裕公开上表给晋安帝司马德宗，请求出兵讨伐南燕，朝廷大臣经过商议，都认为不可以，只有担任左仆射的孟昶、担任车骑司马的谢裕、担任参军的臧熹认为一定能够打败南燕，鼓励刘裕出兵攻打南燕。刘裕于是任命左仆射孟昶为留守中军将军府。谢裕，是谢安的侄孙。

当初，前秦苻氏被后秦姚氏灭亡的时候，王猛的孙子王镇恶来投奔东晋，东晋遂任命王镇恶为临澧县令。王镇恶骑马的技术不高，也拉不开硬弓，然而却很有谋略，对各种复杂的局势能够果断地做出判断，喜欢谈论军国大事。有人便把王镇恶举荐给了中军将军刘裕，刘裕与王镇恶谈话之后，对王镇恶非常欣赏，于是便挽留王镇恶在自己的府中住下。第二天，刘裕对左右的僚属说："我听说名将的家中出名将，通过王镇恶，我对此话坚信不疑。"立即任命王镇恶为中军参军。

恒山发生了山崩。

夏季，四月，担任后秦主客尚书的乞伏乾归前往枹罕，他留下世子乞伏炽磐镇守枹罕，然后接管了乞伏炽磐的二万名部众，将都城从苑川迁往度坚山。

霹雷震毁了北魏天安殿的东厢房，北魏皇帝拓跋珪对此事很厌恶，于是下令左校，用攻城用的车将天安殿的东、西厢房全部撞毁。当初，拓跋珪为求长生而服食寒食散，时间一久，药的毒性逐渐发作，拓跋珪也就变得脾气暴躁，喜怒无常，到此时，就更加严重。又多次发生各种灾异、反常现象等，于是就有很多占卜、算卦一类的人认为拓跋珪身边将要发生重大变故。拓跋珪于是更加忧虑不安，有时几天吃不下饭，有时通宵达旦睡不着觉，心中一直在回想过去的成败得失，并不停地自言自语。拓跋珪怀疑满朝的文武大臣以及身边所有的人没有一个可以信任，每当有官员到自己面前奏事，拓跋珪就会回忆起从前对此人的怨恨，于是立即将此人处死。至于其他的人，如果被认为神色有点改变，或是呼吸不均匀，或是走路的姿势稍微不合规范，或者说话时措辞偶尔出点差错，都会被认为是心中充满怨恨的表现，拓跋珪往往会亲手将其杀死，而且还将死者的尸体陈列在天安殿的前面。朝廷之中人人自危，文武百官只求能够苟且无事，谁也不管谁；于是盗贼公开烧杀抢劫，京师之内的大街小巷，人迹稀少。皇帝拓跋珪自己也知道这种情况，他说："我是故意放纵，让他们这样做的，等到度过灾年，我自会重新清查治理。"这种时候，文武百官全都惧怕自己犯罪，很多人都不敢与拓跋珪接近，只有担任著作郎的崔浩依然小心谨慎、勤勤恳恳地坚守自己的岗位，毫不懈怠，有时为了工作，整天都不回家。崔浩，是担任吏部尚书的崔宏的儿子。崔宏从来不违背拓跋珪的旨意，也不阿谀奉承，所以只有崔宏、崔浩父子二人没有受到谴责。

夏王刘勃勃率领二万名骑兵攻打后秦，俘虏了平凉境内各部落中的七千多户胡人，然后进驻平凉东南的依力川。

四月十一日己巳，东晋中军将军刘裕从京师建康出发，他率领水军舰船从淮河进

舰、辎重，步进至琅邪[74]。所过皆筑城，留兵守之。或谓裕曰："燕人若塞大岘[75]之险，或坚壁清野[76]，大军深入，不唯无功，将不能自归，奈何？"裕曰："吾虑之熟矣。鲜卑[77]贪婪，不知远计，进利虏获[78]，退惜禾苗[79]，谓我孤军远入，不能持久。不过进据临朐[80]，退守广固，必不能守险清野，敢为诸君保之。"

南燕主超闻有晋师，引群臣会议。征虏将军公孙五楼曰："吴兵轻果[81]，利在速战，不可争锋。宜据大岘，使不得入，旷日延时，沮[82]其锐气，然后徐简精骑二千，循海[83]而南，绝其粮道，别敕段晖帅兖州[84]之众，缘山东下[85]，腹背击之，此上策也；各命守宰依险自固，校其资储[86]之外，余悉焚荡，芟除禾苗[87]，使敌无所资，彼侨军[88]无食，求战不得，旬月之间，可以坐制[89]，此中策也；纵贼入岘，出城逆战[90]，此下策也[91]。"超曰："今岁星居齐[92]，以天道推之，不战自克[93]；客主势殊[94]，以人事言之，彼远来疲弊，势不能久。吾据五州[95]之地，拥富庶之民，铁骑万群，麦禾布野，奈何芟苗徙民，先自蹙弱[96]乎？不如纵使入岘，以精骑蹂之，何忧不克？"辅国将军广宁王贺赖卢苦谏不从，退谓五楼曰："必若此，亡无日[97]矣！"太尉桂林王镇曰："陛下必以骑兵利平地者，宜出岘逆战，战而不胜，犹可退守；不宜纵敌入岘，自弃险固也。"超不从。镇出，谓韩謼曰："主上既不能逆战却敌[98]，又不肯徙民清野，延敌入腹，坐待攻围，酷似刘璋[99]矣。今年国灭，吾必死之。卿中华之士[100]，复为文身[101]矣。"超闻之，大怒，收镇下狱。乃摄[102]莒、梁父二戍[103]，修城隍[104]，简[105]士马，以待之。

入泗水。五月，抵达下邳，刘裕将舰船、辎重全部留在下邳，然后率军徒步进入琅邪境内。大军所到之处都修筑起城堡，留下军队戍守。有人对刘裕说："如果燕国人堵住大岘山险要，或是实行坚壁清野，我军孤军深入，不仅不会取得成功，恐怕都回不来了，那该怎么办?"刘裕回答说："我早已考虑好了。燕国这些鲜卑人生性贪婪，没有长远考虑，前进时想的就是如何更多地掠夺，获得好处，逃走的时候又舍不得毁掉农田里的庄稼，认为我们大军孤军深入，不会坚持多久。所以他们出兵迎战，最多不会远于临朐，或是退到都城广固据守，一定不会坚守险要、坚壁清野，我敢向各位打包票。"

南燕主慕容超听到东晋大军来犯的消息，立即召见群臣商讨对策。担任征虏将军的公孙五楼说："晋国的军队行动轻快果敢，速战速决对他们来说最为有利，所以不要与他们在战场上争夺胜负。应该派军据守大岘山天险，使他们不能深入我国境内，拖延时日，消耗掉他们的锐气，然后再慢慢地挑选出二千名精锐骑兵，沿着海边南下，截断他们运送粮草的通道，再下令给担任兖州刺史的段晖，让他率领兖州的军队，沿着梁父山麓东下，对刘裕大军进行前后夹击，这才是上策；命令各郡的太守、各县的县令依靠险要设防，保护好自己的辖区，把自己所需要的物资储备留足之后，剩余的全部焚毁，将农田里的庄稼全部割掉，使晋国军队在我国境内什么也得不到，他们是外来的军队，在军中粮食缺乏的情况下，想与我们作战，我们却不应战，十天半月之间，我们坐在这里就可以战胜他们，这是中策；将晋国的军队放入大岘山，我们率军出城迎战，这是下策。"慕容超说："今年岁星运行到齐国的分野，根据天道运行的轨迹推算，不用出兵抵抗就能取胜；客军与主军所处的形势相差悬殊，从人情事理来说，晋国的军队远道而来必然疲惫不堪，势必不能坚持多久。我们据守五个州的疆土，拥有富庶的百姓，数万名的铁甲骑兵，小麦等各类庄稼布满田野，为什么要毁掉庄稼、迁移百姓，自己首先削弱自己呢？不如听任晋军进入大岘山，我们出动精锐骑兵去践踏他们的军阵，何必担忧不能取胜呢?"担任辅国将军的广宁王贺赖卢苦苦劝阻，慕容超就是不肯听从，退朝之后，贺赖卢对公孙五楼说："如果一定要按照主上的意见去办，恐怕国家距离灭亡的日子就没有几天了！"担任太尉的桂林王慕容镇对南燕主慕容超说："陛下如果一定认为骑兵利于在平原地带作战，就应该到大岘山以南去迎战晋军，如果不能取胜，还可以退回大岘山以北据守险要；而不应该把晋军放入大岘山，自己先丢掉了险要。"慕容超也没有听从。慕容镇告辞出来，对担任仆射的韩𧦬说："主上既不能迎头出击，将入侵的晋军击退，又不肯迁移百姓，实行坚壁清野，而是放纵敌人深入我国的腹地，坐等敌军前来围攻，酷似东汉末年的刘璋。今年国家灭亡，我必定以死殉国。而你本是中原人士，却又得断发文身了。"慕容镇的这些话传到慕容超的耳朵里，慕容超不禁勃然大怒，立即将慕容镇逮捕，送入大牢。于是敕令莒县、梁父这两个军事据点，高筑城墙、深挖护城河，选择将士、训练人马，等待东晋军队的到来。

刘裕过大岘，燕兵不出。裕举手指天[106]，喜形于色。左右曰：“公未见敌而先喜，何也？”裕曰：“兵已过险，士有必死之志[107]；余粮栖亩[108]，人无匮乏之忧。虏已入吾掌中矣。”六月己巳[109]，裕至东莞[110]。超先遣公孙五楼、贺赖卢及左将军段晖等，将步骑五万屯临朐。闻晋兵入岘，自将步骑四万往就之，使五楼帅骑进据巨蔑水[111]。前锋孟龙符与战，破之，五楼退走。裕以车四千乘为左右翼，方轨徐进[112]，与燕兵战于临朐南。日向昃[113]，胜负犹未决。参军胡藩言于裕曰：“燕悉兵出战，临朐城中留守必寡，愿以奇兵从间道[114]取其城，此韩信所以破赵[115]也。”裕遣藩及谘议参军檀韶、建威将军河内向弥[116]潜师出燕兵之后，攻临朐，声言轻兵自海道至矣。向弥擐甲先登[117]，遂克之。超大惊，单骑就段晖于城南。裕因纵兵奋击，燕众大败，斩段晖等大将十余人。超遁还广固，获其玉玺、辇[118]及豹尾[119]。裕乘胜逐北[120]至广固，丙子[121]，克其大城，超收众入保小城。裕筑长围守[122]之，围高三丈，穿堑三重[123]；抚纳降附，采拔贤俊，华、夷[124]大悦。于是因[125]齐地粮储，悉停江、淮漕运。

超遣尚书郎张纲乞师于秦，赦桂林王镇，以为录尚书、都督中外诸军事，引见，谢[126]之，且问计焉。镇曰：“百姓之心，系于一人。今陛下亲董[127]六师，奔败而还，群臣离心，士民丧气。闻秦人自有内患[128]，恐不暇分兵救人。散卒还者尚有数万，宜悉出金帛以饵[129]之，更决一战。若天命助我，必能破敌；如其不然，死亦为美，比于闭门待尽，

东晋中军将军刘裕率领讨伐南燕的大军顺利地越过大岘山天险，却没有遇到燕军出来抵抗。刘裕举手上指，感谢上天的保佑，喜悦之情掩饰不住地流露在脸上。左右的人都说："将军还没有遇到敌人就如此高兴起来，这是为什么呢？"刘裕说："我们越过了险要的大岘山，已经没有了退路，全军将士必须下定拼死作战以求生存的决心；燕国多余的粮食还生长在农田里，我们没有了缺粮的后顾之忧。燕国已经完全掌握在我的手中了。"六月十二日己巳，刘裕的大军抵达东莞。南燕主慕容超赶紧派征虏将军公孙五楼、辅国将军贺赖卢以及左将军段晖等，率领五万名步兵、骑兵屯驻在临朐。后来听到晋军已经越过大岘山，慕容超便亲自率领四万人马前往临朐与公孙五楼等会合，他派公孙五楼率领骑兵进驻巨蔑水。东晋担任前锋的孟龙符首先出兵挑战公孙五楼，将公孙五楼打败，公孙五楼率军退走。刘裕将四千辆战车分成左右两翼，军队紧密集结，稳步向前推进，与南燕军在临朐城南展开大战。从早晨一直激战到太阳西斜，双方还没有决出胜负。东晋担任参军的胡藩向中军将军刘裕建议说："燕国出动了全部的军队与我们交战，留在临朐城中的兵力一定很少，我愿意率领一支奇兵从偏僻小路攻取临朐城，这就是当年韩信击败赵国所使用的计策。"刘裕于是派遣胡藩以及担任谘议参军的檀韶、担任建威将军的河内人向弥秘密率领一支军队绕到燕军的背后，进攻临朐城，宣称是从海路轻装赶来增援的晋军到了。向弥身披铠甲率先登上临朐城，于是很快攻占了临朐。慕容超听到临朐失陷的消息大惊失色，赶紧从临朐城中逃出，单枪匹马跑到临朐城南来找左将军段晖。刘裕趁势指挥军队奋勇出击，将燕军打得大败，斩杀了段晖等南燕大将十多人。慕容超逃回了京师广固，晋军缴获了慕容超的玉玺、乘坐的车辇，以及高悬在皇帝车队中最后一辆车上的豹尾。刘裕率领晋军乘胜追击败逃的燕军，一直追到燕国的都城广固城下，十九日丙子，晋军攻入了广固的外城，慕容超召集起残兵败将退回内城坚守。刘裕派军士修筑起一道长长的围墙，将广固内城团团围困起来，围墙高达三丈，还在周围挖掘壕沟挖到三次见水；刘裕在围困广固期间招降纳叛，选拔、任用贤能之士，当地的汉人和少数民族都很高兴。于是就地取用齐地的粮食储备，全面停止江、淮漕运。

慕容超派遣担任尚书郎的张纲前往后秦，请求出兵救援，同时下诏赦免了担任太尉的桂林王慕容镇，任命慕容镇为录尚书、都督中外诸军事，在召见慕容镇的时候，向慕容镇表示歉意，并向慕容镇征求破敌之策。慕容镇说："百姓把全部希望都寄托在陛下一个人的身上。如今陛下亲自统率六军与晋军作战，却大败逃回，群臣已有离散之心，民众已经完全丧失了斗志。听说现在秦国内部也有忧患，恐怕没有能力分出兵力来救援别人。逃散回来的士卒目前还有数万人，陛下应该拿出所有的金银财宝收买他们，让他们再去与晋军决一死战。如果上天还肯帮助我们，就一定能够打败晋军；如果上天已经抛弃了我们，战败而死也是一件美事，总比关着门等死要好得

不犹愈乎?”司徒乐浪王惠曰:“不然。晋兵乘胜,气势百倍,我以败军之卒当之,不亦难乎?秦虽与勃勃相持,不足为患;且与我分据中原,势如唇齿,安得不来相救?但不遣大臣则不能得重兵。尚书令韩范[130]为燕、秦所重,宜遣乞师。”超从之。

【段旨】

以上为第一段,写晋安帝义熙五年(公元四〇九年)上半年的大事。主要写:南燕主慕容超不听众劝,挑起与东晋的边境摩擦,掠掳东晋的人口;东晋刘裕抗表出师讨伐南燕,南燕主不听公孙五楼等人的谋略,坐失机宜,被刘裕大破于临朐,刘裕又乘胜包围广固,无计可施的慕容超求救于后秦。王猛之孙王镇恶投归刘裕,使刘裕得一大谋士,从此如虎添翼。魏主拓跋珪既迷信天人感应的一套邪说,又因服用寒食散,而导致病情严重,性情暴戾,喜怒无常,朝内人不自保,社会盗贼公行,表现出一副下世的光景。秦主姚兴与夏王赫连勃勃以及乞伏乾归势力的一些相互攻伐,使本来已经归附姚氏的乞伏乾归又逃回苑川自立。

【注释】

①正月庚寅朔:正月初一是庚寅日。②太乐不备:因慕容超为赎其母,已将太乐献给后秦。事见本书卷一百一十四义熙三年。③以补伎:以充当歌儿舞女。④先帝:指慕容德。⑤旧京倾覆:指燕都中山城(今河北定州)被魏人所占。⑥戢翼三齐:临时地寄居于广固(今山东青州)。戢翼,缩起翅膀,以比喻人的隐忍。三齐,泛指今山东东部的古齐国之地。因楚汉战争时这里曾出现过三个小国,故统称“三齐”。⑦辛卯:正月初二。⑧庚戌:正月二十一日。⑨辐凑:如车轮的辐条集凑于毂,以比喻众人归附之多。⑩主公:指刘裕,当时刘裕任扬州刺史,是张卲的长官,故张卲称其为“主公”。⑪命世人杰:举世罕有的杰出人物。命世,闻名于世、世之罕有。⑫何烦多问:其内心是不愿引起刘裕的怀疑,不愿惹起麻烦。⑬岭北:九嵕岭以北。九嵕岭在今陕西礼泉东北。⑭九锡:古代帝王对大臣的九种特殊赏赐,即车马、衣服、乐则、朱户、纳陛、虎贲、弓矢、𫓧钺、秬鬯。此前谯纵归降于秦,故此姚兴遣使加封之。⑮承制封拜:用帝王姚兴的名义封任其属下官员。⑯宿豫:县名,县治在今江苏宿迁东南。⑰简:挑选。⑱太乐:即太乐署,朝廷里主管音乐歌舞的部门。⑲宗亲:同族与姻亲。⑳桂林王镇:即慕容镇。㉑勤民顿兵:烦劳百姓,消耗武力。勤,烦劳。顿,使兵器变钝,意即消耗。㉒为国结怨:给朝廷招来怨恨。㉓都令史:诸令史的头目。令史是尚书省的小

多吧?”担任司徒的乐浪王慕容惠说:“你说得不对。晋军乘胜而来,士气是我军的一百倍,我们用已经战败的士卒去抵挡他们,不是太困难了吗?秦国虽然正在与夏王刘勃勃展开对峙,但不足为患;再说,秦国与我们燕国分别占据着中原地区,形势如同唇齿,唇亡则齿寒,怎么可能不派兵相救?不过,如果不派遣大臣出使秦国,恐怕请不来重兵。担任尚书令的韩范一向被燕国和秦国所器重,应该派韩范为使者前往秦国请求出兵相救。”慕容超同意了慕容惠的意见,于是派韩范前往后秦求取救兵。

吏。㉔比岁:连年。㉕济南:此指东晋在淮水以北侨置的济南郡。㉖堡聚:集居筑堡以守。㉗镇淮阴:驻兵于淮阴县。淮阴县治在今江苏淮安市淮阴区西南。㉘太原公懿:即姚懿,姚兴之子。㉙上邽:今甘肃天水市,当时为天水郡的郡治所在地。㉚乞伏乾归:乞伏炽磐之父,于义熙三年(公元四〇七年)被姚兴留在长安为人质。㉛平凉:郡名,郡治在今甘肃华亭西。㉜苑川:在今兰州东。㉝冯翊:郡名,郡治在今陕西大荔。㉞万年:县名,县治即今西安市临潼区西北。㉟露布:即今之所谓“公告”“公报”。㊱表言广其首级:在给皇帝上表报告平叛功劳的时候,夸大斩杀叛乱分子的数目。广,夸大、虚报。㊲式遏寇逆:防止寇盗的发生。式是发语词,遏是阻止其发生。㊳责躬:责备我自己。㊴矜诞:自我炫耀夸张。㊵朝那:县名,县治在今宁夏固原东南。㊶姚冲之谋:指其欲回袭长安事。㊷抗表:公开上表。抗,有“坚决”“理直气壮”等意思。㊸监:管;看管。㊹中军留府:中军将军的留守处。刘裕当时任中军将军。㊺苻氏之败:指苻氏政权被姚苌所灭。㊻王猛:字景略,苻坚的谋士,病死于淝水之战前。㊼临澧:县名,县治即今湖南桑植。㊽骑乘非长:骑马的技术不高。㊾关弓甚弱:拉不开硬弓。关弓,拉弓。二句都是说王镇恶不是一介武夫。㊿参佐:左右的僚属。51信然:果真是如此。52恒山:北岳,在今河北曲阳西北。53度坚山:在今甘肃榆中境,兰州东南。54东序:东侧屋。55冲车:攻城用的车。56寒食散:魏晋人为追求长生与美容而喜吃的一种药,以石粉、硫黄等合成,因为服药后不能吃热食,故名。57浸剧:更加厉害了。58灾异数见:反常的现象屡屡出现。汉代以来阴阳五行家称那些怪异的自然现象如山崩、地震、彗星、陨石、怪胎等叫作灾异,他们说这是老天爷要惩罚世人的征兆。59有急变生肘腋:将有重要事故发生在帝王的身边。60追记:回忆、盘算。61鼻息:即指呼吸。62步趋:指臣子在君父面前走路的姿势。63手:亲手。64苟免:只求苟且无事,不顾其他一切。65莫相督摄:谁也不管谁。摄,约束。66希少:同“稀少”。67当更清治:再重新清查治理。68著作郎崔浩:著作郎是中书省里的官员,负责编修国史。崔浩,字

伯渊，拓跋珪的谋臣。⑥⑨不被谴：不受谴责。⑦⓪依力川：在今甘肃华亭东南。⑦①己巳：四月十一日。⑦②自淮入泗：从淮河转入泗水。泗水发源于山东曲阜东，南流经徐州至淮安汇入淮水。⑦③下邳：郡名，郡治在今江苏邳州西南。⑦④琅邪：郡名，郡治在今山东临沂北。⑦⑤大岘：山名，在今山东沂水县北的穆陵关一带。⑦⑥坚壁清野：坚守城池不出，把郊野上一切可吃的东西通通消除。壁，营垒、防御工事。⑦⑦鲜卑：此指慕容超政权，慕容氏是鲜卑人。⑦⑧进利虏获：进攻的时候喜欢掳掠财物。⑦⑨退惜禾苗：逃走的时候也舍不得毁掉庄稼。⑧⓪进据临朐：他的出兵迎战顶多不会远过于临朐。临朐县治在今山东青州东南。⑧①轻果：轻捷果敢。⑧②沮：消耗；破坏。⑧③循海：乘船沿海边南下。⑧④兖州：慕容超的兖州州治在今山东泰安东北。⑧⑤缘山东下：沿着梁父山东下。此山指缘梁父山，在今山东泰安东南。⑧⑥校其资储：计算好自己应留的口粮。校，计算。⑧⑦芟除禾苗：把地里的庄稼一律割光。⑧⑧侨军：外来的军队。侨，客居在外。⑧⑨坐制：坐而制胜之，不必费力。⑨⓪逆战：迎战。⑨①此下策也：据此观之，公孙五楼非等闲之辈，慕容超宠之，非无因也。可惜慕容超不能听五楼之谋，自取败灭，非五楼之罪也。⑨②岁星居齐：岁星运行到了齐国的分野。古代天文学有所谓“分野”说，齐地上当二十八宿的玄枵。所谓“岁星居齐”就是这一年岁星（即木星）运行到了玄枵的位置。⑨③不战自克：不用抵抗，自然胜利。古代阴阳学家有所谓岁星在哪个地区的分野，如果这时有敌军前来进攻，那么这时的作战就对该地区的军方有利，对进攻者不利。类似的说法，请参考本书卷一百二太和五年。⑨④客主势殊：客军与主军，所处的形势悬殊，意即自己得到天助。⑨⑤五州：即南燕自己所称的并州（镇阴平）、幽州（镇发干）、徐州（镇莒城）、兖州（镇梁父）、青州（镇东莱），实际上只有山东的中部、东部地区。⑨⑥蹙弱：缩小、削弱。⑨⑦亡无日：灭亡的日子没有几天了。⑨⑧逆战却敌：迎头出击，打退敌人。⑨⑨酷似刘璋：刘璋是东汉末年占据四川的军阀，刘备举兵攻之，有人劝刘璋坚壁清野，拖垮刘备。刘璋不听，最后成都被围，刘璋投降。事见本书卷六十六建安十八年。⑩⓪中华之士：南燕人以“中华”“华夏”的正统自居，视东晋为蛮夷。⑩①复为文身：又要在身上刺花纹，这是古代南方某些少数民族的习惯。当时中原地区的少数民族诸政权如秦、燕、魏

【原文】

秋，七月，加刘裕北青、冀二州[131]刺史。

南燕尚书略阳垣尊[132]及弟京兆太守苗[133]逾城来降，裕以为行参军[134]。尊、苗皆超所委任以为腹心者也。

等都把东晋以及后来的南朝统称为“晋夷”或“岛夷”，故将被东晋所灭称作“复为文身”。⑩摄：犹今之所谓告诫、饬令。⑩莒、梁父二戍：莒县与梁父两个军事据点。莒即今山东莒县，梁父在今山东泰安东南。戍，军事要地、军事据点。⑩修城隍：高筑城墙，深挖护城河。隍，护城河。⑩简：挑选训练。⑩指天：谓“真是天助我也”。⑩士有必死之志：因为已经进入绝地，后退无路，士兵必人自为战，死里求生。⑩余粮栖亩：多余的粮食全在地里长着，供我们随意采用。⑩六月己巳：六月十二日。⑩东莞：县名，治所即今山东沂水县。⑪巨蔑水：也叫洋水、巨昧水，发源于临朐县西，北流经广固城东，汇入巨淀湖。⑫方轨徐进：方轨的原意指两车并行，这里即军队紧密集结。徐进即稳扎稳打，步步为营。⑬日向昃：从早晨开战一直打到过午。昃，过午，太阳西移。⑭间道：小道。⑮韩信所以破赵：即井陉之战中以正兵与敌军交战，经久不歇；派轻兵袭取敌军的营盘，从而使正在搏战的敌军人心瓦解而至失败。见本书卷十高帝三年与《史记·淮阴侯列传》。⑯河内向弥：河内人姓向名弥。河内是郡名，郡治即今河南沁阳。⑰擐甲先登：亲自身披铁甲，领头登上临朐的城墙。擐，穿。⑱辇：帝王乘坐的车子。⑲豹尾：帝王的车队中，最后一辆悬挂豹尾。⑳逐北：追击败兵，望敌之背而追之。北，犹言“背”。㉑丙子：六月十九日。㉒守：围困。㉓穿堑三重：壕沟挖到三次见水。堑，壕沟。三重，指三重泉水，极言其沟之深。㉔华、夷：此处的“华”指原来的晋朝汉族人，“夷”指鲜卑及其他少数民族的人。㉕因：就。此处指就地取食。㉖谢：表示歉意。㉗亲董：亲自率领。董，治，这里指率领。㉘内患：指赫连勃勃对后秦的攻击。㉙饵：这里是“利诱”“收买”的意思。㉚韩范：韩范当年曾与姚兴一起当过苻坚的太子舍人，今在燕任尚书令，故两国皆重此人。

【校记】

［1］桂林王：严衍《通鉴补》改作“桂阳王”。下同。〖按〗《晋书·慕容垂载记》作“桂林王慕容镇”。［2］当更：原作“更当”。据章钰校，甲十一行本、乙十一行本、孔天胤本二字皆互乙，今据改。

【语译】

秋季，七月，东晋加封中军将军刘裕为北青、冀二州刺史。

南燕担任尚书的略阳人垣尊和他的弟弟、担任京兆太守的垣苗从广固城中翻越城墙来投降晋军，刘裕任命他们为行参军。垣尊与垣苗都是南燕主慕容超所亲近、依靠的心腹之人。

或谓裕曰："张纲有巧思[135]，若得纲使为攻具，广固必可拔也。"会纲自长安还，太山太守申宣执之，送于裕。裕升纲于楼车[136]，使周城呼曰："刘勃勃大破秦军，无兵相救。"城中莫不失色。江南每发兵及遣使者至广固，裕辄潜遣兵夜迎之，明日，张旗鸣鼓而至[137]，北方之民执兵负粮归裕者，日以千数。围城益急，张华、封恺皆为裕所获。超请割大岘以南地为藩臣，裕不许。

秦王兴遣使谓裕曰："慕容氏相与邻好，今晋攻之急，秦已遣铁骑十万屯洛阳，晋军不还，当长驱而进。"裕呼秦使者谓曰："语汝姚兴：我克燕之后，息兵三年，当取关、洛[138]；今能自送，便可速来！"刘穆之闻有秦使，驰入见裕，而秦使者已去。裕以所言告穆之，穆之尤[139]之，曰："常日事无大小，必赐预谋[140]，此宜善详[141]，云何遽尔答之[142]？此语不足以威敌，适足以怒之。若广固未下，羌寇奄至[143]，不审[144]何以待之？"裕笑曰："此是兵机，非卿所解，故不相语耳。夫兵贵神速，彼若审能赴救[145]，必畏我知，宁容[146]先遣信命[147]，逆设此言[148]？是自张大[149]之辞也。晋师不出，为日久矣。羌见伐齐，殆将内惧[150]。自保不暇[151]，何能救人邪？"

乞伏乾归复即秦王位[152]，大赦，改元更始，公卿以下皆复本位。

慕容氏在[3]魏者百余家，谋逃去，魏主珪尽杀之。

初，魏太尉穆崇与卫王仪伏甲谋弑魏主珪，不果，珪惜崇、仪之功，秘而不问。及珪有疾，多[4]杀大臣，仪自疑而出亡，追获之。

有人对刘裕说："燕国尚书郎张纲心灵手巧，善于设计各种器物，如果能够得到他，让他为我们设计出一套攻城的用具，一定能将广固攻克。"恰好此时张纲从后秦的都城长安出使回来，东晋担任太山太守的申宣遂把张纲逮捕，送给了刘裕。刘裕把张纲放在一辆专门用来从高处俯瞰城中情况的吊车上，令他围绕着广固城向城内喊话说："夏王刘勃勃已经将秦军打得大败，没有能力来救援我们。"城中人听了这个消息，无不大惊失色。而江南每次派来增援的军队以及派来的使者到达广固，刘裕都要派旧有的部队秘密地在夜间前往迎接，让他们掺杂在新来的军队中，等到第二天，再大张旗鼓地来到广固城下刘裕的军中，广固以北的民众手持兵器、背负着粮食来归附刘裕的日以千计。晋军对广固城的围攻更加猛烈，南燕担任左仆射的张华和担任御史中丞的封恺都被刘裕俘获。南燕主慕容超于是请求将大岘山以南的国土割让给东晋，自己愿意做东晋的附属国，刘裕没有答应。

后秦王姚兴派使者对东晋的中军将军刘裕说："燕国的慕容氏与秦国是友好邻邦，现在晋国如此猛烈地攻打燕国，秦国已经派遣十万名铁骑屯驻在洛阳，晋国的军队如果不从燕国撤出，秦国的铁骑将长驱而进。"刘裕把后秦派来的使者叫到面前，对他说："你回去告诉你们的天王姚兴，等我攻克了燕国之后，休整三年，一定会去攻取关中和洛阳；今天如果准备主动送上门来，就让他快点来！"担任记室录事参军的刘穆之听到有后秦的使者到来，立即飞速赶来晋见刘裕，而后秦的使者此时已经走了。刘裕把自己对后秦使者所说的话告诉了刘穆之，刘穆之埋怨他说："往常不论事情大小，总是先听听我的意见之后再做决定，今天的这件事情更应该好好商议对策，却为何这么匆忙地答复了他？这样的话不仅不能起到威慑秦国的作用，还足以将秦国激怒。如果广固城还没有攻克，秦国的大军又突然杀到，我不知道将军用什么办法来应付他？"刘裕笑着说："这是军事上的谋略，不是你所能理解的，所以才没有告诉你。用兵打仗贵在神速，秦国如果真的要出兵救援燕国，一定害怕让我们知道他们出兵的消息，怎么会先派遣使者，预先把出兵的消息通报给我们呢？所以这只是秦国的虚张声势，想用大话、空话吓退我们罢了。我们晋国的军队不出国境，已经很久了。秦国的羌族人看见我们出兵讨伐齐地的燕国，恐怕心中早已非常恐惧。保护自己都怕来不及，哪里还能去救援别国呢？"

西秦乞伏乾归再次登上西秦王的宝座，实行大赦，改年号为更始，公卿以下的官员全都恢复原来的职位。

燕国慕容氏家族的人在魏国的有一百多户，他们密谋逃离北魏，北魏皇帝拓跋珪遂把他们全部杀死。

当初，北魏担任太尉的穆崇与卫王拓跋仪设伏兵准备谋杀北魏皇帝拓跋珪，没有成功，拓跋珪因为念及二人的功劳，所以就把此事隐瞒下来，没有追究。等到拓跋珪患病之后，杀戮了很多大臣。拓跋仪怀疑自己可能是下一个被杀的目标，因而出逃，

八月，赐仪死。

封融诣刘裕降⑬。

九月，加刘裕太尉，裕固辞。

秦王兴自将击夏王勃勃，至贰城⑭，遣安远将军姚详等分督租运⑮。勃勃乘虚奄至，兴惧，欲轻骑就详等。右仆射韦华曰："若銮舆⑯一动，众心骇惧，必不战自溃，详营亦未必可至也。"兴与勃勃战，秦兵大败，将军姚榆生为勃勃所禽，左将军姚文宗[5]等力战，勃勃乃退，兴还长安。勃勃复攻秦敕奇堡、黄石固、我罗城⑰，皆拔之，徙七千余家于大城⑱，以其丞相右地代⑲领幽州牧⑳以镇之。

初，兴遣卫将军姚强帅步骑一万，随韩范往就姚绍于洛阳，并兵以救南燕，及为勃勃所败，追强兵还长安。韩范叹曰："天灭燕矣!"南燕尚书张俊自长安还，降于刘裕，因说裕曰："燕人所恃者，谓韩范必能致秦师也，今得范以示之，燕必降矣。"裕乃表⑪范为散骑常侍⑫，且以书招之。长水校尉王蒲劝范奔秦，范曰："刘裕起布衣，灭桓玄，复晋室，今兴师伐燕，所向崩溃，此殆天授，非人力也。燕亡，则秦为之次矣，吾不可以再辱⑬。"遂降于裕。裕将范循城⑭，城中人情离沮⑮。或劝燕主超诛范家，超以范弟諱尽忠无贰，并范家赦之。

冬，十月，段宏⑯自魏奔于裕。

张纲为裕造攻具，尽诸奇巧。超怒，县⑰其[6]母于城上，支解之。

西秦王乾归立夫人边氏为王[7]后，世子炽磐为太子，仍命炽磐都督中外诸军、录尚书事。以屋引破光⑱为河州刺史，镇枹罕；以南安⑲焦遗为太子太师，与参军国大谋。乾归曰："焦生⑳非特名儒，乃王佐㉑之才也。"谓炽磐曰："汝事之当如事吾。"炽磐拜遗于床下。遗子

却被追兵抓回。八月，拓跋珪下诏令拓跋仪自杀。

封融来投降刘裕。

九月，东晋加授中军将军刘裕为太尉，刘裕坚决推辞了。

后秦王姚兴亲自率军攻击夏王刘勃勃，到达贰城，姚兴派安远将军姚详等分别督运粮草。而夏王刘勃勃突然率军乘虚抵达贰城，姚兴非常害怕，就准备放弃贰城和所有辎重，率领轻装骑兵去投奔安远将军姚详等。担任右仆射的韦华说："如果陛下的车驾一走，军心惊骇恐慌，肯定会不战自溃，而陛下也不一定能够到达姚详的军营。"姚兴才没有弃军逃走，率军与刘勃勃的军队交战，后秦军被夏国军打得大败，后秦将军姚榆生被刘勃勃俘虏，左将军姚文宗等拼死力战，才将刘勃勃打退，后秦王姚兴返回京师长安。刘勃勃又率军进攻后秦的敕奇堡、黄石固、我罗城，将这三个地方全部攻克，又把七千多户居民强行迁徙到大城，令担任丞相的右地代兼任幽州牧，镇守大城。

当初，后秦王姚兴派遣担任卫将军的姚强率领一万名步兵、骑兵，跟随前来求救的南燕尚书令韩范前往洛阳，与东平公姚绍会合，然后一同前去救援南燕，等到后秦军在贰城被刘勃勃所率领的夏国军打败，姚兴赶紧派人追赶姚强，令姚强率军返回长安。南燕尚书令韩范叹息了一声说："上天要灭亡燕国了！"南燕担任尚书的张俊从后秦的都城长安返回，立即投降了刘裕，张俊趁机对刘裕说："燕国人所仰仗的是尚书令韩范能够请来秦国的救兵，如果能够捉住韩范，让广固城中的人看到，燕国一定会向晋国投降。"刘裕于是上表给东晋朝廷，举荐韩范为散骑常侍，又亲笔给韩范写信招降他。后秦担任长水校尉的王蒲劝说韩范留在后秦，韩范说："晋国刘裕出身于平民，他能够灭掉桓玄，复兴晋室，现在又出兵伐燕，所向披靡，这恐怕是天意，不是靠人力所能做到的。燕国灭亡，下一个灭亡的就是秦国了，我不能两次亡国受辱。"于是投降了刘裕。刘裕带着韩范沿着广固城绕行一周，城内的燕国人看到韩范投降了刘裕，人心更加沮丧、离散。于是有人劝说南燕主慕容超灭掉韩范全家，慕容超念及韩范的弟弟韩諲对自己忠贞不贰，所以连韩范一家全部赦免。

冬季，十月，从南燕投奔北魏的段宏又从北魏来投奔刘裕。

张纲为刘裕设计制造了攻城的工具，没有一件不精密奇巧。南燕主慕容超对此非常愤怒，就把张纲的母亲悬挂在广固城的城墙上肢解了。

西秦王乞伏乾归立自己的夫人边氏为王后，立世子乞伏炽磐为太子，仍然让太子乞伏炽磐都督中外诸军、录尚书事。任命屋引破光为河州刺史，镇守枹罕；任命南安人焦遗为太子太师，参与决策军国大事。乞伏乾归说："焦先生不仅是特别著名的儒家学者，还是辅佐帝王建功立业的人才。"又对太子乞伏炽磐说："你侍奉焦先生要像侍奉我一样。"乞伏炽磐就在焦遗的座位前跪下，给焦遗行了叩拜礼。焦遗的儿

华至孝，乾归欲以女妻之，辞曰：“凡娶妻者，欲与之共事二亲也。今以王姬[172]之贵，下嫁蓬茅之士，诚非其匹，臣惧其阙于中馈[173]，非所愿也。”乾归曰：“卿之所行，古人之事，孤女不足以强卿。”乃以为尚书民部郎[174]。

北燕王云自以无功德而居大位，内怀危惧，常畜养壮士以为腹心爪牙。宠臣离班、桃仁[175]专典禁卫，赏赐以巨万[176]计，衣食起居皆与之同，而班、仁志愿无厌[177]，犹有怨憾[178]。戊辰[179]，云临东堂，班、仁怀剑执纸[180]而入，称有所启。班抽剑击云，云以几捍[181]之，仁从旁击云，弑之。

冯跋升洪光门以观变，帐下督张泰、李桑言于跋曰：“此竖[182]势何所至[183]，请为公斩之！”乃奋剑而下，桑斩班于西门，泰杀仁于庭中。众推跋为主，跋以让其弟范阳公素弗[184]，素弗不可。跋乃即天王位于昌黎[185]，大赦，诏曰：“陈氏代姜，不改齐国[186]。宜即国号曰燕[187]。”改元“太平”，谥云曰“惠懿皇帝”。跋尊母张氏为太后，立妻孙氏为王后，子永为太子，以范阳公素弗为车骑大将军、录尚书事，孙护为尚书令，张兴为左仆射，汲郡公弘[188]为右仆射，广川公万泥[8]为幽、平二州牧，上谷公乳陈为并、青二州牧。素弗少豪侠放荡，尝请婚于尚书左丞韩业，业拒之。及为宰辅，待业尤厚。好申拔旧门[189]，谦恭俭约，以身帅下，百僚惮之，论者美其有宰相之度[190]。

魏主珪将立齐王嗣[191]为太子。魏故事[192]，凡立嗣子，辄先杀其母，乃赐嗣母刘贵人死。珪召嗣谕之曰：“汉武帝杀钩弋夫人[193]，以防母后豫政[194]，外家[195]为乱也。汝当继统，吾故[9]远迹[196]古人，为国家长久之计耳。”嗣性孝，哀泣不自胜。珪怒之。嗣还舍，日夜号泣，珪知而复召之。

子焦华非常孝顺，乞伏乾归准备把自己的女儿嫁给他为妻，焦华推辞说："凡是娶妻子的人，都是想与妻子一同侍奉父母。现在陛下把身份尊贵的公主下嫁给我这样一个住在茅草屋中的贫贱之人，确实不般配，我担心她不能尽到儿媳的职责，侍奉不好公婆，这不是我所希望的。"乞伏乾归说："你的行为，是古人所做的事情，我不能强迫你娶我的女儿。"于是任命焦华为尚书民部郎。

北燕天王高云认为自己既没有建立功劳又没有施恩惠于百姓，却高居于天王之位，内心感到非常的不安和恐惧，于是便蓄养武士作为自己的贴身侍卫和爪牙。他所宠幸的离班、桃仁专门负责统领禁卫军，高云赏赐给他们的财物数以万计，二人的衣食住行都与身为天王的高云完全相同，然而离班与桃仁却贪得无厌，永远不知道满足，依然牢骚满腹、心怀不满。十月十三日戊辰，天王高云驾临东堂，离班和桃仁怀揣宝剑，手中拿着一张纸走进东堂，声称有事情向高云禀报。他们来到高云面前的时候，离班抽出宝剑向高云刺去，高云赶紧抓起茶几进行抵抗，桃仁从旁边攻击高云，将高云杀死。

冯跋登上洪光门观察事态的发展变化，在冯跋手下担任帐下督的张泰和李桑对冯跋说："这两个小子还想干什么，请允许我替你去杀掉他们！"于是拔出身上的佩剑冲下洪光门，李桑把离班杀死在西门口，张泰把桃仁杀死在庭院当中。众人于是推戴冯跋为君主，冯跋想将君主的宝座让给自己的弟弟范阳公冯素弗，冯素弗不答应。冯跋这才在昌黎登上天王宝座，实行大赦，下诏说："战国时期齐国的陈氏取代姜姓掌握了国家政权，并没有改变国家的名称。现在我们的国号应该接续前朝，仍然称作燕国。"改年号为"太平"，给高云的谥号为"惠懿皇帝"。冯跋尊奉自己的母亲张氏为太后，立自己的妻子孙氏为王后，立儿子冯永为王太子，任命范阳公冯素弗为车骑大将军、录尚书事，任命原尚书左仆射孙护为尚书令，任命原辅国大将军张兴为左仆射，任命原任征东大将军的汲郡公冯弘为右仆射，任命原任尚书令的广川公冯万泥为幽、平二州牧，任命上谷公冯乳陈为并、青二州牧。车骑大将军、范阳公冯素弗从小就为人豪放，行侠仗义，行为放荡，曾经向担任尚书左丞的韩业求娶其女儿，韩业拒绝了他。等到冯素弗担任了宰辅，对韩业却特别优待。冯素弗喜欢提拔、起用旧日的名门贵族，为人也变得非常谦虚恭敬，作风勤俭节约，凡事都能以身作则，为部下做出表率，文武百官都很惧怕他，而谈论起来，又都称赞冯素弗有宰相的气度。

北魏皇帝拓跋珪将要册立齐王拓跋嗣为皇太子。按照魏国的旧例，凡是要立继承人，都得先杀掉继承人的母亲，拓跋珪于是下诏令拓跋嗣的母亲刘贵人自杀。拓跋珪把拓跋嗣叫到面前，告诉他说："汉武帝刘彻杀死了钩弋夫人，是为了防止母后干预朝廷，外戚家族谋乱。你应当继承大统，所以我才效法古人令你的母亲自杀，这完全是为国家社稷做长远考虑。"拓跋嗣生性至孝，对自己母亲的惨死悲痛得无法控制。拓跋珪对此非常愤怒。拓跋嗣回到自己的宫室，日夜哀号哭泣，拓跋珪知道之后，

左右曰："上怒甚，入将不测[197]，不如且避之，俟上怒解而入。"嗣乃逃匿于外，惟帐下代人车路头[198]、京兆王洛儿[199]二人随之。

初，珪如贺兰部，见献明贺太后[200]之妹美，言于贺太后，请纳之。贺太后曰："不可。是过美，必有不善[201]。且已有夫，不可夺也。"珪密令人杀其夫而纳之，生清河王绍。绍凶很无赖，好轻游里巷[202]，劫剥[203]行人以为乐。珪怒之，尝倒悬井中，垂死，乃出之。齐王嗣屡诲责之，绍由是与嗣不协[204]。

戊辰[205]，珪谴责贺夫人，囚，将杀之。会日暮，未决。夫人密使告绍曰："汝何以救我?"左右以珪残忍，人人危惧。绍年十六，夜，与帐下及宦者宫人数人通谋，逾垣入宫，至天安殿。左右呼曰："贼至!"珪惊起，求弓刀不获，遂弑之[206]。

己巳[207]，宫门至日中不开。绍称诏，集百官于端门[208]前，北面立。绍从门扉间[209]谓百官曰："我有叔父，亦有兄，公卿欲从谁?"众愕然失色，莫有对者。良久，南平公长孙嵩[210]曰："从王。"众乃知宫车晏驾[211]，而不测其故，莫敢出声，唯阴平公烈[212]大哭而去。烈，仪之弟也。于是朝野恟恟，人怀异志。肥如侯贺护[213]举烽于安阳[214]城北，贺兰部人皆赴之，其余诸部亦各屯聚[215]。绍闻人情不安，大出布帛赐王公以下，崔宏[216]独不受。

齐王嗣闻变，乃自外还，昼伏匿山中，夜宿王洛儿家。洛儿邻人李道潜奉给[217]嗣，民间颇知之，喜而相告。绍闻之，收道，斩之。绍募人求访嗣，欲杀之。猎郎[218]叔孙俊与宗室疏属拓跋磨浑自云知嗣

又召见拓跋嗣。拓跋嗣身边的人都劝阻拓跋嗣说:“主上现在已经愤怒到了极点，你入宫之后恐怕会遭遇不测，不如暂且躲避一下，等主上的怒气平息之后再入宫觐见。”拓跋嗣遂逃出宫外，只有属下的代地人车路头、京兆人王洛儿二人跟随在他身边。

当初，拓跋珪前往母亲所属的贺兰部落，看见自己母亲献明贺太后的妹妹长得非常美貌，就向贺太后请求将她的妹妹嫁给自己为妾。贺太后说:“不行。她长得太美了，太美的人肯定有别的毛病。再说她已经有丈夫，不能强行把她夺回来。”拓跋珪便秘密让人杀死了贺氏的丈夫而纳贺氏为夫人，贺夫人为拓跋珪生了清河王拓跋绍。拓跋绍为人凶暴残忍，不知道什么是耻辱，喜好在大街小巷中闲逛，把劫夺行人当作乐趣。拓跋珪非常愤怒，曾经把拓跋绍头朝下倒挂在水井中，看到快要吊死了才把他拉出来。齐王拓跋嗣也多次教诲他、斥责他，拓跋绍因此与拓跋嗣不和睦。

十月十三日戊辰，拓跋珪谴责了拓跋绍的母亲贺夫人，并把贺夫人囚禁起来，想要杀死她。恰好此时天色已晚，拓跋珪又犹豫不决。贺夫人便秘密派人告诉自己的儿子拓跋绍说:“你怎样才能把我救出去?”左右的人由于惧怕拓跋珪的残忍，人人自危。拓跋绍当时只有十六岁，夜里，他与自己手下的武士以及皇宫中的宦官、宫女等几个人串通好之后，便翻越宫墙进入皇宫，来到天安殿。拓跋珪身边的人大声呼喊说:“有贼!”拓跋珪从梦中被惊醒，他立即起身寻找自己的弓箭和佩刀，但都没有找到，拓跋绍遂弑杀了自己的父亲拓跋珪。

十月十四日己巳，北魏平城中的皇宫大门到了日中还没有打开。清河王拓跋绍声称拓跋珪有诏，令文武百官在端门前集合，面向北站立。拓跋绍从门缝里对百官说:“我有叔叔，也有哥哥，你们这些文武大臣想拥戴哪一个?”群臣一听，全都惊呆了，没有人回答拓跋绍的问话。过了好久，南平公长孙嵩说:“拥戴大王。”群臣这才知道皇帝拓跋珪已经驾崩，但猜不透是什么缘故，因此没有人敢出声，只有阴平公拓跋烈大声号哭着离开了。拓跋烈，是拓跋仪的弟弟。于是不论朝廷还是民间，人心惶惶，各怀异志。肥如侯贺护在安阳城北燃起告急烽火，贺兰部落的人看到烽火燃起，全都赶到安阳城下，其他部落也都各自集结，做好战斗准备。拓跋绍听说人心不安，便把国库中的绫罗绸缎拿出来，大肆赏赐给朝中的公卿大臣及以下官员，只有崔宏没有接受拓跋绍的赏赐。

齐王拓跋嗣听到朝廷发生政变，立即从外面赶回平城，他白天藏匿在山谷之中，夜间就住宿在王洛儿的家中。王洛儿的邻居李道偷偷地拿食物供给拓跋嗣，民间知道拓跋嗣藏在王洛儿家中，都高兴得奔走相告。这个消息当然也传到清河王拓跋绍的耳朵里，他派人将王洛儿的邻居李道抓起来，杀死。又悬赏捉拿齐王拓跋嗣，想要杀了他。担任猎郎的叔孙俊与跟皇室血缘关系疏远的拓跋磨浑声称他们知道拓跋

所在，绍使帐下二人与之偕往。俊、磨浑得出，即执帐下诣嗣，斩之。俊，建之子也。王洛儿为嗣往来平城，通问大臣[219]，夜，告安远将军安同等。众闻之，翕然响应，争出奉迎。嗣至城西，卫士执绍送之。嗣杀绍及其母贺氏，并诛绍帐下及宦官宫人为内应者十余人。其先犯乘舆[220]者，群臣脔[221]食之。

壬申[222]，嗣即皇帝位，大赦，改元永兴。追尊刘贵人[223]曰“宣穆皇后”。公卿先罢归第[224]不预朝政[225]者，悉召用之。诏长孙嵩与北新侯安同、山阳侯奚斤、白马侯崔宏、元城侯拓跋屈等八人坐止车门[226]右，共听朝政，时人谓之“八公”。屈，磨浑之父也。嗣以尚书燕凤逮事什翼犍[227]，使与都坐大官[228]封懿等入侍讲论[229]，出议政事。以王洛儿、车路头为散骑常侍，叔孙俊为卫将军，拓跋磨浑为尚书，皆赐爵郡、县公。嗣问旧臣为先帝所亲信者为谁，王洛儿言李先[230]。嗣召问先：“卿以何才何功为先帝所知?”对曰：“臣不才无功，但以忠直为先帝所知耳。”诏以先为安东将军，常宿于内，以备顾问。

朱提王悦[231]，虔之子也，有罪，自疑惧。闰十一月丁亥[232]，悦怀匕首入侍，将作乱。叔孙俊觉其举止有异，引手掣之[233]，索怀中，得匕首，遂杀之。

十二月乙巳[234]，太白犯虚、危[235]。南燕灵台令[236]张光劝南燕主超出降，超手[237]杀之。

柔然侵魏。

嗣躲藏在什么地方，拓跋绍就令手下的两个武士跟随叔孙俊他们一同去找拓跋嗣。叔孙俊、拓跋磨浑这才得以离开平城，他们出了平城之后，立即逮捕了那两名武士，而后来到拓跋嗣面前，将武士杀掉。叔孙俊，是叔孙建的儿子。王洛儿则为了拓跋嗣往来于平城之间，沟通拓跋嗣与朝廷大臣之间的消息，夜间，他将拓跋嗣的情况告知了安远将军安同等人。众臣得知拓跋嗣的消息后，立即纷纷响应，争先恐后地出城来迎候拓跋嗣。拓跋嗣到达平城城西，宫廷卫士已经将拓跋绍捉住送到拓跋嗣面前。拓跋嗣杀死了拓跋绍和拓跋绍的母亲贺夫人，并把拓跋绍属下的武士以及皇宫中的宦官、宫女等，凡是为拓跋绍做内应的一律处死，总计处死了十多人。对于那个率先动手刺杀皇帝的人，群臣就把他切成小肉丁吞吃了。

十月十七日壬申，北魏齐王拓跋嗣即位为魏国皇帝，实行大赦，改年号为永兴。拓跋嗣追尊自己的生母刘贵人为“宣穆皇后”。又把原已被免职家居、不过问朝廷政事的公卿大臣，全部召回起用。并下诏令长孙嵩、北新侯安同、山阳侯奚斤、白马侯崔宏、元城侯拓跋屈等八个人坐在止车门右边，共同听取朝政，当时的人称他们为“八公”。拓跋屈，是拓跋磨浑的父亲。拓跋嗣因为担任尚书的燕凤曾经侍奉自己的祖父代王拓跋什翼犍，遂让燕凤与担任都坐大官的封懿等，入宫为自己讲论经典以及前代故事等，出宫则与朝臣一同共定国是。任命跟随自己出逃的王洛儿、车路头为散骑常侍，任命叔孙俊为卫将军，任命拓跋磨浑为尚书，以上诸人全都赐爵为郡公或是县公。拓跋嗣询问群臣，在旧臣当中最受先帝宠信的是谁，王洛儿回答说是李先。拓跋嗣于是召见李先，他向李先提问说：“你靠了什么样的才能、建立了什么样的功劳而得到先帝的宠信？”李先回答说：“我既没有特殊才能，也没有建立什么功劳，只因为我为人忠诚正直，所以得到先帝的信任。”拓跋嗣于是下诏，任命李先为安东将军，令他经常在宫中值宿，准备随时回答皇帝提出的问题。

朱提王拓跋悦，是拓跋虔的儿子，因为犯罪，自己心怀恐惧。他在闰十一月丁亥日，怀揣匕首入宫侍奉，准备寻机作乱，刺杀皇帝。担任卫将军的叔孙俊发觉拓跋悦的行为举止与往常有些异样，就一把将他拉住，从他的怀中搜出了匕首，遂将拓跋悦斩首。

十二月二十二日乙巳，太白星运行到虚星、危星星座的位置。南燕担任灵台令的张光劝说南燕主慕容超出城向东晋投降，慕容超便亲手杀死了张光。

柔然出兵入侵北魏。

【段旨】

以上为第二段，写晋安帝义熙五年（公元四〇九年）下半年的大事。主要写：刘裕围困南燕，得其臣张纲，精于造攻城之具；又得韩范归降，令其徇城；刘裕又虚张声势，巧于运筹，燕人望而丧气，纷纷归降。魏主拓跋珪被其子拓跋绍所杀，魏太子拓跋嗣与朝廷大臣合力杀死拓跋绍，平定叛乱，即位为帝，诏长孙嵩等八人共听朝政，重用燕凤、封懿等人，魏国秩序得以稳定。北燕主高云被部下政变所杀，大臣冯跋平定叛乱，自立为王，国号仍称“燕”。后秦主姚兴伐赫连勃勃，被赫连勃勃所败。乞伏乾归称王后重用名儒焦遗。

【注释】

⑬¹北青、冀二州：因为东晋南迁后，在淮南侨立了青、冀二州，故今称北方真正的青、冀二州为“北青、冀二州”。⑬²略阳垣尊：略阳人姓垣名尊。略阳是郡名，郡治在今甘肃天水秦安东北。⑬³京兆太守苗：即垣苗，任南燕首都广固所在郡的太守。⑬⁴行参军：暂为候补的参军之职。行，代理、暂任。⑬⁵巧思：心眼灵，善于设计各种器物。⑬⁶楼车：吊车。⑬⁷夜迎之三句：指派旧有部队杂在新来的部队中，以虚张声势，显示人多。⑬⁸关、洛：关中、洛阳，当时皆为后秦所管辖。⑬⁹尤：责怪；埋怨。⑭⁰必赐预谋：总是听听我的意见。赐预谋，让我提出看法。⑭¹此宜善详：这件事应该认真考虑对策。⑭²云何遽尔答之：为什么就这么匆忙地回答了他。云何，为何。遽尔，这么匆忙。⑭³羌寇奄至：后秦的军队又突然来到。羌寇，指后秦军队，姚兴是羌族人。奄至，突然来到。⑭⁴不审：不知道；不明白。⑭⁵审能赴救：果真能来救南燕。审，确实、真的。⑭⁶宁容：哪里还会。⑭⁷先遣信命：先派出使者。信命，信使、使臣。⑭⁸逆设此言：预先说出这么一套话来。⑭⁹自张大：自己虚张声势。⑮⁰殆将内惧：他害怕我们将要讨伐他。⑮¹自保不暇：保他自己都怕来不及。⑮²复即秦王位：乞伏乾归在隆安五年（公元四〇一年）前自称秦王，隆安五年向姚兴称臣，取消了王号，公卿将帅也降称僚佐。今又自立为王。⑮³封融诣刘裕降：封融原是慕容超的西中郎将，慕容超杀大臣，封融奔魏。事见本书卷一百一十四义熙二年。今拓跋珪杀慕容氏，故封融南投刘裕。⑮⁴贰城：县名，在今陕西黄陵西。⑮⁵分督租运：分别地督促运送粮草。⑮⁶銮舆：帝王的车驾，这里婉称姚兴。⑮⁷敕奇堡、黄石固、我罗城：黄石固即黄石县，在今陕西宜君西北。敕奇堡、我罗城，地址不详。⑮⁸大城：县名，县治在今内蒙古杭锦后旗东南。⑮⁹右地代：人名。⑯⁰领幽州牧：兼任幽州刺史。赫连勃勃的幽州州治即大城。⑯¹表：指上表推荐。⑯²散骑常侍：帝王的侍从人员，以备参谋顾问之用。⑯³再辱：指两次亡国受辱。⑯⁴循城：围城转一圈，让城上的人看。循，展示、让人看。⑯⁵离沮：离散；瓦解。⑯⁶段宏：原是慕容超的将领，因谋杀慕容超不成逃奔拓跋魏。事见本书卷一百一十四义熙二年。⑯⁷县：同

“悬”。⑯屋引破光：人名。⑯南安：郡名，郡治在今甘肃陇西东南。⑰焦生：焦先生。生，意同“先生”，对人的敬称。⑰王佐：王者之佐，能辅佐帝王建功立业的人。⑰王姬：犹言“公主”。因为周天子姓姬，故周天子的女儿称“王姬”。这里以之称乾归之女。⑰阙于中馈：指尽不到儿媳的职责。《易经·家人》注称妇女之道，“其所职主在于家中馈食供祭而已”。意思是做媳妇的主要任务就在于侍候好公婆与祭祀祖先。⑰尚书民部郎：即后代的户部尚书，主管全国的钱粮等事。⑰离班、桃仁：皆人名。⑰巨万：万万，即“亿”。⑰无厌：永不满足。厌，同“餍”，饱、满足。⑰犹有怨憾：还有牢骚不满。⑰戊辰：十月十三日。⑱纸：以纸为伪装，假称有事禀报。⑱捍：招架。⑱此竖：犹言“这小子”。⑱势何所至：犹言“还想干什么”。⑱素弗：即冯素弗，冯跋之弟。⑱昌黎：郡名，后燕的昌黎郡治在龙城，今之辽宁朝阳。⑱陈氏代姜二句：指春秋末期齐国权臣陈常杀掉了齐简公姜任，而后陈常的后代逐渐篡夺了齐国政权，齐国的国号虽仍未改，但其国君已经改姓了。陈常，也写作“田常”。陈氏也称“田氏”。⑱宜即国号曰燕：我们的国号应该接着原来就称作“燕”。〖按〗此即历史上的“北燕”。⑱汲郡公弘：即冯弘，冯跋之弟。下文广川公冯万泥是冯跋的堂兄，上谷公冯乳陈是冯跋之侄。⑱好申拔旧门：喜欢提拔、起用旧日的名门贵族。申拔，提拔。⑲美其有宰相之度：胡三省曰：“温公作《通鉴》，虽相小国者，苟有片善，必因旧史而表章之，以言为辅之难。”⑲齐王嗣：拓跋嗣，即后来的“明元皇帝”，拓跋珪的长子。⑲故事：旧例；惯例。⑲汉武帝杀钩弋夫人：钩弋夫人是汉武帝宠妃，汉昭帝刘弗陵之母，武帝欲立刘弗陵为太子，因怕太子年幼，日后其母与外亲掌权，于是在立刘弗陵为太子之前先把钩弋夫人杀掉了。事见本书卷二十二后元元年。⑲豫政：干预朝政。⑲外家：外戚之家；后妃的娘家人。⑲远迹：追仿、学习古代。⑲不测：难以预料，指可能被杀。⑲代人车路头：代郡人姓车名路头。代郡的郡治平城，在今山西大同东北。⑲京兆王洛儿：京兆人王洛儿。京兆郡的郡治在当时的长安城内。⑳献明贺太后：拓跋珪的生母，拓跋寔之妻，献明是拓跋寔的谥号。⑳是过美二句：这个人长得过于好看了，必然有别的毛病。《左传》中载，叔向之母不让叔向娶申公巫臣之女，其理由就是“甚美必有甚恶”，此处贺氏之言与之类似。⑳轻游里巷：随便地走街串巷。⑳劫剥：抢夺。⑳不协：不和睦。⑳戊辰：十月十三日。⑳遂弑之：拓跋珪死时年三十九岁。谥曰道武。⑳己巳：十月十四日。⑳端门：皇宫里的南大门。⑳门扉间：门缝里。㉑长孙嵩：姓长孙名嵩，拓跋珪时代的重要功臣。传见《魏书》卷二十五。㉑宫车晏驾：宫车出不来，即指帝王死了。晏，晚。㉑阴平公烈：即拓跋烈，拓跋翰之子，拓跋仪之弟，拓跋珪的堂兄弟。㉑贺护：贺兰部的头领。㉑安阳：县名，县治在今河北阳原。㉑屯聚：犹今之所谓“集结”，做好战斗准备。㉑崔宏：拓跋珪的近臣，崔浩之父。㉑潜奉给：暗中供应食宿。㉑猎郎：侍候、陪同帝王打猎的人员。㉑通问大臣：沟通拓跋嗣与朝廷大臣之间的消息。㉒犯乘舆：指杀害拓跋珪。㉑脔：切成小块。㉒壬申：十月十七日。㉒刘贵人：拓跋珪之妃，拓跋嗣的生母。㉔先罢归第：原已被罢职而家居。㉕不预朝政：不过问朝廷政事。㉖止车门：皇宫前的大门，因文武大臣到此下车，步行而入，故曰“止车门”。㉗逮事什翼犍：曾经在什翼犍的手下工作过。什翼犍是拓跋珪的祖父，即所谓“昭成皇帝”。逮，及、曾经。事，为之做事。㉘都坐大官：也叫尚书都坐，相当于后来的尚书令。㉙入侍讲论：到宫中给拓跋嗣讲论经典与前代故事等等。㉚李先：原是西燕慕容永的谋臣，慕容永被灭后，辗转归了拓跋珪。㉛朱提王悦：即拓跋悦，拓跋珪的堂兄弟。朱提是郡名，郡治在今云南昭通。㉜闰十一月丁亥：疑有误，闰月在十月，闰十月初三为丁亥。㉝引手掣之：抓住手把他拉过来。㉞十二月乙巳：十二月二十二日。㉟太白犯虚、危：太白星运行到了虚、危两个星座的位置。太白，即今之金星。虚、危，二十八宿中的两个星座名，在古天文学上是齐国的分野，按迷信的说法是预示齐地将有灾难。㊱灵台令：主管观测天文星象的官员。㊲手：亲手。

【原文】

六年（庚戌，公元四一〇年）

春，正月甲寅朔[238]，南燕主超登天门[239]，朝群臣于城上。乙卯[240]，超与宠姬魏夫人登城，见晋兵之盛，握手对泣。韩𧩙谏曰：“陛下遭堙厄之运[241]，正当努力自强，以壮士民之志，而更为儿女子[242]泣邪！”超拭目谢之。尚书令董诜[10]劝超降，超怒，囚之。

魏长孙嵩将兵伐柔然。

魏主嗣以郡县豪右[243]多为民患，悉以优诏[244]征之[245]。民恋土不乐内徙，长吏逼遣之，于是无赖少年逃亡相聚，所在[246]寇盗群起。嗣引八公议之曰：“朕欲为民除蠹，而守宰不能绥抚[247]，使之纷乱。今犯者既众，不可尽诛，吾欲大赦以安之，何如？”元城侯屈曰：“民逃亡为盗，不罪而赦之，是为上者反求于下也，不如诛其首恶，赦其余党。”崔宏曰：“圣王之御民[248]，务在安之而已，不与之较胜负也。夫赦虽非正，可以行权[249]。

【校记】

［3］在：严衍《通鉴补》改作“仕”。［4］多：原无此字。据章钰校，甲十一行本、乙十一行本、孔天胤本皆有此字，张敦仁《通鉴刊本识误》同，今据补。［5］姚文宗：原作“姚文崇”。据章钰校，甲十一行本、乙十一行本、孔天胤本皆作“姚文宗”，张敦仁《通鉴刊本识误》同，今据改。〖按〗《晋书·姚兴载记》作“左将军姚文宗”。［6］其：据章钰校，甲十一行本、乙十一行本皆作“纲”。［7］王：原作“皇”。据章钰校，甲十一行本、乙十一行本、孔天胤本皆作“王”，张敦仁《通鉴刊本识误》同，今据改。［8］万泥：张敦仁《通鉴刊本识误》改作“万泥”。［9］吾故：胡三省注云：“蜀本作‘故吾’。”据章钰校，甲十一行本、乙十一行本、孔天胤本二字皆互乙。

【语译】

六年（庚戌，公元四一〇年）

春季，正月初一甲寅，南燕主慕容超登上广固内城的南门，在城上接受群臣的朝贺。初二乙卯，慕容超与自己最宠爱的嫔妃魏夫人一起登上城楼，看见广固城外的东晋军队势力强盛，不禁拉着手相对哭泣。担任仆射的韩諿劝谏说：“陛下遭遇了兵临城下的厄运，正应该努力自强，以振奋军民的士气，怎么反倒像小孩子一样相对哭泣呢！”慕容超赶紧擦去眼泪，向韩諿道歉。担任尚书令的董诜又来劝说慕容超出城投降，慕容超非常愤怒，就把董诜囚禁起来。

北魏南平公长孙嵩率领魏军讨伐柔然。

北魏皇帝拓跋嗣因为各郡县的豪门大族多数都成了人民的祸害，于是就用措辞温和、表扬鼓励的诏书让他们搬到京师平城来。那些豪门大族眷恋自己的故乡，不愿意迁移到京师平城，郡长县令便用各种方式逼迫他们，于是一些无赖少年纷纷离家逃亡，他们聚集在一起成了绿林好汉，他们出现在哪里，哪里便盗贼蜂起。拓跋嗣便召见八公商议说：“我本来是想为民除害，而那些郡长县令不善于安抚，以至于治安混乱。如今犯法的人数众多，不可能全部将他们诛灭，我准备通过大赦的方式来安抚他们，你们认为如何？”元城侯拓跋屈说：“百姓为抗拒王命而逃亡成为盗贼，对他们不加治罪反而要赦免他们，这就等于在上位的人反过来向在下位的人服软，不如诛杀他们当中的首恶分子，而赦免他们的余党。”白马侯崔宏说：“圣明的君主统治人民，要把安定民众放在首要位置，而不去与他们计较谁胜谁负。赦免那些聚众为盗的人虽然不是正常的做法，然而作为权宜之计也是可以的。

屈欲先诛后赦，要为两不能去[250]，曷若一赦而遂定乎？赦而不从，诛未晚也。”嗣从之。二月癸未朔[251]，遣将军于栗磾将骑一万讨不从命者，所向皆平。

南燕贺赖卢、公孙五楼为地道出击晋兵，不能却。城久闭，城中男女病脚弱者太半[252]，出降者相继。超辇而登城，尚书悦寿说超曰：“今天助寇为虐，战士凋瘁[253]，独守穷城，绝望外援，天时人事亦可知矣。苟历数有终[254]，尧、舜避位[255]，陛下岂可不思变通之计[256]乎？”超叹曰：“废兴，命也。吾宁奋剑而死，不能衔璧[257]而生！”

丁亥[258]，刘裕悉众攻城。或曰：“今日往亡[259]，不利行师。”裕曰：“我往彼亡，何为不利！”四面急攻之。悦寿开门纳晋师，超与左右数十骑逾城突围出走，追获之。裕数以不降之罪。超神色自若，一无所言，惟以母托刘敬宣[260]而已。

裕忿广固久不下，欲尽坑之，以妻女赏将士。韩范谏曰：“晋室南迁，中原鼎沸，士民无援，强则附之，既为君臣[261]，必须为之尽力。彼[262]皆衣冠旧族[263]，先帝遗民[264]。今王师吊伐[265]而尽坑之，使安所归乎？窃恐西北之人无复来苏之望[266]矣。”裕改容谢之，然犹斩王公以下三千人，没入家口[267]万余，夷其城隍[268]，送超诣建康，斩之[269]。

臣光曰：“晋自济江[270]以来，威灵不竞[271]，戎狄横骛[272]，虎噬中原。刘裕始以王师翦平东夏[273]，不于此际旌礼[274]贤俊，慰抚疲民，

元城侯拓跋屈主张先诛灭首恶分子，然后赦免余党，而重要的是：既要诛除那些首恶分子，又要赦免余党，两者都得用，哪里比得上全部赦免就可以实现安定呢？赦免了他们，他们不听，再去诛灭也不算晚。”拓跋嗣采纳了崔宏的意见。二月初一癸未，拓跋嗣派将军于栗磾率领一万名骑兵讨伐不肯服从朝廷命令的人，大军所到之处，全部被平定。

南燕辅国将军贺赖卢、征虏将军公孙五楼在广固城中挖掘地道，从地道中出兵袭击围攻广固的东晋军队，没有能够将晋军击退。广固城被围困的时间很长，城中的男男女女有一大半患上了软脚病，出城向晋军投降的人一个接一个。南燕主慕容超被人用辇抬上城楼，担任尚书的悦寿对慕容超说：“如今上天帮助贼寇肆虐，我们的士卒越来越少，剩下的多是老弱病残，独守一座孤城，对于外援已经感到绝望，天时、人事可想而知了。假使上天注定国家的命运已经走到尽头，连虞舜、唐尧那样的帝王也得传位给别人，陛下岂能不考虑一个通时达变的办法？”慕容超叹了口气说：“国家的兴起和灭亡，都是上天注定的。但对于我来说，我宁可挥剑战斗而死，也不能反缚双手、口衔碧玉去投降敌人以求得活命！”

二月初五丁亥，刘裕准备出动全部兵力向南燕的都城广固发起猛攻。有人说：“今天是往亡日，不利于出兵作战。”刘裕回答说：“我们往，燕国亡，有什么不吉利！”于是从四面向广固城发起猛攻。南燕尚书悦寿打开广固城门放晋军进入城中，南燕主慕容超率领着身边的数十名亲信骑马突破重围出城逃走，被晋军追上擒获。刘裕责备慕容超不向晋军投降之罪。慕容超神情镇定，就像平日一样，但什么话都不说，只是把自己的母亲托付给了东晋担任襄城太守的刘敬宣。

刘裕对广固城久攻不下感到非常愤怒，就想把广固城中所有的人都活埋掉，而把妇女赏赐给全军将士。曾经担任南燕尚书令的韩范劝谏刘裕说：“当初晋朝将都城迁到江南，中原地区混乱不堪，晋朝遗留在中原的百姓孤立无援，于是，只得谁强大就依附于谁，既然已经成了慕容氏的臣民，与慕容氏有了君臣的名分，就必须为君主效忠尽力。他们过去都是晋朝的名门望族，是先帝遗留下来的名门后裔。如今王师既然是来安慰受压迫的百姓，讨伐有罪的燕国统治者，城破之后，却要把全城的人全部坑杀，你让他们到哪里去呢？我担心西北地区的人民从此以后再也没有人盼望王师打过去了。”刘裕立即变得神情严肃起来，赶紧向韩范道歉，然而还是斩杀了南燕王爵、公爵以下三千人，抄没有罪者的家眷一万多口，将广固城的城墙和护城河全部摧毁平掉，把南燕主慕容超押送到东晋的京师建康，斩首示众。

司马光说：“晋朝自从南渡长江以来，朝廷的威望不强，致使戎狄横行，像老虎一样吞噬着中原。从刘裕起才开始率领王者之师平定了旧日中国的东部地区，然而却不能在这个时期，表彰忠孝节义，礼贤下士，招揽贤能，抚慰疲惫

宣恺悌之风[275]，涤残秽之政，使群士向风[276]，遗黎企踵[277]，而更恣行屠戮以快忿心。迹其施设[278]，曾苻、姚之不如[279]，宜其不能荡壹四海[280]，成美大之业，岂非虽有智勇而无仁义使之然哉？”

初，徐道覆闻刘裕北伐，劝卢循乘虚袭建康，循不从。道覆自至番禺[281]说循曰：“本住岭外[282]，岂以理极于此[283]，传之子孙邪？正以刘裕难与为敌故也。今裕顿兵[284]坚城之下，未有还期，我以此思归死士[285]掩击何、刘[286]之徒，如反掌耳。不乘此机，而苟求一日之安，朝廷常以君为腹心之疾，若裕平齐之后，息甲岁余，以玺书征君[287]。裕自将屯豫章[288]，遣诸将帅锐师过岭，虽复以将军之神武，恐必不能当也。今日之机，万不可失。若先克建康，倾其根蒂[289]，裕虽南还，无能为也。君若不同[290]，便当帅始兴之众[291]直指寻阳[292]。”循甚不乐此举，而无以夺[293]其计，乃从之。

初，道覆使人伐船材[294]于南康山[295]，至始兴，贱卖之，居人争市之，船材大积而人不疑。至是，悉取以装舰[296]，旬日而办[297]。循自始兴寇长沙[298]，道覆寇南康、庐陵[299]、豫章，诸守相[300]皆委任[301]奔走。道覆顺流[302]而下，舟械[11]甚盛。

时克燕之问[303]未至，朝廷急征刘裕。裕方议留镇下邳[304]，经营司、雍[305]，会得诏书，乃以韩范为都督八郡[306]军事、燕郡[307]太守，封融为勃海[308]太守，檀韶为琅邪[309]太守，戊申[310]，引兵还。韶，祗之兄也。久之，刘穆之称范、融谋反[311]，皆杀之。

安成忠肃公何无忌[312]自寻阳引兵拒卢循。长史邓潜之谏曰：“国家安危，在此一举。闻循兵舰大盛，势居上流，宜决南塘[313]，守二城[314]以

的居民，倡导一种和平安乐的社会风气，涤除残暴污秽的政治，使那些知识分子望风来归，让沦陷区的遗民百姓踮起脚跟盼望王师的到来，反而任意杀戮，以使自己的愤恨之情得到发泄。考察刘裕等所做的事情，竟然连前秦的苻氏、后秦的姚氏都不如，难怪他不能荡平四海、统一整个中国，成就一项美好而伟大的事业，岂不是因为刘裕虽然拥有智慧和勇气，却缺少仁义的缘故呢？”

当初，东晋担任始兴太守的徐道覆听到中军将军刘裕率军北伐南燕的消息，便鼓动卢循乘虚袭击京师建康，而卢循却不赞成徐道覆的意见。徐道覆于是亲自前往番禺劝说卢循，徐道覆说：“我们本来就被人赶到了五岭以南，难道你认为我们就应该永远在这里住下去，并且传给你的后代子孙，让他们永远成为岭南人吗？我们因为刘裕势力强大，没法战胜他，才不得不如此。如今刘裕把大军投放在坚固的广固城下，什么时候撤军又没有一定的期限，我们率领着这些因为想家而愿意拼死打回去的士卒突然袭击何无忌、刘毅之流，取得胜利易如反掌。不趁此天赐良机采取行动，而只求安于现状，快乐一天算一天，朝廷又常常把你当作心腹之患，如果刘裕平定了燕国之后，偃兵息甲，休整一年多，就会用皇帝的诏书征调你前往建康。刘裕亲自率军屯驻在豫章郡，而派遣诸将率领精锐之师，越过五岭南下，即使凭借着将军的英明神武，恐怕也不一定能够抵挡得住。今天的机会千万不可错过。如果能够先攻克建康，颠覆朝廷的根本，刘裕即使率军立即返回，到那时也就无能为力了。你如果不同意，我就自己率领始兴的部众直取寻阳。”卢循其实非常不乐意这样做，但又没有办法说服徐道覆改变主意，于是只好听从于他。

当初，始兴太守徐道覆派人到南康山采伐可以用来造船的木材，运到始兴，以很低的价位卖出去，始兴的居民争相购买，于是造船的木材堆积如山却没有引起任何人的怀疑。到现在，便把这些木材取出来组装舰船，只用了十来天的工夫就组装好了。担任广州刺史的卢循从始兴出发，率军攻击长沙，始兴太守徐道覆率军攻取南康、庐陵、豫章各郡，各郡的太守和各诸侯国的丞相全都丢弃职守逃走了。徐道覆于是顺赣江北下，舟船器械，阵容盛大。

当时，刘裕灭掉南燕的消息还没有传回京师，朝廷赶紧下诏征调刘裕回军保卫京师。刘裕此时正在商议留下镇守下邳，考虑下一步如何收复司州、雍州，接到朝廷的紧急诏书后，立即任命韩范为都督八郡军事、燕郡太守，任命封融为勃海太守，任命檀韶为琅邪太守，二月二十六日戊申，刘裕率领北征大军班师南下。檀韶，是檀祗的哥哥。后来，刘穆之诬陷韩范、封融他们谋反，而将二人杀死。

东晋担任江州刺史的安成忠肃公何无忌从寻阳率军南下迎击叛军卢循。担任长史的邓潜之劝谏何无忌说：“此次出兵，关系国家的安危。听说卢循的兵舰势力强盛，又占据赣江上游的有利地势，所以我们应该掘开南塘的堤防，坚守豫章、寻阳两座城池，

待之[315]，彼必不敢舍我远下[316]。蓄力养锐，俟其疲老[317]，然后击之，此万全之策也。今决成败于一战，万一失利，悔将无及!”参军殷阐曰：“循所将之众皆三吴旧贼，百战余勇[318]，始兴溪子[319]，拳捷善斗，未易轻也。将军宜留屯豫章，征兵属城[320]，兵至合战，未为晚也。若以此众轻进，殆必有悔。”无忌不听。三月壬申[321]，与徐道覆遇于豫章，贼令强弩数百登西岸小山邀[322]射之。会西风暴急，飘无忌所乘小舰向东岸[323]，贼乘风以大舰逼之，众遂奔溃。无忌厉声曰：“取我苏武节[324]来!”节至，执以督战。贼众云集，无忌辞色无挠，握节而死。于是中外震骇，朝议欲奉乘舆北走就刘裕。既而知贼未至，乃止。

西秦王乾归攻秦金城郡[325]，拔之。

夏王勃勃遣尚书胡金纂攻平凉[326]。秦王兴救平凉，击金纂，杀之。勃勃又遣兄子左将军罗提攻拔定阳[327]，坑将士四千余人。秦将曹炽、曹云、王肆佛等各将数千户内徙，兴处之湟山[328]及陈仓[329]。勃勃寇陇右[330]，破白崖堡，遂趣清水[331]。略阳[332]太守姚寿都弃城走，勃勃徙其民万六千户于大城。兴自安定[333]追之，至寿渠川[334]，不及而还。

初，南凉王傉檀遣左将军枯木等伐沮渠蒙逊，掠临松[335]千余户而还。蒙逊伐南凉，至显美[336]，徙数千户而去。南凉太尉俱延复伐蒙逊，大败而归。是月，傉檀自将五万骑伐蒙逊，战于穷泉[337]。傉檀大败，单马奔还。蒙逊乘胜进围姑臧，姑臧人惩王钟之诛[338]，皆惊溃，夷、夏万余户降于蒙逊。傉檀惧，遣司隶校尉敬归[339]及子佗为质于蒙逊以请和，蒙逊许之。归至胡坑，逃还，佗为追兵所执，蒙逊徙其众八千余户而去。

等待刘裕的援军，叛军必定不敢绕开我们远行进入长江。我们在这里养精蓄锐，等到叛军筋疲力尽、士气低落之时，我们再出兵攻击，这才是万全之策。现在把成功与失败决定于一次战役，万一失败，后悔可就来不及了！”担任参军的殷阐说：“卢循所率领的部众都是三吴地区以前的贼寇，是身经百战后留下来的勇敢之士，而徐道覆所率领的始兴兵，行动敏捷，性格好斗，不要太轻视他们。将军应该在豫章驻扎下来，向下属的各城征调兵力，等各地兵到了后再与叛军交战也不算晚。如果只率领着现有的这些兵力，就轻率地进兵，恐怕一定会后悔。”何无忌没有听取殷阐的意见。三月二十日壬申，何无忌率军与徐道覆所率领的叛军在豫章遭遇，徐道覆派遣数百名强弩射手登上西岸的小山阻击何无忌所率领的舰船。正赶上当时西风刮得很猛，把何无忌所乘坐的小舰刮向东岸，叛军于是便凭借着风势，用大型舰船逼近何无忌的小舰，何无忌率领的部众立即崩溃。何无忌厉声说：“把我的苏武节拿来！”苏武节拿来之后，何无忌就用苏武节来指挥作战。叛军从四面八方聚拢过来，何无忌言辞、神色不屈不挠，一直战斗到死，手中还紧紧地握着苏武节。何无忌败亡的消息传到京师建康，朝廷内外非常震惊、惶恐，朝臣商议，准备护送晋安帝司马德宗向北逃走，去投奔中军将军刘裕。后来得知叛军并没有到达建康，这才没有出逃。

西秦王乞伏乾归率军攻打后秦的金城郡，将金城占领。

夏王刘勃勃派遣担任尚书的胡金纂率军攻取后秦的平凉。后秦王姚兴亲自率军来救，击败了由胡金纂所率领的夏国军，斩杀了胡金纂。夏王刘勃勃又派自己的侄子左将军刘罗提率军攻打定阳，刘罗提攻克了定阳之后，便将俘虏的四千多名后秦将士全部活埋。后秦将领曹炽、曹云、王肆佛等各自率领数千户部众向内地迁移，后秦王姚兴把他们分别安置在湟山和陈仓。夏王刘勃勃又率军进犯后秦的陇右地区，攻破了白崖堡，乘胜进军清水县。后秦担任略阳太守的姚寿都弃城逃走，刘勃勃遂将略阳的一万六千户居民强制迁移到大城。后秦王姚兴亲自率军追赶刘勃勃，一直追到寿渠川也没有追上，只好返回。

当初，南凉王秃发傉檀派遣担任左将军的枯木等率军讨伐北凉沮渠蒙逊，劫掠了临松郡一千多户居民而后返回。北凉沮渠蒙逊为报复南凉的入侵，遂率军攻入显美，掳掠了数千户居民而去。南凉担任太尉的俱延再次率军攻击北凉的沮渠蒙逊，结果大败而回。当月，秃发傉檀亲自率领五万名骑兵讨伐沮渠蒙逊，双方在穷泉展开决战。秃发傉檀被北凉军打得大败，单枪匹马逃回姑臧。沮渠蒙逊乘胜进军，包围了南凉的都城姑臧，姑臧城内的民众接受了王钟被杀的教训，于是全都惊慌失措，纷纷出逃，有一万多户夷人和汉人出城投降了沮渠蒙逊。秃发傉檀非常惧怕，赶紧派担任司隶校尉的敬归和他的儿子敬佗到北凉去充当人质，请求与沮渠蒙逊讲和，沮渠蒙逊遂同意与南凉和解。南凉司隶校尉敬归走到胡坑的时候又逃回了南凉，而敬佗则被北凉的追兵俘虏，沮渠蒙逊从南凉迁走了八千多户居民，然后率军离去。

右卫将军折掘奇镇[340]据石驴山[341]以叛。傉檀畏蒙逊之逼，且惧岭南为奇镇所据，乃迁于乐都[342]，留大司农成公绪[343]守姑臧。傉檀才出城，魏安[344]人侯谌等闭门作乱，收合三千余家，据南城[345]，推焦朗为大都督、龙骧大将军，谌自称凉州刺史，降于蒙逊。

刘裕至下邳，以船载辎重，自帅精锐步归。至山阳[346]，闻何无忌败死，虑京邑失守，卷甲[347]兼行，与数十人至淮上[348]，问行人以朝廷消息，行人曰："贼尚未至，刘公若还，便无所忧。"裕大喜。将济江，风急，众咸难之。裕曰："若天命助国[349]，风当自息；若其不然，覆溺[350]何害？"即命登舟，舟移而风止。过江，至京口[351]，众乃大安。夏，四月癸未[352]，裕至建康。以江州覆没[353]，表送章绶[354]，诏不许。

青州刺史诸葛长民、兖州刺史刘藩、并州[355]刺史刘道怜各将兵入卫建康。藩，豫州[356]刺史毅之从弟也。毅闻卢循入寇，将拒之而疾作；既瘳[357]，将行。刘裕遗毅书曰："吾往习击[358]妖贼，晓其变态。贼新获奸利[359]，其锋不可轻。今修船垂毕[360]，当与弟同举。克平之日，上流之任[361]，皆以相委。"又遣刘藩往谕止之。毅怒，谓藩曰："往以一时之功[362]相推[363]耳，汝便谓我真不及刘裕邪！"投书于地，帅舟师二万发姑孰[364]。

循之初入寇也，使徐道覆向寻阳，循自将攻湘中诸郡[365]。荆州刺史刘道规遣军逆战，败于长沙。循进至巴陵[366]，将向江陵。徐道覆闻毅将至，驰使报循曰："毅兵甚盛，成败之事，系之于此，宜并力摧之。若此克捷，江陵不足忧也。"循即日发巴陵，与道覆合兵而下。五月戊午[367]，毅与循战于桑落洲[368]。毅兵大败，弃船，以数百人步走，余众皆

南凉担任右卫将军的折掘奇镇占据姑臧西南的石驴山发动叛乱。秃发傉檀既惧怕沮渠蒙逊的军事逼迫，又害怕岭南被折掘奇镇所占领，于是便将都城从姑臧迁回乐都，留下担任大司农的成公绪戍守姑臧。秃发傉檀刚刚出城，魏安人侯谌等人就关闭姑臧城门背叛了秃发傉檀，他聚集了三千多家，占据了姑臧南城，推举焦朗为大都督、龙骧大将军，侯谌自称凉州刺史，投降了北凉的沮渠蒙逊。

刘裕抵达下邳，他动用舟船运载辎重，班师南下，自己则率领着精锐部队徒步行军赶赴京师。到达山阳时，得知了何无忌兵败阵亡的消息，担心京师不保，于是下令全军将士把身上的铠甲脱下，卷起来背在背上，然后日夜兼程向京师进发，他与数十人先期抵达长江北岸，向行人打探京师的情况，行人告诉他说："叛贼徐道覆、卢循的军队还没有到达，如果刘裕回来，京师就可以保证没有问题了。"刘裕听后非常高兴。遂准备率军渡过长江，而此时风急浪高，将士都有畏难情绪。刘裕说："如果上天仍然肯帮助我们晋国，大风就应当很快停息；如果上天已经准备抛弃我们晋国，我们就是翻船淹死又有什么关系？"立即下令全军登船，船刚一移动，狂风立即就停止了。渡过长江之后，到达了京口，众人之心才安定下来。夏季，四月初二癸未，刘裕回到京师建康。因为江州被叛军攻陷，刘裕上表给晋安帝司马德宗，交回自己的印绶，引咎辞职，晋安帝下诏，不予批准。

东晋担任青州刺史的诸葛长民、担任兖州刺史的刘藩、担任并州刺史的刘道怜各自率领本州人马前来护卫京师。刘藩，是豫州刺史刘毅的堂弟。担任豫州刺史的刘毅听到卢循率领叛军北上的消息，就准备出兵阻截，却忽然患病而没能出兵；如今病已好，正准备率军出发。担任中军将军的刘裕写信给刘毅说："我以前曾多次与妖贼作战，对他们比较了解，知道他们变化多端。如今贼寇刚刚得了一些便宜，对于他们的锐气不可轻视。现在舰船即将修造完毕，我自当与老弟一同率军消灭叛贼。等到荡平贼寇之日，长江上游的重任，还得要全部托付给你。"又派刘毅的堂弟刘藩前往豫州镇所姑孰劝阻刘毅。刘毅大怒，对刘藩说："当初我与刘裕一同起兵讨伐桓玄，暂时推举刘裕做了盟主，你就认为我真的不如刘裕了吗！"说完，便把刘裕写给自己的书信扔到地上，然后率领二万名水军从姑孰出发。

卢循刚从广州出兵北上之时，他令担任始兴太守的刘道覆率军攻打寻阳，卢循自己则率军进攻湘中各郡。担任荆州刺史的刘道规派军出来迎战，在长沙被卢循叛军打败。卢循乘胜进抵巴陵，准备继续西进攻取江陵。徐道覆听说豫州刺史刘毅即将率军来到，赶紧派人飞马向卢循报告说："刘毅的兵众势力强盛，我们起兵成败的关键，就看与刘毅的这次决战，我们应该联合起来摧毁刘毅。如果此次获胜，江陵就不值得忧虑了。"卢循在接到刘道覆报告的当天就率军从巴陵出发，与刘道覆会师之后，便顺流而下。五月初七戊午，刘毅率军与卢循的军队在桑落洲展开激战。刘毅又被卢循打得大败，丢弃了数百艘战船，在数百人的护卫下徒步逃走，其余的部

为循所虏，所弃辎重山积。

初，循至寻阳，闻裕已还，犹不信；既破毅，乃得审问[369]，与其党相视失色。循欲退还寻阳，攻取江陵，据二州[370]以抗朝廷，道覆谓宜乘胜径进[371]，固争之。循犹豫累日，乃从之。

己未[372]，大赦。裕募人为兵，赏格[12]同京口赴义之科[373]。发民治石头城。议者谓宜分兵守诸津要，裕曰："贼众我寡，若分兵屯守，则测人虚实[374]；且一处失利，则沮三军之心。今聚众石头，随宜应赴，既令彼无以测多少，又于众力不分。若徒旅转集[375]，徐更论之[376]耳。"

朝廷闻刘毅败，人情恟惧。时北师始还，将士多创病，建康战士不盈数千。循既克二镇[377]，战士十余万，舟车百里不绝，楼船高十二丈，败还者争言其强盛。孟昶、诸葛长民欲奉乘舆过江[378]，裕不听。初，何无忌、刘毅之南讨也，昶策[379]其必败，已而果然；至是，又谓裕必不能抗循，众颇信之。惟龙骧将军东海虞丘进[380]廷折[381]昶等，以为不然。中兵参军王仲德言于裕曰："明公命世作辅[382]，新建大功[383]，威震六合[384]，妖贼乘虚入寇，既闻凯还，自当奔溃。若先自遁逃[385]，则势同匹夫，匹夫号令，何以威物[386]？此谋[387]若立，请从此辞[388]。"裕甚悦。昶固请不已，裕曰："今重镇外倾[389]，强寇内逼，人情危骇，莫有固志。若一旦迁动，便自土崩瓦解，江北亦岂可得至？设令得至，不过延日月[390]耳。今兵士虽少，自足一战。若其克济，则臣主同休[391]；

众全部被卢循俘虏，刘毅丢弃的辎重堆积如山。

当初，卢循率领叛军抵达寻阳的时候，听说北伐南燕的中军将军刘裕已经率军返回京师建康，卢循还有点不相信；等到他打败豫州刺史刘毅之后，从俘虏的口中得到了确实的消息，不禁与自己的党羽相顾失色。卢循想要退回寻阳，攻取江陵，把荆州、江州这两个州作为根据地以抗拒朝廷军，而刘道覆却认为应该乘胜进军，直取京师建康，两人各执己见，争论了好久。卢循为此犹豫不决了好几天，最后还是决定听从刘道覆的意见。

五月初八己未，东晋实行大赦。刘裕开始招募人马，给应征入伍者的赏赐规格，与当年在京口组织人马进入建康讨伐桓玄时的相同。征调民众修治石头城。有人建议应该分兵把守各重要关隘渡口，刘裕说："叛军人数众多而朝廷军队数量很少，如果分兵把守各处要塞，则容易被人看清我们究竟有多少人马；而且一旦有一处失利，就会使整个军心动摇。如今把主力军全部集中在石头城，就可以根据实战需要随时调动军队赶去参战，这样做既能不让人看出我军到底有多少人，又能集中调动，保证兵力不分散。如果各地征调的军队能够辗转集结，如何调动部署，再另做具体考虑。"

东晋朝廷听到豫州刺史刘毅被叛军卢循打败的消息，人心惶惶。当时北伐南燕的军队刚刚返回，军中将士很多人受伤、患病，京师建康的战士不满数千。叛军卢循一连攻克了豫章、寻阳之后，部众已经发展到十多万人，水上的船只、陆地上的战车连绵一百多里，楼船高十二丈，从作战前线逃回来的人都争相传说叛军势力如何强大。担任尚书左仆射的孟昶和青州刺史诸葛长民都主张放弃京师建康，保护晋安帝司马德宗渡过长江，到江北避难，中军将军刘裕坚决不同意。当初，江州刺史何无忌、豫州刺史刘毅率军南下讨伐叛军的时候，孟昶就预料到他们必定失败，后来二人果然被叛军打败；到现在，孟昶又认为刘裕肯定也抵挡不住卢循的进攻，众人都很相信他。只有担任龙骧将军的东海人虞丘进在朝廷之上当面批驳孟昶等，认为刘裕一定能够打败叛军卢循等。担任中兵参军的王仲德对刘裕说："明公以当世罕有之才，担负宰相之任，新近又灭掉燕国，为国家立了大功，威名震动了天地四方，妖贼卢循等趁大军出兵北伐、后方兵力空虚之机起兵叛变，他们听到大军得胜凯旋的消息，就会自行崩溃。如果我们在叛贼还没有抵达京师的时候，自己便先行逃亡，这与一个匹夫没有什么两样，一个匹夫发号施令，谁会听从呢？如果渡江北逃的提议被朝廷采纳，那我现在就辞职不干了。"刘裕听了王仲德的一番话，非常高兴。而孟昶却依然坚持自己的意见，坚决向朝廷请求渡江北上，刘裕说："如今朝廷的重要藩镇江州、豫州都已失守，强大的贼寇不断地向京师逼近，人心惶恐不安，已经没有了坚守获胜的信心。如果皇帝一旦离开京城，朝廷便一下子土崩瓦解，又岂能到得了江北呢？退一步说，即使能够到达江北，也不过是多拖延一些时日。如今朝廷的军队虽然人数很少，但完全可以用来一战。如果能够取胜，则君臣同庆；

苟厄运必至，我当横尸庙门[392]，遂[393]其由来以身许国之志，不能窜伏草间苟求存活也。我计决矣，卿勿复言！”昶恚[394]其言不行[395]，且以为必败，因请死。裕怒曰：“卿且申一战[396]，死复何晚！”昶知裕终不用其言，乃抗表自陈曰：“臣裕北讨，众并不同[397]，唯臣赞裕行计，致使强贼乘间[398]，社稷危逼，臣之罪也。谨引咎[399]以谢天下！”封表毕，仰药而死。

乙丑[400]，卢循至淮口[401]，中外戒严。琅邪王德文都督宫城诸军事，屯中堂皇[402]，刘裕屯石头，诸将各有屯守。裕子义隆[403]始四岁，裕使谘议参军刘粹辅之，镇京口。粹，毅之族弟也。

裕见民临水望贼[404]，怪之，以问参军张劭，劭曰：“若节钺[405]未反，民奔散之不暇，亦何能观望？今当无复恐[406]耳。”裕谓将佐曰：“贼若于新亭[407]直进，其锋不可当，宜且回避，胜负之事未可量也；若回泊西岸[408]，此成禽[409]耳。”

徐道覆请于新亭至白石[410]焚舟而上[411]，数道攻裕。循欲以万全为计，谓道覆曰：“大军[412]未至，孟昶便望风自裁，以大势言之，自当计日溃乱[413]。今决胜负于一朝，干没求利[414]，既非必克之道，且杀伤士卒，不如按兵待之。”道覆以循多疑少决，乃叹曰：“我终为卢公所误，事必无成；使我得为英雄驱驰[415]，天下不足定[416]也。”

裕登石头城望循军，初见引向新亭，顾左右失色；既而回泊蔡洲[417]，乃悦。于是众军转集[418]。裕恐循侵轶[419]，用虞丘进计，伐树栅石头淮口[420]，修治越城[421]，筑查浦、药园、廷尉三垒[422]，皆以兵守之。

刘毅经涉蛮、晋[423]，仅能自免，从者饥疲，死亡什七八[424]。丙寅[425]，

如果失败的厄运无法避免，我情愿死在庙堂的门前，以实现我生平以身报国的志向，绝不逃到山林草莽之间躲藏起来以求得苟且活在世上。我的决心已定，你不要再多说！”孟昶对刘裕不采纳自己的意见感到非常气恼，而且认为刘裕一定会失败，因而请求一死。刘裕愤怒地斥责他说：“你应该先活着看我打完这一仗，如果我果真失败，你再死也不算晚！”孟昶知道刘裕肯定不会采纳自己的意见，于是便上表给朝廷，自我陈述说：“刘裕执意率军北伐燕国，众臣全都反对，只有我极力赞成刘裕北伐的计划，却没有料到强大的妖贼趁机叛乱，致使国家面临灭亡的危险，这都是我的罪过。我只能承担这个责任，以死向全国人民谢罪！”孟昶把表章封好之后，就喝下毒药自杀而死。

五月十四日乙丑，叛军卢循率军抵达淮口，朝廷内外赶紧实行戒严。琅邪王司马德文都督宫城诸军事，率军驻扎在中堂殿亭中，中军将军刘裕率军屯扎在石头城，其余诸将各自都有屯守任务。刘裕的儿子刘义隆当时才刚四岁，刘裕派担任谘议参军的刘粹辅佐他，负责镇守京口。刘粹，是豫州刺史刘毅的堂弟。

刘裕看见百姓站在江边眺望江中叛军的动静，感到很奇怪，就向担任参军的张劭询问，张劭回答说：“如果将军没有返回，百姓四处逃命都怕来不及，哪里还有心思站在江边观望？现在说明他们已经不再恐惧了。”刘裕对自己的将佐说：“妖贼如果从新亭径直向前推进，其锋芒不可阻挡，我们就应当暂且回避，谁胜谁负恐怕还很难预料；如果他们转弯后停泊在长江西岸，那么肯定要被俘虏了。”

叛军首领徐道覆向卢循请求在通往新亭的白石，把所有的舟船全部焚毁，全军登陆，然后兵分数路进攻刘裕所驻守的石头城。卢循为了保证万无一失，遂对徐道覆说：“我们的大军还没有到达京师，尚书左仆射孟昶就闻风自杀了，从整个大局来分析，用不了几天，刘裕的军队就会自行溃散。如果一定要求在一个早晨决出胜负，而不顾一切地追求胜利，既没有必胜的把握，又会损失很多士卒，不如按兵不动，等待有利时机。”徐道覆看到卢循猜忌心很重，又缺少决断，不禁叹口气说：“我终将被卢循所耽误，事情肯定不会成功；如果能够让我为英明的主子效力，平定天下根本算不上什么难事。”

刘裕登上石头城远望叛军卢循的舰船，开始的时候看见舰船驶向新亭方向，刘裕回头看了看左右，脸色已经大为改变；不久又看到叛军调转舰船停泊在西岸的蔡洲，刘裕又不禁高兴起来。于是各路军马转向石头城聚集。刘裕担心叛贼卢循会率军前来骚扰，便采用了虞丘进的办法，砍伐了很多树木，把石头城下的秦淮河注入长江的河口全用木桩截断，然后加固越城，在查浦、药园、廷尉修筑起三个军事据点，全都派兵把守。

东晋豫州刺史刘毅在桑落洲被卢循大败之后，落荒而逃，他穿越了许多少数民族和汉族的聚居区，仅逃得一条性命，跟随他一起逃亡的侍从由于饥饿和疲惫，死

至建康，待罪。裕慰勉之，使知中外留事[426]。毅乞自贬，诏降为后将军[427]。

魏长孙嵩至漠北[428]而还，柔然追围之于牛川[429]。壬申[430]，魏主嗣北击柔然。柔然可汗社仑闻之，遁走，道死。其子度拔尚幼，部众立社仑弟斛律，号蔼豆[13]盖可汗。嗣引兵还参合陂[431]。

卢循伏兵南岸[432]，使老弱乘舟向白石，声言悉众自白石步上。刘裕留参军沈林子、徐赤特戍南岸，断查浦[433]，戒令坚守勿动。裕及刘毅、诸葛长民北出拒之。林子曰："妖贼此言，未必有实，宜深为之防。"裕曰："石头城险，且淮栅甚固，留卿在后，足以守之。"林子，穆夫[434]之子也。

庚辰[435]，卢循焚查浦，进至张侯桥。徐赤特将击之，林子曰："贼声往白石而屡来挑战，其情可知[436]。吾众寡不敌，不如守险以待大军。"赤特不从，遂出战；伏兵发，赤特大败，单舸奔淮北[437]。林子及将军刘钟据栅力战，朱龄石[438]救之，贼乃退。循引精兵大上，至丹阳郡[439]。裕帅诸军驰还石头，斩徐赤特，解甲。久之，乃出陈于南塘[440]。

六月，以刘裕为太尉、中书监，加黄钺。裕受黄钺，余固辞。以车骑中军司马[441]庾悦为江州刺史。悦，准[442]之子也。

司马国璠及弟叔璠、叔道奔秦[443]。秦王兴曰："刘裕方诛桓玄，辅晋室，卿何为来？"对曰："裕削弱王室，臣宗族有自修立者[444]，裕辄除之。方为国患，甚于桓玄耳。"兴以国璠为扬州刺史，叔道为兖州[14]刺史。

亡了十分之七八。五月十五日丙寅，刘毅终于抵达了京师建康，等待朝廷治他兵败之罪。中军将军刘裕安慰他，勉励他，让他主管除去与卢循作战以外的其他朝里朝外的所有日常事务。刘毅主动请求朝廷免除他的官职，晋安帝司马德宗下诏，将他从卫将军降为后将军。

北魏南平公长孙嵩抵达大漠以北，便率军返回，柔然出兵随后追击，把长孙嵩包围在牛川。五月二十一日壬申，北魏皇帝拓跋嗣率军北上攻击柔然。柔然豆代可汗郁久闾社仑听到拓跋嗣御驾亲征，吓得赶紧逃走，竟然死在逃亡途中。郁久闾社仑的儿子郁久闾度拔年纪尚幼，社仑的部众遂拥立社仑的弟弟郁久闾斛律为可汗，号称蔼豆盖可汗。北魏皇帝拓跋嗣率军返回参合陂。

东晋叛军首领卢循将军队埋伏在秦淮河南岸，然后派遣老弱兵卒乘船向白石进发，声称卢循的所有部众全都从白石弃舟登岸。中军将军刘裕留下担任参军的沈林子、徐赤特戍守南岸，控制住了查浦一带的秦淮河，刘裕告诫他们只宜坚守，不要出战。刘裕遂与后将军刘毅、青州刺史诸葛长民率军北上拒敌。沈林子对刘裕说："妖贼说的话虽然未必真实可信，但还是应该严加防备。"刘裕说："石头城地势险要，而且我们先前封锁淮水入江口的栅栏很坚固，留下你在这里，完全能够守得住。"沈林子，是沈穆夫的儿子。

五月二十九日庚辰，卢循率军焚毁了查浦的军事据点，挺进到张侯桥。徐赤特就要出兵攻击卢循，沈林子说："妖贼声言前往白石，却多次前来这里挑战，可见他们的真正意图不是前往白石。现在敌众我寡，肯定不是妖贼的对手，不如坚守险要之地以等待大军到来。"徐赤特没有听从沈林子的意见，竟然率军出战；卢循的伏兵突然杀出，徐赤特被打得大败，乘坐着一条小船逃回秦淮河北岸。沈林子以及将军刘钟据守木栅，拼死力战，将军朱龄石率军来救，才将叛军打退。卢循率领精兵蜂拥而上，直至丹阳郡。刘裕率领诸军飞速返回石头城，将不听将令的徐赤特斩首，士兵解甲休息。过了很久，刘裕才率军南渡秦淮河，在秦淮河南岸大堤排兵布阵。

六月，东晋安帝司马德宗任命刘裕为太尉、中书监，加授黄钺。刘裕接受了赏赐的黄钺，其他职务则一律谢绝接受。任命担任车骑中军司马的庾悦为江州刺史。庾悦，是庾准的儿子。

司马国璠和他的弟弟司马叔璠、司马叔道在南燕灭亡后投奔了后秦。后秦王姚兴说："晋国中军将军刘裕刚刚诛灭了桓玄，辅佐晋室，你们为什么还来投奔我秦国？"司马国璠等人回答说："刘裕不是在辅佐晋室，而是有意削弱晋室的势力，凡是我们司马氏皇室成员，只要是能自修自立、有点才干和声望的，刘裕就要想方设法把他除掉。刘裕即将成为晋室的祸患，他的危害比桓玄更为严重。"姚兴任命司马国璠为扬州刺史，任命司马叔道为兖州刺史。

卢循寇掠诸县无所得，谓徐道覆曰："师老[445]矣，不如还寻阳，并力取荆州，据天下三分之二，徐更与建康争衡[446]耳。"

【段旨】

以上为第三段，写晋安帝义熙六年（公元四一〇年）前半年的大事。主要写：刘裕攻克广固，慕容超突围被俘，送建康斩之，南燕遂灭；刘裕因气愤广固之顽强守城，欲尽坑之，以妻女赏将士，韩范力谏，仍杀王公以下三千人，没入为奴者万余人，读史者多谴之。卢循闻刘裕北伐，出广州北上侵晋，徐道覆劝卢循直取建康，颠覆其根本，卢循不从，乃北取庐陵、豫章、长沙等郡；寻阳将领何无忌率军抵抗，被徐道覆大破于豫章，何无忌战死，东晋朝廷大骇；刘裕破南燕后正待经营洛阳、关中，闻讯率军南返；刘毅请讨卢循，不听刘裕告诫，急躁轻进，被卢循大破于桑落洲，而后卢循大军直取建康；刘裕驻军于石头城，随方应对，卢循无从得逞，渐渐败退，西返寻阳，欲取荆州以与朝廷相持。魏将长孙嵩与魏主拓跋嗣两次北伐柔然，社仑败逃而死，其弟斛律被立为可汗。西秦主乞伏乾归攻取了秦国的金城郡。夏主赫连勃勃与后秦对攻，互有胜负。南凉秃发傉檀与北凉沮渠蒙逊彼此相攻，互有胜负。

【注释】

㉓⑧正月甲寅朔：正月初一是甲寅日。㉓⑨天门：广固城的南门。㉔⓪乙卯：正月初二。㉔①堙厄之运：犹今所谓"倒霉的年头"。堙厄，道路不通、无路可走。㉔②儿女子：犹言"小孩子"。㉔③豪右：豪门大族。㉔④优诏：好言相劝、表扬鼓励的诏书。㉔⑤征之：让他们搬迁到京城。㉔⑥所在：到处。㉔⑦绥抚：安抚。绥，安。㉔⑧御民：治民。御，驾驭、管理。㉔⑨行权：临时制宜，为变通之计。权，临时变通。㉕⓪两不能去：指既要"诛"，又得要"赦"，两者都得用。㉕①二月癸未朔：二月初一是癸未日。㉕②太半：大半；过半。㉕③凋瘁：越来越少，剩下的多是老弱病残。㉕④苟历数有终：如果一个王朝的命运真是到了尽头。㉕⑤尧、舜避位：连尧、舜那样的帝王也得传位给别人。尧让位于舜，舜让位于禹。㉕⑥变通之计：指向东晋投降。㉕⑦衔璧：即向人投降。反缚两手，口里叼着玉璧，这是古代帝王向人投降的一种仪式。"面缚衔璧，系颈以组"，表示认罪、请罪。㉕⑧丁亥：二月初五。㉕⑨今日往亡：古代称"惊蛰"节以后的第十四天为"往亡"日，说是出门作战不吉利。㉖⓪托刘敬宣：刘牢之被桓玄杀害后，其子刘敬宣曾一度逃到南燕，与慕容超有过交情，故今慕容超以母相托。㉖①既为君臣：既然成了慕容

东晋叛将卢循率军掳掠各县，却一无所得，于是便对徐道覆说："我们的军队已经疲惫不堪，士气低落，不如返回寻阳，然后全力攻取荆州，等占据了全国三分之二的疆土之后，再慢慢地与建康朝廷较量高低吧。"

氏的臣民，与其有君臣之分。㉖②彼：指这些被拿来赏给人的"妻女"之家。㉖③衣冠旧族：犹言昔日的名门望族，有头脸、为官宦的人物。㉖④先帝遗民：都是西晋时代遗留下来的名门后裔。㉖⑤王师吊伐：晋朝军队为吊民伐罪而打到这里。旧称仁者之师的征伐为"吊民伐罪"，即讨伐有罪者以安慰受苦的黎民百姓。吊，安慰、慰问。㉖⑥无复来苏之望：即再也没有人盼着晋军打过去。《尚书·仲虺》说夏朝的百姓都盼着汤去解救他们，说："徯我后，后来其苏！"意思是："我们等待着大王您，您一来我们就得救了！"徯，等待。苏，活、活命。㉖⑦没入家口：将一些罪人的家眷变为奴婢。㉖⑧夷其城隍：将广固城的城墙与护城河通通平掉。㉖⑨送超诣建康二句：南燕自隆安二年（公元三九八年）慕容德建国到慕容超灭亡，共历十三年。㉗⓪济江：渡江南来，指西晋灭亡，东晋建立。㉗①威灵不竞：朝廷的威望不强。㉗②横骛：横行；四处乱跑。㉗③翦平东夏：平定了旧日中国的东部地区，即齐地。㉗④旌礼：表彰；以礼相待。㉗⑤宣恺悌之风：倡导一种和平安乐的社会风气。㉗⑥向风：望风来归。㉗⑦遗黎企踵：让沦陷区的人民翘足相望。遗黎，遗民，沦陷于异族统治下的汉族人。㉗⑧迹其施设：看看刘裕等所做的事情。迹，审视、查看。㉗⑨曾苻、姚之不如：连苻坚、姚兴的作为都赶不上。㉘⓪荡壹四海：统一整个中国。㉘①番禺：即今广州，当时卢循被东晋任为广州刺史。㉘②本住岭外：我们本来就被人赶到了这五岭以南。㉘③岂以理极于此：难道我们就永远该在这里住下去。极，一直到底。㉘④顿兵：把军队投放在。㉘⑤思归死士：因为想家而欲拼死打回去的士兵。当时卢循的部下多是三吴地区的人。㉘⑥何、刘：何无忌、刘毅，都是刘裕的部将，现正奉命留守京城。㉘⑦以玺书征君：以皇帝的名义调你进朝。玺书，盖着皇帝玺印的文书。征，调、召之使来。㉘⑧自将屯豫章：自己统兵驻扎在豫章郡，治今江西南昌。㉘⑨倾其根蒂：颠覆了晋王朝的根本。根蒂，根据地、大本营。蒂，通"柢"，根柢、根本。㉙⓪不同：不赞成这个方案。㉙①始兴之众：始兴郡的人马。始兴郡治在今广东韶关西南。㉙②寻阳：即今江西九江。㉙③夺：改变。㉙④船材：造船用的木材。㉙⑤南康山：南康县（在今江西南康）境内的山。㉙⑥装舰：组装成战船。㉙⑦旬日而办：十来天就装成了。办，完成。㉙⑧长沙：郡名，郡治临湘，即今湖南长沙。㉙⑨庐陵：郡名，郡治石阳，在今江西吉水东北。㉚⓪诸守相：各郡的太守与各诸侯国的宰相。郡的行政长官叫守，即太守。公侯封地的行政长官叫相，职务与级别相同。㉚①委任：抛下所在的郡国不顾，一任寇盗占领。㉚②顺流：顺赣江北下。㉚③克燕之问：攻克南燕的消息。问，消息。㉚④留镇下邳：在下邳设立指挥

部。下邳郡的郡治在今江苏邳州西南。㉟经营司、雍：经营，这里指着手用兵以攻取之。司、雍是二州名，司州即今河南洛阳一带，雍州指今陕西西安一带。㊱八郡：指齐、济南、乐安、城阳、东莱、长广、平昌、高密，都在今山东境内。㊲燕郡：郡治广固，即今山东青州。㊳勃海：郡名，郡治在今河北沧州。㊴琅邪：郡名，郡治在今山东临沂北。㊵戊申：二月二十六日。㊶范、融谋反：刘穆之怕二人趁东晋危急作乱，故捏造罪名而杀之。㊷安成忠肃公何无忌：何无忌被封为安成公，安成是郡名，何无忌的封地。忠肃是他死后的谥号。㊸决南塘：掘堤放水，赣江水浅，使卢循的船不能畅快行驶。南塘，豫章城南的堤坝名。㊹守二城：固守豫章与寻阳二城。㊺以待之：以等待刘裕的援军。㊻舍我远下：放下我们不打，顺水北进长江。㊼疲老：指军队疲劳，士气低落。㊽百战余勇：指经过多次战斗的有经验的勇士。㊾始兴溪子：指徐道覆所带的始兴人。溪子，在山沟长大的人。㊿属城：下属的各县。㉑三月壬申：三月二十日。㉒邀：拦截；阻击。㉓飘无忌所乘小舰向东岸：士众不知何故，以为是何无忌逃走，众遂皆无斗志。㉔苏武节：汉代苏武出使匈奴，被匈奴软禁在北海，苏武持汉节牧羊，“卧起操持，节旄尽落”，以见他忠心不背汉朝。此处何无忌借以称朝廷授予自己的旌节。㉕金城郡：郡治在今兰州西北。㉖平凉：郡名，郡治在今甘肃华亭西。㉗定阳：县名，县治在今陕西延安东南。㉘湟山：薮泽名，其地不详。㉙陈仓：县名，县治在今陕西宝鸡东。㉚陇右：陇山以西，今甘肃东部地区。㉛趣清水：逼向清水县，清水县治在今甘肃清水县西。趣，通“趋”，逼向。㉜略阳：郡名，郡治在今甘肃天水市秦安县东北，当时属秦。㉝安定：郡名，郡治在今甘肃泾川北。㉞寿渠川：约在今甘肃东北部邻近陕西处。㉟临松：郡名，郡治在今甘肃民乐西。㊱显美：县名，县治在今甘肃永昌东。㊲穷泉：今甘肃山丹南有穷石山，穷泉就在此山。㊳惩王钟之诛：接受王钟被杀的教训。王钟是秃发傉檀的将领，后秦围攻姑臧，王钟欲为之作内应，事泄牵连被杀的有五千多人。事见本书卷一百一十四义熙四年。㊴敬归：人名，姓敬名归。㊵折掘奇镇：人名，姓折掘名奇镇，秃发傉檀的部下。㊶石驴山：在今甘肃武威西南。㊷乐都：即今青海海东市乐都区，在祁连山之南。㊸成公绪：姓成公名绪。㊹魏安：县名，县治在今甘肃武威东南。㊺南城：姑臧城南面的小城。㊻山阳：郡名，郡治在今江苏淮安。㊼卷甲：为了急行军，把铠甲脱下来卷起背着。㊽淮上：前所述“山阳”已经在淮河以南，此处当依胡三省说改“淮”作“江”。㊾助国：帮助我们晋朝。㊿覆溺：翻船淹死。㉑京口：今江苏镇江市。㉒四月癸未：四月初二。㉓江州覆没：指何无忌战死，豫章、寻阳失陷事。㉔送章绶：将印绶交还朝廷，意即请求免职加罪，因为江州沦陷，刘裕有领导之责。㉕并州：与前文“青州”“兖州”三州的侨置郡当时都在今江苏中部的长江、淮水之间。㉖豫州：其侨置郡在今安徽和县。㉗瘳：病好。㉘习击：多次从事这种战斗。㉙新获奸利：刚刚得了一些便宜。奸利，对敌方获胜的蔑称。㉚修船垂毕：修造船只的事情马上就完。㉛上流之任：指荆州刺史、江州刺史等职务。㉜一时之功：指与刘裕一起发动起义，讨伐桓玄。363 相推：推服；推之居上。364 姑孰：即今安徽当涂。365 湘中诸郡：指长沙、零陵、桂阳等。366 巴陵：即今湖南岳阳。367 戊午：五月初七。368 桑落洲：在今江西九江东北的长江中。369 审问：确实的消息。370 二州：指荆州与江州。371 乘胜径进：即直取建康。372 己未：五月初八。373 同京口赴义之科：与当年在京口组织人马进建康讨伐桓玄的赏格相同。科，条例、标准。374 测人虚实：指容易让别人看清我们究竟有多少人马。375 徒旅转集：指如何调动部署。376 徐更论之：另作具体考虑。377 二镇：指豫章与寻阳。378 过江：指到江北去避难。因为他们的青州、兖州都在江北。379 策：预料；推定。380 虞丘进：姓虞丘名进。381 廷折：当众驳斥。382 命世作辅：以当世罕有之才，担负宰相之任。383 新建大功：指灭了南燕。384 六合：天地与东西南北，即指整个天下。385 先自遁逃：指“奉乘舆过江”。386 何以威物：何以使人敬畏、信从。387 此谋：指“奉乘舆过江”的主张。388 请从此辞：犹言请准许我回家为民。389 重镇外倾：大的藩镇失守，指江州沦陷。390 延日月：谓再苟延残喘几天。391 同休：一同享福、庆贺。392 横尸庙门：即情愿死在宗庙的门前，为保卫宗庙社稷而死。393 遂：实现。394 恚：气恼。395 其言不行：其计谋不被采纳。396 且申一战：你先活着看看这一仗。申，展、延。397 众并不同：大家都不同意。398 乘间：乘虚而入；钻了空子。399 引咎：自己认罪，承担责任。400 乙丑：五月十四日。401 淮口：秦淮河入长江的汇口，在今南京西。402 中堂皇：在宫城内。有顶而无四壁之堂曰皇。司马德文处于此地，众人皆见，可以安定人心。403 义隆：即日后的宋文帝。404 临水望贼：站在江边观看敌兵的动静。405 节钺：犹言“将军”，以称刘裕。因为刘裕有皇帝所赐予的节与钺，以显示其权威。406 无复恐：不再害怕，相信刘裕能打胜。407 新亭：建康城的游览区，在今南京西南的长江边上。408 回泊西岸：转弯停靠在长江的西岸，建康城的对面。409 成禽：现成的俘虏，指其必败无疑。410 白石：也叫白石陂，在当时的建康城北。今南京古代所以称为“白下”，即由此而来。411 焚舟而上：焚舟上岸与过河沉舟的意思相同，都是示士卒必死，无一还心。412 大军：指自己的军队。413 计日溃乱：谓用不了几天，刘裕的军队就会散伙。计日，屈指可数，极言其快。414 干没求利：指不顾一切、过分勉强地追求胜利。干没，不顾一切。415 为英雄驱驰：为一个英明的主子效力。416 不足定：不难平定。417 蔡洲：南京西南长江中的小岛。418 转集：集结；靠拢。419 侵轶：指攻击、骚扰。420 栅石头淮口：把石头城下的秦淮河入长江的河口用木桩截断。421 修治越城：在当时建康城的西部，秦淮河东岸建造了一道越城。422 筑查浦、药园、廷尉三垒：胡三省曰：“查浦，在大江南岸，近秦淮口；药园，盖种芍药之所；廷尉，寺舍所在，因以为地名。”三个军事据点，都在长江东岸秦淮河入长江的汇口附近。423 经涉蛮、晋：指千里跋涉，穿越了许多少数民族与汉族居住的区域。424 什七八：十分之七八。425 丙寅：五月十五日。426 知中外留事：主管除与卢循作战以外的其他朝里朝外的日常事务。知，过问、主管。427 诏降为后将军：此前刘毅任卫将军，品级在前、后、左、右四将军之上。428 漠北：蒙古高原大沙漠以北，长孙嵩为伐柔然而至此。429 牛川：在今内蒙古呼和浩特西南。㊹㉚壬申：五月二十一日。431 参合陂：在今内蒙古凉城东的岱海南岸。432 南岸：指秦淮河的南岸。秦淮河流经南京的西南面。433 断查浦：指控制住了查浦一带的秦淮河。434 穆夫：沈穆夫。孙恩占领会稽时，沈穆夫曾为之任余姚县令。刘牢之破孙恩，沈穆夫亦随之被杀。435 庚辰：五月二十九日。436 其情可知：可见他们的真正意图不是前往白石。437 奔淮北：逃回了秦淮河北岸。438 朱龄石：刘裕的得力将领，当时代理中军将军。传见《宋书》卷四十八。439 丹阳郡：郡治即在建康城内，这里指丹阳郡的官署。440 南塘：这里指秦淮河南岸的大堤。441 车骑中军司马：刘裕的高级僚属。刘裕前为车骑将军，因刘敬宣征蜀失利，自请降为中军将军，实际职务并未改变。故司马也仍是同一个人。442 准：庾准，庾亮之孙。443 司马国璠句：司马国璠，晋朝的宗室，桓玄之乱时，他们兄弟逃往南燕，今又逃奔姚兴。444 自修立者：能自修自立，指有才干、有威望的人。445 师老：军队疲惫，士气低落。446 争衡：较量高低。

【原文】

秋，七月庚申[447]，循自蔡洲南还寻阳，留其党范崇民将五千人据南陵[448]。甲子[449]，裕使辅国将军王仲德、广川太守刘钟、河间内史兰陵蒯恩[450]、中军谘议参军孟怀玉等帅众追循。

乙丑[451]，魏主嗣还平城。

西秦王乾归讨越质屈机[452]等十余部，降其众二万五千，徙于苑川。八月，乾归复都苑川[453]。

沮渠蒙逊伐西凉[454]，败西凉世子歆[455]于马庙[456]，禽其将朱元虎而还。凉公暠以银二千斤、金二千两赎元虎，蒙逊归之，遂与暠结盟而还。

刘裕还东府，大治水军，遣建威将军会稽孙处、振武将军沈田子帅众三千自海道袭番禺[457]。田子，林子之兄也。众皆以为“海道艰远，必至为难，且分撤见力[458]，非目前之急”。裕不从，敕处[459]曰：“大军[460]十二月之交必破妖虏，卿至时，先倾其巢窟，使彼走无所归也。”

谯纵遣侍中谯良等入见于秦，请兵以伐晋。纵以桓谦为荆州刺史，

【校记】

［10］董诜：据章钰校，甲十一行本、乙十一行本、孔天胤本皆作“董铣”。［11］械：张敦仁《通鉴刊本识误》作“楫”。［12］格：原作“之”。严衍《通鉴补》改作“格”，今据以校正。［13］豆：据章钰校，甲十一行本、乙十一行本、孔天胤本皆作“苦”，张瑛《通鉴校勘记》同。［14］兖州：原作“交州”。严衍《通鉴补》改作“兖州”，今据改。〖按〗后秦辖兖州而未辖交州。

【语译】

秋季，七月初十庚申，卢循从蔡洲撤出，准备南下返回寻阳，他留下自己的党羽范崇民率领五千名士卒据守南陵。十四日甲子，中军将军刘裕派担任辅国将军的王仲德、担任广川太守的刘钟、担任河间内史的兰陵人蒯恩、担任中军谘议参军的孟怀玉等率领官军追击叛将卢循。

七月十五日乙丑，北魏皇帝拓跋嗣从攻打柔然前线返回京师平城。

西秦王乞伏乾归率军讨伐鲜卑族越质屈机等十多个部落，将其降服的二万五千名部众，全部迁徙到苑川。八月，乞伏乾归再次把都城从度坚山迁回到苑川。

北凉张掖公沮渠蒙逊率军讨伐西凉，在马庙打败了西凉公李暠的世子李歆，俘虏了西凉将领朱元虎，而后班师。李暠用二千斤白银、二千两黄金赎取朱元虎，沮渠蒙逊遂将朱元虎放回，并与李暠订立盟约，然后返回。

东晋中军将军刘裕返回东府，开始大规模扩建水军，他派担任建威将军的会稽郡人孙处、担任振武将军的沈田子率领三千名水军走海路袭击番禺。沈田子，是沈林子的哥哥。众人全都认为“走海道路途遥远，海上风大浪急，艰险难行，不一定能够到达，而且分散现有的兵力去攻打番禺，也不是当务之急”。刘裕没有听从众人的意见，他告诫建威将军孙处说：“朝廷大军在十二月之初，一定能够击败妖贼，你率军到达番禺之后，要先端掉卢循的老巢番禺，令卢循逃走时无家可归。”

西蜀成都王谯纵派担任侍中的谯良为使者前往后秦的都城长安晋见后秦王姚兴，请求出兵讨伐东晋。谯纵任命东晋叛将桓谦为荆州刺史，任命谯道福为梁州刺史，

谯道福为梁州刺史，帅众二万寇荆州[461]，秦王兴遣前将军苟林帅骑兵会之。

江陵自卢循东下，不得建康之问[462]，群盗互起。荆州刺史刘道规遣司马王镇之帅天门[463]太守檀道济[464]、广武将军彭城到彦之[465]入援建康。道济，祗[466]之弟也。

镇之至寻阳，为苟林所破。卢循闻之，以林为南蛮校尉[467]，分兵配之，使乘胜伐江陵，声言徐道覆已克建康。桓谦于道召募义旧[468]，民投之者二万人。谦屯枝江[469]，林屯江津[470]，二寇交逼，江陵士民多怀异心。道规乃会将士告之曰："桓谦今在近道，闻诸长者颇有去就[471]之计，吾东来文武[472]足以济事[473]，若欲去者，本不相禁。"因夜开城门，达晓不闭。众咸惮服，莫有去者。

雍州刺史鲁宗之[474]帅众数千自襄阳赴江陵。或谓宗之情未可测，道规单马迎之，宗之感悦。道规使宗之居守[475]，委以腹心，自帅诸军攻谦。诸将佐皆曰："今远出讨谦，其胜难必。苟林近在江津，伺人动静，若来攻城，宗之未必能固；脱有蹉跌[476]，大事去矣。"道规曰："苟林愚懦，无他奇计，以吾去未远，必不敢向城。吾今取谦，往至便克；沈疑[477]之间，已自还返。谦败则林破胆，岂暇得来？且宗之独守，何为不支数日[478]？"乃驰往攻谦，水陆齐进。谦等大陈舟师，兼以步骑，战于枝江。檀道济先进陷陈[479]，谦等大败。谦单舸奔苟林，道规追斩之。还至涌口[480]，讨林，林走，道规遣谘议参军临淮刘遵帅众追之。初，谦至枝江，江陵士民皆与谦书，言城内虚实，欲为内应。至是检得之，道规悉焚不视，众于是大安。

江州刺史庾悦以鄱阳太守虞丘进为前驱[481]，屡破卢循兵，进据豫章，绝循粮道。九月，刘遵斩苟林于巴陵[482]。

率领二万人马东下攻打东晋的荆州，后秦王姚兴派担任前将军的苟林率领骑兵南下与西蜀军会合。

东晋江陵自从卢循率军东下以后，就再也没有得到有关京师建康方面的消息，于是盗贼蜂拥而起。担任荆州刺史的刘道规派遣担任司马的王镇之率领担任天门郡太守的檀道济、担任广武将军的彭城人到彦之率军东下增援建康。檀道济，是檀祗的弟弟。

担任司马的王镇之率军到达寻阳，被苟林打败。叛将卢循听到消息，立即任命苟林为南蛮校尉，并拨给苟林一部分兵力，让苟林乘胜攻打江陵，声称徐道覆已经攻克了京师建康。桓谦一路之上招募荆楚地区那些昔日受过桓氏之恩而准备报效的人以及桓氏的旧部，民众前来投奔他的多达二万人。桓谦将军队屯扎在枝江县，后秦前将军苟林屯驻在江津，这两股贼寇开始逼近江陵，江陵城内的士民大多都怀有背叛朝廷之心。担任荆州刺史的刘道规于是召集将士，告诉他们说："桓谦现在就在江陵附近，我听说诸位长辈大多有离开这里去投靠桓谦的想法，我们这些从东方来的文武官员凭借自己的力量完全能够打退桓谦等，取得胜利，如果你们想走，我不会禁止。"于是在夜间打开城门，一直到天亮也没有关闭。众将士心中对刘道规既惧怕又佩服，竟然没有一个人离开江陵去投奔桓谦。

东晋担任雍州刺史的鲁宗之率领数千人马从襄阳赶赴江陵。有人说鲁宗之的来意令人莫测，荆州刺史刘道规却单枪匹马出城迎接，令鲁宗之非常感动，也非常高兴。刘道规让鲁宗之留在江陵据守，对他推心置腹，而自己则率领诸军去攻打桓谦。诸将佐都劝阻说："现在出去攻打桓谦，很难有必胜的把握。而苟林却近在江津，伺察这里的动静，如果他率军前来攻取江陵，鲁宗之未必能守得住；一旦出现闪失，可就大势已去。"刘道规说："苟林愚昧懦弱，不会有什么奇谋妙计，他认为我离城并不远，一定不敢前来攻城。我现在去攻打桓谦，只要兵到就能取胜；在苟林还在犹豫不决的时候，我已经得胜而回。桓谦被打败之后，苟林就会吓破胆，哪里还会有时间来攻城？而且有鲁宗之独立坚守，怎么不能坚持几天？"于是急速出兵攻打桓谦，水路、陆路齐头并进。桓谦等出动所有水军，再加上步兵、骑兵，与刘道规在枝江展开大战。天门太守檀道济率先攻破敌阵，桓谦等被打得大败。桓谦乘坐着一艘小船逃奔苟林，被刘道规追上后斩首。刘道规回师到达涌口，向苟林发起攻击，苟林兵败逃走，刘道规派遣担任谘议参军的临淮人刘遵率领部众前去追击苟林。当初，桓谦抵达枝江的时候，江陵城内的士民全都写信给桓谦，向他报告江陵城内的兵力虚实，准备为桓谦攻打江陵做内应。等到桓谦在枝江被刘道规击败、杀死，这些信件就全部落入了刘道规的手中，刘道规连看也不看就全部焚毁，众人这才完全放下心来。

东晋担任江州刺史的庾悦任用鄱阳太守虞丘进为前锋，多次打败卢循所率领的叛军，收复了豫章，截断了卢循运送粮草的通道。九月，刘遵率军追击苟林，在巴陵将苟林斩首。

桓石绥[483]因循入寇，起兵洛口[484]，自号荆州刺史，征阳[485]令王天恩自号梁州刺史，袭据西城[486]。梁州[487]刺史傅韶[15]遣其子魏兴[488]太守弘之讨石绥等，皆斩之，桓氏遂灭。韶，畅之孙也。

西秦王乾归攻秦略阳[489]、南安[490]、陇西[491]诸郡，皆克之，徙民二万五千户于苑川及枹罕。

甲寅[492]，葬魏主珪于盛乐金陵[493]，谥曰“宣武”，庙号“烈祖”。

刘毅固求追讨卢循，长史王诞密言于刘裕曰：“毅既丧败，不宜复使立功。”裕从之。冬，十月，裕帅兖州刺史刘藩、宁朔将军檀韶、冠军将军刘敬宣等南击卢循，以刘毅监太尉留府[494]，后事皆委焉。癸巳[495]，裕发建康。

徐道覆率众三万趣江陵[496]，奄至破冢[497]。时鲁宗之已还襄阳，追召不及，人情大震。或传循已平京邑[498]，遣道覆来为刺史，江、汉士民感刘道规焚书之恩，无复贰志。道规使刘遵别为游军[499]，自拒道覆于豫章口[500]。前驱失利，遵自外横击，大破之，斩首万余级，赴水死者殆尽。道覆单舸走还湓口[501]。初，道规使遵为游军，众咸以为强敌在前，唯患众少，不应分割见力[502]，置无用之地；及破道覆，卒得游军之力，众心乃服。

鲜卑仆浑[503]、羌句岂、输报、邓若[504]等帅户二万降于西秦。

王仲德[505]等闻刘裕大军且至，进攻范崇民于南陵，崇民战舰夹屯两[16]岸[506]。十一月，刘钟自行觇贼[507]，天雾，贼钩得其舸。钟因帅左右攻舰户[508]，贼遽闭户拒之。钟乃徐还，与仲德共攻崇民，崇民走。

桓石绥趁着卢循北上叛乱的机会，在洛口聚众起兵，他自称荆州刺史，征阳县令王天恩自称梁州刺史，袭击西城，并将西城占领。东晋担任梁州刺史的傅韶派自己的儿子、担任魏兴太守的傅弘之率军讨伐桓石绥等，将他们全部斩首，桓氏至此灭亡。傅韶，是傅畅的孙子。

西秦王乞伏乾归率军攻取后秦的略阳、南安、陇西各郡，而且全部攻克，把这些郡中的二万五千户居民强迫迁移到西秦的都城苑川和枹罕。

九月初五甲寅，北魏将先皇拓跋珪安葬在盛乐的金陵，谥号为“宣武”，庙号为“烈祖”。

刘毅坚决请求率军讨伐叛将卢循，担任长史的王诞秘密地对刘裕说：“后将军刘毅已经被卢循打败，丧失了军队，就不应该再让他讨贼立功。”刘裕听从了王诞的建议。冬季，十月，中军将军刘裕亲自率领兖州刺史刘藩、宁朔将军檀韶、冠军将军刘敬宣等西下攻击卢循，令后将军刘毅负责太尉府的留守事宜，把后方的所有事务全部委托给刘毅。十四日癸巳，刘裕率领征讨大军从京师建康出发。

叛军将领徐道覆率领三万名部众杀向江陵，却突然出现在破冢。当时增援江陵的雍州刺史鲁宗之已经离开江陵，返回雍州治所襄阳，派人将他追回已经来不及，于是人心非常惊恐不安。有人传说卢循已经攻占了京师，派徐道覆来任荆州刺史。江、汉地区的人感念荆州刺史刘道规烧毁书信，对准备投靠桓谦的人不予追究的恩德，再也没有背叛之心。刘道规派谘议参军刘遵率领一支部队出城去打游击战，自己则率军在豫章口抵抗徐道覆的正面进攻。先头部队却作战失败，刘遵率领游击军从外线横杀过来，将徐道覆打得大败，砍下了徐道覆叛军的一万多颗首级，再加上被逼跳水而死的，徐道覆的部众几乎死光了。徐道覆乘坐着一艘小船逃回了湓口。当初，刘道规派谘议参军刘遵率领游击军外出作战，众人全都认为强大的叛军就在面前，本来就担心官军人数太少，在这种情况下，不应该再把现有的军队分割一部分出去，放置在一个无用武的地方；在打败徐道覆的战斗中，刘遵所率领的游击军终于在关键时刻发挥了决定性的作用，众人才对刘道规的部署感到心服口服。

鲜卑族部落首领仆浑、羌族部落首领句岂、输报、邓若等率领二万户投降了西秦王乞伏乾归。

东晋辅国将军王仲德等听说中军将军刘裕率领大军即将到达的消息，便向叛军范崇民所据守的南陵发起猛攻，范崇民率领舰船在长江南北两岸夹江而守。十一月，广川太守刘钟亲自率人前去侦察敌情，当时大雾弥漫，叛军用铁钩钩住了刘钟的小船。刘钟趁机率领左右进攻叛贼水军营寨的大门，叛军马上关闭营门拒绝刘钟等进入。刘钟这才慢慢地返回，然后与辅国将军王仲德联合攻打范崇民，范崇民失败逃走。

癸丑[509]，益州刺史鲍陋[510]卒。谯道福陷巴东[511]，杀守将温祚[512]、时延祖[513]。

卢循兵守广州者不以海道为虞[514]。庚戌[515]，孙处乘海奄至[516]，会大雾，四面攻之，即日拔其城。处抚其旧民[517]，戮循亲党，勒兵谨守，分遣沈田子等击岭表诸郡[518]。

刘裕军雷池[519]，卢循扬声不攻雷池，当乘流径下[520]。裕知其欲战，十二月己卯[521]，进军大雷[522]。庚辰[523]，卢循、徐道覆帅众数万塞江而下，前后莫见舳舻之际[524]。裕悉出轻舰，帅众军齐力击之；又分步骑屯于西岸，先备火具。裕以劲弩射循军，因风水之势以蹙[525]之。循舰悉泊西岸，岸上军投火焚之，烟炎涨天。循兵大败，走还寻阳。将趣豫章，乃悉力栅断左里[526]。丙申[527]，裕军至左里，不得进。裕麾兵将战，所执麾[528]竿折，幡[529]沉于水，众并怪惧。裕笑曰："往年覆舟之战[530]，幡竿亦折，今者复然，贼必破矣。"即攻栅而进。循兵虽殊死战，弗能禁。循单舸走，所杀及投水死者凡万余人。纳其降附，宥其逼略[531]，遣刘藩、孟怀玉轻军追之。循收散卒，尚有数千人，径还番禺，道覆走保始兴[532]。裕版[533]建威将军褚裕之行广州刺史[534]。裕之，裒[535]之曾孙也。裕还建康。刘毅恶刘穆之，每从容与裕言穆之权太重，裕益亲任之。

燕[536]广川公万泥、上谷公乳陈[537]，自以宗室，有大功[538]，谓当入为公辅[539]。燕王跋以二藩[540]任重，久而弗征[541]，二人皆怨。是岁，乳陈密

十一月初五癸丑，东晋担任益州刺史的鲍陋去世。西蜀成都王谯纵所任命的辅国将军谯道福率军攻陷了东晋的巴东郡，杀死了担任巴东郡太守的温祚、担任巴东司马的龙骧将军时延祖。

叛将卢循留守广州的部众没有料到朝廷的军队会从海道前来攻打广州，所以毫无戒备。十一月初二庚戌，东晋建威将军孙处率领舰船突然从海道抵达广州，当时正赶上大雾弥漫，孙处指挥军队从四面攻打广州，当天就攻克了广州城。孙处安抚广州旧有的居民，屠杀了卢循的亲属、党羽，然后一面部署军队严密防守广州城，一面派振武将军沈田子等分别率军攻取五岭以南各郡。

东晋中军将军刘裕率领讨贼大军驻扎在雷池，叛将卢循扬言不攻打雷池，而要再次乘船顺流东下攻打京师建康。刘裕却知道卢循正准备与朝廷军进行决战，十二月初一己卯，刘裕率军挺进到雷池西面的大雷戍。初二庚辰，叛将卢循、徐道覆率领数万名部众乘坐舰船顺流而下，舰船布满了江面，多得一眼望不到头。刘裕则出动全部轻快的战船，率领各路大军齐心协力攻打叛军；刘裕还部署了一部分步兵、骑兵屯扎在长江西岸，预先备齐了纵火的工具。刘裕下令军中用强弓硬弩射击卢循叛军，利用风势水势，把叛军的舰船逼向西岸。卢循的舰船于是全部停靠在西岸，早就守护在西岸的官军立即向叛军的舰船投射火种，焚烧舰船，霎时间，烈焰冲天而起，江面之上烟尘弥漫。叛军全线溃败，卢循率领残部逃回寻阳。卢循准备南下攻取豫章，于是便集中兵力在水中下桩立栅，用来遮护左里城，阻挡官军的进攻。十八日丙申，刘裕率领大军抵达左里，由于卢循封锁了航道而无法前进。刘裕正要挥旗指挥军队发动进攻，手中的指挥旗杆突然折断，旗子沉落水中，众人非常惊骇恐惧，认为这是一种不祥的预兆。刘裕笑着说："往年在讨伐桓玄的覆舟山战役中，我的指挥旗杆也断了，今天又是如此，看来这次肯定能够击败叛贼。"于是攻破卢循设置的木栅，向前挺进。卢循的叛军虽然拼命死战，却无法阻挡官军的进攻。卢循一看大势不好，赶紧乘坐一艘小艇逃走，其余被杀死以及投水而死的总计有一万多人。刘裕接纳了那些归附投降的人，赦免了那些被逼迫、被强行抓来而参与叛变的人，然后派遣担任兖州刺史的刘藩、担任中军谘议参军的孟怀玉率领一支轻装部队追击卢循。卢循一边逃亡，一边召集逃散的部众，此时属下还有数千人，卢循率领着这支数千人的残兵败将径直逃回广州的番禺，叛军的另一位首领徐道覆逃往始兴据守。刘裕临时委任建威将军褚裕之为代理广州刺史。褚裕之，是褚裒的曾孙。刘裕返回京师建康。后将军刘毅憎恶刘穆之，常常在刘裕面前从容不迫地告诫说刘穆之的权力太重，而刘裕就越加亲近、信任刘穆之。

北燕广川公冯万泥、上谷公冯乳陈，认为自己出身皇族，又立有大功，就应该留在朝廷，担任位居三公的宰相之任。而燕王冯跋则认为冯万泥所镇守的肥如、冯乳陈所镇守的白狼都是国家的重镇，责任重大，因此很久没有征调二人回到京师龙城，

遣人告万泥曰："乳陈有至谋，愿与叔父图之。"万泥遂奔白狼，与乳陈俱叛。跋遣汲郡公弘㊷与张兴将步骑二万讨之。弘先遣使谕以祸福；万泥欲降，乳陈不可。兴谓弘曰："贼明日出战，今夜必来惊我营，宜为之备。"弘乃密令[17]人课草十束㊸，畜火伏兵以待之。是夜，乳陈果遣壮士千余人来斫营㊹，众火俱起，伏兵邀击，俘斩无遗。万泥[18]、乳陈惧而出降，弘皆斩之。跋以范阳公素弗㊺为大司马，改封辽西公；弘为骠骑大将军，改封中山公。

【段旨】

以上为第四段，写晋安帝义熙六年（公元四一〇年）下半年的大事。主要写：刘裕派部将王仲德、刘钟追击卢循，破卢循守将范崇民于南陵；刘裕又派部将孙处、沈田子自海道袭取广州，颠覆了卢循的巢穴，稳定了岭外诸郡。谯纵乘晋内乱派桓谦与秦将苟林合攻荆州，被刘裕部将刘道规、檀道济、鲁宗之等大破于江陵，桓谦、苟林皆败死；桓石绥起兵应卢循，自称荆州刺史，被晋梁州刺史傅韶所破杀，桓氏家族被灭绝。徐道覆进攻江陵，被刘道规、刘遵大破之，徐道覆单舸逃回寻阳。刘裕大军进驻雷池，大破卢循、徐道覆军于大雷，战争激烈，描写精彩，卢循、徐道覆逃过岭南。北燕冯跋政权下的冯万泥、冯乳陈发动叛乱，失败被杀，西秦王乞伏乾归攻取了秦之略阳、南安诸郡，西秦势力转强。

【注释】

㊼七月庚申：七月初十。㊽南陵：郡名，郡治在今安徽池州市贵池区附近。㊾甲子：七月十四日。㊿兰陵蒯恩：兰陵郡人，姓蒯名恩。兰陵郡治在今山东枣庄，东晋在今江苏常州西北设有侨置郡。(451)乙丑：七月十五日。(452)越质屈机：即越质诘归。越质是鲜卑族的一个部落名，诘归是其头领。诘归曾降于乞伏乾归，后叛投姚兴。(453)复都苑川：乞伏乾归原都苑川（今甘肃兰州东），后降于姚兴。叛离姚兴后曾躲入度坚山，今又迁回苑川。(454)西凉：其统治者西凉公名叫李暠，都城即今甘肃张掖。(455)世子歆：李暠的太子李歆。世子，意同"太子"。(456)马庙：约在今甘肃酒泉东南。〖按〗古代祭马祖，后世因立庙以祭之，故名其地曰"马庙"。(457)番禺：即今广州。(458)分撤见力：分散现有的兵力。见，同"现"。(459)敕处：告诫孙处。敕，告诫、约束。(460)大军：指自己的主力部队。(461)荆州：州治即今湖北江陵西北之纪南城，当时属东晋，刘裕的部将刘道规任荆州

二人对此非常怨恨。这一年，上谷公冯乳陈秘密派人告诉广川公冯万泥说："我有一个最为宏大的计谋，希望与叔父商议。"冯万泥遂放弃肥如，投奔驻守白狼的冯乳陈，与冯乳陈一同谋反。北燕天王冯跋派汲郡公冯弘与张兴率领二万名步兵、骑兵前往白狼讨伐冯万泥与冯乳陈。冯弘首先派使者前往白狼，为冯万泥与冯乳陈分析祸福利害；冯万泥因此准备向朝廷投降，而冯乳陈不同意。辅国大将军张兴对汲郡公冯弘说："叛贼明天出战，今天夜里肯定会来袭击我们的营寨，我们应该提前做好准备。"冯弘遂秘密下令，让每名士卒准备好十捆干草，准备好引火的工具，设好埋伏，严阵以待。当天夜间，冯乳陈果然派遣一千多名勇士前来劫营，冯弘下令众人点火，于是四面火光冲天，伏兵随着火起立即杀出，前来劫营的一千多名勇士有的被俘虏，有的被杀死，一个没剩。冯万泥、冯乳陈非常恐惧，只好出来投降，冯弘把他们二人全部斩首。冯跋任命范阳公冯素弗为大司马，改封辽西公；任命冯弘为骠骑大将军，改封中山公。

刺史。㊻问：音信；消息。㊼天门：郡名，郡治即今湖南石门。㊽檀道济：刘裕的名将。传见《南史》卷十五。㊾到彦之：姓到名彦之，刘裕的名将。传见《南史》卷二十五。㊿祗：檀祗。传见《南史》卷十五。⑭南蛮校尉：官名，驻兵江陵。卢循欲使苟林取江陵，故任以此职，此由东西上。⑭召募义旧：招募那些昔日受过桓氏之"恩"，而思"义"图报的人。⑭枝江：县名，县治在今湖北枝江市西南，当时的江陵城西。⑭江津：即江津戍，在江陵城东南不远。⑭去就：去此就彼，隐指投降敌人。⑭东来文武：由东方建康来的僚属，指自己与部下将士。⑭足以济事：完全可以办好这件事，指打退桓谦等人。⑭雍州刺史鲁宗之：东晋的雍州州治在今湖北襄阳市襄城区。鲁宗之是晋末名将。⑭居守：留守城池。⑭脱有蹉跌：一旦出现闪失。脱，突然、如果。蹉跌，闪失。⑭沈疑：迟疑；拿不定主意。此指苟林。沈，同"沉"。⑭何为不支数日：怎么就坚持不了几天。支，坚持。⑭陷陈：攻破敌阵。陈，同"阵"。⑭涌口：涌水入长江之口，在江陵城东。⑭前驱：先头部队。⑭巴陵：即今湖南岳阳。⑭桓石绥：桓玄的堂兄弟，桓玄死后，一直辗转为寇。⑭洛口：洛谷水与汉水的汇口，在今陕西洋县。⑭征阳：胡三省以为应作"微阳"，微阳在今湖北竹溪县东。⑭西城：县名，县治在今陕西安康西北。⑭梁州：州治在今陕西汉中，当时属晋。⑭魏兴：郡名，郡治即西城。⑭略阳：郡名，郡治在今甘肃秦安东北。⑭南安：郡名，郡治在今甘肃陇西东南。⑭陇西：郡名，郡治在今甘肃陇西东南。⑭甲寅：九月初五。⑭盛乐金陵：盛乐是拓跋魏的故都，在今内蒙古和林格尔城北。金陵是拓跋珪的陵墓名。⑭太尉留府：太尉府的留守处。当时刘裕任太尉。⑭癸巳：十月十四日。⑭趣江陵：杀向江陵。趣，同"趋"，奔

向、扑向。⑷⑼⑺奄至破冢：突然出现在破冢。“破冢”是地名，在江津戍东，江陵城的东南。⑷⑼⑻已平京邑：已经占据建康。⑷⑼⑼游军：游击部队，以骚扰敌人。⑸⑽⑽豫章口：在江陵城东二十里的长江上。⑸⑽⑴湓口：鄱阳湖的入长江之口，在今江西九江东北。⑸⑽⑵分割见力：分散现有的兵力。⑸⑽⑶鲜卑仆浑：鲜卑族的部落头领名叫“仆浑”。⑸⑽⑷羌句岂、输报、邓若：羌族的部落头领名叫“句岂”“输报”“邓若”。⑸⑽⑸王仲德：刘裕的部将，时任辅国将军，正与刘钟等追击卢循。⑸⑽⑹夹屯两岸：谓占据南陵（今安徽池州市贵池区），夹长江而守。⑸⑽⑺觇贼：探看敌情。觇，探测。⑸⑽⑻舰户：以船构成的营门，犹如步兵之所谓“辕门”。⑸⑽⑼癸丑：十一月初五。⑸⑴⑽鲍陋：东晋的益州刺史。因益州已被谯纵所占据，故鲍陋只能游动于今重庆市的东部一带地区。⑸⑴⑴巴东：郡名，郡治在今重庆奉节东。⑸⑴⑵温祚：时为东晋的巴东太守。⑸⑴⑶时延祖：时为龙骧将军，前随刘敬宣伐蜀失利，退守巴东。⑸⑴⑷不以海道为虞：不防备有人从海道进攻他们。虞，忧虑、防备。⑸⑴⑸庚戌：十一月初二。⑸⑴⑹乘海奄至：突袭从海路到达。奄，突然、出其不意。⑸⑴⑺旧民：广州的旧有居民。⑸⑴⑻岭表诸郡：五岭以南的各郡，如南海、苍梧、郁林、合浦等。岭表，犹言“岭外”“岭南”。⑸⑴⑼雷池：今安徽望江县，在长江西岸。⑸⑵⑽径下：一直东下。⑸⑵⑴十二月己卯：十二月初一。⑸⑵⑵大雷：即前文所说的雷池一带。其地有江，称大雷江；有岸，称大雷岸；有驻兵据点，称大雷戍。⑸⑵⑶庚辰：十二月初二。⑸⑵⑷莫见舳舻之际：其舰船多得一眼望不到头。⑸⑵⑸蹙：逼；挤。⑸⑵⑹栅断左里：在水中下桩立栅，以遮护其左里城。左里，卢循所筑的城名，在今江西都昌西北的左蠡镇。⑸⑵⑺丙申：十二月十八日。⑸⑵⑻麾：大将军的指挥旗。⑸⑵⑼幡：这里指指挥旗的旗面。⑸⑶⑽覆舟之战：覆舟山破桓玄之战，见本书卷一百一十三元兴三年。覆舟山在南京东北的长江边。⑸⑶⑴宥其逼略：宽赦那些被逼迫、被强抓的敌军士兵。宥，宽饶。略，意思同“掠”。⑸⑶⑵始兴：郡名，郡治在今广东韶关西南。⑸⑶⑶版：委任；任命。⑸⑶⑷行广州刺史：代理广州刺史。行，临时代理。⑸⑶⑸裒：即褚裒，晋康帝褚皇后之父。⑸⑶⑹燕：此指冯跋的北燕政权。⑸⑶⑺广川公万泥、上谷公乳陈：即冯万泥、冯乳陈。冯万泥是冯跋的堂兄，冯乳陈是冯跋之侄。⑸⑶⑻有大功：指协助冯跋杀死慕容熙，拥立高云。⑸⑶⑼公辅：位居三公的宰相之任。⑸⑷⑽二藩：当时冯万泥为幽、平二州刺史，镇肥如（今河北卢龙北）；冯乳陈为并、青二州刺史，镇白狼（今辽宁喀喇沁左翼西南）。⑸⑷⑴弗征：不调任进京。⑸⑷⑵汲郡公弘：即冯弘，冯跋之弟。⑸⑷⑶人课草十束：让每人准备好十束干草。课，准备。⑸⑷⑷斫营：劫营。⑸⑷⑸范阳公素弗：即冯素弗，冯跋之弟。

【校记】

［15］傅韶：据章钰校，甲十一行本、乙十一行本皆作“傅诏”。［16］两：原作“西”。据章钰校，甲十一行本、乙十一行本、孔天胤本皆作“两”字，张敦仁《通鉴刊本识误》同，今据改。［17］令：据章钰校，甲十一行本、乙十一行本皆作“严”。［18］万泥：张敦仁《通鉴刊本识误》改作“万泥”。

【研析】

本卷写晋安帝义熙五年（公元四〇九年）、义熙六年共两年间的各国大事，其中引人注意并值得议论的事情主要有以下几个方面：

第一，写刘裕破南燕于临朐，战争描写极其精彩。其文曰：“刘裕过大岘，燕兵不出。裕举手指天，喜形于色。左右曰：‘公未见敌而先喜，何也?’裕曰：‘兵已过险，士有必死之志；余粮栖亩，人无匮乏之忧。虏已入吾掌中矣。’六月己巳，裕至东莞。超先遣公孙五楼、贺赖卢及左将军段晖等，将步骑五万屯临朐。闻晋兵入岘，自将步骑四万往就之，使五楼帅骑进据巨蔑水。前锋孟龙符与战，破之，五楼退走。裕以车四千乘为左右翼，方轨徐进，与燕兵战于临朐南。日向昃，胜负犹未决。参军胡藩言于裕曰：‘燕悉兵出战，临朐城中留守必寡，愿以奇兵从间道取其城，此韩信所以破赵也。’裕遣藩及谘议参军檀韶、建威将军河内向弥潜师出燕兵之后，攻临朐，声言轻兵自海道至矣。向弥擐甲先登，遂克之。超大惊，单骑就段晖于城南。裕因纵兵奋击，燕众大败，斩段晖等大将十余人。超遁还广固，获其玉玺、辇及豹尾。裕乘胜逐北至广固，丙子，克其大城，超收众入保小城。裕筑长围守之，围高三丈，穿堑三重；抚纳降附，采拔贤俊，华、夷大悦。于是因齐地粮储，悉停江、淮漕运。”事先刘裕已经料定慕容超必不守险，故晋军过岘后，刘裕未见敌而喜，知敌已入彀中矣。至两军交战而长时间不能取胜，胡藩乃请以轻兵绕出其后攻取其城，且谓“此韩信所以破赵也”，此真能活学活用古人之兵法者，所谓“见机行事”者也。也多亏胡藩、檀韶、向弥三将有勇有谋，既声言“轻兵自海道至矣”以动摇其军心，又能身先士卒，“擐甲先登”，故能克其坚城，获取全胜，此乃既用韩信之计，又非止能用韩信之计也。胡藩、檀韶、向弥三人，当获首功。可惜，此后再没见三人表现如此卓越之身手。

慕容超虽被大破于临朐，但回广固后仍坚守了相当长的时日，说明燕人的抗击能力还是很强的，不像晋人那样腐败无能，故而让刘裕很恼火，于是在攻克广固后，“欲尽坑之，以妻女赏将士”。多亏了部将韩范谏曰：“晋室南迁，中原鼎沸，士民无援，强则附之，既为君臣，必须为之尽力。彼皆衣冠旧族，先帝遗民。今王师吊伐而尽坑之，使安所归乎？窃恐西北之人无复来苏之望矣。”刘裕改容谢之，然“犹斩王公以下三千人，没入家口万余”。司马光为此谴责刘裕说：“刘裕始以王师翦平东夏，不于此际旌礼贤俊，慰抚疲民，宣恺悌之风，涤残秽之政，使群士向风，遗黎企踵，而更恣行屠戮以快忿心。迹其施设，曾苻、姚之不如，宜其不能荡壹四海，成美大之业，岂非虽有智勇而无仁义使之然哉?”

第二，本卷写了魏主拓跋珪向汉武帝学来的残暴荒谬政策，与拓跋珪被其不肖儿子拓跋绍所杀的狂暴情景。文章说：“魏主珪将立齐王嗣为太子。魏故事，凡立嗣

子，辄先杀其母，乃赐嗣母刘贵人死。珪召嗣谕之曰：‘汉武帝杀钩弋夫人，以防母后豫政，外家为乱也。汝当继统，吾故远迹古人，为国家长久之计耳。’嗣性孝，哀泣不自胜。珪怒之。嗣还舍，日夜号泣，珪知而复召之。左右曰：‘上怒甚，入将不测，不如且避之，俟上怒解而入。’嗣乃逃匿于外，惟帐下代人车路头、京兆王洛儿二人随之。”汉武帝为立幼子刘弗陵为太子，而先杀了刘弗陵之母钩弋夫人事，见《史记·外戚世家》，此事除了昏悖透顶的褚少孙能对汉武帝容忍、赞叹外，没听说有一个读者对汉武帝表示敬服，而偏偏鲜卑人拓跋氏能对汉武亦步亦趋，比照实行。明代袁黄《历史纲鉴补》对此说：“汉武惩吕氏而杀钩弋已属过举，元魏乃竟以为故事。且如珪孤弱时，使非其母贺氏辗转奔托，几何不被寔君、刘显所害？不自思而立此灭伦之法，不特因噎废食，实非人世所宜有之事。”

拓跋珪干了这种灭伦之事，是否就给魏国朝廷带来太平过渡了呢？照样没有。文章写拓跋珪之死说：“初，珪如贺兰部，见献明贺太后之妹美，言于贺太后，请纳之。贺太后曰：‘不可。是过美，必有不善。且已有夫，不可夺也。’珪密令人杀其夫而纳之，生清河王绍。绍凶狠无赖，好轻游里巷，劫剥行人以为乐。珪怒之，尝倒悬井中，垂死，乃出之。齐王嗣屡诲责之，绍由是与嗣不协。戊辰，珪谴责贺夫人，囚，将杀之。会日暮，未决。夫人密使告绍曰：‘汝何以救我？’左右以珪残忍，人人危惧。绍年十六，夜，与帐下及宦者宫人数人通谋，逾垣入宫，至天安殿。左右呼曰：‘贼至！’珪惊起，求弓刀不获，遂弑之。”拓跋珪在魏国也应该算是一个幼年历经苦难，长大有一定作为的人。但生性残暴，喜怒无常，曾杀过不少对魏国很有贡献而且很有声望的人。有其父必有其子，拓跋珪的结局如此，很难说是不幸。

第三，本卷写了农民军徐道覆的卓越才干，只因主帅卢循不用徐道覆之谋，致使农民军屡战屡败。文章说：“初，徐道覆闻刘裕北伐，劝卢循乘虚袭建康，循不从。道覆自至番禺说循曰：‘本住岭外，岂以理极于此，传之子孙邪？正以刘裕难与为敌故也。今裕顿兵坚城之下，未有还期，我以此思归死士掩击何、刘之徒，如反掌耳。不乘此机，而苟求一日之安，朝廷常以君为腹心之疾，若裕平齐之后，息甲岁余，以玺书征君。裕自将屯豫章，遣诸将帅锐师过岭，虽复以将军之神武，恐必不能当也。今日之机，万不可失。若先克建康，倾其根蒂，裕虽南还，无能为也。’”这是多么难得的时机，多么易于建功立业的谋略！可惜卢循蠢材，执意不听。

后来刘裕灭南燕而归，农民军破杀晋之大将何无忌，沿江而下直取建康，刘裕登城据守。“徐道覆请于新亭至白石焚舟而上，数道攻裕。循欲以万全为计，谓道覆曰：‘大军未至，孟昶便望风自裁，以大势言之，自当计日溃乱。今决胜负于一朝，干没求利，既非必克之道，且杀伤士卒，不如按兵待之。’道覆以循多疑少决，乃叹曰：‘我终为卢公所误，事必无成；使我得为英雄驱驰，天下不足定也。’”司马迁《史记》写吴楚七国之反，吴楚军中有吴少伯、桓将军、周丘等人。吴少伯、桓将军都曾为吴王濞出谋划策，吴王濞一概不听。“周丘者，下邳人，亡命吴，酤酒无行，吴王濞薄之，弗任。周丘上谒，说王曰：‘臣以无能，不得待罪行间。臣非敢求有所将，愿得王一汉节，必有以报王。’王乃予之。周丘得节，夜驰入下邳。下邳时闻吴反，皆城守。至传舍，召令。令入户，使从者以罪斩令。遂召昆弟所善豪吏告曰：‘吴反兵且至，至，屠下邳不过食顷。今先下，家室必完，能者封侯矣。’出乃相告，下邳皆下。周丘一夜得三万人，使人报吴王，遂将其兵北略城邑。比至城阳，兵十余万，破城阳中尉军。闻吴王败走，自度无与共成功，即引兵归下邳。未至，疽发背死。”“出师未捷身先死，长使英雄泪满襟”，写书者对当朝统治者心存不满，对反抗者有人才而不得其用，致使不应胜者而轻易获胜，反抗者白白失败，岂不可悲可哀也哉?

卷第一百一十六　晋纪三十八

起重光大渊献（辛亥，公元四一一年），尽阏逢摄提格（甲寅，公元四一四年），凡四年。

【题解】

本卷写晋安帝义熙七年（公元四一一年）至义熙十年共四年间东晋与各国的大事。主要写：刘裕部将刘藩、孟怀玉破杀徐道覆于始兴，卢循南攻番禺，被孙处与沈田子内外夹攻，大破之；继而又追击大破卢循于苍梧、郁林，卢循逃入交州；交州刺史杜慧度大破卢循于龙编，卢循自杀，送首建康，多年的国内战乱从此平息。刘毅为荆州刺史，为报旧时受辱之仇而凌虐江州刺史庾悦至死，又打击报复刘敬宣；刘毅由不服刘裕，发展到拉帮结派，阴谋倒刘裕；刘裕先杀了刘毅一党的刘藩、谢混，以王镇恶、蒯恩为先行，统兵讨刘毅；王镇恶等假冒刘藩西上，迅速攻入了江陵城，刘毅逃到牛牧寺，自杀，荆州被刘裕所据；刘裕入江陵后，对荆州实行了一系列安民措施，荆人悦之。刘裕自江陵返回京城，在其亲信刘穆之等人的协助下，狡猾而又极其虚伪地杀了诸葛长民与其亲属。朱龄石奉刘裕之命西取成都，叛贼谯纵城破自杀，部将谯道福被巴民俘获，送斩于军门，西

【原文】

安皇帝辛

义熙七年（辛亥，公元四一一年）

春，正月己未[①]，刘裕还建康。

秦广平公弼[②]有宠于秦王兴，为雍州刺史，镇安定[③]。姜纪谄附于弼，劝弼结兴左右以求入朝[④]。兴征弼为尚书令、侍中、大将军。弼遂倾身结纳朝士，收采名势，以倾东宫[⑤]。国人恶之。会兴以西北多叛乱，欲命重将镇抚之。陇东[⑥]太守郭播请使弼出镇。兴不从，以太常索稜[⑦]为太尉、领陇西内史[⑧]，使招抚西秦。西秦王乾归遣使送所掠守宰[⑨]，谢罪请降。兴遣鸿胪拜乾归都督陇西、岭北、

蜀遂告平定。荆州刺史司马休之与刘裕的矛盾尖锐，前景眼看不妙。秦主姚兴宠幸其子姚弼，姚弼结党于朝，以倾太子姚泓；姚弼乘姚兴生病图谋作乱，余子姚裕、姚懿、姚谌等欲起兵讨之；姚兴病好，诸子皆进言姚弼奸恶事，姚兴迟迟不予处理。西秦主乞伏乾归被其子乞伏公府所弑，太子炽磐讨杀乞伏公府，即位称河南王；乞伏炽磐攻破休官族，多次大破吐谷浑，秦将又以陇西降之，势力强大，乘南凉主秃发傉檀出兵讨伐乙弗诸部之隙，乘虚袭破其京城乐都，灭其国；秃发傉檀所率外出之军自行溃散，秃发傉檀归降于乞伏炽磐，被乞伏炽磐所杀，南凉自此被灭，乞伏炽磐又自称秦王。夏主赫连勃勃的势力强大，为人残暴，建筑统万城极其坚固，制造器械又极其精良。北凉主沮渠蒙逊迁都于姑臧，自称河西王。

【语译】

安皇帝辛

义熙七年（辛亥，公元四一一年）

春季，正月十二日己未，刘裕返回京师建康。

后秦广平公姚弼深受其父后秦王姚兴的宠爱，姚兴任命姚弼为雍州刺史，镇守安定。善于谄媚的智囊人物姜纪依附于姚弼，他劝说姚弼结交后秦王姚兴身边的当权人物，以谋求回朝篡夺朝政大权。后秦王于是将姚弼征调回京师长安，任命姚弼为尚书令、侍中、大将军。姚弼遂费尽心机结交朝廷大小官员，树立自己的声誉，培植自己的势力，企图压倒东宫太子姚泓。朝廷内外官员都很厌恶他。正遇上秦国的西北部发生了多起叛乱事件，姚兴想派一名有声望的将领前去镇压叛乱、安抚民众。担任陇东太守的郭播遂请求派姚弼到西北部镇守。姚兴不同意，他任命担任太常的索稜为太尉，兼任陇西郡内史，令索稜招抚西秦。西秦王乞伏乾归派遣使者把去年攻破南安、略阳、陇西时所俘虏的郡守、县令送回后秦，并向后秦道歉，请求投降。姚兴派担任鸿胪的官员前往西秦的都城苑川，任命乞伏乾归都督陇西、岭北、

匈奴[1]、杂胡诸军事，征西大将军，河州牧⑩，单于，河南王，太子炽磐为镇西将军、左贤王、平昌公。

兴命群臣搜举⑪贤才。右仆射梁喜曰："臣累⑫受诏而未得其人⑬，可谓世之乏才。"兴曰："自古帝王之兴，未尝取相于昔人⑭，待将于将来⑮，随时任才⑯，皆能致治。卿自识拔不明，岂得远诬四海⑰乎？"群臣咸悦。

秦姚详屯杏城⑱，为夏王勃勃所逼，南奔大苏⑲。勃勃遣平东将军鹿弈干追斩之，尽俘其众。勃勃南攻安定，破尚书杨佛嵩于青石⑳北原，降其众四万五千。进攻东乡㉑，下之，徙三千余户于贰城㉒。秦镇北参军王买德奔夏，夏王勃勃问以灭秦之策，买德曰："秦德虽衰，藩镇犹固，愿且蓄力以待之。"勃勃以买德为军师中郎将㉓。秦王兴遣卫大将军常山公显㉔迎姚详，弗及，遂屯杏城。

刘藩帅孟怀玉等诸将追卢循至岭表，二月壬午㉕，怀玉克始兴，斩徐道覆。

河南王乾归徙鲜卑仆浑部三千余户于度坚城㉖，以子敕勃为秦兴太守以镇之。

焦朗㉗犹据姑臧。沮渠蒙逊攻拔其城，执朗而宥㉘之，以其弟挐为秦州刺史，镇姑臧。遂伐南凉，围乐都，三旬不克。南凉王傉檀以子安周为质，乃还。

吐谷浑树洛干㉙伐南凉，败南凉太子虎台㉚。

南凉王傉檀欲复伐沮渠蒙逊，邯川护军㉛孟恺谏曰："蒙逊新并姑臧，凶势方盛，不可攻也。"傉檀不从，五道俱进，至番禾㉜、苕藋㉝，掠五千余户而还。将军屈右曰："今既获利，宜倍道㉞旋师，早度险厄。蒙逊善用兵，若轻军猝至，大敌外逼，徙户内叛，此危道也。"卫尉㉟伊力延曰："彼步我骑，势不相及。今倍道而归则示弱，且捐弃资财，非计也。"俄而昏雾风雨，蒙逊兵大至，傉檀败走。

匈奴、杂胡诸军事，以及征西大将军、河州牧、单于、河南王，任命西秦太子乞伏炽磐为镇西将军、左贤王、平昌公。

后秦王姚兴命令群臣为朝廷搜求人才、举荐贤能。担任右仆射的梁喜说："我已经多次接受诏命，却始终没有找到您所需要的良才，看来当今之世缺少人才。"姚兴批驳说："自古以来，帝王的兴起，从来不可能从古人当中挑选宰相，也不会等到日后有了良将再任用，而是根据现时的需要择人而用，都能使国家得到治理。你自己缺乏识别人才的头脑，怎能污蔑四海之内没有人才呢?"群臣都很悦服。

后秦安远将军姚详率军驻扎在杏城，他不堪忍受夏王刘勃勃的军事压力，遂向南撤退到大苏堡。夏王刘勃勃派遣平东将军鹿弈干率军追赶，将姚详斩首，姚详的部众全部被夏军俘虏。刘勃勃乘胜率军南下攻取安定，在青石北原击败了后秦担任尚书的杨佛嵩所率领的后秦军，杨佛嵩的四万五千名部众向夏王投降。刘勃勃继续率军攻打东乡，将东乡攻克，把东乡的三千多户居民迁移到贰城。后秦担任镇北参军的王买德投奔了夏国，夏王刘勃勃向王买德询问如何才能灭掉后秦，王买德说："秦国的国力虽然有些衰落，然而藩镇的实力仍然很强大，希望能够积蓄力量，等待时机。"刘勃勃任命王买德为军师中郎将。后秦王姚兴派遣担任卫大将军的常山公姚显迎接安远将军姚详，却晚到一步，姚显于是留在杏城防守。

刘藩率领孟怀玉等诸将追赶叛将卢循，一直追到五岭以南，二月初五壬午，孟怀玉率军攻克了始兴，将徐道覆斩首。

河南王乞伏乾归将鲜卑族仆浑部落的三千多户迁徙到度坚城，乞伏乾归任命自己的儿子乞伏敕勃为秦兴太守，镇守度坚山。

焦朗仍然占据着姑臧城。北凉张掖公沮渠蒙逊率军攻占了姑臧，活捉了焦朗，后来又将焦朗释放，任命自己的弟弟沮渠挐为秦州刺史，镇守姑臧。沮渠蒙逊趁势攻伐南凉，包围了南凉的都城乐都，一连攻打了三十天，也没有攻克。南凉王秃发傉檀把自己的儿子秃发安周送给北凉充当人质，北凉才解除了对乐都的包围，撤军而回。

吐谷浑慕容树洛干率军讨伐南凉，打败了南凉太子秃发虎台。

南凉王秃发傉檀想再次出兵讨伐北凉沮渠蒙逊，担任邯川护军的孟恺劝阻说："沮渠蒙逊刚刚吞并了姑臧，凶猛的势头正在旺盛阶段，不可以去攻打他。"秃发傉檀没有接受孟恺的劝告，他兵分五路，同时向前推进，一直推进到番禾、苕藋，劫掠了五千多户居民而回。将军屈右说："今天已经获得胜利，就应该倍道兼程班师回国，早点渡过险要。沮渠蒙逊很善于用兵作战，如果他率领轻装部队突然赶到，我军外面受到敌军的逼迫，掳掠的居民在内部叛变，那可就非常危险了。"担任卫尉的伊力延说："沮渠蒙逊的军队是步兵，而我军是骑兵，无论如何他们也追不上我们。如果倍道兼程撤军，就等于向他们示弱，而且还要丢弃许多财物，这不是好主意。"不久，天色便昏暗下来，而且风雨大作，沮渠蒙逊的大军随后追到，秃发傉檀兵败逃回。

蒙逊进围乐都，傉檀婴城固守，以子染干为质以请和，蒙逊乃还。

三月，刘裕始受太尉、中书监㊱。以刘穆之为太尉司马，陈郡殷景仁为行参军㊲。裕问穆之曰："孟昶参佐谁堪入我府者？"穆之举前建威中兵参军㊳谢晦。晦，安兄据之曾孙也，裕即命为参军。裕尝讯囚㊴，其旦，刑狱参军㊵有疾，以晦代之。于车中一览讯牒㊶，催促便下㊷。相府多事，狱系殷积㊸，晦随问酬辨㊹，曾无违谬。裕由是奇之，即日署刑狱贼曹㊺。晦美风姿，善言笑，博赡多通㊻，裕深加赏爱。

卢循行收兵㊼至番禺，遂围之。孙处拒守二十余日。沈田子㊽言于刘藩曰："番禺城虽险固，本贼之巢穴，今循围之，或有内变。且孙季高㊾众力寡弱，不能持久，若使贼还据广州，凶势复振矣。"夏，四月，田子引兵救番禺，击循，破之，所杀万余人。循走，田子与处共追之，又破循于苍梧㊿、郁林[51]、宁浦[52]。会处病，不能进，循奔交州[53]。

初，九真[54]太守李逊作乱，交州刺史交趾杜瑗[55]讨斩之。瑗卒，朝廷以其子慧度为交州刺史。诏书未至，循袭破合浦[56]，径向交州。慧度帅州府文武拒循于石碕[57]，破之。循余众犹三千人，李逊余党李脱等结集俚獠[58]五千余人以应循。庚子[59]，循晨至龙编南津[60]，慧度悉散家财以赏军士，与循合战，掷雉尾炬[61]焚其舰，以步兵夹岸射之，循众舰俱然[62]，兵众大溃。循知不免，先鸩妻子，召妓妾问曰："谁能从我死者？"多云："雀鼠贪生，就死实难。"或云："官[63]尚当死，某岂愿生？"

沮渠蒙逊乘胜率军包围了南凉的都城乐都，秃发傉檀赶紧在四周布防坚守，他把自己的儿子秃发染干送到北凉做人质，请求与北凉讲和，沮渠蒙逊这才撤军而回。

三月，刘裕开始接受晋安帝司马德宗封任的太尉、中书监职务。刘裕任命刘穆之为太尉司马，任命陈郡人殷景仁暂时充当参谋。刘裕向刘穆之询问说："孟昶身边的那些僚佐，有谁可以到我的太尉府任职？"刘穆之遂向刘裕举荐了在前建威将军孟昶手下担任中兵参军的谢晦。谢晦，是谢安哥哥谢据的曾孙，刘裕立即任命谢晦为参军。刘裕曾经亲自提审囚犯，当天早上，担任刑狱参军的人生了病，刘裕就让谢晦临时代替刑狱参军的职务。谢晦在前往审讯处的途中，在车上把所有有关犯人的案卷看过一遍之后，立即就能拿出处理意见。宰相府的事务性工作很多，上报的案卷和关押的犯人都很多，刘裕问什么，谢晦都能立即回答，并随即处置妥当，竟然没有发生任何差错。刘裕对此感到非常惊奇，当天就任命谢晦为负责审问盗贼的刑狱贼曹。谢晦长得很帅气，很有风度，又喜欢谈笑，学问渊博，知道的事情很多，刘裕对他越来越欣赏和喜爱。

东晋叛将卢循一面向南撤退一面召集人马，到达番禺之后，便把番禺团团包围。东晋建威将军孙处在番禺城内已经坚守了二十多天。振武将军沈田子对兖州刺史刘藩说："番禺城虽然很险要、坚固，但原本是叛贼卢循的老窝，如今卢循将番禺包围，恐怕会引发番禺城内的变乱。而且孙处的部众人少力弱，不能坚持很久，如果让叛贼卢循再度占据广州，其凶恶的气焰就会再次嚣张起来。"夏季，四月，沈田子率军救援番禺，向卢循军发起攻击，将卢循击败，杀死了卢循一万多人。卢循逃走，沈田子与孙处一同出兵追击，又在苍梧、郁林、宁浦等地多次击败卢循。然而，因为孙处此时患病，不能率军继续前进，卢循因此得以逃脱，投奔交州。

当初，东晋九真太守李逊起兵作乱，担任交州刺史的交趾人杜瑗率军讨伐，将李逊斩首。后来杜瑗去世，朝廷便任命杜瑗的儿子杜慧度为交州刺史。朝廷任命的诏书还没有到达交州，逃到交州的卢循便攻破了合浦，径直杀奔交州。杜慧度率领交州的文武官员在石碕抵抗卢循的进攻，将卢循打败。卢循此时手下的残兵败将还有三千人，李逊的余党李脱等人聚集了五千多名当地的少数民族人员起兵响应叛将卢循。四月二十四日庚子，卢循率领残部在早晨抵达龙编南郊的南津，杜慧度把自己家中的全部财产都拿出来犒赏军士，然后与卢循开战，杜慧度制造了很多用草和铁镞制成的"雉尾炬"，准备射到卢循的舰船之上，焚烧卢循的舰船，他指挥步兵从两岸一齐向卢循的舰船发射"雉尾炬"，瞬时，所有的舰船几乎同时燃烧起来，卢循的兵众立即崩溃。卢循知道自己已经无法逃脱，于是便先用毒酒杀死了妻子，又把所有的小妾、歌舞伎等叫到面前询问说："谁愿意跟我一块死？"大多数人都说："就连麻雀、老鼠这样的小动物，都尚且希望活下去，让我们跟你一起去死，确实是太难了。"有的人说："官人都要死了，我岂能贪生怕死？"卢循就把那些不愿意殉死的

乃悉杀诸辞死者，因自投于水。慧度取其尸斩之，并其父子及李脱等，函七首送建康。

初，刘毅在京口，贫困，与知识[64]射于东堂[65]。庾悦为司徒右长史[66]，后至，夺其射堂[67]。众人皆避之，毅独不去。悦厨馔[68]甚盛，不以及毅。毅从悦求子鹅炙[69]，悦怒不与，毅由是衔之。至是，毅求兼督江州[70]，诏许之，因奏称："江州内地，以治民为职，不当置军府凋耗[71]民力，宜罢军府[72]移镇豫章[73]；而寻阳接蛮，可即州府[74]千兵以助郡戍[75]。"于是解悦都督、将军官，以刺史镇豫章。毅以亲将赵恢领千兵守寻阳，悦府文武三千悉入毅府，符摄严峻[76]。悦忿惧，至豫章，疽[77]发背卒。

河南王乾归徙羌句岂[78]等部众五千余户于叠兰城[79]，以兄子阿柴为兴国[80]太守以镇之。五月，复以子木弈干为武威太守，镇嵻崀城[81]。

丁卯[82]，魏主嗣谒金陵[83]，山阳侯奚斤居守[84]。昌黎王慕容伯儿谋反。己巳[85]，奚斤并其党收斩之。

秋，七月，燕王跋以太子永领大单于[86]，置四辅[87]。

柔然可汗斛律遣使献马三千匹于跋，求娶跋女乐浪公主。跋命群臣议之。辽西公素弗曰："前世皆以宗女妻六夷[88]，宜许以妃嫔之女，乐浪公主不宜下降非类[89]。"跋曰："朕方崇信殊俗[90]，奈何欺之？"乃以乐浪公主妻之。

跋勤于政事，劝课[91]农桑，省徭役，薄赋敛；每遣守宰[92]，必亲引见，问为政之要，以观其能。燕人悦之。

女人全部杀死，自己也跳入水中。杜慧度把卢循的尸体打捞上来，斩下他的首级，连同他的父亲和儿子，再加上李逊的余党李脱等，一共是七颗人头，被分别装在七个木匣子里，送往京师建康。

当初，东晋后将军刘毅家住京口，生活很贫困，他经常与一些相识的人在东堂猜拳喝酒。庾悦当时担任司徒右长史，他是最晚来到东堂的，却强迫刘毅等让出东堂给他用。众人都惧怕庾悦的势力，于是全都躲开了，只有刘毅一个人不肯走。庾悦所携带的酒食非常丰盛，他自己只管尽情享用，却不理会旁边的刘毅。刘毅向庾悦索要一只烤鹅仔，庾悦非常恼火，便一口拒绝，刘毅因此对庾悦怀恨在心。现在，刘毅向朝廷提出要求兼任督江州之军事，晋安帝司马德宗下诏批准了刘毅的请求，刘毅趁机上奏章给晋安帝司马德宗说："江州属于国家的腹地，应该以治理人民为主要职责，而不应当设置军府，耗费民财民力，应该撤掉设在江州的都督府，同时把江州刺史的治所从寻阳迁移到豫章；寻阳靠近蛮人，可以把原来江州都督府的一千名士兵就地移交给寻阳政府，以加强九江郡的防务。"于是解除了江州刺史庾悦的都督、将军职务，仅以江州刺史的身份随同镇所迁移到豫章。刘毅令自己的亲信将领赵恢率领一千名士卒驻守寻阳，庾悦都督府的三千名文武官员全部并入刘毅的都督府，刘毅不断给镇守豫章的江州刺史庾悦下达各种命令，严加统摄。庾悦既愤恨又惧怕，到了豫章后，竟因背上生毒疮而去世。

被后秦王封为河南王的乞伏乾归把羌族部落首领句岂属下的五千多户居民迁移到叠兰城，并设置兴国郡，任命自己哥哥乞伏国仁的儿子乞伏阿柴为兴国太守，负责镇守叠兰城。五月，乞伏乾归又任命自己的儿子乞伏木弈干为武威太守，镇守嵻崀城。

五月二十二日丁卯，北魏皇帝拓跋嗣前往盛乐的金陵祭告自己的父亲拓跋珪，留下山阳侯奚斤守卫京师平城。昌黎王慕容伯儿谋反。二十四日己巳，山阳侯奚斤逮捕了昌黎王慕容伯儿及其党羽，并把他们全部处死。

秋季，七月，北燕天王冯跋令太子冯永兼任管理北方少数民族事务的大单于，并为他设置左辅、右辅、前辅、后辅四位辅政大臣。

柔然蔼豆盖可汗郁久闾斛律派遣使者向北燕天王冯跋贡献三千匹马，请求娶冯跋的女儿乐浪公主为妻。北燕天王冯跋下令群臣就此事进行商议。辽西公冯素弗说："从前的君主都把宗室的女儿嫁给夷族，现在应该把嫔妃生的女儿许配给柔然可汗，而不应该把乐浪公主下嫁给不是同一种族的人。"冯跋说："我目前正准备取信于少数民族，怎能欺骗柔然可汗呢？"于是便把乐浪公主许嫁给柔然蔼豆盖可汗郁久闾斛律为妻。

北燕天王冯跋对于国家政务勤勤恳恳，他督促、鼓励农民种田养蚕，减轻人民的赋税和徭役；每次为各郡派遣郡守，为各县派遣县令，都要亲自接见，向他们询问施政的纲要，以此来考察他们的能力。燕国人因此都很拥护他。

河南王乾归遣平昌公炽磐及中军将军审虔伐南凉。审虔，乾归之子也。八月，炽磐兵济河[93]，南凉王傉檀遣太子虎台逆战于岭南[94]。南凉兵败，虏牛马十余万而还。

沮渠蒙逊帅轻骑袭西凉。西凉公暠曰："兵有不战而败敌者，挫其锐也。蒙逊新与吾盟[95]，而遽来袭我，我闭门不与战，待其锐气竭而击之，蔑不克[96]矣。"顷之，蒙逊粮尽而归。暠遣世子歆帅骑七千邀击[97]之，蒙逊大败，获其将沮渠百年。

河南王乾归攻秦略阳[98]太守姚龙于柏阳堡，克之。冬，十一月，进攻南平[99]太守王憬于水洛城，又克之，徙民三千余户于谭郊[100]。遣乞伏审虔帅众二万城谭郊[101]。十二月，西羌彭利发[102]袭据枹罕[103]，自称大将军、河州牧，乾归讨之，不克。

是岁，并州刺史刘道怜为北徐州刺史，移镇彭城。

【段旨】

以上为第一段，写晋安帝义熙七年（公元四一一年）一年间的大事。主要写：刘裕部将刘藩、孟怀玉破杀徐道覆于始兴，卢循南攻番禺不下，被孙处与沈田子内外夹攻，大破之；继而又追击大破卢循于苍梧、郁林，卢循逃入交州；交州刺史杜慧度大破卢循于龙编，卢循自杀，移首建康，多年的国内战乱从此平息。刘裕始受太尉之职，以刘穆之为太尉司马，以谢晦为参军。刘毅为荆州刺史，为报旧时受辱之仇而凌虐江州刺史庾悦至死。夏主赫连勃勃攻杀秦将姚详，又破杀秦将杨佛嵩；西秦主乞伏乾归攻取秦之略阳、南平。秦主姚兴治下的姚弼揽权，以倾太子姚泓，为以后的内乱埋下伏笔。北凉主沮渠蒙逊攻得姑臧，又大破秃发傉檀，围南凉之乐都，取质而归。柔然可汗送马求婚于北燕主冯跋，冯跋勤于政事，燕人悦之。

被后秦王姚兴封为河南王的西秦王乞伏乾归派平昌公乞伏炽磐与担任中军将军的乞伏审虔率军讨伐南凉。乞伏审虔，是乞伏乾归的儿子。八月，西秦平昌公乞伏炽磐率军渡过黄河，南凉王秃发傉檀赶紧派太子秃发虎台前往岭南迎战西秦军。结果被乞伏炽磐所率领的西秦军打得大败，西秦军掠走了南凉十多万头牛马。

北凉张掖公沮渠蒙逊率领轻骑兵袭击西凉。西凉公李暠说："军事行动，有时可以不用在战场上交锋就能将敌人打败，那就是先挫败敌人的锐气。沮渠蒙逊刚刚与我们订立友好盟约，就突然来袭击我们，我关闭城门不与他交战，等到沮渠蒙逊的军队锐气衰竭的时候再出兵攻击他们，就没有不成功的道理。"过了不久，沮渠蒙逊所携带的军粮已经吃光，只得撤退。李暠派自己的世子李歆率领七千名骑兵在半路伏击，将沮渠蒙逊打得大败，并活捉了北凉的将领沮渠百年。

河南王乞伏乾归率军攻打后秦略阳太守姚龙所据守的柏阳堡，将柏阳堡攻克。冬季，十一月，乞伏乾归又进攻后秦南平太守王憬所镇守的水洛城，水洛城也被攻陷，乞伏乾归把水洛城的三千多户居民强行迁徙到谭郊。乞伏乾归派自己的儿子、担任中军将军的乞伏审虔率领二万名兵众修筑谭郊城。十二月，西羌部落首领彭利发率领自己的部众袭击枹罕，将枹罕城占领，便自称大将军、河州牧。河南王乞伏乾归率军讨伐彭利发，没能取胜。

这一年，东晋担任并州刺史的刘道怜被改任为北徐州刺史，将镇所迁移到彭城。

【注释】

① 正月己未：正月十二日。② 广平公弼：即姚弼，姚兴之子。③ 安定：郡名，郡治在今甘肃泾川北，这里也是后秦雍州的州治所在地。④ 入朝：其意在于篡取政权。⑤ 东宫：指太子姚泓。⑥ 陇东：郡名，郡治泾阳，在今甘肃平凉。⑦ 太常索稜：为太常之职者姓索名稜。太常是朝官名，也称"奉常"，九卿之一，掌管朝廷礼仪。⑧ 领陇西内史：兼任陇西郡的内史。陇西是诸侯国名，级别相当于郡，郡治在今甘肃陇西东南，当时属乞伏乾归的西秦。内史是诸侯国的行政长官，级别相当于郡太守。⑨ 所掠守宰：指去年破南安、略阳、陇西三郡所掳去的郡太守与所属县的县令。⑩ 河州牧：河州刺史。河州的州治枹罕，在今甘肃临夏。⑪ 搜举：寻求、推荐。⑫ 累：屡次。⑬ 未得其人：找不到您所需要的良才。⑭ 取相于昔人：往古代去找宰相。⑮ 待将于将来：等到日后有了良将再任用。⑯ 随时任才：根据现时的需要择人而用。⑰ 远诬四海：指梁喜所说的"世之乏才"。⑱ 杏城：在今陕西黄陵西南。⑲ 大苏：在今陕西黄陵南。⑳ 青石：即青石原，又名青石岭，在当时的安定（今甘肃泾川北）城北。㉑ 东乡：约在安定附近。㉒ 贰城：在今陕西黄陵西。㉓ 军师中郎将：既是军师，又是侍卫军的长官。㉔ 常山公显：即姚显，

姚兴之弟。㉕二月壬午：二月初五。㉖度坚城：在乞伏乾归前所退守的度坚山上，在今甘肃榆中。㉗焦朗：魏安（今甘肃武威东南）人，秃发傉檀为沮渠蒙逊之逼，由姑臧南迁乐都后，当地人遂推焦朗为首，据姑臧自立。事见本书卷一百一十五义熙六年。㉘宥：宽赦。㉙树洛干：人名，吐谷浑部落的首领。㉚虎台：秃发傉檀之子。㉛邯川护军：邯川地区的军事长官。邯川在今青海贵德、尖扎二县之间。护军，朝廷所派的监督该地军队的官员。㉜番禾：郡名，郡治即今甘肃永昌。㉝茗藋：地名，在今甘肃张掖东。㉞倍道：犹言"兼程"，一天走两天的路。㉟卫尉：护卫皇宫的部队长。㊱中书监：中书省的最高长官，负责给帝王起草文件、制定条例。㊲行参军：暂时充当太尉刘裕的参谋。行，临时充当，正式任命前的试用阶段。㊳建威中兵参军：建威将军的中兵参军。孟昶自杀前任建威将军。㊴讯囚：审问罪犯。这里指到关押犯人的地方视察。㊵刑狱参军：刘裕手下分管刑狱的人员。㊶讯牒：指有关犯人的案卷。㊷催促便下：立刻拿出处理意见。催促，犹言"仓促""立即"，极言其处理问题之快。㊸狱系殷积：指上报的案卷和关押的人犯众多。㊹随问酬辨：刘裕问什么，谢晦都能立即回答，并随即处理妥当。㊺刑狱贼曹：即负责审问盗贼的刑狱参军。㊻博赡多通：学问渊博，知道的事多。㊼行收兵：一面前进，一面扩大队伍。㊽沈田子：刘裕的部将，正受命进兵岭南，追击卢循。㊾孙季高：即孙处，字季高。㊿苍梧：郡名，郡治即今广西梧州。(51)郁林：郡名，郡治在今广西桂平。(52)宁浦：郡名，郡治在今广西横州市。(53)交州：州治龙编，在今越南河内东北。(54)九真：郡名，郡治在今越南清化西北。(55)交趾杜瑗：交趾郡人杜瑗。交趾郡的郡治即在龙编。(56)合浦：郡名，郡治在今广西合浦。(57)石碕：约在广西与越南交界一带。(58)俚獠：当地的少数民族名。(59)庚子：四月二十四日。(60)南津：水名，流经当时的龙编南，今越南河内北。(61)雉尾炬：束草之一头裹有重物，另一头散乍如雉尾，点燃以投烧敌人。(62)然：同"燃"。(63)官：或称"官家"，南北朝及唐宋时代用以称皇帝，这里即指称卢循。(64)知识：彼此认识的人。(65)射于东堂：在东堂猜拳喝酒。射，犹如今之猜拳。东堂，在司徒府，即当时的所谓"东府"中。(66)庾悦为司徒右长史：庾悦是庾亮的后代，为司马道子任高级僚属。当时司马道子任司徒。(67)夺其射堂：抢占了他们的饮酒之处。(68)厨馔：指酒食。(69)子鹅炙：犹今之所谓"烤鹅仔"。(70)兼督

【原文】

八年（壬子，公元四一二年）

春，正月，河南王乾归复讨彭利发，至奴葵谷[104]。利发弃众南走，乾归遣振威将军乞伏公府[105]追至清水[106]，斩之，收羌户一万三千，以乞

江州：兼督江州之军事。⑪ 凋耗：消耗；耗费。⑫ 罢军府：撤掉江州都督府。⑬ 移镇豫章：将江州刺史的治所由寻阳迁往豫章（治今江西南昌），当时庾悦任江州刺史。⑭ 州府：指原来的江州都督府。⑮ 以助郡戍：以加强九江郡的军事据点。九江郡的郡治即寻阳。⑯ 符摄严峻：刘毅下达给庾悦的文书、命令都很严厉。符，命令。摄，约束。据《晋书·刘毅传》，刘毅是先剥夺了庾悦的江州都督之职，由他兼任，于是接管了庾悦的旧部文武。随后又让只剩了刺史一职的庾悦由寻阳迁治所到豫章。接着刘毅又加了都督荆、宁、秦、雍、交、广等州军事，成了雄霸长江中上游及南方的大员，庾悦遂成了他的地方属官，于是便“符摄严峻”地公报私仇。⑰ 疽：毒疮。⑱ 羌句岂：羌族部落的头领名叫句岂，于去年投降乞伏乾归。⑲ 叠兰城：在今甘肃临夏东南。⑳ 兴国：郡名，郡治在今甘肃天水市东。㉑ 嵻崀城：在今甘肃临夏东南。㉒ 丁卯：五月二十二日。㉓ 金陵：拓跋珪的坟墓，在盛乐，今内蒙古和林格尔北。㉔ 奚斤居守：奚斤是拓跋魏的名将。传见《魏书》卷二十九。居守，留守平城，今山西大同东北。㉕ 己巳：五月二十四日。㉖ 领大单于：兼任大单于，管理北方少数民族的事务。㉗ 四辅：四个辅佐官员，类似宰相、太傅之类。㉘ 六夷：泛指各少数民族。冯跋是汉族人，旧籍河北冀县，故对柔然如此称呼。㉙ 下降非类：下嫁给不是同一种族的人。非类，不是同一个血统。㊿ 崇信殊俗：在其他民族的人那里提高信义。崇信，提高信义。91 劝课：鼓励、督促。92 守宰：太守、县令。93 济河：渡过黄河。94 岭南：洪池岭以南，洪池岭在今西宁北的青海与甘肃交界处。95 新与吾盟：沮渠蒙逊打败西凉，两国结盟事见本书卷一百一十五义熙六年。96 蔑不克：不可能不胜利。97 邀击：半路伏击。98 略阳：郡名，郡治在今甘肃秦安东北。99 南平：后秦郡名，郡治即在水洛城，今甘肃庄浪。100 谭郊：在今甘肃临夏西北。101 城谭郊：在谭郊筑城。102 彭利发：人名，西羌的部落首领。103 枹罕：地名，在今甘肃临夏，当时为河州的州治所在地。

【校记】

［1］匈奴：原无此二字。据章钰校，甲十一行本、乙十一行本、孔天胤本皆有此二字，张敦仁《通鉴刊本识误》同，今据补。

【语译】

八年（壬子，公元四一二年）

春季，正月，河南王乞伏乾归再次率军讨伐彭利发，大军抵达奴葵谷。彭利发丢弃部众向南逃亡，乞伏乾归派担任振威将军的乞伏公府率军追赶到清水，终于将彭利发斩首，俘虏了羌族居民一万三千户。乞伏乾归任命担任中军将军的乞伏审虔

伏审虔为河州刺史，镇枹罕而还。

二月丙子⑩⑦，以吴兴⑩⑧太守孔靖为尚书右仆射。

河南王乾归徙都谭郊，命平昌公炽磐镇苑川。乾归击吐谷浑阿若干于赤水⑩⑨，降之。

夏，四月，刘道规以疾求归，许之。道规在荆州累年，秋毫无犯。及归，府库帷幕，俨然若旧。随身甲士二人迁席于舟中⑪⓪，道规刑之于市。

以后将军豫州刺史刘毅为卫将军，都督荆、宁、秦、雍四州诸军事，荆州刺史。毅谓左卫将军刘敬宣曰："吾忝西任⑪¹，欲屈卿⑪²为长史南蛮⑪³，岂有见辅⑪⁴意乎？"敬宣惧，以告太尉裕。裕笑曰："但令⑪⁵老兄平安，必无过虑。"

毅性刚愎，自谓建义⑪⁶之功与裕相埒⑪⁷，深自矜伐，虽权事推裕⑪⁸而心不服。及居方岳⑪⁹，常怏怏不得志。裕每柔而顺之⑫⓪，毅骄纵滋甚，尝云："恨不遇刘、项⑫¹，与之争中原！"及败于桑落⑫²，知物情⑫³去已[2]，弥复愤激。裕素不学，而毅颇涉文雅，故朝士有清望者⑫⁴多归之，与尚书仆射谢混⑫⁵、丹杨尹郗僧施⑫⁶，深相凭结⑫⁷。僧施，超之从子⑫⁸也。毅既据上流，阴有图裕之志，求兼督交、广二州，裕许之。毅又奏以郗僧施为南蛮校尉、后军司马⑫⁹，毛脩之为南郡⑬⓪太守，裕亦许之，以刘穆之代僧施为丹杨尹。毅表求至京口⑬¹辞墓，裕往会之于倪塘⑬²。宁远将军胡藩言于裕曰："公谓刘卫军⑬³终能为公下乎？"裕默然久之，曰："卿谓何如？"藩曰："连百万之众，攻必取，战必克，毅固[3]以此服公；至于涉猎传记，一谈一咏⑬⁴，自许以为雄豪⑬⁵。以是搢绅白面之士⑬⁶辐凑归之⑬⁷。恐终不为公下，不如因会取之。"裕曰："吾与毅俱有克复之功⑬⁸，其过未彰，不可自相图也。"

为河州刺史，负责镇守枹罕，然后班师。

二月初五丙子，东晋朝廷任命担任吴兴太守的孔靖为尚书右仆射。

河南王乞伏乾归将都城从苑川迁往谭郊，令平昌公乞伏炽磐镇守苑川。乞伏乾归率军攻打吐谷浑阿若干所镇守的赤水，阿若干兵败后向乞伏乾归投降。

夏季，四月，东晋担任荆州刺史的刘道规因为身体有病，遂向朝廷请求返回京师建康，朝廷批准了刘道规的请求。刘道规在荆州刺史任上很多年，对民众秋毫无犯。当他返回京师建康的时候，荆州的府库、帷幕仍然像旧时一样。跟随他的两名军士，把刘道规在官府中使用的一块坐垫搬到了船上，刘道规就把他二人绑到闹市中斩首。

东晋朝廷任命担任豫州刺史的后将军刘毅为卫将军，都督荆、宁、秦、雍四州诸军事，荆州刺史。刘毅对担任左卫将军的刘敬宣说："我今天来到西部担任荆州刺史，想委屈你担任南蛮长史，助我一臂之力，你愿意不愿意？"刘敬宣非常害怕，就将此事告诉了太尉刘裕。刘裕笑着说："我保证让你平安无事，你不要过分担忧。"

刘毅为人刚愎自用，自认为当年讨伐桓玄、兴复晋室时所建立的功劳与太尉刘裕不相上下，因此特别自我夸耀，虽然偶尔也赞扬刘裕一两句，而心里其实很不服气。等到朝廷任命自己担任镇守一方的军政长官，心中便感到很不得志，经常闷闷不乐。刘裕对他往往采取忍让的态度，自作谦卑地顺着他，刘毅就更加骄傲放纵，他常说："遗憾的是没有生活在刘邦、项羽争霸的时代，否则也要与他们争个胜负，夺取中原！"等到后来在桑落洲被叛将卢循打败，知道人心向背，离他远去，心中就更加恼怒激愤。刘裕一向不喜好读书，而刘毅则是一个广泛涉猎文史的知识型将领，所以朝廷中那些文雅而名望清高的人大多都倾向于刘毅，刘毅与担任尚书仆射的谢混、担任丹杨尹的郗僧施紧密勾结，互相依靠。郗僧施，是郗超的侄子。刘毅已经占据了长江上游地区，暗中便有除掉刘裕的想法，他向朝廷请求兼任都督交、广二州诸军事，刘裕批准了他的请求。刘毅又奏请朝廷任命郗僧施为南蛮校尉，同时为后将军刘毅担任司马，任命毛脩之为南郡太守，刘裕也批准了他，遂任命刘穆之代替郗僧施为丹杨尹。刘毅又上表请求前往京口向祖先墓辞行，刘裕便亲自前往倪塘会见刘毅。担任宁远将军的胡藩对刘裕说："你认为卫军将军刘毅会甘心居于你的下位吗？"刘裕沉默不语，过了很长时间，刘裕才说："你认为如何？"胡藩回答说："统领百万大军，攻必取，战必胜，在这方面刘毅固然佩服你；至于在涉猎文史百家，谈吐风雅，吟诗作赋方面，则自认为是天下的雄豪。所以那些面皮白嫩的上流社会贵族与士大夫都像车轮上的辐条凑向车毂一样归附刘毅。恐怕他终究不会甘心居于你之下，不如趁着与他会晤的机会逮捕他。"刘裕说："我与刘毅全都为攻败桓玄、复兴晋室建立了功勋，现在刘毅的过错还没有明显地暴露出来，所以我们不能自相图谋。"

乞伏炽磐攻南凉三河太守吴阴于白土[139]，克之，以乞伏出累代之。

六月，乞伏公府弑河南王乾归[140]，并杀其诸子十余人，走保大夏[141]。平昌公炽磐遣其弟广武将军智达、扬武将军木弈干帅骑三千讨之；以其弟昙达为镇东[4]将军，镇谭郊[142]，骁骑将军娄机镇苑川。炽磐帅文武及民二万余户迁于枹罕。

秦人多劝秦王兴乘乱取炽磐，兴曰："伐人丧，非礼也。"夏王勃勃欲攻炽磐，军师中郎将王买德谏曰："炽磐，吾之与国[143]，今遭丧乱，吾不能恤，又恃众力而伐之，匹夫犹且耻为，况万乘乎！"勃勃乃止。

闰月庚子[144]，南郡烈武公[145]刘道规卒。

秋，七月己巳朔[146]，魏主嗣东巡，置四厢大将[147]、十二小将，以山阳侯斤、元城侯屈行左、右丞相。庚寅[148]，嗣至濡源[149]，巡西北诸部落。

乞伏智达等击破乞伏公府于大夏，公府奔叠兰城，就其弟阿柴。智达等攻拔之，斩阿柴父子五人。公府奔嵻崀南山，追获之，并其四子，轘[150]之于谭郊。

八月，乞伏炽磐自称大将军、河南王，大赦，改元"永康"。葬乾归于枹罕，谥曰"武元王[5]"，庙号"高祖"。

皇后王氏[151]崩。

庚戌[152]，魏主嗣还平城。

九月，河南王炽磐以尚书令武始翟勍[153]为相国，侍中、太子詹事赵景为御史大夫；罢尚书令、仆、尚书六卿、侍中等官。

癸酉[154]，葬僖皇后[155]于休平陵[156]。

刘毅至江陵，多变易守宰，辄割[157]豫州文武、江州兵力万余人以自随。会毅疾笃，郗僧施等恐毅死，其党危，乃劝毅请从弟兖州刺史藩以自副[158]，太尉裕伪许之。藩自广陵[159]入朝，己卯[160]，裕以诏书[161]罪状毅，云与藩及谢混共谋不轨，收藩及混赐死。

西秦平昌公乞伏炽磐率军进攻南凉三河太守吴阴所据守的白土城，将白土城占领，遂任命乞伏出累代替吴阴，担任了三河郡太守。

六月，西秦担任振威将军的乞伏公府弑杀了自己的叔父河南王乞伏乾归，同时还杀死了乞伏乾归的十几个儿子，然后逃往大夏据守。平昌公乞伏炽磐派自己的弟弟广武将军乞伏智达、扬武将军乞伏木弈干率领三千名骑兵前往大夏城讨伐乞伏公府；又任命自己的弟弟乞伏昙达为镇东将军，镇守都城谭郊，令担任骁骑将军的乞伏娄机镇守苑川。乞伏炽磐率领文武百官以及二万多户居民迁往枹罕。

后秦有许多人劝说后秦王姚兴趁西秦内乱之机攻取乞伏炽磐，姚兴说："趁别人有丧事的时候攻打，不合乎礼义。"夏王刘勃勃准备出兵攻打乞伏炽磐，担任军师中郎将的王买德劝阻说："乞伏炽磐，是与我们结盟的国家，如今发生内乱，秦王乞伏乾归被杀，我们不能伸出援手，反倒仗恃自己人多势众而进行攻伐，即使是一介平民尚且不屑于这样做，何况是拥有万乘兵车的大国之君呢！"刘勃勃才没有出兵。

闰六月初一庚子，东晋南郡烈武公刘道规去世。

秋季，七月初一己巳，北魏皇帝拓跋嗣东下巡视，设置了四厢大将、十二位小将，任命山阳侯奚斤为代理左丞相，元城侯拓跋屈为代理右丞相。二十二日庚寅，拓跋嗣抵达濡源，巡视西北各部落。

西秦广武将军乞伏智达等率军在大夏城击败了乞伏公府，乞伏公府逃往叠兰城，投奔自己的弟弟、担任兴国太守的乞伏阿柴。乞伏智达等攻破了叠兰城，杀死了乞伏阿柴父子五人。乞伏公府又从叠兰城逃往嵻崀南山，被乞伏智达等追上、逮捕，连同他的四个儿子，全部押送谭郊，施以车裂的酷刑。

八月，西秦平昌公乞伏炽磐自称大将军、河南王，实行大赦，改年号为"永康"。将故河南王乞伏乾归安葬在枹罕城，上谥号为"武元王"，庙号"高祖"。

东晋安皇帝司马德宗的皇后王氏去世。

八月十二日庚戌，北魏皇帝拓跋嗣返回都城平城。

九月，西秦大将军、河南王乞伏炽磐任命担任尚书令的武始人翟勍为相国，任命担任侍中、太子詹事的赵景为御史大夫；取消了尚书令、仆、尚书六卿、侍中等官职。

九月初六癸酉，东晋将僖皇后王氏安葬于休平陵。

刘毅抵达江陵任所之后，便大批更换荆州各郡的太守、各县的县令，还把豫州的文武官员和江州一万多名军士强行带往江陵。其实此时的刘毅已经身患重病，而且病势沉重，郗僧施等担心一旦刘毅死去，刘毅的党羽将会陷入危险的处境，于是劝说刘毅请求朝廷让担任兖州刺史的堂弟刘藩做自己的副手，太尉刘裕假装答应了刘毅的要求。刘藩从广陵来到京师建康朝见皇帝，九月十二日己卯，刘裕以晋安帝司马德宗的名义发布诏书，宣布刘毅的各条罪状，说刘毅与刘藩以及谢混等人一起阴谋叛乱，遂将刘藩以及谢混逮捕，并命他们自杀而死。

初，混与刘毅款昵[162]，混从兄澹常以为忧，渐与之疏，谓弟璞及从子瞻曰："益寿[163]此性，终当破家。"澹，安之孙也。

庚辰[164]，诏大赦，以前会稽内史司马休之为都督荆、雍、梁、秦、宁、益六州诸军事，荆州刺史；北徐州刺史刘道怜为兖、青二州刺史，镇京口[165]。使豫州刺史诸葛长民监太尉留府事[166]。裕疑长民难独任，乃加刘穆之建武将军，置佐吏，配给资力以防之[167]。

壬午[168]，裕帅诸军发建康，参军王镇恶[169]请给百舸为前驱。丙申[170]，至姑孰，以镇恶为振武将军，与龙骧将军蒯恩将百舸前发。裕戒之曰："若贼可击，击之；不可者，烧其船舰，留屯水际[171]以待我。"于是镇恶昼夜兼行，扬声言刘兖州上[172]。

冬，十月己未[173]，镇恶至豫章口[174]，去江陵城二十里，舍船步上。蒯恩军居前，镇恶次之。舸留一二人，对舸岸上立六七旗，旗下置鼓，语所留人："计我将至城，便鼓严[175]，令若后有大军状。"又分遣人烧江津[176]船舰。镇恶径前袭城，语前军士[177]："有问者，但云刘兖州至。"津戍[178]及民间皆晏然[179]不疑。未至城五六里[180]，逢毅要将[181]朱显之欲出江津[182]，问："刘兖州何在？"军士曰："在后。"显之至军后，不见藩，而见军人担彭排战具[183]，望江津船舰已被烧，鼓严之声甚盛，知非藩上，便跃马驰去告毅，行令[184]闭诸城门。镇恶亦驰进，门未及下关，军人因得入城。卫军长史谢纯入参承[185]毅，出闻兵至，左右欲引车归。纯叱之曰："我，人吏[186]也，逃将安之？"驰还入府。纯，安兄据之孙也。镇恶与城内兵斗，且攻其金城[187]。自食时[188]至中晡[189]，城内人败散。镇恶穴其金城而入，遣人以诏及赦文并裕手书示毅，毅皆烧不视，

当初，谢混与刘毅关系亲密，谢混的堂兄谢澹常常为此感到担忧，便渐渐地与谢混关系疏远，他对自己的弟弟谢璞以及侄子谢瞻说："益寿这样的性格，最终一定会导致家破人亡。"谢澹，是谢安的孙子。

九月十三日庚辰，东晋朝廷下诏发布大赦令，任命前会稽内史司马休之为都督荆、雍、梁、秦、宁、益六州诸军事，荆州刺史；任命担任北徐州刺史的刘道怜为兖、青二州刺史，镇守京口。派担任豫州刺史的诸葛长民担任刘裕太尉府的留守长官。刘裕疑心诸葛长民难以独自担当此任，遂加授刘穆之为建武将军，为刘穆之设置将军府，遴选僚佐，给他调配人力物力，用以防范诸葛长民。

九月十五日壬午，东晋太尉刘裕率领各路大军从京师建康出发，担任参军的王镇恶请求拨给一百艘轻型舰船，愿意为大军充当先锋。二十九日丙申，刘裕所帅大军抵达姑孰，任命参军王镇恶为振武将军，与担任龙骧将军的蒯恩一同率领一百艘舰船率先出发。临行前，刘裕告诫他们说："如果认为能够击败逆贼，就攻击他；如果没有必胜的把握，就把他的舰船全部烧毁，然后将军队驻扎在江边等我。"于是，王镇恶率军日夜兼行，声言是兖州刺史刘藩西上荆州。

冬季，十月二十二日己未，王镇恶率军抵达豫章口，距离江陵城还有二十里，他令军队弃船上岸步行。蒯恩率军走在前面，王镇恶率军紧随其后。每艘船上只留下一二个人看守，在停靠舰船的岸边竖立六七面旗帜，旗帜下面设置有战鼓，对留守的人说："估计我们到达江陵城下的时候，就擂响战鼓，召集人众，让人听出好像后面还有大军的样子。"又分别派人烧毁停泊在江津的船舰。王镇恶率军径直向前去攻击江陵城，他告诉走在前面的军士说："如果有人询问，就说是兖州刺史刘藩率军到来。"渡口的守军以及民间百姓都认为是刘藩来了，都很放心，没有任何人表示怀疑。在距离江陵城五六里远的时候，遇到了刘毅的心腹将领朱显之，正准备前往江津渡口，他询问说："兖州刺史刘藩在哪里？"军士回答说："在后面。"朱显之来到后军仍然看不见刘藩，却看见军人身上都携带着盾牌以及各种攻城用的器械，再看看江津，船舰已经全部被烧毁，擂鼓聚众的声音非常大，知道来的人不是兖州刺史刘藩，于是调转马头，快马加鞭，飞速跑回江陵城内报告刘毅，他一边跑一边下令关闭江陵城各城门。而王镇恶也打马飞奔，在后紧追，几乎与朱显之同时冲入江陵城，城门还没有来得及关闭，王镇恶的军队已经冲进城内。在刘毅手下担任卫军长史的谢纯参见过刘毅之后，从刘毅那里出来，听到朝廷大军入城的消息，他身边的人就要驾车返回。谢纯斥责他们说："我，是别人属下的官员，能逃到哪里去呢？"遂飞速返回州府。谢纯，是谢安哥哥谢据的孙子。王镇恶率军与江陵城内的守军展开战斗，并攻击江陵城内的金城。从吃早饭的时候一直战斗到下午四点左右，江陵城内的守军才被打败、逃散。王镇恶把金城凿开一个洞穴，由此进入内城，他派人把晋安帝司马德宗的诏书、赦书连同刘裕的亲笔信函拿给刘毅看，刘毅连看也不看就全部烧掉，

与司马毛脩之等督士卒力战。城内人犹未信裕自来，军士从毅自东来者，与台军多中表亲戚[190]，且斗且语，知裕自来，人情离骇。逮夜，听事[191]前兵皆散，斩毅勇将赵蔡，毅左右兵犹闭东西阁拒战。镇恶虑暗中自相伤犯，乃引军出围金城，开其南面。毅虑南有伏兵，夜半，帅左右三百许人开北门突出。毛脩之谓谢纯曰："君但随仆去[192]。"纯不从，为人所杀。毅夜投牛牧佛寺[193]。

初，桓蔚[194]之败也，走投牛牧寺僧昌[195]，昌保藏之，毅杀昌。至是，寺僧拒之曰："昔亡师容桓蔚，为刘卫军所杀；今实不敢容异人。"毅叹曰："为法自弊，一至于此[196]！"遂缢而死。明日，居人以告，乃斩首于市，并子侄皆伏诛。毅兄模奔襄阳，鲁宗之斩送之。

初，毅季父镇之闲居京口，不应辟召[197]，常谓毅及藩曰："汝辈才器，足以得志[198]，但恐不久耳。我不就尔求财位，亦不同尔受罪累。"每见毅、藩导从[199]到门，辄诟之。毅甚敬畏，未至宅数百步，悉屏仪卫[200]，与白衣[201]数人俱进。及毅死，太尉裕奏征[202]镇之为散骑常侍[203]、光禄大夫[204]，固辞不至。

仇池公杨盛叛秦[205]，侵扰祁山[206]。秦王兴遣建威将军赵琨为前锋，立节将军姚伯寿继之，前将军姚恢出鹫峡[207]，秦州刺史姚嵩出羊头峡[208]，右卫将军胡翼度出汧城[209]，以讨盛。兴自雍赴之，与诸将会于陇口[210]。

天水太守王松忽言于嵩曰："先帝[211]神略无方[212]，徐洛生[213]以英武佐命[214]，再入仇池[215]，无功而还。非杨氏智勇能全[216]也，直[217]地势险固耳。今以赵琨之众，使君[218]之威，准之先朝[219]，实未见成功。使君具悉形便[220]，何不表闻？"嵩不从。盛帅众与琨相持，伯寿畏懦不进，

与担任司马的毛脩之等督促士卒拼死力战。城内的人到现在还不相信是刘裕亲自率领朝廷军到来，而刘毅从东部带来的那些官兵，与王镇恶所率领的朝廷军，有很多都是中表亲戚，他们一边交手，一边对话，这才知道刘裕亲自率军前来，于是人心惶恐，军心动摇。到了夜间，刘毅衙门里正堂的守军全部逃散，朝廷军斩杀了刘毅的勇将赵蔡，而刘毅的左右亲信仍然关闭了东西两门，顽强抵抗。王镇恶担心在黑暗之中自己人与自己人互相残杀，于是便率军退出内城，只把金城团团包围起来，但在包围圈的南面留出一条供人逃跑的通道。刘毅担心南面设有伏兵，遂在半夜时分，率领着自己身边的三百来人，打开北门突出包围。毛脩之对谢纯说："先生只管跟我走。"谢纯没有听从他，结果被朝廷军杀死。刘毅在深夜中投奔了牛牧佛寺。

当初，桓玄的堂弟桓蔚在溃败时，逃奔到牛牧佛寺中的僧人昌那里，僧人昌将桓蔚隐藏起来，刘毅因此杀死了僧人昌。现在刘毅前来投奔，寺中的僧人拒绝说："从前，我们亡故的师傅因为收留了桓蔚，结果被卫军将军刘毅杀死；现在实在不敢再收留外人。"刘毅叹了一口气说："自己制定的法律，最后害到了自己的头上!"于是便上吊自杀了。第二天，当地的居民将此事报官，于是将刘毅的尸体拉到闹市中斩首，连同刘毅的儿子、侄子全部杀死。刘毅的哥哥刘模逃往襄阳，被雍州刺史鲁宗之斩首，将他的首级送往京师建康。

当初，刘毅的叔父刘镇之在京口闲居，拒不接受朝廷的征聘，他常常对刘毅与刘藩说："凭你们二人的才能和气度，完全可以实现自己的愿望，所担心的是不能长久。我不会向你们要求钱财和职位，也不受你们的连累而犯罪。"于是每次看见刘毅、刘藩带着仪仗和随从来到门口，刘镇之就破口诟骂。刘毅对这位叔父非常尊敬，也很畏惧，所以在离家数百步远的地方，就让全部仪仗、卫队停在一旁等候，只带着几名身穿平民服装的侍从一同走进家门。等到刘毅被杀，担任太尉的刘裕奏请晋安帝征召刘镇之为散骑常侍、光禄大夫，刘镇之还是坚决推辞，不肯就职。

世代占据仇池的氐族首领仇池公杨盛背叛了后秦，率领部众侵扰祁山。后秦王姚兴派担任建威将军的赵琨为前锋，派担任立节将军的姚伯寿率军随后，派担任前将军的姚恢从鹫峡出兵，担任秦州刺史的姚嵩从羊头峡出兵，担任右卫将军的胡翼度从汧城出兵，各路大军分头去讨伐背叛后秦的杨盛。后秦王姚兴率军从雍城赶赴仇池，与诸将在陇口会合。

后秦担任天水太守的王松忽对秦州刺史姚嵩说："先帝姚苌英明有谋略，高深莫测，部将徐洛生凭借自己的英明勇武，辅佐先帝创立大业，然而两次进攻仇池，都是无功而返。这并不是杨氏凭借自己的智慧和勇敢保全了仇池，而是因为仇池的地势险要坚固。现在凭借赵琨的兵众，加上使君的威势，但要与前朝先帝姚苌进攻仇池时相比，确实看不出可以取得胜利的优势。使君完全熟悉仇池的地理形势，为何不上表奏闻秦王?"姚嵩没有听从天水太守王松忽的建议。仇池公杨盛率领自己的

琨众寡不敌，为盛所败。兴斩伯寿而还。

兴以杨佛嵩为雍州刺史，帅岭北见兵[221]以击夏。行数日，兴谓群臣曰：“佛嵩每见敌，勇不自制，吾常节其兵不过五千人。今所将既多，遇敌必败，行已远，追之无及，将若之何？”佛嵩与夏王勃勃战，果败，为勃勃所执，绝亢[222][6]而死。

秦立昭仪齐氏为后。

沮渠蒙逊迁于姑臧。

十一月己卯[223]，太尉裕至江陵，杀郗僧施。初，毛脩之虽为刘毅僚佐，素自结于裕，故裕特宥之。赐王镇恶爵汉寿子[224]。裕问毅府谘议参军申永曰：“今日何施[225]而可？”永曰：“除其宿衅[226]，倍其惠泽[227]，贯叙门次[228]，显擢才能[229]，如此而已。”裕纳之，下书宽租省调[230]，节役原刑[231]，礼辟名士[232]。荆人悦之。

诸葛长民骄纵贪侈，所为多不法，为百姓患，常惧太尉裕按之[233]。及刘毅被诛，长民谓所亲曰：“‘昔年醢彭越，今年杀韩信[234]。’祸其至矣！”乃屏人问刘穆之曰：“悠悠之言[235]，皆云太尉与我不平[236]，何以至此？”穆之曰：“公溯流远征[237]，以老母稚子委节下[238]。若一豪不尽[239]，岂容如此邪？”长民意乃小安。

长民弟辅国大将军黎民说长民曰：“刘氏[240]之亡，亦诸葛氏之惧也，宜因裕未还而图之。”长民犹豫未发，既而叹曰：“贫贱常思富贵，富贵必履危机[241]。今日欲为丹徒布衣[242]岂可得邪！”因遗冀州刺史刘敬宣书曰：“盘龙[243]狠戾专恣，自取夷灭。异端将尽，世路方夷[244]，富贵之事，相与共之[245]。”敬宣报曰：“下官自义熙以来[246]，忝三州、七郡[247]，常惧福过灾生，思避盈居损[248]。富贵之旨，非所敢当。”且使以书呈裕，裕曰：“阿寿[249]故为不负我[250]也。”

部众与赵琨相持，而后秦立节将军姚伯寿胆小怕事，畏敌不前，赵琨因为寡不敌众，最后被杨盛军打败。后秦王姚兴将姚伯寿斩首，然后撤军而回。

后秦王姚兴任命杨佛嵩为雍州刺史，率领九嵕山以北安定、新平、平凉等五个郡现有的兵力攻击夏国。杨佛嵩走了几天之后，姚兴对群臣说："杨佛嵩每当看见敌人，就勇猛得无法控制自己，所以我常常节制他，拨给他的军队从来不超过五千人。如今率领的军队却很多，遇到敌人肯定会失败，现在大军已经走得很远，将他追回恐怕来不及了，该怎么办？"杨佛嵩与夏王刘勃勃交战，果然失败，被刘勃勃活捉，杨佛嵩便自己割断喉管而死。

后秦王姚兴册立昭仪齐氏为王后。

北凉张掖公沮渠蒙逊把都城从张掖迁往姑臧。

十一月十三日己卯，东晋太尉刘裕抵达江陵，杀死了郗僧施。当初，南郡太守毛脩之虽然是刘毅的僚佐，却一向主动结交刘裕，所以刘裕特别赦免了毛脩之。封振武将军王镇恶为汉寿子爵。刘裕向在刘毅府担任谘议参军的申永询问说："现在应该怎样做才好？"申永说："忘掉往日的仇怨，该赏赐的加倍赏赐，根据门第高下的次序授予官职，表彰、提拔那些有才能的人，仅此而已。"刘裕采纳了申永的意见，于是下发公文，减少田租赋税，减轻人民的徭役，放宽刑罚，以礼征聘当地有名望、有影响力的人士。于是得到了荆州人的拥护。

诸葛长民傲慢骄横、贪婪奢侈，做了许多违法乱纪之事，成为百姓的一大祸患，他常常担心太尉刘裕将他依法查办。等到刘毅被诛灭，诸葛长民便对自己的亲信说："'往年杀彭越，今年杀韩信。'我就要大祸临头了！"于是将侍从人等支走，然后向刘穆之询问说："外面的人都在纷纷议论，说太尉刘裕跟我不和，怎么会是这样呢？"刘穆之回答说："刘太尉率领大军逆流而上，远征叛贼，临行之前把自己的老母亲和年幼的儿子托付给你。假如对你稍微有些不满意，岂能如此？"诸葛长民这才稍微放宽点心。

诸葛长民的弟弟、担任辅国大将军的诸葛黎民对诸葛长民说："刘毅的灭亡，我们诸葛家族应该戒慎恐惧，现在应该趁刘裕没有返回的机会，抢先动手除掉他。"诸葛长民因为犹豫不决而没有动手，稍后，不禁叹口气说："人在贫贱的时候，常常想要富贵，而富贵之后必定会遭到危难。今天即使想回到丹徒做一个平民百姓，难道还可能吗！"于是便写信给担任冀州刺史的刘敬宣说："刘毅凶狠暴戾，专权任性，自取灭亡。与自己政见不同的人即将被杀光，天下就要太平了，荣华富贵，应该共同享有。"刘敬宣写信回复他说："我自从义熙以来，已经历任三个州的刺史、七个郡的太守，我常常担心荣华富贵过后，灾祸就会发生，因而常想避免骄傲，尽量谨慎。所以你信中所提及的同享荣华富贵，我确实不敢当。"刘敬宣还把诸葛长民的信件呈递给太尉刘裕，刘裕说："刘敬宣原本就不会辜负我。"

刘穆之忧长民为变，屏人问太尉行参军东海何承天曰："公今行济否[251]？"承天曰："荆州不忧不时判[252]，别有一虑耳。公昔年自左里还入石头[253]，甚脱尔[254]；今还，宜加重慎[255]。"穆之曰："非君，不闻此言。"

裕在江陵，辅国将军王诞白裕求先下[256]，裕曰："诸葛长民似有自疑心，卿讵宜便去[257]？"诞曰："长民知我蒙公垂盼[258][7]，今轻身单下，必当以为无虞[259]，乃可以少安其意[260]耳。"裕笑曰："卿勇过贲、育[261]矣。"乃听先还。

沮渠蒙逊即河西王位，大赦，改元"玄始"，置官僚如凉王光[262]为三河王故事[263]。

太尉裕谋伐蜀，择元帅而难其人[264]。以西阳太守朱龄石[265]既有武干，又练吏职[266]，欲用之。众皆以为龄石资名[267]尚轻，难当重任，裕不从。十二月，以龄石为益州刺史，帅宁朔将军臧熹、河间太守蒯恩、下邳太守刘钟等伐蜀，分大军之半二万人以配之。熹，裕之妻弟，位居龄石之右，亦隶焉。

裕与龄石密谋进取[268]，曰："刘敬宣往年出黄虎[269]，无功而退。贼谓我今应从外水[270]往，而料我当出其不意犹从内水[271]来也。如此，必以重兵守涪城[272]以备内道。若向黄虎，正堕其计。今以大众自外水取成都，疑兵出内水，此制敌之奇也。"而虑此声先驰，贼审虚实，别有函书封付龄石，署函边曰"至白帝乃开[273]"，诸军虽进，未知处分所由[274]。

毛脩之固请行[275]，裕恐脩之至蜀，必多所诛杀，土人[276]与毛氏有嫌[277]，亦当以死自固，不许。

分荆州十郡置湘州[278]。

加太尉裕太傅[279]、扬州牧。

丁巳[280]，魏主嗣北巡，至长城[281]而还。

刘穆之担心诸葛长民会发动叛乱，于是便避开人秘密地向担任太尉行参军的东海人何承天询问说："太尉这次出兵能否成功？"何承天回答说："现在不用担心荆州不能马上平定，值得担心的是另外一个地方。刘太尉当年在左里大败卢循后返回石头的时候，非常洒脱随便，毫不戒备；这次班师回来，就应该加倍小心谨慎。"刘穆之说："不是你，我听不到这样的话。"

东晋太尉刘裕在江陵，担任辅国将军的王诞向刘裕禀告，请求顺流东下，先行返回京师建康，刘裕对王诞说："监太尉留府事的诸葛长民好像自己已经起了疑心，你岂能就这个样子回去？"王诞说："诸葛长民知道我一向受到您的厚爱，如今我独自一人轻装返回，他必定以为您对他没有戒心，才可以让他麻痹大意。"刘裕笑着说："你的勇敢超过了孟贲、夏育。"遂同意王诞先回建康。

北凉张掖公沮渠蒙逊在姑臧即位为河西王，实行大赦，改年号为"玄始"，设置文武百官，完全按照后凉王吕光称三河王时的先例。

东晋担任太尉的刘裕策划讨伐西蜀的成都王谯纵，但任命谁为元帅，却一时找不到合适的人选。他认为自己的部将、担任西阳太守的朱龄石既有军事才能，又善于处理行政事务，所以就准备任用朱龄石为征伐西蜀的元帅。而众人都认为朱龄石的资历、名望都不够，很难当此重任，刘裕没有被众人的意见所左右。十二月，刘裕任命朱龄石为益州刺史，率领宁朔将军臧熹、河间太守蒯恩、下邳太守刘钟等讨伐西蜀，从自己所率领的大军中分出二万人配给朱龄石。臧熹是刘裕的小舅子，官位在朱龄石之上，但也成了朱龄石的部属，归朱龄石指挥。

刘裕与朱龄石暗中谋划如何进攻作战的问题，刘裕说："往年冀州刺史刘敬宣率军攻到黄虎，结果无功而返。谯纵逆贼一定认为照理说我们这次会接受上次的教训，必然会从外水攻入成都；然而为了出其不意、攻其无备，我们还会从内水攻入。所以，谯纵必然用重兵把守涪城，严密防守内水一线。我们如果向黄虎方向进攻，就正好落入谯纵为我们设计好的圈套。今天我们的主力部队沿着外水直取成都，而派出一部分军队充作疑兵走内水，这才是克敌制胜的奇谋妙计。"为了避免这个军事机密走漏风声，被逆贼掌握了虚实，于是便另外写了一封书信，封好之后交给朱龄石，在信函的旁边写上"到白帝再打开"，诸路大军虽然继续向前挺进，却没有人知道这次攻蜀的进军路线。

东晋担任南郡太守的毛脩之坚决要求跟随大军伐蜀，刘裕担心毛脩之进入蜀地之后，一定会杀戮很多人，而蜀地的人因为与毛家有仇怨，也必定会拼死固守，因此没有同意毛脩之的请求。

东晋从荆州划分出十个郡，设置为湘州。

东晋加授太尉刘裕为太傅、扬州牧。

十二月二十一日丁巳，北魏皇帝拓跋嗣前往北方巡视，到达长城后返回。

【段旨】

以上为第二段，写晋安帝义熙八年（公元四一二年）一年间的大事。主要写：刘毅为荆州刺史，打击报复刘敬宣。刘毅由不服刘裕，发展到拉帮结派，阴谋倒刘裕；刘裕先杀了刘毅一党的刘藩与谢混，留刘穆之监督诸葛长民，自己统兵讨刘毅；刘裕以王镇恶、蒯恩为先行，假称是刘藩，迅速烧掉了江津的船只，攻入江陵城，刘毅逃到牛牧寺，自杀；荆州被刘裕所据，刘裕入江陵后，对荆州实行了一系列安民措施，荆人悦之。身在建康的诸葛长民见刘毅被杀，自感不安，刘裕的心腹刘穆之等麻痹稳定之，并为刘裕回京收拾诸葛长民准备了必要手段。刘裕派部将朱龄石为平蜀元帅，与之商定破蜀方略后，大军起行。西秦的乞伏乾归被其侄子乞伏公府所弑，太子炽磐讨杀乞伏公府，即位称河南王。仇池公杨盛叛秦，秦主姚兴亲自统兵讨之，被杨盛大破之；姚兴又派杨佛嵩北讨赫连勃勃，被赫连勃勃所擒，自杀而死，可见后秦的势力渐弱。沮渠蒙逊迁都于姑臧，自称河西王。

【注释】

⑭奴葵谷：在今甘肃清水县西。⑮乞伏公府：乞伏国仁之子，乞伏乾归之侄。⑯清水：县名，县治在今甘肃清水县西。⑰二月丙子：二月初五。⑱吴兴：郡名，郡治即今浙江湖州。这句话的主语是东晋。⑲赤水：县名，县治在今青海共和东南。⑳迁席于舟中：将刘道规在官府中使用的坐垫移到了船上。⑪忝西任：我今天西来当了荆州刺史。忝，谦辞，犹言惭愧，这里是刘毅故意示威。西任，西来任荆州刺史。⑫屈卿：想任命您。屈，让您屈才来任此职。⑬长史南蛮：给南蛮校尉当长史，南蛮校尉归刘毅管辖。⑭见辅：给我帮忙。⑮但令：犹言“管保”。⑯建义：起义，指讨伐桓玄。⑰相埒：相等。⑱权事推裕：偶尔临时赞扬刘裕一两句。权，临时制宜。⑲居方岳：成了一方诸侯的首领，即大州刺史之任。⑳柔而顺之：自作谦卑地顺着他。㉑不遇刘、项：没有生活在刘邦、项羽对立打天下的时代。刘毅这话的意思是，凭他的能力，如能像刘邦、项羽那样相互比试一下，还不定谁比谁强呢？㉒败于桑落：被卢循打败于桑落洲。事见本书卷一百一十五义熙六年。桑落洲在九江东北的长江中。㉓物情：犹今之所谓“威望”“人心归向”。㉔有清望者：文雅而名望清高的人。㉕谢混：谢琰之子，谢安之孙。传见《晋书》卷七十九。㉖郗僧施：郗超之侄。郗超为桓温僚属，曾鼓励桓温篡权称帝。郗超、郗僧施皆传见《晋书》卷六十七。㉗深相凭结：紧密勾结。凭结，相互依靠、相互勾结。㉘从子：侄子。㉙南蛮校尉、后军司马：既任南蛮校尉，又给刘毅任司马之职。当时刘毅为后将军。㉚南郡：刘毅治下的郡名，郡治江陵。㉛京口：即今江苏镇江，刘毅的故乡。㉜倪塘：在当时的建康城东南二十五里。㉝刘卫军：以称刘毅。

刘毅前曾为卫军将军，桑落洲之败后降为后将军。⑬④ 一谈一咏：指清谈、作诗等当时上流社会的“风雅”活动。⑬⑤ 以为雄豪：以为超过您，在您之上。⑬⑥ 搢绅白面之士：指当时上流社会的贵族与士人。这些人讲究服药，皮肤分外“洁白”，刘裕出身低微，被他们瞧不起。⑬⑦ 辐凑归之：像车轮的辐条归向车毂一样地归附于他。⑬⑧ 俱有克复之功：指灭掉桓玄，恢复东晋的统治秩序。袁黄《历史纲鉴补》曰：“裕不遽除毅，非真谓毅有克复之功，不自相图也。盖是时毅从弟藩方镇广陵，恐激变则合谋举事，衅生肘腋耳。观裕杀诸葛长民及袭司马休之，其鸷毒可概见矣。”⑬⑨ 白土：县名，县治在今青海乐都南，当时为三河郡的郡治所在地。⑭⓪ 弑河南王乾归：以未得继父之位，故行弑逆。⑭① 大夏：郡名，郡治在今甘肃广河西北。⑭② 谭郊：今甘肃临夏西北，是乞伏氏的都城。⑭③ 与国：同盟国。⑭④ 闰月庚子：闰六月初一。⑭⑤ 南郡烈武公：刘道规的封爵是南郡公，烈武是其谥号。⑭⑥ 七月己巳朔：七月初一是己巳日。⑭⑦ 四厢大将：亦犹三国曹魏的四征（征东、征西、征南、征北）、四镇（镇东、镇西、镇南、镇北）之类。⑭⑧ 庚寅：七月二十二日。⑭⑨ 濡源：地名，因濡水的源头而得名，在今内蒙古多伦与正蓝旗一带。⑮⓪ 轘：车裂。⑮① 皇后王氏：晋安帝的皇后王氏，名神爱，大书法家王献之的女儿。⑮② 庚戌：八月十二日。⑮③ 武始翟勍：武始郡人翟勍。武始郡的郡治即今甘肃临洮。⑮④ 癸酉：九月初六。⑮⑤ 僖皇后：即上文所说的“皇后王氏”，谥曰僖。⑮⑥ 休平陵：晋安帝日后的陵墓。⑮⑦ 辄割：即“强行带走”。割，取。刘毅原任豫州都督，又兼任江州都督，今西去荆州，就把原豫州、江州的大量官员士兵强行带到江陵。⑮⑧ 以自副：以之作为自己的副手。⑮⑨ 广陵：即今江苏扬州西北。⑯⓪ 己卯：九月十二日。⑯① 以诏书：假借皇帝的名义，实际上是刘裕按照自己的意思诛除反对者。⑯② 款昵：感情亲密。⑯③ 益寿：谢混的小字。⑯④ 庚辰：九月十三日。⑯⑤ 镇京口：刘道怜是刘裕之弟，令其驻兵京口（今江苏镇江），以加强刘裕在朝的实力。⑯⑥ 监太尉留府事：为刘裕太尉府的留守长官，当刘裕不在京城期间处理太尉府的一应事务。⑯⑦ 配给资力以防之：胡三省曰：“是时裕已有杀长民之心矣。”⑯⑧ 壬午：九月十五日。⑯⑨ 王镇恶：苻坚的谋士王猛之孙，于义熙五年（公元四〇九年）投归刘裕部下。见本书卷一百一十五。⑰⓪ 丙申：九月二十九日。⑰① 水际：这里指江边。⑰② 扬声言刘兖州上：刘兖州即兖州刺史刘藩，刘毅之弟。实际上这时刘藩已被刘裕所杀。⑰③ 十月己未：十月二十二日。⑰④ 豫章口：在江陵城东二十里。⑰⑤ 鼓严：擂鼓聚众。⑰⑥ 江津：地名，在江陵城东南的长江上，是当时守卫江陵的重要驻兵点。⑰⑦ 语前军士：告诉走在前边的士兵。⑰⑧ 津戍：渡口的守军。⑰⑨ 晏然：安然；放心。⑱⓪ 未至城五六里：行至离江陵城还有五六里的时候。⑱① 要将：心腹亲近的部将。⑱② 欲出江津：想要到江津渡口去。⑱③ 担彭排战具：扛着攻城用的各种器械物资。担，扛、抬着。彭排，盾牌之类的防箭之物。⑱④ 行令：一边走，一边下令。⑱⑤ 参承：犹后世之所谓“参见”，指下属进见长官。⑱⑥ 人吏：给人家做下属。⑱⑦ 金城：城内军事衙门的围墙。⑱⑧ 食时：指吃早饭的时候。⑱⑨ 中晡：正申时，约当于今下午四时。⑲⓪ 中表亲戚：中亲指兄弟叔侄等关系，表亲指表兄弟甥舅等关系。⑲ 听事：衙门里的正堂，长官会见吏民、处理政务的地方。⑲ 君但随仆去：你只管跟我走。仆，谦称自己。⑲ 牛牧佛寺：在江陵城北二十里。⑲ 桓蔚：桓玄的堂兄弟。桓蔚随桓玄叛乱被刘毅讨平事，见本书卷一百一十四义熙元年。⑲ 僧昌：和尚名昌。⑲ 为法自弊二句：言制定法律，最后害到了自己头上。《史记·商君列传》写商鞅被政变分子所追，日暮投宿时，因无身份证，旅店不准其住宿，并说："商君之法，舍人无验者坐之。"商君叹道："为法之蔽，一至此哉！"此处乃学《史记》之文。⑲ 不应辟召：不应朝廷的聘请出来为官。辟，聘。⑲ 得志：实现个人的愿望。⑲ 导从：前导者与后从者，指当时大官僚的仪仗、侍从人员。⑳ 仪卫：仪仗队员及护卫人员。⑳ 白衣：指没有官职的平民人士，这里指穿便服的侍卫人员。⑳ 征：召；聘任。⑳ 散骑常侍：帝王身边的参谋顾问人员，虽不握实权，但比较显要。⑳ 光禄大夫：原是郎中令下的属官，在帝王跟前充当参谋顾问之用，魏晋时期经常作为一种荣誉性的加官。⑳ 杨盛叛秦：杨盛是世代占据在仇池一带的氐族头领，因力量不足，曾于义熙元年（公元四〇五年）降秦，今又叛之。⑳ 祁山：山名，在今山西祁县东。⑳ 鹫峡：在当时的仇池城东，今甘肃成县西。⑳ 羊头峡：地址不详，约在今宝鸡西的陕西、甘肃交界处。⑳ 汧城：县名，县治在今陕西陇县南。㉑ 陇口：陇东与陇西的穿越陇山之口，在今陕西陇县西的六盘山上。㉑ 先帝：指姚苌。㉑ 无方：变化不定，高深莫测。㉑ 徐洛生：姚苌的部将。㉑ 佐命：帮着姚苌创立国家。㉑ 再入仇池：两次进攻仇池。仇池在今甘肃成县西。姚苌进攻仇池事，历史记载不详。㉑ 能全：能够守住仇池。㉑ 直：就；就因为。㉑ 使君：古代对太守、刺史的尊称，此称姚嵩。㉑ 准之先朝：与以前的姚苌攻仇池相比较。㉒ 具悉形便：清楚地了解仇池的地理形势。㉒ 岭北见兵：指岭北五郡的现有兵力。岭北五郡指安定、新平、平凉等。后秦的雍州的州治在安定（今甘肃泾川北）。㉒ 绝亢：自己割断或扭断喉管。㉒ 十一月己卯：十一月十三日。㉒ 汉寿子：爵级为子爵，封地在汉寿。汉寿是县名，县治在今湖南常德东北。㉒ 何施：实行什么政策。㉒ 除其宿衅：忘掉与人的旧仇。宿衅，旧有的怨仇。㉒ 倍其惠泽：该赏赐的加倍赏赐。㉒ 贯叙门次：任用人们为官时，要以他们的门第高下为次序。㉒ 显擢才能：表彰、提拔那些有才干的人。㉓ 宽租省调：减轻百姓的各种税收。租、调，都是租赋之类。㉓ 节役原刑：减少徭役，放宽刑罚。㉓ 礼辟名士：对当地的名士以礼相招。㉓ 按之：审查；查办。㉓ 昔年醢彭越二句：语出《史记·黥布列传》。黥布造反时，滕婴问薛公黥布为什么造反，薛公说："往年杀彭越，前年杀韩信，此三人者，同功一体之人也。自疑祸及身，故反耳。"这里指诸葛长民以黥布的地位自居。㉓ 悠悠之言：指外面人们没有根据的传言。㉓ 不平：不和睦。㉓ 公溯流远征：刘裕逆长江而上，西讨刘毅。㉓ 委节下：委托于你。节下，犹言"麾下"，敬称诸葛长民。时诸葛长民为刘裕任太尉府留后。㉓ 若一豪不尽：如果有一丝一毫的不满意。尽，尽意、满意。㉔ 刘氏：指刘毅。㉔ 必履危机：

一定会遭到危难。㉔② 欲为丹徒布衣：想回丹徒当个普通百姓。诸葛长民当时家居丹徒。《史记·李斯列传》写李斯被赵高所杀前曾说："吾欲与若复牵黄犬，俱出上蔡东门逐狡兔，岂可得乎？"此处仿效《史记》语。㉔③ 盘龙：刘毅的小字。㉔④ 世路方夷：世道就要太平了。㉔⑤ 富贵之事二句：含蓄地约刘敬宣一同造刘裕的反。㉔⑥ 义熙以来：指刘裕消灭桓玄，扶晋安帝复位事。这一年晋安帝改年号为"义熙"。㉔⑦ 忝三州、七郡：指先后曾担任过三个州的刺史、七个郡的太守。忝，谦辞，意指担当。㉔⑧ 避盈居损：避免骄傲，尽量谨慎。《尚书·大禹谟》有所谓"满招损，谦受益"之语，此化用其意。㉔⑨ 阿寿：刘敬宣字万寿，故亲昵地称之为"阿寿"。㉕⓪ 故为不负我：本来就不会辜负我。负，亏待、辜负。㉕① 济否：可以成功吗。㉕② 不忧不时判：不担心那里的形势不分明。判，分、分明，指胜利。㉕③ 自左里还入石头：当年刘裕在左里大破卢循后返回石头城。见本书卷一百一十五义熙六年。左里，卢循修筑的城名，在今江西都昌西北的左蠡。㉕④ 甚脱尔：很是简易随便，没有严格的戒备防卫。㉕⑤ 宜加重慎：应该严加防范。㉕⑥ 求先下：请求先顺流而下，指先回建康，查看虚实。王诞是刘裕的心腹。㉕⑦ 讵宜便去：岂能就这个样子地回去。讵，岂、怎能。㉕⑧ 蒙公垂盼：受到您的重视。㉕⑨ 无虞：不担心；不忧虑。㉖⓪ 少安其意：以麻痹他的思想。少，同"稍"。㉖① 勇过贲、育：比当年的孟贲、夏育两个大勇士还要勇敢。㉖② 凉王光：即吕光，后凉政权的建立者。其后世吕隆因无法抵抗沮渠蒙逊、秃发傉檀等的攻击而投降后秦。事见本书《晋纪》三十五元兴二年。㉖③ 为三河王故事：吕光为三河王事，见本书《晋纪》二十九太元十四年。故事，旧例。㉖④ 难其人：找不到合适的人选。㉖⑤ 朱龄石：刘裕的部将。传见《宋书》卷四十八。㉖⑥ 练吏职：善于处理行政事务。练，熟悉。吏职，行政事务。㉖⑦ 资名：资历、名望。㉖⑧ 密谋进取：暗中筹划如何进攻作战的问题。㉖⑨ 出黄虎：经由黄虎，在今四川三台北。刘敬宣伐谯纵，败于黄虎事，见本书卷一百一十四义熙四年。㉗⓪ 外水：即今四川的岷江。㉗① 内水：即今四川的涪江，经黄虎南流汇入嘉陵江。㉗② 涪城：县名，县治在今四川三台西北，离黄虎很近。㉗③ 至白帝乃开：到白帝城再打开看。白帝城在今重庆奉节东。袁黄《历史纲鉴补》曰："千里袭人，机事不密，敌早为之备。缄书别函，至期开视，可谓有卓识。"㉗④ 未知处分所由：不知道安排的是走哪条路。处分，安排。所由，走哪条路。㉗⑤ 毛脩之固请行：毛脩之，字敬文，灭桓玄事件中建有大功。其父毛瑾，伯父毛璩，在四川一带任刺史。谯纵在四川叛乱，毛瑾、毛璩被杀，故毛脩志在复仇。㉗⑥ 土人：指四川的当地人。㉗⑦ 有嫌：有怨仇。㉗⑧ 湘州：州治即今湖南长沙。晋成帝咸和三年（公元三二八年），省湘州入荆州，今复置。㉗⑨ 太傅：晋时用为加官，地位在"太尉"之上。㉘⓪ 丁巳：十二月二十一日。㉘① 长城：指秦朝筑的长城，西起甘肃临洮，北行至内蒙古的黄河后套，东行至呼和浩特，再东到沈阳，南折至朝鲜平壤北的清川江入海口。这里拓跋嗣的"北巡"，大约即到呼和浩特以东的卓资、集宁一带。

【校记】

[2] 去已：原作“已去”。据章钰校，甲十一行本、乙十一行本、孔天胤本二字皆互乙，今从改。[3] 固：原无此字。据章钰校，甲十一行本、乙十一行本、孔天胤本皆有此字，张敦仁《通鉴刊本识误》同，今据补。[4] 东：原作“京”。严衍《通鉴补》改

【原文】

九年（癸丑，公元四一三年）

春，二月庚戌[282]，魏主嗣如高柳川[283]。甲寅[284]，还宫。

太尉裕自江陵东还，骆驿[285]遣辎重兼行而下，前刻至日[286]，每淹留[287]不进。诸葛长民与公卿频日[288]奉候于新亭[289]，辄差其期[290]。乙丑晦[291]，裕轻舟径进，潜入东府。三月丙寅朔旦[292]，长民闻之，惊趋至门[293]。裕伏壮士丁旿于幔中，引长民却人间语[294]，凡平生所不尽者皆及之[295]，长民甚悦。丁旿自幔后出，于座拉杀之，舆尸付廷尉[296]。收其弟黎民，黎民素骁勇，格斗而死。并杀其季弟大司马参军幼民、从弟宁朔将军秀之。

庚午[297]，秦王兴遣使至魏修好。

太尉裕上表曰：“大司马温[298]以‘民无定本，伤治为深[299]’，《庚戌》土断[300]以一其业[301]。于时财阜[302]国丰，实由于此。自兹迄今，渐用颓弛[303]，请申前制[304]。”于是依界土断[305]，唯徐、兖、青三州居晋陵[306]者，不在断例[307]，诸流寓郡县多所并省。

戊寅，加裕豫州刺史。裕固让太傅、州牧。

作“东”，今据改。〖按〗北朝将军号，皆未见有名“镇京”者，又据《晋书·乞伏炽磐载记》，作“镇东昙达”。[5]王：原无此字。据章钰校，甲十一行本、乙十一行本、孔天胤本皆有此字，张敦仁《通鉴刊本识误》同，今据补。〖按〗《晋书·乞伏乾归载记》作“武元王”。[6]亢：据章钰校，孔天胤本作“吭”。[7]盼：据章钰校，甲十一行本、乙十一行本皆作“眄”。

【语译】

九年（癸丑，公元四一三年）

春季，二月十五日庚戌，北魏皇帝拓跋嗣前往高柳川。十九日甲寅，由高柳川返回平城皇宫。

东晋太尉刘裕从江陵顺流东下，返回京师建康，他先派人陆续把辎重倍道兼程顺长江东下运往京师，又与朝廷约定好自己到达建康的日期，然而，每天都故意逗留而不能准时到达。监太尉留府事的诸葛长民与朝廷公卿大臣一连几天都到新亭迎候，却总是因为延误日期而没有接到。二月最后一天三十日乙丑，刘裕乘坐着轻型快艇径直驶向京师建康，秘密地进入东府。三月初一丙寅，这天早晨诸葛长民得到太尉刘裕已经回府的消息，不觉大吃一惊，赶紧来到刘裕的门前求见。刘裕已经令大力士丁旿埋伏在幔帐之后，刘裕摒退从人，留下诸葛长民坐下闲话家常，一辈子没有提到过的事情，今天全说到了，诸葛长民非常高兴，完全放松了警惕。大力士丁旿此时从帐幔后面出来，就在座位上把诸葛长民拉出去杀死了，刘裕令人把诸葛长民的尸体交付给廷尉审理定罪。又派人逮捕诸葛长民的弟弟诸葛黎民，诸葛黎民一向骁勇善战，格斗拒捕，被杀死。受牵连被杀死的还有担任大司马参军的诸葛长民的弟弟诸葛幼民、担任宁朔将军的堂弟诸葛秀之。

三月初五庚午，后秦王姚兴派使者前往北魏进行友好访问。

东晋太尉刘裕上表给晋安帝司马德宗说：“大司马桓温认为‘人民没有固定的住所，对于社会的稳定危害是很严重的’，基于这种见解，朝廷颁布了《庚戌》土断诏书，规定：不论是江南原有住民，还是从北方流亡到江南的侨民，一律按照现在的居住地登记户籍，使这些流亡人口的生活、职业固定下来。那时国家财富丰饶就是因为这个原因。从那时到现在，法令逐渐松弛，请重新申明《庚戌》土断的诏令。”于是根据现在所居住的行政区划，重新确定户籍，只有徐州、兖州、青州人居住在晋陵的，不在土断规定的范围之内，于是不少侨郡、侨县或被合并，或被撤销。

三月十三日戊寅，东晋朝廷加授太尉刘裕为豫州刺史。刘裕坚决辞去了上次朝廷加授的太傅、扬州牧的职务。

林邑范胡达[308]寇九真[309]，杜慧度击斩之。

河南王炽磐遣镇东将军昙达、平东将军王松寿将兵东击休官[310]权小郎、吕破胡于白石川[311]，大破之，虏其男女万余口，进据白石城[312]。显亲[313]休官权小成、吕奴迦等二万余户据白坑不服，昙达攻斩之，陇右休官悉降。秦太尉索稜[314]以陇西降炽磐，炽磐以稜为太傅。

夏王勃勃大赦，改元"凤翔"。以叱干阿利[315]领将作大匠[316]，发岭北夷、夏十万人筑都城于朔方水[317]北、黑水[318]之南。勃勃曰："朕方统一天下，君临万邦，宜名新城曰统万[319]。"阿利性巧而残忍，蒸土筑城，锥入一寸，即杀作者而并筑之[320]。勃勃以为忠，委任之。凡造兵器成，呈之，工人必有死者，射甲不入则斩弓人，入则斩甲匠。又铸铜为一大鼓，飞廉[321]、翁仲[322]、铜驼、龙虎之属，饰以黄金，列于宫殿之前。凡杀工匠数千，由是器物皆精利。

勃勃自谓其祖从母姓为刘[323]，非礼也。古人氏族无常[324]，乃改姓赫连氏，言帝王系天为子，其徽赫[325]与天连也。其非正统[326]者，皆以"铁伐"为氏[327]，言其刚锐如铁，皆堪伐人也。

夏，四月乙卯[328]，魏主嗣西巡，命郑兵将军[329][8]奚斤、鸿飞将军尉古真、都将闾大肥[330]等击越勤部[331]于跋那山[332]。大肥，柔然人也。

河南王炽磐遣安北将军乌地延、冠军将军翟绍击吐谷浑别统句旁[333]于泣勤川[334][9]，大破之。

河西王蒙逊立子政德为世子，加镇卫大将军、录尚书事。

南凉王傉檀伐河西王蒙逊，蒙逊败之于若厚坞[335]，又败之于若凉[336]；

东晋南部的林邑王范胡达率军侵犯东晋的九真郡，东晋交州刺史杜慧度率军反击，杀死了林邑王范胡达。

西秦河南王乞伏炽磐派遣担任镇东将军的昙达、担任平东将军的王松寿率军东下攻击休官部落首领权小郎、吕破胡所据守的白石川，西秦军将休官部落打得大败，俘虏了休官部落男女一万多口，乘胜进驻白石城。显亲地区的休官部落首领权小成、吕奴迦等二万多户居民据守白坑，坚决不投降，被西秦镇东将军昙达击败、斩首，于是陇右地区的休官部落全部向西秦军投降。后秦担任太尉的索稜献出陇西，投降了西秦河南王乞伏炽磐，乞伏炽磐任命索稜为太傅。

夏王刘勃勃实行大赦，改年号为“凤翔”。任命叱干阿利兼任将作大匠，从九峻山以北地区的夷人、汉人中征调了十万人到朔方水以北、黑水以南修筑都城。刘勃勃说：“我正要统一天下，做万邦之君，所以应该给新建的都城取名为统万。”将作大匠叱干阿利心灵手巧，然而却生性凶暴残忍，筑城用的泥土都要上锅蒸过，在检查筑城质量的时候，只要哪段城墙能用铁锥扎进去一寸，就立即把那段筑城的人杀死，然后把他的尸体筑入城墙。刘勃勃认为叱干阿利很忠诚，于是便把修建、制造方面的事务全部委托给他全权负责。当兵器打造好之后，都要呈交给叱干阿利验收，制造兵器的人中肯定会有被他处死的人，箭如果射不透铠甲，就要把制造弓箭的工匠斩首；如果箭能够射入铠甲，就把制造铠甲的工匠斩首。又令人用铜铸造大鼓，以及飞廉、翁仲、铜驼、龙、虎之类，上面镀上黄金，排列在宫殿之前。制造这些东西，总计杀死的工匠有数千人，因此，制造的这些器物、兵器等都非常精致锋利。

夏王刘勃勃认为自己的祖先跟随母亲而姓刘氏，是不合礼法的。又认为，古代的人姓什么并没有一定的规定，于是便把刘氏皇族改姓赫连氏，意思是说，世上的帝王都是上天的儿子，他的辉煌显赫都与上天相连。不属于皇族的其他贵族，都要姓铁伐氏，象征着他们的刚强、锐利像钢铁一样，全都能够担当得起攻伐的重任。

夏季，四月二十一日乙卯，北魏皇帝拓跋嗣前往魏国西部巡视，他命令担任郑兵将军的奚斤、担任鸿飞将军的尉古真、担任都将的闾大肥等率军前往跋那山攻击越勤部落。闾大肥，是柔然人。

西秦河南王乞伏炽磐派遣担任安北将军的乌地延、担任冠军将军的翟绍率军攻打吐谷浑王国中句旁部落所据守的泣勤川，乌地延等将句旁部落打得大败。

北凉河西王沮渠蒙逊册立自己的儿子沮渠政德为世子，加授沮渠政德为镇卫大将军、录尚书事。

南凉王秃发傉檀出兵讨伐北凉河西王沮渠蒙逊，沮渠蒙逊在若厚坞将秃发傉檀所率领的南凉军打得大败，又在若凉打败秃发傉檀；并趁势进军，包围了南凉的都

因进围乐都，二旬不克。南凉湟河[337]太守文支以郡降于蒙逊，蒙逊以文支为广武[338]太守。蒙逊复伐南凉，傉檀以太尉俱延为质，乃还。

蒙逊西如苕藋[339]，遣冠军将军伏恩将骑一万袭卑和、乌啼[340]二部，大破之，俘二千余落而[10]还。

蒙逊寝于新台，阉人王怀祖击蒙逊，伤足，其妻孟氏禽斩之。

蒙逊母车氏卒。

五月乙亥[341]，魏主嗣如云中[342]旧宫。丙子[343]，大赦。西河胡[344]张外等聚众为盗，乙卯[345]，嗣遣会稽公长乐刘絜[346]等屯西河招讨之。六月，嗣如五原[347]。

朱龄石等至白帝发函书，曰："众军悉从外水取成都，臧熹从中水[348]取广汉[349]，老弱乘高舰十余，从内水向黄虎。"于是诸军倍道兼行。谯纵果命谯道福将重兵镇涪城，以备内水。

龄石至平模[350]，去成都二百里。纵遣秦州刺史侯晖、尚书仆射谯诜帅众万余屯平模，夹岸筑城以拒之。龄石谓刘钟曰："今天时盛热，而贼严兵固险[351]，攻之未必可拔，只增疲困。且欲养锐息兵以伺其隙，何如？"钟曰："不然。前扬声言大众向内水，谯道福不敢舍涪城。今重军猝至，出其不意，侯晖之徒已破胆矣。贼阻兵守险者，是其惧不敢战也。因其凶惧，尽锐攻之，其势必克。克平模之后，自可鼓行而进，成都必不能守矣。若缓兵相守，彼将知人虚实。涪军忽来，并力拒我，人情[352]既安，良将[353]又集，此[354]求战不获，军食无资，二万余人悉为蜀子虏[355]矣。"龄石从之。

诸将以水北城地险兵多，欲先攻其南城。龄石曰："今屠南城，

城乐都，围攻了二十多天，没有将乐都攻克。南凉担任湟河太守的文支将湟河郡献给北凉，投降了沮渠蒙逊，沮渠蒙逊任命文支为广武太守。沮渠蒙逊再次出兵讨伐南凉，秃发傉檀派担任太尉的俱延到北凉充当人质，沮渠蒙逊才将军队撤回。

北凉河西王沮渠蒙逊西行前往苕藋，他派遣担任冠军将军的伏恩率领一万名骑兵袭击卑和、乌啼两个部落，将两个部落打得大败，俘虏了二千多落而后返回。

沮渠蒙逊在新台就寝，一个名叫王怀祖的宦官攻击沮渠蒙逊，击伤了沮渠蒙逊的脚部，沮渠蒙逊的妻子孟氏将王怀祖抓获、斩首。

沮渠蒙逊的母亲车氏去世。

五月十一日乙亥，北魏皇帝拓跋嗣前往云中郡的旧宫殿。十二日丙子，北魏实行大赦。居住在西河郡的匈奴部落首领张外等聚集部众，四处抢劫，乙卯日，拓跋嗣派遣会稽公长乐人刘絜等率军屯驻在西河郡招降张外等，如果拒不投降，就出兵讨伐。六月，拓跋嗣前往五原。

东晋益州刺史朱龄石等讨伐西蜀，大军等行进到白帝城时打开了太尉刘裕临别时所封的信函，信函上写道："众军全都从外水进军，攻取成都，宁朔将军臧熹率军从中水夺取广汉，老弱病残乘坐十余艘高大的船舰，从内水夺取黄虎。"于是诸路人马按照刘裕的部署，倍道兼行。西蜀成都王谯纵果然派遣辅国将军谯道福率领重兵镇守涪城，防御晋军从内水进攻西蜀。

朱龄石率军抵达平模，这里距离成都还有二百里。成都王谯纵派遣担任秦州刺史的侯晖、担任尚书仆射的谯诜率领一万多名部众屯驻在平模，他们在岷江两岸筑起堡垒抵抗晋军的进攻。朱龄石对下邳太守刘钟说："现在天气炎热，而贼寇严密地固守险要，即使我们发动进攻，也未必能够攻克，只会使我军更加疲惫。我想暂时让士卒休息一下，以培养他们的精锐士气，等抓住有利时机再发动进攻，你认为如何？"刘钟说："不对。此前我们曾经大张旗鼓地宣传说各路大军全部从内水方向攻入，所以西蜀辅国将军谯道福才不敢放弃涪城。如今我们的主力部队突然出现在平模，完全出乎他们的意料，侯晖等人早已被吓破了胆。贼兵所以坚守险要，阻住去路，是他们心怀畏惧不敢出来交战。现在应该趁着他们正在惊慌失措的机会，出动全部精锐展开进攻，一定能够攻破平模。平模攻破之后，我们就可以擂动战鼓，奋勇向前，成都肯定坚守不住。如果我们行动迟缓，守在这里不动，敌人就会探知我们的虚实。谯道福必定会放弃涪城，很快率领守军赶来救援，一旦他们与此地的守军会合，必定齐心协力抵抗我军，蜀军的情绪就会由现在的恐惧变为安定，蜀地的良将谯道福等又都聚集在这里，到那时，我军求战不能，军中粮草又没有供应，我们的二万多人就完全成了蜀人的俘虏了。"朱龄石听从了刘钟的意见。

东晋诸将领都认为岷江北岸的城堡地势险要、守军众多，所以都想先攻取岷江南岸的城堡。朱龄石说："现在即使屠灭了南岸的城堡，也不足以攻破北岸的城堡；

不足以破北；若尽锐以拔北城，则南城不麾[356]自散矣。”秋，七月，龄石帅诸军急攻北城，克之，斩侯晖、谯诜；引兵回趣南城，南城自溃。龄石舍船步进。谯纵大将谯抚之屯牛脾[357]，谯小苟塞打鼻[358]。臧熹击抚之，斩之；小苟闻之，亦溃。于是纵诸营屯望风相次奔溃。

戊辰[359]，纵弃成都出走，尚书令马耽封府库以待晋师。壬申[360]，龄石入成都，诛纵同祖之亲，余皆按堵[361]，使复其业。纵出成都，先辞墓，其女曰：“走必不免，只取辱焉。等死[362]，死于先人之墓可也。”纵不从。谯道福闻平模不守，自涪引兵入赴，纵往投之。道福见纵，怒曰：“大丈夫有如此功业而弃之，将安归乎？人谁不死，何怯之甚也？”因投纵以剑，中其马鞍。纵乃去，自缢死，巴西[363]人王志斩其首以送龄石。道福谓其众曰：“蜀之存亡，实系于我，不在谯王。今我在，犹足一战。”众皆许诺。道福尽散金帛以赐众，众受之而走[364]。道福逃于獠[365]中，巴[366]民杜瑾执送之，斩于军门[367]。龄石徙[368]马耽于越嶲[369]，耽谓其徒曰：“朱侯不送我京师，欲灭口也，吾必不免。”乃盥洗而卧，引绳而死。须臾，龄石使至，戮其尸。诏以龄石进监梁、秦州六郡诸军事，赐爵丰城县[370]侯。

魏奚斤等破越勤于跋那山西，徙二万余家于大宁[371]。

河西胡[372]曹龙等拥部众二万人来入蒲子[373]，张外[374]降之，推龙为大单于。

丙戌[375]，魏主嗣如定襄大洛城[376]。

河南王炽磐击吐谷浑支旁[377]于长柳川[378]，虏旁及其民五千余户而还。

八月癸卯[379]，魏主嗣还平城。

曹龙请降于魏，执送张外，斩之。

如果把所有的精锐全部投入攻打北岸的城堡，只要北岸的城堡被攻破，则南岸的城堡不等我们进攻，就会自行溃散。”秋季，七月，朱龄石率领各路大军向岷江北岸的城堡发起猛攻，很快便将北岸的城堡攻克，杀死了史侯晖、谯诜；朱龄石率军回过头来攻打南岸的城堡，南岸的城堡果然不攻自破。朱龄石遂弃舟登岸，率军步行前进。谯纵手下的大将谯抚之率军屯驻在牛脾，谯小苟率军控制着打鼻山的通道。宁朔将军臧熹率军攻击谯抚之，将谯抚之斩首；谯小苟得知谯抚之战败被杀的消息，手下的士卒立即四散奔溃。从此以后，谯纵部署的各路守军只要望见晋军的影子，便立即奔溃。

七月初五戊辰，成都王谯纵放弃成都逃走，担任尚书令的马耽封存了府库，等待东晋大军到来接管。初九壬申，东晋伐蜀主帅朱龄石率军进入成都，诛杀了与成都王谯纵同祖的亲属，其他人都安居如常，朱龄石令他们恢复正常生产。谯纵逃出成都之后，先到祖先的坟墓辞行，谯纵的女儿说：“逃走也免不了被杀，只会受到更多的侮辱。同样是死，死在先人的坟墓前更好。”谯纵没有听从女儿的意见。辅国将军谯道福听说平模已经失守，便从涪城率军赶来救援，谯纵遂前往投奔谯道福。谯道福看见谯纵，不禁大怒说：“男子汉大丈夫拥有如此大的功业，你竟然把它白白放弃，你准备逃到哪里去呢？人，谁能不死，你为什么这样胆小怕死？”遂将一把佩剑投向谯纵，正好刺中谯纵的马鞍。谯纵拨马离去，因为无处可去，只好上吊自杀。巴西人王志砍下谯纵的人头送给朱龄石。谯道福对自己的部众说：“蜀国的存亡，关键在我，而不在谯王。现在我还在，还完全能与晋军决一死战。”部众全都满口答应。谯道福将自己的金银布帛全部拿出来赏赐给自己的部众，然而，那些部众接受了谯道福的赏赐之后，回过身就四散而去。谯道福无奈之下，也只好逃命，他逃入獠族中，被巴郡人杜瑾捉获，送给晋军统帅朱龄石，朱龄石在军营门口将谯道福斩首。朱龄石把西蜀担任尚书令的马耽流放到越嶲，马耽对自己的部属说：“朱龄石不把我送往京师建康，是想杀我灭口，我肯定难逃一死。”于是沐浴盥洗之后，躺在床上，自缢而死。不久，朱龄石派来的使者就来到马耽的家中，砍下他的人头。东晋安帝司马德宗下诏，提升朱龄石为监梁、秦二州六郡诸军事，赐爵为丰城县侯。

北魏担任都兵将军的奚斤等在跋那山西击败了越勤部落，把越勤部落的二万多家迁徙到大宁。

居住在黄河西岸的匈奴部落首领曹龙等带着二万名部众侵入蒲子，张外投降了曹龙，推戴曹龙为大单于。

七月二十三日丙戌，北魏皇帝拓跋嗣前往定襄的大洛城。

西秦河南王乞伏炽磐出兵攻击吐谷浑部落首领支旁所据守的长柳川，俘虏了支旁和支旁的五千多户部众，然后班师。

八月十一日癸卯，北魏皇帝拓跋嗣返回京师平城。

曹龙向北魏请求投降，并把张外捉获，送给北魏，北魏将张外斩首。

丁丑[380]，魏主嗣如豺山宫。癸未[381]，还。

九月，再命太尉裕为太傅、扬州牧，固辞。

河南王炽磐击吐谷浑别统掘逵于渴浑川[382]，大破之，虏男女二万三千。冬，十月，掘逵帅其余众降于炽磐。

吐京胡与离石胡出以眷[383]叛魏，魏主嗣命元城侯屈[384]督会稽公刘絜、永安侯魏勤以讨之。丁巳[385]，出以眷引夏兵邀击絜，禽之，以献于夏；勤战死。嗣以屈亡二将，欲诛之，既而赦之，使摄[386]并州刺史。屈到州，纵酒废事，嗣积其前后罪恶，槛车征还[387]，斩之。

十一月，魏主嗣遣使请昏于秦[388]，秦王兴许之。

是岁，以敦煌索邈为梁州刺史[389]，苻宣乃还仇池[390]。初，邈寓居汉川[391]，与别驾[392]姜显有隙，凡十五年[393]而邈镇汉川，显乃肉袒迎候[394]，邈无愠色，待之弥厚。退而谓人曰："我昔寓此[395]，失志多年，若仇姜显，惧者不少[396]。但服之自佳[397]，何必逞志[398]？"于是阖境闻之皆悦。

【段旨】

以上为第三段，写晋安帝义熙九年（公元四一三年）一年间的大事。主要写：刘裕自江陵返回京城，狡猾而极其虚伪地杀了诸葛长民与其亲属；刘裕重新明确实行桓温实行过的土断政策；朱龄石奉刘裕之命西取成都，谯纵城破逃走自杀，部将谯道福被巴民俘获送斩于军门；朱龄石纵兵抢掠，并杀害封府库投降的蜀官马耽；西秦主乞伏炽磐攻破休官族，多次大破吐谷浑，秦将以陇西降之，势力颇大；赫连勃勃为人残暴，筑统万城极其牢固，制造器械极其精良；北凉主沮渠蒙逊大破南凉主秃发傉檀，围其乐都，取质而还；魏将拓跋屈被匈奴与夏主赫连勃勃所破，拓跋屈被魏主所杀。

丁丑日，北魏皇帝拓跋嗣从平城前往豺山宫。癸未日，返回京师。

九月，东晋安帝司马德宗再次下诏任命太尉刘裕为太傅、扬州牧，刘裕还是坚决推辞了。

西秦河南王乞伏炽磐出兵攻击吐谷浑另一部落首领掘逵所占有的渴浑川，将掘逵打得大败，俘虏了男女二万三千人。冬季，十月，吐谷浑别部首领掘逵率领自己的余部投降了西秦河南王乞伏炽磐。

居住在吐京县与离石县的匈奴部落首领出以眷背叛了北魏，北魏皇帝拓跋嗣命令元城侯拓跋屈和会稽公刘絜、永安侯魏勤率军讨伐。十月二十六日丁巳，匈奴部落首领出以眷率领夏国兵在半路袭击了会稽公刘絜所率领的北魏军，将刘絜活捉，献给了夏王赫连勃勃；永安侯魏勤则战死疆场。北魏皇帝拓跋嗣因为元城侯拓跋屈损失了两员大将，就想杀死拓跋屈，后来又把拓跋屈赦免，令他做代理并州刺史。拓跋屈到了并州任所，便每天酗酒，荒废公务，拓跋嗣就把拓跋屈前后的罪恶加起来算总账，派人用囚车把他押回京师平城，斩首。

十一月，北魏皇帝拓跋嗣派使者前往后秦的都城长安，向后秦王姚兴请求通婚，后秦王姚兴答应了北魏的请求。

这一年，东晋朝廷任命敦煌人索邈为梁州刺史，令苻宣仍旧回到仇池。当初，索邈侨居于汉川的时候，曾经与担任梁州别驾的姜显结下仇怨，历经十五年之后，索邈做了梁州刺史，镇守汉川，姜显惧怕索邈的报复，于是便袒露着上身，亲自在道旁迎候，索邈没有露出一点恼怒的神色，对姜显反而更加厚待。回到自己的私宅，索邈对人说：“我过去侨居于此，多年不得志，如果仇恨姜显，将会有很多人心怀恐惧。只要他屈服就可以了，何必非要进行报复，使自己心满意足呢?”于是整个梁州境内知道此事的人都很高兴。

【注释】

㉘②二月庚戌：二月十五日。㉘③高柳川：在高柳城（今山西阳高）附近。㉘④甲寅：二月十九日。㉘⑤骆驿：同“络绎”。相连不绝。㉘⑥前刻至日：事先说好的到达建康的时间。刻，约定。㉘⑦淹留：逗留；故意不走。㉘⑧频日：一连几天。㉘⑨新亭：在建康西南的长江边。㉙⓪辄差其期：总是到期不来。㉙①乙丑晦：二月三十这天是“乙丑”日。晦，每个月的最后一天。㉙②三月丙寅朔旦：丙寅日，也就是三月初一的早晨。㉙③惊趋至门：惊讶地赶到刘裕的门前。趋，小步疾行，这是臣子、部下在君父、长官跟前走路的一种特定姿势。㉙④却人间语：打发开别人，两人个别谈话。㉙⑤平生所不尽者皆及之：一辈子没说过的事情今天全说到了，极言刘裕的善于作假、骗人。㉙⑥舆尸付廷尉：廷尉是全国最

高的司法长官。先把人杀死，然后再交法官“审判”，可保万无一失。㉗庚午：三月初五。㉘大司马温：即桓温，桓玄之父。东晋后期的权臣。传见《晋书》卷九十八。㉙民无定本二句：百姓没有固定的居住地点，就有损于国家的安定。此指当时许多北方士族逃到江南，到处设有侨郡侨县，管理混乱。㉚《庚戌》土断：指晋哀帝兴宁二年（公元三六四年）三月初一（庚戌）所下的让流亡人口一律在现所居地落户，编入当地户籍的诏书。土断，按居住地点登记户籍。㉛一其业：指将这些流亡人口的生活、职业固定下来。㉜财阜：财富丰饶。阜，丰、盛多。㉝渐用颓弛：渐渐放松，没人管理。㉞申前制：重申过去实行的《庚戌》诏书的规定。㉟依界土断：即在哪个郡县的人就把户籍定在哪个郡县。㊱晋陵：郡名，郡治即今江苏镇江。㊲不在断例：因为徐、兖、青三州实地有些还被北方诸国所占，而这三个州的刺史治所都在晋陵，所以暂不实行土断政策。㊳林邑范胡达：林邑的国王范胡达。林邑，也叫占婆，即古代的越南国，旧址在今越南国的中南部。㊴九真：郡名，郡治胥浦，在今越南清化西北，当时属东晋管辖。㊵休官：奚族的部落名。㊶白石川：在今甘肃清水县西。㊷白石城：在今甘肃清水县西北。㊸显亲：县名，县治在今甘肃秦安西北。㊹索稜：姚兴的将领，义熙七年（公元四一一年）姚兴派索稜驻守陇西，以招抚乞伏氏。㊺叱干阿利：姓叱干，名阿利。㊻将作大匠：官名，主管城市与宫殿的建筑。㊼朔方水：又名奢延水，即今之无定河，流经今陕西靖边西、榆林市横山区北，绥德东南入黄河。㊽黑水：朔方水的支流。㊾统万：后世称岩绿，即今内蒙古乌审旗南的白城子。⑳并筑之：连人一起筑进城墙。㉑飞廉：殷纣的勇士，此泛指勇士雕像。㉒翁仲：石雕或铜铁铸的侍从人像。㉓从母姓为刘：赫连勃勃是匈奴刘渊的后代，匈奴在西汉时与汉王朝通婚，娶汉代帝室之女为妻，故刘渊自称姓刘，赫连勃勃开始也叫刘勃勃。㉔无常：指生活习惯、典章制度没有一定的要求。㉕徽赫：犹言“辉煌”，光明盛大的样子。㉖非正统：不是嫡系，不是赫连氏一脉相传的人。㉗皆以“铁伐”为氏：都让他们姓“铁伐”。㉘四月乙卯：四月二十一日。㉙郑兵将军:《北史》作“都兵将军”。㉚闾大肥：柔然人，本姓“郁久闾”，今从简称“闾”。㉛越勤部：少数民族部落名。㉜跋那山：在今河北张家口以北。㉝吐谷浑别统句旁：吐谷浑族的另一个部落的统领，名叫句旁。㉞泣勤川：方位不详。㉟若厚坞：方位不详。㊱若凉：具体方位不详，应距今青海乐都不远。㊲湟河：郡名，郡治白土，在今青海西宁东南。㊳广武：郡名，郡治在今甘肃永登东南。㊴苕藋：在今甘肃张掖东。一说在今永昌西。㊵卑和、乌啼：羌族的部落名，在今青海省青海湖附近。㊶五月乙亥：五月十一日。㊷云中：郡名，郡治在今内蒙古托克托东北，当时拓跋魏旧京盛乐的西北。㊸丙子：五月十二日。㊹西河胡：指居住在今山西、陕西交界处的黄河流域的匈奴人。㊺乙卯：五月乙丑朔，无乙卯。胡三省以为应作“己卯”，己卯是五月十五日。㊻长乐刘絜：长乐郡人刘絜。长乐郡的郡治即今河北冀州。㊼五原：郡名，郡治九原，在今内蒙古包头西，乌拉特前旗东。㊽中水：指今四川之沱江。由绵竹流来，经简阳、内江，到泸州汇入长江。㊾广汉：郡名，郡治雒县，在今四川广汉北，成都之东北。㊿平模：在成都西南的岷江上。351严兵固险：严密地派兵固守险要之处。352人情：指谯纵方面的将士之心。353良将：指谯道福。354此：我，自指朱龄石的军队。355悉为蜀子虏：都将成为四川土人的俘虏。356不麾：不用进攻。麾，将军的指挥旗，这里用如动词，即指挥进攻。357牛脾：胡三省以为当作“牛鞞”，牛鞞是县名，县治即今四川简阳。358谯小苟塞打鼻：“谯小苟”是人名。塞打鼻，即控制着打鼻山的通道。打鼻山在今四川眉山市彭山区南的岷江边，是成都城南的江防要地。359戊辰：七月初五。360壬申：七月初九。361按堵：各就各位，各安其职。362等死：反正都是死。363巴西：郡名，郡治在今四川绵阳东。364走：指各自四散而去。365獠：当时四川的少数民族名。366巴：郡名，郡治即今重庆。367斩于军门：谯纵自义熙元年（公元四〇五年）叛乱，至此被灭，前后共历九年之久。368徙：流放。369越嶲：郡名，郡治在今四川西昌东南。马耽封府库以待朱龄石，朱龄石犹如此加害马耽，乃由于朱龄石进城后，掠夺府库，此马耽所知也。370丰城县：在今江西南昌南。371大宁：县名，县治即今河北张家口。372河西胡：居住在今陕西北部黄河西岸的匈奴人。373蒲子：县名，县治在今山西隰县。374张外：人名，魏国的守将。375丙戌：七月二十三日。376定襄大洛城：定襄郡的大洛城，即汉代的雒县，在今内蒙古清水河县西南。377支旁：吐谷浑的部落首领名。378长柳川：在今青海省的东南部。379八月癸卯：八月十一日。380丁丑：八月初一是“癸巳”，本月中无“丁丑”日，疑字有误。381癸未：八月中亦无“癸未”日，疑字有误。或魏主此行是在“九月”。382渴浑川：在今青海省青海湖附近。383吐京胡与离石胡出以眷：住在吐京县与离石县的匈奴族头领名叫出以眷。吐京，也叫土军，即今山西石楼。离石，即今山西离石。384元城侯屈：即拓跋屈，被封为元城侯。385丁巳：十月二十六日。386摄：临时代理。387槛车征还：装入囚车，押回京城。388请昏于秦：向秦国请求通婚。昏，同“婚”。389以敦煌索邈句：这句的主语是“东晋”。梁州，州治即今陕西汉中。390苻宣乃还仇池：苻宣是氐王杨盛的将领，义熙元年（公元四〇五年），谯纵乱蜀，汉中一带，局势反复不定，义熙三年杨盛派苻宣率兵进驻汉中，东晋任苻宣行秦州刺史。今东晋正式任命索邈为梁州刺史，故苻宣返回仇池。391汉川：郡名，即汉中，不同朝代的称呼不同。392别驾：官名，州刺史的高级僚属，因其随刺史外出时能独自另乘一辆车，故名。393凡十五年：总共过了十五年。394肉袒迎候：脱衣露背地迎接刺史来临，表示请罪。395寓此：流落寄居于此。396惧者不少：谓像姜显这样与索邈有过矛盾的人为数尚多，都会惶恐不安。397但服之自佳：只要能自己服气就很好。398何必逞志：何必非要进行报复，替自己出气。

【校记】

［8］军：据章钰校，甲十一行本、乙十一行本、孔天胤本皆无此字。［9］泣勤川：张敦仁《通鉴刊本识误》作“泾勤川”。［10］而：据章钰校，孔天胤本作“西”。

【原文】

十年（甲寅，公元四一四年）

春，正月辛酉[399]，魏大赦，改元“神瑞”。

辛巳[400]，魏主嗣如繁畤[401]。二月戊戌[402]，还平城。

夏王勃勃侵魏河东蒲子[403]。

庚戌[404]，魏主嗣如豺山宫[405]。

魏并州[406]刺史娄伏连[11]袭杀夏所置吐京护军[407]及其守兵。

司马休之在江陵，颇得江、汉民心。子谯王文思[408]在建康，性凶暴，好通轻侠，太尉裕恶之。三月，有司奏文思擅捶杀国吏[409]，诏诛其党而宥文思。休之上疏谢罪，请解所任，不许。裕执文思送休之，令自训厉[410]，意欲休之杀之。休之但表废[411]文思，并与裕书陈谢。裕由是不悦，以江州刺史孟怀玉兼督豫州六郡[412]以备之。

夏，五月辛酉[413]，魏主嗣还平城。

秦后将军敛成讨叛羌，为羌所败，惧罪，出奔夏。

秦王兴有疾，妖贼李弘与氐仇常[414]反于贰城[415]，兴舆疾往讨之，斩常，执弘而还。

秦左将军姚文宗有宠于太子泓，广平公弼恶之，诬文宗有怨言。秦王兴怒，赐文宗死，于是群臣畏弼侧目[416]。弼言于兴，无不从者，以所亲天水尹冲为给事黄门侍郎[417]，唐盛为治书侍御史[418]，兴左右掌机要者，皆其党也。右仆射梁喜、侍中任谦、京兆尹尹昭承间言于兴曰：“父子之际，人所难言[419]；然君臣之义，不薄于父子，故臣等不得默然。广平公弼，潜有夺嫡[420]之志，陛下宠之太过，假[421]其威权，倾险无赖之徒辐凑附之[422]。道路皆言陛下将有废立之计[423]，信[424]有之乎？”兴曰：

【语译】

十年（甲寅，公元四一四年）

春季，正月初一辛酉，北魏实行大赦，改年号为“神瑞”。

正月二十一日辛巳，北魏皇帝拓跋嗣前往繁畤。二月初九戊戌，回到平城。

夏王赫连勃勃出兵侵犯北魏河东郡的蒲子县。

二月二十一日庚戌，北魏皇帝拓跋嗣前往豺山宫。

北魏担任并州刺史的娄伏连率军袭击并杀死了夏王赫连勃勃所任命的吐京护军以及吐京的守军。

东晋担任荆州刺史的司马休之在江陵任上，受到长江、汉水之间民众的拥护。司马休之的长子、谯王司马文思在建康却是性情凶狠暴戾，喜好与江湖上的豪侠结交，担任太尉的刘裕非常讨厌他。三月，有关部门奏报司马文思擅自捶杀了自己封国之内的官吏，晋安帝司马德宗下诏诛杀了司马文思的党羽，却赦免了司马文思。荆州刺史司马休之为此上疏给晋安帝司马德宗，请求治自己管教不严之罪，同时请求解除自己荆州刺史的职务，晋安帝司马德宗下诏不准。太尉刘裕把谯王司马文思抓起来送给司马休之，让司马休之亲自严厉训诫，其实是想让司马休之杀死司马文思。而司马休之只是上表请求废黜司马文思的王爵，将其削职为民，同时写信给刘裕，向刘裕谢罪。刘裕因此很不高兴，便令担任江州刺史的孟怀玉兼任督豫州六郡诸军事，加强对司马休之的戒备。

夏季，五月初三辛酉，北魏皇帝拓跋嗣从豺山宫回到平城。

后秦担任后将军的敛成率军讨伐叛变的羌人，结果反被羌人打败，因为惧怕被朝廷治罪，便逃奔了夏王赫连勃勃。

后秦王姚兴身体有病，妖贼李弘与氐族部落首领仇常在贰城聚众造反，姚兴带病坐车前往讨伐，将仇常斩首，将李弘活捉，而后返回长安。

后秦担任左将军的姚文宗很受太子姚泓的宠爱，广平公姚弼很厌恶姚文宗，就诬陷姚文宗对朝廷心怀不满，口出怨言。后秦王姚兴非常愤怒，就下诏令姚文宗自杀，于是群臣全都惧怕姚弼，连正眼看他一眼都不敢。姚弼向后秦王姚兴所提的任何建议，无一不被采纳，于是姚弼的亲信天水人尹冲被任命为给事黄门侍郎，另一亲信唐盛被任命为治书侍御史，姚兴身边负责掌管机要的都是姚弼的党羽。担任右仆射的梁喜、担任侍中的任谦、担任京兆尹的尹昭都找机会对后秦王姚兴说：“对于父子之间，外人很难多说什么；然而君臣之间的关系并不比父子之间的关系薄，所以我们做臣子的不能沉默不语。广平公姚弼，暗中有夺取太子之位的志向，陛下对他宠爱得有些过分，赐给他很大的权力，造成他的威势，那些敢于冒险的无赖之徒全都围绕在他的周围。路上的行人都传说陛下将要废掉太子，立姚弼为太子，确实是

"岂有此邪?"喜等曰:"苟无之，则陛下爱弼，适所以祸之。愿去其左右，损其威权。如此，非特安弼，乃所以安宗庙社稷。"兴不应。大司农窦温[12]、司徒左长史王弼皆密疏劝兴立弼为太子，兴虽不从，亦不责也。

兴疾笃，弼潜聚众数千人，谋作乱。姚裕㉕遣使以弼逆状告诸兄在藩镇者。于是姚懿㉖治兵于蒲阪㉗，镇东将军、豫州牧洸㉘治兵于洛阳，平西将军谌㉙治兵于雍㉚，皆欲赴长安讨弼。会兴疾瘳㉛，见群臣，征虏将军刘羌泣以告兴。梁喜、尹昭请诛弼，且曰:"苟陛下不忍杀弼，亦当夺其权任。"兴不得已，免弼尚书令，使以将军、公㉜还第。懿等各罢兵。

懿、洸、谌与姚宣皆入朝，使裕入白兴，求见。兴曰:"汝等正欲论弼事耳，吾已知之。"裕曰:"弼苟有可论，陛下所宜垂听;若懿等言非是，便当置之刑辟，奈何逆拒㉝之?"于是引见懿等于谘议堂。宣流涕极言，兴曰:"吾自处之，非汝曹所忧。"抚军东曹属㉞姜虬上疏曰:"广平公弼，衅成㉟逆著㊱，道路皆知之。昔文王之化，刑于寡妻㊲;今圣朝之乱，起自爱子。虽欲含忍掩蔽，而逆党扇惑不已，弼之乱心何由可革㊳?宜斥散凶徒，以绝祸端。"兴以虬表示梁喜曰:"天下人皆以吾儿为口实，将何以处之?"喜曰:"信如虬言，陛下宜早[13]裁决。"兴默然。

唾契汗、乙弗㊴等部皆叛南凉，南凉王傉檀欲讨之，邯川㊵护军孟恺谏曰:"今连年饥馑，南逼㊶炽磐，北逼蒙逊，百姓不安。远征虽克，必有后患。不如与炽磐结盟通籴㊷，慰抚杂部，足食缮兵，俟时而动。"

这样的吗?”姚兴说:“哪里有这样的事情?”右仆射梁喜等都说:“如果真没有这样的事情,那么陛下对姚弼的宠爱,却足以给姚弼带来灾祸。希望陛下清除他身边的人,贬损他的威势和权力。如此一来,不只能够保证姚弼平安无事,更重要的是安定了宗庙、社稷。”姚兴没有作声。担任大司农的窦温、担任司徒左长史的王弼都秘密上疏请求后秦王姚兴立姚弼为太子,姚兴虽然没有答应,但也没有责备他们。

后秦王姚兴病势沉重,广平公姚弼暗中聚集了数千名部众,阴谋作乱。姚弼的弟弟姚裕派使者把姚弼准备搞政变的情况告诉了镇守各地的诸位兄长。于是,担任并州牧的姚懿在蒲阪整顿兵马,担任镇东将军、豫州牧的姚洸在洛阳整顿兵马,担任平西将军的姚谌在雍城整顿兵马,都做好了奔赴长安讨伐姚弼的准备。所幸的是后秦王姚兴的病情逐渐好转,他召见群臣,担任征虏将军的刘羌流着眼泪把姚兴病重期间各方面的情况向姚兴做了汇报。右仆射梁喜、京兆尹尹昭请求秦王姚兴杀掉姚弼,并且说:“如果陛下不忍心杀死姚弼,也应该夺取他的权力和官职。”姚兴迫不得已,免去了姚弼尚书令的职务,让他以大将军、广平公爵的身份回家赋闲。并州牧姚懿等才各自罢兵。

姚懿、姚洸、姚谌以及姚宣全都回到京师长安,他们派姚裕入宫禀告姚兴,请求拜见。姚兴说:“你们都想向我谈论姚弼的事情,我已经知道了。”姚裕说:“如果姚弼确实有让人谈论的地方,陛下正应该认真地听一听;如果姚懿他们说的不是事实,就应当对他们严加处罚,为什么预先料定他们要说什么,而加以拒绝呢?”于是姚兴在谘议堂召见了姚懿等人。姚宣痛哭流涕、直言不讳地说了一番,姚兴说:“我自会处理此事,这不是你们应该担忧的事情。”担任抚军东曹属的姜虬上疏给后秦王姚兴说:“广平公姚弼作乱已经成为事实,谋逆的罪行非常明显,就连道路上的人都知道。过去周文王为了推行教化,能首先给自己的妻子做出表率,接着推及自己的弟兄,进而推广到整个国家;如今国家的祸乱却源自君王的爱子。虽然陛下想要隐忍、掩盖,然而逆党的煽动和蛊惑并没有停止,姚弼的叛逆之心怎么能改变呢?应该斥退、驱逐围绕在姚弼周围的那些凶恶的党徒,以杜绝灾祸的发生。”姚兴把抚军东曹属姜虬的奏章拿给右仆射梁喜看,姚兴说:“天下的人都把我的儿子姚弼当作话柄,我该如何处理这件事?”梁喜回答说:“确实像姜虬奏章中所说的那样,陛下应该早点下决心裁决此事。”姚兴默然无语。

南凉所属的唾契汗、乙弗等部落全都背叛了南凉,南凉王秃发傉檀就想发兵对他们进行讨伐,担任邯川护军的孟恺劝谏说:“现在一连几年遭遇天灾,粮食蔬菜全部歉收,我国南部靠近秦国河南王乞伏炽磐,北部靠近凉国河西王沮渠蒙逊,百姓已经每天惶恐不安。如果出兵远征唾契汗、乙弗,虽然能够平息他们的叛乱,但必定还会留有后患。不如与秦国河南王乞伏炽磐缔结盟约,互通粮食贸易,安抚各少数民族部落,等到粮食充足、武器修缮完好,有利时机到来之后再采取军事行动。”

傉檀不从，谓太子虎台曰："蒙逊近去[443]，不能猝来，旦夕所虑，唯在炽磐。然炽磐兵少易御[444]，汝谨守乐都，吾不过一月必还矣。"乃帅骑七千袭乙弗，大破之，获马牛羊四十余万。

河南王炽磐闻之，欲袭乐都，群臣咸以为不可。太府主簿[445]焦袭曰："傉檀不顾近患[446]而贪远利，我今伐之，绝其西路[447]，使不得还救。则虎台独守穷城，可坐禽也。此天亡之时，必不可失。"炽磐从之，帅步骑二万袭乐都。虎台凭城拒守，炽磐四面攻之。

南凉抚军从事中郎[448]尉肃言于虎台曰："外城广大难守，殿下不若聚国人[449]守内城，肃等帅晋人[450]拒战于外，虽有不捷，犹足自存。"虎台曰："炽磐小贼，旦夕当走，卿何过虑之深？"虎台疑晋人有异心，悉召豪望[451]有谋勇者闭之于内[452]。孟恺泣曰："炽磐乘虚内侮[453]，国家危于累卵。恺等进欲报恩，退顾妻子[454]，人思效死，而殿下乃疑之如是邪！"虎台曰："吾岂不知君之忠笃，惧余人脱生虑表[455]，以君等安之[456]耳。"

一夕，城溃，炽磐入乐都，遣平远将军捷虔帅骑五千追傉檀[457]。以镇南将军谦屯为都督河右[458]诸军事、凉州刺史，镇乐都；秃发赴单为西平太守，镇西平[459]；以赵恢为广武[460]太守，镇广武；曜武将军王基为晋兴太守，镇浩亹[461]；徙虎台及其文武百姓万余户于枹罕。赴单，乌孤之子也。

河间[462]人褚匡言于燕王跋曰："陛下龙飞辽、碣[463]，旧邦族党[464]，倾首朝阳[465]，以日为岁[466]，请往迎之。"跋曰："道路数千里，复隔异国[467]，如何可致？"匡曰："章武[468]临海，舟楫可通，出于辽西临渝[469]，不为难也。"跋许之，以匡为游击将军、中书侍郎，厚资遣之。匡与跋从兄买、从弟睹自长乐帅五千余户归于和龙。契丹[470]、库莫奚[471]皆降于燕。

秃发傉檀没有听从孟恺的规劝，他对太子秃发虎台说："凉国河西王沮渠蒙逊不久之前才率军撤离我国，不可能再对我国发动突然袭击，我每天所忧虑的只有秦国河南王乞伏炽磐。而乞伏炽磐兵力很少，容易对付，你要谨慎地守好京师乐都，我用不了一个月就一定能够返回。"于是率领七千名骑兵袭击叛变的乙弗部落，将乙弗部落打得大败，缴获了马牛羊四十多万头。

西秦河南王乞伏炽磐听到南凉王秃发傉檀率军袭击乙弗部落，就准备发兵突袭南凉的都城乐都，群臣全都认为不可以这样做。担任太府主簿的焦袭说："凉国王秃发傉檀不顾及近处的忧患而贪图远处的小利，我国现在出兵前去讨伐，切断他从西部返回乐都的道路，让他无法回师救援。而凉国太子秃发虎台独自守卫一座孤城，我们可以毫不费力地将他擒获。这正是上天灭亡他的时候，这个机会千万不要错过。"乞伏炽磐接受了焦袭的意见，遂率领二万名步兵、骑兵前往袭击南凉的都城乐都。南凉太子秃发虎台据城坚守，乞伏炽磐指挥军队从四面攻打。

南凉担任抚军从事中郎的尉肃对太子秃发虎台说："乐都的外城太大，很难坚守，殿下不如把鲜卑人全部集中到内城坚守，我等率领汉人坚守外城，即使外城失守，内城还可以自保。"秃发虎台说："乞伏炽磐不过是一个小毛贼，早晚会逃走，你何必如此忧心忡忡呢?"秃发虎台怀疑汉人跟自己不一心，就把汉人中的豪门望族以及有勇有谋的人，全部召入内城充当人质。邯川护军孟恺痛哭流涕地说："秦国乞伏炽磐趁我国内部兵力空虚的机会率军入侵，国家目前危如累卵。我等都想上报国恩，退一步说也是为了保全自己的老婆孩子，人人都希望献出自己的生命以效忠国家，而殿下竟然对我等如此不信任!"秃发虎台说："我难道不了解你忠心耿耿? 我只是担心其他的人会做出意想不到的事情来，所以才将你们扣押起来，以使你们的部下死心塌地为魏国效命。"

一天晚上，乐都城被西秦军攻破，河南王乞伏炽磐进入南凉的都城乐都，他派遣担任平远将军的乞伏捷虔率领五千名骑兵追击南凉王秃发傉檀所率领的西行征讨乙弗部落的军队。任命镇南将军乞伏谦屯为都督河右诸军事、凉州刺史，镇守乐都；任命秃发赴单为西平太守，镇守西平；任命赵恢为广武太守，镇守广武；任命曜武将军王基为晋兴太守，镇守浩亹；将南凉太子秃发虎台以及南凉的文武百官等一万多户迁移到西秦的都城枹罕。秃发赴单是秃发乌孤的儿子。

河间人褚匡向北燕天王冯跋进言说："陛下在辽水、碣石一带登上燕王宝座，远在长乐郡信都的亲族朋党，全都仰首向东方眺望，盼望能够见到陛下，他们每天度日如年，请陛下允许我去迎接他们。"冯跋说："长乐距离和龙城有数千里，中间又隔着不同的国家，如何能把他们接到龙城呢?"褚匡说："章武郡紧靠东方的大海，船舶可以通行，先从陆路到辽西郡的临渝，然后改走海路，并不困难。"冯跋同意了褚匡的意见，于是，任命褚匡为游击将军、中书侍郎，为他提供了一笔丰厚的旅费，便派他上路了。褚匡与北燕天王冯跋的堂兄冯买、堂弟冯睹，从长乐率领五千多户返回和龙，

跋署[472]其大人为归善王。跋弟丕避乱在高句丽，跋召之，以为左仆射，封常山公。

柔然可汗斛律[473]将嫁女于燕，斛律兄子步鹿真谓斛律曰："幼女远嫁忧思，请以大臣树黎等女为媵[474]。"斛律不许。步鹿真出，谓树黎等曰："斛律欲以汝女为媵，远适他国。"树黎恐，与步鹿真谋使勇士夜伏于斛律穹庐[475]之后，伺其出而执之，与女皆送于燕，立步鹿真为可汗而相之。

初，社仑之徙高车[476]也，高车人叱洛侯为之乡导以并诸部，社仑德之[477]，以为大人[478]。步鹿真与社仑之子社拔共至叱洛侯家，淫其少妻，妻告步鹿真曰："叱洛侯欲奉大檀为主。"大檀者，社仑季父仆浑之子也，领别部镇西境，素得众心。步鹿真归而发兵围叱洛侯，叱洛侯自杀。遂引兵袭大檀，大檀逆击，破之，执步鹿真及社拔，杀之，自立为可汗，号牟汗纥升盖[479]可汗。

斛律至和龙，燕王跋赐斛律爵上谷侯，馆之辽东[480]，待以客礼，纳其女为昭仪[481]。斛律上书请还其国，跋曰："今弃国万里，又无内应，若以重兵相送，则馈运[482]难继；兵少则不足成功，如何可还？"斛律固请，曰："不烦重兵，愿给三百骑，送至敕勒[483]，国人必欣然来迎。"跋乃遣单于前辅万陵[484][14]帅骑三百送之。陵惮远役[485]，至黑山[486]，杀斛律而还。大檀亦遣使献马三千匹、羊万口于燕。

六月，泰山太守刘研等帅流民七千余家，河西胡酋刘遮等帅部落万余家，皆降于魏。

戊申[487]，魏主嗣如豺山宫。丁亥[488]，还平城。

乐都之溃也，南凉安西将军樊尼自西平奔告南凉王傉檀，傉檀谓

契丹族、库莫奚部落全都投降了北燕。北燕天王冯跋任命他们的首领为归善王。冯跋的弟弟冯丕当初为躲避战乱而流亡到高句丽，冯跋将冯丕召回，任命冯丕为左仆射，封为常山公。

柔然蔼豆盖可汗郁久闾斛律准备把自己的女儿嫁给北燕天王冯跋，郁久闾斛律的侄子郁久闾步鹿真对蔼豆盖可汗说："把幼小的女儿嫁到遥远的燕国，肯定会让人担忧思念，请让大臣树黎等人的女儿陪同嫁给燕王做妾。"蔼豆盖可汗没有同意。郁久闾步鹿真从斛律那里出来后，就对树黎等人说："郁久闾斛律准备把你们的女儿作为陪嫁的妾，远嫁到别的国家。"树黎等非常恐惧，就与郁久闾步鹿真密谋，派勇士夜间埋伏在郁久闾斛律的帐篷后面，等到郁久闾斛律出来的时候，将他捉住，连同他的女儿全都送往北燕，然后拥立郁久闾步鹿真为柔然可汗，树黎担任宰相。

当初，柔然豆代可汗郁久闾社仑攻占了高车之后，高车人叱洛侯为郁久闾社仑充当向导，兼并了其他部落，郁久闾社仑很感激叱洛侯，便任命叱洛侯为高车部落大人。郁久闾步鹿真与郁久闾社仑的儿子郁久闾社拔一块跑到叱洛侯的家里，与叱洛侯年轻的妻子私通，叱洛侯的妻子告诉郁久闾步鹿真说："叱洛侯准备拥戴郁久闾大檀为可汗。"郁久闾大檀，是豆代可汗郁久闾社仑的小叔父郁久闾仆浑的儿子，正在率领自己的部众镇守柔然西部边境，一向得到众人的拥护。郁久闾步鹿真从叱洛侯的家中返回后，就立即发兵包围了叱洛侯的家，叱洛侯自杀而死。郁久闾步鹿真遂率军前往西部袭击郁久闾大檀，郁久闾大檀率领自己的部众对郁久闾步鹿真给以迎头痛击，将步鹿真打得大败，活捉了郁久闾步鹿真和郁久闾社拔，将他二人全都杀死，郁久闾大檀遂自立为可汗，号称牟汗纥升盖可汗。

柔然蔼豆盖可汗郁久闾斛律被送到北燕的都城和龙，北燕天王冯跋封给郁久闾斛律的爵位是上谷侯，把他安置在辽东，当作宾客一样对待，并娶了他的女儿，封为昭仪。郁久闾斛律上疏给燕王冯跋，请求回自己的国家柔然，冯跋对斛律说："如今你距离自己的国家有万里之遥，国内又没有人做内应，如果我派重兵护送你回国，则一路之上的粮草供应很难保证；派去的兵力太少，又没有成功的把握，你怎么能回去呢？"郁久闾斛律坚持返回柔然，他说："不需要派大军相送，希望能给我三百名骑兵，只要能把我护送到敕勒，我的部众必然会高高兴兴地前来迎接我。"冯跋于是派担任单于前辅的万陵率领三百名骑兵护送郁久闾斛律可汗回国。而万陵惧怕路途遥远，担心没法返回，到了黑山，便杀死了郁久闾斛律，然后返回北燕。郁久闾大檀也派使者向北燕进献了三千匹马、一万头羊。

六月，东晋担任泰山太守的刘研等率领七千多户难民，河西匈奴部落首领刘遮等率领自己的一万多户部众，全都投降了北魏。

六月二十日戊申，北魏皇帝拓跋嗣前往豺山宫。丁亥日，从豺山宫返回平城。

南凉都城乐都被西秦军攻陷的时候，南凉担任安西将军的秃发樊尼从西平跑去

其众曰："今妻子皆为炽磐所虏，退无所归，卿等能与吾借乙弗之资[489]，取契汗[490]以赎妻子乎？"乃引兵西。众多逃还，傉檀遣镇北将军段苟追之，苟亦不还。于是将士皆散，唯樊尼与中军将军纥勃、后军将军洛肱、散骑侍郎阴利鹿不去。傉檀曰："蒙逊、炽磐昔皆委质于吾[491]，今而归去，不亦鄙乎？四海之广，无所容身，何其痛也？与其聚而同死，不若分而或全。樊尼，吾长兄[492]之子，宗部所寄[493]。吾众在北者户垂一万[494]，蒙逊方招怀士民，存亡继绝[495]，汝其从之。纥勃、洛肱亦与尼俱行。吾年老矣，所适不容[496]，宁见妻子而死！"遂归于炽磐，唯阴利鹿随之。傉檀谓利鹿曰："吾亲属皆散，卿何独留？"利鹿曰："臣老母在家，非不思归；然委质为臣，忠孝之道，难以两全。臣不才，不能为陛下泣血求救于邻国[497]，敢离左右乎？"傉檀叹曰："知人固未易。大臣亲戚皆弃我去，今日忠义终始不亏者，唯卿一人而已！"

傉檀诸城皆降于炽磐，独尉贤政[498]屯浩亹，固守不下。炽磐遣人谓之曰："乐都已溃，卿妻子皆在吾所，独守一城，将何为也？"贤政曰："受凉王厚恩，为国藩屏。虽知乐都已陷，妻子为禽，先归获赏，后顺受诛。然不知主上存亡，未敢归命[499]；妻子小事，岂足动心？若贪一时之利，忘委付之重者，大王亦安用之？"炽磐乃遣虎台以手书谕之，贤政曰："汝为储副[500]，不能尽节，面缚[501]于人，弃父忘君，堕[502]万世之业。贤政义士，岂效汝乎？"闻傉檀至左南[503]，乃降。

炽磐闻傉檀至，遣使郊迎，待以上宾之礼。秋，七月，炽磐以傉檀为骠骑大将军，赐爵左南公。南凉文武，依才铨叙[504]。岁余，炽磐使

告诉南凉王秃发傉檀，秃发傉檀对自己的部众说："如今我们的妻子儿女全部被秦王乞伏炽磐俘虏，已经无家可归，完全没有了退路，你们愿不愿意跟随我，利用这次机会从乙弗部落那里获取的人力物力，攻取唾契汗，以赎回我们的妻子儿女?"遂率军西进。而手下的部众则纷纷逃回，秃发傉檀派担任镇北将军的段苟去追赶逃兵，段苟也是一去不回。于是将士全部逃散，只剩下安西将军秃发樊尼、中军将军纥勃、后军将军洛肱、散骑侍郎阴利鹿没有离去。秃发傉檀说："凉国沮渠蒙逊、秦国乞伏炽磐过去都曾经向我纳质称臣，现在回去向乞伏炽磐俯首称臣，不也太可耻了吗？天地如此之大，竟然没有了我的容身之地，内心是何等的悲痛？我们大家与其聚在一起而死，还不如分散开，或许还可以保全性命。秃发樊尼，是我长兄的儿子，是我们宗族、部众的主心骨，众望所归。我们在北方的部众还有将近一万户，凉国王沮渠蒙逊正在安抚部众，招揽人才，优待、抚恤已经亡国的贵族，你去投奔他吧。纥勃、洛肱也跟樊尼一块去。我年纪已经老了，到哪里去都不会有人收留，我宁愿再看一眼妻子儿女而死!"于是投降了西秦河南王乞伏炽磐，只有阴利鹿一个人跟随着他。秃发傉檀对阴利鹿说："我所有的亲属都逃散了，你何必还要独自一人留在我的身边呢?"阴利鹿说："我的老母亲还在家乡，我不是不想回家；然而我既然献身做了陛下的臣子，忠孝就难以两全。我没有才能，不能像申包胥那样为了陛下到邻国磕头出血求来救兵，又怎敢离开陛下呢?"秃发傉檀叹了一口气说："了解一个人原本就不是一件容易的事情。我的那些大臣、亲戚全都抛弃我走了，今天能够坚守忠义、始终如一的，只有你一个人了!"

南凉秃发傉檀管辖之下的各城全都投降了西秦王乞伏炽磐，只有尉贤政所屯守的浩亹，一直在顽强坚守，没有被西秦攻克。西秦河南王乞伏炽磐派人对尉贤政说："你们的都城乐都已经陷落，你的妻子儿女都在我们的手里，你独自坚守一座城池，今后准备怎么办呢?"尉贤政回答说："我深受凉王秃发傉檀的厚恩，身为国家重臣。虽然我已经知道都城乐都被攻破，我的妻子儿女已经被你们俘虏，抢先归降会得到奖赏，而最后归顺就会被诛杀。然而我不知道主上现在是存是亡，所以不敢归降；妻子儿女相比之下是件小事，岂能因为他们而动摇我的决心？如果我贪图一时的好处，忘记了主上托付的重任，对于这样的人大王用他做什么呢?"乞伏炽磐便令南凉太子秃发虎台亲笔写信给尉贤政，劝他投降，尉贤政回复秃发虎台说："你作为国家的储君，不能坚守节操，竟然反绑双手，向敌人投降，抛弃了父亲，忘记了国君，毁弃凉国万代的基业。我尉贤政是一个忠义之人，怎么会像你一样呢?"当尉贤政得知南凉王秃发傉檀已经到达左南城，这才打开浩亹城，向乞伏炽磐投降。

西秦河南王乞伏炽磐听到南凉王秃发傉檀到来的消息，立即派使者到郊外迎接，用上宾之礼接待他。秋季，七月，乞伏炽磐任命秃发傉檀为骠骑大将军，赐爵为左南公。南凉的那些文武官员全都依照才能加以录用。过了一年多，乞伏炽磐派人给

人鸩傉檀，左右请解之，傉檀曰："吾病岂宜疗邪?"遂死[505]，谥曰"景王"。虎台亦为炽磐所杀。傉檀子保周、贺，俱延子覆龙，利鹿孤孙副周，乌孤孙承钵，皆奔河西王蒙逊；久之，又奔魏。魏以保周为张掖王，覆龙为酒泉公，贺西平公，副周永平公，承钵昌松公。魏主嗣爱贺之才，谓曰："卿之先与朕同源[506]。"赐姓源氏。

八月戊子[507]，魏主嗣遣马邑侯陋孙[508]使于秦。辛丑[509]，遣谒者于什门使于燕，悦力延使于柔然。于什门至和龙，不肯入见，曰："大魏皇帝有诏，须冯王出受，然后敢入。"燕王跋使人牵逼令入，什门见跋不拜。跋使人按其项，什门曰："冯王拜受诏，吾自以宾主致敬，何苦见逼邪?"跋怒，留什门不遣，什门数众辱之[510]。左右请杀之，跋曰："彼各为其主耳。"乃幽执[511]什门，欲降之，什门终不降。久之，衣冠弊坏略尽，虮虱流溢。跋遗之衣冠，什门皆不受。

魏主嗣以博士王谅为平南参军[512]，使以平南将军、相州刺史尉太真书与太尉裕相闻[513]。太真，古真[514]之弟也。

九月丁巳朔[515]，日有食之。

冬，十月，河南王炽磐复称秦王[516]，置百官。

燕主跋与夏连和，夏王勃勃遣御史中丞乌洛孤如燕莅盟[517]。

十一月壬午[518]，魏主嗣遣使者巡行诸州，校阅守宰资财[519]，非家所赍者[520][15]，悉簿为赃[521]。

西秦王炽磐立妃秃发氏[522]为后。

十二月丙戌朔[523]，柔然可汗大檀侵魏。丙申[524]，魏主嗣北击之。大檀走，遣奚斤等追之，遇大雪，士卒冻死及堕指者什二三。

河内[525]人司马顺宰自称晋王，魏人讨之，不克。

燕辽西公素弗卒，燕王跋比葬七临之[526]。

秃发傉檀喝下了毒酒，秃发傉檀身边的人都请他让人赶紧配制解药化解毒性，秃发傉檀说："我的病岂能救治呢？"遂中毒而死，给他的谥号是"景王"。南凉太子秃发虎台也被乞伏炽磐杀死。秃发傉檀的儿子秃发保周、秃发贺，太尉俱延的儿子覆龙，南凉康王秃发利鹿孤的孙子秃发副周，南凉烈祖秃发乌孤的孙子秃发承钵，全都逃往北凉，投奔了河西王沮渠蒙逊；过了一段时间，又从北凉逃奔北魏。北魏任命秃发保周为张掖王，覆龙为酒泉公，秃发贺为西平公，秃发副周为永平公，秃发承钵为昌松公。北魏皇帝拓跋嗣很欣赏秃发贺的才华，他对秃发贺说："你的祖先和我的祖先都是鲜卑人，是同一个祖先。"赐给他姓源氏。

八月初一戊子，北魏皇帝拓跋嗣派马邑侯拓跋陋孙为使者出使后秦。十四日辛丑，又派担任谒者的于什门为使者出使北燕，派悦力延出使柔然。于什门到达北燕的都城和龙之后，不肯入朝拜见北燕天王冯跋，他说："大魏皇帝颁布诏书，必须燕王冯跋亲自出来受诏，然后我才敢入宫。"燕王冯跋派人强行把于什门拉进来，于什门看见燕王冯跋之后，不肯下跪拜见，冯跋就令人按住他的脖子，于什门说："燕王冯跋如果跪拜接受魏王的诏书，我定会按照宾主的礼节致敬，你们何必如此苦苦相逼呢？"冯跋大怒，就将于什门扣留，不准他返回北魏，于什门多次当众辱骂燕王冯跋。冯跋身边的人都请求杀死于什门，冯跋说："他也是为了自己的主人才如此。"于是便把于什门关入监牢，想让他投降燕国，而于什门始终不肯投降。过了很久，于什门的衣服鞋帽全都坏得不成样子了，浑身的虮虱往外乱爬。冯跋赠送给他衣服鞋帽，于什门一概不受。

北魏皇帝拓跋嗣任命博士王谅为平南参军，让他以平南将军、相州刺史尉太真的名义写信给东晋太尉刘裕，致以问候。尉太真是北魏鸿飞将军尉古真的弟弟。

九月初一丁巳，发生了日食。

冬季，十月，西秦河南王乞伏炽磐再次改称秦王，并设置文武百官。

北燕天王冯跋与夏王赫连勃勃联合，夏王赫连勃勃派遣担任御史中丞的乌洛孤前往北燕参加缔结盟约仪式。

十一月二十七日壬午，北魏皇帝拓跋嗣派使者到全国各州巡视，审查核对各郡守、县令的私家财产，如果不是从自己家中带出来的，一律当作贪污的赃物进行登记造册。

西秦王乞伏炽磐立妃子秃发氏为王后。

十二月初一丙戌，柔然牟汗纥升盖可汗郁久闾大檀率军入侵北魏。十一日丙申，北魏皇帝拓跋嗣出兵向北反击郁久闾大檀。郁久闾大檀兵败逃走，拓跋嗣派遣担任左丞相的奚斤等率军追击，遇到天降大雪，士卒被冻死、冻掉手指的占了十分之二三。

北魏河内郡人司马顺宰自称晋王，北魏出兵讨伐，没有成功。

北燕辽西公冯素弗去世，在下葬之前，北燕天王冯跋先后七次到冯素弗的灵前哀悼祭奠。

是岁，司马国璠[527]兄弟聚众数百，潜渡淮，夜入广陵城[528]。青州刺史檀祗领广陵相[529]，国璠兵直上听事[530]，祗惊出，将御[531]之，被射伤而入，谓左右曰："贼乘暗得入，欲掩[532]我不备。但击五鼓[533]，彼惧晓，必走矣。"左右如其言，国璠兵果走，追杀百余人[16]。

魏博士祭酒[534]崔浩为魏主嗣讲《易》及《洪范》[535]，嗣因问浩天文、术数[536]，浩占决[537]多验，由是有宠，凡军国密谋皆预之。

夏王勃勃立夫人梁氏为王后，子璝为太子。封子延为阳平公，昌为太原公，伦为酒泉公，定为平原公，满为河南公，安为中山公。

【段旨】

以上为第四段，写晋安帝义熙十年（公元四一四年）一年间的大事。主要写：秦主姚兴宠幸其子姚弼，姚弼结党于朝，以倾太子姚泓；姚兴病，姚弼谋作乱，余子姚裕、姚懿、姚谌等欲起兵讨姚弼；姚兴病好，诸子遂罢兵，皆进言姚弼奸恶事，姚兴迟迟不予处理。南凉主秃发傉檀出兵讨伐反南凉之乙弗诸部，西秦主乞伏炽磐乘虚袭其京城乐都，破之，灭其国；秃发傉檀所率外出之军自行溃散，秃发傉檀单身归降于乞伏炽磐，后来被乞伏炽磐所杀，秃发傉檀之诸子先逃于沮渠蒙逊之北凉，后又改投于魏，南凉自此被灭，乞伏炽磐又自称秦王。柔然国内乱，其可汗斛律被送于北燕冯跋，斛律被冯跋的部将所杀；原可汗社仑之侄大檀为可汗。北燕主冯跋派部将自海道迁其故乡长乐郡（治今河北冀州）民五千户于和龙。魏主嗣校阅其守宰资财，凡不是由自家带出者一律以贪污论处。刘裕与荆州刺史司马休之的矛盾尖锐，司马休之的前景不妙。投归后秦之司马国璠兄弟引秦兵侵晋，竟然夜入广陵城。

这一年，司马国璠兄弟聚集了数百人，偷偷地渡过淮河南下，在夜间偷袭了广陵城。担任青州刺史的檀祗此时兼任广陵相，司马国璠的兵众直接冲入衙署的正堂，檀祗慌乱之下出来察看，正要准备率人抵抗，就被叛军的乱箭射中，只好退回，对左右的人说："叛贼趁黑夜潜入城中，就是想趁我们没有防备，攻我们一个措手不及。只要敲响五更鼓，他们惧怕天亮后无法脱身，一定会马上撤走。"左右的人按照檀祗的吩咐敲响了五更鼓，司马国璠果然率众逃走，追击杀死有百余人之多。

北魏担任博士祭酒的崔浩为北魏皇帝拓跋嗣讲授《易经》及《洪范》，拓跋嗣趁机向崔浩询问有关天文、星象等方面的问题，崔浩所做的占卜，有很多后来都得到验证，因此得到拓跋嗣的宠信，凡是有关军国大事，拓跋嗣都与崔浩秘密商量，让他做出预测。

夏王赫连勃勃立夫人梁氏为王后，儿子赫连璝为太子。封其他几个儿子：赫连延为阳平公，赫连昌为太原公，赫连伦为酒泉公，赫连定为平原公，赫连满为河南公，赫连安为中山公。

【注释】

㊾399 正月辛酉：正月初一。400 辛巳：正月二十一日。401 繁畤：县名，县治在今山西应县东，当地有魏国的祭天台。402 二月戊戌：二月初九。403 蒲子：县名，县治即今山西隰县。404 庚戌：二月二十一日。405 豺山宫：在今山西右玉境内的豺山上。406 并州：州治晋阳，在今山西太原西南。407 吐京护军：吐京县的驻军军官。吐京，即今山西土军。护军，官名，原本意同于监军，此处即指该地的驻军头目。408 谯王文思：即司马文思，司马休之的长子，谯王司马尚之之侄。司马尚之死于桓玄之乱，安帝反正后，以司马文思继司马尚之为谯王，以奉其祭祀。409 国吏：谯国的下属官员。410 训厉：训斥；管教。411 表废：上表请求废除其封爵，取消其特权，令其在家为民。412 豫州六郡：即宣城、襄城、淮南、庐江、安丰、历阳。413 五月辛酉：五月初三。414 氐仇常：氐族人姓仇名常。415 贰城：在今陕西黄陵西。416 侧目：指不敢正视。417 给事黄门侍郎：官名，在帝王身边备参谋顾问之用。418 治书侍御史：即后代的御史中丞，负责监察百官，侍奉在帝王左右。419 人所难言：即别人不好多说。420 夺嫡：夺取太子地位。421 假：给予；授予。422 辐凑附之：如辐条之集中于车毂，极言其归附者之多。423 废立之计：废掉旧接班人，另立新接班人的想法。424 信：的确；当真。425 姚裕：姚兴的少子。426 姚懿：姚兴之子。427 蒲阪：在今山西永济西南。428 豫州牧洸：即姚洸，姚兴之子。429 平西将军谌：即姚谌，姚兴之子。430 雍：州名，州治在今甘肃泾川县北。431 瘳：病愈。432 将军、公：时

姚弼为大将军、广平公。㊸逆拒：预先拒绝。㊹抚军东曹属：抚军将军的东曹官属。当时太子姚泓任抚军将军。㊺衅成：作乱已成事实。㊻逆著：叛逆的罪行明显。㊼刑于寡妻：《诗经·思齐》："刑于寡妻，至于兄弟，以御于家邦。"刑，通"型"。寡妻，诸侯的正妻。意思是周文王能首先给妻子做榜样，接着推及自己的弟兄，而后推广到整个国家。㊽革：改变；改正。㊾唾契汗、乙弗：都是当时的少数民族部落名，活动于今青海湖以北的青海与甘肃交界处。㊿邯川：河水名，在今青海乐都东南。441逼：靠近。当时乞伏炽磐的都城在枹罕，今甘肃临夏。442通籴：进行粮食贸易，互通有无。籴，买入粮食。443近去：刚刚退去。444易御：容易对付。御，抵抗、应付。445太府主簿：太府是掌管国家钱财货物的机关。主簿是官名，犹今之秘书长。446近患：指沮渠蒙逊。447西路：秃发傉檀自乙弗回乐都的通路。448抚军从事中郎：抚军将军的高级僚属，秃发虎台当时为抚军将军。449国人：指以秃发氏为首的鲜卑人。450晋人：指汉族人。451豪望：有势力、有名望的人。452闭之于内：使之作为人质。453内侮：前来入侵我们。454退顾妻子：退一步说又是为保全老婆孩子。455脱生虑表：突然发生想不到的事情，指叛变投敌。脱，突然。456以君等安之：扣押你们是为了让你们部下的人死心塌地。457追傉檀：追击秃发傉檀西行往袭乙弗的部队。458河右：黄河以西，此指今青海西宁一带地区。459西平：即今青海西宁。460广武：郡名，郡治在今甘肃永登东南。461浩亹：县名，县治在今青海民和北。462河间：郡名，郡治即今河北献县。463龙飞辽、碣：在辽水、碣石山一带登基称帝。龙飞，喻称人之称帝。辽、碣，辽水、碣石山。辽水流经今内蒙古东南部与辽宁西部，碣石山在今河北东北角的昌黎、乐亭一带。464旧邦族党：即故乡的亲友。冯跋的故乡是长乐郡的信都，即今河北冀州。465倾首朝阳：即盼着早日见到你。朝阳，以喻帝王。466以日为岁：犹今之所谓"度日如年"，极言其盼望之心切。467隔异国：自河北冀州到辽宁的朝阳，中间隔着拓跋氏的魏国。468章武：县名，县治在今河北沧州东，地临渤海。469出于辽西临渝：经由辽西临渝县。临渝县，汉属辽西郡，县治在今河北秦皇岛西。以上几句是说，冯跋的老家是长乐（今河北冀州），属拓跋氏统治。如果从长乐东北行至章武海边，再乘船到临渝，那就进入了冯跋统治的北燕地面了。470契丹：少数民族名，当时活动在今内蒙古东部与吉林西部一带。471库莫奚：少数民族名，当时活动在今内蒙古赤峰、克什克腾旗一带。472署：委任，加封并赐予称号。473柔然可汗斛律：柔然民族的头领名叫斛律。可汗，北方一些民族用以称其首领，犹如中原地区的皇帝。474媵：陪嫁。475穹庐：帐篷。476社仑之徙高车：指柔然的首领社仑因被魏军打败，北袭高车之地而居之。见本书卷一百一十二元兴元年。高车是北方的少数民族部落名，以其喜乘高轮车而称之。477德之：感念他的好处。478大人：头领。479牟汗纥升盖：鲜卑语的意思是"制胜"。480馆之辽东：安置在辽东郡居住。馆，安置住宿。辽东，辽水以东。当时这一带已属高句丽。481昭仪：妃嫔的称号名，地位仅次于皇后。482馈运：后勤供应，指运送粮草。483敕勒：即前所谓"高车"，当时活动在今蒙古国的乌兰巴托东北。484单于前辅万陵：冯跋的太子冯永的辅佐官，名叫万陵。冯永当时为大单于，有前后左右四辅。㊽㊺惮远役：害怕出远差。486黑山：也叫杀虎山，在今内蒙古呼和浩特东南。487戊申：六月二十日。488丁亥：六月初一是“己丑”，本月无“丁亥日”，疑字有误。489借乙弗之资：趁着打败乙弗所取得的胜利。490取契汗：活捉契汗。契汗即上文所说的“唾契汗”。秃发傉檀已破乙弗部，拟再破唾契汗。491委质于吾：即向我纳质称臣。沮渠蒙逊曾称臣于秃发利鹿孤，见本书卷一百一十二隆安五年。乞伏炽磐投归秃发利鹿孤，见本书卷一百一十一隆安四年。492长兄：即秃发乌孤。493宗部所寄：家族与部落的主心骨，众心所归。乌孤是南凉政权的建立者，樊尼是乌孤之子，故称他是宗部所寄。494户垂一万：差不多有上万户。495存亡继绝：即优待、怜恤已经亡国的贵族。孔子语：“存灭国，继绝世。”将已灭亡的国家重新建立起来，使已断绝的血统再延续下去。孔子认为这是圣明帝王的行为。496所适不容：投奔谁也不会有人要。497泣血求救于邻国：像申包胥那样求救于邻国。春秋末年，楚国被吴国所灭，楚臣申包胥求救于秦，“依于庭墙而哭，日夜不绝声，勺饮不入口七日”。秦哀公受感动，为之出兵击吴，恢复了楚国。498尉贤政：人名，秃发傉檀的部将。499归命：这里即指投降。500储副：帝王的太子，政权的接班人。501面缚：双手反缚，前头只见其面。即指束手投降。502堕：通“隳”。毁弃。503至左南：也到左南县来归降。左南县治在今青海乐都东南。504铨叙：选拔任用。505遂死：南凉政权自秃发乌孤创立，经秃发利鹿孤，至秃发傉檀灭亡，共历十九年。506同源：指同是鲜卑人，同一祖先。507戊子：八月初一。508马邑侯陋孙：马邑侯拓跋陋孙，汉化后又称“元陋孙”。509辛丑：八月十四日。510数众辱之：多次当众辱骂冯跋。511幽执：即囚于监牢。512为平南参军：给平南将军尉太真做参军。513以平南将军句：以平南将军、相州刺史尉太真的名义与东晋的刘裕互相通信往来。书，写信。相闻，互通信息。514古真：尉古真，拓跋魏的开国将领。传见《魏书》卷二十六。515九月丁巳朔：九月初一是丁巳日。516复称秦王：乞伏乾归曾称秦王，后去王号称臣于姚兴，后乞伏炽磐又称河南王，今并南凉复称秦王。517如燕莅盟：前往北燕参加定盟仪式。胡三省曰：“春秋之时，列国释仇通好，两君不及相见而盟，必使其臣莅盟。”518十一月壬午：十一月二十七日。519校阅守宰资财：清点各地方官的资产。校阅，如今之所谓“清查”。守宰，太守与县令，郡、县两级的行政长官。520非家所赍者：凡不是从家里带出来的。521悉簿为赃：一律算作贪污进行登记。522秃发氏：秃发傉檀之女。523十二月丙戌朔：十二月初一是丙戌日。524丙申：十二月十一日。525河内：郡名，郡治即今河南沁阳。526比葬七临之：在冯素弗从死到埋葬的这几天里，冯跋曾七次前往其家哭丧。根据礼法，帝王哭大臣最多只能三次。冯跋哭其弟竟至七次，见其关系密切。527司马国璠：司马懿之弟司马孚的后代，袭其父祖之位为河间王，桓玄篡乱时，与其弟司马叔璠、叔道等逃向秦国，后一直不归，且经常领秦兵来骚扰淮河流域，已有十年之久。528广陵城：在今江苏扬州西北。529领广陵相：兼任广陵国的行政长官，职同郡太守。530听事：行政长官处理政务、会见僚属的正堂。⑤31 御：抵抗。⑤32 掩：突然袭击。⑤33 但击五鼓：只要一击五更鼓，使之误以为天已将亮，不能再乘黑暗作乱，就会迅速逃去。⑤34 博士祭酒：在诸博士之中居领头地位。祭酒，官名。⑤35《洪范》:《尚书》中的一篇。⑤36 天文、术数：有关天文、星象方面的一些迷信说法。⑤37 占决：占卜、推算。

【校记】

［11］娄伏连：严衍《通鉴补》改作“楼伏连”。［12］寔温：原作“宝温”。据章钰校，甲十一行本、乙十一行本、孔天胤本皆作“寔温”，熊罗宿《胡刻资治通鉴校字记》同，今据改。［13］宜早：据章钰校，甲十一行本、乙十一行本、孔天胤本二字皆互乙。［14］万陵：据章钰校，孔天胤本作“高陵”，张敦仁《通鉴刊本识误》同。［15］者：原无此字。据章钰校，甲十一行本、乙十一行本、孔天胤本皆有此字，今据补。［16］追杀百余人：原无此五字。据章钰校，甲十一行本、乙十一行本、孔天胤本皆有此五字，张瑛《通鉴校勘记》同，今据补。

【研析】

本卷写晋安帝义熙七年（公元四一一年）至义熙十年共四年间的各国大事，其中引人思索的主要有以下几点：

第一，本卷写了爆发于东晋后期的孙恩、卢循农民大起义的最后失败。这次大起义自晋安帝隆安三年（公元三九九年）开始，至义熙六年（公元四一〇年）结束，共历时十二年，初起的时候曾破杀会稽内史王凝之，一时之间，“凡八郡人，一时起兵，杀长吏以应恩，旬日之中，众数十万”，恰如陈涉秦末反秦之势。后来孙恩败死，卢循继起，攻占广州，号平南将军，率军北下，取庐陵、豫章诸郡，又顺江东下，破杀了刘裕的名将何无忌，又大破刘裕的名将刘毅于桑落洲，继而进攻建康，吓得东晋王朝准备向江北逃跑。后来由于卢循的犹豫怯懦，被刘裕打败。在孙恩、卢循起义十二年的过程中，最令人感兴趣的人物是徐道覆。徐道覆劝卢循趁刘裕北伐南燕之际，北出夺取东晋政权，卢循不听，错过了大好时机；徐道覆为了给日后组建庞大船队而伐木于南康山中，积蓄了大量船材，到举兵应用时，“悉取以装舰，旬日而办”；卢循想攻取荆州为根据地，徐道覆劝他：“宜并力摧之。若此克捷，江陵不足忧也。”当刘裕驰援建康，徐道覆欲干没一战，“请于新亭至白石焚舟而上，数道攻裕”。卢循又不听。徐道覆伤心地叹息说：“我终为卢公所误，事必无成；使我得为英雄驱驰，天下不足定也。”最后随着卢循的失败，徐道覆也兵败被杀。读着徐道覆的事迹，不由得使我们想起了汉代吴楚七国之乱时吴王刘濞属下的吴禄伯、桓将军，尤其是周丘。如何进攻汉王朝，吴禄伯、桓将军都提出过很好的建议，吴王濞不听，于是很轻易地被周亚夫打败了。这里我们单看周丘其人：“诸宾客皆得为将、校尉、

候、司马，独周丘不得用……周丘上谒，说王曰：'臣以无能，不得待罪行间。臣非敢求有所将，愿得王一汉节，必有以报王。'王乃予之。周丘得节，夜驰入下邳。下邳时闻吴反，皆城守。至传舍，召令。令入户，使从者以罪斩令。遂召昆弟所善豪吏告曰：'吴反兵且至，至，屠下邳不过食顷。今先下，家室必完，能者封侯矣。'出乃相告，下邳皆下。周丘一夜得三万人，使人报吴王，遂将其兵北略城邑。比至城阳，兵十余万，破城阳中尉军。闻吴王败走，自度无与共成功，即引兵归下邳。未至，疽发背死。"这就叫作"生不逢时"，如果让这些人生在陈涉、吴广的时代，"万户侯岂足道哉?"袁黄《历史纲鉴补》评价徐道覆说："徐道覆为卢循画策无不善者，使循能用之，亦刘裕之勍敌也。然道覆长于料敌，而不能料主，循不足与有为而强为之谋，岂惟不知能策主，亦不能处己矣。是时刘裕方匡晋室，亦一世之雄也，道覆为之驱驰，岂不什佰于事循哉？然则道覆虽能谋善战，直一贼耳。"这样说话，我觉得徐道覆不能心服。孙恩、卢循、徐道覆之所以造反，不就是由于晋王朝太坏，人们不愿再受它的统治了吗？你说让徐道覆投靠刘裕，刘裕当时正为腐朽的东晋保驾护航，投了刘裕不就是又回到东晋的治下吗？卢循是差劲，但他毕竟是反抗者，不是东晋王朝的奴才，所以英雄尽管失败而死，怎么着也不能投降刘裕。刘道覆的确是"贼"，但"贼"也要有"贼"的骨气。这就如同当年的王猛，他见到了桓温，但他没有跟着桓温回东晋。东晋王朝算什么东西，值得大英雄为它效力吗？王猛后来帮着苻坚做出的功业，桓温能做得出吗？王猛之所以不动心，就因为他对晋王朝与桓温通通看不上。与其跟着他去南方受罪，还不如在北方心平气和地静观其变。

第二，本卷写了刘毅的为人，以及他被刘裕迅速收拾的过程。刘毅少有大志，与刘裕合谋起兵讨桓玄也有大功，但为人小肚鸡肠，气量狭窄。庾亮的后人庾悦当年曾对贫贱的刘毅有过不礼貌，刘毅发达后就对之一再侵凌、排挤，直到"疽发背卒"。刘牢之的儿子刘敬宣得意时曾说过职位尚低的刘毅的某种性格缺陷，刘毅掌权后就对之肆意凌辱，使之充当自己部下的部下。他对刘裕由不服气发展到拉帮结派，与之对立。但这些还都是在酝酿之中，还远没有说是要对刘裕怎么样，但刘裕就迫不及待地对他下手了。王夫之《读通鉴论》说："刘裕之篡，刘穆之导之也；其杀刘毅，胡藩激之也。"刘裕首先毫不迟疑地杀了平定卢循有功的刘毅的堂弟刘藩与其朋友谢混；而后派其谋士王镇恶统兵逆江而上，以袭取刘毅。王镇恶是当年苻坚的心腹王猛之孙，几年前投归刘裕，从而使刘裕如虎添翼。王镇恶率领一百艘小船，打着刘藩的旗号，昼夜兼程而上。"镇恶至豫章口，去江陵城二十里，舍船步上。……舸留一二人，对舸岸上立六七旗，旗下置鼓，语所留人：'计我将至城，便鼓严，令若后有大军状。'又分遣人烧江津船舰。镇恶径前袭城，语前军士：'有问者，但云刘兖州至。'津戍及民间皆晏然不疑。"就这样，刘毅在江陵城里还没有弄清外面出了什么情况，王镇恶便已将刘毅排在江中的战船烧毁，率领的小部队已经冲入了江陵的城门。于是刘毅逃到牛牧寺前，自杀而死。王镇恶不愧是王猛之孙，计谋之高，取刘毅如戏婴儿。其中所安排的“计我将至城，便鼓严，令若后有大军状”，这一点太重要了，冲进城的只是一股小中队，而城外鼓声甚急，若有千军万马蜂拥而至，所以刘毅根本无法集合队伍，进行有效抵抗。

第三，魏主拓跋嗣惩治官员贪污。本卷写魏主拓跋嗣为倡廉肃贪而“遣使者巡行诸州，校阅守宰资财，非家所赍者，悉簿为赃”。凡不是从自家带出来的东西，一律登记，按贪污处理。这是古代少数民族政权为惩治贪污使用的办法，与我们现在所实行的官员收入申报制大体相同，奇怪的是魏主实行这种办法，没见魏国的太守与县令们群起抗议。与此同时，本书也写了东晋王朝的一位清廉官吏刘道规，说他“在荆州累年，秋毫无犯。及归，府库帷幕，俨然若旧。随身甲士二人迁席于舟中，道规刑之于市”云云，这完全是靠着个人的修养，严格自律的结果。至于说到身边的卫兵把他平时在衙署办公使用的坐垫拿到船上，供他继续使用，他为此竟把两个卫兵公开在市场治罪，这就未免太做作，太不近人情了。而且你怎么知道，等你在船上用过之后，卫兵就不能再把它送回原处呢？但不管怎么说，有这种人总是好的，值得后世传颂。

第四，本卷写了夏主赫连勃勃在建筑统万城时所表现出的残虐。文载夏王勃勃：“以叱干阿利领将作大匠，发岭北夷、夏十万人筑都城于朔方水北、黑水之南。勃勃曰：‘朕方统一天下，君临万邦，宜名新城曰统万。’阿利性巧而残忍，蒸土筑城，锥入一寸，即杀作者而并筑之。勃勃以为忠，委任之。凡造兵器成，呈之，工人必有死者，射甲不入则斩弓人，入则斩甲匠。又铸铜为一大鼓，飞廉、翁仲、铜驼、龙虎之属，饰以黄金，列于宫殿之前。凡杀工匠数千，由是器物皆精利。”为描写一个人的残暴，使用一些形容词，举一些夸张的事例都是必要的，但不能说得太过分。说“蒸土筑城，锥入一寸，即杀作者而并筑之”，这还勉强可信；如果说“射甲不入则斩弓人，入则斩甲匠”，这将使人怎么活呢？偶尔讲故事，说这么一句是可以的，但公开写入历史，则只能增加读者的怀疑。

卷第一百一十七　晋纪三十九

起旃蒙单阏（乙卯，公元四一五年），尽柔兆执徐（丙辰，公元四一六年），凡二年。

【题解】

本卷写晋安帝义熙十一年（公元四一五年）、义熙十二年共两年间的东晋与各国的大事。主要写：刘裕起兵讨伐荆州刺史司马休之，而雍州刺史鲁宗之与其子鲁轨出兵与司马休之相应；司马休之的部下有人看风使舵脱离司马休之往投刘裕，而录事参军韩延之严厉拒绝刘裕的利诱劝降，批驳痛斥了刘裕不顾事实、诛除异己的罪恶行径；刘裕派檀道济、朱超石自襄阳，徐逵之率蒯恩、沈渊子等自夏口两路进攻江陵，开始两路均遭挫败，后刘裕亲自指挥胡藩、沈林子等进攻荆州军，荆州军失败，司马休之、鲁宗之等北投姚兴，荆州遂为刘裕所取；刘敬宣的部下乘刘裕攻司马休之之际，在广固发动事变，袭杀了刘敬宣；刘裕留刘穆之总揽内外，大举出兵伐秦，先锋王镇恶、檀道济等攻秦之项城、许昌、仓垣皆

【原文】

安皇帝壬

义熙十一年（乙卯，公元四一五年）

春，正月丙辰[①]，魏主嗣还平城[②]。

太尉裕收司马休之次子文宝、兄子文祖，并赐死，发兵击之。诏加裕黄钺，领荆州刺史。庚午[③]，大赦。

丁丑[④]，以吏部尚书谢裕为尚书左仆射。

辛巳[⑤]，太尉裕发建康。以中军将军刘道怜监留府事[⑥]，刘穆之兼右仆射[⑦]。事无大小，皆决于穆之。又以高阳内史[⑧]刘钟[⑨]领石头戍[⑩]事，屯冶亭[⑪]。休之府司马张裕、南平[⑫]太守檀范之闻之，皆逃归

下，又攻取洛阳，守将姚洸投降；晋王朝先是给刘裕加官晋爵，使其“剑履上殿，入朝不趋，赞拜不名”，刘裕又向朝廷讨“九锡”，至朝廷正式赐之，刘裕又假意推辞不受；姚兴疾笃，其子姚弼的党羽发动叛乱，攻打宫城，姚兴力疾赐姚弼死，其党姚愔、尹元、尹冲等被杀；姚兴死，姚泓即位，姚泓之弟姚懿叛乱称帝，姚绍、姚成都等击杀之。夏主赫连勃勃攻秦，取上邽，又取安定，又取雍县、郿县，被秦将姚绍所败。魏主拓跋嗣派叔孙建讨平刘虎之胡人部落；击燕，杀燕之幽州刺史、征北将军；魏将张蒲与长孙道生击平丁零人翟猛雀于白涧山之作乱。

【语译】

安皇帝壬

义熙十一年（乙卯，公元四一五年）

春季，正月初二丙辰，北魏皇帝拓跋嗣从讨伐柔然的前线返回京师平城。

东晋太尉刘裕将司马休之留在京师建康的次子司马文宝、司马休之的侄子司马文祖全都抓起来，并下令让他们自杀，同时发兵西上攻打司马休之。晋安帝司马德宗下诏将代表征伐大权的黄钺授予太尉刘裕，任命刘裕兼任荆州刺史。正月十六日庚午，实行大赦。

正月二十三日丁丑，东晋任命担任吏部尚书的谢裕为尚书左仆射。

正月二十七日辛巳，东晋太尉兼荆州刺史的刘裕率军从京师建康出发。他任命担任中军将军的刘道怜为监留府事，主管太尉府留守事宜，任命刘穆之兼任右仆射。朝廷中的各种事务，不论大小，全部由刘穆之裁决。刘裕又任命担任高阳内史的刘钟兼任主管京师建康整个防务的石头戍事，率军屯驻在冶亭。在司马休之荆州刺史府担任司马的张裕、担任南平太守的檀范之听到太尉刘裕亲自率军前来讨伐的消息，

建康。裕，卲[13]之兄也。雍州刺史鲁宗之自疑不为太尉裕所容，与其子竟陵太守轨起兵应休之。二月，休之上表罪状裕，勒兵拒之。

裕密书招休之府录事参军南阳韩延之，延之复书曰："承[14]亲帅戎马，远履西畿[15]，阖境士庶，莫不惶骇。辱疏[16]，知[17]以谯王前事[18]，良增叹息[19]。司马平西[20]体国忠贞[21]，款怀待物[22]。以公有匡复之勋，家国蒙赖，推德委诚[23]，每事询仰[24]。谯王往以微事见劾[25]，犹自表逊位，况以大过[26]，而当嘿然[27]邪？前已表奏废之，所不尽者命耳[28]。推寄相与[29]，正当如此[30]。而遽兴兵甲[31]，所谓'欲加之罪，其无辞乎[32]？'刘裕足下，海内之人，谁不见足下此心，而复欲欺诳国士[33]？来示云'处怀期物，自有由来[34]'，今伐人之君[35]，啖人以利[36]，真可谓'处怀期物，自有由来'者乎？刘藩死于阊阖之门[37]，诸葛毙于左右之手[38]，甘言诧方伯[39]，袭之以轻兵[40]，遂使席上靡款怀之士[41]，阃外无自信诸侯[42]，以是为得算[43]，良可耻也！贵府将佐及朝廷贤德，寄命过日[44]。吾诚鄙劣，尝闻道于君子，以平西之至德，宁可无授命之臣[45]乎？必未能自投虎口[46]，比迹郗僧施之徒[47]明矣。假令天长丧乱[48]，九流浑浊[49]，当与臧洪游于地下[50]，不复多言。"裕视书叹息，以示将佐曰："事人当如此矣！"延之以裕父名翘，字显宗，乃更其字曰显宗，名其子曰翘，以示不臣刘氏。

琅邪[51]太守刘朗帅二千余家降魏。

全都逃回了京师建康。张裕，是张邵的哥哥。担任雍州刺史的鲁宗之怀疑太尉刘裕最终也容不下自己，于是便与自己的儿子、担任竟陵太守的鲁轨起兵响应司马休之。二月，司马休之一面上表给晋安帝司马德宗，揭露太尉刘裕的各种罪行，一面部署军队，积极应对刘裕的进攻。

刘裕秘密写信给在司马休之荆州刺史府担任录事参军的南阳人韩延之，要他弃暗投明，归降自己，韩延之回信给刘裕说："承蒙阁下亲自率领兵马，经过长途跋涉来到这遥远的西部荆楚，荆楚境内无论是官僚仕宦、知识分子，还是普通的庶民百姓，无不惶恐惊骇。承蒙阁下写信，将谯王司马文思捶杀国吏之事告诉于我，确实令人感叹。平西将军司马休之对国家忠贞不贰，他待人诚实恳切，虚怀若谷，礼贤下士。因为阁下有消灭叛党、复兴晋室的功劳，朝廷对阁下十分仰仗和依赖，所以也对阁下心存感激而推心置腹，每件事情都要征询阁下的意见。谯王司马文思以前因为一点小过失遭到弹劾的时候，作为父亲的平西将军司马休之尚且亲自上表给皇帝，请求辞去自己的爵位，何况是谯王司马文思犯下擅自杀死国吏的大罪，司马休之岂能保持沉默？此前他上表请求废黜司马文思的王爵，唯一做得不够的是他没有将司马文思杀死而已。彼此之间推心置腹地交往，就应该这样有事商量着办。而阁下却马上出动大军前来征讨，正所谓'欲加之罪，何患无辞？'刘裕阁下，全国之人，有谁看不出阁下的这种政治用心，而阁下反倒拿来欺骗我这样的杰出人士？阁下在来信中说'虚心待人，从来如此'，如今您率军前来攻伐我的长官，还用小恩小惠来收买被讨伐者的属下，在这方面还可以说得上是'虚心待人，从来如此'吗？兖州刺史刘藩死在京师建康的阊阖门，豫州刺史诸葛长民死在阁下的亲信丁旿之手，您一面用花言巧语欺骗担负一方重任的刺史，一面却派遣轻装部队突然前来袭击，阁下的所作所为，导致了在您的座席之上没有了畅述胸怀的诚信忠贞之士，都门之外缺少了自信可以保全性命的诸侯，您还以为自己的计谋已经得逞，确实是可耻啊！在贵府工作的将佐以及朝廷中那些贤德的大臣，都在数着天数过日子，因为他们不知道哪一天就会被您杀掉。我确实见识鄙陋肤浅，然而也曾经从有道德的君子那里听到过一些做人的道理，像平西将军司马休之那样具有崇高品行的人，怎么可以没有为他效死的部属呢？我肯定不能自投虎口，做一个像郗僧施那样毫无作为却束手被杀的人，这是再明确不过的了。假使上天想要助长坏人，令坏人的阴谋得逞，使晋室的山河变色、国家灭亡，我将追随东汉末年的臧洪，与他一同遨游于地下，就此搁笔，不再多言。"刘裕看了韩延之的复信，不禁连连叹息，他把此信拿给自己的将佐和僚属观看，刘裕说："做人家的部属就应该像韩延之这个样子！"韩延之因为刘裕的父亲名叫刘翘，字显宗，于是便把自己的字改为显宗，给自己儿子取名叫韩翘，以此表示自己绝不臣服于刘氏的决心。

东晋担任琅邪太守的刘朗率领二千多家居民投降了北魏。

庚子[52]，河西胡[53]刘云等帅数万户降魏。

太尉裕使参军檀道济、朱超石将步骑出襄阳。超石，龄石之弟也。江夏[54]太守刘虔之将兵屯三连[55]，立桥[56]聚粮以待。道济等积日不至，鲁轨袭击虔之，杀之。裕使其婿振威将军东海徐逵之统参军蒯恩、王允之、沈渊子为前锋，出江夏口[57]。逵之等与鲁轨战于破冢[58]，兵败，逵之、允之、渊子皆死，独蒯恩勒兵不动。轨乘胜力攻之，不能克，乃退。渊子，林子[59]之兄也。

裕军于马头[60]，闻逵之死，怒甚。三月壬午[61]，帅诸将济江。鲁轨、司马文思将休之兵四万，临峭岸置陈，军士无能登者。裕自被甲欲登，诸将谏，不从，怒愈甚。太尉主簿谢晦前抱持裕，裕抽剑指晦曰："我斩卿！"晦曰："天下可无晦，不可无公！"建武将军胡藩领游兵在江津[62]，裕呼藩使登，藩有疑色。裕命左右录[63]来，欲斩之。藩顾曰："正欲击贼，不得奉教[64]。"乃以刀头穿岸，劣容足指[65]，腾之而上，随之者稍多。既登岸，直前力战。休之兵不能当，稍引却。裕兵因而乘[66]之，休之兵大溃，遂克江陵。休之、宗之俱北走，轨留石城[67]。裕命阆中侯下邳赵伦之、太尉参军沈林子攻之；遣武陵内史王镇恶以舟师追休之等。

有群盗数百夜袭冶亭，京师震骇，刘钟讨平之。

秦广平公弼谮姚宣[68]于秦王兴，宣司马权丕至长安，兴责以不能辅导，将诛之；丕惧，诬宣罪恶以求自免。兴怒，遣使就杏城[69]收宣下狱，命弼将三万人镇秦州[70]。尹昭曰："广平公与皇太子不平，今握强兵于外，陛下一旦不讳，社稷必危。'小不忍，乱大谋[71]'，陛下之谓也[72]。"兴不从。

二月十六日庚子，居住在北凉境内黄河以西地区的匈奴部落首领刘云等率领数万户居民投降了北魏。

东晋太尉刘裕派担任参军的檀道济、朱超石率领着一支步骑兵从雍州的襄阳出发。朱超石是朱龄石的弟弟。担任江夏太守的刘虔之率领江夏军屯扎在三连戍，他搭建桥梁，聚积粮草，等待与檀道济所率领的朝廷军会师。然而一连几天也不见檀道济等到来，鲁轨向刘虔之所驻守的三连戍发动袭击，将刘虔之杀死。太尉刘裕派自己的女婿、担任振威将军的东海人徐逵之统领参军蒯恩、王允之、沈渊子为前锋，出兵攻打江夏口。徐逵之等与鲁轨在破冢展开大战，徐逵之等所率领的朝廷军被鲁轨打败，徐逵之、王允之、沈渊子全部战死，只有参军蒯恩约束军队，原地不动。鲁轨乘胜拼力攻击蒯恩，不能取胜，遂率军退走。沈渊子是沈林子的哥哥。

刘裕将军队驻扎在马头，当他听到自己的女婿徐逵之战死的消息，愤怒到了极点。三月二十九日壬午，便率领诸将向北渡过长江。竟陵太守鲁轨、司马休之的长子司马文思率领着司马休之属下的四万人马沿着陡峭的江岸设防，刘裕的军士没有人能够登上陡峭的崖岸。刘裕于是便身披铠甲，想要亲自率军往上攀登，诸将虽然极力劝阻，刘裕就是不从，而且更加愤怒。担任太尉主簿的谢晦上前抱住刘裕，不让他上去，刘裕抽出身上的佩剑指着谢晦说：“我要砍下你的脑袋！”谢晦说：“天下可以没有我谢晦，却不能没有主公！”担任建武将军的胡藩当时正率领着一支游击部队驻扎在江津戍，刘裕呼唤胡藩，让胡藩率军攻击设在峭壁上的荆州守军，胡藩露出畏难的神色。刘裕立即命令左右将胡藩捆起来，准备将胡藩杀死。胡藩回过头来说：“我正要率军攻击逆贼，请宽恕我不能遵从你的命令。”说完之后，便用刀尖在峭壁上戳出一个小洞，仅仅能够容纳一个脚尖，然后便登踩着腾空而上，于是跟随他跃上峭岸的人逐渐增多。胡藩登上陡峭的崖岸之后，径直向前，奋力拼杀。司马休之的军队抵挡不住，逐渐向后退却。刘裕所率的朝廷军遂趁机而上，司马休之被打得大败，士卒四散奔溃，刘裕遂攻克了江陵。司马休之、鲁宗之全都向北逃走，鲁轨留守石城。刘裕命令阆中侯下邳人赵伦之、太尉参军沈林子率军攻打石城；又派担任武陵内史的王镇恶率领水军追赶司马休之等。

东晋有数百人聚集在一起趁黑夜袭击了冶亭，京师建康为此感到震惊和恐惧，刘钟率军将其消灭。

后秦广平公姚弼在后秦王姚兴面前说姚宣的坏话，姚宣的司马权丕从姚宣的镇所杏城回到长安奏事，后秦王姚兴便责备权丕，说权丕没有辅佐好姚宣，要将权丕杀死；权丕害怕自己被杀，于是便以各种罪名诬陷姚宣，以求自己免祸。姚兴非常愤怒，立即派使者前往杏城，就地逮捕姚宣，将姚宣关入监狱，同时命令广平公姚弼率领三万人镇守秦州。担任京兆尹的尹昭对后秦王姚兴说：“广平公姚弼与太子姚泓不和睦，如今让广平公在外手握重兵，陛下一旦去世，国家可就危险了。‘小不忍，乱大谋’，陛下现在就是这种情形。”姚兴没有接受尹昭的意见。

夏王勃勃攻秦杏城，拔之，执守将姚逵，坑士卒二万人。秦王兴如北地[73]，遣广平公弼及辅国将军敛曼嵬向新平[74]，兴还长安。

河西王蒙逊攻西秦广武郡[75]，拔之。西秦王炽磐遣将军乞伏魋尼寅[76]邀蒙逊于浩亹[77]，蒙逊击斩之；又遣将军折斐等帅骑一万据勒姐岭[78]，蒙逊击禽之。

河西饥胡相聚于上党[79]，推胡人白亚栗斯为单于，改元"建平"，以司马顺宰[80]为谋主[81]，寇魏河内[82]。夏，四月，魏主嗣命公孙表等五将讨之。

青、冀二州刺史刘敬宣参军司马道赐，宗室之疏属也。闻太尉裕攻司马休之，道赐与同府[83]辟闾道秀[84]、左右小将王猛子谋杀敬宣，据广固[85]以应休之。乙卯[86]，敬宣召道秀，屏人语，左右悉出户，猛子逡巡[87]在后，取敬宣备身刀杀敬宣。文武佐吏实时讨道赐等，皆斩之。

己卯[88]，魏主嗣北巡。

西秦王炽磐子元基自长安逃归[89]，炽磐以为尚书左仆射。

五月丁亥[90]，魏主嗣如大宁[91]。

赵伦之、沈林子破鲁轨于石城，司马休之、鲁宗之救之不及，遂与轨奔襄阳，宗之参军李应之闭门不纳。甲午[92]，休之、宗之、轨及谯王文思、新蔡王道赐[93]、梁州刺史马敬、南阳太守鲁范俱奔秦。宗之素得士民心，争为之卫送出境。王镇恶等追之，尽境[94]而还。

初，休之等求救于秦、魏，秦征虏将军姚成王及司马国璠引兵至南阳[95]，魏长孙嵩至河东[96]，闻休之等败，皆引还。休之至长安，秦王兴以为扬州刺史，使侵扰襄阳。侍御史唐盛言于兴曰："据符谶之文[97]，司马氏当复得河、洛。今使休之擅兵于外，犹纵鱼于渊也，不如以高爵厚礼，留之京师。"兴曰："昔文王卒免羑里[98]，高祖不毙鸿门[99]，

夏王赫连勃勃率军攻打后秦的杏城，将杏城攻占，活捉了杏城守将姚逵，坑杀了杏城的士卒二万人。后秦王姚兴前往北地郡巡视，他派遣广平公姚弼与辅国将军敛曼嵬率军前往新平，姚兴返回都城长安。

北凉河西王沮渠蒙逊率军进攻后秦所属的广武郡，将广武郡占领。西秦王乞伏炽磐派部将乞伏魋尼寅在浩亹拦击河西王沮渠蒙逊，乞伏魋尼寅被沮渠蒙逊击败、杀死；乞伏炽磐又派将军折斐等率领一万名骑兵据守勒姐岭，结果折斐又被沮渠蒙逊活捉。

北凉河西地区饥饿的匈奴人全都聚集到上党，共同推举匈奴人白亚栗斯为单于，改年号为“建平”，任用自称晋王的司马顺宰为出谋划策之人，率领部众进犯北魏的河内郡。夏季，四月，北魏皇帝拓跋嗣令公孙表等五员将领率军讨伐匈奴人的叛乱。

东晋青、冀二州刺史刘敬宣的参军司马道赐，在宗室当中与皇帝司马德宗的血缘关系比较疏远。他听到太尉刘裕率领大军讨伐平西将军司马休之，遂与刘敬宣的另一位僚属辟闾道秀、刘敬宣身边的下级官吏王猛子一起密谋杀死刘敬宣，占据广固城以响应司马休之。四月初三乙卯这一天，刘敬宣召见辟闾道秀，刘敬宣屏退了从人，与辟闾道秀秘密谈话，刘敬宣身边的侍从全部退出门外，只有王猛子慢慢腾腾地走在最后，王猛子突然回身夺取了刘敬宣的防身佩刀，将刘敬宣杀死。刘敬宣属下的文武僚佐立即反击司马道赐等，把司马道赐等全部杀死。

四月二十七日己卯，北魏皇帝拓跋嗣离开平城前往魏国北部巡视。

西秦王乞伏炽磐的儿子乞伏元基从后秦的都城长安逃回枹罕，乞伏炽磐遂任命乞伏元基为尚书左仆射。

五月初五丁亥，北魏皇帝拓跋嗣前往大宁。

东晋阆中侯赵伦之、太尉参军沈林子奉太尉刘裕之命，攻破了竟陵太守鲁轨所占据的石城，平西将军司马休之、雍州刺史鲁宗之来不及救援，遂与鲁轨一起逃奔雍州治所襄阳，鲁宗之的参军李应之紧闭襄阳城门，拒绝鲁宗之等入城。五月十二日甲午，司马休之、鲁宗之、鲁轨以及谯王司马文思、新蔡王司马道赐、梁州刺史马敬、南阳太守鲁范全部投奔了后秦。鲁宗之一向得到雍州士民的拥护，于是都争相护卫着他逃出国境。武陵内史王镇恶等率军追赶，一直追到国境线上，没有追上，只好返回。

当初，司马休之等向后秦、北魏请求出兵相救，后秦担任征虏将军的姚成王以及早些时从东晋投奔后秦的司马国璠率军抵达南阳，北魏南部大人长孙嵩率军抵达河东，他们听到司马休之等已经失败的消息，遂各自率军返回本国。司马休之来到后秦的京师长安，后秦王姚兴任命司马休之为扬州刺史，令他率领后秦军侵扰东晋的襄阳。后秦担任侍御史的唐盛对姚兴说：“根据预言传说，司马氏还能再次收复河、洛一带。现在让司马休之率军在外，就如同把游鱼放回深渊，不如封给他一个很高的爵位和丰厚的待遇，把他留在京师长安。”姚兴说：“过去周文王终于能够从羑里的

苟天命所在⑩⓪，谁能违之？脱如符谶之言⑩①，留之适足为害。”遂遣之。

诏加太尉裕太傅、扬州牧，剑履上殿⑩②，入朝不趋⑩③，赞拜不名⑩④。以兖、青二州刺史刘道怜为都督荆、湘、益、秦、宁、梁、雍七州诸军事，骠骑将军，荆州刺史。道怜贪鄙，无才能，裕以中军长史⑩⑤晋陵太守谢方明⑩⑥为骠骑长史、南郡相⑩⑦，命[1]道怜府中众事皆谘决于方明。方明，冲之子也。

益州刺史朱龄石遣使诣河西王蒙逊，谕以朝廷威德。蒙逊遣舍人黄迅诣龄石，且上表言：“伏闻车骑将军裕欲清中原，愿为右翼⑩⑧，驱除戎虏。”

夏王勃勃遣御史中丞乌洛孤与蒙逊结盟，蒙逊遣其弟湟河太守汉平莅盟⑩⑨于夏。

西秦王炽磐率众三万袭湟河⑪⓪，沮渠汉平拒之，遣司马隗仁夜出击炽磐，破之。炽磐将引去，汉平长史焦昶、将军段景潜召炽磐，炽磐复攻之，昶、景因说汉平出降。仁勒壮士百余据南门楼，三日不下，力屈，为炽磐所禽。炽磐欲斩之，散骑常侍武威段晖⑪①谏曰：“仁临难不畏死，忠臣也，宜宥⑪②之以厉事君⑪③。”乃囚之。炽磐以左卫将军匹达为湟河太守，击乙弗窟乾⑪④，降其三千余户而归。以尚书右仆射出连虔为都督岭北⑪⑤诸军事、凉州刺史，以凉州刺史谦屯为镇军大将军、河州牧。隗仁在西秦五年，段晖又为之请，炽磐免之，使还姑臧。

戊午⑪⑥，魏主嗣行如濡源⑪⑦，遂至上谷⑪⑧、涿鹿⑪⑨、广宁⑫⓪。秋，七月癸未⑫①，还平城。

西秦王炽磐以秦州刺史昙达为尚书令，光禄勋王松寿为秦州刺史。

辛亥晦⑫②，日有食之。

监狱中被释放出来，汉高祖刘邦也没有死于项羽摆设的鸿门宴，假使天命确实还眷顾着司马氏，谁又能违背得了天命呢？如果真像预言所说的那样，把司马休之留在我们的京师长安，恰好足以成为我们的祸害。”遂派司马休之率军出征，攻打襄阳。

东晋安帝司马德宗下诏加授太尉刘裕为太傅、扬州牧，可以佩带宝剑、穿着鞋子上殿，进入朝门以后，不必使用小步快走的礼节，叩见皇帝的时候，司仪不用高唱姓名。任命担任兖、青二州刺史的刘道怜为都督荆、湘、益、秦、宁、梁、雍七州诸军事，骠骑将军，荆州刺史。刘道怜为人贪婪，人格低下，没有什么才能，刘裕令担任中军长史的晋陵太守谢方明为骠骑长史、南郡相，命刘道怜骠骑将军府中的各种事务都要先咨询于谢方明才能进行裁决。谢方明，是谢冲的儿子。

东晋担任益州刺史的朱龄石派使者前往北凉的都城姑臧，向河西王沮渠蒙逊宣扬东晋朝廷的威信和恩德。沮渠蒙逊也派舍人黄迅为使者前往朱龄石所在的益州进行回访，并且上表给东晋皇帝司马德宗说：“听说车骑将军刘裕准备肃清中原，我愿意为他充当右翼，驱逐戎虏。”

夏王赫连勃勃派遣担任御史中丞的乌洛孤前往北凉的都城姑臧，参加与河西王沮渠蒙逊的结盟仪式，北凉河西王沮渠蒙逊派自己的弟弟、担任湟河太守的沮渠汉平到夏国参加盟约签订仪式。

西秦王乞伏炽磐率领三万人袭击北凉的湟河郡，沮渠汉平率军进行抵抗，同时派担任司马的隗仁利用黑夜作掩护，出兵袭击乞伏炽磐，将乞伏炽磐打败。乞伏炽磐正准备率军撤退，沮渠汉平手下的长史焦昶、将军段景暗中勾结乞伏炽磐，于是乞伏炽磐再次率军进攻湟河，焦昶、段景趁机劝说沮渠汉平出城投降了乞伏炽磐。北凉担任司马的隗仁率领一百多名勇士据守南门楼，乞伏炽磐指挥军队连续攻打了三天都没有攻下，后来隗仁力量全部耗尽，遂被乞伏炽磐擒获。乞伏炽磐想要杀掉隗仁，散骑常侍武威人段晖劝阻说：“隗仁面对危难，不惧怕死亡，这是一位忠臣，应该宽恕他，用以激励臣属，令他们知道应该如何侍奉君主。”乞伏炽磐遂没有杀掉隗仁，而是把他囚禁起来。西秦王乞伏炽磐任命担任左卫将军的匹达为湟河郡太守，然后率军攻击乙弗部落首领窟乾，俘虏了三千多户居民而后返回。乞伏炽磐任命担任尚书右仆射的出连虔为都督岭北诸军事、凉州刺史，任命担任凉州刺史的乞伏谦屯为镇军大将军、河州牧。北凉隗仁在西秦被囚禁了五年之后，段晖又替他向西秦王乞伏炽磐求情，乞伏炽磐才将他赦免，让他返回北凉的都城姑臧。

六月初七戊午，北魏皇帝拓跋嗣前往濡源，又从濡源抵达上谷、涿鹿、广宁。秋季，七月初二癸未，拓跋嗣返回平城。

西秦王乞伏炽磐任命担任秦州刺史的昙达为尚书令，任命担任光禄勋的王松寿为秦州刺史。

七月最后一天三十日辛亥，发生日食。

八月甲子[123]，太尉裕还建康，固辞太傅、州牧，其余受命。以豫章公世子义符[124]为兖州[125]刺史。

丁未[126]，谢裕[127]卒，以刘穆之为左仆射。

九月己亥[128]，大赦。

魏比岁霜旱[129]，云、代[130]之民多饥死。太史令王亮、苏坦言于魏主嗣曰："按谶书，魏当都邺[131]，可得丰乐。"嗣以问群臣，博士祭酒崔浩、特进[132]京兆周澹曰："迁都于邺，可以救今年之饥，非久长之计也。山东[133]之人，以国家[134]居广漠[2]之地[135]，谓其民畜无涯[136]，号曰'牛毛之众'。今留兵守旧都[137]，分家南徙，不能满诸州之地，参居郡县[138]，情见事露[139]，恐四方皆有轻侮之心；且百姓[140]不便水土，疾疫死伤者必多。又，旧都守兵既少，屈丐[141]、柔然将有窥窬[142]之心，举国而来，云中、平城必危[143]。朝廷隔恒、代千里之险[144]，难以赴救，此则声实俱损[145]也。今居北方，假令山东有变，我轻骑南下，布濩林薄之间[146]，孰能知其多少？百姓望尘慑服，此国家所以威制诸夏也。来春草生，湩酪[147]将出，兼以菜果，得及秋熟，则事济矣。"嗣曰："今仓廪空竭，既无以待来秋，若来秋又饥，将若之何？"对曰："宜简[148]饥贫之户，使就食[3]山东[149]；若来秋复饥，当更图之，但方今不可迁都耳。"嗣悦，曰："唯二人与朕意同。"乃简国人[150]尤贫者诣山东三州[151]就食，遣左部尚书[152]代人周几帅众镇鲁口以安集[153]之。嗣躬耕藉田[154]，且命有司劝课农桑[155]。明年，大熟，民遂富安。

夏赫连建将兵击秦，执平凉太守姚周都[4]，遂入新平[156]。广平公弼与战于龙尾堡[157]，禽之。

秦王兴药动[158]，广平公弼称疾不朝，聚兵于第。兴闻之，怒，收弼党唐盛、孙玄等杀之。太子泓请曰："臣不肖，不能缉谐[159]兄弟，

八月十三日甲子，东晋太尉刘裕从江陵回到京师建康，他依然坚决推辞了太傅、扬州牧的职位，其他待遇则全部接受。任命豫章郡公刘裕的世子刘义符为兖州刺史。

丁未日，东晋尚书左仆射谢裕去世，任命刘穆之为尚书左仆射。

九月十九日己亥，东晋实行大赦。

北魏连续几年遭受霜灾、旱灾，云中、代郡一带的居民饿死了很多。担任太史令的王亮、苏坦对北魏皇帝拓跋嗣说："按照预言家所说的，我们魏国应当把都城建在邺城，才能使国家富强、百姓安乐。"拓跋嗣向群臣征求意见，担任博士祭酒的崔浩、位在特进的京兆人周澹都说："如果把都城迁往邺城，虽然可以暂时解决今年粮荒的问题，却不是长久之计。崤山以东的人都认为我们占有辽阔的平原地区，人民和牲畜多得没有办法统计，所以形容我们'民众多如牛毛'。如果我们留下一部分兵力守卫平城，分出一部分向南迁移，则民众不能遍布各州之地，只能分散开住到各郡县，我们实力的大小一下子就被别人看透了，恐怕四周的国家都会因此而轻视我们；再加上百姓迁移之后，不服水土，疾病、死亡，一定会很多。还有，旧都平城的守军一旦减少，赫连勃勃、柔然就会寻找机会发动进攻，如果他们出动全国的兵力前来进犯，盛乐、平城必定会陷入险境而向邺城告急。而远在邺城的朝廷与盛乐、平城之间有恒山、代郡之间的险要阻隔，很难及时赶回救援，这将使我们在声望、实力两个方面都遭受严重的损害。而现在我们定都北方，假使崤山以东有什么变故，我们率领轻装骑兵迅速南下，布置在丛林草莽之间，谁能知道我们有多少人马？百姓望见尘土飞扬就会感到震惊害怕而向我们屈服，这就是我们国家用来威慑中原地区那些汉人的法宝。等到来年春天，春草萌发，家畜兴旺，马奶、奶酪就会多起来，再加上蔬菜、水果，坚持到秋季庄稼成熟，则难关就算过去了。"拓跋嗣说："如今我们的仓廪之中，一点粮食储备都没有，靠什么来坚持等到明年秋天，如果明年秋天又是一个饥荒年景，我们该怎么办？"崔浩等回答说："应该挑选出最贫穷的人家，送他们到山东一带谋生；如果来年秋季还是灾荒年景，到那时再另想办法，但现在就是不能迁都。"拓跋嗣听后非常高兴地说："只有你们二人跟我的想法相同。"遂从鲜卑人中挑选出最贫困的人家，让他们前往山东的定州、相州、冀州谋生，同时派遣担任左部尚书的代郡人周几率领部众镇守鲁口，负责安顿照顾这些前来谋生的饥民。北魏皇帝拓跋嗣亲自到藉田耕作，并且命令有关部门的官员鼓励、督促农户种田植桑。第二年便获得了农业大丰收，民众逐渐富裕、安定下来。

夏国将军赫连建率军攻击后秦，活捉了后秦担任平凉太守的姚周都，遂进入新平。后秦广平公姚弼在龙尾堡抗击赫连建，将赫连建活捉。

后秦王姚兴服食五石散后药性发作，广平公姚弼假称有病不肯入宫探望，却在自己的府第之中聚集兵马。姚兴得知消息之后，非常生气，就把姚弼的党羽担任治书侍御史的唐盛以及孙玄等杀死。太子姚泓向后秦王姚兴请求说："我没有才能，

使至于此，皆臣之罪也。若臣死而国家安，愿赐臣死；若陛下不忍杀臣，乞退就藩[160]。”兴恻然悯之，召姚讚、梁喜、尹昭、敛曼嵬与之谋，囚弼，将杀之，穷治党与。泓流涕固请，乃并其党赦之。泓待弼如初，无忿恨之色。

魏太史奏：“荧惑在匏瓜中[161]，忽亡不知所在。于法[162]当入危亡之国[163]。先为童谣妖言[164]，然后行其祸罚[165]。”魏主嗣召名儒十余人使与太史[166]议荧惑所诣[167]，崔浩对曰：“按《春秋左氏传》‘神降于莘’[168]，以其至之日推知其物[169]。庚午之夕，辛未之朝[170]，天有阴云[171]，荧惑之亡，当在二日[172]。庚之与未[5]，皆主于秦[173]，辛为西夷[174]。今姚兴据长安，荧惑必入秦[175]矣。”众皆怒曰：“天上失星，人间安知所诣！”浩笑而不应。后八十余日，荧惑出东井[176]，留守句己[177]，久之乃去。秦大旱，昆明池[178]竭，童谣讹言[179]，国人不安，间一岁而秦亡[180]。众乃服浩之精妙[181]。

冬，十月壬子[182]，秦王兴使散骑常侍姚敞等送其女西平公主于魏，魏主嗣以后礼纳之。铸金人不成[183]，乃以为夫人，而宠遇甚厚。

辛酉[184]，魏主嗣如沮洳城[185]。癸亥[186]，还平城。十一月丁亥[187]，复如豺山宫[188]。庚子[189]，还。

西秦王炽磐遣襄武侯昙达等将骑一万，击南羌弥姐、康薄[190]于赤水[191]，降之。以王孟保为略阳[192]太守，镇赤水。

燕尚书令孙护之弟伯仁为昌黎尹，与其弟叱支乙拔皆有才勇，从燕王跋起兵有功[193]，求开府[194]不得，有怨言，跋皆杀之。进护开府仪同三司、录尚书事，以慰其心，护怏怏不悦，跋鸩杀之。辽东太守务银

不能使兄弟之间和睦相处，以致到了今天的这种地步，这都是我的罪过。如果我死了能使国家安定，希望陛下马上令我自杀；如果陛下不忍心杀死我，就请废黜我的太子之位，让我回到我的封国去。”姚兴不禁动了恻隐之心，于是便把姚讃、右仆射梁喜、京兆尹尹昭以及辅国将军敛曼嵬招来共同商议，遂将广平公姚弼逮捕并关入监牢，准备将姚弼杀死之后，彻底肃清他的党羽。太子姚泓痛哭流涕地替姚弼向姚兴求情，姚兴便把姚弼连同姚弼的党羽全部赦免。姚泓仍然像过去那样对待姚弼，就连一点怨恨的神色都没有。

北魏的太史官向北魏皇帝拓跋嗣奏报说：“荧惑星运行到了匏瓜星座的位置，却突然不知去向。按照星象运转的法则，应该是进入了即将灭亡的国家的星空分野。荧惑星所在的国家首先会出现一些儿歌、谣言，在这些儿歌、谣言当中暴露出有关灾祸的一些信息，然后上天才会给这个国家降下灾祸，以示对人类的惩罚。”北魏皇帝拓跋嗣于是召集了十几位有名的儒家学者，让他们与太史令一同分析荧惑星的去向，担任博士祭酒的崔浩回答说：“《春秋左氏传》记载‘有神降于虢国境内的莘原’，现在我们也根据‘荧惑消失在匏瓜中’的时间来分析推测这个事件。庚午的晚上和辛未的早晨，天空被阴云覆盖，荧惑星的失踪，应该是在这两天之中。庚与未都是古代秦国的分野，而辛的分野是指西方的夷族。如今秦姚兴占据着长安，荧惑星一定是进入了秦国的分野。”众人都愤怒地说：“天上的星辰失去所在，人间怎能知道它的去向！”崔浩只是笑了笑，没有回答。此后过了八十多天，荧惑之星突然出现在东井星座的旁边，若隐若现，环绕、停留在井宿的周围，过了很长时间才离去。后秦发生很严重的旱灾，昆明池中的水已经枯竭，童谣中唱出了很多险恶的讯息，秦国之内，人心不安，隔了一年之后，后秦便灭亡了。众人这才佩服崔浩推测的精妙。

冬季，十月初二壬子，后秦王姚兴让担任散骑常侍的姚敞等护送自己的女儿西平公主前往北魏的都城平城，北魏皇帝拓跋嗣用迎娶皇后的盛大礼节将西平公主接入皇宫。拓跋嗣按照魏国的传统，让西平公主亲手铸造金人，结果没有成功，拓跋嗣因此不能立西平公主为皇后，遂封西平公主为夫人，然而对西平公主却极为宠幸。

十月十一日辛酉，北魏皇帝拓跋嗣从平城前往沮洳城。十三日癸亥，拓跋嗣从沮洳城返回平城。十一月初八丁亥，拓跋嗣又前往豺山宫。二十一日庚子，返回平城。

西秦王乞伏炽磐派遣襄武侯昙达等率领一万名骑兵前往赤水，攻打南羌的部落首领弥姐和康薄，弥姐、康薄都向昙达等投降。西秦任命王孟保为略阳郡太守，镇守赤水。

北燕尚书令孙护的弟弟孙伯仁担任昌黎尹，孙伯仁与自己的弟弟叱支乙拔都很有才能和勇力，因为跟随北燕天王冯跋起兵夺权有功，遂向燕王冯跋请求开府仪同三司，因为冯跋没有同意，遂口出怨言，冯跋便将他二人杀死。为了安抚孙护，遂提升孙护为开府仪同三司、录尚书事，然而孙护依然快快不快，冯跋便用毒酒毒死了孙护。担任辽东太守的务银提也自认为有功，却被任命为边郡太守，因此心怀怨提[195]自以有功，出为边郡，怨望，谋外叛，跋亦杀之。

林邑[196]寇交州[197]，州将击败之。

【段旨】

以上为第一段，写晋安帝义熙十一年（公元四一五年）一年间的大事。主要写：刘裕杀了司马休之在京的儿子、侄子，起兵讨伐荆州刺史司马休之，而雍州刺史鲁宗之与其子鲁轨出兵与司马休之相应；司马休之的部下有人看风使舵脱离司马休之往投刘裕，而录事参军韩延之严厉拒绝刘裕的利诱劝降，批驳痛斥了刘裕不顾事实、诛除异已的罪恶行径，《晋书》与《资治通鉴》都全文收入了这篇书信，表现了史家对司马休之与韩延之的深切同情；刘裕派檀道济、朱超石自襄阳，徐逵之率蒯恩、沈渊子等自夏口两路进攻江陵，开始两路均遭挫败，后刘裕亲自指挥胡藩、沈林子等进攻鲁轨与司马文思的军阵，江陵军失败，司马休之、鲁宗之等北投姚兴；东晋朝廷刘裕加官晋爵，并使其“剑履上殿，入朝不趋，赞拜不名”等等，逐步向篡夺政权靠近；刘敬宣的部下乘刘裕攻司马休之之际，在广固发动事变，袭杀了刘敬宣；秦主姚兴又病，姚弼图谋不轨，被姚兴所囚，并欲尽诛其党，太子姚泓为之求情，并其党皆赦之，为日后秦国之乱埋下伏笔；夏王勃勃破秦坑士卒二万人，北凉主沮渠蒙逊攻取秦之广平郡，又击破西秦主乞伏炽磐之部将多人。魏国崔浩借天文星变预言不久秦国将有祸变的故弄玄虚。

【注释】

①正月丙辰：正月初二。②还平城：指从伐柔然的前线返回平城。③庚午：正月十六日。④丁丑：正月二十三日。⑤辛巳：正月二十七日。⑥监留府事：照管太尉府留守处的一切事务，实指刘裕所管的朝廷的一切政务。⑦右仆射：职同副宰相。⑧高阳内史：高阳王国的内史。高阳国的都城西晋时在河北蠡县，这里指南渡后的侨居地。⑨刘钟：刘裕的得力将领，彭城的同乡。⑩石头戍：即石头城，在当时建康城（今江苏南京）的西北角，这里指整个建康的防务。⑪屯冶亭：屯兵于冶亭。冶亭，今谓之东冶亭，在半山寺后，自建康东门往蒋山，至此半道，因以为名。⑫南平：郡名，郡治江安（今湖北公安西北），在江陵城南的长江上。⑬邵：即张邵，刘裕任扬州刺史时，张邵任其主簿。当时刘毅为卫将军，广招宾客，人多趋附，独张邵忠于刘裕，不与刘毅结交。⑭承：承蒙您；听说您。这里是讽刺语。⑮远履西畿：大老远地到我们西方来，实际是来打我们。履，走、跋涉。西畿，西方的诸侯之地，即指荆州。⑯辱疏：犹言“承蒙来信相告”。辱，谦辞，让你受辱。⑰知：告知；告知我。⑱谯王前事：指司马休

望，遂密谋叛逃别国，事情泄露，冯跋将务银提杀死。

林邑国出兵进犯东晋所属的交州，被交州守将击败，退走。

之之子司马文思行为不端，捶杀国吏的事，刘裕将司马文思交给司马休之处置，意思是希望司马休之杀他，结果司马休之只是将他罢职家居。事见本书卷一百一十六义熙十年。司马文思所以称“谯王”，是因为他被过继于谯王司马尚之门下，承继为谯王之后。⑲良增叹息：实在是令人感叹。良，甚、很。⑳司马平西：指司马休之，当时任平西将军。㉑体国忠贞：为国家忠贞不二。体国，以身许国。㉒款怀待物：犹言“真诚待人”。㉓推德委诚：因感恩而推心置腹。㉔询仰：犹今所谓“请示”“汇报”。㉕谯王往以微事见劾：寻前后文，似乎司马文思在“捶杀国吏”前就曾犯过罪责，已曾使司马休之为之向朝廷上表请罪。㉖大过：指近来所发生的“捶杀国吏”事。由于胡三省注将“往以微事见劾”指为“捶杀国吏”，故而此句之“大过”遂不知所云。若依本书上卷的文字所说“有司奏文思擅捶杀国吏，诏诛其党而宥文思。休之上疏谢罪，请解所任，不许。裕执文思送休之，令自训厉，意欲休之杀之。休之但表废文思，并与裕书陈谢。裕由是不悦”，则前后只是一事。朝廷将司马文思赦免，而刘裕揪住不放，非欲置文思于死地。是韩延之这段文字的叙事不清。㉗嘿然：同“默然”。默不作声，指不认罪、不请罪。㉘不尽者命耳：犹言“所差的就是没有杀死他啦”。㉙推寄相与：推心置腹地彼此交往。㉚正当如此：就应该这样有事商量着办。㉛遽兴兵甲：而您却是立刻就派兵进行讨伐。遽，立即。㉜欲加之罪二句：如果一定要加罪于人，难道还怕找不到理由吗。这是春秋时晋臣里克被晋惠公所杀时临死前说的话。见《左传·僖公十年》。㉝而复欲欺诳国士：还想拿来欺骗我。国士，一国中的杰出之士，用以自指，以表示对刘裕的不屈服。㉞处怀期物二句：“虚心待人，从来如此”，这是刘裕在向韩延之自夸。处怀，据《晋书·司马休之传》当作“虚怀”。㉟伐人之君：讨伐我们的长官司马休之。当时僚属对其长官称“君”。㊱啖人以利：而对被讨伐者的下属给以小恩小惠。啖，喂，这里指引诱。㊲阊阖之门：皇宫的大门，这里指朝廷。刘裕捏造“谋反”的罪名杀死刘藩，事见本书卷一百一十六义熙八年。㊳诸葛毙于左右之手：诸葛长民被刘裕的侍从丁旿拉杀。事见本书卷一百一十六义熙九年。㊴甘言诧方伯：以花言巧语哄骗刘毅。诧，哄骗。方伯，一方的诸侯之长，指刘毅任荆州刺史。所谓“甘言哄骗”是指刘裕在出兵袭击刘毅前，对刘毅的请求百依百顺。㊵袭之以轻兵：刘裕派王镇恶假托刘藩以偷袭刘毅事，见本书卷一百一十六义熙八年。㊶席上靡款怀之士：受你招待的人里头没有一个人对你说真话。席，座席。靡，无、没有。款怀，这里指能交心，敢说实话。㊷阃外无自信诸侯：各地区的方面大员没有一个人能踏踏实实地自保太平无事。阃外，京城的大门

以外。阃，门槛，这里指都门。自信，能自保无事。㊸得算：得意；得计。㊹寄命过日：如同判了死刑的人过一天算一天。㊺授命之臣：指能为其效死的部下。授命，临危不惧，愿为之效死，此韩延之自指。㊻自投虎口：指归降刘裕。㊼比迹郗僧施之徒：做一个像郗僧施那样毫无作为、束手被杀的人。比迹，与他人的行为一样。郗僧施原为丹杨尹，后为刘毅属下的南蛮校尉，与刘毅亲厚，因无所作为而被刘裕所杀。事见本书卷一百一十六义熙八年。㊽天长丧乱：老天爷助长坏人，帮着坏人阴谋得逞。㊾九流浑浊：以比喻山河变色，晋代灭亡。九流，即九河，泛指国内的各条大河。㊿当与臧洪游于地下：即甘愿牺牲，做一个与臧洪品格相同的人。臧洪，字子源，东汉末年人，忠于汉室，拒绝袁绍劝降，城破被杀。事见本书卷六十一兴平二年。(51)琅邪：郡名，郡治在今山东临沂北。当时属东晋。(52)庚子：二月十六日。(53)河西胡：今陕西北部黄河西岸一带的匈奴人。(54)江夏：郡名，郡治即今湖北武汉。(55)三连：即三连戍，在今武汉北安陆南。(56)立桥：搭建桥梁。(57)江夏口：汉水与长江的汇口，在今武汉内。(58)破冢：地名，在江陵城东南。(59)林子：即沈林子，刘裕的部将，时为刘裕参军。(60)马头：古城名，在今湖北公安北，与长江中的江津戍隔水相对，也在江陵城南。(61)三月壬午：三月二十九日。(62)江津：即江津戍。(63)录：拘捕。(64)不得奉教：不能听你的招呼；不能让你处置我。(65)劣容足指：刚刚能够借以登踩。劣，同“略”。仅仅。(66)乘：攻逼，犹今之所谓“压过去”。(67)石城：即今湖北钟祥。(68)谮姚宣：说姚宣的坏话。姚宣是姚兴之子，前入朝曾力言姚弼之罪。(69)杏城：在今陕西黄陵西南。(70)秦州：姚兴的秦州州治即今甘肃天水。(71)小不忍二句：孔子语，见《论语·卫灵公》。(72)陛下之谓也：您现在就是这种情况。(73)北地：郡名，姚兴的北地郡治即今陕西铜川市耀州区。(74)新平：郡名，姚兴的新平郡治即今陕西彬州。(75)广武郡：西秦的广武郡治在今甘肃永登东南。(76)乞伏魋尼寅：姓乞伏，名魋尼寅。(77)浩亹：县名，县治在今青海民和北。(78)勒姐岭：在今青海西宁东，是当时勒姐羌居住的地方。(79)河西饥胡相聚于上党：原住在陕西北部一带的匈奴人，因饥荒先南下到了蒲子（今山西隰县），今又汇聚到上党一带地区。上党，郡名，郡治即今山西长治北。(80)司马顺宰：河内（今河南沁阳）人，于义熙十年（公元四一四年）十二月在河内自称晋王，据城以守。(81)谋主：专为人出谋划策的人。(82)寇魏河内：进攻魏国的河内郡。(83)同府：犹言“同僚”，都是刘敬宣的僚属。(84)辟闾道秀：姓辟闾，名道秀。(85)广固：即今山东青州。(86)乙卯：四月初三。(87)逡巡：意同“徘徊”，这里是故意逗留。(88)己卯：四月二十七日。(89)自长安逃归：乞伏元基前与乞伏炽磐一道入朝于秦，留在长安，今乃逃回。(90)五月丁亥：五月初五。(91)大宁：即今河北张家口。(92)甲午：五月十二日。(93)新蔡王道赐：此司马道赐予刚在广固杀害刘敬宣，被刘敬宣左右杀掉的司马道赐不是一个人。(94)尽境：一直追到国境线上。(95)南阳：郡名，郡治即今河南南阳。(96)河东：郡名，郡治在今山西永济西南。(97)符谶之文：所谓“谶文”或“谶语”，即阴谋家或骗子为蛊惑人心达到某种目的，而编造的一种迷信预言。符，指天降的“瑞应”。谶，即对未来的一种预言。⑱ 文王卒免羑里：殷纣王暴虐无道，把西伯姬昌（即日后的周文王）囚于羑里（今河南汤阴北），但姬昌最后还是被周国的群臣赎出了。事见《史记·周本纪》。⑲ 高祖不毙鸿门：范增与项羽安排好要在鸿门宴上杀刘邦，但刘邦最终还是逃走了。事见本书卷九高祖元年。⑳ 苟天命所在：如果注定了他日后要做皇上。㉑ 脱如符谶之言：如果真像符谶所说，该是姓司马的来收拾天下，而且这个人就是司马休之。㉒ 剑履上殿：可以佩带宝剑，穿着靴子上殿见皇帝。㉓ 入朝不趋：在进入朝门以后不使用小步急走的那种规定礼节。趋，小步疾行，这是古代臣子在君父跟前走路的一种特定姿势。㉔ 赞拜不名：在叩见皇帝的时候，司仪的官员不用高唱这位权臣的姓名。以上三项都是君主对大臣特加的礼遇，也是历代臣子篡位前的必经阶段。㉕ 中军长史：中军将军刘裕的长史。㉖ 谢方明：谢冲之子，谢安的侄孙。时任晋陵太守，又为刘裕的中军长史。㉗ 南郡相：南郡封国的相，职同郡守。南郡的郡治也在江陵。为了让他给刘道怜当长史，故任以为南郡相。㉘ 愿为右翼：刘裕北清中原，出兵的方向是由南向北，沮渠蒙逊在西方，应说“愿为左翼”，此处“右”字疑误。㉙ 莅盟：前往参加定盟仪式。〖按〗签订盟约应是帝王亲行，如果不能，则派特使以帝王的名义前往参加。㉚ 湟河：郡名，郡治白土，在今青海西宁东南。㉛ 武威段晖：武威人段晖，此与当年南燕慕容超手下的段晖不是一个人。㉜ 宥：宽恕。㉝ 以厉事君：以鼓励那些侍候人的人。厉，磨炼，这里是鼓励、给人做楷模的意思。㉞ 乙弗窟乾：乙弗部落的首领，名叫窟乾。当时乙弗部落活动在今西宁以北的青海与甘肃交界处。㉟ 岭北：胡三省以为此指洪池岭以北。洪池岭在今甘肃武威东南。㊱ 戊午：六月初七。㊲ 濡源：地名，因濡水的源头而得名，在今内蒙古多伦与正蓝旗一带。濡水，即后来之所谓滦河。㊳ 上谷：郡名，拓跋魏的上谷郡治即今北京市延庆区。㊴ 涿鹿：城名，在今河北涿鹿东南。㊵ 广宁：郡名，郡治即今河北涿鹿。㊶ 七月癸未：七月初二。㊷ 辛亥晦：七月的最后一天是辛亥日。㊸ 八月甲子：八月十三日。㊹ 豫章公世子义符：刘裕的嫡子刘义符。豫章公是刘裕的爵号，封地为豫章郡。世子，诸侯的太子，未来的接班人。㊺ 兖州：此指南兖州，其州治在今江苏镇江。㊻ 丁未：八月初一是“壬子”，本月中无“丁未”，疑字有误。㊼ 谢裕：刘裕的高级僚属，当时在朝任尚书右仆射，职同副宰相。㊽ 九月己亥：九月十九日。㊾ 比岁霜旱：连年既有霜冻又有干旱。㊿ 云、代：二郡名，云中郡的郡治在今内蒙古托克托东北；代郡郡治即平城，在今山西大同东北。(131) 都邺：以邺城为国都。当时的邺城在今河北临漳西南。前后曾为石勒、慕容德的都城。(132) 特进：高级官僚的荣誉加官名，位在三公之下。(133) 山东：崤山以东，泛指今之河南大部、山东西部、河北南部、安徽、江苏北部一带地区。(134) 国家：自指拓跋魏政权。(135) 广漠之地：指辽阔的平原地区。(136) 无涯：无际，多得没法数。(137) 旧都：指平城。(138) 参居郡县：分散开住到各郡各县。(139) 情见事露：谓实力之大小一下子就被人看清了。情，真实情况。见，同“现”。(140) 百姓：此指拓跋氏的鲜卑人。(141) 屈丐：即建都统万（今内蒙古乌审旗南的白城子）的赫连勃勃，夏政权的头领。⑭²窥窬：窥伺空隙，意即寻找机会发动进攻。⑭³云中、平城必危：旧都盛乐、新都平城就将同时告急。云中，此指云中县的县治，即盛乐旧都。⑭⁴朝廷隔恒、代千里之险：到那时迁到邺城去的朝廷与盛乐、平城远隔恒山、代郡，有千里之遥。恒，恒山，在今河北曲阳西北。代，代郡，今山西大同东北至河北蔚县一带地区。自恒山至代，中有飞狐口、倒马关、夏屋、广昌、五回诸险塞。⑭⁵声实俱损：名声上不好听，事实上又的确受害。⑭⁶布濩林薄之间：布置在丛林草泽之中。布濩，散布、布置。林薄，丛林、草泽。⑭⁷湩酪：马奶，这里即指各种牲畜之奶可供人饮用者。⑭⁸简：挑选。⑭⁹就食山东：到崤山以东地区找饭吃。⑮⁰国人：指拓跋氏本部落的人。⑮¹山东三州：指定州、相州、冀州。定州的州治中山，即今河北定州；相州的州治邺城，在今河北临漳西南；冀州的州治信都，即今河北冀州。⑮²左部尚书：当时魏国将其领土由京城向八方辐射分成八个地区，称为八部，其长官称八部大人，后又设东、西、南、北、前、后、左、右八尚书。⑮³安集：安抚、保护。⑮⁴躬耕藉田：帝王亲自“耕种”藉田，以表示其重农亲民，为民表率。藉田，以称古代帝王为表示其对农业、农耕的关心，而亲自耕种的那片特定的地块。⑮⁵劝课农桑：鼓励、督促农民认真从事种地养蚕。⑮⁶遂入新平：接着攻进了新平郡，新平郡的郡治即今陕西彬州。⑮⁷龙尾堡：即今陕西岐山县。⑮⁸药动：服五石散的药性发作。⑮⁹缉谐：和睦，这里用如动词，意即“团结”。⑯⁰乞退就藩：请求退出太子的位置，回到自己的封地上去。⑯¹荧惑在匏瓜中：即荧惑星运行到了匏瓜星座的位置。荧惑，即今之火星。匏瓜，星座名，《晋书·天文志》：“匏瓜在天津之南，天汉分流夹之。”⑯²于法：按照一般的法则。⑯³当入危亡之国：应该是进入了该当灭亡的那个国家的星空分野。⑯⁴先为童谣妖言：先出现一些儿歌、谣言，在这些儿歌、谣言中透露出有关灾祸的消息。⑯⁵然后行其祸罚：然后老天爷才给这个地区降下灾难，以表示对人类的惩罚。⑯⁶太史：太史令，主管观察天文星象与祭祀的官员。⑯⁷议荧惑所诣：分析天空上的荧惑星究竟到哪里去了。⑯⁸《春秋左氏传》‘神降于莘’：《春秋左氏传·庄公三十二年》有所谓“秋七月，有神降于莘”。莘，地名，在当时的虢国境内，即今河南三门峡市城西的莘原。⑯⁹以其至之日推知其物：根据“荧惑消失在匏瓜中”的时间来分析推测这个事件。⑰⁰庚午之夕二句：八十日以后的“庚午”日，也就是十二月二十一日的夜晚，和第二天“辛未”日，也就是十二月二十二日的早晨。⑰¹天有阴云：因为有阴云，所以人们才看不见“荧惑”（火星）到哪里去了。⑰²荧惑之亡二句：所谓“荧惑的消失”，就发生在十二月的二十一日与二十二日两天里。⑰³庚之与未二句：《晋书·天文志》：“自东井十六度至柳八度为鹑首，于辰在未，秦之分野，属雍州。……自柳九度至张十六度为鹑火，于辰为午，周之分野，属三河。”时姚兴占据关中、洛阳，兼有秦、周之地，故云

“皆主于秦”。⑰辛为西夷：庚辛皆指西方，也是姚秦的方向，故曰“西夷”。⑰入秦：进入了秦国的分野，也就是进入了对应秦国的星空区域。⑰荧惑出东井：荧惑星运行到了东井的位置。东井即井宿，古天文学划之为秦国的分野。恰如崔浩所言。⑰留守句已：停留、环绕在井宿的周围。句已，同“钩已”。去而复来，不肯离去的样子。《晋书·天文志》曰：“荧惑……为乱为贼，为疾为丧，为饥为兵，所居国受殃。环绕钩已，芒角动摇，变色，乍前乍后，乍左乍右，其为殃愈甚。”⑰昆明池：古长安城西的湖水名，汉武帝时所造。⑰童谣讹言：童谣中唱出了很多险恶的信息。⑱间一岁而秦亡：又过了一年，姚氏的秦国就被灭亡了。⑱众乃服浩之精妙：用“神降于莘”作为虢国将被晋国灭亡的先兆，这本来就是《左传》作者骗人的鬼话，而崔浩用来类比与推测“荧惑消失在匏瓜”这件天文怪事，并结论为要倒霉的一定是秦国，这显然都是事情过后一些人的编造，也许就是崔浩自己的编造。⑱十月壬子：十月初二。⑱铸金人不成：拓跋魏立皇后时，令候选女子手铸金人，铸不成则不能为皇后。前拓跋珪立皇后，令二女铸金人事见本书卷一百一十一隆安四年。⑱辛酉：十月十一日。⑱如沮洳城：前往沮洳城。沮洳城在内蒙古兴和西北。⑱癸亥：十月十三日。⑱十一月丁亥：十一月初八。⑱豺山宫：在今山西右玉境内的豺山上。⑱庚子：十一月二十一日。⑲弥姐、康薄：南羌部落的两个头领名。南羌当时活动在今甘肃、四川的交界处。⑲赤水：也叫赤亭水，由东南流来，在今甘肃陇西县东南入渭水。⑲略阳：郡名，郡治在今甘肃秦安东北。⑲起兵有功：指杀慕容熙，拥立冯跋。事见本书卷一百一十四义熙三年。⑲开府：开建府署，设置僚属。汉代以此为对国家三公和大将军的一种礼遇，魏晋以后对州刺史、督军称为“开府仪同三司”，再往后遂渐成为一种荣誉称号。⑲务银提：冯跋的佐命元勋，自以为功在孙护之上。⑲林邑：越南中部的古代小国名，也称“占城”“占婆”，约在今之广义、归仁一带地区。⑲交州：州治龙编，在今越南河内东北，当时属东晋。

【校记】

［1］命：原无此字。据章钰校，甲十一行本、乙十一行本、孔天胤本皆有此字，张敦仁《通鉴刊本识误》同，今据补。［2］广漠：原作“广汉”。胡三省注云：“据《北史·崔浩传》作‘广漠’，当从之。漠，大也。”据章钰校，乙十一行本作“广漠”，今据改。［3］食：据章钰校，甲十一行本、乙十一行本、孔天胤本皆作“谷”。［4］姚周都：原作“姚军都”。据章钰校，甲十一行本、乙十一行本、孔天胤本皆作“姚周都”，张瑛《通鉴校勘记》同，今据改。［5］未：原作“午”。严衍《通鉴补》改作“未”，今据以校正。

【原文】

十二年（丙辰，公元四一六年）

春，正月甲申[198]，魏主嗣如犲山宫。戊子[199]，还平城。

加太尉裕兖州刺史、都督南秦州[200]，凡[201]都督二十二州[202]。以世子义符[203]为豫州[204]刺史。

秦王兴使鲁宗之将兵寇襄阳，未至而卒。其子轨引兵入寇，雍州[205]刺史赵伦之击败之。

西秦王炽磐攻秦洮阳公彭利和于漒川[206]，沮渠蒙逊攻石泉[207]以救之。炽磐至沓中[208]，引还。二月，炽磐遣襄武侯昙达救石泉，蒙逊亦引去。蒙逊遂与炽磐结和亲。

秦王兴如华阴[209]，使太子泓监国[210]，入居西宫[211]。兴疾笃，还长安，黄门侍郎尹冲谋因泓出迎而杀之。兴至，泓将出迎，宫臣[212]谏曰："主上疾笃，奸臣[213]在侧，殿下今出，进不得见主上，退有不测之祸。"泓曰："臣子闻君父疾笃而端居[214]不出，何以自安？"对曰："全身以安社稷，孝之大者也。"泓乃止。尚书姚沙弥谓尹冲曰："太子不出迎，宜奉乘舆[215]幸广平公第[216]。宿卫将士[217]闻乘舆所在，自当来集，太子谁与守[218]乎？且吾属以广平公之故，已陷名逆节[219]，将何所自容[220]？今奉乘舆以举事[221]，乃杖大顺[222]，不惟救广平之祸[223]，吾属前罪亦尽雪[224]矣。"冲以兴死生未可知，欲随兴入宫作乱，不用沙弥之言。

兴入宫，命太子泓录尚书事，东平公绍[225]及右卫将军胡翼度典兵禁中[226]，防制内外[227]。遣殿中上将军敛曼嵬收弼第中甲仗[228]，内之武库[229]。

兴疾转笃，其妹南安长公主问疾，不应。幼子耕儿出，告其兄南阳公愔曰："上已崩矣，宜速决计！"愔即与尹冲帅甲士攻端门[230]，敛

【语译】

十二年（丙辰，公元四一六年）

春季，正月初六甲申，北魏皇帝拓跋嗣从京师平城前往豺山宫。初十戊子，返回平城。

东晋朝廷加授太尉刘裕为兖州刺史、都督南秦州，总计掌管徐、南徐、豫、南豫、兖、南兖、青、冀、幽、并、司、郢、荆、江、湘、雍、梁、益、宁、交、广、南秦二十二个州的军事。任命刘裕的世子刘义符为豫州刺史。

后秦王姚兴派东晋降将鲁宗之率领后秦军入侵东晋的襄阳，鲁宗之在奔赴襄阳的途中去世。鲁宗之的儿子鲁轨率领后秦军入侵东晋，被东晋担任雍州刺史的赵伦之击败。

西秦王乞伏炽磐出兵攻打后秦洮阳公彭利和所据守的漒川城，北凉河西王沮渠蒙逊出兵攻打西秦的石泉，以救援洮阳公彭利和。乞伏炽磐率军抵达沓中，得知北凉出兵的消息，便率军退回。二月，乞伏炽磐派襄武侯昙达率军救援石泉，沮渠蒙逊也率军退走。沮渠蒙逊与乞伏炽磐最后以联姻的方式和解。

后秦王姚兴前往华阴，令太子姚泓留守京师长安，太子姚泓住进后秦王所住的西宫。姚兴因为病势沉重，返回长安，广平公姚弼的亲信、担任给事黄门侍郎的尹冲密谋趁太子姚泓出城迎接后秦王姚兴的机会刺杀姚泓。后秦王姚兴回到长安，太子姚泓就准备出城迎接，从太子宫跟过来的一名侍从官劝阻姚泓说："主上病危，奸臣就在身边，殿下如果此时出去迎接，恐怕进不能见到父亲，退则有不可预测的灾祸。"姚泓说："作为臣子，听到既是君主又是父亲的人病势沉重，却像没事人一样端坐在这里不出去迎接，怎么能够心安？"侍从官说："保全自己，安定社稷，才是最大的孝顺。"姚泓因此没有出城去迎接后秦王姚兴。担任尚书的姚沙弥对尹冲说："太子不出来迎接，我们就应该护送秦王的车驾临幸广平公姚弼的私宅。宫中的宿卫将士听到秦王在广平公的府第，自然都会聚集到广平公这里来，太子姚泓还与谁去一起守国呢？再说我们这些人因为追随广平公的缘故，已经背上了一个叛逆分子的名声，哪里会容得下我们？如今趁着奉迎秦王车驾的机会起事，乃是名正言顺之事，这样做，不仅救了广平公，我们以前的罪名也就洗刷干净了。"尹冲不知道此时后秦王姚兴是死是活，遂准备跟随入宫谋乱，因此没有接受姚沙弥的建议。

后秦王姚兴回到皇宫，他令太子姚泓为录尚书事，任命东平公姚绍与担任右卫将军的胡翼度在宫中掌管兵权，严密防范皇宫内外的一切变化。又派担任殿中上将军的敛曼嵬收缴了广平公姚弼府第中的所有铠甲兵器，存放到皇家的武库之中。

后秦王姚兴的病势越来越沉重，他的妹妹南安长公主前来探问的时候，姚兴已经不能说话。姚兴最小的儿子姚耕儿出宫，告诉自己的哥哥南阳公姚愔说："主上已经驾崩了，应该赶紧拿出计策！"姚愔立即与尹冲一起率领武装军队进攻皇城的端

曼嵬、胡翼度等勒兵闭门拒战。愔等遣壮士登门，缘屋而入，及于马道㉛。泓侍疾在谘议堂，太子右卫率姚和都率东宫兵入屯马道南。愔等不得进，遂烧端门。兴力疾㉜临前殿，赐弼死。禁兵见兴，喜跃，争进赴贼，贼众惊扰。和都以东宫兵自后击之，愔等大败。愔逃于骊山㉝，其党建康公吕隆㉞奔雍㉟，尹冲及弟泓来奔㊱。兴引东平公绍及姚讚、梁喜、尹昭、敛曼嵬入内寝，受遗诏辅政。明日，兴卒㊲，泓秘不发丧，捕南阳公愔及吕隆、大将军尹元等，皆诛之，乃发丧，即皇帝位，大赦，改元"永和"。泓命齐公恢㊳杀安定太守吕超㊴，恢犹豫久之，乃杀之。泓疑恢有贰心，恢由是惧，阴聚兵谋作乱。泓葬兴于偶陵，谥曰"文桓皇帝"，庙号"高祖"。

初，兴徙李闰羌㊵三千户于安定。兴卒，羌酋党容㊶叛，泓遣抚军将军姚讚讨降之，徙其酋豪㊷于长安，余遣还李闰。北地㊸太守毛雍据赵氏坞㊹以叛，东平公绍讨禽之。时姚宣㊺镇李闰，参军韦宗闻毛雍叛，说宣曰："主上新立，威德未著，国家之难，未可量也，殿下不可不为深虑。邢望㊻险要，宜徙据之，此霸王之资也。"宣从之，帅户三万八千，弃李闰，南保邢望。诸羌据李闰以叛，东平公绍进讨破之。宣诣绍归罪，绍杀之。

三月[6]，加太尉裕中外大都督。裕戒严㊼将伐秦，诏加裕领司、豫二州刺史，以其世子义符为徐、兖二州㊽刺史。琅邪王德文请启行戎路㊾，修敬山陵㊿，诏许之。

夏，四月壬子(51)，魏大赦，改元"泰常"(52)。

西秦襄武侯昙达等击秦秦州刺史姚艾于上邽，破之，徙其民五千余户于枹罕。

五月癸巳(53)，加太尉裕领北雍州(54)刺史。

门，殿中上将军敛曼嵬、右卫将军胡翼度等下令关闭了宫门，率领禁卫军进行抵抗。姚愔等派强壮勇敢的士兵登上城门，顺着屋顶进入宫城，登上宫墙的梯道。太子姚泓此时正在谘议堂侍奉后秦王姚兴，担任太子右卫率的姚和都率领东宫卫队在马道南面据守。姚愔等因此无法进入，便烧毁了端门。后秦王姚兴勉强支撑着病体来到前殿，下诏令姚弼自杀。禁卫军看见后秦王姚兴还活着，都欢喜若狂，欢呼雀跃，争先恐后地向叛贼冲杀过去，姚愔的部众因为惊恐而乱了阵脚。姚和都率领东宫士兵从姚愔军背后冲杀过来，姚愔等于是大败。姚愔逃往骊山，他的党羽建康公吕隆逃往雍州，尹冲和他的弟弟尹泓逃往东晋。后秦王姚兴领着东平公姚绍、抚军将军姚讚、右仆射梁喜、京兆尹尹昭、殿中上将军敛曼嵬进入自己的寝宫，令他们接受遗诏辅佐朝政。第二天，姚兴去世。太子姚泓封锁了姚兴的死讯，以后秦王姚兴的名义发兵逮捕了南阳公姚愔、建康公吕隆、大将军尹元等，全部处死之后，这才对外发布后秦王姚兴的死讯，太子姚泓即位为后秦皇帝，实行大赦，改年号为“永和”。后秦皇帝姚泓下令齐公姚恢杀死安定太守吕超。姚恢犹豫了很久才把吕超杀死。姚泓遂疑心姚恢对自己有二心，姚恢因此心中惶恐不安，便暗中招兵买马阴谋作乱。姚泓将后秦王姚兴安葬在偶陵，上谥号为“文桓皇帝”，庙号“高祖”。

当初，后秦高祖姚兴把李闰一带的三千户羌人迁移到安定郡。姚兴去世之后，羌人首领党容率众背叛了后秦，后秦皇帝姚泓派抚军将军姚讚率兵讨伐，党容于是又向姚讚投降，后秦朝廷遂把他们当中的头面人物迁移到京师长安，而把其余的羌人遣回李闰。北地太守毛雍占据了赵氏坞，发动叛乱，被东平公姚绍率军击败，毛雍被活捉。当时常山公姚宣正在镇守李闰，在他手下担任参军的韦宗听到北地太守毛雍叛变的消息之后，就劝告姚宣说：“主上刚刚即位为皇帝，威望和恩德还没有建立起来，国家所面临的灾难还很难预料，殿下不能不作更深入的考虑。邢望地势险要，应该迁移到那里据守，这才是建立霸业的资本。”姚宣听从了参军韦宗的建议，遂率领三万八千户居民，放弃了李闰，向南迁移到邢望。那些羌族人遂占据了李闰，背叛了后秦，东平公姚绍率领军队进入李闰讨伐羌人叛军，将叛乱平息。常山公姚宣亲自到东平公姚绍的军中晋见姚绍，向姚绍请罪，姚绍趁机将姚宣杀死。

三月，东晋加授太尉刘裕为中外大都督。刘裕下令军队整装待发，准备出兵讨伐后秦，晋安帝司马德宗下诏加授刘裕兼任司、豫二州刺史，任命刘裕的世子刘义符为徐、兖二州刺史。琅邪王司马德文向朝廷请求允许自己在前面给大军开路，到洛阳修缮先帝的陵墓，晋安帝司马德宗下诏批准。

夏季，四月初五壬子，北魏实行大赦，改年号为“泰常”。

西秦襄武侯昙达等率军攻击后秦秦州刺史姚艾所据守的上邽，将上邽守军打得大败，昙达将上邽的五千多户居民强行迁移到西秦的都城枹罕。

五月十七日癸巳，东晋加授太尉刘裕兼任北雍州刺史。

六月丁巳[255]，魏主嗣北巡。

并州胡[256]数万落叛秦，入于平阳[257]，推匈奴曹弘[258]为大单于，攻立义将军姚成都于匈奴堡[259]。征东将军姚懿[260]自蒲坂[261]讨之，执弘，送长安，徙其豪右[262]万五千落于雍州。

氐王杨盛攻秦祁山[263]，拔之，进逼秦州[264]。秦后将军姚平救之，盛引兵退，平与上邽守将姚嵩追之。夏王勃勃帅骑四万袭上邽，未至，嵩与盛战于竹岭[265]，败死。勃勃攻上邽二旬，克之，杀秦州刺史姚军都及将士五千余人，因毁其城；进攻阴密[266]，又杀秦将姚良子及将士万余人，以其子昌为雍州刺史，镇阴密。征北将军姚恢弃安定，奔还长安，安定人胡俨等帅户五万据城降于夏。勃勃使镇东将军羊苟儿将鲜卑五千镇安定，进攻秦镇西将军姚谌[267]于雍城，谌委镇[268]奔长安。勃勃据雍，进掠郿城[269]。秦东平公绍及征虏将军尹昭等将步骑五万击之，勃勃退趋安定，胡俨闭门拒之，杀羊苟儿及所将鲜卑，复以安定降秦。绍进击勃勃于马鞍阪[270]，破之，追至朝那[271]，不及而还。勃勃归杏城。杨盛复遣兄子倦击秦，至陈仓[272]，秦敛曼嵬击却之。夏王勃勃复遣兄子提南侵泄阳[273]，秦车骑将军姚裕等击却之。

凉司马索承明[274]上书劝凉公暠伐河西王蒙逊。暠引见，谓之曰："蒙逊为百姓患，孤岂忘之？顾势力未能除耳。卿有必禽之策，当为孤陈之；直唱大言[275]，使孤东讨，此与言'石虎小竖，宜肆诸市朝[276]'者何异！"承明惭惧而退。

秋，七月，魏主嗣大猎于牛川[277]，临殷繁水[278]而还。戊戌[279]，至平城。

八月丙午[280]，大赦。

宁州[281]献琥珀枕[282]于太尉裕。裕以琥珀治金创[283]，得之大喜，命碎

六月十一日丁巳，北魏皇帝拓跋嗣前往魏国的北方巡视。

后秦所属并州境内的数万落匈奴人背叛了后秦，进入平阳，他们推戴匈奴部落首领曹弘为大单于，曹弘率军攻打后秦立义将军姚成都所据守的匈奴堡。后秦担任征东将军的姚懿从蒲坂率军前往匈奴堡进行讨伐，活捉了曹弘，并将曹弘押送京师长安，将匈奴部落中的一万五千落豪门大族迁徙到雍州安置。

氐王杨盛出兵攻打后秦的祁山，将祁山攻克，遂乘胜进攻秦州。后秦担任后将军的姚平率军赶往秦州增援，杨盛率军退走，姚平与上邽守将姚嵩率军随后追击。夏王赫连勃勃率领四万名骑兵袭击上邽，尚未到达，上邽守将姚嵩与氐王杨盛在竹岭交战，姚嵩战败，被氐王杨盛杀死。赫连勃勃率军攻打上邽，一连攻打了二十天，才将上邽攻克，他们杀死了后秦秦州刺史姚军都和五千多名守卫上邽的将士，并趁机毁坏了上邽城；而后继续进军，攻打后秦的阴密，又杀死了后秦的将领姚良子以及一万多名将士，赫连勃勃任命自己的儿子赫连昌为雍州刺史，镇守阴密。后秦征北将军姚恢放弃了雍州治所安定，逃回了京师长安，安定人胡俨等率领安定的五万户占据安定，投降了夏王赫连勃勃。赫连勃勃令担任镇东将军的羊苟儿率领五千名鲜卑人镇守安定，自己则率领其余人马进攻后秦镇西将军姚谌所据守的雍城，姚谌放弃雍城逃回了京师长安。赫连勃勃遂又占据了雍城，进而掠夺郿城。后秦东平公姚绍与征虏将军尹昭等率领五万名步兵、骑兵迎战夏王赫连勃勃，赫连勃勃率军退回安定，胡俨关闭了安定城门，拒绝赫连勃勃入城，并杀死了羊苟儿以及他所率领的五千名鲜卑人，献出安定城，重又回归后秦。后秦东平公姚绍率军向马鞍阪进军，攻打赫连勃勃，将赫连勃勃打败，一直追击到朝那，没有追上才率军而回。夏王赫连勃勃返回杏城。氐王杨盛再次派自己的侄子杨倦率军袭击后秦，当杨倦率军抵达陈仓的时候，被后秦殿中上将军敛曼嵬率军打退。夏王赫连勃勃又派自己的侄子赫连提率军向南入侵后秦的泄阳，后秦车骑将军姚裕等率军将赫连提击退。

西凉担任司马的索承明上疏给西凉公李暠，劝说他出兵攻伐北凉河西王沮渠蒙逊。李暠召见索承明，对他说："沮渠蒙逊成为我国百姓的一大祸患，我岂能忘记？但我们现在还没有把他消灭的军事实力。你如果有将他擒获的把握，就请你仔细地说给我听听；如果只是说一些大话、空话，怂恿我出兵东讨沮渠蒙逊，这与过去那个说'石虎这小子，应该把他逮捕起来，押到集市上去斩首示众'的人没有什么两样！"索承明听了李暠的一番话，既羞愧又恐惧地退了出去。

秋季，七月，北魏皇帝拓跋嗣在牛川举行大规模的狩猎活动，一直到达殷繁水才兴尽而返。二十三日戊戌，拓跋嗣回到平城。

八月初一丙午，东晋实行大赦。

东晋宁州有人献给太尉刘裕一个琥珀枕。刘裕因为琥珀可以用来治疗刀枪的创伤，所以得到这个琥珀枕之后非常高兴，便立即令人将这个琥珀枕捣碎，分别赏赐

捣分赐北征将士。

裕以世子义符为中军将军，监太尉留府事[284]。刘穆之为左仆射，领[285]监军、中军二府军司[286]，入居东府[287]，总摄内外。以太尉左司马东海徐羡之[288]为穆之之副，左将军朱龄石守卫殿省[289]，徐州刺史刘怀慎守卫京师，扬州别驾从事史[290]张裕任留州事[291]。怀慎，怀敬[292]之弟也。

刘穆之内总朝政，外供军旅，决断如流，事无拥滞[293]。宾客辐凑，求诉百端，内外谘禀，盈阶满室，目览辞讼，手答笺书，耳行听受，口并酬应，不相参涉[294]，悉皆赡举[295]。又喜宾客，言谈赏笑，弥日无倦。裁有[296]闲暇，手自写书，寻览校定。性奢豪，食必方丈[297]，旦辄为十人馔[298]，未尝独餐。尝白裕曰："穆之家本贫贱，赡生多阙[299]。自叨忝[300]以来，虽每存约损[301]，而朝夕所须，微为过丰[302]。自此外，一毫不以负公[303]。"中军谘议参军张卲言于裕曰："人生危脆[304]，必当远虑。穆之若邂逅不幸[305]，谁可代之？尊业[306]如此，苟有不讳[307]，处分云何[308]？"裕曰："此自委穆之及卿耳。"

丁巳[309]，裕发建康，遣龙骧将军王镇恶、冠军将军檀道济将步军自淮、淝[310]向许、洛[311]；新野[312]太守朱超石、宁朔将军胡藩趋阳城[313]；振武将军沈田子、建威将军傅弘之趋武关[314]；建武将军沈林子、彭城内史刘遵考将水军出石门[315]，自汴入河[316]；以冀州[317]刺史王仲德督前锋诸军，开巨野入河[318]。遵考，裕之族弟也。刘穆之谓王镇恶曰："公今委卿以伐秦之任，卿其勉之！"镇恶曰："吾不克关中，誓不复济江[319]！"

裕既行，青州[320]刺史檀祗[321]自广陵辄率众至涂中[322]掩讨亡命。刘穆之恐祗为变，议欲遣军。时檀韶为江州刺史，张卲曰："今韶据中流[323]，道济为军首[324]，若有相疑之迹[325]，则大[7]府[326]立危，不如逆遣慰

给北征的将士。

东晋太尉刘裕任命自己的世子刘义符为中军将军，负责主管太尉府的一切留守事务。任命刘穆之为左仆射，兼任世子刘义符所承担的监太尉留府与中军将军府两个军府的军司，入驻东府办公，总理朝廷内外各种事务。任命担任太尉左司马的东海人徐羡之充作刘穆之的副手，令左将军朱龄石负责率军守卫宫廷与大臣办公的台省，令担任徐州刺史的刘怀慎率军守卫京师建康，令担任扬州别驾从事史的张裕担任负责扬州刺史府留守事宜的留州事。刘怀慎，是刘怀敬的弟弟。

刘穆之对内总理朝廷军国大事，对外为北征后秦的大军供应各种军需物资，他对事务的判断和裁决，快速得如同流水一样，从不拖延耽搁。各类宾客就像车轮上的辐条凑向车轴一样聚集在他的身边，向他提出各式各样的请求，朝廷内外各种咨询以及请求批示的文件，堆得台阶上、屋子里到处都是，刘穆之一边用眼睛看着词讼，一边用手书写批示，耳朵听着别人说话，嘴里则在回答、应酬着另一些人，却绝对不会发生混淆、错乱，各种事务全都获得圆满解决。刘穆之又十分喜欢与宾客一起高谈阔论、诙谐欢笑，即使从早上谈论到晚上也不会感到疲倦。刚刚得到一点闲暇，便亲自动手写书，寻找资料、阅览书籍、校正错误。刘穆之性情奢侈豪放，吃饭的时候一定要用一张一丈见方的大餐桌，上面摆满了酒菜，每天动不动就摆出十个人吃的一大桌，喊些人来一起吃饭，从来没有单独一人进过餐。他曾经向太尉刘裕禀报说：“我的家庭原本贫穷卑贱，用来维生的衣食等常常缺乏。自从跟随主公以来，虽然每天心里都想着要俭朴一点、节省一点，然而每天从早到晚的消费，还是稍微奢侈、靡费了一些。除此以外，就没有什么地方对不起您了。”担任中军谘议参军的张邵对刘裕说：“人生在世，其实是很脆弱的，必须有深谋远虑才行。如果刘穆之偶然遭遇什么不幸，有谁可以接替他呢？您的宏伟大业，百年之后，应该如何安排？”刘裕说：“这个自然要委托给刘穆之和你了。”

八月十二日丁巳，东晋太尉刘裕从京师建康出发，他派遣担任龙骧将军的王镇恶、担任冠军将军的檀道济率领一支步兵从淮水、淝水进攻许昌和洛阳；担任新野太守的朱超石、担任宁朔将军的胡藩率军进攻阳城；派振武将军沈田子、建威将军傅弘之进攻武关；派建武将军沈林子、彭城内史刘遵考率领水军攻击后秦的石门，从汴水进入黄河；令担任冀州刺史的王仲德率领各军的前锋，由巨野泽开掘水道，直通黄河。刘遵考，是刘裕的堂弟。刘穆之对龙骧将军王镇恶说：“太尉把讨伐后秦的重任委托给你，你要好好干！”王镇恶回答说：“如果攻不下关中，我发誓决不活着渡江返回！”

刘裕出发之后，担任青州刺史的檀祗从广陵率军前往涂中讨伐那些亡命之徒。刘穆之担心檀祗趁机谋乱，便商议派军进行戒备。当时檀韶担任江州刺史，中军谘议参军张邵说：“如今江州刺史檀韶占据着长江中游，冠军将军檀道济担任北伐秦国的首领，如果我们露出一点怀疑檀祗的痕迹，则太尉府立即就会陷入危险的境地，

劳[327]以观其意，必无患也。”穆之乃止。

初，魏主嗣使公孙表讨白亚栗斯[328]，曰：“必先与秦洛阳戍将相闻[329]，使备河南岸[330]，然后击之。”表未至，胡人废白亚栗斯，更立刘虎[331]为率善王。表以胡人内自携贰[332]，势必败散，遂不告秦将而击之，大为虎所败，士卒死伤甚众。

嗣谋于群臣曰：“胡叛逾年，讨之不克，其众繁多，为患日深。今盛秋不可复发兵，妨民农务，将若之何？”白马侯崔宏曰：“胡众虽多，无健将御之[333]，终不能成大患。表等诸军，不为不足，但法令不整，处分失宜，以致败耳。得大将素有威望者将数百骑往摄表军[334]，无不克矣。相州刺史叔孙建前在并州，为胡、魏[8]所畏服，诸将莫及，可遣也。”嗣从之，以建为中领军，督表等讨虎。九月戊午[335]，大破之，斩首万余级，虎及司马顺宰皆死，俘其众十万余口。

太尉裕至彭城，加领徐州刺史，以太原王玄谟[336]为从事史[337]。

初，王廞之败[338]也，沙门昙永[339]匿其幼子华，使提衣襆自随[340]，津逻[341]疑之。昙永呵华曰：“奴子何不速行！”棰之数十，由是得免。遇赦，还吴，以其父存亡不测，布衣蔬食，绝交游不仕十余年。裕闻华贤，欲用之，乃发廞丧[342]，使华制服[343]。服阕[344]，辟[345]为徐州主簿。

王镇恶、檀道济入秦境，所向皆捷。秦将王苟生以漆丘[346]降镇恶，徐州[347]刺史姚掌以项城降道济，诸屯守皆望风款附[348]。惟新蔡[349]太守董遵不下，道济攻拔其城，执遵，杀之。进克许昌[350]，获秦颍川[351]太守

不如主动派使者迎上前去慰劳，趁机观察他的动向，这样做绝对不会招来什么后患。”刘穆之才没有派兵。

当初，北魏皇帝拓跋嗣派遣固安子爵公孙表率军讨伐自称单于的匈奴人白亚栗斯，拓跋嗣对公孙表说：“你一定要先通知秦国洛阳的守将，让他们在黄河南岸设防之后，你再出兵攻打白亚栗斯。”公孙表还没有到达洛阳，匈奴人就废掉了他们所推举的单于白亚栗斯，另立刘虎为率善王。公孙表因为匈奴人内部已经相互猜疑，相互背叛，势必会失败，所以在没有通知后秦守将的情况下便出兵攻打匈奴叛军，结果被刘虎打得大败，士卒死伤了很多。

北魏皇帝拓跋嗣与群臣商议说：“匈奴人的叛乱已经超过了一年，派兵前去讨伐又没有成功，他们的部众必定会越来越多，造成的危害也会越来越严重。现在正是秋收大忙季节，不可以再出兵，否则会妨碍人民耕种，你们认为该怎么办?”白马侯崔宏说：“匈奴叛军的部众虽然很多，却没有勇敢善战的将领来统率他们，所以肯定不会造成太大的灾患。公孙表等人所率领的各军，不是兵力不足，只是军队纪律不严整，指挥失当，所以才导致失败。如果派一员素有威望的将领率领数百名骑兵前去统领公孙表的军队，就没有不能取胜的道理。担任相州刺史的叔孙建以前在并州的时候，匈奴人和汉人就都很惧怕他，其他诸将谁也比不上他，可以派他去。”拓跋嗣于是任命相州刺史叔孙建为中领军，督促公孙表等讨伐刘虎。九月戊午日，大败刘虎军，斩杀了刘虎的部众一万多名，刘虎与司马顺宰全都战死，叔孙建等俘虏了刘虎十万多名部众。

东晋太尉刘裕抵达彭城的时候，朝廷又加授刘裕兼任徐州刺史，刘裕任命太原人王玄谟为徐州从事史。

当初，王廞起兵失败后，佛门和尚昙永将王廞的小儿子王华隐藏起来，让他装扮成自己的奴仆，提着衣服包裹跟随在自己身边，在渡口担任巡逻任务的哨兵对此感到有些怀疑。昙永便大声地斥责王华说：“你这个小奴才，为什么不快点走!”并用棍子捶打了王华几十下，因此王华才没有被识破。遇到朝廷实行大赦，王华返回吴地，因为不知道自己的父亲王廞是死是活，王华遂身穿布衣，只吃素食，从不结交朋友，也不出来做官，就这样一直坚持了十多年。太尉刘裕听说王华很贤明，就准备任用他，于是为王廞发丧，令王华按照礼制为自己的父亲穿孝服守丧。穿丧服期满，刘裕征聘王华为徐州主簿。

东晋龙骧将军王镇恶、冠军将军檀道济率领一支步兵从淮水、淝水进入后秦国境内，所向披靡，无不告捷。后秦将领王苟生献出漆丘，投降了东晋龙骧将军王镇恶，后秦担任徐州刺史的姚掌献出项城，投降了东晋冠军将军檀道济，其余各处重镇驻扎的军队全都望风归降。只有担任新蔡太守的董遵不肯向东晋投降，檀道济指挥晋军攻克了新蔡，活捉了新蔡太守董遵，将董遵杀死。又乘胜进军，一举攻克了许昌，活捉

姚垣[9]及大将杨业。沈林子自汴入河，襄邑㉜人董神虎聚众千余人来降。太尉裕板[10]为参军。林子与神虎共攻仓垣㉝，克之，秦兖州㉞刺史韦华降。神虎擅还襄邑，林子杀之。

秦东平公绍言于秦主泓曰："晋兵已过许昌，安定孤远，难以救卫。宜迁其镇户㉟，内实京畿，可得精兵十万，虽晋、夏交侵，犹不亡国。不然，晋攻豫州，夏攻安定，将若之何？事机已至，宜在速决。"左仆射梁喜曰："齐公恢㊱有威名，为岭北㊲所惮，镇人已与勃勃深仇㊳，理应守死无贰，勃勃终不能越安定远寇京畿。若无安定，虏马必至于郿㊴。今关中兵足以拒晋，无为豫自损削㊵也。"泓从之。吏部郎懿横㊶密言于泓曰："恢于广平之难㊷，有忠勋㊸于陛下。自陛下龙飞绍统㊹，未有殊赏以答其意。今外则置[11]之死地㊺，内则不豫㊻朝权。安定人自以孤危逼寇，思南迁者十室而九。若恢拥精兵数万，鼓行而向京师，得不为社稷之累乎？宜征还朝廷以慰其心。"泓曰："恢若怀不逞之心㊼，征之适所以速祸㊽耳。"又不从。

王仲德水军入河，将逼滑台㊾。魏兖州刺史尉建畏懦，帅众弃城，北渡河。仲德入滑台，宣言曰："晋本欲以布帛七万匹假道于魏㊿，不谓[371]魏之守将弃城遽去[372]。"魏主嗣闻之，遣叔孙建、公孙表自河内向枋头[373]，因引兵济河，斩尉建于城下[374]，投尸于河。呼仲德军人，问以侵寇之状。仲德使司马竺和之对曰："刘太尉使王征虏[375]自河入洛[376]，清扫山陵[377]，非敢为寇于魏也。魏之守将自弃滑台去，王征虏借空城以息兵，行当西引[378]，于晋、魏之好无废也。何必扬旗鸣鼓以曜威乎？"嗣使建以问太尉裕，裕逊辞谢之曰："洛阳，晋之旧都，而羌[379]据之，晋欲

了后秦担任颍川太守的姚垣以及大将杨业。建武将军沈林子率领东晋水军船舰从汴水进入黄河，后秦襄邑人董神虎召集了一千多人前来投降沈林子。太尉刘裕立即任命他为参军。建武将军沈林子与担任参军的董神虎一同率军攻打仓垣，将仓垣攻克，后秦担任兖州刺史的韦华向东晋投降。董神虎擅自率军返回襄邑，沈林子遂将董神虎杀死。

后秦东平公姚绍对后秦皇帝姚泓说："晋国的军队已经越过了许昌，安定已经成为一座孤城，距离遥远，很难派兵前往救援。应该把安定城内的居民迁移到长安郊区，以充实京师地区的人口，这样我们就可以得到十万名精兵，即使晋国、夏国同时入侵，我们也不会亡国。不然的话，晋国的军队攻打豫州，夏国赫连勃勃出兵攻打安定，我们将如何应对？事情已经到了关键时刻，应该赶快作出决定。"担任左仆射的梁喜说："齐公姚恢一向威名显著，岭北的人都很惧怕他，安定的人已经与夏王赫连勃勃结下了血海深仇，他们一定会浴血奋战，对朝廷没有二心，夏王赫连勃勃肯定不能越过安定而进犯远方的京师长安。如果没有安定作为屏障，贼虏的战马必定到达郿城。如今关中地区的兵力完全可以抵抗得住晋军的进攻，就不要过早地把自己的力量估计得过低。"后秦皇帝姚泓听从了梁喜的意见。担任吏部尚书的懿横秘密地对姚泓说："齐公姚恢在广平公姚弼作乱时，有功于陛下。陛下自从登基当上皇帝以来，还没有用特别的奖赏来回报他。如今对外而言，是把他安置在一个经常与敌人发生战斗、随时都有可能牺牲的地方，对内来说，又不让他参与朝廷决策。安定人认为自己处在一种孤立无援的境地，外受贼寇的逼迫，因此希望向南迁移的，十户当中就有九户。如果齐公姚恢率领数万名精兵，擂起战鼓，杀向京师，岂不是国家的一大灾祸？应该将齐公姚恢召回朝廷，作为对他的一种安慰。"姚泓说："齐公姚恢如果怀有背叛之心，将他召回朝廷，将会使灾祸提前暴发。"也没有听从。

东晋冀州刺史王仲德率领水军船舰进入黄河，即将逼近北魏所属的滑台。北魏担任兖州刺史的尉建胆小怯懦，竟然放弃了滑台，率领部众向北渡过黄河。王仲德遂进入滑台，他扬言说："我们晋国本来想用七万匹布帛向魏国借道，没有料到魏国的守将尉建竟然弃城而去。"北魏皇帝拓跋嗣听到消息以后，立即派遣中领军叔孙建、固安子爵公孙表率军从河内赶赴枋头，又率军从枋头向南渡过黄河，把兖州刺史尉建带到滑台城下斩首，将尸体扔入黄河。他们向王仲德的军中喊话，责问为什么要侵占魏国领土。东晋冀州刺史王仲德令担任司马的竺和之答复说："我们晋国太尉刘裕派征虏将军王仲德从黄河进入洛水，到达洛阳，为的是洒扫祭祀皇家祖先的陵墓，而不敢进犯魏国。是魏国滑台守将尉建自己主动放弃滑台，我们的征虏将军王仲德暂时借用这座空城休息兵马，我们马上就要离开滑台，率军西进，对于晋国与魏国的友好关系没有什么损害。你们何必要挥舞军旗、擂动战鼓，向我们耀武扬威呢？"北魏皇帝拓跋嗣令叔孙建再去责问东晋太尉刘裕，刘裕谦逊地向北魏道歉说："洛阳，原本是晋国的旧都，却被羌人姚氏所占据，我们晋国早就想修复先皇的

修复山陵久矣;诸桓宗族[380]、司马休之、国璠兄弟[381]、鲁宗之父子[382]，皆晋之蠹也，而羌收之以为晋患[383]。今晋将伐之，欲假道于魏，非敢为不利也。”魏河内镇将于栗䃅有勇名，筑垒于河上以备侵轶[384]。裕以书与之，题曰“黑矟公[385]麾下[386]”。栗䃅好操黑矟以自标[387][12]，故裕以此目之。魏因拜栗䃅为“黑矟将军”。

冬，十月壬戌[388]，魏主嗣如犲山宫。

初，燕将库傉官斌[389]降魏，既而复叛归燕。魏主嗣遣骁骑将军延普渡濡水[390]击斌，斩之；遂攻燕幽州刺史库傉官昌、征北将军库傉官提，皆斩之。

秦阳城、荥阳[391][13]二城皆降，晋兵进至成皋[392]。秦征南将军陈留公洸[393]镇洛阳，遣使求救于长安。秦主泓遣越骑校尉阎生帅骑三千救之，武卫将军姚益男将步卒一万助守洛阳。又遣并州[394]牧姚懿南屯陕津[395]，为之声援。宁朔将军赵玄言于洸曰:“今晋寇益深，人情骇动，众寡不敌，若出战不捷，则大事去矣。宜摄[396]诸戍之兵，固守金墉[397]，以待西师之救。金墉不下，晋必不敢越我而西，是我不战而坐收其弊[398]也。”司马[399]姚禹阴与檀道济通，主簿阎恢、杨虔，皆禹之党也，共嫉玄，言于洸曰:“殿下以英武之略，受任方面[400]，今婴城[401]示弱，得无[402]为朝廷所责乎?”洸以为然，乃遣赵玄将兵千余南守柏谷坞[403]，广武将军石无讳东戍巩城[404]。玄泣谓洸曰:“玄受三帝[405]重恩，所守正有死耳[406]。但明公不用忠臣之言，为奸人所误，后必悔之。”既而成皋、虎牢[407]皆来降，檀道济等长驱而进，无讳至石关[408]，奔还。龙骧司马荥阳毛德祖与玄战于柏谷，玄兵败，被十余创，据地[409]大呼。玄司马蹇鉴冒刃抱玄而泣，玄曰:“吾创已重，君宜速去!”鉴曰:“将军不济[410]，鉴去安之?”与之皆死。姚禹逾城奔道济。甲子[411]，道济进逼洛阳。丙寅[412]，

陵墓了；桓氏宗族、司马休之、司马国璠兄弟、鲁宗之父子，都是晋国的蠹虫，而羌人却全部把他们收留，成为晋国的祸患。如今晋国准备讨伐秦国，想向魏国借用一下道路，绝对不敢有不利于魏国的行为。”北魏镇守河内的将领于栗磾一向以勇武著称，他在黄河岸边修筑营垒，防备晋国军队的侵略。东晋太尉刘裕便写信给于栗磾，称呼他“黑矟公麾下”。于栗磾喜欢使用黑矟来显示自己的奇特，所以刘裕才这样称呼他。北魏于是便封于栗磾为“黑矟将军”。

冬季，十月十八日壬戌，北魏皇帝拓跋嗣前往豺山宫。

当初，北燕将领库傉官斌投降了北魏，不久就又背叛北魏回到了北燕。北魏皇帝拓跋嗣派担任骁骑将军的延普率军渡过濡水攻击库傉官斌，将库傉官斌斩首；遂趁机进攻北燕担任幽州刺史的库傉官昌、征北将军库傉官提，将二人全部斩首。

后秦阳城、荥阳两座城全都向东晋军投降，东晋军遂顺利挺进到成皋。后秦担任征南将军的陈留公姚洸镇守洛阳，他派使者前往京师长安求取救兵。后秦皇帝姚泓遂派遣担任越骑校尉的阎生率领三千名骑兵前往洛阳救援姚洸，担任武卫将军的姚益男率领一万名步兵帮助防守洛阳。又派担任并州牧的姚懿率军屯驻在陕津，作为洛阳的声援。后秦担任宁朔将军的赵玄对陈留公姚洸说：“如今晋国的军队已经越来越深入我国境内，民心惊恐动摇，我们兵少，寡不敌众，如果出城与晋军交战失败，则大事将一去不返。现在就应该把各处的守军集中起来，坚守金墉，等待朝廷从西部派来救兵。晋军攻不下金墉城，就不敢越过金墉西进，这样我们虽然不出城与晋军作战，却能坐等晋军疲惫之时而出兵收拾他。”担任司马的姚禹暗中勾结东晋的冠军将军檀道济，而担任主簿的阎恢、杨虔，都是姚禹的同党，他们全都嫉恨宁朔将军赵玄，于是便对陈留公姚洸说：“殿下凭借着自己的英明勇武和谋略，担负着镇守一方的重任，如果现在坚守城池，不敢出城与晋军交战，就等于向晋军示弱，岂不是要受到朝廷的责备？”姚洸认为他们说得有道理，于是便派遣宁朔将军赵玄率领一千多名士卒到南边去守卫柏谷坞，派广武将军石无讳到东面去戍守巩城。赵玄流着眼泪对陈留公姚洸说：“我赵玄蒙受秦国三代君主的厚恩，我只有与我所守卫的地方共存亡，这没话可说。只是殿下不能采用忠臣的意见，而被奸佞小人所误导，以后必定后悔莫及。”不久，成皋、虎牢的守将全都来向晋军投降，东晋冠军将军檀道济等遂率军长驱直入，后秦广武将军石无讳率军向巩城进发，刚到达石关就逃了回去。在王镇恶的龙骧将军府担任司马的荥阳人毛德祖率军与后秦的宁朔将军赵玄在柏谷交战，赵玄兵败，身上受了十多处重伤，两手撑地，他痛苦地大声呼喊。赵玄的司马蹇鉴冒着晋军的刀剑杀身之险上前抱住赵玄哭泣，赵玄说：“我的伤势已经很重，你要赶紧离开这里！”蹇鉴说：“将军如果活不了，我又能到哪里去呢？”于是与赵玄一同被晋军杀死。后秦司马姚禹从洛阳城中翻越城墙前来投奔东晋的冠军将军檀道济。十月二十日甲子，冠军将军檀道济率军逼近洛阳。二十二日丙寅，

洸出降。道济获秦人四千余人，议者欲尽坑之以为京观[413]。道济曰："伐罪吊民[414]，正在今日！"皆释而遣之。于是夷、夏感悦，归之者甚众。阎生、姚益男未至[415]，闻洛阳已没，不敢进。

己丑[416]，诏遣兼司空高密王恢之[417]修谒五陵[418]，置守卫。太尉裕以冠军将军毛脩之为河南、河内二郡太守，行司州事[419]，戍洛阳。

西秦王炽磐使秦州刺史王松寿镇马头[420]，以逼秦之上邽。

十一月甲戌[421]，魏主嗣还平城。

太尉裕遣左长史王弘[422]还建康，讽[423]朝廷求九锡[424]。时刘穆之掌留任，而旨从北来，穆之由是愧惧[425]发病。弘，珣之子也。十二月壬申[426]，诏以裕为相国、总百揆[427]、扬州牧，封十郡为宋公，备九锡之礼，位在诸侯王上，领征西将军，司、豫、北徐、雍四州刺史如故。裕辞不受[428]。

西秦王炽磐遣使诣太尉裕，求击秦以自效。裕拜炽磐平西将军、河南公。

秦姚懿司马孙畅说懿使袭长安，诛东平公绍，废秦主泓而代之。懿以为然，乃散谷以赐河北夷、夏[429]，欲树私恩。左常侍张敞、侍郎[430]左雅谏曰："殿下以母弟居方面[431]，安危休戚[432]，与国同之。今吴寇[433]内侵，四州[434]倾没。西虏扰边，秦、凉覆败[435]，朝廷之危，有如累卵。谷者，国之本也，而殿下无故散之，虚损国储，将若之何？"懿怒，笞杀之。

泓闻之，召东平公绍，密与之谋。绍曰："懿性识鄙浅，从物推移[436]，造此谋者，必孙畅也。但驰使征畅[437]，遣抚军将军讚[438]据陕城，臣向潼关[439]为诸军节度[440]。若畅奉诏而至，臣当遣懿帅河东见兵[441]共

后秦洛阳守将陈留公姚洸出城向晋军投降。檀道济俘虏了后秦四千多人，有人便建议将他们全部活埋，然后筑起一座大丘，用以显示战功。檀道济说："讨伐有罪之人，安抚百姓，正是今天最需要我们去做的！"遂把这四千多名俘虏全部释放。于是不论是夷人还是汉人都非常感激、非常高兴，主动前来归附的人非常多。阎生和姚益男率领的援军还没有到达洛阳，就听到了洛阳已经陷落的消息，于是不敢再继续前进。

己丑日，东晋安帝司马德宗下诏，派遣兼任司空的高密王司马恢之前往洛阳，整修、祭拜皇家的五座先皇陵墓，并设置守卫。太尉刘裕任命担任冠军将军的毛脩之为河南、河内二郡太守，代行司州刺史职权，率军戍守洛阳。

西秦王乞伏炽磐令担任秦州刺史的王松寿镇守马头，对后秦秦州治所上邽造成军事压力。

十一月初一甲戌，北魏皇帝拓跋嗣从豺山宫返回京师平城。

东晋太尉刘裕派担任左长史的王弘返回京师建康，暗示朝廷，请求为刘裕加授九锡。当时刘穆之在东府总理朝政，而请求加授九锡的旨意却是从北方刘裕那里发出，刘穆之因为自己没有预先想到这些而深感愧疚，又担心刘裕会因此不再信任自己，百感交集，遂病倒在床。王弘，是王珣的儿子。十二月二十九日壬申，晋安帝司马德宗下诏，任命太尉刘裕为相国、总百揆、扬州牧，封给他十个郡，爵位是宋公，加授九锡，职位在诸侯王之上，兼任征西将军，司、豫、北徐、雍四州刺史依旧保留不变。刘裕坚决推辞，不肯接受。

西秦王乞伏炽磐派遣使者到东晋太尉刘裕军前，请求出兵攻打后秦，以此表示愿意为东晋效劳。刘裕于是任命西秦王乞伏炽磐为平西将军、河南公。

在后秦镇守蒲阪的并州牧姚懿属下担任司马的孙畅劝说姚懿，煽动姚懿率军袭击都城长安，诛杀东平公姚绍，废黜现任皇帝姚泓，自己取而代之。姚懿认为孙畅说得有道理，于是便将仓库中储存的粮食散发给河北的夷人和汉人，想借此让百姓对自己感恩戴德。担任左常侍的张敞、担任侍郎的左雅全都劝阻姚懿说："殿下是当今皇帝的同母兄弟，担负着独当一面的重任，自己的苦乐与国家的安危存亡是完全一致的。如今晋国的侵略军已经深入国内，徐州、兖州、豫州、荆州已经被晋国攻陷。西方的少数民族不断地侵扰西部边境，秦州、凉州已经全部丢失，国家所面临的危机如同累卵。粮食，是国家的根本，而殿下却无缘无故地将粮食散发出去，使国家府库中的粮食储备白白地损失掉，殿下准备干什么？"姚懿非常愤怒，就用皮鞭把二人活活打死。

后秦皇帝姚泓听到有关姚懿的报告，就赶紧召见东平公姚绍，秘密地与姚绍商议对策。姚绍说："姚懿性情愚昧，见识短浅，很容易被别人牵着鼻子走，鼓动姚懿这样做的，一定是那个孙畅。只要派使者火速将孙畅调回京师，然后派遣抚军将军姚讚率军据守陕城，我则前往潼关充当各路人马的总指挥。如果孙畅奉诏回到长安，我就立即派遣姚懿率领河东地区现有的兵力共同抵御东晋的军队；如果孙畅不肯接

御晋师；若不受诏命，便当声其罪而讨之。”泓曰：“叔父之言，社稷之计也。”乃遣姚讚及冠军将军司马国璠、建义将军蛇玄屯陕津[442]，武卫将军姚驴屯潼关。

懿遂举兵称帝，传檄州郡，欲运匈奴堡谷以给镇人[443]。宁东将军姚成都拒之[444]，懿卑辞诱之，送佩刀为誓，成都不从。懿遣骁骑将军王国帅甲士数百攻成都，成都击禽之，遣使让[445]懿曰：“明公以至亲当重任，国危不能救，而更图非望[446]，三祖[447]之灵，其肯佑明公乎！成都将纠合[448]义兵，往见明公于河上[449]耳。”于是传檄诸城，谕以逆顺，征兵调食以讨懿。懿亦发诸城兵，莫有应者，惟临晋[450]数千户应懿。成都引兵济河，击临晋叛者，破之。镇人安定郭纯等起兵围懿。东平公绍入蒲阪，执懿，诛孙畅等。

是岁，魏卫将军安城孝元王叔孙俊[451]卒。魏主嗣甚惜之，谓其妻桓氏曰：“生同其荣[452]，能没同其戚[453]乎？”桓氏乃缢而祔[454]焉。

丁零翟猛雀[455]驱掠[14]吏民，入白涧山[456]为乱，魏内都大官[457]河内张蒲与冀州刺史长孙道生讨之。道生，嵩[458]之从子也。道生欲进兵击猛雀，蒲曰：“吏民非乐为乱，为猛雀所迫胁耳。今不分别，并击之，虽欲返善，其道无由，必同心协力，据险以拒官军，未易猝平[459]也。不如先遣使谕之，以不与猛雀同谋者皆不坐[460]，则必喜而离散矣。”道生从之，降者数千家，使复旧业。猛雀与其党百余人出走，蒲等追斩猛雀首；左部尚书[461]周几穷讨余党，悉诛之。

受诏命，就应当公开宣布他的罪状，出兵进行讨伐。”姚泓说：“叔父说的话，全是为国家社稷考虑。”于是派遣抚军将军姚讚、冠军将军司马国璠、建义将军蛇玄率军屯扎在陕津，派武卫将军姚驴屯驻在潼关。

后秦并州牧姚懿起兵对抗朝廷，自称皇帝，同时向各州郡发布公告，并准备将匈奴堡的粮食运到自己的治所蒲阪供应属下的兵众。担任宁东将军的姚成都反对姚懿称帝，姚懿便用最谦卑的言辞诱骗他，并送给他一把佩刀作为盟誓的信物，姚成都不肯接受。姚懿便派遣骁骑将军王国率领数百名全副武装的勇士去攻打姚成都，姚成都将姚懿的军队击败，并活捉了骁骑将军王国，姚成都派使者责备姚懿说：“你是与当今皇帝血缘关系最亲近的人，所以才派你担任守卫一方的重任，国家面临亡国的危难，你没有能力去拯救，反倒要谋取非分的利益，三位先祖的在天之灵会保佑你吗！我姚成都要召集义兵，前往黄河岸边讨伐你。”于是一面向各处城邑发布文告，向民众讲明什么是叛逆，什么是正义，一面征集军队、调集粮食，为讨伐姚懿做准备。姚懿也动员各城出兵，却没有一个城邑响应他，只有临晋的数千户人家响应姚懿的号召。姚成都率军渡过黄河，攻击临晋响应姚懿的叛逆者，将追随姚懿叛乱的数千户击败。姚懿所镇守的蒲阪的居民、安定人郭纯等起兵包围了姚懿。东平公姚绍率军进入蒲阪，活捉了姚懿，诛杀了为姚懿出谋划策的孙畅等。

这一年，北魏担任卫将军的安城孝元王叔孙俊去世。北魏皇帝拓跋嗣对叔孙俊的去世感到非常惋惜，于是便对叔孙俊的妻子桓氏说：“叔孙俊活着的时候，您与他同享荣华富贵，现在他死了，您难道不能与他一同受到哀悼吗？”桓氏上吊自杀，桓氏的灵牌与她丈夫叔孙俊的灵牌被放在一起享受祭祀。

在北魏境内的丁零部落首领翟猛雀胁迫吏民反抗朝廷，率领部众进入白涧山，北魏担任内都大官的河内人张蒲与担任冀州刺史的长孙道生一同率军讨伐。长孙道生，是长孙嵩的侄子。长孙道生准备率军进入白涧山攻打翟猛雀，内都大官张蒲说：“那些跟随翟猛雀的吏民并不是真心想要造反，而是被翟猛雀等胁迫，不得已才参与了叛乱。如今不加区别，就要一同消灭他们，那些吏民即使想回头向善，但因为没有了出路，也一定会与翟猛雀同心合力，占据险要以抵抗官军，到那时，要想迅速平息叛乱就不容易了。不如先派遣使者前去向他们宣传，只要不是翟猛雀的同谋者，就不受株连，那些吏民一定很高兴，自然就会离散。”长孙道生听从了张蒲的意见，果然，主动前来投降的就有数千家，长孙道生等令他们返回自己家中，重新操持自己的旧业。翟猛雀带领自己的一百多名党羽离开白涧山，准备逃往别处，张蒲等率军追赶，将翟猛雀等人斩首；担任左部尚书的周几率人严密追查翟猛雀的余党，将其余党全部消灭。

【段旨】

以上为第二段，写晋安帝义熙十二年（公元四一六年）一年间的大事。主要写：姚兴疾笃，其子姚弼的党羽发动叛乱，攻打宫城，姚兴赐姚弼死，其党姚愔、尹元、尹冲等被杀；姚兴死，姚泓即位；姚泓之弟姚懿叛乱称帝，姚绍、姚成都等击杀之。夏主赫连勃勃攻秦，取上邽，又取安定，又取雍县、郿县，被秦将姚绍所败。刘裕留刘穆之总揽内外，大举出兵伐秦，先锋王镇恶、檀道济等攻秦之项城、许昌、仓垣皆下，获秦将姚垣、杨业等；檀道济攻取洛阳，守将姚洸投降。刘裕自己向朝廷讨“九锡”，至朝廷正式赐之，刘裕又假意推辞不受。魏主拓跋嗣派叔孙建讨平刘虎之胡人部落；魏击燕，杀燕之幽州刺史、征北将军；魏将张蒲与长孙道生击平丁零人翟猛雀于白涧山之作乱。

【注释】

⑲⑧正月甲申：正月初六。⑲⑨戊子：正月初十。⑳⓪都督南秦州：指总管南秦州这个地区的军事。都督，总管、总监。南秦州，州治即今陕西汉中。⑳①凡：总共；共计。⑳②二十二州：指徐州、南徐州、豫州、南豫州、兖州、南兖州、青州、冀州、幽州、并州、司州、郢州、荆州、江州、湘州、雍州、梁州、益州、宁州、交州、广州、南秦州。⑳③世子义符：即刘义符，刘裕的嫡长子。世子，义同“太子”。⑳④豫州：当时豫州的州治在历阳，即今安徽和县。⑳⑤雍州：东晋的雍州州治在襄阳，即今湖北襄阳市襄城区。⑳⑥漒川：郡名，约在今青海东南部与甘肃临近处。⑳⑦石泉：此石泉应在今甘肃兰州西北。⑳⑧沓中：地区名，在今甘肃临潭西。⑳⑨华阴：县名，县治在今陕西华阴东。㉑⓪监国：负责一切留守的事务。㉑①西宫：姚兴所居的宫殿。太子原来居于东宫，今居西宫，距继位称帝更近了一步。㉑②宫臣：指东宫跟过来的侍从官。胡三省曰：“凡东宫官属皆曰‘宫臣’。”㉑③奸臣：指尹冲等姚弼的党羽。㉑④端居：犹今之所谓“稳坐”，像无事人一样。㉑⑤乘舆：皇帝的车驾，这里即隐指皇帝。㉑⑥幸广平公第：到姚弼的府上去。幸，临幸，这里即指前往。广平公第，姚弼的府第，姚弼被封为广平公。广平是郡名，姚弼的封地。㉑⑦宿卫将士：保卫宫廷、保卫皇帝的将士。宿卫，值勤与保卫。㉑⑧太子谁与守：太子还能与谁去一起守国。谁与，与谁，和谁一道。㉑⑨已陷名逆节：已经有了个叛逆分子的名声。㉒⓪何所自容：哪里是我们的存身之地。㉒①奉乘舆以举事：即通常之所谓“挟天子以令诸侯”。奉乘舆，挟持着皇帝姚兴。㉒②乃杖大顺：是有了最好的借口、最名正言顺的理由。㉒③不惟救广平之祸：不仅是解救了姚弼的灾难。㉒④吾属前罪亦尽雪：我们这些人所顶着的谋反的罪名也就可以完全洗净了。㉒⑤东平公绍：即姚绍，姚兴之弟。㉒⑥典兵禁中：在宫中掌管兵权。典，主管。㉒⑦防制内外：防范宫里宫外的一切变化。防制，防范、制止。㉒⑧甲仗：铠甲、兵器。㉒⑨内之武库：收归国家的武器仓库。内，同“纳”，

收归。㉚端门：宫廷的第一道正门。㉛马道：登上宫墙的梯道。㉜力疾：强支撑着病体。㉝骊山：在今陕西临潼南，当时长安城的东南方。㉞吕隆：即昔日的后凉皇帝，建都姑臧。晋安帝元兴二年（公元四〇三年）被姚兴所灭。吕隆投降后，被姚兴封为建康公。事见本书卷一百一十三。㉟雍：县名，县治在今陕西宝鸡东北，春秋时代秦国的都城。㊱来奔：指来投奔东晋。㊲兴卒：姚兴死时年五十一岁。㊳齐公恢：即姚恢，姚兴的族人，当时驻兵安定，今甘肃泾川北。㊴吕超：吕隆之弟。随吕隆投降姚兴后，被封为安定太守，与其兄吕隆都党附姚弼。㊵李闰羌：居住在李闰一带的羌族人。李闰城在今陕西大荔北。㊶羌酋党容：羌族部落的头领姓党，名容。㊷酋豪：少数民族中有身份、有名望的人物。㊸北地：郡名，郡治即今陕西铜川市耀州区。㊹赵氏坞：在今陕西铜川附近。㊺姚宣：姚兴之子，姚泓之弟。㊻邢望：在今陕西大荔附近。㊼戒严：进行军事动员，进入紧急状态。㊽徐、兖二州：东晋徐、兖二州的州治都在今江苏镇江。刘义符本任豫州刺史，今朝廷既将司、豫二州都“加”给了刘裕，故另封刘义符为徐、兖二州刺史。㊾启行戎路：在前边给大军开路，打头阵。《诗经·六月》有所谓“元戎十乘，以先启行”，这里借用其语。㊿修敬山陵：对在洛阳的西晋诸帝的陵墓表示一分敬意。(251)四月壬子：四月初五。(252)改元“泰常”：在此之前拓跋嗣所用的年号叫“神瑞”。(253)癸巳：五月十七日。(254)北雍州：西晋时州治在长安。因当时东晋在今湖北襄阳已立有雍州，故把行将攻取的旧雍州称“北雍州”。(255)六月丁巳：六月十一日。(256)并州胡：居住在并州的匈奴人。并州的州治晋阳，在今山西太原西南。(257)平阳：郡名，郡治在今山西临汾的西南部。(258)曹弘：匈奴右贤王曹毂的后代。(259)匈奴堡：约在今山西临汾西南，当时为匈奴人集居之地。(260)姚懿：姚兴之子，姚泓之弟。(261)蒲坂：即蒲州，治今山西永济西南。(262)豪右：有身份、有威望的人。(263)祁山：古代军事要地，在今山西祁县东北。(264)秦州：州治即今甘肃天水。(265)竹岭：在今甘肃天水西南。(266)阴密：县名，县治在今甘肃灵台西南。(267)姚谌：姚兴之子，姚泓之弟。(268)委镇：抛弃军府所在地，即雍城。(269)郿城：在今陕西眉县东北渭水上。(270)马鞍阪：在今甘肃泾川县西北。(271)朝那：县名，县治在今宁夏固原东南。(272)陈仓：县名，在今陕西宝鸡东。(273)泄阳:《晋书·载记》作“池阳”。池阳即今陕西泾阳。(274)凉司马索承明：西凉公李暠的司马，姓索名承明。当时的西凉公李暠建都于今甘肃酒泉。(275)直唱大言：光说大话。直，只。(276)石虎小竖二句：石虎这个小竖子，应该杀了他，暴其尸于街头。这是过去石虎统治下的人们对石虎统治不满的谩骂语，但光骂没用，石虎还是照旧进行着他的残暴统治。石虎，后赵的皇帝，石勒之侄。石勒死后，石虎杀石勒子石弘而自立为帝，荒淫残暴，在位十五年。传见《晋书》卷一百七。小竖，即小竖子，骂人语，犹今之所谓“小奴才”。肆诸市朝，指将人杀死后，摆在街头示众。(277)牛川：地区名，在今内蒙古呼和浩特西南。(278)殷繁水：在今河北怀来东南。(279)戊戌：七月二十三日。(280)丙午：八月初一。(281)宁州：州治晋宁，在今云南晋宁东，当时属于东晋。(282)琥珀枕：琥珀制成的枕头。琥珀是松树脂的化石，是一种名贵材质。㉘③以琥珀治金创：因为琥珀粉可以治疗刀枪的创伤。以，因为。金创，刀枪的创伤。㉘④监太尉留府事：管理太尉府的一切留守事宜。监，监督、管理。㉘⑤领：兼任。㉘⑥监军、中军二府军司：指刘义符所承担的“监太尉留府”与“中军将军”两个军府的军务参赞。军司，军府的协管人员，主官的亲密参赞。㉘⑦入居东府：住在东府里办公。东府是刘裕太尉府所在地，在当时建康城的东部，四周有城墙。㉘⑧徐美之：字宗文，东海郡人，刘裕的佐命元勋。传见《宋书》卷四十三。㉘⑨殿省：指皇帝居住的宫殿与大臣办公的首脑机关，即所谓台省。㉙⓪别驾从事史：州刺史的高级僚属，随刺史出门时，因其单独另坐一辆车，故称“别驾”。㉙①留州事：扬州刺史府的留守事宜。㉙②怀敬：即刘怀敬，字真道，刘裕的表兄弟。怀敬幼时，其母曾断其乳以哺刘裕。传见《宋书》卷四十七。㉙③拥滞：同“壅滞”。此指耽搁、废置。㉙④不相参涉：一码对一码，绝无错乱混淆。参涉，错乱混淆。㉙⑤悉皆赡举：都获得完满解决。赡，满足。㉙⑥裁有：刚有一点。裁，同“才”，刚刚。㉙⑦方丈：谓一丈见方的桌子上摆满了酒菜。㉙⑧旦辄为十人馔：每天动不动地就摆出十个人吃的一大桌，喊些人来一起吃。辄，就，动不动地。㉙⑨赡生多阙：维持生活的必需品经常短缺。阙，同“缺”。㉚⓪叨忝：叨光，自从受聘为您做事以来。忝，忝任，对现任此职的自谦语。㉚①每存约损：每天都想着俭朴一点，节省一点。存，念、想着。约损，降低生活标准。㉚②微为过丰：享用的标准还是偏高了点。㉚③一毫不以负公：一点对不起您的地方也没有。意即绝没有贪污盗窃、化公为私的行为。㉚④人生危脆：指很容易衰老死亡。㉚⑤邂逅不幸：指突然死亡。邂逅，偶然遭遇。㉚⑥尊业：您的大事业。㉚⑦苟有不讳：如果您一旦有个三长两短，隐指刘裕死。㉚⑧处分云何：日后的事情如何安排。处分，处理、安排。㉚⑨丁巳：八月十二日。㉛⓪淮、淝：淮河、淝水，指今之合肥、寿州一带。㉛①许、洛：许昌、洛阳。淮、淝二水相通，逆淮水的支流颍水可以上达许昌，逆另一支流睢水可以上通黄河直达洛阳。㉛②新野：县名，即今河南新野。㉛③阳城：古县名，县治即今河南登封东南之告城。㉛④武关：在今陕西丹凤东南。㉛⑤石门：在今江苏、河南交界一带的汴河上。㉛⑥自汴入河：从汴水进入黄河。汴水自今河南荥阳北由黄河分出，东南经开封、徐州入泗水，再往东南，在今江苏靖江市西入淮水。㉛⑦冀州：东晋当时的冀州州治在今河北冀州。㉛⑧开巨野入河：由巨野泽开掘水道通连黄河。巨野是湖泊名，旧地在今山东巨野北，今已干涸。当时的巨野泽北距黄河不远，又有济水可通至今长清西南，那里有沟通济水与黄河的渠道。㉛⑨不复济江：即不再活着渡江回来。㉜⓪青州：东晋的青州州治广陵，在今江苏扬州西北。㉜①檀祗：檀韶的二弟，檀道济之二哥，三人在《宋书》中都有传。㉜②涂中：地区名，即今江苏六合一带的滁河流域。㉜③中流：指扬州一带的长江流域。㉜④军首：檀道济时任北伐的先锋官。㉜⑤若有相疑之迹：一旦表现出太尉府对他们不信任。㉜⑥大府：刘裕的太尉府留守处，实指整个建康。㉜⑦逆遣慰劳：迎头派出一个慰问团。檀祗由广陵西来，这里由建康东上。㉜⑧白亚栗斯：匈奴人，于上年游动到今山西上党一带，被推为单于，率众进攻拓跋魏的河内郡，郡治即今河南沁阳。㉙相闻：通知他们，通报消息，因为当时魏与秦是同盟国。㉚备河南岸：在黄河南岸做好防备。因洛阳与河内郡只有一河之隔。㉛刘虎：匈奴人，与前赵刘聪时代的刘虎同名。㉜内自携贰：内部相互猜疑、相互背叛。携，离。㉝无健将御之：没有好的将军统率他们。御，驾驭、统领。㉞往摄表军：前去统领公孙表的军队。摄，收拾、统领。㉟九月戊午：九月初一是“乙亥”，本月中无“戊午”，疑字有误。㊱太原王玄谟：太原郡人王玄谟，字彦德，刘宋前期大言无实的将领。传见《宋书》卷七十六。㊲从事史：州刺史的高级僚属。㊳王廞之败：王廞是王导之孙。隆安元年（公元三九七年），王恭起兵讨伐王国宝时，任王廞为吴国内史，令其在东方起兵以助声势。王国宝被杀后，王恭收兵回京口，又免了王廞的职，王廞大怒，举兵反王恭，被王恭打败，下落不明。事见本书卷一百九。㊴沙门昙永：当时有名的高僧。㊵使提衣襆自随：让王华手提一个包袱跟在身后。衣襆，衣包。襆，包袱皮。㊶津逻：渡口上的哨兵。㊷乃发廞丧：于是为王廞举办丧事。㊸制服：按礼制穿丧服。㊹服阕：穿丧服期满。㊺辟：聘；聘任。㊻漆丘：县名，县治在今河南商丘东北。㊼徐州：姚秦的徐州州治项城，即今河南淮阳。㊽款附：犹今之所谓“投诚”。㊾新蔡：郡名，郡治即今河南新蔡。㊿许昌：县名，县治在今河南许昌东。(351)颍川：郡名，郡治即今河南长葛东。(352)襄邑：县名，即今河南睢县。(353)仓垣：县名，县治在今河南开封西北。(354)兖州：当时姚秦的兖州州治即在仓垣。(355)镇户：指安定一带的居民。当时安定为姚秦的军事重镇，故称其民为“镇户”。(356)齐公恢：即姚恢，姚兴之子，姚泓之弟。(357)岭北：九嵕岭以北，即安定、北地等一带地区。九嵕岭在今陕西礼泉东北。(358)与勃勃深仇：因夏人屡次来侵，镇人的父兄与之作战死伤众多。(359)郿：县名，县治在今陕西眉县东北的渭河北岸。(360)豫自损削：过早地把自己的力量想得过低。(361)懿横：姓懿名横，时为吏部郎，即日后的吏部尚书。(362)广平之难：在削平广平公姚弼叛乱的事情上。(363)忠勋：指杀死姚弼的党羽安定太守吕超。(364)龙飞绍统：指继位为帝。(365)置之死地：派在一个经常与敌人发生战斗、随时有可能牺牲的地方。(366)不豫：不参与；不过问。(367)若怀不逞之心：如果他真要是不得志、不满意，心里想要造反。(368)速祸：促成灾祸的提前爆发。(369)滑台：昔日南燕慕容德的都城，后为魏国兖州的州治所在地，在今河南滑县东南。(370)假道于魏：向魏国借道。假，借。(371)不谓：没想到。(372)弃城遽去：就这样弃城撤走了。(373)枋头：当时的黄河渡口，在今河南浚县西南，离滑台很近。(374)城下：枋头城下。(375)王征虏：即王仲德，当时为征虏将军。(376)自河入洛：由黄河进入洛水，到达洛阳。(377)清扫山陵：祭祀西晋诸帝陵墓。(378)行当西引：马上就要向西开拔。西引，引兵西行。(379)羌：指姚秦政权。姚氏是羌族人。(380)诸桓宗族：指桓谦诸人，于义熙元年（公元四〇五年）桓玄被讨伐身死后，逃到西秦。(381)国璠兄弟：指司马国璠与其弟叔璠、叔道，因不满刘裕势大，于义熙六年（公元四一〇年）逃到西秦。(382)鲁宗之父子：指鲁宗之与其子鲁轨，于义熙十一年（公元四一五年）司马休之被打败后，与司马休之一起逃到西秦。(383)以为晋患：义熙六年（公元四一〇年）桓谦曾引秦军入寇，义熙十一年秦使司马休之等将兵扰襄阳，司马国璠更多次引秦军扰边。㉞侵轶：犹言侵袭。轶，冲击。㉟黑矟公：使用黑色长矛的先生。公，对男人的敬称。㊱麾下：犹言“阁下”“足下”。“麾”是大将的指挥旗。㊲自标：显示自己的奇特。㊳十月壬戌：十月十八日。㊴库傉官斌：姓库傉官，名斌。㊵濡水：即今之滦河，发源于河北赤城东北，流经内蒙古多伦、河北承德，南流至乐亭入渤海。㊶荥阳：郡名，郡治即今河南荥阳东北的古荥。㊷成皋：旧址在今河南荥阳西北的大伾山上。㊸陈留公洸：即姚洸，姚兴之子，姚泓之弟。㊹并州：姚秦的并州州治在蒲阪，今山西永济西南。㊺陕津：陕县的黄河渡口。陕县在今河南三门峡市城西。㊻摄：约束；收缩。㊼金墉：当时洛阳城内西北角上的一座小城。这里即泛指洛阳。㊽坐收其弊：坐等其疲惫而收拾之。弊，也写作“敝”，即疲惫，战斗力衰退。㊾司马：与下文的“主簿”都是征南将军姚洸的僚属。姚洸是姚兴之子，姚泓之弟。㊿受任方面：受命独当一个方面，指为征南将军。(401)婴城：环城而守。(402)得无：岂不；难道。(403)柏谷坞：在今河南偃师南，洛阳城的东南方。(404)巩城：巩县县城，当时的巩县在今河南巩义西南。(405)三帝：指姚苌、姚兴、姚泓。(406)所守正有死耳：我所坚持的只有为国捐躯这一项。正，意思同“止”，只有。(407)虎牢：关名，在今河南荥阳的西北方，其西侧即成皋城。(408)石关：在洛阳城东，偃师西。(409)据地：两手撑地。(410)不济：不成；不保。(411)甲子：十月二十日。(412)丙寅：十月二十二日。(413)京观：将敌人的尸体堆积一起，蒙土于上，叫作“京观”。京是高大的意思。观，高台、大丘。(414)伐罪吊民：讨伐有罪者，以安慰黎民百姓。吊，慰、安慰。(415)未至：尚未到达。(416)己丑：十月初一是“乙巳”，本月中无“己丑”日，疑字有误。(417)高密王恢之：即司马恢之，晋安帝的族叔，被封为高密王。(418)五陵：司马懿的高原陵、司马师的峻平陵、司马昭的崇阳陵、司马炎的峻阳陵、司马衷的太阳陵。(419)行司州事：代行司州刺史的职权。(420)马头：在今甘肃天水西的神马山上。(421)十一月甲戌：十一月初一。(422)王弘：王导的曾孙，王珣之子。王珣曾受知于桓温，后为孝武帝倚重。王弘，字休元，刘裕的开国元勋之一。传见《晋书》卷四十二。(423)讽：吹风示意；隐约地提出。(424)九锡：帝王赏赐臣下的九种特殊荣宠。即：一车马，二衣服，三乐则，四朱户，五纳陛，六虎贲，七弓矢，八鈇钺，九秬鬯。大臣至此，已在为篡位做准备。(425)愧惧：惭愧自己没有及早地想到提出，还得让刘裕自己费心思。(426)十二月壬申：十二月二十九日。(427)总百揆：即总理国家的一切大事。百揆，指各种政务。百揆也可以释作“百官”。(428)裕辞不受：刘裕提出的要求，朝廷不敢不答应；等到给他了，刘裕又假惺惺地“辞不受”。刘裕这一套把戏非常可恶，比起曹操还要虚伪。(429)河北夷、夏：河北是秦国的郡名，郡治在今山西风陵渡。夷指少数民族，夏指汉族人。(430)侍郎：常侍与侍郎都是帝王身边的参谋侍从人员。姚懿当时为公爵，也设有这种官位。(431)居方面：任独当一面之职，指当时姚懿任征东将军而言。(432)休戚：犹言“苦乐”“享福与受罪”。休，福、美。(433)吴寇：指刘裕统率的东晋部队。(434)四州：指姚秦的徐州、兖州、豫州、荆州。㊶秦、凉覆败：指秦州州治上邽被赫连勃勃所取，凉州姑臧被沮渠蒙逊所占。㊶从物推移：随着别人的主意变。㊷征畅：调孙畅进京。㊸抚军将军讚：即姚讚，任抚军将军之职。㊹潼关：关塞名，在今陕西潼关县东北。㊺为诸军节度：充当各路人马的总指挥。㊻见兵：现有兵力。见，同“现”。㊼陕津：陕县的黄河渡口。㊽镇人：指蒲阪一带的人，当时姚懿任征东将军，镇蒲阪。㊾姚成都拒之：当时姚成都正以宁东将军的身份镇守匈奴堡（在今山西临汾西南），起兵对抗朝廷。㊿让：责备。㊻非望：不应有的幻想，指称帝而言。㊼三祖：指姚秦的始祖姚弋仲、太祖姚苌、高祖姚兴。㊽纠合：集合。纠，集聚。㊾往见明公于河上：即去黄河边上讨伐你。河上，黄河边，指蒲阪。㊿临晋：县名、关塞名，县治在今陕西大荔东。㊿安城孝元王叔孙俊：安城王是叔孙俊的封号，孝元是谥号。㊿生同其荣：他活着的时候，你与他一起享受荣耀。㊿没同其戚：现在他死了，你也应该陪着他一起受到哀悼，意即陪着他一道死。戚，哀。㊿祔：配祭。把桓氏的灵牌与其夫的灵牌放在一起享受祭祀。〖按〗拓跋嗣之所以特别伤心叔孙俊的死，以至于逼着桓氏殉葬，是因为在他上台时叔孙俊建有大功。事见本书卷一百一十五义熙五年。㊿丁零翟猛雀：丁零族的部落头领名叫翟猛雀。当时活动在今山西南部与河北、河南交界的太行山区。㊿白涧山：在今山西阳城境内。㊿内都大官：当时魏有内都大官、外都大官、都坐大官，合称“三都大官”。㊿嵩：即长孙嵩，拓跋魏建国初期名将。传见《魏书》卷五十二。㊿猝平：迅速平定。猝，突然、很快地。㊿不坐：不受株连。坐，因他人而牵连获罪。㊿左部尚书：当时魏国全境分八大区，各个地区设一个“大人”，总称“八部大人”。朝廷又设有东、西、南、北、前、后、左、右“八部尚书”。

【校记】

［6］三月：原作“二月”。张敦仁《通鉴刊本识误》改作“三月”，今据改。［7］大：据章钰校，乙十一行本作“太”。［8］魏：严衍《通鉴补》改作“丑”。［9］姚垣：据章钰校，孔天胤本作“姚坦”，张敦仁《通鉴刊本识误》同。［10］板：据章钰校，甲十一行本作“扳”，张瑛《通鉴校勘记》同；孔天胤本误作“拔”。［11］置：据章钰校，甲十一行本、乙十一行本、孔天胤本皆作“致”。［12］标：据章钰校，甲十一行本、乙十一行本皆作“摽”。［13］荥阳：据章钰校，甲十一行本、乙十一行本、孔天胤本皆作“荣阳”。［14］掠：据章钰校，甲十一行本、乙十一行本、孔天胤本皆作“略”。

【研析】

本卷写晋安帝义熙十一年（公元四一五年）、义熙十二年共两年间的各国大事，最重要的大事主要有三：

第一，本卷写刘裕讨平了荆州刺史司马休之与雍州刺史鲁宗之。这场战争的性质是刘裕为彻底摧毁司马氏集团的势力而进行的。司马休之是司马懿之弟司马孚的后代，司马休之的祖辈、父辈以及自身在为保卫晋王朝皇室利益，在与王敦、苏峻、桓温、桓玄的斗争中都是坚强不屈的；鲁宗之更是在与北方民族斗争中为保卫东晋政权做出过贡献的名将。他们的存在是刘裕篡夺东晋皇位的重大障碍，更何况司马休之任荆州刺史，位居建康的上游，鲁宗之为雍州刺史，驻节于襄阳，与司马休之的地势相接，呼吸与共。所以刘裕在篡位前要彻底扫荡这股势力是必然的。仗打得相当艰苦，文中说道，刘裕的女婿徐逵之与将军王允之、沈渊子皆战死，司马休之的部将“鲁轨、司马文思将休之兵四万，临峭岸置陈，军士无能登者。裕自被甲欲登，诸将谏，不从，怒愈甚。太尉主簿谢晦前抱持裕，裕抽剑指晦曰：‘我斩卿！’晦曰：‘天下可无晦，不可无公！’建武将军胡藩领游兵在江津，裕呼藩使登，藩有疑色。裕命左右录来，欲斩之。藩顾曰：‘正欲击贼，不得奉教。’乃以刀头穿岸，劣容足指，腾之而上，随之者稍多。既登岸，直前力战。休之兵不能当，稍引却。裕兵因而乘之，休之兵大溃，遂克江陵”。

在进讨荆州的同时，刘裕给司马休之的僚佐韩延之致书，招之使降，韩延之回信，痛斥刘裕给司马休之强加罪名、进行讨伐的无理，表明自己甘心忠于司马休之，要做一个像反对曹操、忠于汉献帝的臧洪一样的人。为表明与刘裕势不两立的思想，他用刘裕父亲的名字给自己的儿子命名，把刘裕父亲的字作为自己的字，其气节实在令人敬佩。

司马休之等人兵败后，逃入后秦；下卷中写道后秦被灭后，他们又逃入北魏。不论逃到哪里，他们都一直坚持与刘裕对抗。司马休之与王慧龙、刁雍等成了魏国守卫南部边疆、治理南部边郡的重要将领与地方官。这些问题的形成都与刘裕缺乏良好的政治谋略，简单地放任一己的报复私仇相关。司马光写《资治通鉴》全文录入了韩延之给刘裕的回信，表现了历史家对于司马休之等人的同情与对刘裕行事的憎恶。

第二，本卷写了后秦王姚兴死，其子姚泓继位，秦国的国势转入衰微，因而招致了刘裕的起兵讨伐。后秦是羌人姚苌在关中地区建立的国家，姚苌在位八年，于晋孝武帝太元八年（公元三八三年）去世；其子姚兴为帝，在位二十三年。历史上对姚兴的评价是很高的，范文澜《中国通史简编》说：“姚兴是苻坚以后有作为的皇帝，他下令境内，凡平民因荒乱自卖为奴隶的人，一概释免为良人。简省法令，谨慎断狱，奖励清廉的官吏，严惩贪污。”又说：“姚兴的政治是比较清明的，因之在武功方面也有一定成就。当他即位的第一年，便灭了苻登的前秦；四〇〇年，击败西秦，西秦降服；四〇三年，灭后凉。在姚兴统治的二十余年中，后秦成为西方的强国。”司马光《稽古录》也指出姚兴的缺点说“兴承父之志，奄有关中，凉夏诸豪，靡不率服。然处攻战之世，不能收罗英俊，以治国训兵，而专率臣民译经拜佛。及泓继世，骨肉内离，寇敌外侵，遂亡其族。虽泓器业之不肖，亦兴贻谋之未远也”。在姚兴病重的时候，他的一个受宠的儿子姚弼想乘机篡夺太子姚泓的地位，其他儿子不服，于是引起诸子之间的矛盾纷争。最后姚弼虽然被赐死，太子姚泓继承了皇帝之位，但国内的势力分散，国力已经大大削弱。当晋将王镇恶、檀道济等攻入关中时，姚兴的另一个儿子姚懿又发动叛乱，自称皇帝，兄弟之间动起刀兵。这时尽管秦国还有几个忠诚的老臣如东平公姚绍等与东晋作战，但后秦的灭亡已成为定局。有意思的事情是，当刘裕与姚泓相互争夺关中的时候，旁边还有两支力量在冷眼旁观，坐山观虎斗。一支是建都平城的鲜卑人拓跋氏，其谋臣崔浩对其主拓跋嗣说：“裕克秦而归，必篡其主。关中华、戎杂错，风俗劲悍；裕欲以荆、扬之化施之函、秦，此无异解衣包火，张罗捕虎。虽留兵守之，人情未洽，趋尚不同，适足为寇敌之资耳。愿陛下按兵息民以观其变，秦地终为国家之有，可坐而守也。”另一支是建都于统万的匈奴人，其主赫连勃勃谓群臣曰：“姚泓非裕敌也。且其兄弟内叛，安能拒人？裕取关中必矣。然裕不能久留，必将南归，留子弟及诸将守之，吾取之如拾芥耳。”后来事实竟果然如同他们之所说。这可真像是古人所说的“螳螂捕蝉，黄雀在后”了。

第三，本卷写了刘裕集团内部的一些趣事：一个是写了刘裕的心腹帮手刘穆之其人的本事才干。文中说：“刘穆之内总朝政，外供军旅，决断如流，事无拥滞。宾客辐凑，求诉百端，内外谘禀，盈阶满室，目览辞讼，手答笺书，耳行听受，口并酬应，不相参涉，悉皆赡举。”关于刘穆之的才干前文《晋纪》三十五已经说过：“裕始至建康，诸大处分皆委于刘穆之，仓促立定，无不允惬。裕遂托以腹心，动止谘焉。穆之亦竭节尽诚，无所遗隐。时晋政宽弛，纲纪不立，豪族陵纵，小民穷蹙；重以司马元显政令违舛，桓玄虽欲厘整，而科条繁密，众莫之从。穆之斟酌时宜，随方矫正。裕以身范物，先以威禁，内外百官皆肃然奉职，不盈旬日，风俗顿改。”现在又说“目览辞讼，手答笺书，耳行听受，口并酬应”云云，丁南湖对于这种描写提出异议说：“耳目手口，各一其用，而统之者心也，心无二用，则耳必不能兼目，手必不能兼口矣。故离娄善视，师旷善听，仓颉善书，宰我、子贡善言，夫以五贤之才敏，而终身之所肆者亦唯各精于一，凡以心无二用故也。史称刘穆之‘耳听口应，目览手书，不相参涉，悉皆赡举’，是以一心四用，虽圣人亦难能矣。而穆之何以能此哉？大抵史氏胜质之文，所谓‘不如无书’者也。”的确可笑。但对于这种问题，我们可以“得鱼忘筌”，“师其意不师其词”可也。第二个是史官写刘裕的故事，说刘裕率军伐秦时，“宁州献琥珀枕于太尉裕。裕以琥珀治金创，得之大喜，命碎捣分赐北征将士”。用语不多，但精彩动人。恰如古书所说，某大将率兵出征，获得大胜，皇帝给他送去一坛好酒，他从一条河的上游把酒倒入河内，于是休息在河边的十万将士饮此河水，就可以都喝到皇帝所赐的御酒了。气概果然豪迈。第三个是写刘裕每逢立了大功，皇帝给加官进爵时，他总是一让再让，甚至躲到某个地方不出来。待到这次率军北伐后秦时，他忽然派王弘还建康，“讽朝廷求九锡”。此事出于刘穆之的意外，“时刘穆之掌留任，而旨从北来，穆之由是愧惧发病”。按理说，即使一时没有想到，没有预先向朝廷提出，这又有什么太大的关系呢？而刘穆之居然被吓得“愧惧发病”，以至于十来个月以后就死去了。刘穆之怎么就会被吓成这种样子呢？可怪的是，等到“十二月壬申，诏以裕为相国、总百揆、扬州牧，封十郡为宋公，备九锡之礼，位在诸侯王上，领征西将军，司、豫、北徐、雍四州刺史如故”，刘裕竟然还是“辞不受”。这刘裕究竟是出于何种心理，玩弄的是什么手段呢？他的心腹刘穆之已经被他折腾死了，他居然还在继续玩弄不休。《历史纲鉴补》引胡致堂的看法说：“夫心欲得之，又讽而求之；既与之，复辞之，古之人尝以此恶夫‘饰伪而干名’者。裕素轻狡，又不知书，故安于行诈，谓可以笼网世人，不料人之视己如见肺腹也。故君子惟诚之为贵耳。”

卷第一百一十八　晋纪四十

起强圉大荒落（丁巳，公元四一七年），尽屠维协洽（己未，公元四一九年），凡三年。

【题解】

本卷写晋安帝义熙十三年（公元四一七年）至晋恭帝元熙元年（公元四一九年）共三年间的东晋与各国的大事。主要写：刘裕的前军将领王镇恶、檀道济、沈林子等在河曲、潼关打败了秦国大将姚绍的抵抗；沈田子率军由武关进入，大破秦主姚泓的大军于峣柳；刘裕率后续部队逆黄河西上，魏军于黄河北岸进行骚扰，刘裕为却月阵以击败之；王镇恶、毛德祖等溯渭水上攻长安，大破秦军于渭桥，攻入城内，姚泓投降，后秦被灭。刘裕曾想以长安为根据地进一步经营西北，但"诸将多不欲留"，又值其在朝的心腹谋士刘穆之死，于是决心返回建康，留其次子刘义真与王镇恶等众将戍守长安，而在安排留守人事上表现了刘裕对王镇恶的不信任，埋下了关中诸将相互残杀的祸根。沈田子编造谣言，以"谋反"罪袭杀了王镇恶，王脩又以沈田子擅杀大将而杀了沈田子；刘义真左右谮毁王脩于刘义真，怂恿刘义真杀了王脩，于是人情离骇，莫相统一。刘裕明知关中未来的形势险恶，而置全军将士于不顾，自私地独召其子刘义真回京；而刘义真使部

【原文】

安皇帝癸

义熙十三年（丁巳，公元四一七年）

春，正月甲戌朔[①]，日有食之。

秦主泓朝会百官于前殿，以内外危迫[②]，君臣相泣。征北将军齐公恢[③]帅安定镇户三万八千，焚庐舍，自北雍州[④]趋长安，自称大都督、建义大将军，移檄[⑤]州郡，欲除君侧之恶。扬威将军姜纪帅众归之，建节将军彭完都弃阴密[⑥]奔还长安。恢至新支[⑦]，姜纪说恢曰："国家重将大兵皆在东方，京师空虚，公亟引轻兵袭之，必克。"恢不从，

下大掠关中的货宝、子女重载而归，被夏将赫连璝、王买德追败于青泥，刘义真的护从将领蒯恩、傅弘之、毛脩之等被俘，段宏束刘义真于背单马逃回建康。长安守将朱龄石被长安百姓所驱逐，东逃到蒲阪；夏军追击，大破晋军于蒲阪，晋将朱龄石、朱超石、王敬先等尽被赫连勃勃所擒杀，赫连勃勃积人头为京观，号“髑髅台”；夏主赫连勃勃遂轻而易举地取得了长安，即皇帝位。刘裕接受朝廷给他的相国、宋公、九锡之命，不久又进号为宋王，刘裕以孔靖、王弘、傅亮、蔡廓、谢晦、郑鲜之、殷景仁为群官，搭就了刘宋朝廷的班底。刘裕以其子刘义隆为荆州刺史，以到彦之、张邵、王昙首等为之部属，成为日后刘义隆政权之班底；接着刘裕缢死了晋安帝司马德宗，改立了另一个傀儡司马德文。司马楚之因刘裕大肆残杀宗室之有才望者，聚众于汝、颍间以反刘裕。西凉公李暠死，其子李歆继位，因用刑过严，又好治宫室，部下张显、泛称等相劝，李歆不听，为西凉之灭亡埋下伏笔。魏主拓跋嗣进攻北燕，燕主冯跋婴城固守，魏虏其民而归。

【语译】

安皇帝癸

义熙十三年（丁巳，公元四一七年）

春季，正月初一甲戌，发生日食。

后秦主姚泓在皇宫的前殿接见文武百官举行朝会，想到国家所面临的内有姚弼、姚懿之乱，外有东晋刘裕、夏主赫连勃勃进攻的危险局势，君臣却束手无策，不禁相对哭泣。担任征北将军的齐公姚恢率领着安定郡的三万八千户居民，焚毁了安定的房舍，从北雍州赶往京师长安，自称大都督、建义大将军，向各州郡发出通告，号召起兵铲除君主身边的奸佞之臣。担任扬威将军的姜纪率领自己的部众归附了姚恢，担任建节将军的彭完都放弃了阴密逃往京师长安。姚恢率军抵达新支，扬威将军姜纪向姚恢建议说：“国家的重要将领、主力部队都在东方，目前京师长安兵力空虚，阁下应该赶紧率领轻装部队袭击长安，肯定能够将长安攻克。”姚恢没有采纳姜纪的意见，

南攻鄜城⑧。镇西将军姚谌⑨为恢所败，长安大震。泓驰使征东平公绍⑩，遣姚裕⑪及辅国将军胡翼度屯沣[1]西⑫。扶风⑬太守姚儁等皆降于恢。东平公绍引诸军西还，与恢相持于灵台⑭，姚讚留宁朔将军尹雅为弘农太守，守潼关，亦引兵还。恢众见诸军四集，皆有惧心，其将齐黄等诣大军降。恢进兵逼绍，讚自后击之，恢兵大败，杀恢及其三弟。泓哭之恸，葬以公礼。

太尉裕引水军发彭城，留其子彭城公义隆⑮镇彭城。诏以义隆为监徐、兖、青、冀四州诸军事，徐州刺史。

凉公暠寝疾⑯，遗命长史宋繇曰："吾死之后，世子犹卿子也，善训导之。"二月，暠卒，官属奉世子歆为大都督、大将军、凉公、领凉州牧。大赦，改元"嘉兴"。尊歆母天水尹氏为太后。以宋繇录三府事⑰。谥暠曰"武昭王"，庙号"太祖"。

西秦安东将军木弈干击吐谷浑树洛干，破其弟阿柴于尧杆川⑱，俘五千余口而还。树洛干走保白兰山⑲，惭愤发疾，将卒，谓阿柴曰："吾子拾虔幼弱，今以大事付汝。"树洛干卒，阿柴立，自称骠骑将军、沙州⑳刺史。谥树洛干曰"武王"。阿柴稍用兵侵并其傍小种㉑，地方数千里，遂为强国。

河西王蒙逊遣其将袭乌啼部㉒，大破之；又击卑和部㉓，降之。

王镇恶进军渑池㉔，遣毛德祖袭尹雅于蠡吾城㉕，禽之；雅杀守者而逃。镇恶引兵径前，抵潼关。

檀道济、沈林子自陕㉖北渡河㉗，拔襄邑堡㉘，秦河北㉙太守薛帛奔河东㉚。又攻秦并州刺史尹昭于蒲阪，不克。别将攻匈奴堡，为姚成都所败。

辛酉㉛，荥阳守将傅洪以虎牢㉜降魏。

而是向南攻打郿城。担任镇西将军的姚谌被姚恢打败，京师长安大为震动。秦主姚泓一面急忙派使者骑马飞速赶往东方征调东平公姚绍，一面派遣姚裕以及辅国将军胡翼度屯驻在沣水西岸。担任扶风郡太守的姚儁等全都投降了姚恢。东平公姚绍接到秦主姚泓的诏令，立即率领各路人马向西挺进，在灵台与姚恢展开对峙，担任抚军将军的姚讃留下担任宁朔将军的尹雅为弘农太守，率军守卫潼关，自己也率军返回。姚恢的部众看见各路人马从四面八方向他们集中，心中都很恐惧，部将齐黄等率先向朝廷军投降。姚恢率军向东平公姚绍的军队逼近，抚军将军姚讃率军从姚恢的背后发起攻击，姚恢军被打得大败，姚恢和他的三个弟弟全部被杀。后秦主姚泓哭得很悲痛，按照公爵的礼仪将姚恢安葬。

东晋太尉刘裕率领水军船舰从彭城出发西上，他将自己的儿子彭城公刘义隆留下镇守彭城。晋安帝司马德宗下诏任命彭城公刘义隆为监徐、兖、青、冀四州诸军事，徐州刺史。

西凉公李暠卧病在床，他给担任长史的宋繇留下遗言说："我死之后，我的世子李歆，你就把他当成你自己的儿子一样，要好好地管教、引导他。"二月，西凉公李暠去世，李暠属下的官员遂尊奉世子李歆为大都督、大将军、凉公，兼任凉州牧。实行大赦，改年号为"嘉兴"。尊奉凉公李歆的母亲、天水郡人尹氏为太后。任命宋繇担任录三府事。为凉公李暠上谥号为"武昭王"，庙号"太祖"。

西秦担任安东将军的木弈干率军攻击吐谷浑王慕容树洛干，在尧杆川击败了慕容树洛干的弟弟慕容阿柴，俘虏了五千多人而后返回。慕容树洛干退往白兰山坚守，由羞愧和愤怒引发疾病，竟然一病不起，临死之前，他对自己的弟弟慕容阿柴说："我的儿子慕容拾虔年纪还小，现在我就把国家大事托付给你。"慕容树洛干去世，慕容阿柴即位，自称骠骑将军、沙州刺史。为慕容树洛干上谥号为"武王"。慕容阿柴势力逐渐扩张，他不断出兵侵扰、吞并其周边一些少数民族的弱小部落，国土数千里，吐谷浑遂成为一个势力强大的国家。

北凉河西王沮渠蒙逊派遣属下将领率军袭击乌啼部落，将乌啼部落打得大败；又出兵袭击羌族卑和部落，卑和部落向沮渠蒙逊投降。

东晋担任龙骧将军的王镇恶率军向渑池挺进，他派遣毛德祖率军攻打后秦宁朔将军、弘农太守尹雅所据守的蠡吾城，将尹雅活捉；尹雅杀死了看守自己的士兵逃走。王镇恶率军径直向前，进抵潼关。

东晋担任冠军将军的檀道济、担任建武将军的沈林子从陕城向北渡过黄河，攻占了后秦的襄邑堡，后秦担任河北郡太守的薛帛逃往河东郡。檀道济等又率军攻打后秦并州刺史尹昭所据守的蒲阪，没有攻克。另外一名将领率军进攻匈奴堡，被后秦担任宁东将军的姚成都击败。

二月十九日辛酉，东晋镇守荥阳的将领傅洪献出虎牢，投降了北魏。

秦主泓以东平公绍为太宰、大将军、都督中外诸军事，假黄钺，改封鲁公，使督武卫将军姚鸾等步骑五万守潼关，又遣别将姚驴救蒲阪。

沈林子谓檀道济曰："蒲阪城坚兵多，不可猝拔，攻之伤众，守之引日[33]。王镇恶在潼关，势孤力弱，不如与镇恶合势并力，以争潼关。若得之，尹昭不攻自溃矣。"道济从之。

三月，道济、林子至潼关。秦鲁公绍引兵出战，道济、林子奋击，大破之，斩获以千数。绍退屯定城[34]，据险拒守，谓诸将曰："道济等兵力不多，悬军[35]深入，不过坚壁以待继援。吾分军绝其粮道，可坐禽也。"乃遣姚鸾屯大路[36]以绝道济粮道。

鸾遣尹雅将兵与晋战于关南[37]，为晋兵所获，将杀之。雅曰："雅前日已当死，幸得脱[38]至今，死固甘心。然夷、夏虽殊，君臣之义一也。晋以大义行师，独不使秦有守节之臣乎？"乃免之。

丙子[39]夜，沈林子将锐卒袭鸾营，斩鸾，杀其士卒数千人。绍又遣东平公讚屯河上以断水道，沈林子击之，讚败走，还定城。薛帛据河曲[40]来降。

太尉裕将水军自淮、泗入清河[41]，将溯河西上[42]，先遣使假道于魏[43]；秦主泓亦遣使请救于魏。魏主嗣使群臣议之，皆曰："潼关天险，刘裕以水军攻之，甚难。若登岸北侵[44]，其势便易。裕声言伐秦，其志难测。且秦，婚姻之国[45]，不可不救也。宜发兵断河上流，勿使得西。"博士祭酒[46]崔浩曰："裕图秦久矣。今姚兴死，子泓懦劣，国多内难。裕乘其危而伐之，其志必取。若遏其上流，裕心忿戾，必上岸北侵，是我代秦受敌也。今柔然寇边，民食又乏，若复与裕为敌，发兵南赴

后秦主姚泓任命东平公姚绍为太宰、大将军、都督中外诸军事，并授予姚绍象征生杀大权的镀金大斧，改封为鲁公，让他统领武卫将军姚鸾等与五万名步兵、骑兵守卫潼关，姚泓又派遣另一位将领姚驴率军增援蒲阪。

东晋建武将军沈林子对冠军将军檀道济说：“秦国的蒲阪城城池坚固，守军很多，不可能在短时间内将其攻克，如果强行进攻，肯定会造成很大伤亡，守在这里也是白白拖延时间。龙骧将军王镇恶目前正在潼关，他形势孤单，兵力很弱，我们不如与王镇恶合兵一处，齐心合力进攻潼关。如果将潼关攻克，秦国据守蒲阪的并州刺史尹昭就会不攻自破。”檀道济听取了沈林子的意见，遂移兵潼关。

三月，檀道济、沈林子率军抵达潼关。后秦镇守潼关的鲁公姚绍率军出战，檀道济、沈林子率领晋军奋力出击，将姚绍所率领的后秦军打得大败，斩杀、俘虏了上千人。姚绍退出潼关，撤往定城，据守险要，他对属下的诸将说：“晋国檀道济等人所率领的军队并不多，而且又是孤军深入我国境内，只不过是坚守营垒等待后面的援军。我们分出一部分兵力去截断他们运送粮食的通道，便很容易将他们擒获。”于是便派遣武卫将军姚鸾率军屯驻大路，据守险要以断绝东晋檀道济的粮道。

后秦武卫将军姚鸾派遣弘农太守尹雅率军与晋军在潼关以南展开会战，尹雅被东晋军活捉，晋军准备将尹雅杀死。尹雅说：“我前日被捉的时候就应该死，拖延到今天已属侥幸，我就是死，也死得心甘情愿。夷族人和汉人虽然有所不同，然而君臣之间的大义却是完全一样的。晋军为了正义而出兵，难道就唯独不能让秦国拥有坚守臣节的臣子吗?”晋军遂将尹雅赦免。

三月初四丙子夜间，东晋建武将军沈林子率领一支精锐部队偷袭后秦武卫将军姚鸾的军营，斩杀了姚鸾，杀死了姚鸾手下的士卒数千人。姚绍又派遣抚军将军、东平公姚讚率军驻扎在黄河岸边，以截断晋军的水上运输线，沈林子率军袭击姚讚，姚讚战败逃走，退回定城。后秦河北郡太守薛帛献出河曲向晋军投降。

东晋太尉刘裕亲自率领水军舰船从淮河、泗水进入清河，准备由清河进入黄河，然后逆流西上，他先派使者前往北魏，请求借道；后秦主姚泓也派使者前往北魏请求出兵相救。北魏皇帝拓跋嗣让群臣商议该怎么办，群臣都说：“潼关是一道天然险阻，刘裕率水军攻打潼关，很难将潼关攻克。如果刘裕在黄河北岸登陆，率军向北攻取魏国的黄河以北地区，那就容易多了。刘裕虽然对外宣称讨伐秦国，然而他的真正意图却很难预料。再说，秦国与我们是有婚姻关系的国家，不可以不出兵相救。我们应该发兵截断黄河上游，使晋军无法西进。”担任博士祭酒的崔浩说：“晋国刘裕图谋灭掉秦国已经很久了。如今姚兴已经去世，他的儿子姚泓性情愚昧，能力低下，国内又有太多的灾难。刘裕趁秦国面临危机的机会出兵讨伐，志在必得。如果我们遏制了黄河上游，刘裕心怀愤怒，一定会弃舟登岸向北入侵，这就等于我们在代替秦国挨打。如今柔然不断地进犯我国的边境地区，民众又缺乏足够的粮食，如果再

则北寇愈深，救北则南州[47]复危，非良计也。不若假之水道，听[48]裕西上，然后屯兵以塞其东[49]。使裕克捷，必德我之假道；不捷，吾不失救秦之名。此策之得者也。且南北异俗，借使[50]国家弃恒山以南[51]，裕必不能以吴、越之兵与吾争守[52]河北之地[53]，安能为吾患乎？夫为国计[54]者，惟社稷是利，岂顾一女子乎？”议者犹曰：“裕西入关，则恐吾断其后，腹背受敌。北上，则姚氏必不出关助我，其势必声西而实北也。”嗣乃以司徒长孙嵩督山东[55]诸军事，又遣振威将军娥清、冀州刺史阿薄干将步骑十万屯河北岸。

庚辰[56]，裕引军入河，以左将军向弥为北青州[57]刺史，留戍碻磝[58]。

初，裕命王镇恶等：“若克洛阳，须[59]大军到俱进。”镇恶等乘利径趋潼关[60]，为秦兵所拒，不得前。久之，乏食，众心疑惧，或欲弃辎重还赴大军。沈林子按剑怒曰：“相公[61]志清六合[62]，今许、洛已定，关右[63]将平，事之济否，系于前锋。奈何沮乘胜之气[64]，弃垂成之功[65]乎？且大军尚远，贼众方盛，虽欲求还，岂可得乎？下官授命不顾[66]，今日之事，当自为将军办之[67]，未知二三君子[68]将何面以见相公之旗鼓邪？”镇恶等遣使驰告裕，求遣粮援[69]。裕呼使者，开舫北户，指河上魏军以示之曰：“我语令勿进，今轻佻[70]深入。岸上如此，何由得遣军[71]？”镇恶乃亲至弘农[72]，说谕百姓，百姓竞送义租[73]，军食复振。

魏人以数千骑缘河随裕军西行。军人于南岸牵百丈[74]，风水迅急，有漂渡北岸者，辄为魏人所杀略[75]。裕遣军击之，裁登岸则走[76]，退则

与晋国的刘裕为敌，我们出兵南下攻晋，则北方的柔然必定越来越深入地侵入我国境内，到那时，如果回军救援北方，则南面的州郡又将陷入危险的境地，这不是好办法。不如将水道借与东晋，允许他们顺黄河西进，而我们则派军队在东方驻扎，阻断刘裕顺黄河返回的退路。如果刘裕讨伐秦国取得了胜利，必定会感谢我们借路给他；如果刘裕不能取胜，我们也拥有救援秦国的美名。这才是两全其美的好计策。而且南方与北方风俗完全不同，假如我们放弃了恒山以南，刘裕也一定不会出动吴越之兵来与我们争夺黄河以北之地，又怎么能成为我国的灾祸呢？为国家出谋划策，必须把国家利益放在第一位，只要对国家有利，难道还会因为一个女子而置国家利益于不顾吗？”群臣还是坚持说：“晋刘裕西上进入潼关，一定会担心我们切断他的后路，而使自己腹背受敌。如果弃舟登岸，率军北上，则秦国姚氏肯定不会派兵出关来帮助我国，刘裕势必会采取声称西上伐秦，而实际上率军北进入侵我国的策略。”北魏皇帝拓跋嗣于是任用担任司徒的长孙嵩为督山东诸军事，又派遣担任振威将军的娥清、担任冀州刺史的阿薄干率领十万名步兵、骑兵戍守在黄河北岸。

三月初八庚辰，刘裕率领水军船舰进入黄河，他任命担任左将军的向弥为北青州刺史，率军戍守碻磝。

当初，刘裕吩咐龙骧将军王镇恶等说：“如果你们攻克了洛阳，必须等到主力大军全部到齐之后，再一同进军。”而王镇恶等却乘胜径直进军潼关，结果遭到后秦军的顽强抵抗而无法前进。时间一久，军中缺粮，军心疑惧恐慌，就有人想要丢弃军中辎重撤退，等待与后面的主力大军会合。建武将军沈林子手按宝剑愤怒地说：“刘裕丞相立志要扫清六合，统一天下，如今许昌、洛阳都已经被我们平定，关右地区也即将平定，事情能否成功，关键全在于前锋。为什么要败坏我们乘胜前进的士气，抛弃即将到手的成功呢？而且我们的主力大军距离这里还很遥远，秦军人多气盛，即使我们想要退回去，又岂能退得回去？我这个下级官吏既然接受了命令，就要豁出性命干到底，今天的事情，就由我自己率军去为将军完成任务，不知你们这几位君子有什么脸面回去见刘丞相的军旗和战鼓？”龙骧将军王镇恶等立即派使者飞马向刘裕报告，请求派遣军队、支援粮草。刘裕把王镇恶所派的使者叫到面前，然后打开舰船北面的窗户，指着河北岸边的魏军让使者看，刘裕说：“我告诉你们不要单独进军，如今你们却如此轻率地深入敌境。岸上的情况就是这样，我怎么派得出军队去增援你们？”王镇恶于是亲自前往弘农，劝说百姓，于是，弘农的百姓争相为晋军缴纳粮饷，军队有了粮食，士气重新振作起来。

北魏派出数千名骑兵沿着黄河北岸，紧紧跟随着晋军的舰船西行。晋军的士兵在黄河南岸用一百丈长的纤绳拉着舰船逆水西行，风大，水流湍急，有的船只因为被风浪折断了纤绳而漂向北岸，一些士兵就被魏军诛杀或俘虏。刘裕派军队上岸袭击魏军，晋军一上岸，北魏军就立即撤走，晋军一回到船上，魏军就又回来，继续

复来⑰。夏，四月，裕遣白直队主⑱丁旿帅仗士⑲七百人、车百乘，渡北岸，去水百余步，为却月阵⑳，两端抱河㉑，车置七仗士，事毕，使竖一白毦㉒。魏人不解其意，皆未动。裕先命宁朔将军朱超石戒严㉓，白毦既举，超石帅二千人驰往赴之㉔，赍大弩百张，一车益㉕二十人，设彭排㉖于辕上。魏人见营阵既立，乃进围之。长孙嵩帅三万骑助之，四面肉薄㉗攻营，弩不能制㉘。时超石别赍大锤及矟㉙千余张，乃断矟长三四尺㉚，以锤锤之㉛，一矟辄洞贯三四人。魏兵不能当，一时奔溃，死者相积。临陈斩阿薄干，魏人退还畔城㉜[2]。超石帅宁朔将军胡藩、宁远将军刘荣祖追击，又破之，杀获千计。魏主嗣闻之，乃恨不用崔浩之言。

秦鲁公绍遣长史姚洽、宁朔将军安鸾、护军姚墨蠡、河东太守唐小方帅众二[3]千屯河北之九原㉝，阻河为固㉞，欲以绝檀道济粮援㉟。沈林子邀击，破之，斩洽、墨蠡、小方，杀获殆尽。林子因启太尉裕曰："绍气盖关中，今兵屈于外，国危于内，恐其凶命先尽㊱，不得以膏齐斧㊲耳。"绍闻洽等败死，愤恚，发病呕血，以兵属东平公讚而卒。讚既代绍，众力犹盛，引兵袭林子，林子复击破之。

太尉裕至洛阳，行视城堑㊳，嘉毛脩之㊴完葺㊵之功，赐衣服玩好，直二千万㊶。

丁巳㊷，魏主嗣如高柳㊸。壬戌㊹，还平城。

河西王蒙逊大赦。遣张掖太守沮渠广宗诈降，以诱凉公歆，歆发兵应之。蒙逊将兵三万伏于蓼泉㊺，歆觉之，引兵还。蒙逊追之，歆与战于解支涧㊻，大破之，斩首七千余级。蒙逊城建康㊼，置戍㊽而还。

在岸上跟随。夏季，四月，刘裕派遣从平民壮丁中选出的值勤卫队的队长丁旿率领七百名手持长兵器的士兵、一百辆车，在黄河北岸登陆，在距离黄河一百多步远的地方构筑起一个月牙式的阵形，以河岸作为月弦，两端联结到河边，中间向北突出，每辆战车有七名手持长兵器的士兵，布置完毕，就竖起一面用白色羽毛做装饰的长竿。北魏军面对这样的阵形，不知道晋军要做什么，于是便不敢妄动。刘裕先令担任宁朔将军的朱超石做好战斗准备，等到白色的羽毛长竿一举起来，朱超石便率领着二千人飞快地进入却月形阵地，他们携带着一百张强弩，每辆战车上增加了二十人，在车辕上支起防箭的盾牌。北魏军看到晋军已经布好阵，于是便上前围攻。北魏司徒长孙嵩率领着三万名骑兵前来增援魏军，他们从四面八方向却月阵压了过来，阵中靠强弩射箭也无法阻止魏军的进攻。当时朱超石还携带着一些大铁锤以及一千多支丈八长矛，他就把长矛的长杆截短，做成一批长三四尺的短矛，用铁锤锤击短矛，一矛刺出去就能同时刺穿三四个人。魏军抵挡不住这种新式兵器的进攻，一时之间溃不成军，争相逃命，死者的尸体多得都堆积起来。东晋军在反击中斩杀了北魏冀州刺史阿薄干，魏军撤退到畔城。朱超石率领着宁朔将军胡藩、宁远将军刘荣祖追杀魏军，再次将魏军打败，杀死、俘虏了上千人。北魏皇帝拓跋嗣得知消息以后，这才后悔当初没有采纳博士祭酒崔浩的意见。

后秦鲁公姚绍派遣担任长史的姚洽、担任宁朔将军的安鸾、担任护军的姚墨蠡、担任河东郡太守的唐小方率领二千人屯扎在河北郡的九原，依靠黄河天险，想要断绝向东晋冠军将军檀道济提供粮食援助的通道。建武将军沈林子率军出击，将魏军打败，杀死了北魏长史姚洽、护军姚墨蠡、河东太守唐小方，将二千名魏军连杀死带俘虏，几乎一网打尽。沈林子于是启奏太尉刘裕说：“秦鲁公姚绍的威势压倒关中所有的人，如今他的大军在外遭遇失败，国家内部又危机四伏，恐怕他等不到我们攻入长安，用大斧砍下他的人头，就先自己死掉了。”姚绍听到姚洽等战败阵亡的消息，不由得愤恨交加，竟然因此病倒，口吐鲜血，他把兵权交给东平公姚讚之后，就一命呜呼了。东平公姚讚接替了姚绍，兵力仍然很强盛，他率军袭击东晋建武将军沈林子，沈林子又把姚讚打得大败。

东晋太尉刘裕抵达洛阳，巡行视察洛阳的城墙与护城河，嘉奖毛脩之整理修护有功，赏赐给毛脩之的衣服、珍玩等价值两千万。

四月十六日丁巳，北魏皇帝拓跋嗣前往高柳。二十一日壬戌，从高柳返回京师平城。

北凉河西王沮渠蒙逊实行大赦。他派遣担任张掖太守的沮渠广宗向西凉公李歆诈降，诱骗李歆出兵接应，李歆果然出兵接应沮渠广宗。河西王沮渠蒙逊率领三万人马埋伏在蓼泉，西凉公李歆发觉后，率军返回。沮渠蒙逊率军追击，李歆率军与沮渠蒙逊在解支涧展开激战，大败北凉军，斩杀了北凉军七千多人。沮渠蒙逊修整建康城，建立了防守据点之后返回姑臧。

五月乙未[109]，齐郡[110]太守王懿降于魏，上书言："刘裕在洛，宜发兵绝其归路，可不战而克。"魏主嗣善之。

崔浩侍讲在前，嗣问之曰："刘裕伐姚泓，果能克乎？"对曰："克之。"嗣曰："何故？"对曰："昔姚兴好事虚名而少实用，子泓懦而多病，兄弟乖争[111]。裕乘其危，兵精将勇，何故不克！"嗣曰："裕才何如慕容垂？"对曰："胜之。垂借父兄[112]之资，修复旧业[113]，国人归之，若夜虫之就火，少加倚仗，易以立功。刘裕奋起寒微，不阶尺土[114]，讨灭桓玄，兴复晋室[115]，北禽慕容超[116]，南枭卢循[117]，所向无前，非其才之过人，安能如是乎！"嗣曰："裕既入关，不能进退，我以精骑直捣彭城[118]、寿春[119]，裕将若之何？"对曰："今西有屈丏[120]，北有柔然，窥伺国隙。陛下既不可亲御六师[121]，虽有精兵，未睹良将。长孙嵩长于治国，短于用兵，非刘裕敌也。兴兵远攻，未见其利，不如且安静以待之。裕克秦而归，必篡其主。关中华、戎杂错[122]，风俗劲悍[123]；裕欲以荆、扬之化[124]施之函、秦[125]，此无异解衣包火、张罗捕虎[126]。虽留兵守之，人情未洽[127]，趋尚[128]不同，适足为寇敌之资[129]耳。愿陛下按兵息民以观其变，秦地终为国家之有，可坐而守[130]也。"嗣笑曰："卿料之审[131]矣！"浩曰："臣尝私论近世将相之臣：若王猛[132]之治国，苻坚之管仲[133]也；慕容恪[134]之辅幼主，慕容暐之霍光[135]也；刘裕之平祸乱，司马德宗之曹操[136]也。"嗣曰："屈丏何如？"浩曰："屈丏国破家覆[137]，孤子一身，寄食姚氏，受其封殖[138]。不思酬恩报义，而乘时徼利[139]，盗有一方[140]，结怨四邻[141]。撅竖[142]小人，虽能纵暴一时，终当为人所吞食耳。"

五月二十四日乙未，东晋担任齐郡太守的王懿投降了北魏，他上疏给北魏皇帝拓跋嗣说："刘裕正在洛阳，应该发兵截断他的归路，可以不用打仗就能取胜。"北魏皇帝拓跋嗣认为王懿说得有道理。

北魏担任博士祭酒的崔浩在北魏皇帝拓跋嗣面前为他讲解经书，拓跋嗣向他询问说："刘裕讨伐秦国的姚泓，你认为他能够成功吗？"崔浩回答说："能。"拓跋嗣进一步追问说："为什么？"崔浩回答说："以前，秦王姚兴喜爱虚名，所以做事往往不切合实际，他的儿子姚泓性情懦弱而又体弱多病，兄弟之间为权力而互相争斗。刘裕能够抓住这个机会讨伐后秦，而且军队精锐，将领勇敢，怎么能不取得胜利！"拓跋嗣说："刘裕的才能与燕主慕容垂比起来，谁更强一些？"崔浩回答说："刘裕超过慕容垂。慕容垂是靠了自己的父亲、哥哥遗留下来的政治资本，重新建立了燕国，鲜卑人归附于他，就像是夜间的昆虫追赶光明一样，依靠了他们，只要稍加努力，就很容易建立功勋。而刘裕崛起于平民阶层，没有一尺土地作为起事的根基，却能灭掉桓玄，兴复晋室，向北征讨燕国，擒获了燕主慕容超，在南方击败乱民首领卢循，将卢循枭首示众，大军所向没有敌手，如果不是他的才智过人，怎么能够如此呢！"拓跋嗣说："刘裕现在进入关中，进不能进，退不能退，我如果率领精锐骑兵直接去攻打晋国的彭城、寿春，刘裕会怎么样？"崔浩回答说："如今我们国家的西部有赫连勃勃建立的夏国，北方有柔然，他们都在窥伺着我们的动静，寻找有利时机进攻我们。陛下既不能亲自统御六军，御驾亲征，虽然拥有精兵，却没有优秀的将领统率全军。司徒长孙嵩的长处在于治理国家，而不擅长用兵打仗，他肯定不是刘裕的对手。发动军队远征他国，我看不出有任何好处，不如暂且安静地等待。刘裕灭掉秦之后返回晋国，一定会篡夺他主人的政权。关中是汉人与少数民族杂居的地区，风俗强悍、好战；刘裕用治理荆州、扬州那一套办法来治理函谷关及以西的故秦国之地，这与脱下衣服来包火，张开罗网来捕捉老虎没有什么两样。虽说刘裕肯定会留下军队守卫关中，然而关中人心不服，要求、想法各不相同，恰好为其他敌寇提供了资本。希望陛下按兵不动，使人民得到休息，静观其变，秦国的疆土最终肯定会归我国所有，陛下可以坐在这里守候机会的到来。"拓跋嗣笑着说："你算是把形势分析透彻了！"崔浩说："我曾经私下里评论近世的一些宰相、将帅：像王猛治理国家，那简直就是秦王苻坚的'管仲'；燕国的慕容恪辅佐幼主，就是燕主慕容暐的'霍光'；晋国太尉刘裕平定国内外的祸乱，那就是晋安帝司马德宗的'曹操'。"拓跋嗣又问："赫连勃勃这个人怎么样？"崔浩回答说："赫连勃勃在国破家亡的情况下，只剩孑然一身，在秦姚氏那里混饭吃，并接受了姚氏的官爵和封地。他不仅不想报答姚氏的大恩大德，却趁着姚氏危难之时谋求私利，在统万建立了夏国，又与邻国全都结下仇怨。总而言之，赫连勃勃是一个突然冒起的小人，虽然能够逞暴肆虐于一时，最终仍然免不了被别人所吞并。"拓跋嗣听了崔浩的一番话，

嗣大悦，语至夜半，赐浩御缥醪[143]十觚[144]，水精盐一两，曰："朕味卿言，如此盐酒，故欲与卿共飨其美。"然犹命长孙嵩、叔孙建各简精兵，伺裕西过，自成皋济河，南侵彭、沛[145]；若不时过[146]，则引兵随之[147]。

魏主嗣西巡至云中[148]，遂济河[149]，畋于大漠。

魏置天地四方六部大人[150]，以诸公[151]为之。

秋，七月，太尉裕至陕。沈田子、傅弘之入武关[152]，秦戍将皆委城走，田子等进屯青泥[153]。秦主泓使给事黄门侍郎姚和都屯峣柳[154]以拒之。

西秦相国翟勍卒。八月，以尚书令昙达为左丞相，左仆射元基为右丞相，御史大夫麹景为尚书令，侍中翟绍为左仆射。

太尉裕至阌乡[155]。沈田子等将攻峣柳。秦主泓欲自将以御裕军，恐田子等袭其后，欲先击灭田子等，然后倾国东出。乃帅步骑数万，奄至青泥。田子本为疑兵[156]，所领裁千余人，闻泓至，欲击之。傅弘之以众寡不敌止之，田子曰："兵贵用奇，不必在众。且今众寡相悬，势不两立，若彼结围既固，则我无所逃矣。不如乘其始至，营陈未立，先薄[157]之，可以有功。"遂帅所领先进，弘之继之。秦兵合围数重。田子抚慰士卒曰："诸君冒险远来，正求今日之战，死生一决，封侯之业于此在矣！"士卒皆踊跃鼓噪，执短兵奋击。秦兵大败，斩馘[158]万余级，得其乘舆服御物[159]，秦主泓奔还灞上[160]。

初，裕以田子等众少，遣沈林子将兵自秦岭[161]往助之；至则秦兵

非常高兴，与崔浩一直谈论到半夜，他把御用的十觚美酒、一两水精盐赏赐给崔浩，拓跋嗣说："我仔细品味你所说的话，就像这些水精盐、美酒一样令人回味无穷，所以就想与你共同享用这些美味。"虽然如此，拓跋嗣还是命令担任司徒的长孙嵩、担任中领军的叔孙建各自挑选精锐部队，等到东晋太尉刘裕率军西进之后，立即率军从成皋向南渡过黄河，进犯东晋的彭城、沛郡；如果刘裕没有按北魏估测的时间通过，则依然像先前一样，继续率军沿着黄河北岸紧紧跟随晋军。

北魏皇帝拓跋嗣前往魏国的西部巡视，抵达云中之后，便向西渡过黄河，到大漠中打猎。

北魏按照天、地、东、西、南、北设置为六个部，六个部的大人都由身居公爵之位或享受公爵待遇的人担任。

秋季，七月，东晋太尉刘裕率军抵达陕城，振武将军沈田子、建威将军傅弘之率军进入武关，后秦守将全都弃城逃走，沈田子等没有遭遇什么抵抗就顺利地挺进到青泥关。后秦皇帝姚泓赶紧派遣担任给事黄门侍郎的姚和都率军进驻峣柳抵抗晋军。

西秦担任相国的翟勍去世。八月，西秦王乞伏炽磐任命担任尚书令的昙达为左丞相，任命担任左仆射的元基为右丞相，任命担任御史大夫的麹景为尚书令，任命担任侍中的翟绍为左仆射。

东晋太尉刘裕率领大军抵达阌乡。振武将军沈田子等准备攻打峣柳。后秦主姚泓想要亲自率军抵御刘裕所率领的东晋军，又担心沈田子等率军袭击自己的后方，于是便准备先消灭沈田子等，然后再出动全国的兵力东下与刘裕决战。遂率领数万名步兵、骑兵，突然向驻扎在青泥的沈田子等发起攻击。沈田子所率领的原本是为了虚张声势以迷惑敌人的一支小部队，只有一千多人，他听到后秦主姚泓亲自率军前来的消息，就想出兵迎战姚泓。建威将军傅弘之因为担心寡不敌众，所以劝阻沈田子，沈田子说："用兵打仗，贵在出其不意，而不一定在于人多。再说，目前我军与姚泓所率领的秦军相比，兵力相差悬殊，势必不能并存，如果等到姚泓建立起牢固的营垒，我们恐怕连逃跑都找不到地方了。不如趁着秦军刚刚到达，立足未稳，营阵还没有建立的机会，我们率先出击，完全可以取得胜利。"于是便率领自己部下的一千多名士兵先行前进，傅弘之也紧随其后。后秦军把沈田子等重重包围起来。沈田子激励属下的士兵说："各位冒着生命危险远道而来，正是为了今天的这一场战斗，生死对决，能不能拜官封侯，就看今天了！"士兵全都欢呼雀跃起来，他们擂起战鼓，大声呐喊着，手持短兵器奋勇杀向后秦军。后秦军抵挡不住晋军的猛烈攻击，很快便败下阵来，沈田子等仅这一仗就斩杀了后秦军一万多人，缴获了后秦主姚泓的御用车辆、衣服以及各种器物，后秦主姚泓逃回灞上。

当初，刘裕认为沈田子等所率领的军队人数太少，就派遣建武将军沈林子率军从秦岭出发，前往青泥增援沈田子等；等到沈林子率军到达青泥的时候，秦军已经

已败，乃相与追之，关中郡县多潜送款[162]于田子。

辛丑[163]，太尉裕至潼关，以朱超石为河东[164]太守，使与振武将军徐猗之会薛帛于河北[165]，共攻蒲阪。秦平原公璞[166]与姚和都[167]共击之，猗之败死，超石奔还潼关。东平公讚遣司马国璠引魏兵以蹑[168]裕后。

王镇恶请帅水军自河入渭以趋长安，裕许之。秦恢武将军姚难自香城[169]引兵而西，镇恶追之。秦主泓自灞上引兵还屯石桥[170]以为之援，镇北将军姚彊与难合兵屯泾上[171]以拒镇恶。镇恶使毛德祖进击，破之，彊死，难奔长安。

东平公讚退屯郑城[172]，太尉裕进军逼之。泓使姚丕守渭桥[173]，胡翼度屯石积[174]，东平公讚屯灞东[175]，泓屯逍遥园[176]。

镇恶溯渭而上，乘蒙冲[177]小舰，行船者皆在舰内。秦人见舰进而无行船者，皆惊以为神。壬戌旦[178]，镇恶至渭桥，令军士食毕，皆持仗登岸，后登者斩。众既登，渭水迅急，舰皆随流，倏忽不知所在。时泓所将尚数万人。镇恶谕士卒曰："吾属并家在江南，此为长安北门，去家万里，舟楫、衣粮皆已随流。今进战而胜，则功名俱显；不胜，则骸骨不返，无他岐[179]矣。卿等勉之！"乃身先士卒，众腾踊争进，大破姚丕于渭桥。泓引兵救之，为丕败卒所蹂践，不战而溃。姚谌等皆死，泓单马还宫。镇恶入自平朔门[180]，泓与姚裕等数百骑逃奔石桥。东平公讚闻泓败，引兵赴[181]之，众皆溃去。胡翼度降于太尉裕。

泓将出降，其子佛念，年十一，言于泓曰："晋人将逞其欲[182]，虽降必不免，不如引决[183]。"泓怃然不应。佛念登宫墙自投而死。癸亥[184]，

被沈田子等打败，于是便与沈田子等一同追击败逃的后秦军，关中有很多郡县暗中送信向沈田子投降。

八月初二辛丑，东晋太尉刘裕率军到达潼关，他任命朱超石为河东太守，令他与担任振武将军的徐猗之前往河北会合后秦降将薛帛，一同攻打蒲阪。后秦平原公姚璞与担任给事黄门侍郎的姚和都一同率军反击东晋军，徐猗之战败阵亡，朱超石跑回潼关。后秦东平公姚讚派遣担任扬州刺史的司马国璠引领北魏军紧紧跟随在刘裕大军之后。

东晋龙骧将军王镇恶向太尉刘裕请求允许自己率领水军乘坐舰船从黄河进入渭水，直接去攻打后秦的都城长安，刘裕批准了王镇恶的请求。后秦恢武将军姚难率军从香城向西撤退，王镇恶率军随后追击。后秦主姚泓从灞上率军返回，屯驻在长安城北面的石桥，作为声援，后秦担任镇北将军的姚彊与恢武将军姚难联合屯驻在泾水河畔，抵抗王镇恶等所率晋军的攻击。王镇恶令毛德祖率军进攻后秦的姚彊与姚难，毛德祖将姚彊、姚难打得大败，姚彊战死，姚难逃回了京师长安。

后秦东平公姚讚率军退守郑城，东晋太尉刘裕率领大军逼近郑城。后秦主姚泓令姚丕守卫渭桥，令辅国将军胡翼度率军屯扎在石积，令东平公姚讚屯驻在灞水以东，姚泓率军屯驻在逍遥园。

东晋龙骧将军王镇恶率领水军舰船进入渭水，逆流而上，所有水军全部乘坐在上有篷盖的战船之内。后秦军只看见舰船在渭水中逆流而上，却看不见有人划船，感到非常惊奇，以为是神仙下凡。八月二十三日壬戌清晨，王镇恶率领水军舰船抵达渭桥，他下令军士吃完早饭，全都手持兵器，立即弃船登岸，行动迟缓的立即斩首。众军士登上河岸以后，由于渭水湍急，船上无人，舰船全都随水漂流，不一会的工夫就不知道漂到哪里去了。当时，后秦主姚泓属下还有数万人。王镇恶激励士卒说:“我们这些人的家全都在江南，我们现在所在的地方就是秦国的都城长安的北门，离家已经有万里之遥，我们所乘坐的船只、所穿的衣服、所吃的粮食全都顺水流走。如果能够奋勇向前，拼死作战，取得胜利，就可以建立大功，扬名天下；如果不能取胜，就连尸骨都回不了江南老家，我们已经没有别的路可走。你们要努力作战，击败敌人!”于是身先士卒杀向敌军，众军士更是奋勇争先，于是在渭水河桥大败姚丕的秦军。驻扎在逍遥园的秦主姚泓赶紧率军来救，却遭到溃退下来的姚丕军的冲击践踏，没等与晋军交战就自行溃败。镇西将军姚谌等全都阵亡，姚泓单枪匹马逃回皇宫。王镇恶紧跟着也从平朔门进入长安，姚泓赶紧与姚裕等带着数百名骑兵逃往石桥。秦东平公姚讚听说姚泓已经战败，立即率领手下兵众赶来救援，然而兵众全部溃逃而去。秦辅国将军胡翼度向东晋太尉刘裕投降。

姚泓准备出城向晋军投降，姚泓的儿子姚佛念，年仅十一岁，他对姚泓说:“晋国的将领一定会为所欲为，即使我们向他们投降也免不了一死，还不如自杀。”姚泓内心非常失落、悲伤，他没有回答。姚佛念于是登上宫墙，然后从上面跳下来摔死了。

泓将妻子、群臣诣镇恶垒门请降，镇恶以属吏[185]。城中夷、晋六万余户，镇恶以国恩抚慰[186]，号令严肃，百姓安堵[187]。

九月，太尉裕至长安，镇恶迎于灞上。裕劳之曰："成吾霸业者，卿也！"镇恶再拜谢曰："明公之威，诸将之力，镇恶何功之有？"裕笑曰："卿欲学冯异[188]邪？"镇恶性贪，秦府库盈积，镇恶盗取不可胜纪。裕以其功大，不问。或谮[189]诸裕曰："镇恶藏姚泓伪辇，将有异志。"裕使人觇[190]之，镇恶剔取其金银，弃辇于垣侧[191]，裕意乃安。

裕收秦彝器[192]、浑仪[193]、土圭[194]、记里鼓[195]、指南车送诣建康。其余金玉、缯帛、珍宝，皆以颁赐将士。秦平原公璞、并州刺史尹昭以蒲阪降，东平公讚帅宗族百余人诣裕降，裕皆杀之。送姚泓至建康，斩于市[196]。裕以薛辩为平阳[197]太守，使镇捍北道[198]。

裕议迁都洛阳，谘议参军王仲德曰："非常之事，固非常人所及[199]，必致骇动。今暴师日久，士卒思归，迁都之计，未可议也。"裕乃止。

羌众十余万口西奔陇上[200]，沈林子追击至槐里[201]，俘虏万计。

河西王蒙逊闻太尉裕灭秦，怒甚。门下校郎[202]刘祥入言事，蒙逊曰："汝闻刘裕入关，敢研研然[203]也！"遂斩之。

初，夏王勃勃闻太尉裕伐秦，谓群臣曰："姚泓非裕敌也。且其兄弟内叛，安能拒人？裕取关中必矣。然裕不能久留，必将南归，留子弟及诸将守之，吾取之如拾芥耳。"乃秣马砺兵[204]，训养士卒，进据安定[205]，秦岭北郡县镇戍[206]皆降之。裕遣使遗勃勃书，约为兄弟。

八月二十四日癸亥，姚泓带着自己的妻子儿女、满朝的文武官员前往东晋龙骧将军王镇恶的营垒门前请求投降，王镇恶将他们交付给属下官吏专门看管。长安城中的少数民族、汉人总计有六万多户，王镇恶以东晋朝廷的名义，对他们进行安抚和慰问，军中号令严明，百姓生活没有受到任何惊扰，依旧安居乐业。

九月，东晋太尉刘裕抵达长安，龙骧将军王镇恶前往灞上迎接。刘裕慰劳他说："是你成就了我的王霸之业！"王镇恶向刘裕一再磕头道谢说："是靠了明公的神威、诸位将领的努力，才取得了如此伟大的胜利，我王镇恶哪有什么功劳？"刘裕笑着说："你难道想要学习冯异吗？"王镇恶性情贪婪，后秦国府库中财货堆积，王镇恶趁机盗取的财货不可胜数。刘裕因为王镇恶灭后秦功劳巨大，因而没有追问。有人向刘裕打小报告说："王镇恶私藏秦主姚泓御用的车辇，恐怕将有篡位的野心。"刘裕于是派人前去暗中探查，发现王镇恶剥取车辇上的金银后，就把车辇丢弃在院墙边，刘裕心里才算踏实下来。

刘裕接收了后秦宗庙中的祭器、浑天仪、观测日影的土圭、用来测算里程的记里鼓以及指南车等，全部送往东晋的京师建康。其他的金玉、丝绸、珍宝等全部赏赐给有功将士。后秦平原公姚璞、并州刺史尹昭献出蒲阪向晋军投降，东平公姚讚带领着后秦国皇室成员一百多人到刘裕面前投降，刘裕把他们全部杀掉。只将后秦主姚泓押送到京师建康，绑缚到闹市中斩首。刘裕任薛辩为平阳郡的太守，让他捍卫北方边界的安全。

东晋太尉刘裕提议将都城迁往洛阳，担任谘议参军的王仲德说："迁都之事，是一件非同一般的大事，原本不是一般人所能理解的，一旦宣布迁都，必然引起震惊和骚动。如今军队在外面征战的时间已经很长了，士卒都想尽早返回家乡，现在不是商议迁都之事的时候。"刘裕只好作罢。

十多万羌人向西逃往陇上，东晋建武将军沈林子率军追击，一直追到槐里，俘虏了上万人。

北凉河西王沮渠蒙逊听到东晋太尉刘裕率军灭掉了后秦，非常愤怒。担任门下校郎的刘祥进来向他奏报事情，沮渠蒙逊便斥责他说："你听说晋国太尉刘裕已经率军入关灭掉了秦国，竟敢如此喜形于色，多嘴多舌！"遂将刘祥斩首。

当初，夏王赫连勃勃听到东晋太尉刘裕率军讨伐后秦的消息，就对属下的群臣说："秦主姚泓不是晋国刘裕的对手。而且他的兄弟们纷纷在国内搞叛乱，哪里还有力量抵抗外敌？刘裕肯定能够夺取关中之地。然而，刘裕在关中肯定不会停留很久，必将很快南归，他会留下自己的子弟以及诸将镇守关中，到那时我再去攻取关中，就如同弯下腰从地上拾取一根小草那样容易了。"于是喂养马匹、磨砺兵器，训练储备士兵，进驻安定，后秦岭北地区各郡县以及军事据点的守军全部投降了赫连勃勃。东晋太尉刘裕派使者送给赫连勃勃一封书信，想与赫连勃勃结为兄弟。

勃勃使中书侍郎皇甫徽为报书而阴诵之[207]，对裕使者[208]口授舍人[209]使书之。裕读其文，叹曰："吾不如也！"

广州刺史谢欣卒，东海人徐道期聚众攻陷州城[210]，进攻始兴[211]，始兴相彭城刘谦之讨诛之。诏以谦之为广州刺史。

癸酉[212]，司马休之、司马文思、司马国璠、司马道赐、鲁轨、韩延之、刁雍[213]、王慧龙，及桓温之孙道度、道子，族人桓谧、桓璲，陈郡袁式等皆诣魏长孙嵩降[214]。秦匈奴镇将[215]姚成都及弟和都举镇降魏。魏主嗣诏民间得姚氏子弟送平城者赏之。冬，十月己酉[216]，嗣召长孙嵩等还。司马休之寻卒于魏。魏赐国璠爵淮南公，道赐爵池阳子，鲁轨爵襄阳公。刁雍表求南鄙[217]自效，嗣以雍为建义将军。雍聚众于河、济[218]之间，扰动徐、兖[219]，太尉裕遣兵讨之，不克。雍进屯固山[220]，众至二万。

诏进宋公爵为王，增封十郡，辞不受。

西秦王炽磐遣左丞相昙达等击秦故将姚艾[221]，艾遣使称藩[222]，炽磐以艾为征东大将军、秦州牧。征[223]王松寿为尚书左仆射。

十一月，魏叔孙建等讨西山丁零[224]翟蜀洛支[225]等，平之。

辛未[226]，刘穆之卒。太尉裕闻之，惊恸哀惋者累日。始，裕欲留长安经略西北[227]，而诸将佐皆久役思归，多不欲留。会穆之卒，裕以根本无托[228]，遂决意东还。

穆之之卒也，朝廷恇惧，欲发诏，以太尉左司马徐羡之[229]代之。中军谘议参军张邵曰："今诚急病[230]，任终在徐[231]；然世子无专命[232]，宜须谘之[233]。"裕欲以王弘[234]代穆之，从事中郎谢晦曰："休元轻易[235]，

赫连勃勃令担任中书侍郎的皇甫徽代写一封回信，自己先暗暗地默记在心，然后当着刘裕使者的面，嘴里念着，让舍人照口授的内容书写。刘裕读了赫连勃勃的回信，叹了一口气说：“我不如赫连勃勃！”

东晋担任广州刺史的谢欣去世，东海郡人徐道期聚众起兵，攻陷了广州州城，并乘胜进攻始兴，担任始兴相的彭城人刘谦之率军讨伐徐道期，将徐道期诛灭。东晋安帝司马德宗下诏任命刘谦之为广州刺史。

九月初四癸酉，司马休之、司马文思、司马国璠、司马道赐、鲁轨、韩延之、刁雍、王慧龙，以及桓温的孙子桓道度、桓道子，族人桓谧、桓璲，陈郡人袁式等全都跑到北魏担任司徒的长孙嵩那里投降。后秦镇守匈奴堡的宁东将军姚成都与他的弟弟、担任给事黄门侍郎的姚和都献出匈奴堡投降了北魏。北魏皇帝拓跋嗣下诏民间，凡是得到后秦姚氏子弟，并将其送往京师平城的，一律有赏。冬季，十月十一日己酉，北魏皇帝拓跋嗣将跟随东晋军的司徒长孙嵩等召回平城。投降北魏的司马休之不久便死在魏国。北魏封司马国璠为淮南公爵，封司马道赐为池阳子爵，封鲁轨为襄阳公爵。刁雍上表给北魏皇帝拓跋嗣，请求到魏国的南部边疆效力，拓跋嗣遂任命刁雍为建义将军。刁雍在黄河、济水之间集结部众，不断侵扰东晋的徐州、兖州，东晋太尉刘裕派兵前去讨伐，却没能取胜。刁雍继续向前推进，驻扎在固山，部众已经发展到二万人。

东晋安皇帝司马德宗下诏，晋封担任太尉的宋公刘裕为宋王，增加十个郡的封地，刘裕推辞了，没有接受。

西秦王乞伏炽磐派遣担任左丞相的昙达等率军攻击后秦故将姚艾所镇守的上邽，姚艾派遣使者前往西秦的都城枹罕晋见西秦王乞伏炽磐，请求做西秦的属国，西秦王乞伏炽磐任命姚艾为征东大将军、秦州牧。将担任秦州刺史的王松寿召回京师，任命王松寿为尚书左仆射。

十一月，北魏征南大将军叔孙建等率军讨伐占据西山的丁零部落首领翟蜀洛支等，将翟蜀洛支制服。

十一月初三辛未，刘穆之去世。太尉刘裕得知消息，非常震惊、哀痛、惋惜，一连几天心情都不能平静。刘裕在攻克后秦都城长安的最初日子里，本来准备留在长安，经营、开拓西北，而属下的诸位将佐都因为长时间在外统兵打仗，很想回家，多数人都不愿意留在长安。正遇上刘穆之逝世，刘裕感到朝廷之中没有了可以托付大事之人，这才决定率军返回。

刘穆之去世之后，东晋朝廷非常惶恐，就准备发布诏书，任命太尉刘裕的左司马徐羡之代替刘穆之的职位。担任中军谘议参军的张邵说：“现在事情的确很紧急，刘穆之所担任的职务最终会落在徐羡之的身上；然而世子刘义符不能自作主张，还是应该请示太尉刘裕，由刘裕来做出决定。”太尉刘裕想要王弘接替刘穆之，担任从

不若羡之。”乃以羡之为吏部尚书、建威将军、丹杨尹，代管留任[236]。于是朝廷大事常决于穆之者，并悉北谘[237]。

裕以次子桂阳公义真为都督雍、梁、秦三州诸军事，安西将军，领雍、东秦二州[238]刺史。义真时年十二。以太尉谘议参军京兆王脩为长史，王镇恶为司马、领冯翊[239]太守，沈田子、毛德祖皆为中兵参军，仍以田子领始平[240]太守，德祖领秦州[241]刺史、天水太守，傅弘之为雍州治中从事史。

先是，陇上流户寓关中者，望因兵威[242]得复本土；及置东秦州，知裕无复西略[243]之意，皆叹息失望。

关中人素重王猛，裕之克长安，王镇恶功为多，由是南人皆忌之[244]。沈田子自以峣柳之捷，与镇恶争功不平。裕将还，田子及傅弘之屡言于裕曰：“镇恶家在关中，不可保信[245]。”裕曰：“今留卿文武将士精兵万人，彼若欲为不善，正足自灭耳。勿复多言。”裕私谓田子曰：“锺会[246]不得遂其乱[247]者，以有卫瓘[248]故也。语曰：‘猛兽不如群狐。’卿等十余人，何惧王镇恶？”

臣光曰：“古人有言：‘疑则勿任，任则勿疑。’裕既委镇恶以关中，而复与田子有后言，是斗之使为乱[249]也。惜乎！百年之寇[250]，千里之土[251]，得之艰难，失之造次[252]，使丰、鄗之都[253]复输寇手。荀子曰：‘兼并[254]易能也，坚凝[255]之难。’信哉！”

三秦父老闻裕将还，诣门流涕诉曰：“残民[256]不沾王化[257]，于今百年，始睹衣冠[258]，人人相贺。长安十陵[259]是公家[260]坟墓，咸阳宫殿[261]是公家室宅，舍此欲何之[262]乎？”裕为之愍然，慰谕之曰：“受命朝廷，不得擅留。诚多[263]诸君怀本之志[264]，今以次息[265]与文武贤才共镇此境，

事中郎的谢晦说："王弘处事不够稳重，不如徐羡之。"刘裕遂任命徐羡之为吏部尚书、建威将军、丹杨尹，代替刘穆之主管留府的一切事务。于是，朝廷中的重大事情过去常由刘穆之裁决的，现在则要全部送往北方前线请示太尉刘裕，由刘裕做出决定。

刘裕任命自己的第二个儿子桂阳公刘义真为都督雍、梁、秦三州诸军事，安西将军，兼任雍、东秦二州刺史。当时，刘义真只有十二岁。刘裕任命担任太尉谘议参军的京兆人王脩为长史，任命龙骧将军王镇恶为司马，兼任冯翊太守，振武将军沈田子和毛德祖都被任命为中兵参军，仍然令沈田子兼任始平太守，毛德祖兼任秦州刺史、天水太守，任命建威将军傅弘之为雍州治中从事史。

先前，陇上流亡到关中的那些百姓，都希望借助于东晋向西进军的声威，得以收复故土；等到刘裕设置了东秦州，知道刘裕已经没有继续西征的考虑，都感到非常失望而叹息。

关中的人民一向敬重王猛，东晋太尉刘裕在攻克长安的战争中，王猛的孙子王镇恶功劳最大，因此，原籍江南的人对王镇恶非常嫉妒。沈田子自认为峣柳那场胜仗与王镇恶的战功不相上下，心中常感愤愤不平。刘裕准备返回建康，沈田子和傅弘之屡次对刘裕说："王镇恶家在关中，不能保证他完全可以信赖。"刘裕对他们二人说："我现在把你们文武官员和一万名精锐部队留在关中，王镇恶如果想要谋反，恰好是他自取灭亡。你们不用再多说了。"刘裕又私下里对沈田子说："锺会当初在蜀地叛变而没有成功，就是因为有卫瓘。俗话说：'一只猛兽比不上一群狐狸。'你们有十多个人，何必惧怕王镇恶一个人？"

司马光说："古人有这样的话：'对不信任的人，就不要委以重任，既然委以重任，就不要对他心怀猜忌。'刘裕既然把镇守关中的重任委托给王镇恶，却又私下里对沈田子说了那样一番话，就是在挑拨他们彼此争斗。可惜呀，贼寇占据了关中长达一百年之久，上千里的国土，收复它是多么的艰难，却在转瞬之间又将它失去，使得丰邑、鄗京再次沦陷于贼寇之手。荀子说：'拼合在一起很容易，而使它坚固地凝聚成一个整体是非常困难的。'确实如此啊！"

三秦的父老听到刘裕准备返回建康的消息，就跑到刘裕的大营门前痛哭流涕地说："我们这些晋朝的遗民得不到朝廷的教化，到现在已经有一百年，直到今天才从晋军的身上看到了当年晋朝的衣冠装束，人人都在互相庆贺。长安的十座皇家陵墓都是你们刘家汉代的陵墓，长安的宫殿也是你们刘家的住宅，你放弃这些不管，准备到哪里去呢？"刘裕看到关中父老如此挽留，心中也很伤感，于是便安慰他们说："我接受了朝廷的诏命，不可以擅自留下来。因为内心实在感激各位怀念故国的心意，所以，我把自己的二儿子刘义真以及一些文武贤能留下来镇守此地，希望你们能够

勉与之居㉖。”十二月庚子㉗，裕发长安，自洛入河，开汴渠㉘而[4]归。

氐豪㉙徐骇奴、齐元子等拥部落三万在雍㉚，遣使请降于魏。魏主嗣遣将军王洛生、河内太守杨声等西行以应之。

闰月壬申㉑，魏主嗣如大宁长川㉒。

秦[5]、雍人㉓千余家推襄邑令上谷寇讚㉔为主，以降于魏，魏主嗣拜讚魏郡㉕太守。久之，秦、雍人流入魏之河南、荥阳、河内者，户以万数。嗣乃置南雍州，以讚为刺史，封河南公，治洛阳，立雍州郡县以抚㉖之。讚善于招怀㉗，流民归之者，三倍其初。

夏王勃勃闻太尉裕东还，大喜，问于王买德曰：“朕欲取关中，卿试言其方略。”买德曰：“关中形胜㉘之地，而裕以幼子守之，狼狈而归，正欲急成篡事耳，不暇复以中原为意。此天以关中赐我，不可失也。青泥、上洛㉙，南北之险要，宜先遣游军断之；东塞潼关，绝其水陆之路；然后传檄三辅㉚，施以威德，则义真在网罟之中㉛，不足取㉜也。”勃勃乃以其子抚军大将军璝㉝都督前锋诸军事，帅骑二万向长安；前将军昌㉞屯潼关，以买德为抚军右长史，屯青泥，勃勃将大军为后继。

是岁，魏都坐大官章安侯封懿㉟卒。

【段旨】

以上为第一段，写晋安帝义熙十三年（公元四一七年）一年间的大事。主要写：刘裕部将王镇恶率军破渑池，西攻潼关；檀道济渡河攻蒲阪，初战皆不利，多亏沈林子坚持战斗，鼓舞众心，艰苦卓绝地击败了秦国的大将姚绍，诸军攻入关中。刘裕率军逆黄河西上，魏军于黄河北岸进行骚扰，刘裕为却月阵以击败之，魏军退。沈田子率军由武关进入陕西，破秦主姚泓大军于峣柳。王镇恶、毛德祖溯渭水上攻长安，大破秦军于渭桥，攻入城内，姚泓投降，后秦被灭。刘裕

好好地与他们合作。”十二月初三庚子，刘裕从长安出发，经由洛水进入黄河，重新修复旧日的汴渠，然后返回京师建康。

氐族的部落首领徐骇奴、齐元子等手下拥有三万部落，居住在雍城，他们派遣使者到北魏的都城平城，请求向魏国投降。北魏皇帝拓跋嗣派将军王洛生、河内太守杨声等率军西行，接应徐骇奴、齐元子等。

闰十二月初五壬申，北魏皇帝拓跋嗣前往大宁长川巡视。

秦州、雍州流落到东方的一千多家推戴担任襄邑县令的上谷人寇讚为盟主，投降了北魏，北魏皇帝拓跋嗣任命寇讚为魏郡太守。时间一长，秦州、雍州流亡进入魏国的河南、荥阳、河内的人多达上万户。拓跋嗣于是设置南雍州，任命寇讚为南雍州刺史，封寇讚为河南公，南雍州的治所设在洛阳，设立雍州直属的郡县，用以安抚从秦、雍流入的难民。寇讚很善于招纳、感化，流亡的难民前来归附的，是当初的三倍。

夏王赫连勃勃得知东晋太尉刘裕已经东还建康，非常高兴，他向自己的智囊王买德提问说：“我准备夺取关中，你先说说应该采取什么样的策略。”王买德说：“关中的地理形势非常险要，而刘裕却派他年幼的儿子刘义真镇守关中，自己则匆匆忙忙地赶回建康，他是为了急于完成篡夺政权的事情，而不再把中原放在心上。这是上天有意把关中赏赐给我们，这个机会千万不能错过。青泥、上洛，是南北的两大要塞，应该首先派游击部队截断这两处守军的粮食补给和退路；东面阻断潼关，断绝晋军的水路、陆路交通；然后向三辅地区发布檄文，张贴告示，晓谕利害，号召他们归降，然后一面施加军事压力，一面广施恩德，则刘义真就像是落在网中的鸟和鱼篓中的鱼一样，很容易被我们擒获。”夏王赫连勃勃遂任命担任抚军大将军的儿子赫连璝为都督前锋诸军事，率领二万名骑兵进攻长安；令担任前将军的赫连昌率军屯驻在潼关，任命智囊王买德为抚军右长史，率军屯驻在青泥关，赫连勃勃亲统大军随后进发。

这一年，北魏担任都坐大官的章安侯封懿去世。

曾想建议迁都洛阳，也曾想以长安为根据地进一步经营西北，但“诸将多不欲留”，又值其在朝的心腹谋士刘穆之死，于是置关中百姓的诚挚请留而不顾，决心返回建康，留其次子刘义真与王镇恶等众将戍守长安，而在安排留守人事上表现了刘裕对王镇恶的不信任，举措极其荒悖而不可解。魏国谋士崔浩分析刘裕之未来形势极其准确精到。夏王赫连勃勃之料定刘裕取关中之后的举措极其精确。西凉公李暠之死，原已投降秦国的司马休之等改投魏国，而刁雍自请愿在边境坚持反刘裕的战争。

【注释】

①正月甲戌朔：正月初一是甲戌日。②内外危迫：内有姚弼、姚懿之乱，外有刘裕、赫连勃勃之攻。③齐公恢：即姚恢，姚兴之子，姚泓之弟。④北雍州：姚秦的北雍州州治在安定，即今甘肃泾川北。⑤移檄：给各郡县发布讨伐檄文。⑥阴密：县名，县治在今甘肃灵台西南。⑦新支：约在今陕西麟游西。⑧郿城：在今陕西眉县东北的渭水北岸。⑨姚谌：姚兴之子，姚泓之弟。⑩东平公绍：即姚绍，姚兴之弟，姚泓之叔。⑪姚裕：姚兴之子，姚泓之弟。⑫沣西：即沣水之西。沣水发源于陕西西安市鄠邑区南，北流至咸阳西南汇入渭水。⑬扶风：郡名，郡治在今陕西乾县东。⑭灵台：周朝的旧建筑，在今陕西长安西，阿房宫旧址南。⑮彭城公义隆：即刘义隆，刘裕之子，日后的宋文帝，此时被封为彭城公。⑯寝疾：卧病。⑰录三府事：总管大都督、大将军府，凉公府，凉州刺史三府的军政大事。录，总管。⑱尧杆川：约在今青海省青海湖的南侧。⑲白兰山：在今青海省青海湖之西南侧。⑳沙州：吐谷浑的沙州约在今青海湖东南的贵德、贵南一带。㉑小种：其他少数民族的小部落。㉒乌啼部：少数民族部落名，当时居住在今甘肃山丹西。㉓卑和部：羌族的一个部落名，当时居住在今青海省青海湖西。㉔渑池：县名，县治在今河南渑池县西。㉕蠡吾城：胡三省以为应作“蠡城”，当是。蠡城在今河南渑池县西南，当时秦将尹雅为弘农太守。弘农郡的郡治即在蠡城。㉖陕：县名，在今河南三门峡市西，黄河南岸。㉗北渡河：向北渡过黄河。㉘襄邑堡：在今山西芮城北。㉙河北：郡名，郡治在今山西风陵渡。㉚河东：郡名，郡治在今山西永济西南。㉛辛酉：二月十九日。㉜虎牢：虎牢关，在今河南荥阳西南，古成皋城的南侧。㉝引日：拖延时间；旷日持久。㉞定城：在潼关城东三十里，渭水南岸。㉟悬军：指远离大本营，孤军深入敌区。㊱大路：自渑池西入潼关有南北二路，南路经回谿阪，即春秋时晋、秦崤之战的旧地，后曹操西征又开北路，人称为“大路”。㊲关南：此指潼关以南。㊳脱：拖延。㊴丙子：三月初四。㊵河曲：指今山西西南角的黄河转弯处。㊶清河：即指济水。此水自今河南荥阳城北之黄河分出，东流经开封，至山东济南北，东北入渤海。㊷溯河西上：由济水入黄河，再由黄河逆流西上。㊸假道于魏：假道，借道。当时黄河岸边的黎阳、沁阳一带都属拓跋魏，今刘裕逆河而西，故须向魏国借道。㊹登岸北侵：指转头向北攻取魏国的黄河以北地区，即今山西的西南部，当时称作“河东郡”。㊺婚姻之国：姚兴送其女为拓跋嗣夫人事，见本书卷一百一十七义熙十一年。㊻博士祭酒：博士是国家太学里的教官，博士祭酒是教官之长。㊼南州：指拓跋魏相州治下的南边临河诸郡。㊽听：任；允许。㊾以塞其东：指在今河南中部的黄河上驻扎重兵，做出一种截断刘裕顺河返回的姿态。㊿借使：假如。51恒山以南：指今之河北石家庄以南地区。恒山，五岳中的北岳，在今河北曲阳西北。52争守：争夺、固守。53河北之地：指今河南北部、山西东南部一带的黄河以北地区。54为国计：为国

家考虑问题。㉟山东：崤山以东，泛指今河南与山西东南部一带地区。㊱庚辰：三月初八。㊲北青州：东晋在今江苏扬州设有青州，刘裕灭慕容超后，又在广固（今山东青州）设北青州。今又设一北青州。㊳碻磝：古黄河上的渡口名，在今山东茌平西南，即新设北青州的州治所在地。㊴须：等候；等待。㊵乘利径趋潼关：趁着有利的形势，（没等大军来到）就径直地杀向了潼关。径，径直。㊶相公：敬称刘裕。㊷志清六合：下决心扫清妖孽，统一全国。六合，在天地与东西南北四方之中，即指天下、全国。㊸关右：潼关以西。㊹沮乘胜之气：破坏乘胜前进的气势。沮，涣散、瓦解。㊺垂成之功：眼看就要完成的任务。㊻授命不顾：即豁出性命干到底。授命，献出生命。《论语·子张》："士见危致命。"不顾，不回头、不改变。㊼自为将军办之：我自己来替你做这件事情。办，完成、解决。㊽二三君子：指王镇恶等准备回去向刘裕请援的人。㊾粮援：粮食及援兵。㊿轻佻：轻易、随便。⑺何由得遣军：我怎么能够派兵去帮你。何由，怎能。⑺弘农：郡名，郡治在今河南灵宝北。⑺义租："自愿"缴纳的粮饷。⑺百丈：指拉船的纤绳。胡三省曰："百丈者，所以挽船。今南人用麻绳，北人以竹为之。陆游曰：'蜀人百丈，以巨竹四破为之，大如人臂。'"⑺杀略：杀死或俘虏去。略，意思同"掠""虏"。⑺裁登岸则走：东晋的士兵一登岸，魏国的士兵立刻跑走。⑺退则复来：东晋士兵一旦退到船上，魏国士兵立刻就又追了回来。⑺白直队主：从平民壮丁中选来的值勤卫士的队长。对于这种士兵只管饭，不发饷。胡三省引杜佑曰："白直无月给之数。"队主，即队长。⑺仗士：持有长兵器的士兵。⑻却月阵：月牙式的阵形。⑻两端抱河：两头联到河边，中间向北突出。⑻白毦：插有白色羽毛的长竿。毦，用牛尾置于竿上为饰。⑻戒严：下令做好进攻准备。⑻驰往赴之：飞快地进入却月阵。⑻益：增加。⑻彭排：盾牌。⑻肉薄：同"肉搏"。完全靠着人的勇敢压了过去。⑻弩不能制：靠强弩射箭不能阻止魏兵进攻。⑻矟：长矛。⑼断矟长三四尺：将矛的长杆截短，做成一批长三四尺的大箭。⑼以锤锤之：用铁锤击短矛使出，如同今之开炮。⑼畔城：在今山东聊城境内。⑼河北之九原：约在今山西平陆附近。当时后秦有河北郡，郡治在今平陆西。⑼阻河为固：凭借险要的黄河进行固守。⑼绝檀道济粮援：当时檀道济在今永济、蒲阪一带，而姚绍派出的秦军占据了今山西之平陆一带，在蒲阪以东，截断了檀道济与刘裕大军的联系，故曰"绝檀道济粮援"。⑼凶命先尽：先自己死掉。凶命，凶人之命，凶人指姚绍。⑼不得以膏齐斧：不能让我们把他明正典刑。齐斧，利斧、征讨的大斧。⑼行视城堑：巡行视察洛阳的城墙与护城河。行，巡行。堑，壕沟，这里即护城河。⑼嘉毛修之：称赞毛修之。毛修之是刘裕的名将，于上年攻克洛阳后，被任命为河南、河内二郡太守，行司州事，戍洛阳。⑽完葺：修补。⑽直二千万：相当于两千万铜钱的价值。直，同"值"。⑽丁巳：四月十六日。⑽高柳：郡名，郡治即今山西阳高。⑽壬戌：四月二十一日。⑽蓼泉：在今甘肃张掖西北。⑽解支涧：胡三省引《晋书》，以为当作"鲜支涧"。鲜支涧，约在今甘肃高台西南。⑽建康：郡名，郡治在今甘肃高台西南。⑩置戍：建立防守据点。⑩五月乙未：五月二十四日。⑩齐郡：郡治在今山东青州西北，自刘裕灭南燕以来一直属晋。⑪兄弟乖争：指姚弼、姚懿等篡乱纷争。⑫父兄：慕容垂的父亲是慕容皝，慕容垂的哥哥是慕容恪，都是前燕的杰出人物。⑬修复旧业：指重建被苻坚灭掉的燕国，改称“后燕”。⑭不阶尺土：没有尺寸的领土作为起事的根基。阶，以之为阶，以之为基础。⑮讨灭桓玄二句：事见本书卷一百一十三元兴三年。⑯北禽慕容超：即灭南燕。事见本书卷一百一十五义熙五年、六年。⑰南枭卢循：事见本书卷一百一十五义熙六年、七年。枭，将人头悬挂高竿示众。⑱彭城：即今江苏徐州。⑲寿春：即今安徽寿州。⑳屈丐：即赫连勃勃。胡三省引《北史》曰：“明元改赫连勃勃名曰屈丐。北方言‘屈丐’者，卑下也。”㉑亲御六师：亲自统率大军。这句是客气话。御，统领。六师，也称“六军”，古代称天子的军队。㉒华、戎杂错：指汉人与少数民族错杂而居。㉓劲悍：指强劲、好战。㉔荆、扬之化：指治理长江流域的章程办法。荆州州治江陵，扬州州治建康（东晋的首都）。㉕函、秦：函谷关及以西的古秦国，即今陕西渭水流域一带，当时是姚秦的领土。㉖张罗捕虎：用逮鸟的网子去捕捉老虎。㉗人情未洽：人心不融洽、不满意。㉘趋尚：要求、想法。㉙为寇敌之资：为其他寇盗提供资本。㉚坐而守：像懒农夫守株待兔似的可以坐着等来。㉛料之审：考虑得周密；分析得精确。㉜王猛：苻坚的谋士。传见《晋书》卷一百一十四。㉝管仲：齐桓公的宰相，协助齐桓公九合诸侯，一匡天下。事见《左传》与《史记·齐太公世家》。㉞慕容恪：前燕慕容儁之弟，慕容儁死后，辅佐慕容儁之子慕容暐，忠心耿耿，德才兼备。传见《晋书》卷一百一十一。㉟霍光：汉武帝时大臣，受遗命辅佐年幼的汉昭帝，为辅佐幼主的名臣。事详《汉书·霍光传》。㊱曹操：东汉末年汉献帝的宰相，挟天子以令诸侯，为其子曹丕的篡汉建魏准备了一切条件。事详《三国志·太祖纪》。㊲国破家覆：指赫连勃勃的父亲刘卫辰被拓跋珪所灭事。见本书卷一百七太元十六年。㊳寄食姚氏二句：刘卫辰被杀后，赫连勃勃曾投奔姚兴的属下没弈干，娶没弈干之女为妻。被姚兴封为骁骑将军、奉车都尉等官，“宠遇愈于勋旧”。封殖，指封官赐土。㊴乘时徼利：指杀死没弈干背叛姚兴而去。㊵盗有一方：指建立夏政权于统万。以上事见本书卷一百一十四义熙三年。㊶结怨四邻：指先后和魏、秦、凉诸国开战。㊷撅竖：犹言“突然冒起”。㊸御缥醪：御用美酒。㊹觚：饮器，一觚可容三升。㊺彭、沛：彭城、沛郡。彭城即今徐州，沛郡郡治在今安徽濉溪西北。㊻若不时过：如果未能及时地过黄河。㊼引兵随之：引兵跟在刘裕军队的后面。㊽云中：郡名，郡治在今内蒙古托克托东北。㊾济河：指向西渡过黄河，进入今内蒙古的鄂尔多斯市。㊿六部大人：拓跋魏原设有“八部大人”，分掌八个地区，今又置“六部大人”。151诸公：指身居公位，或享受公位待遇者。152武关：陕西东南部的关塞名，在丹凤县东南，是河南南部、湖北北部进入关中地区的重要通道。153青泥：即今陕西西安东南的蓝田。154峣柳：在今蓝田北。155閺乡：县名，县治在今河南灵宝西北。156疑兵：声东击西，迷惑敌人的小部队。⑮薄：逼近，即对之发动进击。⑱斩馘：斩敌后削敌之耳，用以为回营报功之证物。⑲乘舆服御物：指帝王的车马及其穿的衣服、使用的东西等等。⑯灞上：也作“霸上”，在今陕西西安东，当时的长安城东南，以其地处灞水之西而得名。⑯秦岭：陕西南部东西走向的大山，此处所指在今西安东南。⑯潜送款：暗中送信投降。⑯辛丑：八月初二。⑯河东：郡名，郡治在今山西永济西南⑯河北：郡名，郡治在今山西风陵渡。⑯平原公璞：即姚璞，姚泓之弟。⑯姚和都：胡三省曰：“盖青泥既败而奔蒲阪也，或曰‘和都’当作‘成都’。”〖按〗疑后者为是。姚成都是秦国名将。⑯蹑：跟踪。⑯香城：在今陕西大荔东南、孟源车站东北的黄河边上。⑰石桥：在当时长安城北面东头第一门洛门东北。⑰泾上：泾水两岸，泾水从西北的彬州市方向流来，在长安东北汇入渭水。⑰郑城：即今陕西华县。⑰渭桥：也叫中渭桥，在当时长安城北的渭水河上。⑰石积：在当时的长安城东北，今临潼东。⑰灞东：灞水以东。灞水自蓝田方向流来，经长安城东，北流至长安东北汇入渭水。⑰逍遥园：在当时的长安城西北。⑰蒙冲：上有篷盖的战船。⑰壬戌旦：八月二十三日早晨。⑰无他岐：再没有任何其他出路。⑱平朔门：当时长安城的北门。⑱赴：前往救援。⑱逞其欲：犹今所谓“为所欲为”。⑱引决：自杀。⑱癸亥：八月二十四日。⑱属吏：交给手下专人看管。⑱以国恩抚慰：以东晋朝廷的名义安慰这些投降的人。⑱安堵：各安其位，不受惊扰。⑱冯异：东汉刘秀的开国元勋，有平定关中之大功，为人谦和，当他人纷纷炫耀自己的功劳时，冯异倚大树而立，默然无语，人称“大树将军”。事见《后汉书·冯异传》。⑱谮：说人坏话。⑲觇：暗中探看。⑲垣侧：院墙边。⑲彝器：祭器。⑲浑仪：浑天仪，测量天文的仪器。⑲土圭：观测日影，确定四时节气的仪器。⑲记里鼓：测定前进里程的鼓车。⑲斩于市：姚苌于孝武帝太元十一年（公元三八六年）创建后秦，中经姚兴，至此姚泓灭亡，共历三十四年。⑲平阳：郡名，郡治即今山西临汾西南。⑲镇捍北道：防御北部边界，以保障伐秦大军北翼的安全。⑲非常人所及：不是一般人所能理解的。意即必将引起很多人的反对。⑳陇上：陇山、陇阪之上。陇山、陇阪在今陕西陇县西南。后秦是羌族人建立的政权，今姚泓被灭，故其部众西奔。⑳槐里：县名，县治在今陕西武功东北。⑳门下校郎：官名，负责监察群臣。胡三省曰：“自曹操、孙权置校事司察群臣，谓之校郎，后世因之。”⑳研研然：喜形于色、侃侃而谈的样子。沮渠蒙逊见刘裕平定关中，害怕西秦治下的汉族人民趁机反他，故强加罪名，杀人立威。⑳秣马砺兵：犹言“喂马磨刀”，即准备作战。⑳安定：郡名，郡治即今甘肃泾川北。⑳岭北郡县镇戍：九嵕岭以北的郡县与各大小驻兵点。大驻兵点称“镇”，小驻兵点称“戍”。⑳阴诵之：暗地里背熟。⑳对裕使者：当着刘裕使者的面。⑳口授舍人：他嘴里念着，让文秘人员写下来。舍人，此指中书舍人，中书省的属官，低于中书侍郎，主管起草文件。㉑州城：指广州州城。㉑始兴：诸侯国名，都城曲江，在今广东韶关西南。㉑癸酉：九月初四。㉑刁雍：刁畅之子，刁逵之侄。刘裕灭桓玄，刁氏曾因得罪过刘氏，被挟私灭门。

刁雍被救送后秦，今又奔魏。㉔皆诣魏长孙嵩降：姚秦既灭，司马休之等惧为裕所诛，故皆降魏。㉕匈奴镇将：镇守匈奴堡军事基地的将领。匈奴堡在今山西临汾西南。㉖十月己酉：十月十一日。㉗南鄙：南部边境的小乡邑。"表求南鄙"是想找靠近晋王朝的地方继续与刘裕寻衅。㉘河、济：黄河、济水。"河、济之间"是指今河南东北、山东西北部一带地区。㉙徐、兖：二州名，约当于今江苏北部及山东西南部一带地区。㉚固山：县名，县治在今山东长清东南。㉛姚艾：当时为姚泓镇守上邽（今甘肃天水）。㉜称藩：即称臣，承认人家是帝王，自己是替人家守土。㉝征：调之入朝。义熙十二年（公元四一六年）乞伏炽磐派王松寿屯兵马头，以逼后秦的上邽。今上邽已降，遂令其撤回。㉞西山丁零：西山即今河北、山西交界处的太行山。丁零是少数民族名。㉟翟蜀洛支：人名，当时西山丁零人的头领。㊱辛未：十一月初三。㊲经略西北：经营、开拓今甘肃、宁夏一带地区，即征讨乞伏炽磐、沮渠蒙逊、赫连勃勃等人。㊳根本无托：后方政权没有可靠的人足以维持。根本，指后方的朝廷政权。无托，无人可托付。㊴徐羡之：字宗文，刘宋初期的重要谋臣。传见《宋书》卷四十三。㊵今诚急病：事情的确是紧急。急病，犹如今之"紧迫"。㊶任终在徐：最后应该任命的也可能就是徐羡之。㊷世子无专命：但接班人"不能自作主张"。世子，指刘裕的嫡子刘义符。㊸宜须谘之：应该请示一下。㊹王弘：字休元，王导的曾孙，刘裕的佐命元勋之一。传见《宋书》卷四十二。㊺休元轻易：王弘办事"不稳重""沉不住气"。轻易，轻率。㊻留任：留守处的一切事务。㊼并悉北谘：一律向北方前线去请示刘裕。㊽雍、东秦二州：刘裕的雍与东秦二州的州治都在长安。㊾冯翊：郡名，郡治即今陕西大荔。㊿始平：郡名，郡治在今陕西兴平东南。㉑秦州：州治上邽，即今甘肃天水。当时尚属西秦，故此时只能是遥领。㉒望因兵威：想趁着刘裕向西方进兵的机会。㉓无复西略：不会再向西方进攻。㉔南人皆忌之：王镇恶是王猛之孙，其祖曾佐苻坚称胜一时，关中地区素敬王猛，今其孙又收复关中而有大功，故深受北方人敬重，但为南方人所忌妒。㉕不可保信：不可信任，不能担保无事。㉖锺会：字士季，三国时魏人，与邓艾共同率军平定西蜀后，因拥兵反魏，失败被杀。㉗不得遂其乱：作乱之所以不能成功。遂，完成、实现。㉘卫瓘：字伯玉，锺会、邓艾伐蜀，卫瓘任监军。灭蜀后，先与锺会合诬邓艾谋反，杀了邓艾。锺会拥兵造反时，卫瓘分化瓦解锺会的部下，又杀了锺会。事见本书卷七十八咸熙元年。㉙斗之使为乱：挑动他们彼此争斗。㉚百年之寇：指关中地区自刘渊以来先后被刘曜、苻坚、姚氏等所占据，已上百年。㉛千里之土：指关中地区沃野千里，自古人称"天府之国"。㉜失之造次：极言丧失的容易与时间之短暂。造次，匆忙、仓促。㉝丰、鄗之都：都是西周初期的都城。丰是文王所筑，鄗也作“镐”，是武王所筑，都在今陕西西安西。鄗在丰的东北，两城紧挨着。㉔兼并：拼合在一起。㉕坚凝：牢固地凝结成一体。㉖残民：犹言“遗民”。㉗不沾王化：指得不到晋朝政权的管辖。㉘睹衣冠：指从刘裕统率的军队身上又看到了当年西晋时的服饰。㉙长安十陵：指西汉时高祖、惠帝、文帝、景帝、武帝、昭帝、宣帝、元帝、成帝、哀帝、平帝十一人的坟墓，言“十陵”是举其成数。㉚公家：犹言“您家”。因刘裕是刘邦之弟楚元王刘交的后代，故人们如此相称。㉛咸阳宫殿：这里指长安诸宫。㉜舍此欲何之：你们丢下不管，究竟是想到哪里去呢。何之，去哪里。㉝诚多：实在感谢。多，赞赏，这里是“感谢”的意思。㉞怀本之志：怀念故国、祖国的心意。㉟次息：次子，排行第二的儿子，指刘义真。㊱勉与之居：犹今之所谓“请你们多多与他们合作”。㊲十二月庚子：十二月初三。㊳开汴渠：重修旧日的汴渠。汴渠旧称“鸿沟”，在今河南荥阳北由黄河分出，东行经开封，南折入淮水。㊴氐豪：氐族的部落首领。㊵雍：县名，春秋时代秦国的都城，在今陕西宝鸡东北。㊶闰月壬申：闰十二月初五。㊷大宁长川：大宁县的长川。大宁即今河北张家口。㊸秦、雍人：秦、雍二州（约今甘肃、陕西一带）流浪到东方的人。㊹襄邑令上谷寇讚：襄邑县的县令上谷郡人寇讚。襄邑县的县治即今河南睢县。上谷郡的郡治庸县，在今北京市延庆区。㊺魏郡：郡治邺城，在今河北临漳西南。㊻抚：安抚、管辖。㊼招怀：招纳、感化。㊽形胜：形势险要。㊾青泥、上洛：都在长安的东南方，在武关通往长安的路上，青泥即今蓝田，上洛即今商洛，在蓝田的东南方。㊿传檄三辅：给三辅地区发檄文、贴告示，晓谕利害，号召他们归降。三辅，指京兆尹、左冯翊、右扶风三个郡，即当时的长安城及其周围诸县。(281)在网罟之中：犹如身陷网罟，无法再跑的禽兽。(282)不足取：言不用费力即可捕取。(283)抚军大将军璝：即赫连璝。(284)前将军昌：即赫连昌，亦赫连勃勃之子。(285)封懿：字处德，先仕后燕慕容宝为中书令，慕容宝败后归魏。传见《魏书》卷三十。

【校记】

［1］沣：原作“澧”。胡三省注云：“关中无澧水，‘澧’当作‘沣’。沣水出鄠南沣谷，北过上林苑入渭。”张敦仁《通鉴刊本识误》作“沣”，今据改。［2］畔城：严衍《通鉴补》改作“半城”。［3］二：据章钰校，甲十一行本、乙十一行本、孔天胤本皆作“三”。［4］而：据章钰校，甲十一行本、乙十一行本、孔天胤本皆作“以”。［5］秦：据章钰校，乙十一行本“秦”上有“姚泓灭”三字。

【原文】

十四年（戊午，公元四一八年）

春，正月丁酉朔[286]，魏主嗣至平城，命护高车中郎将[287]薛繁帅高车、丁零[288]北略[289]，至弱水[290]而还。

辛巳[291]，大赦[292]。

夏赫连璝至渭阳[293][6]，关中民降之者属路[294]。龙骧将军沈田子将兵拒之，畏其众盛，退屯刘回堡[295]，遣使还报王镇恶。镇恶谓王脩曰："公以十岁儿付吾属，当共思竭力；而拥兵不进，虏何由得平？"使者还，以告田子。田子与镇恶素有相图之志，由是益忿惧。未几，镇恶与田子俱出北地[296]以拒夏兵，军中讹言[297]："镇恶欲尽杀南人，以数十人送义真南还，因据关中反。"辛亥[298]，田子请镇恶至傅弘之营计事。田子求屏人[299]语，使其宗人沈敬仁斩之幕下，矫称受太尉令诛之。弘之奔告刘义真，义真与王脩被甲登横门[300]以察其变。俄而田子帅数十人来，言[7]镇恶反。脩执田子，数以专戮，斩之，以冠军将军毛脩之代镇恶为安西司马[301]。傅弘之大破赫连璝于池阳[302]，又破之于寡妇渡[303]，斩获甚众，夏兵乃退。

壬戌[304]，太尉裕至彭城，解严[305]。琅邪王德文先归建康。

裕闻王镇恶死，表言"沈田子忽发狂易[306]，奄害[307]忠勋"，追赠镇恶左将军、青州刺史。

以彭城内史刘遵考为并州刺史，领河东太守，镇蒲阪；征荆州刺史刘道怜[308]为徐、兖二州[309]刺史。

裕欲以世子义符镇荆州，以徐州刺史刘义隆为司州刺史，镇洛阳。中军谘议张邵谏曰："储贰[310]之重，四海所系，不宜处外。"乃更以义隆为都督荆、益、宁、雍、梁、秦六州诸军事，西中郎将，荆州刺史，

【语译】

十四年（戊午，公元四一八年）

春季，正月初一丁酉，北魏皇帝拓跋嗣从大宁长川回到京师平城，他命令担任护高车中郎将的薛繁率领高车人、丁零人向北拓展地盘，薛繁推进到弱水而回。

辛巳日，东晋实行大赦。

夏国赫连璝率领二万骑兵抵达渭阳，关中的民众前来归降的络绎不绝。东晋龙骧将军沈田子率军抵抗夏国军，因为惧怕赫连璝的兵力强盛，遂退守刘回堡，同时派使者回长安向王镇恶报告。王镇恶对担任长史的王脩说："宋公刘裕将一个十岁的孩子托付给我们这些人，我们就应当共同尽心竭力；而沈田子手握兵权，却不肯向前，我担心照此以往，什么时候才能将强寇消灭？"沈田子的使者返回之后，将王镇恶的话告诉了沈田子。沈田子一向容不下王镇恶，总想置对方于死地，现在就更加愤怒和恐惧。不久，王镇恶与沈田子同时出兵，前往长安以北地区抵御赫连璝的进攻，军中有传言说："王镇恶准备把江南人全部杀掉，然后派几十个人护送刘裕的儿子桂阳公刘义真回到南方，自己则占据关中叛变。"正月十五日辛亥，沈田子邀请王镇恶到建威将军傅弘之的营中举行军事会议。到了傅弘之的大营之后，沈田子请求屏退从人，自己想单独与王镇恶对话，当只剩下沈田子与王镇恶两个人的时候，沈田子指使自己的族人沈敬仁就在傅弘之的营帐之中突然将王镇恶斩杀，然后宣称是奉了太尉刘裕的命令诛杀王镇恶。傅弘之赶紧跑去告诉刘义真，刘义真披上铠甲，与长史王脩登上长安北城的横门观察事态的变化。不一会儿，沈田子率领数十人前来，诉说王镇恶谋反之事。王脩逮捕了沈田子，指控他擅自杀死王镇恶，然后将沈田子斩首，令冠军将军毛脩之接替王镇恶为安西司马。傅弘之率军在池阳将赫连璝打得大败，接着又在寡妇渡再次打败赫连璝，斩杀、俘虏了很多人，赫连璝率领夏兵退走。

正月二十六日壬戌，东晋太尉刘裕抵达彭城，下令解除紧急军事状态。琅邪王司马德文提前回到京师建康。

刘裕听到王镇恶被沈田子杀死的消息，就上表给晋安帝司马德宗，说"沈田子突然发狂，袭杀了建立功勋的忠臣王镇恶"，遂追赠王镇恶为左将军、青州刺史。

东晋任命担任彭城内史的刘遵考为并州刺史，兼任河东太守，镇守蒲阪；将担任荆州刺史的刘道怜召回，令他担任徐、兖二州刺史。

刘裕准备让自己的世子刘义符镇守荆州，遂任命担任徐州刺史的刘义隆为司州刺史，镇守洛阳。担任中军谘议的张邵劝谏说："世子是国家未来的接班人，责任重大，牵动着四海民心，不应该把他安置到都城以外。"刘裕听从了张邵的劝阻，于是将刘义隆改任为都督荆、益、宁、雍、梁、秦六州诸军事，西中郎将，荆州刺史，

以南郡太守到彦之为南蛮校尉，张卲为司马[311]，领南郡相，冠军功曹[312]王昙首为长史[313]，北徐州从事[314]王华为西中郎主簿[315]，沈林子为西中郎参军。义隆尚幼，府事[316]皆决于卲。昙首，弘之弟也。裕谓义隆曰："王昙首沈毅有器度，宰相才也，汝每事谘[317]之。"

以南郡公刘义庆为豫州[318]刺史。义庆，道怜之子也。

裕解司州[319]，领徐、冀二州刺史。

秦王炽磐以乞伏木弈干为沙州刺史，镇乐都。

二月，乙弗[320]乌地延[321]帅户二万降秦[322]。

三月，遣使聘魏[323]。

夏，四月己巳[324]，魏徙冀、定、幽三州徒河[325]于代都[326]。

初，和龙[327]有赤气四塞蔽日，自寅至申[328]。燕太史令张穆言于燕王跋曰："此兵气也。今魏方强盛，而执其使者[329]，好命不通[330]，臣窃惧焉。"跋曰："吾方思之。"五月，魏主嗣东巡，至濡源及甘松[331]，遣征东将军长孙道生、安东将军李先、给事黄门侍郎奚观帅精骑二万袭燕；又命骁骑将军延普、幽州刺史尉诺自幽州引兵趋辽西，为之声势[332]，嗣屯突门岭[333]以待之。道生等拔乙连城[334]，进攻和龙，与燕单于右辅古泥[335]战，破之，杀其将皇甫轨。燕王跋婴城自守，魏人攻之，不克，掠其民万余家而还。

六月，太尉裕始受[336]相国、宋公、九锡之命。赦国中[337]殊死以下[338]，崇[339]继母兰陵萧氏为太妃。以太尉军谘祭酒孔靖为宋国尚书令，左长史[340]王弘为仆射[341]，领选[342]，从事中郎傅亮、蔡廓皆为侍中，谢晦为右卫将军，右长史郑鲜之为奉常[343]，行参军殷景仁为秘书郎。其余百官，悉依天朝[344]之制。靖辞不受。亮，咸[345]之孙。廓，谟[346]之曾孙。鲜之，浑[347]之玄孙。景仁，融[348]之曾孙也。景仁学不为文[349]，敏有思致[350]，

任命担任南郡太守的到彦之为南蛮校尉，任命张邵为刘义隆属下司马，兼任南郡相，任命担任冠军功曹的王昙首为长史，任命担任北徐州从事的王华为西中郎主簿，任命担任建武将军的沈林子为西中郎参军。刘义隆年纪还很小，其刺史府、都督府、西中郎将府中的一切事务，全都由担任司马的张邵裁决。王昙首，是王弘的弟弟。刘裕对刘义隆说："王昙首为人沉稳、刚毅、有气度，是当宰相的材料，你所做的每件事情，都要向他征求意见。"

东晋任命南郡公刘义庆为豫州刺史。刘义庆，是刘道怜的儿子。

东晋朝廷解除了太尉刘裕司州刺史的职务，命他兼任徐、冀二州刺史。

西秦王乞伏炽磐任命乞伏木弈干为沙州刺史，镇守乐都。

二月，乙弗部落首领乌地延率领二万户投降了西秦。

三月，东晋派遣使者前往北魏进行礼节性的访问。

夏季，四月初四己巳，北魏将留居在冀州、定州、幽州之内的徒河人全部迁往代都。

当初，北燕的都城和龙突然冒出赤色气体，充满了四面八方，遮蔽了阳光，从凌晨四点前后一直持续到下午四点前后。北燕担任太史令的张穆对北燕王冯跋说："这种气体预示将有战争发生。如今魏国正在逐渐强大起来，而我们却扣留了他们派来的使者于什门，使两国之间的友好往来中断，我私下里感到非常恐惧。"北燕王冯跋说："我正在考虑这件事。"五月，北魏皇帝拓跋嗣前往东方巡视，一直抵达濡源及甘松，他派遣征东将军长孙道生、安东将军李先、给事黄门侍郎奚观率领二万名精骑兵袭击北燕；又命担任骁骑将军的延普、担任幽州刺史的尉诺从幽州率军直奔辽西，为袭击北燕的大军制造声势，拓跋嗣率军屯驻在突门岭等候捷报。征东将军长孙道生等攻克了乙连城之后，立即进攻北燕的都城和龙，他们与北燕担任单于右辅的古泥发生激战，长孙道生等将古泥打败，杀死了古泥的将领皇甫轨。北燕王冯跋赶紧在龙城四周部署兵力进行防守，北魏军猛力攻打，却没能将和龙攻破，遂俘虏了北燕一万多户居民，撤军而回。

六月，东晋太尉刘裕开始接受晋安帝司马德宗授予他相国的职位和宋公、加九锡的封赏。下令赦免宋国国内死囚犯以外的其他一切罪犯，尊奉自己的继母兰陵人萧氏为太妃。任命担任太尉军谘祭酒的孔靖为宋国尚书令，任命担任左长史的王弘为仆射，兼任主管选拔、任用官吏的领选，担任从事中郎的傅亮、蔡廓都被任命为侍中，担任从事中郎的谢晦被任命为右卫将军，担任右长史的郑鲜之被任命为奉常，担任行参军的殷景仁被任命为秘书郎。其余文武百官的名称和职责，全部按照东晋朝廷的规定。担任太尉军谘祭酒的孔靖没有接受刘裕的任命。傅亮是傅咸的孙子。蔡廓，是蔡谟的曾孙。郑鲜之，是郑浑的玄孙。殷景仁是殷融的曾孙。秘书郎殷景仁聪明好学，却不是为了写作文章，他反应敏捷，思路清晰，从来不把"道义""义理"

口不谈义㉛，深达理体㉜；至于国典、朝仪、旧章、记注㉝，莫不撰录㉞，识者知其有当世之志㉟。

魏天部大人㊱白马文贞公崔宏㊲疾笃，魏主嗣[8]遣侍臣问病，一夜数返㊳。及卒，诏群臣及附国渠帅㊴皆会葬㊵。

秋，七月戊午㊶，魏主嗣至平城。

九月甲寅㊷，魏人命诸州调民租㊸，户五十石，积于定、相、冀三州㊹。

河西王蒙逊复引兵伐凉㊺，凉公歆㊻将拒之，左长史张体顺固谏，乃止。蒙逊芟㊼其秋稼而还。

歆遣使来告袭位㊽。冬，十月，以歆为都督七郡㊾诸军事、镇西大将军、酒泉公。

姚艾㊿叛秦，降河西王蒙逊，蒙逊引兵迎之。艾叔父儁言于众曰："秦王宽仁有雅度，自可安居事之，何为从河西王(371)西迁？"众咸以为然，乃相与逐艾，推儁为主，复归于秦。秦王炽磐征儁为侍中、中书监、征南将军[9]，赐爵陇西公；以左丞相昙达为都督洮、罕(372)以东诸军事，征东大将军，秦州牧，镇南安(373)。

刘义真年少，赐与左右无节，王脩每裁抑之。左右皆怨，谮脩于义真曰："王镇恶欲反，故沈田子杀之。脩杀田子，是亦欲反也。"义真信之，使左右刘乞等杀脩。

脩既死，人情离骇，莫相统壹。义真悉召外军(374)入长安，闭门拒守。关中郡县悉降于夏。赫连璝夜袭长安，不克。夏王勃勃进据咸阳，长安樵采路绝(375)。

宋公裕闻之，使辅国将军蒯恩如长安，召义真东归，以相国右司马朱龄石为都督关中诸军事、右将军、雍州(376)刺史，代镇长安。裕谓

什么的挂在嘴边上，然而却深明治理国家的方针大计；至于有关皇帝的起居、朝事活动的各种记载，他都进行编写和记录，有见识的人都知道他有辅佐帝王建功立业的大志向。

北魏担任天部大人的白马文贞公崔宏病势沉重，北魏皇帝拓跋嗣派侍从之臣前去探望病情，一夜之间就往返数次。等到崔宏去世之后，又下诏令群臣以及归附北魏的各少数民族头领全都去参加崔宏的葬礼。

秋季，七月二十四日戊午，北魏皇帝拓跋嗣从突门岭回到平城。

九月二十一日甲寅，北魏朝廷下令各州向百姓征收租税，每户需要缴纳五十石，分别集中到定州、相州和冀州。

北凉河西王沮渠蒙逊再次率军讨伐西凉，西凉公李歆准备亲自率军前去抗击，担任左长史的张体顺坚决劝阻，李歆这才作罢。沮渠蒙逊率领兵众把西凉农田里的秋庄稼割取一空，然后撤回。

西凉公李歆派使者到东晋朝廷，将西凉公李暠去世、自己继承了父亲西凉公的爵位之事禀告给东晋朝廷，请求朝廷批准。冬季，十月，东晋任命李歆为都督七郡诸军事、镇西大将军、酒泉公。

姚艾背叛了西秦，投降了北凉河西王沮渠蒙逊，沮渠蒙逊率军接应姚艾。姚艾的叔叔姚儁对众人说："秦王乞伏炽磐为人宽厚仁慈，有雅量、有气度，我们可以安居下来为他效力，何必非要跟随河西王沮渠蒙逊向西迁移呢？"众人都认为姚儁说得有道理，遂联合起来驱逐了姚艾，然后推举姚儁为首领，又归附于西秦。西秦王乞伏炽磐将姚儁召回京师枹罕，任命姚儁为侍中、中书监、征南将军，封为陇西公；任命担任左丞相的昙达为都督临洮和枹罕以东诸军事，征东大将军，秦州牧，镇守南安。

刘义真因为年纪很小，他经常随意赏赐身边的侍从，而且没有一点节制，担任长史的王脩往往对他进行限制。刘义真身边的那些侍从因此都对王脩充满怨恨，于是就在刘义真面前说王脩的坏话，他们说："王镇恶要谋反，所以沈田子把他杀了。而王脩杀死沈田子，这也是想谋反。"刘义真竟然相信了他们的话，遂指使身边的侍从刘乞等杀死了王脩。

王脩突然被刘义真杀死，人们惊恐不安，人心离散，再也没有人能够统一他们。刘义真便将长安以外屯扎在蒲阪以防魏，以及屯驻在渭北以防夏的军队全部招进长安，然后关闭城门据守。关中的各个郡县于是全都投降了夏国。赫连璝趁机在夜间率军袭击长安，没有攻克。夏王赫连勃勃亲统大军进驻咸阳，长安陷入重重包围之中，就连出城砍柴、采摘野菜野果的路都被夏军封锁。

东晋宋公刘裕得知消息后立即派担任辅国将军的蒯恩前往长安，迎接桂阳公刘义真返回京师，任命担任相国右司马的朱龄石为都督关中诸军事、右将军、雍州刺

龄石曰："卿至，可敕义真轻装速发，既出关，然后[10]可徐行。若关右必不可守，可与义真俱归。"又命中书侍郎朱超石慰劳河、洛㊲⑦。

十一月，龄石至长安。义真将士贪纵㊲⑧，大掠而东，多载宝货、子女，方轨㊲⑨徐行。雍州别驾韦华㊳⓪奔夏。赫连璝帅众三万追义真。建威将军傅弘之曰："公处分亟进㊳①，今多将辎重㊳②，一日行不过十里，虏追骑且至，何以待之㊳③？宜弃车轻行，乃可以免。"义真不从。俄而夏兵大至，傅弘之、蒯恩断后，力战连日；至青泥，晋兵大败，弘之、恩皆为王买德所禽。司马毛脩之与义真相失，亦为夏兵所禽。义真行在前，会日暮，夏兵不穷追，故得免。左右尽散，独逃草中。中兵参军㊳④段宏单骑追寻，缘道呼之，义真识其声，出就之，曰："君非段中兵邪？身在此㊳⑤，行矣㊳⑥！必不两全，可刎身头以南㊳⑦，使家公望绝㊳⑧。"宏泣曰："死生共之，下官不忍。"乃束义真于背，单马而归。义真谓宏曰："今日之事，诚无算略㊳⑨；然丈夫不经此，何以知艰难？"

夏王勃勃欲降傅弘之，弘之不屈。时天寒[11]，勃勃裸之㊴⓪，弘之叫骂而死。勃勃积人头为京观㊴①，号曰"髑髅台"。长安百姓逐朱龄石㊴②，龄石焚其宫殿，奔潼关。勃勃入长安，大飨将士，举觞谓王买德曰："卿往日之言，一期㊴③而验，可谓算无遗策㊴④。此觞所集㊴⑤，非卿而谁？"以买德为都官尚书㊴⑥，封河阳侯。

龙骧将军王敬先戍曹公垒㊴⑦，龄石往从之。朱超石至蒲阪㊴⑧，闻龄石所在，亦往从之。赫连昌攻敬先垒，断其水道。众渴，不能战，

史，代替刘义真镇守长安。刘裕对朱龄石说："你到了长安之后，告诉刘义真减轻行装，快速出发，等到出了函谷关之后，才可以放慢行程。如果关中确实守不住，你可以和刘义真一同返回。"又命令担任中书侍郎的朱超石前往黄河、洛水一带的洛阳及其周边地区慰劳军队，安抚民心。

十一月，朱龄石抵达长安。桂阳公刘义真手下的将士贪婪放纵，当得知即将东返的消息，便在长安地区大肆抢掠了一番，才上路东归，他们携带着很多的金银财宝、美女奴仆，两辆车并轨而行，慢慢地向着东方进发。担任雍州别驾的韦华投奔了夏国。赫连璝率领三万人马追赶刘义真。东晋建威将军傅弘之对刘义真说："宋公吩咐要快速前进，如今却携带着这么多的辎重，一天前进不了十里路，赫连璝的骑兵即将追来，我们靠什么抵抗他？应该抛弃辎重车，轻装快行，才可以避免灾祸。"刘义真不听。不一会儿，夏国的军队大量涌来，建威将军傅弘之、辅国将军蒯恩率人断后，一连几天拼死抵抗；行进到青泥的时候，晋军再也抵抗不住夏军的进攻，被夏军打得大败，傅弘之、蒯恩全都被夏国抚军长史王买德活捉。担任司马的毛脩之与刘义真失散，也被夏国军活捉。刘义真走在晋军的最前面，又赶上天色已晚，夏军没有穷追不舍，所以免于被擒。然而身边的侍从全都各自逃命去了，只剩下刘义真一个人，独自躲藏在草丛之中。担任中兵参军的段宏单人独骑四处寻找桂阳公刘义真，他沿着道路呼喊着刘义真的名字，刘义真听出是段宏的声音，就从草丛里走出来，问："你是不是中兵参军段宏？我在这里，你赶紧跑吧！如果我们两人一同上路，肯定不能两全，你可以把我的脑袋砍下来带到南方去，让我的父亲不要再想念我。"段宏流着眼泪说："不管是死是活，我们两人都要在一起，我怎么忍心砍下你的头呢。"于是就把刘义真捆在自己的后背上，共骑一匹马逃回了江南。刘义真对段宏说："今天的事情，确实因为我们的少谋失算造成的；然而大丈夫如果不经历这样的失败，怎么会知道人生的艰难？"

夏王赫连勃勃想要让东晋建威将军傅弘之投降夏国，傅弘之宁死也不肯屈服。当时天气严寒，赫连勃勃就脱光了傅弘之身上的衣服，傅弘之叫骂而死。赫连勃勃为了炫耀武功，就把晋军的人头堆积在一起，在上面封上土，筑成一座高大坟冢，称之为"髑髅台"。长安的百姓群起驱逐朱龄石，朱龄石于是焚烧了长安城中的宫殿，然后逃往潼关。赫连勃勃率军进入长安，大摆酒宴犒赏全军将士，他举起酒杯对抚军长史王买德说："你当初说的话，只一年的时间就完全应验了，真可以称得上是算无遗策。这一杯酒所应该敬的，不是你还能是谁？"遂任命王买德为都官尚书，封为河阳侯。

东晋龙骧将军王敬先戍守曹公垒，朱龄石被逐出长安后，前往曹公垒投靠王敬先。朱超石到达蒲阪，听说了朱龄石投奔了王敬先，于是也前往曹公垒与朱龄石会合。赫连昌率军攻击曹公垒，切断了通往曹公垒的水源。守卫曹公垒的晋军由于缺

城且陷。龄石谓超石曰："弟兄俱死异域，使老亲何以为心[399]？尔求间道亡归[400]，我死此，无恨矣。"超石持兄泣曰："人谁不死，宁忍今日辞兄去乎？"遂与敬先及右军参军[401]刘钦之皆被执，送长安，勃勃杀之。钦之弟秀之悲泣不欢燕[402]者十年。钦之，穆之之从兄子也。

宋公裕闻青泥败，未知义真存亡，怒甚[12]，刻日北伐[403]；侍中谢晦谏以"士卒疲弊，请俟他年[404]"，不从。郑鲜之上表，以为："虏闻殿下[405]亲征，必并力守潼关。径往攻之，恐未易可克；若舆驾顿洛[406]，则不足上劳圣躬[407]。且虏虽得志[408]，不敢乘胜过陕[409]者，犹摄服大威[410]，为将来之虑[411]故也。若造洛而反[412]，虏必更有揣量之心[413]，或益生边患。况大军远出，后患甚多。昔岁西征[414]，刘钟狼狈[415]；去年北讨[416]，广州倾覆[417]。既往之效，后来之鉴也。今诸州大水，民食寡乏，三吴群盗攻没诸县，皆由困于征役故也。江南士庶，引领颙颙[418]以望殿下之返旆；闻更北出，不测浅深之谋[419]，往还之期，臣恐返顾之忧[420]更在腹心[421]也。若虑西虏[422]更为河、洛之患者，宜结好北虏[423]。北虏亲则河南[424]安，河南安则济、泗[425]静矣。"会得段宏启，知义真得免，裕乃止；但登城北望，慨然流涕而已。降义真为建威将军、司州刺史；以段宏为宋台[426]黄门郎，领太子右卫率[427]。裕以天水太守毛德祖为河东太守，代刘遵考守蒲阪。

夏王勃勃筑坛于灞上，即皇帝位，改元"昌武"。

西秦王炽磐东巡。十二月，徙上邽民五千余户于枹罕。

彗星出天津[428]，入太微[429]，经北斗，络紫微[430]，八十余日而灭。魏主嗣复召诸儒、术士[431]问之曰："今四海分裂，灾咎之应[432]，果在何国？

水而失去了战斗力，城垒眼看就要被赫连昌攻陷。朱龄石对朱超石说：“我们兄弟二人全都要死在异国他乡，年老的父母如何承受得了？你去寻找一条偏僻的小道逃回去，我死在这里也没有什么遗憾了。”朱超石拉着哥哥哭着说：“人谁没有一死，我怎么忍心辞别哥哥独自返回呢？”于是，兄弟二人与王敬先以及担任右军参军的刘钦之全都被赫连昌擒获，送往长安，夏王赫连勃勃把他们全部杀死。刘钦之的弟弟刘秀之为哥哥的死悲伤哭泣了很长时间，十年之内都没有参加宴饮聚会。刘钦之，是刘穆之的堂侄。

东晋宋公刘裕得到青泥战败的消息，却不知道自己的儿子刘义真是死是活，非常愤怒，于是定好日期，准备出兵北伐；担任侍中的谢晦劝谏他说“士卒已经疲惫不堪，请等以后时机成熟再出兵”，刘裕不从。担任奉常的郑鲜之上表给宋公刘裕，他认为：“贼虏听到殿下率军亲征的消息，一定会竭尽全力守卫潼关。大军径直前往攻击，恐怕不容易将其攻克；如果殿下的车驾驻于洛阳，则用不着劳动殿下亲自前去。而且贼虏虽然获胜，却并不敢乘胜攻占陕县一带，看起来还是惧怕殿下的威严，担心殿下会二次出兵讨伐他们。如果是到达洛阳就返回，贼虏必定会对我国的实力重新进行判断，认为我们的力量不过如此，可能会因此而增加边境的灾患。何况是大军一旦远征，后方还有很大的忧患。往年大军西征司马休之，有盗贼数百人突然夜袭了刘钟所驻守的冶亭，造成刘钟狼狈迎战；去年北伐，广州被徐道覆攻陷。以往的例证，就是后来的借鉴。如今各州发生了大水灾，民众粮食缺乏，三吴地区遍地盗贼，他们攻陷了很多的县城，都是由被兵役和差役所困而引起的。长江以南无论是士大夫还是小民百姓都在伸着脖子，期盼着殿下率军归来；如果他们听到又要出兵北伐，他们不了解殿下的深谋远虑，不知道班师的日期，我担心后顾之忧会在朝廷内部发生。如果担忧西部的赫连勃勃会给黄河、洛阳一带造成危害，就应该与北面的魏国搞好关系。与北魏搞好关系，则洛阳一带的黄河以南地区就会安定，黄河以南安定了，则济水、泗水流域自然也就安定了。”正好此时接到中兵参军段宏的报告，知道刘义真已经脱离险境，刘裕遂不再坚持北伐；只是登上建康城楼向北眺望，虽然无限感慨，也只有涕泣流泪而已。将刘义真降职为建威将军、司州刺史；任命段宏为宋台黄门郎，兼任太子右卫率。刘裕任命担任天水太守的毛德祖为河东太守，接替刘遵考守卫蒲阪。

夏王赫连勃勃在灞上修建了一座高台，即皇帝位，改年号为“昌武”。

西秦王乞伏炽磐前往东方巡视。十二月，将上邽的五千多户居民迁徙到都城枹罕。

彗星从天津星座穿过，进入太微星垣的位置，又经过北斗星座，然后围绕着紫微星垣运行，前后八十多天才消失。北魏皇帝拓跋嗣又将那些儒家学者、观测星象的术士召集起来，向他们询问说：“如今四海之内已经分裂成好几个国家，天象昭示

朕甚畏之。卿辈尽言，勿有所隐！”众推崔浩使对，浩曰：“夫灾异之兴，皆象人事[433]。人苟无衅[434]，又何畏焉？昔王莽[435]将篡汉，彗星出入正与今同[436]。国家[437]主尊臣卑，民无异望[438]。晋室陵夷[439]，危亡不远。彗之为异[440]，其刘裕将篡之应乎？”众无以易其言[441]。

宋公裕以《谶》[442]云“昌明[443]之后尚有二帝”，乃使中书侍郎王韶之与帝左右密谋鸩帝而立琅邪王德文。德文常在帝左右，饮食寝处，未尝暂离[444]，韶之伺之经时不得间[445]。会德文有疾，出居于外。戊寅[446]，韶之以散衣[447]缢帝于东堂[448]。韶之，廙[449]之曾孙也。裕因称遗诏[450]，奉德文即皇帝位，大赦。

是岁，河西王蒙逊奉表称藩[451]，拜凉州刺史[452]。

尚书右仆射袁湛[453]卒。

【段旨】

以上为第二段，写晋安帝义熙十四年（公元四一八年）一年间的大事。主要写：刘裕部将沈田子编造谣言，以“谋反”罪袭杀了王镇恶，王脩又以沈田子擅杀大将而杀了沈田子；刘裕回到建康后，闻王镇恶被杀，表言沈田子是由于“忽发狂易”，以敷衍塞责；刘义真左右又谮毁王脩于刘义真，怂恿刘义真杀了王脩，于是人情离骇，莫相统一。刘裕明知关中形势险恶，而置关中全军将士于不顾，自私地独召其子刘义真回京；刘义真使部下大掠关中的货宝、子女重载而归，被夏将赫连璝、王买德追败于青泥，刘义真的护从将领蒯恩、傅弘之、毛脩之等被俘，段宏束刘义真于背单马逃回建康。长安守将朱龄石被长安百姓所驱逐，东逃到蒲阪；夏军追攻晋军，大破晋军于蒲阪，晋将朱龄石、朱超石、王敬先等尽被赫连勃勃所擒杀，赫连勃勃积人头为京观，号“髑髅台”，这是刘裕亲手造成的后果。夏主赫连勃勃轻而易举地取得了长安，大飨将士，即皇帝位。刘裕以其子刘义隆为荆州刺史，以到彦之、张邵、王昙首等为之部属，成为日后刘义隆政权之班底。刘裕接受朝廷给他的相国、宋公、九锡之命，以孔靖、王弘、傅亮、蔡廓、的灾祸，到底应验在哪个国家？我心中非常恐惧。你们这些人要知无不言，不要有所隐瞒！”众人都推举博士祭酒崔浩出来回答拓跋嗣的提问，崔浩于是回答说：“灾难、异常现象的发生，都与人间的事情彼此相对应。如果国家的大政方针没有什么失误，又何必害怕呢？过去王莽准备篡夺汉朝的政权时，彗星的运行轨迹正好与现在的相同。我们国家的君主地位至高无上，而臣子地位卑微，民众不会产生非分之想。晋室权力衰微，距离灭亡已经不远。彗星所以会出现这种异常变化，大概应验在刘裕要篡夺皇位上吧？”众人没有发表与崔浩不同的意见。

东晋宋公刘裕因为《谶》中所说的“昌明之后还有二位皇帝”，于是便指使担任中书侍郎的王韶之与晋安帝司马德宗身边的侍从密谋，准备用毒酒毒死晋安帝，然后立琅邪王司马德文为皇帝。而琅邪王司马德文经常在晋安帝司马德宗的身边侍奉，晋安帝的饮食起居，司马德文从不离开左右，王韶之窥伺了很长时间，都找不到下毒的机会。恰好司马德文生了病，暂时出外养病。十二月十七日戊寅，王韶之撕碎衣裳，拧成绳索，把晋安帝司马德宗勒死在东堂。王韶之，是王廙的曾孙。宋公刘裕遂宣称奉晋安帝遗诏，拥戴琅邪王司马德文即位为皇帝，实行大赦。

这一年，北凉河西王沮渠蒙逊向东晋呈递表章，愿意做东晋的藩属国，东晋遂任命沮渠蒙逊为凉州刺史。

东晋担任尚书右仆射的袁湛去世。

谢晦、郑鲜之、殷景仁为群官，搭就了未来朝廷的班底。刘裕缢死晋安帝司马德宗，改立了另一个傀儡司马德文。魏主拓跋嗣进攻北燕，燕主冯跋婴城固守，魏虏其民而归；魏主拓跋嗣听其谋士崔浩因天象异常而大谈刘裕将篡夺晋政的预言。

【注释】

㉘⑥ 正月丁酉朔：正月初一是丁酉日。㉘⑦ 护高车中郎将：高车是少数民族部落名，当时活动在今内蒙古呼和浩特至二连浩特一带。护高车中郎将是派驻高车地区，管理该民族事务的武官。㉘⑧ 丁零：少数民族名，这里所说的丁零人活动在今内蒙古中部地区。㉘⑨ 北略：向北攻击、开拓。㉙⓪ 弱水：也叫弱洛水，在今蒙古乌兰巴托西。㉙① 辛巳：正月初一是“丁酉”，本月中无“辛巳”，疑字有误。㉙② 大赦：这句话的主语是“东晋”。因刘裕灭了后秦，实行大赦以示举国同庆。㉙③ 渭阳：指当时长安城北的渭水北岸。㉙④ 属路：一个接一个地不绝于路。属，连接、连续。㉙⑤ 刘回堡：约在当时的长安城西北。㉙⑥ 北地：此指长安城北地区。㉙⑦ 讹言：谣言。当然是沈田子等人所散布。㉙⑧ 辛亥：正月十五日。㉙⑨ 屏人：打发开身边的人。㉚⓪ 横门：长安城北面东头的第一个门。㉚① 安西

司马：安西将军的司马，时刘义真为安西将军。㉚池阳：即今西安西北的泾阳，当时在长安城西北，泾水北岸。㉚寡妇渡：泾水上流的渡口名。㉚壬戌：正月二十六日。㉚解严：解除军事的紧急状态。㉚狂易：精神病。㉚奄害：袭击杀害。㉚刘道怜：刘裕之弟。㉚徐、兖二州：州治在今江苏镇江。㉚储贰：候补者；未来的接班人。㉛司马：此指为刘义隆之司马。㉛冠军功曹：冠军将军的功曹，时刘裕任冠军将军。㉛长史：为刘义隆之长史。㉛从事：即从事史，州刺史的高级僚属。所谓"北徐州"即刘义隆原任的徐州，与南方镇江的徐州相对而言，故称"北徐州"。㉛西中郎主簿：西中郎将的主簿。㉛府事：指刺史府、都督府、西中郎将府的一切事务。㉛谘：询问；请教。㉛豫州：州治历阳，即今安徽和县。㉛司州：州治洛阳，刘裕北伐至洛阳时，曾任司州刺史。㉜乙弗：少数民族部落名。㉜乌地延：乙弗部落的首领名。㉜降秦：此指投降乞伏炽磐的西秦。㉜遣使聘魏：遣使臣访问北魏。主语是"东晋"。聘，礼节性的访问。㉜四月己巳：四月初四。㉜徒河：此指原慕容氏的鲜卑族人。因其最早居住在徒河（今辽宁锦州西北），故以此相称。后随慕容氏入关，遂散居在今河北各地。㉜代都：即今河北蔚县东北的代王城。㉜和龙：即龙城，今辽宁朝阳，冯跋的首都。㉜自寅至申：从凌晨的四点前后到下午的四点前后。寅，相当于今凌晨的三五时；申，相当于今下午的三五时。㉜执其使者：拓跋魏使者于什门因争执礼数被北燕扣留事，见本书卷一百一十六义熙十年。㉝好命不通：两国之间不相往来。好命，友好的使命。㉝濡源及甘松：二地名。濡源，濡水的源头，即今之滦河的源头。甘松，也叫松漠，即千里松林，在濡源以东，今河北围场以北至内蒙古的克什腾旗一带。㉝为之声势：为之造声势、做声援。㉝突门岭：具体地址不详，约在今内蒙古赤峰市南。㉝乙连城：约在今辽宁建昌与河北青龙之间。㉝单于右辅古泥：单于右辅其人名古泥。义熙七年（公元四一一年），冯跋以其子冯永领单于，并为之置前后左右"四辅"。㉝始受：义熙十二年（公元四一六年），晋安帝已下诏拜刘裕为相国、宋公，加九锡，刘裕假惺惺地推辞不受，至此时"始受"。㉝国中：指刘裕的"宋国"境内，即今河南之商丘至江苏徐州一带地区。㉝殊死以下：死刑犯以外的其他一切犯人。这句的意思是除死刑犯外，其他一律赦免。㉝崇：提高；尊封。㉞左长史：指太尉左长史，刘裕的高级僚属。㉞仆射：此指刘裕宋国的尚书仆射，位同副丞相。㉞领选：主管官吏的选拔任用。㉞奉常：也叫太常，主管国家的礼乐与祭祀活动。㉞天朝：指东晋朝廷，以区别刘裕的宋国朝廷。㉞咸：即傅咸，西晋初期的直臣。传见《晋书》卷四十七。㉞谟：即蔡谟，东晋中期主和派的大臣。传见《晋书》卷七十七。㉞浑：即郑浑，汉末魏初的良吏。事见本书卷六十六建安十七年。㉞融：即殷融，东晋初期人，曾为庾亮任司马。事见本书卷九十四咸和三年。㉞学不为文：好学不是为了写文章。㉟敏有思致：聪明而思路清晰。㉟口不谈义：不把"道义""义理"挂在嘴边。㉟深达理体：深明治理国家的方针大计。理，治。㉟记注：指有关帝王起居、朝事活动的各种记载。㉟撰录：编写记录。㉟当世之志：指辅佐帝王建功立业的大志。当世，现时。㊱天部大人：义熙十三年（公元四一七年），魏国设天地四方六部大人，分掌朝事。崔宏任天部大人。㉛白马文贞公崔宏：白马公是崔宏的封号，白马是封地名，文贞是谥。崔宏是魏国的重要文臣。传见《魏书》卷二十四。358 数返：几个来回。359 附国渠帅：归附拓跋魏的各少数民族头领。360 会葬：指前来参加葬礼。361 戊午：七月二十四日。362 九月甲寅：九月二十一日。363 调民租：向百姓征收租税。364 定、相、冀三州：定州的州治即今河北定州，相州的州治邺县在今河北临漳西南，冀州的州治即今河北冀州。365 凉：此指西凉，建都于今甘肃酒泉。366 凉公歆：即李歆，李暠之子，继其父称"凉公"，称藩于晋。367 芟：割取。368 来告袭位：来晋朝禀告其父死，自己继承其父之位号，请求天朝照准。369 七郡：指敦煌、酒泉、晋兴、建康、凉兴、会稽、广夏，都在今甘肃西部。370 姚艾：原是后秦姚泓的将领，驻兵上邽，姚泓被刘裕灭后，姚艾投降乞伏炽磐的西秦，今又叛西秦投降沮渠蒙逊的北凉。371 河西王：即沮渠蒙逊，自称"河西王"，建都姑臧，即历史上所说的"北凉"。称"河西王"似乎是管辖的地区更大一些。372 洮、罕：临洮、枹罕，二郡名，临洮郡的郡治即今甘肃岷县，枹罕郡的郡治在今甘肃临夏。373 南安：古城名，在今甘肃陇西东南。374 外军：指当时屯扎在蒲阪以防魏，以及屯扎在渭北以防夏的军队。375 樵采路绝：连出城打柴、采野果的道路都被夏人掐断。376 雍州：此指北雍州，州治长安。因为当时东晋还有雍州，州治在今湖北襄阳市襄城区。377 河、洛：黄河、洛水，即指今洛阳城与其周边地区。378 贪纵：贪婪、放纵。379 方轨：两车并行，极言其不慌不忙的样子。380 韦华：原是姚氏旧臣，投降东晋后，刘裕用以为雍州别驾。别驾是刺史的高级僚属。381 公处分亟进：刘裕嘱咐我们要快走。公，敬称刘裕。处分，安排、规定，这里即指"嘱咐"。亟进，快走。382 今多将辎重：如今携带着许多东西。辎重，应属后勤部队运送的各种物资。383 何以待之：如何对待。待，对付、处理。384 中兵参军：节镇都督的僚属，主管侍卫。385 身在此：我在这里。晋时人用"身"称自己，犹如今之所谓"我"。386 行矣：你赶紧跑吧。387 可刎身头以南：可把我的人头砍下来带回南方。388 使家公望绝：让我的父亲不再牵挂。家公，犹言"家父""家君"。389 诚无算略：实在是由于我们没有谋略。算略，计划、谋略。390 勃勃裸之：赫连勃勃扒光了他的衣服。391 京观：大坟堆，将敌人的大量尸体堆积起来，上面撒些土，以此来显示自己的武功。392 逐朱龄石：刘裕等不思向西进攻，已令人失望；刘义真撤退时又大量掠夺长安，更激起了长安人的仇恨，故群起逐朱龄石。393 一期：刚过一年。394 算无遗策：极言其谋划、预料的精确，万无一失。395 此觞所集：犹言"这杯酒应首先敬给的人"。集，向、给。396 都官尚书：主管刑狱，犹如汉代之"廷尉"。397 曹公垒：在陕西潼关，为昔日曹操讨伐马超、韩遂时的驻兵之处。398 朱超石至蒲阪：朱超石当时正以中书侍郎的身份宣慰河洛，闻关中乱，到蒲阪就并州刺史刘遵考。399 何以为心：老人的心如何受得了。400 求间道亡归：寻小路逃回。401 右军参军：右将军朱龄石的参军。402 不欢燕：不参与欢乐的宴会。403 刻日北伐：定好日期就要北伐。刻日，定好日期。㊵请俟他年：请换一个别的时间。婉转劝阻的用语。㊶殿下：敬称刘裕。㊷舆驾顿洛：如果您的车驾驻节在洛阳。㊸则不足上劳圣躬：那就用不着您亲自去。圣躬，敬指刘裕。㊹得志：指获胜。㊺乘胜过陕：乘胜攻占陕县一带。陕，陕县，在今河南三门峡市陕州区，是古代指称"关中"与"山东"的重要分界地。㊻摄服大威：害怕您的威严。摄服，同"慑服"，害怕。㊼为将来之虑：怕您二次出兵讨伐他们。㊽造洛而反：打到洛阳就收兵回来。㊾更有揣量之心：从中判断我方的实际力量不过如此。㊿昔岁西征：指前几年的讨伐荆州刺史司马休之。[415]刘钟狼狈：指"群盗数百"夜袭刘钟所驻守的冶亭。事见本书卷一百一十七义熙十一年。[416]去年北讨：指当年讨伐南燕慕容超。去年，犹言"往年""当年"。[417]广州倾覆：此处叙事有误，广州被卢循、徐道覆攻陷，是在桓玄作乱，刘裕与桓玄作战时。刘裕北伐南燕，乃卢循、徐道覆由广州出兵北犯湘州、江州，又折而东攻建康，非攻陷广州。[418]引领颙颙：伸长脖子盼着见到你们。颙颙，向往、归心的样子。[419]不测浅深之谋：犹言"不明白您究竟有什么打算"。[420]返顾之忧：后顾之忧。[421]更在腹心：就在京城周围、朝廷之中。[422]西虏：指赫连勃勃的夏政权。[423]结好北虏：与拓跋氏的魏政权搞好关系。[424]河南：泛指今河南洛阳一带的黄河以南地区。[425]济、泗：济水、泗水，泛指山东西部及安徽、江苏北部一带地区。[426]宋台：宋公刘裕的政权机构。[427]太子右卫率：太子宫廷警卫军的头领，当时的卫率有前、后、左、右、中五人。刘裕一方面让段宏为他自己的政权做黄门郎，同时又让他兼任晋太子右卫率，以便于他对晋政权的控制。[428]出天津：经由天津。天津是星名，也叫天潢，有星九颗，都在天河当中。[429]入太微：进入太微垣的位置。太微是星名，在北斗之南，有星十颗。[430]络紫微：缠挂在紫微垣。紫微垣是星名，位于北斗的东北，有星十五颗。[431]术士：掌握某种技术、法术的人，如占星、相面、看风水等等。这里指观测星象的人。[432]灾咎之应：星象所预示的灾祸的降临。[433]皆象人事：都与人间的事情彼此对应。这就是两汉以来阴阳五行家的所谓"天人感应"，是最荒诞无稽的东西。[434]无衅：没有缝隙，没有漏洞，指国家的方针大计没有失误。[435]王莽：西汉末年的外戚，先装作礼贤下士，收买人心，待一切成熟，遂篡汉自立。传见《汉书》卷九十九。[436]彗星出入正

【原文】

恭皇帝[454]

元熙元年（己未，公元四一九年）

春，正月壬辰朔[455]，改元。

立琅邪王妃褚氏为皇后。后，裒[456]之曾孙也。

与今同：据《汉书·天文志》，哀帝建平二年（公元前五年）有所谓“彗星出牵牛七十余日”。旧说以为彗星是除旧布新的征兆，故与权臣篡位、改朝换代相比附。㊲国家：犹言“我们的国家”，指称自己的魏国。㊳民无异望：百姓们没有别的想法、打算，意即不想造反、作乱。㊴陵夷：越来越不行，如山丘之日益低下。㊵彗之为异：彗星之所以出现这种变化，指长留天空八十余日。㊶无以易其言：没有人可以改变他的说法。易，改变、提出异议。㊷《谶》：一种预言未来的迷信语。或是由野心家故意编造，以煽动叛乱；或是事后编造，以神化某人。㊸昌明：晋孝武帝司马曜，字昌明。㊹未尝暂离：时刻不离。㊺伺之经时不得间：好长时间找不到下手的机会。伺，伺机。间，空隙。㊻戊寅：十二月十七日。㊼散衣：撕开衣服，用布条子……。㊽缢帝于东堂：把晋安帝勒死在东堂。时司马德宗年三十七岁。㊾廙：即王廙，东晋初期大权奸王敦的堂弟，人品较低。传见《晋书》卷七十六。㊿因称遗诏：假托已死皇帝的旨意。○51称藩：自愿做东晋的藩臣。古代诸侯自称是天子的屏藩。○52拜凉州刺史：东晋朝廷任之为凉州刺史。凉州的州治即今甘肃武威，当时为沮渠蒙逊北凉的都城。○53袁湛：字士深，袁耽之孙。传见《晋书》卷八十三。

【校记】

［6］阳：据章钰校，甲十一行本、乙十一行本皆无此字。［7］言：据章钰校，甲十一行本、乙十一行本、孔天胤本此上有“至”字。［8］嗣：原无此字。据章钰校，甲十一行本、乙十一行本、孔天胤本皆有此字，张瑛《通鉴校勘记》同，今据补。［9］征南将军：原无此四字。据章钰校，甲十一行本、乙十一行本、孔天胤本皆有此四字，张瑛《通鉴校勘记》同，今据补。［10］后：原无此字。胡三省注云：“‘然’下当有‘后’字。”有“后”字义长，今据严衍《通鉴补》校补。［11］时天寒：原无此三字。据章钰校，甲十一行本、乙十一行本、孔天胤本皆有此三字，张敦仁《通鉴刊本识误》同，今据补。［12］怒甚：原无此二字。据章钰校，甲十一行本、乙十一行本、孔天胤本皆有此二字，张敦仁《通鉴刊本识误》、张瑛《通鉴校勘记》同，今据补。

【语译】

恭皇帝

元熙元年（己未，公元四一九年）

春季，正月初一壬辰，东晋改年号为“元熙”。

东晋恭皇帝司马德文立琅邪王妃褚氏为皇后。褚皇后，是褚裒的曾孙女。

魏主嗣畋于犊渚[457]。

甲午[458]，征宋公裕入朝，进爵为王。裕辞。

癸卯[459]，魏主嗣还平城。

庚申[460]，葬安皇帝于休平陵。

敕[13]刘道怜以[14]司空出镇京口[461]。

夏将叱奴侯提[462]帅步骑二万攻毛德祖于蒲阪，德祖不能御，全军归彭城。二月，宋公裕以德祖为荥阳[463]太守，戍虎牢[464]。

夏主勃勃征隐士京兆韦祖思。祖思既至，恭惧过甚。勃勃怒曰："我以国士征汝[465]，汝乃以非类遇我[466]！汝昔不拜姚兴[467]，今何独拜我？我在，汝犹不以我为帝王；我死，汝曹弄笔，当置我于何地邪？"遂杀之[468]。

群臣请都长安，勃勃曰："朕岂不知长安历世帝王之都，沃饶险固？然晋人僻远，终不能为吾患。魏与我风俗略同，土壤邻接，自[469]统万[470]距魏境裁百余里，朕在长安，统万必危；若在统万，魏必不敢济河而西[471]，诸卿适未见此耳！"皆曰："非所及也。"乃于长安置南台[472]，以赫连璝领大将军、雍州牧、录南台尚书事[473]。勃勃还统万，大赦，改元"真兴"。

勃勃性骄虐，视民如草芥。常居城上，置弓剑于侧，有所嫌忿[474]，手自杀之。群臣迕视[475]者凿其目，笑者决其唇[476]，谏者先截其舌而后斩之。

初，司马楚之[477]奉其父荣期之丧[478]归建康，会宋公裕[479][15]诛翦宗室之有才望[480]者，楚之叔父宣期、兄贞之皆死，楚之亡匿竟陵蛮[481]中。及从祖休之[482]自江陵奔秦，楚之亡之汝、颍[483]间，聚众以谋复仇。楚之少有英气，能折节[484]下士，有众万余，屯据长社[485]。裕使刺客沐谦[486]往刺之，楚之待谦甚厚。谦欲发，未得间，乃夜称疾，知楚之必

北魏皇帝拓跋嗣前往犊渚打猎。

正月初三甲午，东晋恭皇帝司马德文征召宋公刘裕入朝，晋封刘裕为宋王。刘裕推辞了。

正月十二日癸卯，北魏皇帝拓跋嗣从犊渚返回京师平城。

正月二十九日庚申，东晋将晋安帝司马德宗安葬在休平陵。

东晋恭皇帝司马德文下诏，命担任徐、兖二州刺史的刘道怜以司空的身份出京去镇守京口。

夏国将领叱奴侯提率领二万名步兵、骑兵攻击东晋河东太守毛德祖所镇守的蒲阪，毛德祖抵挡不住夏军的进攻，遂放弃蒲阪，率领全军撤退到彭城。二月，宋公刘裕任命毛德祖为荥阳太守，戍守虎牢。

夏国皇帝赫连勃勃征聘原籍京兆的隐士韦祖思。韦祖思应诏来到京师长安，在赫连勃勃面前表现得过于恭敬、恐惧。赫连勃勃勃然大怒说："我是把你看作一国的杰出人才才招聘你，你竟然不把我当成同一类人看待！你过去不向秦主姚兴行跪拜之礼，现在为什么唯独向我下拜？我活着的时候，你尚且不把我当皇帝看待；如果我死了，你们这类人舞文弄墨，又会把我写成什么样子呢?"于是杀死了韦祖思。

夏国群臣都请求将都城建在长安，赫连勃勃说："我难道不知道长安是历代的帝王之都，这里土地肥沃，又有关山险阻？然而，晋国距离这里太遥远，肯定不会成为我们的祸患。而魏国与我们的风俗大体相同，疆土互相连接，且因为统万城距离魏国的边境才一百多里，我如果在长安，统万城一定会有危险，我如果是在统万，魏国军队肯定不敢渡过黄河西进，诸位爱卿恰好没有看到这一点！"众臣都说："陛下的见解，我们确实比不上。"于是在长安设置南台，任命赫连璝为大将军、雍州牧、录南台尚书事。赫连勃勃返回统万城，实行大赦，改年号为"真兴"。

赫连勃勃生性傲慢暴虐，把民众看得如同草芥。他常常登上城楼，把弓、剑放在身边，如果对谁有所厌怒，就亲自动手将其杀死。文武百官如果没有正眼看他，他就将谁的眼球挖出来，如果有人发笑，就用剑豁开他的嘴唇，谁敢对他进行劝阻，他就先割掉谁的舌头，然后再将他斩首。

当初，东晋司马楚之护送父亲司马荣期的灵柩返回京师建康，正遇上宋公刘裕诛杀皇室中有才能、有声望的人，司马楚之的叔叔司马宣期、哥哥司马贞之全都被杀死，司马楚之遂逃亡、隐藏在竟陵郡境内的少数民族之中。等到堂祖父司马休之从江陵逃奔后秦之后，司马楚之遂逃到了汝水、颍川一带，他聚集部众，准备为司马氏报仇。司马楚之从小就有一股英雄之气，能够放下皇室的架子，礼贤下士，拥有部众一万多人，屯驻在长社。宋公刘裕派刺客沐谦前往长社刺杀司马楚之，司马楚之对待沐谦非常亲近、优待。沐谦想要动手杀死司马楚之，却一直没有找到机会，于是就在半夜突然说自己有病，他知道司马楚之一定会前来探问病情，遂准备利用

往问疾，因欲刺之。楚之果自赍汤药往视疾，情意勤笃⑱。谦不忍发，乃出匕首于席下，以状告之曰："将军深为刘裕所忌，愿勿轻率以自保全。"遂委身事之，为之防卫。

王镇恶之死也，沈田子杀其兄弟七人，唯弟康得免，逃就宋公裕于彭城，裕以为相国行参军⑱。康求还洛阳视母，会长安不守，康纠合关中徙民⑱，得百许人，驱帅侨户⑲七百余家，共保金墉城⑲。时宗室多逃亡在河南。有司马文荣者，帅乞活⑲千余户屯金墉城南；又有司马道恭，自东垣⑲帅三千人屯城西；司马顺明帅五千人屯陵云台⑲；司马楚之屯柏谷坞⑲。魏河内镇将于栗磾游骑⑲在芒山⑲上，攻逼交至，康坚守六旬。裕以康为河东⑲太守，遣兵救之。平等皆散走⑲。康劝课农桑，百姓甚亲赖之。

司马顺明、司马道恭及平阳太守薛辩⑳皆降于魏，魏以辩为河东太守以拒夏人。

夏，四月，秦征西将军孔子⑳帅骑五千讨吐谷浑觅地⑳于弱水⑳南，大破之，觅地帅其众六千降于秦[16]，拜弱水护军。

庚辰⑳，魏主嗣有事于东庙⑳，助祭者⑳数百国。辛巳⑳，南巡至雁门。五月庚寅朔⑳，魏主嗣观渔于灅水⑳。己亥⑳，还平城。

凉公歆用刑过严，又好治宫室。从事中郎⑳张显上疏，以为："凉土三分⑳，势不支久。兼并之本⑳，在于务农；怀远之略⑳，莫如宽简⑳。今入岁已来，阴阳失序，风雨乖和，是宜减膳彻悬⑳，侧身⑳修道；而更繁刑峻法，缮筑不止，殆非所以致兴隆⑳也。昔文王以百里而兴⑳，二世以四海而灭⑳，前车之轨，得失昭然。太祖⑳以神圣之姿，

这个机会刺杀他。司马楚之果然亲自端着汤药前来探视，情深意切。沐谦不忍心动手，他把匕首从座席之下拿出来，把实情告诉了司马楚之，沐谦说："刘裕对将军非常忌恨，希望将军以后不要轻易地接近别人，以保证自己的人身安全。"沐谦最后做了司马楚之的部下，在他身边担任护卫。

当初王镇恶被沈田子杀死以后，沈田子还杀死了王镇恶的七个兄弟，只有小弟王康逃走，免于被杀，他投奔了停留在彭城的宋公刘裕，刘裕任命王康为相国行参军。王康向刘裕请假返回洛阳探望自己的母亲，正遇上长安失守，王康遂招募那些从关中流浪到洛阳一带的难民，得到了一百来人，于是便动员侨居于洛阳的七百多户进入金墉城据守。当时皇室成员大多都逃亡到黄河以南。有一个名叫司马文荣的人，率领着一千多户因为逃荒而来到洛阳的难民驻守在金墉城南；还有一个名叫司马道恭的人，从东垣率领着三千人驻扎在金墉城西；一个叫作司马顺明的人，率领五千人屯驻在陵云台；司马楚之则屯驻在柏谷坞。北魏负责镇守河内的将领于栗磾率领着一支游击骑兵出现在芒山之上，不时地向据守金墉城的王康发动进攻，王康一直坚守了六十天。刘裕遂任命王康为河东太守，然后派兵前来救援。平等人后来都散走。担任了河东太守的王康鼓励农民种田植桑，百姓都很亲近他，信赖他。

司马顺明、司马道恭以及担任平阳太守的薛辩全都投降了北魏，北魏皇帝拓跋嗣任命薛辩为河东太守，以抗击夏国军队的入侵。

夏季，四月，西秦担任征西将军的乞伏孔子率领五千名骑兵讨伐吐谷浑部落首领觅地所占有的弱水以南地区，将觅地打得大败，觅地率领自己的六千名部众投降了西秦，西秦任命觅地为弱水护军。

四月二十一日庚辰，北魏皇帝拓跋嗣举行祭祀东庙的活动，前来参加祭祀活动的其他民族部落首领有数百个。二十二日辛巳，拓跋嗣前往魏国的南部巡视，抵达雁门。五月初一庚寅，拓跋嗣到灅水观看有关捕鱼的民俗活动。初十己亥，从灅水返回京师平城。

西凉公李歆运用刑罚过分严厉残酷，又大兴土木扩建宫室。担任从事中郎的张显上疏劝谏说："凉州的疆土已经被分割成三个国家政权，这种局面肯定支持不了多久。而吞并其他政权所靠的本钱，就在于要搞好农业；要想让其他地区的人思念你、倾慕你、愿意归附你，就要政令宽松、简单，赋税减少。今年以来阴阳失序，风雨不调，君主应该降低膳食规格，撤掉音乐，不敢正面而坐，极其虔诚恭敬地思考自己施政的过失；如今反倒更加崇尚严刑峻法，土建工程没有休止，这样做，恐怕不是使国家走向兴旺的办法。过去周文王仅有一百里的土地，却依然能够兴起，秦二世胡亥统治着一个庞大的国家，由于残暴不仁，结果很快就被农民起义军推翻了，前面车辆留下的轨迹，成功与失败的原因非常明显。太祖李暠凭借着自己神武圣明的资质，

为西夏[522]所推，左取酒泉[523]，右开西域[524]。殿下不能奉承遗志，混壹凉土，侔踪张后[525]，将何以下见先王乎？沮渠蒙逊，胡夷之杰[526]，内修政事，外礼英贤，攻战之际，身均士卒，百姓怀之，乐为之用。臣谓殿下非但不能平殄[527]蒙逊，亦惧蒙逊方为社稷之忧。”歆览之，不悦。

主簿汜称[528]上疏谏曰：“天之子爱人主[529]，殷勤至矣[530]。故政之不修[531]，下灾异以戒告之[532]。改者虽危必昌，不改者虽安必亡。元年三月癸卯[533]，敦煌谦德堂[534]陷；八月，效谷[535]地裂；二年元日[536]，昏雾四塞；四月，日赤无光，二旬乃复；十一月，狐上南门；今兹春、夏，地频五震；六月，陨星于建康[537]。臣虽学不稽古[538]，行年五十有九，请为殿下略言耳目之所闻见，不复能远论书传之事也。乃者咸安之初[539]，西平[540]地裂，狐入谦光殿前，俄而秦师奄至，都城不守[541]。梁熙既为凉州[542]，不抚百姓，专为聚敛，建元[543]十九年，姑臧南门崩，陨石于闲豫堂，明年为吕光[544]所杀。段业称制此方[545]，三年之中，地震五十余所。既而[546]先王龙兴于瓜州[547]，蒙逊篡弑于张掖[548]。此皆目前之成事[549]，殿下所明知也。效谷，先王鸿渐之地[550]；谦德，即尊之室[551]，基陷地裂，大凶之征也。日者，太阳之精，中国之象[552]；赤而无光，中国将衰。谚曰：‘野兽入家，主人将去[553]。’狐上南门，亦变异之大者也。今蛮夷益盛，中国益微，愿殿下亟罢宫室之役，止游畋之娱，延礼[554]英俊，爱养百姓，以应天变、防未然[555]。”歆不从。

秋，七月，宋公裕始受进爵之命[556]。八月，移镇寿阳[557]，以度支尚书刘怀慎[558]为督淮北诸军事、徐州刺史，镇彭城。

辛未[559]，魏主嗣东巡。甲申[560]，还平城。

受到中国西部地区人民的拥戴，向东夺取了酒泉郡，向西开拓了古西域的大片地区。殿下不能继承先王的遗志，使凉州的土地归于统一，建立一个可以与凉张氏政权相媲美的国家，将有何脸面到地下去见先王呢？沮渠蒙逊，是匈奴民族中的杰出人物，他对内修明政治，对外招纳贤才，在作战的时候，总是身先士卒，把自己当成与普通士卒一样的人，所以百姓都感激他，乐意为他效力。我认为殿下不仅不能消灭沮渠蒙逊，恐怕沮渠蒙逊正在给我国带来忧患。”凉公李歆看过张显的奏疏之后，很不高兴。

担任主簿的汜称也上疏劝谏西凉公李歆说：“上天对人间帝王的真挚关爱，就像父亲对待自己的儿子一样，其尽心尽力的程度可以说是做到家了。所以当人间帝王将国家政事弄得乱了套的时候，上天就先降下灾异以警告人间的帝王。如果人间帝王知道悔改，即使已经面临着倾覆的危险，也会重新昌盛起来；如果人主不知道悔改，虽然局势很安定也一定会灭亡。元年三月十三日癸卯，敦煌的谦德堂倒塌；八月，效谷地面开裂；二年正月初一，昏昏暗暗的大雾弥漫了四面八方；四月，太阳变成赤红色，黯淡无光，经过二十天才恢复正常；十一月，狐狸跑上了南面的城楼；今年春天、夏天，一连发生了五次地震；六月，陨星坠落在建康郡境内。我虽然学问不大，不能考查古典，引证旧文，然而我的年龄已经五十九岁了，请允许我把自己耳闻目见的事情疏略地说给殿下听一听，而不再谈论书籍中所记载的古远之事。晋简文帝司马昱咸安初年，西平郡发生地裂，野狐狸进入姑臧城的谦光殿前殿，不久之后秦苻坚的军队突然对凉国发动进攻，都城姑臧陷落，张氏所建立的凉国灭亡。梁熙担任了凉州刺史，镇守姑臧，他不知道安抚百姓，只是一味地贪污受贿、聚敛财富，秦王苻坚建元十九年，姑臧城的南门突然崩塌，陨石落在闲豫堂，第二年，梁熙就被吕光杀死。段业在此地称王的时候，三年之中，发生了五十多处地震。不久先王李暠兴起于瓜州，沮渠蒙逊为篡夺政权在张掖杀死了段业。这些都是眼前现成的事例，殿下知道得非常清楚。效谷是先王李暠开始创业的地方；谦德堂是先王李暠登基称王的殿堂，如今谦德堂地基塌陷、土地开裂，这是非常凶险的征兆。日是太阳的精华，是我们凉国的象征；颜色赤红、黯淡无光，预示国家即将衰败。俗话说：‘野兽进入家门，主人即将离去。’狐狸登上了南城门楼，也属于很大的变异。如今夷族日益强盛，汉人日渐衰微，希望殿下赶紧把修建宫室的工程停下来，停止巡游、打猎等娱乐活动，恭敬地招揽、聘用英俊之才，爱护、休养百姓，以对付天象的变化，防止灾难的发生。”李歆还是听不进去。

秋季，七月，东晋宋公刘裕开始接受晋恭帝司马德文所晋封的宋王的诏命。八月，将镇所迁移到寿阳，任命担任度支尚书的刘怀慎为督淮北诸军事、徐州刺史，镇守彭城。

八月十三日辛未，北魏皇帝拓跋嗣前往魏国的东部地区巡视。二十六日甲申，返回京师平城。

九月，宋王裕自解扬州牧。

秦左卫将军匹达[561]等将兵讨彭利和[562]于漒川[563]，大破之，利和单骑奔仇池[564]；获其妻子，徙羌豪三千户于枹罕，漒川羌三万余户皆安堵如故。冬，十月，以尚书右仆射王松寿为益州刺史，镇漒川。

宋王裕以河南萧条，乙酉[565]，徙司州刺史义真为扬州刺史，镇石头。萧太妃[566]谓裕曰："道怜汝布衣兄弟[567]，宜用为扬州。"裕曰："寄奴[568]于道怜，岂有所惜？扬州根本所寄[569]，事务至多，非道怜所了[570]。"太妃曰："道怜年出五十，岂不如汝十岁儿邪？"裕曰："义真虽为刺史，事无大小，悉由寄奴[571]；道怜年长，不亲其事，于听望不足[572]。"太妃乃无言。道怜性愚鄙而贪纵，故裕不肯用。

十一月丁亥朔[573]，日有食之。

十二月癸亥[574]，魏主嗣西巡至云中[575]，从君子津[576]西渡河，大猎于薛林山[577]。

辛卯[578]，宋王裕加殊礼[579]，进王太妃[580]为太后，世子[581]为太子。

【段旨】

以上为第三段，写晋恭帝元熙元年（公元四一九年）一年间的大事。主要写：刘裕晋爵为宋王，移其军政府于寿阳；刘裕因司州残破萧条而改任其子刘义真为扬州刺史；夏人攻取晋之蒲阪，晋将毛德祖退戍虎牢。王镇恶的亲属多被沈田子所杀，王镇恶之弟王康归投刘裕，先为晋守金墉城，后为河东太守，皆有良好政绩。司马楚之因刘裕大肆残杀宗室之有才望者，聚众于汝、颍间以反刘裕；刘裕派刺客前往行刺，司马楚之的行为竟感动刺客，刺客转为之做护卫。凉公李歆用刑过严，又好治宫室，部下张显劝之，李歆不听；主簿汜称以五行天变之说劝李歆积极向善，李歆亦不听，为西凉之灭亡埋下伏笔。夏主赫连勃勃置南台于长安，仍以统万为都城，以扼制魏军的西侵。

九月，东晋宋王刘裕主动辞去了扬州牧的职务。

西秦担任左卫将军的乞伏匹达等率军前往讨伐彭利和所据守的漒川，将彭利和打得大败，彭利和单枪匹马逃奔仇池；乞伏匹达俘虏了彭利和的妻子儿女，将羌族中的豪门大姓三千户强迫迁往西秦的都城枹罕，漒川地区其余的三万多户羌人则安居如故。冬季，十月，西秦王乞伏炽磐任命担任尚书右仆射的王松寿为益州刺史，镇守漒川。

东晋宋王刘裕认为黄河以南地区经济萧条，十月二十八日乙酉，将担任司州刺史的刘义真改任为扬州刺史，镇所设在石头城。刘裕的继母萧太妃对宋王刘裕说："道怜是你平民时期一同经历过贫困的患难兄弟，应该任用他为扬州刺史。"刘裕回答说："我对道怜难道还有什么舍不得的吗？但扬州是国家政权所在地，事务繁多，不是道怜所能胜任得了的。"萧太妃说："道怜已经年过五十，难道竟然比不上你那十岁的儿子吗？"刘裕解释说："义真虽然名义上是扬州刺史，然而事情无论大小，都由我来亲自主持裁决；道怜年纪已经很大，如果不亲自处理政事，在声望上反倒会受损失。"萧太妃这才无话可说。刘道怜生性愚昧、见识浅薄，而又贪婪任性，所以刘裕不肯重用他。

十一月初一丁亥，发生日食。

十二月初七癸亥，北魏皇帝拓跋嗣前往魏国的西部巡视，抵达云中，从君子津向西渡过黄河，在薛林山进行大规模的狩猎活动。

辛卯日，东晋给予宋王刘裕一般大臣所不能享受的礼遇，晋封宋王刘裕的继母萧太妃为宋王太后，世子刘义符为王太子。

【注释】

㊹恭皇帝：名德文，晋安帝司马德宗胞弟。在被立为傀儡皇帝之前为琅邪王。㊺正月壬辰朔：正月初一是壬辰日。㊻裒：即褚裒，字季野，晋康帝褚皇后的父亲，在东晋前期颇有声望。传见《晋书》卷九十三。㊼犊渚：约在今内蒙古清水河县一带。㊽甲午：正月初三。㊾癸卯：正月十二日。㊿庚申：正月二十九日。461京口：即今江苏镇江。462叱奴侯提：人名。463荥阳：郡名，郡治即今河南荥阳东北之古荥镇。464虎牢：关塞名，旧址在今荥阳西北之汜水镇。465我以国士征汝：我是把你作为一个卓荦的人物请来的。国士，一国之中的罕有之士，极言其卓荦不凡。征，聘、聘请。466汝乃以非类遇我：你居然不把我看成与你同一类的人。如果看成同一类的人则应行对等之礼，不

宜恭惧过甚。非类，不是同一类的人。遇，对待。㊼不拜姚兴：见了姚兴不行跪拜之礼。㊽遂杀之：胡三省曰："勃勃之杀祖思，虐矣；然祖思之恭惧过甚，勃勃以为薄己而杀之，则勃勃为有见，而祖思为无所守也。"㊾自：由于；因为。㊿统万：赫连勃勃的都城，即今内蒙古乌审旗南的白城子。471济河而西：渡过黄河到西方来。〖按〗此黄河指今山西、陕西交界处的黄河，夏都统万在黄河的西侧，魏都平城在黄河的东北侧。472南台：留驻南方的"行台"。"行台"是中央政权的派出机构，以便就近行使中央职权。473录南台尚书事：总管南方行台的一切事宜。录，总管。南台尚书，即南方行台的尚书令。474嫌忿：厌恶、生气。嫌，厌。475迕视：以不驯顺的眼光相视。476决其唇：将其嘴唇割开。477司马楚之：司马懿之弟司马馗的八世孙，司马荣期之子。478奉其父荣期之丧：护送其父司马荣期的灵柩。司马荣期原为益州刺史，谯纵造反，司马荣期率军进讨时，被部下叛变分子所杀。事见本书卷一百一十四义熙二年。479宋公裕：即刘裕，此时已接受封号为"宋公"。480才望：有才干、有声望。481竟陵蛮：竟陵郡的少数民族。竟陵郡郡治即今湖北钟祥。482从祖休之：即司马休之，司马懿之弟司马进的六世孙，司马楚之的远房堂祖。司马休之被刘裕打败后自江陵奔秦，见本书卷一百一十七义熙十一年。483汝、颍：二水名，此处的"汝、颍间"约当于今河南许昌、周口一带地区。484折节：犹今之所谓"放下架子"。485长社：县名，县治在今河南长葛东。486沐谦：人名，姓沐名谦。东汉有东平太守沐宠，见《风俗通》。487勤笃：热情、厚道。488行参军：试用参军。犹今之所谓"候补""试用"。当时诸公府的参军有"正参军""行参军""长兼行参军"等。489关中徙民：由关中流浪到洛阳一带的人。490侨户：外地流落到洛阳一带侨居的人。491金墉城：当时洛阳城西北角上的小城。492乞活：因逃荒逃到洛阳来的灾民。493东垣：县名，县治即今洛阳西的新安。494陵云台：魏文帝所造，在当时的宁阳门外。495柏谷坞：在今洛阳东的偃师东南。496游骑：游击骑兵。497芒山：在洛阳城北，故也叫"北芒"。498河东：郡名，郡治在今山西永济西南。499平等皆散走：上文未出现有名唤为"平"者，此疑有讹误。看文意似指司马文荣、司马道恭、司马顺明诸人。500平阳太守薛辩：原是姚泓的部将，驻兵河曲，前不久投降了刘裕，今又反戈投魏。平阳郡的郡治在今山西临汾的西南侧。501孔子：姓乞伏，名孔子。502觅地：吐谷浑部落头领的名字。503弱水：此处所说的"弱水"约即今青海的青海湖。504庚辰：四月二十一日。505有事于东庙：指举行祭祀东庙的活动。东庙即白登山上的拓跋珪庙。因白登西还有拓跋珪庙，故称此为"东庙"。506助祭者：指出份子并亲自来参加祭祀活动的其他民族部落的头领。507辛巳：四月二十二日。508五月庚寅朔：五月初一是庚寅日。509观渔于灅水：在灅水观看有关捕鱼的一种民俗活动。此风早在《左传》中就有记载。灅水，即今之桑干河，发源于今山西宁武南，东北流经今山西应县西北、河北阳原东南，下游即今北京市西南的永定河。510己亥：五月初十。511从事中郎：职务与"长史"相同，是当时国家三公与方镇大员的高级僚属。512凉土三分：在古凉州的地面上如今存在着三个政权，指西凉李氏、北凉沮渠氏、西秦乞伏氏。古凉州约当今之甘肃全境。⑬兼并之本：吞并其他政权所靠的本钱。⑭怀远之略：要想让其他地区的人思念你、倾慕你、愿意归附你的办法。⑮宽简：指刑罚宽、赋税少。⑯减膳彻悬：降低膳食规格，撤去音乐不用。是古代帝王在国家遇到严重问题时自己做出的一种自责、自慎的姿态。彻，同“撤”。悬，指乐器、乐队的排列形式。古礼有所谓“天子宫悬，诸侯轩悬”。宫悬，即四面悬挂乐器。⑰侧身：不敢正面而坐，极言其敬慎思过的样子。⑱殆非所以致兴隆：这不是招致国泰民安的办法。殆，委婉语意即恐怕、大概。⑲文王以百里而兴：周文王原是西方的小国诸侯，僻居岐山之下，后来逐渐强大，至武王时，遂灭纣建立了周王朝。事见《史记·周本纪》。⑳二世以四海而灭：秦二世胡亥统治着一个庞大的国家，由于残暴不仁，结果被农民起义推翻了。过程详见《史记·秦始皇本纪》。㉑太祖：指李暠，字玄盛，西凉政权的创建者。传见《晋书》卷八十七。㉒西夏：西部中国，此指甘肃西部的各州郡。李暠被甘肃西部诸侯推为敦煌太守事，见本书卷一百一十一隆安四年。㉓左取酒泉：向东取得了酒泉郡。见本书卷一百一十二隆安五年。㉔右开西域：向西取得了古西域的大片地区，被东晋任为镇西将军、都督凉兴以西诸军事。见本书卷一百一十一隆安四年。㉕侔踪张后：建立一个与张氏政权相媲美的国家。侔踪，犹言“比迹”，和某人的事业相仿。张后，张氏家族的历代君主，指张轨、张重华、张骏等人，当时前凉政权的疆域曾达到了今兰州以西的甘肃大部地区。㉖胡夷之杰：匈奴民族的杰出人物。沮渠蒙逊是匈奴族人。㉗平殄：平定、消灭。㉘主簿汜称：李歆的主簿姓汜名称。主簿是州刺史或大将军的高级僚属，犹今之秘书长。㉙天之子爱人主：老天爷对人间帝王的真挚关爱。子爱，像对待儿子一样地爱护。㉚殷勤至矣：其尽心尽力的程度可以说是到家了。㉛政之不修：当人世帝王将国家政事弄得乱套的时候。㉜下灾异以戒告之：此阴阳五行家“天人感应”的一贯说法：下政不修，则天降灾异；下政修治，则天降祥瑞。㉝元年三月癸卯：李歆元年（公元四一七年）三月十三日。㉞敦煌谦德堂：昔张骏占据河西时，曾在姑臧（今甘肃武威）修谦光殿，表示自己虽专治一方，但不改变尊崇东晋的臣节。李暠占据敦煌后，仿效谦光殿另起谦德堂，意思与张骏相同。㉟效谷：即今甘肃瓜州。㊱二年元日：李歆二年（公元四一八年）的正月初一。㊲陨星于建康：此“建康”指西凉境内的建康郡，郡治在今甘肃高台西南。㊳学不稽古：学问不大，不能考查古典，引征旧文。这里是客气的说法。稽古，考查古代文献。㊴咸安之初：咸安初年。“咸安”是晋简文帝司马昱的年号（公元三七一至三七二年），共两年。㊵西平：郡名，郡治即今青海西宁。㊶秦师奄至二句：指三年后的太元元年（公元三七六年），前秦苻坚的军队攻入姑臧，张氏的前凉灭亡。㊷梁熙既为凉州：梁熙是苻坚的部下，灭凉后，被苻坚任以为凉州牧。㊸建元：苻坚的年号（公元三六五至三八五年）。其十九年即晋武帝太元八年（公元三八三年），这年苻坚大败于淝水。㊹吕光：后凉政权的创立者，于太安元年（公元三八五年）杀梁熙据姑臧自立。㊺段业称制此方：段业在这里称帝的时候。

称制，将自己的命令称作“制”，意即称帝。段业是北凉政权的第一任头领，安帝隆安元年（公元三九七年）被沮渠蒙逊等拥立，建都张掖。㊿既而：时间不久。547先王龙兴于瓜州：李暠在敦煌一带起而自称君主。龙兴，平民起而称帝。瓜州，即敦煌郡。548蒙逊篡弑于张掖：指沮渠蒙逊在张掖杀掉段业，自立为北凉王。事见本书卷一百一十二隆安五年。549成事：现成的事实。550鸿渐之地：起家、开始创业的地方。鸿，是一种水鸟，它由水而“渐于干”“渐于陆”“渐于木”，以比喻帝王事业由低到高，逐步升迁。语出《周易·渐卦》。551即尊之室：登基称王的房子。552中国之象：是我们西凉国的象征。中国，自称其西凉国，乃与周围的其他少数民族对比而言。553野兽入家二句：贾谊《鹏鸟赋》中有所谓“野鸟入处，主人将去”，意思相同。554延礼：恭敬地招纳。555应天变、防未然：对付天象的变化，防止灾难的发生。556始受进爵之命：指假惺惺地拖延到今天才接受了晋爵“宋王”的诏命。557移镇寿阳：刘裕把自己的军政府迁到了寿阳，今天的安徽寿县。558度支尚书刘怀慎：度支尚书犹今之财政部部长。刘怀慎是刘裕的堂兄弟。传见《宋书》卷四十五。559辛未：八月十三日。560甲申：八月二十六日。561匹达：人名。562彭利和：羌族部落头领。563湿川：在今青海东南部。564仇池：郡名，郡治在今甘肃成县西。当时这一带地区属氐族头领杨盛。565乙酉：十月二十八日。566萧太妃：刘道怜的生母，刘裕的继母。567布衣兄弟：意谓曾一同经历过贫困平民生活的弟兄。刘道怜是刘裕的二弟。568寄奴：刘裕的小名。对长辈说话自称小名，以表示尊敬对方。569根本所寄：谓是全国的中心，国家政权所在地。570非道怜所了：不是刘道怜所能管好的。了，到、办好。571悉由寄奴：一切都是听我的。572于听望不足：让人看了、听了不满意。573十一月丁亥朔：十一月初一是丁亥日。574十二月癸亥：十二月初七。575云中：县名，县治盛乐，在今内蒙古和林格北。576君子津：黄河渡口名，在今内蒙古托克托东南，清水河县西北。577薛林山：在今内蒙古准格尔旗东。578辛卯：十二月初一是“丁巳”，本月没有“辛卯”，疑字有误。579加殊礼：给予他一般大臣不能享受的礼遇。580王太妃：宋王太妃，即上文所说的萧太妃。581世子：即嫡子刘义符。

【校记】

［13］敕：原作“剌”。胡三省注云：“‘剌’者，‘敕’字之误也。”据章钰校，乙十一行本作“敕”，张敦仁《通鉴刊本识误》同，今据改。［14］以：原无此字。胡三省注云：“‘司空’之上又当逸‘以’字。”今据严衍《通鉴补》校补。［15］裕：原作“称”。据章钰校，甲十一行本、乙十一行本、孔天胤本皆作“裕”，今据改。［16］秦：据章钰校，甲十一行本、乙十一行本皆作“夏”。

【研析】

本卷写晋安帝义熙十三年（公元四一七年）至晋恭帝元熙元年（公元四一九年）共三年间的各国大事。这一卷的内容极多，文字也生动精彩。第一，其中关系最重大、措置也最为人所不解的，是刘裕费尽千辛万苦灭了后秦，取得了关中，关中的百姓是那样地拥护他，而他竟轻易地抛下关中不管，只身返回建康，去篡取皇帝之位，这刘裕不也太自私、太不顾大局了吗？王志坚《读史商语》曰："苏子由谓宋武有可以取天下之势而不顾，以求移其君而遂失之。细考当日，亦未必然。此时环秦而伺者，如赫连，如拓跋，皆夷豪也，欲安关中，且尽攘此辈，非大豪杰为之三十年不可。宋武起布衣至此，功名已极，而年亦迈矣。即使留关中，度必不能延年以与诸人争，则精力不足也。古之用众者，因其势而驱之，汉高东向而争天下，因思归之士也。帝当日从征将士无不欲东，使强之居关中，谁与同心任事者？则爪牙不足也。有此两不足，又迫之以禅代，宜其狼狈而归耳。使如子由之策，不五年武帝殂，恐关中终为他人有，而江南又不知归何人。究竟两失所据而已。"王夫之《读通鉴论》对此说："刘裕灭姚秦，欲留长安经略西北，不果而归，而中原遂终于沦没。史称'将佐思归'，裕之饰说也。王、沈、毛、傅之独留，岂繄不有思归之念乎？西征之士，一岁而已，非久役也；新破人国，子女玉帛足系其心，枭雄者岂必故土之安乎？固知欲留经略者，裕之初志；而造次东归者，裕之转念也。夫裕欲归而急于篡，固其情已。然使裕据关中、抚洛阳，捍拓跋嗣而营河北，拒屈丐而固秦雍，平沮渠蒙逊而收陇右，勋愈大，威愈张，晋之天下其将安往？曹丕在邺，而汉献遥奉以玺绶，奚必返建康以面受之于晋廷乎？盖裕之北伐，非徒示威以逼主攘夺，而无志于中原者；青泥既败，长安失守，登高北望，慨然流涕，志欲再举，止之者谢晦、郑鲜之也。盖当日之贪佐命以弋利禄者，既无远志，抑无定情，裕欲孤行其志而不得，则急遽以行篡弑，裕之初心亦绌矣。裕之为功于天下，烈于曹操；而其植人才以赞成其大计，不如操远矣。……裕起自寒微，以敢战立功名，而雄侠自喜，与士大夫之臭味不亲。故胡藩言：'一谈一咏，搢绅之士辐凑归之，不如刘毅。'当时在廷之士，无有为裕心腹者。孤恃一机巧汰纵之刘穆之，而又死矣；傅亮、徐羡之、谢晦，皆轻躁而无定情者也。孤危远处于外，求以制朝廷而遥授以天下也，既不可得，且有反面相距之忧，此裕所以汔济濡尾而仅以偏安草窃终也。"

第二，刘裕既然不想牢守关中，那也应该为驻守关中的数万将士安排好退路，不能自己一走了之，尤其不能挑拨诸将之间的关系，令其相互杀伐，致使关中的全部驻军尽被夏人所灭，只剩下一个刘义真被段宏背着逃回了建康。刘裕之所以能取关中，立首功的无疑是王镇恶。王镇恶是当年苻坚的心腹谋士王猛的孙子，在关中地区素有号召力。此人投归刘裕，恰如为虎生翼。但刘裕却并不从心里信任他，其他将佐对王镇恶也不服气。当刘裕将离开关中，其旧部向刘裕表示对王镇恶的不满时，刘裕说："'猛兽不如群狐。'卿等十余人，何惧王镇恶?"这不是公开挑动诸将杀王镇恶吗？胡致堂对此说："刘裕真小人哉，以关中人素重王猛，而镇恶，其孙也，故宠以'龙骧'之号，畀以上将之符，借其威声以收西土。及得之，则猜忌生焉。既纳田子谮言，且谓之曰'卿等十余人，何惧王镇恶'，是以南人自为一党，弃镇恶而不恤，此何心与？义真年才十二，既不能制御诸将，而沈、傅诸将权均力齐，莫相统一，是裕以辛勤得之，而以猜忌失之，盖其心不在于有秦，特欲立功于外以协服于内，遂其篡位之志耳。前史以'轻狡无行'目裕，盖尽之矣。"由于王镇恶的被杀，接着又引起一连串的诸将之间的残杀。最后青泥一战，许多将领被夏人所杀所擒，夏人"积人头为京观，号曰'髑髅台'"。刘裕一生中的荒悖之事非一，而这一桩应列为第一项。

第三，本卷写了刘裕先杀了晋安帝司马德宗，又故意立晋安帝之弟司马德文为帝，是为晋恭帝。下卷写道，不久之后，"傅亮讽晋恭帝禅位于宋，具诏草呈帝，使书之。帝欣然操笔，谓左右曰：'桓玄之时，晋氏已无天下，重为刘公所延，将二十载。今日之事，本所甘心。'"这样交接不就很好了吗？但刘裕还不行，还必须将司马德文杀死。下卷中详细地写了刘裕残忍地杀害晋恭帝的过程："初，帝以毒酒一罂授前琅邪郎中令张伟，使鸩零陵王。伟叹曰：'鸩君以求生，不如死！'乃于道自饮而卒。伟，邵之兄也。太常褚秀之、侍中褚淡之，皆王之妃兄也。王每生男，帝辄令秀之兄弟方便杀之。王自逊位，深虑祸及，与褚妃共处一室，自煮食于床前，饮食所资，皆出褚妃，故宋人莫得伺其隙。九月，帝令淡之与兄右卫将军叔度往视妃，妃出就别室相见。兵人逾垣而入，进药于王。王不肯饮，曰：'佛教，自杀者不复得人身。'兵人以被掩杀之。"王夫之《读通鉴论》曰："晋之必亡也久矣，谢太傅薨，司马道子父子昏愚以播恶，而继以饥饱不知之安帝，虽积功累仁之天下，人且去之，况晋以不道而得之，延及百年而亡已晚乎？晋亡决于孝武之末年，人方周爰四顾而思爰止之屋，裕乘其间以收人望，人胥冀其为天子而为之效死，其篡也，时且利其篡焉。所恶于裕者，弑也，篡犹非其大恶也。"又曰："宋可以有天下者也，而其为神人之所愤怒者，恶莫烈于弑君。篡之相仍自曹氏而已然，宋因之耳。弑则自宋倡之，其后相习，而受夺之主必死于兵与鸩。夫安帝之无能为也，恭帝则欣欣然授之宋而无异心，宋抑可以安之矣；而决于弑焉，何其忍也！宋之邪心固有自以萌而不可戢矣。宋武之篡也年已耄，不三载而殂，自顾其子皆庸劣之才，谢晦、傅亮之流抑诡险而无定情，司马楚之兄弟方挟拓跋氏以临淮甸，前此者桓玄不忍于安帝，而二刘、何、孟挟之以兴，故欲为子孙计巩固而弭天下之谋以决出于此。呜呼！躬行弑而欲子孙之得免于弑，躬行弑而欲其臣之弗弑，其可得乎？徐羡之、傅亮、谢晦之刃，已拟其子之脰而俟时以逞耳。"说得很深刻。

第四，本卷写了夏主赫连勃勃杀害隐士韦祖思的事情，其文曰：“夏主勃勃征隐士京兆韦祖思。祖思既至，恭惧过甚。勃勃怒曰：‘我以国士征汝，汝乃以非类遇我！汝昔不拜姚兴，今何独拜我？我在，汝犹不以我为帝王；我死，汝曹弄笔，当置我于何地邪?’遂杀之。”王夫之《读通鉴论》对此说：“赫连勃勃征隐士韦祖思而杀之，暴人之恒也。……祖思之杀，以‘恭惧过甚’，而逢勃勃之怒。‘恭惧’非死道也。……君子之于人也，无所傲，无所徇。风雷之变起于前，而自敦其敬信。敬者自敬也，信者自信也，勿论其人之暴与否也。贞敬信者，行乎生死之途而自若，恂栗以居心而外自和，初无与间也。其与暴人也，远之已夙矣；不可远，而居正以自持，姚兴之与勃勃又奚择焉？……乃若祖思之窃‘隐士’之名而亡实，则于其行见之矣。……一征于姚兴，再征于勃勃，随声而至，既至而不受禄，以隐为显名厚实之囮，跖之徒也。”朱熹《通鉴纲目》之“发明”条说：“韦祖思之居京兆，尝见礼于姚兴，已非避世之士矣；今焉勃勃召之，而乃‘恭惧过甚’，遂为所杀。以勃勃之凶暴，固不可责以人理，而祖思之所以处遁者，毋乃犹有所未尽乎?”朱熹说话客气，故说韦祖思的“隐”“犹有未尽”，其实韦祖思就是一个借隐求名的假隐士。如果想真隐，真正想潜入人世的下层，那还不容易吗？韦祖思既标榜隐士，又一再被当时的统治者所征辟，既在姚兴面前摆过架子，现在到了赫连勃勃跟前却又“恭惧过甚”，从而让野蛮的赫连勃勃瞧不起，干脆给杀掉了，真是活该。

本卷写刘裕以“却月阵”破魏兵和沈林子的潼关之战、沈田子的峣柳之战、王镇恶的渭桥之战破秦兵，都精彩生动。

卷第一百一十九　宋纪一

起上章涒滩（庚申，公元四二〇年），尽昭阳大渊献（癸亥，公元四二三年），凡四年。

【题解】

本卷写宋高祖永初元年（公元四二〇年）至宋少帝景平元年（公元四二三年）共四年间的刘宋与各国的大事。主要写：在刘裕心腹傅亮的安排、导演下，晋恭帝司马德文亲自抄写“禅让”诏书，把帝位“让”给了刘裕，于是东晋灭亡，刘宋王朝正式开始；刘裕即位后的第一件事是宣布“其犯乡论清议，一皆荡涤，与之更始”，为其朝廷新贵提高名望，同时也是对旧门阀制度的第一次冲击；刘裕又残酷地杀害了已经退位的晋恭帝司马德文，还假惺惺地“帅百官临于朝堂三日”。刘裕的心腹功臣谢晦宠遇日隆，宾客辐凑，其兄谢瞻为之不安，以篱笆隔开门庭，与其弟划清界限，以至于有病而故意不治，希求早死。谢晦谗毁刘义真，与刘裕既表现出对谢晦不信任而临终又任之为顾命大臣，与当年对待王镇恶的态度相似。刘裕死，其子刘义符继位为帝，徐佩之、王韶之、程道惠等结党以倾谢晦，由于傅亮反对，故暂时停息，以见宋廷执政大臣间的矛盾尖锐，危机四伏。北凉主沮渠蒙逊假作出兵攻秦，骗得西凉主李歆进犯北凉，结果李氏之西凉

【原文】

高祖武皇帝①

永初元年（庚申，公元四二〇年）

春，正月己亥②，魏主还宫。

秦王炽磐立其子暮末③[1]为太子，仍领[2]抚军大将军、都督中外诸军事，大赦，改元“建弘”。

宋王欲受禅而难于发言，乃集朝臣④宴饮，从容⑤言曰：“桓玄篡位，鼎命已移⑥。我首唱大义，兴复帝室，南征北伐，平定四海，功成业著，遂荷九锡⑦。今年将衰暮，崇极如此⑧！物忌盛满，非可久安。

政权遂被沮渠蒙逊所消灭，使整个河西地区的割据政权只剩了乞伏炽磐的西秦与沮渠蒙逊的北凉。魏主拓跋嗣因自己多病而立拓跋焘为太子，以长孙嵩、奚斤等六臣分别为"左辅""右弼"，又以刘絜、古弼、卢鲁元"给侍东宫，分典机要，宣纳辞令"的良好政局，预示了魏国政治的日益昌明；魏主乘刘裕死，发兵进攻刘宋，迅即取得滑台、洛阳、临淄和许昌、钟城，以及泰山、高平、金乡诸郡，其中毛德祖之据守虎牢，竺夔、垣苗之据守东阳，战斗最为艰苦卓绝；檀道济因无力分兵，遂决策救东阳，东阳因之获全；毛德祖因无外援，虎牢遂最后城陷。魏主拓跋嗣死，其子拓跋焘继位，魏臣崔浩因推崇儒术，不好老庄、不信佛法而被群小所毁，遭新主罢废，崔浩由此崇信道教，为骗子寇谦之做吹鼓手。北凉主沮渠蒙逊归服于刘宋，上表称臣。西秦主乞伏炽磐却归附于魏，并为魏主献伐夏之方略。

【语译】

高祖武皇帝

永初元年（庚申，公元四二〇年）

春季，正月十四日己亥，北魏皇帝拓跋嗣从魏国西部返回京师平城的皇宫。

西秦王乞伏炽磐立自己的儿子乞伏暮末为太子，做了太子的乞伏暮末依然兼任抚军大将军、都督中外诸军事，实行大赦，改年号为"建弘"。

东晋宋王刘裕想要让东晋恭皇帝司马德文将皇帝之位，用禅让的形式传给自己，却又难于出口，于是便召集宋国的群臣一起饮酒欢宴，席间他装出一副很自然、漫不经心的样子对属下的群臣说："桓玄篡位的时候，朝廷的命运实际上已经改变。我首先倡导大义，使晋室亡而复兴，接着我又南征北讨，平定了四海，如今大功已经告成，大业已经建立，所以才蒙受皇帝加授九锡的特殊荣宠。如今我已进入衰迈之年，权势如此之大，地位如此之高！然而各种事务都忌讳满盈，如此下去，不可能长久平安。

今欲奉还爵位[⑨]，归老京师[⑩]。”群臣惟盛称功德，莫谕其意[⑪]。日晚，坐散。中书令傅亮还外[⑫]，乃悟，而宫门已闭。亮叩扉请见，王即开门见之。亮入，但曰：“臣暂宜还都[⑬]。”王解其意，无复他言，直云[⑭]：“须几人自送[⑮]？”亮曰：“数十人可也。即时奉辞[⑯]。亮出已夜[⑰]，见长星竟天[⑱]，拊髀[⑲]叹曰：“我常不信天文，今始验矣[⑳]。”亮至建康，夏，四月，征王入辅[㉑]。王留子义康为都督豫、司、雍、并四州诸军事，豫州刺史，镇寿阳。义康尚幼，以相国参军[㉒]南阳刘湛为长史，决府、州事[㉓]。湛自弱年即有宰物[㉔]之情，常自比管、葛[㉕]，博涉书史，不为文章，不喜谈议，王甚重之。

五月乙酉[㉖]，魏更谥宣武帝[㉗]曰道武帝。

魏淮南公司马国璠、池阳子司马道赐谋外叛[㉘]，司马文思[㉙]告之。庚戌[㉚]，魏主杀国璠、道赐，赐文思爵郁林公[㉛]。国璠等连引[㉜]平城豪桀[㉝]，坐族诛者数十人。章安侯封懿[㉞]之子玄之当坐，魏主以玄之燕朝旧族[㉟]，欲宥[㊱]其一子。玄之曰：“弟子磨奴早孤，乞全其命。”乃杀玄之四子而宥磨奴。

六月壬戌[㊲]，王至建康[㊳]。傅亮讽[㊴]晋恭帝禅位于宋，具诏草[㊵]呈帝，使书之[㊶]。帝欣然操笔，谓左右曰：“桓玄之时，晋氏已无天下，重为刘公所延，将二十载[㊷]。今日之事，本所甘心。”遂书赤纸为诏。

甲子[㊸]，帝逊于琅邪第[㊹]，百官拜辞，秘书监徐广流涕哀恸。

丁卯[㊺]，王为坛于南郊，即皇帝位。礼毕，自石头[㊻]备法驾[㊼]入建康宫。徐广又悲感流涕，侍中谢晦[㊽]谓之曰：“徐公得无小过[㊾]？”

现在我就想把爵位、权力退还给皇上，然后返回京师去当一个普通百姓。”群臣只是极力地对刘裕称功颂德，并没有明白刘裕的一番用意。看看天色已晚，群臣全都退出宫门。担任中书令的傅亮从王宫出来之后，才突然醒悟，此时想要返回，而王宫的大门已经关闭。傅亮立即敲门请求入见刘裕，刘裕立即打开宫门召见傅亮。傅亮来到刘裕面前，只说了一句话：“我想暂时返回京师。”宋王刘裕已经明白了傅亮的意思，便没有再多说什么，只是说：“需要多少人跟你一道去？”傅亮说：“有几十个人就可以了。”说完立即告辞而去。傅亮再出宫时已经是深夜，抬头仰望，只见一道彗星从天空的这头一直划向那头，傅亮拍了一下大腿，叹息着说：“以前我从来不相信天象，而今天天象已经开始应验了。”傅亮到达京师建康。夏季，四月，晋恭帝司马德文下诏征召宋王刘裕入朝辅政。宋王刘裕遂留下自己的儿子刘义康，任命刘义康为都督豫、司、雍、并四州诸军事，豫州刺史，镇守寿阳。刘义康当时年纪还很小，宋王刘裕遂又任命担任相国参军的南阳人刘湛为长史，全权处理都督府、豫州刺史府的一切事务。刘湛从小就具有管理才能，他常常把自己比作管仲、诸葛亮一流的人物，他学问渊博，广泛阅览各种书籍，但不写作文章，不喜欢高谈阔论，宋王刘裕非常器重他。

五月初二乙酉，北魏将宣武帝拓跋珪的谥号改为道武帝。

北魏淮南公司马国璠、池阳子爵司马道赐阴谋叛变外逃，被司马文思告发。五月二十七日庚戌，北魏皇帝拓跋嗣杀死了司马国璠和司马道赐，赐封司马文思为郁林郡公。司马国璠等故意在供词中牵连出平城内的一些豪强，因此受牵连被灭族的有几十个人。章安侯封懿的儿子封玄之也被判为死罪，北魏皇帝拓跋嗣因为封玄之是后燕旧族，就准备饶恕他的一个儿子。封玄之说：“我弟弟的儿子封磨奴，很小就成了孤儿，请求保全他的性命。”拓跋嗣便杀死了封玄之的四个儿子，而赦免了封磨奴。

六月初九壬戌，宋王刘裕应诏抵达建康。中书令傅亮委婉而含蓄地劝说晋恭帝司马德文将皇位禅让给宋王刘裕，同时向晋恭帝司马德文呈上早已准备好的让位诏书的草稿，让晋恭帝司马德文亲手照抄一遍。晋恭帝司马德文很爽快地拿起笔来，对身边的侍从说：“桓玄掌权的时候，晋国已经失去了天下，是刘裕使晋国的国运延长到现在，已经将近二十年。今天我将皇位禅让给他，也算是心甘情愿。”于是在红色的纸上抄写了传位的诏书。

六月十一日甲子，晋恭帝司马德文搬出皇宫，回到他原来的琅邪王府第，朝中的文武官员全都跪在地上，向他叩拜辞别，担任秘书监的徐广痛哭流涕，特别哀痛。

六月十四日丁卯，宋王刘裕在建康南郊建立一座高台，登上了皇帝宝座。典礼仪式完成之后，从石头城乘坐皇帝所专用的车驾进入建康城中的皇宫。中书监徐广又是痛哭流涕，担任侍中的谢晦对徐广说：“徐先生这样做，是不是稍微有点过分？”

广曰："君为宋朝佐命，身[50]是晋室遗老，悲欢之事，固不可同。"广，邈[51]之弟也。

帝临太极殿，大赦，改元。其犯乡论清议[52]，一皆荡涤[53]，与之更始[54]。

裴子野[55]论曰："昔重华受终[56]，四凶流放[57]；武王克殷[58]，顽民迁洛[59]。天下之恶一也[60]，乡论清议，除之过矣[61]！"

奉晋恭帝为零陵王[62]，优崇之礼，皆仿晋初故事[63]。即宫于故秣陵县[64]，使冠军将军刘遵考[65]将兵防卫[66]。降褚后为王妃。

追尊皇考[67]为孝穆皇帝，皇妣赵氏[68]为孝穆皇后，尊王太后萧氏为皇太后。上事萧太后素谨[69]，及即位，春秋已高[70]，每旦入朝太后[71]，未尝失时刻[72]。

诏晋氏封爵[73]，当随运改[74]，独置[75]始兴、庐陵、始安、长沙、康乐五公[76]，降爵为县公及县侯[77]，以奉王导、谢安、温峤、陶侃、谢玄之祀。其宣力义熙、豫同艰难[78]者，一仍本秩[79]。

庚午[80]，以司空道怜[81]为太尉，封长沙王；追封司徒道规[82]为临川王，以道怜子义庆[83]袭其爵。其余功臣徐羡之[84]等，增位进爵各有差[85]。

追封刘穆之[86]为南康郡公[87]，王镇恶为龙阳县侯。上每叹念穆之，曰："穆之不死，当助我治天下。可谓'人之云亡，邦国殄瘁[88]'。"又曰："穆之死，人轻易我[89]。"

立皇子桂阳公义真为庐陵王，彭城公义隆为宜都王，义康为彭城王。

己卯[90]，改《泰始历》为《永初历》[91]。

魏主如翳犊山[92]，遂至冯卤池[93][3]。闻上受禅，驿召崔浩告之[94]曰：

徐广回答说："你是宋国的佐命功臣，我是晋国的遗老，悲伤与欢乐的感受自然不一样。"徐广，是徐邈的弟弟。

宋武帝刘裕登上太极殿，实行大赦，改年号为"永初"。凡是被当时的名教与其所在州郡的品评所不容的人，以及过去强加于人才之上的贬抑之词一律废黜，允许过去受贬斥的人改过自新，从头开始。

裴子野评论说："从前唐尧将帝位禅让给虞舜，虞舜继承了帝位之后，首先就将四凶流放；周武王灭掉了殷商，便将殷商那些顽固的遗民迁移到洛阳。天下人对憎恶什么人、痛恨什么人，眼光都是一样的，而刘裕将乡论清议的那些话全盘加以否定，是一种错误的做法！"

宋武帝刘裕封晋恭帝司马德文为零陵王，对零陵王的尊崇与优待，全部仿效晋朝初年的做法。让零陵王司马德文搬到故秣陵县居住，派遣担任冠军将军的刘遵考率军驻守秣陵，对零陵王司马德文进行看管。将褚皇后降为王妃。

宋武帝刘裕追尊自己的父亲刘翘为孝穆皇帝，追尊自己的生母赵氏为孝穆皇后，尊奉继母王太后萧氏为皇太后。宋武帝刘裕侍奉继母一向都很恭敬谨慎，等到即位做皇帝的时候，虽然刘裕的年纪已经很大，但依然每天早晨到太后宫中拜见继母，从不错过时间。

宋武帝刘裕下诏：东晋时期所封的王侯世族，应该随着改朝换代而加以改变，唯独把始兴郡公降级为华容县公、庐陵郡公降级为柴桑县公、始安郡公降级为荔浦县侯、长沙郡公降级为醴陵县侯、康乐县公降级为康乐县侯，只有这五位公爵予以保留，用以维持对王导、谢安、温峤、陶侃、谢玄的祭祀。凡是在义熙年间起兵反抗桓玄，与刘裕一同出过力、共过患难的人，依旧享有原来的勋级。

六月十七日庚午，宋武帝刘裕任命担任司空的刘道怜为太尉，封为长沙王；追封曾担任司徒的刘道规为临川王，令刘道怜的儿子刘义庆继承临川王的爵位。其余功臣如徐羡之等，全都按照功劳的大小各有不同的封官、晋爵。

宋武帝刘裕追封刘穆之为南康郡公，追封王镇恶为龙阳县侯。刘裕时常思念刘穆之，往往会叹息着说："如果刘穆之不死，一定会帮助我治理天下。正像《诗经》上所说的'这个人的去世，是国家的重大损失'。"又说："刘穆之死后，人们很容易小看我。"

宋武帝刘裕立自己的儿子桂阳公刘义真为庐陵王，彭城公刘义隆为宜都王，刘义康为彭城王。

六月二十六日己卯，废除《泰始历》，改用《永初历》。

北魏皇帝拓跋嗣前往翳犊山，顺路又去了冯卤池。他听到刘裕成功地接受了晋恭帝的禅让，做了宋国皇帝，立即通过驿站将担任博士祭酒的崔浩召到行宫，他告

“卿往年之言[95]验矣，朕于今日始信天道[96]。”

秋，七月丁酉[97]，魏主如五原[98]。

甲辰[99]，诏以凉公歆为都督高昌等七[4]郡诸军事、征西大将军、酒泉公[100]，秦王炽磐为安西大将军[101]。

交州[102]刺史杜慧度击林邑[103]，大破之，所杀过半。林邑乞降，前后为所钞掠[104]者皆遣还。慧度在交州，为政纤密[105]，一如治家，吏民畏而爱之，城门夜开，道不拾遗。

丁未[106][5]，魏主如云中。

河西王蒙逊欲伐凉，先引兵攻秦浩亹[107]；既至，潜师还屯川岩[108]。

凉公歆欲乘虚袭张掖，宋繇、张体顺切谏，不听。太后尹氏谓歆曰：“汝新造之国，地狭民希[109]，自守犹惧不足，何暇伐人？先王临终[110]，殷勤戒汝：深慎用兵，保境宁民，以俟天时。言犹在耳，奈何弃之？蒙逊善用兵，非汝之敌[111]，数年以来，常有兼并之志。汝国虽小，足为善政，修德养民，静以待之。彼若昏暴，民将归汝；若其休明[112]，汝将事之[113]。岂得轻为举动，侥冀非望[114]？以吾观之，非但丧师，殆将亡国！”亦不听。宋繇叹曰：“今兹大事去矣！”

歆将步骑三万东出。蒙逊闻之，曰：“歆已入吾术中，然闻吾旋师，必不敢前。”乃露布西境[115]，云已克浩亹，将进攻黄谷[116]。歆闻之，喜，进入都渎涧[117]，蒙逊引兵击之，战于怀城[118]，歆大败。或劝歆还保酒泉，歆曰：“吾违老母之言以取败，不杀此胡，何面目复见我母？”遂勒兵战于蓼泉[119]，为蒙逊所杀[120]。歆弟酒泉太守翻、新城[121]太守预、领羽林右监密、左将军眺、右将军亮西奔敦煌。

诉崔浩说:“你以前说的话已经应验了，我从现在起开始相信天道。”

秋季，七月十五日丁酉，北魏皇帝拓跋嗣前往五原。

七月二十二日甲辰，宋武帝刘裕下诏，任命西凉公李歆为都督高昌等七郡诸军事、征西大将军、酒泉公，任命西秦王乞伏炽磐为安西大将军。

宋国担任交州刺史的杜慧度率军攻打林邑国，把林邑军打得大败，将林邑军杀死了一大半。林邑王遂请求向宋国投降，并将前后侵入时所劫掠的人口和财物全部归还。杜慧度在交州担任刺史，所制定的规章、法律条文很多，处理政务很精细、谨慎，就像治理自己的家庭一样。交州的官吏和普通百姓对他们的州刺史杜慧度真是既惧怕又爱戴。交州境内社会秩序良好，城门夜间不用关闭，路上丢失的东西也没有人拾取。

七月二十五日丁未，北魏皇帝拓跋嗣前往云中。

北凉河西王沮渠蒙逊准备出兵讨伐西凉，他先做出一副准备进攻西秦浩亹的架势；等到率军抵达浩亹之后，便又秘密回师，进驻川岩。

西凉公李歆准备乘虚出兵袭击张掖，担任右长史的宋繇、担任左长史的张体顺全都恳切地进行劝谏，西凉公李歆都不肯听从。太后尹氏对李歆说:“你的凉国是一个刚刚建立的国家，地方狭小，人民稀少，用来保卫自己尚且担心力量不足，哪里有余力去讨伐别人？先王李暠临终之时，一再地告诫你：对于用兵打仗，一定要非常慎重，要保境安民，等待有利时机。先王的话还在耳边，你怎么就把它抛到一边去了？沮渠蒙逊特别善于用兵，不是你能对付得了的，近几年来他一直怀有吞并我们的野心。你的国家地盘虽小，但也足够你推行善政，你应该修养道德、养育人民，安安静静地等待时机。对方如果昏庸残暴，那里的民众自会归附于你；如果对方政治美好清明，你就应该好好地侍奉他。怎么能够轻举妄动，希望凭借侥幸来得到原本不属于你的东西？依我看来，你此次出兵，不但会丧失军队，恐怕将会灭亡国家!”李歆还是不听。宋繇叹息地说:“到此地步，大势已去!”

西凉公李歆率领着三万名步兵、骑兵从都城酒泉向东进发。北凉河西王沮渠蒙逊听到消息说:“李歆已经完全进入我的掌控之中，但他如果得知我已经从浩亹回师川岩的消息，一定不敢继续前进。”于是便在北凉的西部边境地区公开宣扬，说北凉大军已经攻克浩亹，将继续进兵攻击黄谷。西凉公李歆得知这个消息，非常高兴，遂率领大军进入都渎涧，沮渠蒙逊率军袭击李歆，双方在怀城展开大战，李歆军被打得大败。于是有人劝说李歆赶紧率军退回酒泉据守，李歆说:“我违背了老母亲的教训而导致失败。如果不把沮渠蒙逊这个匈奴人杀掉，我还有什么脸面再去见我的母亲?”于是又聚集兵力在蓼泉与北凉军展开决战，结果西凉军再次遭到惨败，西凉公李歆被沮渠蒙逊杀死。李歆的弟弟担任酒泉太守的李翻、担任新城太守的李预、担任代理羽林右监的李密、担任左将军的李眺、担任右将军的李亮全都向西逃往敦煌。

蒙逊入酒泉，禁侵掠，士民安堵。以宋繇为吏部郎中，委之选举。凉之旧臣有才望者，咸礼而用之。以其子牧犍[122]为酒泉太守。敦煌太守李恂，翻之弟也，与翻等弃敦煌奔北山。蒙逊以索嗣[123]之子元绪行敦煌太守[124]。

蒙逊还姑臧，见凉太后尹氏[125]而劳[126]之。尹氏曰："李氏为胡所灭[127]，知复何言[128]？"或谓尹氏曰："今母子[129]之命在人掌握，奈何傲之？且国亡子死，曾无忧色，何也？"尹氏曰："存亡死生，皆有天命，奈何更如凡人，为儿女子之悲[130]乎？吾老妇人，国亡家破，岂可复惜余生，为人臣妾[131]乎？惟速死为幸耳。"蒙逊嘉而赦之，娶其女为牧犍妇。

八月辛未[132]，追谥妃臧氏[133]为敬皇后。癸酉[134]，立王太子义符为皇太子。

闰月壬午[135]，诏晋帝诸陵悉置[6]守卫。

九月，秦振武将军王基等袭河西王蒙逊胡园戍[136]，俘二千余人而还。

李恂在敦煌有惠政，索元绪粗险[137]好杀，大失人和。郡人宋承、张弘密信招恂。冬，恂帅数十骑入敦煌，元绪东奔凉兴[138]。承等推恂为冠军将军、凉州刺史，改元"永建"。河西王蒙逊遣世子政德攻敦煌，恂闭城不战。

十二月丁亥[139]，杏城羌酋[140]狄温子帅三千余家降魏。

是岁，魏姚夫人[141]卒，追谥昭哀皇后。

北凉河西王沮渠蒙逊率军进入西凉的都城酒泉，他下令禁止士卒侵扰百姓、劫掠财物，酒泉地区的民众安居如故。沮渠蒙逊任命宋繇为吏部郎中，将国家选拔、任免官员之事委托给他。西凉旧臣当中凡是有才能、有声望的人，沮渠蒙逊全都以礼相待，分别加以录用。沮渠蒙逊任命自己的儿子沮渠牧犍为酒泉太守。西凉担任敦煌太守的李恂，是担任酒泉太守的李翻的弟弟，他与李翻等放弃了敦煌逃往北山。沮渠蒙逊就任用索嗣的儿子索元绪为代理敦煌太守。

北凉河西王沮渠蒙逊返回都城姑臧，见到了被俘虏的西凉太后尹氏，便向她表示慰问。尹氏说："西凉李氏已经被你们匈奴人灭掉，我早就预见到了，还有什么话可说？"有人对尹氏说："如今你们母子的性命全都掌握在人家的手中，你为什么还要如此傲慢地对待他？再说你的国家已经灭亡，儿子已死，竟然看不出你有一点忧愁的神色，这是什么缘故？"尹氏回答说："国家的存亡，人的生死，全都是上天注定的。为什么倒要像凡人那样，像个小孩子似的哭哭啼啼？我只是一个年老的妇女，已经国破家亡，又岂能贪恋余生，而去给别人当奴隶、做女仆呢？让我快点死，就是我的幸运。"河西王沮渠蒙逊很赞赏尹氏的为人，于是就赦免了她，并为自己的儿子沮渠牧犍娶了尹氏的女儿为妻。

八月十九辛未，宋武帝刘裕追谥亡妻臧氏为敬皇后。二十一日癸酉，立王太子刘义符为皇太子。

闰八月初一壬午，宋武帝刘裕下诏：晋朝皇帝的陵墓全部设置守卫。

九月，西秦振武将军王基等率军袭击北凉河西王沮渠蒙逊的胡园军事据点，俘虏了二千多人，然后返回。

西凉李恂在担任敦煌太守的时候推行仁政，而新担任代理敦煌太守的索元绪却为人粗暴凶狠，专好杀人，因此大失民心。敦煌郡人宋承、张弘便秘密写信招请逃往北山的李恂。冬季，李恂率领数十名骑兵进入敦煌，索元绪向东逃往凉兴。宋承等遂推举李恂为冠军将军、凉州刺史，改年号为"永建"。北凉河西王沮渠蒙逊派自己的世子沮渠政德率军攻打敦煌，李恂紧闭敦煌城门不与交战。

十二月初七丁亥，居住在杏城的羌人首领狄温子率领三千多家居民投降了北魏。

这一年，北魏皇帝拓跋嗣的夫人姚氏去世，被追谥为"昭哀皇后"。

【段旨】

以上为第一段，写宋高祖永初元年（公元四二〇年）一年间的大事。主要写：在刘裕心腹傅亮的安排、导演下，晋恭帝司马德文亲自抄写"禅让"的诏书，把帝位"让"给了刘裕，于是东晋政权灭亡，刘宋王朝正式开始；刘裕即位后的第一件事是宣布“其犯乡论清议，一皆荡涤，与之更始”，为其朝廷新贵提高名望，同时也是对旧门阀制度的第一次冲击。刘裕除继续保留王导、谢安、温峤、陶侃、谢玄五个人的封爵外，其他晋代封爵一概废除，并同时大封其刘氏兄弟子侄与其佐命功臣为王为公为侯。北凉主沮渠蒙逊假作出兵攻西秦，骗得西凉主李歆发兵进犯北凉，结果李氏之西凉政权遂被沮渠蒙逊所消灭，整个河西地区的割据政权只剩下了乞伏炽磐的西秦与沮渠蒙逊的北凉。

【注释】

①高祖武皇帝：刘裕死后的庙号是“高祖”，谥曰“武皇帝”。国号曰“宋”，为与后来赵匡胤的“宋”相区别，故亦称之“刘宋”。刘裕所以定国号曰“宋”，是因为他的故乡彭城（今徐州）在春秋时代属于宋国，故其晋爵为“公”时曰“宋公”，晋爵为“王”时曰“宋王”，篡位后称“大宋皇帝”。②正月己亥：正月十四日。③暮末：《晋书》作“慕末”，《宋书》作“茂蔓”，皆记音之字。④朝臣：此指刘裕宋国的朝臣。⑤从容：自然而漫不经心的样子。⑥鼎命已移：国家的命运已经改变，意思是晋朝已灭，朝廷已经称了“桓”。⑦荷九锡：蒙受了“九锡”荣宠。九锡是帝王赐予权臣的九种特殊待遇，即一车马，二衣服，三乐则，四朱户，五纳陛，六虎贲，七弓矢，八鈇钺，九秬鬯。大臣到这一步，已离篡位不远，当初曹丕、司马炎都是这么过来的。⑧崇极如此：权势地位之高达到了这种程度。⑨奉还爵位：把自己的爵位、权力退回给朝廷。⑩归老京师：退休到京城去当平民。老，退休。当时刘裕的军政府设在寿阳，故用“归老京师”字样。⑪莫谕其意：不明白他说这话是什么意思。⑫还外：退出宫门。⑬暂宜还都：应该回建康去一趟，意思是回去令晋恭帝退位。⑭直云：只是说。⑮须几人自送：须多少人跟你一道去。自送，犹言“跟你一道去”。送，跟从。⑯奉辞：告辞。⑰亮出已夜：傅亮再出宫的时候已经是深夜。⑱长星竟天：一道彗星自天空的这头直到那头。旧说彗星出现是除旧布新、改朝换代的征兆。⑲拊髀：一拍大腿，恍然醒悟的样子。⑳今始验矣：今天才真的是应验了。㉑征王入辅：调刘裕入朝辅佐皇帝。可知傅亮已在起作用。㉒相国参军：相国刘裕的僚属。㉓决府、州事：处理都督府与豫州刺史的一切事务。㉔宰物：治民；管理人。物，人。㉕管、葛：春秋时齐国的宰相管仲与三国时西蜀的宰相诸葛亮。㉖五月乙酉：五月初二。㉗宣武帝：即指拓跋珪。㉘谋外叛：司马国璠等是晋朝宗室，桓玄作乱时逃到秦国，于姚秦灭亡后投奔拓跋魏，见本书卷一百一十八义熙十三年，现在又想改投别国。㉙司马文思：司马休之子，随其父逃亡在外。㉚庚戌：五月二十七日。㉛郁林公：郁林郡公，郁林郡的郡治在今广西桂平。㉜连引：故意在供词中牵连。㉝平城豪桀：拓跋氏都城里的名流。平城在今山西大同东北。㉞封懿：字处德，原仕于慕容宝，任中书令。慕容宝败后，归拓跋珪。拓跋嗣继位后，为都坐大官。传见《魏书》卷三十二。㉟燕朝旧族：封懿及其祖、父，皆仕于后燕。㊱宥：

赦免；饶过。㊲壬戌：六月初九。㊳王至建康：宋王刘裕由寿阳来到建康。㊴讽：吹风、示意。㊵具诏草：事先准备好了让位诏书的草稿。㊶使书之：让司马德文抄写了一遍。㊷将二十载：自晋安帝元兴元年（公元四〇二年）桓玄篡位，至元熙二年（公元四二〇年）共十九年。㊸甲子：六月十一日。㊹逊于琅邪第：退位后回到琅邪王府去住。因晋元帝司马睿即位前任琅邪王，所以他的后世子孙，退位就回“琅邪第”。东晋自元帝即位（公元三一七年）至此亡国，连头带尾共历一百零四年。㊺丁卯：六月十四日。㊻石头：石头城，建康城西北部的小城，当时的重要驻兵之地，在今南京城西侧的秦淮河畔。㊼法驾：皇帝车驾的一种。《史记·孝文帝本纪》引《汉官仪》云：“天子卤簿有大驾、法驾。大驾，公卿奉引，大将军参乘，属车八十一乘；法驾，公卿不在卤簿中，惟京兆尹、执金吾、长安令奉引，侍中参乘，属车三十六乘。”㊽谢晦：刘裕的佐命功臣之一，字玄明。传见《宋书》卷四十四。㊾得无小过：意思是“悲哀得是否过头了”。得无，是不是、难道不。㊿身：当时人指称自己，犹今之所谓“我”。51 邈：即徐邈，孝武帝时任中书令，深受倚重。事见《晋书·儒林传》。52 犯乡论清议：被当时的“名教”与其所在州郡的品评所不容。大多为出身门第不高的人，因当时的情况是“上品无寒门，下品无士族”。53 一皆荡涤：一概废除过去所加予人才之士的贬抑之辞。因为刘裕本人就因为出身门第不高，而受当时的上流社会所贬斥。54 与之更始：允许过去受贬斥的人改过自新，从头开始。55 裴子野：梁朝人，武帝时为著作郎，清廉正直，著有《宋论》。以下言论即见于《宋论》。56 重华受终：即虞舜接受唐尧的禅让。重华是舜的号。受终，接受临终的任命。《尚书·尧典》有所谓尧使舜嗣位，“正月上日，受终于文祖”。57 四凶流放：《尚书》中有所谓“流共工于幽州，放驩兜于崇山，窜三苗于三危，殛鲧于羽山”。四凶，有说指四个恶人，也有说指四个民族。58 武王克殷：周武王灭掉商朝。59 顽民迁洛：《尚书·毕命》有所谓“毖殷顽民，迁于洛邑”。《史记·周本纪》有所谓“成王在丰，使召公复营洛邑……迁殷遗民”云云。顽民，不服管教之民。60 天下之恶一也：应该憎恶、讨厌什么人，普天下都是一样的。61 乡论清议二句：意思是对“乡论清议”的那些话加以否定，这是不对的。〖按〗魏晋以来的“乡论清议”，是为世家豪族服务的舆论，从被压迫的一方而言，自然是要否定的，这里有个立场问题。裴子野特别否定刘裕的这一举措，分明表现了他的腐朽贵族立场。62 零陵王：封地为零陵郡，零陵郡的郡治即今湖南零陵。63 仿晋初故事：依照当年司马炎篡位后对待魏元帝曹奂的办法。当时的做法是“封魏帝为陈留王，邑万户，居于邺宫”。64 即宫于故秣陵县：让晋恭帝搬到故秣陵县去住。故秣陵县在今南京东南的江宁南。宫，用如动词，意即居住。65 刘遵考：刘裕的远房兄弟，随刘裕讨卢循、伐南燕、灭后秦有功，封营浦侯。传见《宋书》卷五十一。66 将兵防卫：名曰“防卫”，实则以武力看管。67 皇考：刘裕之父，名翘，祖籍彭城（今江苏徐州），至其祖父时，南迁于今镇江市东南之丹徒。68 皇妣赵氏：刘裕的生母，生下刘裕后即死去，故刘裕由其继母萧氏养大。69 素谨：一向恭敬谨慎。⑺春秋已高：刘裕称帝时年五十八岁。⑻每旦入朝太后：指给其继母请安。朝，拜见。⑼失时刻：迟到或是无故不来。⑽诏晋氏封爵：命令晋朝时受封的各王侯世族。⑾当随运改：应该跟着改朝换代而加以改变。运，运命，即改朝换代。⑿独置：只保留。⒀始兴、庐陵、始安、长沙、康乐五公："始兴公"的始受封者是王导，"庐陵公"的始受封者是谢安，"始安公"的始受封者是温峤，"长沙公"的始受封者是陶侃，"康乐公"的始受封者是谢玄。以上五人的后代仍可继承其先辈继续袭爵受封。⒁降爵为县公及县侯：原为郡公的始兴、庐陵二公，降为县公；原为郡公的始安、长沙二公，降为县侯；原为县公的康乐，降为县侯。据《南史》：降始兴郡公为华容县公，降庐陵郡公为柴桑县公，降始安郡公为荔浦县侯，降长沙郡公为醴陵县侯，降康乐县公为康乐县侯。⒂宣力义熙、豫同艰难：指义熙元年（公元四〇五年）在消灭桓玄时出过力，和刘裕军一同奋斗过的人。⒃一仍本秩：还享有原来的勋级。秩，等级。⒄庚午：六月十七日。⒅道怜：即刘道怜，刘裕的二弟，素无才能，贪黩鄙陋。传见《宋书》卷五十一。⒆道规：即刘道规，刘裕的三弟，在破桓玄与破卢循中均有大功，后以疾卒。传见《宋书》卷五十一。⒇义庆：即刘义庆，刘道怜之子，过继给其叔父刘道规为后。刘义庆是笔记小说《世说新语》的编撰者。㉑徐羡之：字宗文，刘裕的佐命元勋。传见《宋书》卷四十三。㉒各有差：根据功劳大小各有不同的晋封。㉓刘穆之：刘裕的开国元勋，自刘裕起兵讨桓玄便成为刘裕最得力的心腹助手。传见《宋书》卷四十三。㉔南康郡公：爵级为郡公，封地在南康郡。南康郡的郡治在今江西赣州西。㉕人之云亡二句：语见《诗经·瞻卬》。意思是这个人的死，是国家的重大损失。㉖人轻易我：人们会很容易瞧不起我，因为再没有刘穆之的周密运筹、防漏补隙。轻，随便、容易。易，轻视、看不起。㉗己卯：六月二十六日。㉘改《泰始历》为《永初历》：即废除《泰始历》，改用《永初历》。《泰始历》是晋武帝司马炎篡夺魏国政权后颁行的新历法，因为司马炎的第一个年号是"泰始"，故称晋朝的新历法为《泰始历》；现在刘裕又篡夺了司马氏的政权，故而他也要废止晋朝的历法，而颁行刘宋政权的新历法。因为刘宋的第一个年号叫"永初"，所以刘宋的新历法叫《永初历》。自夏、商、周以来，总是改换一个朝代，就变更一回历法，历代如此。㉙翳犊山：具体方位不详，大约在今山西大同西，内蒙古包头东。㉚冯卤池：即五原盐地，在今内蒙古包头西北。㉛驿召崔浩告之：通过驿站呼崔浩而告之，极言其欲告心情之急切。㉜往年之言：即预言刘裕行将篡位之事。见本书卷一百一十八义熙十四年。㉝朕于今日始信天道：〖按〗本书于上卷用很长的文字记述崔浩之侈谈天道、星变，今又让魏主嗣进而证实之，足见司马光之迂腐。如果改让王安石、欧阳修写这些事情，就会是另外一种样子。㉞七月丁酉：七月十五日。㉟五原：郡名，郡治在今内蒙古包头西。㊱甲辰：七月二十二日。㊲诏以凉公歆句：上卷写到凉州政权的李暠死，其子李歆继位，东晋王朝曾加封李歆为酒泉公，今刘裕新上台，故重新予以确认。高昌，郡名，郡治在今新疆吐鲁番东。㊳秦王炽磐为安西大将军：乞伏炽磐曾被晋王朝封为安西大将军，今刘裕新上台，故又重新确认之。⑩② 交州：州治龙编，在今越南河内东北，当时属刘宋管辖。⑩③ 击林邑：林邑也叫占城、占婆，南方小国名，在今越南国的中南部。因其屡次侵犯交州的郡县，故刺史杜慧度讨击之。⑩④ 钞掠：同“抄掠”。此指被劫掠去的人。⑩⑤ 纤密：言其规章、法律条文多，管得严。⑩⑥ 丁未：七月二十五日。⑩⑦ 浩亹：县名，县治在今青海民和北。⑩⑧ 川岩：具体地址不详，应在今青海西宁北。⑩⑨ 希：同“稀”。稀少。⑪⓪ 先王临终：李暠死于义熙十三年（公元四一七年）。事见本书卷一百一十八。⑪① 非汝之敌：不是你所对付得了的。⑪② 休明：美好、光明，指其政治局面而言。⑪③ 汝将事之：你就好好地侍候他，承认他是你的上司。⑪④ 侥冀非望：贪图侥幸地想要自己不该要的东西。⑪⑤ 露布西境：向西部边境公开地宣扬。露布，犹今之所谓“公开通报”。⑪⑥ 黄谷：具体方位不详，应在浩亹县东。⑪⑦ 都渎涧：在今甘肃张掖郊区。⑪⑧ 怀城：地址不详，应在今甘肃酒泉东。⑪⑨ 蓼泉：在今甘肃高台东南。⑫⓪ 为蒙逊所杀：西凉自李暠据敦煌称王至此灭亡，共历二十一年。⑫① 新城：郡名，地址不详，应在今甘肃酒泉周围。⑫② 牧犍：即沮渠牧犍。《晋书》作“茂虔”。⑫③ 索嗣：北凉段业的部将，李暠与沮渠男成内外进谗言，索嗣被段业所杀。事见本书卷一百一十一隆安四年。⑫④ 行敦煌太守：代理敦煌太守之职。⑫⑤ 凉太后尹氏：李暠之妻，李歆之母。时被沮渠蒙逊所俘，带来姑臧。尹氏事迹见《晋书·列女传》。⑫⑥ 劳：安慰。⑫⑦ 为胡所灭：被你们胡人所消灭。胡，指沮渠蒙逊。沮渠蒙逊是匈奴族的卢水胡人，原来活动在今甘肃张掖一带地区。⑫⑧ 知复何言：我早就预见到了，还有什么可说的。⑫⑨ 母子：指尹氏与其女。⑬⓪ 为儿女子之悲：像小孩子似的哭哭啼啼。⑬① 为人臣妾：给人家当奴隶、当女仆。⑬② 八月辛未：八月十九日。⑬③ 妃臧氏：刘裕之妻臧氏，前已死。⑬④ 癸酉：八月二十一日。⑬⑤ 闰月壬午：闰八月初一。⑬⑥ 胡园戍：在今甘肃永登附近。⑬⑦ 粗险：粗暴、凶狠。⑬⑧ 凉兴：郡名，郡治在今甘肃敦煌东。⑬⑨ 十二月丁亥：十二月初七。⑭⓪ 杏城羌酋：居住在杏城的羌族头领。杏城在今陕西黄陵西南，当时属夏主赫连勃勃。⑭① 姚夫人：即姚兴之女西平公主，于义熙十一年（公元四一五年）往嫁拓跋嗣，因铸金人未成，遂为夫人。

【校记】

［1］暮末：原作“乞伏暮末”。据章钰校，甲十六行本、乙十一行本、孔天胤本皆无“乞伏”二字，张瑛《通鉴校勘记》、熊罗宿《胡刻资治通鉴校字记》同，今据删。［2］领：张敦仁《通鉴刊本识误》改作“兼”。［3］冯卤池：严衍《通鉴补》改作“潟卤池”。［4］七：据章钰校，孔天胤本作“十”，熊罗宿《胡刻资治通鉴校字记》同。［5］丁未：原作“己未”。据章钰校，甲十六行本、乙十一行本、孔天胤本皆作“丁未”，张敦仁《通鉴刊本识误》同，今据改。［6］置：据章钰校，甲十六行本、乙十一行本、孔天胤本皆作“署”，熊罗宿《胡刻资治通鉴校字记》同。

【原文】

二年（辛酉，公元四二一年）

春，正月辛酉⑭，上祀南郊⑭，大赦⑭。

裴子野论曰："夫郊祀天地，修岁事⑭也。赦彼有罪，夫何为哉⑭？"

以扬州刺史庐陵王义真为司徒⑭，尚书仆射⑭徐羡之为尚书令⑭、扬州刺史，中书令傅亮为尚书仆射。

辛未⑮，魏主嗣[7]行如公阳⑮。

河西王蒙逊帅众二万攻李恂于敦煌。

秦王炽磐遣征北将军木弈干、辅国将军元基攻上邽⑮，遇霖雨而还。

三月甲子⑮，魏阳平王熙⑮卒。

魏主发代都⑮六千人筑苑⑮，东包白登⑮，周三十余里。

河西王蒙逊筑堤壅水以灌敦煌，李恂乞降，不许。恂将宋承等举城降。恂自杀。蒙逊屠其城，获恂弟子宝⑮，囚于姑臧。于是西域诸国⑮皆诣蒙逊[8]称臣朝贡。

夏，四月己卯朔⑯，诏所在淫祠⑯自蒋子文⑯以下皆除之，其先贤及以勋德立祠者，不在此例。

吐谷浑王阿柴⑯遣使降秦。秦王炽磐以阿柴为征西大将军、开府仪同三司⑯、安州牧⑯、白兰王。

六月乙酉⑯，魏主北巡至蟠羊山⑯。秋，七月，西巡至河⑯。

河西王蒙逊遣右卫将军沮渠鄯善、建节将军沮渠苟生帅众七千伐秦。秦王炽磐遣征北将军木弈干等帅步骑五千拒之，败鄯善等于五涧⑯，虏苟生，斩首二千而还。

初，帝以毒酒一罂⑰授前琅邪郎中令⑰张伟，使鸩零陵王⑰。伟叹

【语译】

二年（辛酉，公元四二一年）

春季，正月十二日辛酉，宋武帝刘裕到南郊举行祭天大典，实行大赦。

裴子野评论说："到郊外祭祀天地，是每年都要举行的祈求丰年的典礼。而宋武帝刘裕却颁布大赦令，赦免那些罪犯，不知是何用意？"

宋武帝刘裕任命担任扬州刺史的庐陵王刘义真为司徒，任命担任尚书仆射的徐羡之为尚书令、扬州刺史，任命担任中书令的傅亮为尚书仆射。

正月二十二日辛未，北魏皇帝拓跋嗣前往公阳。

北凉河西王沮渠蒙逊亲自率领二万名部众前往敦煌攻打李恂。

西秦王乞伏炽磐派遣征北将军木弈干、辅国将军元基率军攻击魏国所属的上邽，遭遇连绵大雨，只得撤军而回。

三月十六日甲子，北魏阳平王拓跋熙去世。

北魏皇帝拓跋嗣从首都平城征调了六千人为自己修筑苑囿，东面包括白登山在内，周围三十多里。

北凉河西王沮渠蒙逊修筑长堤拦截河水，准备放水淹没敦煌。李恂向沮渠蒙逊请求投降，沮渠蒙逊不答应。李恂的部将宋承等献出敦煌，投降了沮渠蒙逊。李恂自杀。沮渠蒙逊下令屠城，俘虏了李恂的侄子李宝，押送到姑臧囚禁。于是西域各国全都请求归附，向沮渠蒙逊称臣，派使者到北凉的都城姑臧朝见河西王沮渠蒙逊，进献贡品。

夏季，四月初一己卯，宋武帝刘裕下诏将全国各地凡是民间建造的那些乌七八糟的神庙，除去蒋子文的祠庙以外，全部废除，但是祭祀先辈圣贤及有功勋、有德望的前辈宗祠，不在清除之例。

吐谷浑王慕容阿柴派遣使者向西秦投降。西秦王乞伏炽磐任命慕容阿柴为征西大将军、开府仪同三司、安州牧、白兰王。

六月初八乙酉，北魏皇帝拓跋嗣向北巡视，到达蟠羊山。秋季，七月，拓跋嗣又从蟠羊山继续向西巡视，抵达黄河岸边。

北凉河西王沮渠蒙逊派遣担任右卫将军的沮渠鄯善、担任建节将军的沮渠苟生率领七千名部众讨伐西秦。西秦王乞伏炽磐派遣征北将军木弈干等率领五千名步兵、骑兵抵抗北凉军的进攻，在五涧击败了沮渠鄯善等，俘虏了北凉建节将军沮渠苟生，斩杀了北凉二千多人，得胜而回。

当初，宋武帝刘裕把一小缸子毒酒交给从前在琅邪王官中担任郎中令的张伟，让张

曰:“鸩君以求生,不如死!”乃于道[173]自饮而卒。伟,邵[174]之兄也。太常[175]褚秀之、侍中褚淡之,皆王之妃兄也。王每生男,帝[176]辄令秀之兄弟方便杀之[177]。王自逊位,深虑祸及,与褚妃共处一室,自煮食于床前,饮食所资[178],皆出褚妃,故宋人莫得伺其隙。九月,帝令淡之与兄右卫将军[179]叔度往视妃,妃出就别室相见。兵人逾垣而入,进药于王。王不肯饮,曰:“佛教,自杀者不复得人身[180]。”兵人以被掩杀[181]之。帝帅百官临于朝堂三日[182]。

庚戌[183],魏主还宫。

冬,十月己亥[184],诏[185]以河西王蒙逊为镇军大将军、开府仪同三司、凉州刺史。

己亥[186],魏主如代[187]。

十一月辛亥[188],葬晋恭帝[9]于冲平陵,帝帅百官瞻送[189]。

十二月丙申[190],魏主西巡,至云中[191]。

秦王炽磐遣征西将军孔子[192]等帅骑二万击契汗秃真[193]于罗川[194]。

河西王蒙逊所署晋昌[195]太守唐契据郡叛,蒙逊遣世子政德讨之。契,瑶[196]之子也。

上之为宋公也,谢瞻为宋台中书侍郎,其弟晦为右卫将军。时晦权遇[197]已重,自彭城[198]还都迎家,宾客辐凑[199],门巷填咽[200]。瞻在家,惊骇,谓晦曰:“汝名位未多[201],而人归趣乃尔[202]!吾家素以恬退为业,不愿干豫时事[203],交游不过亲朋。而汝遂势倾朝野,此岂门户之福邪?”乃以篱隔门庭[204]曰:“吾不忍见此。”乃还彭城,言于宋公曰:“臣本素士[205],父祖位不过二千石[206]。弟年始三十,志用凡近[207],荣冠台府[208],位任显密。福过灾生,其应无远[209]。特乞降黜[210],以保衰门[211]。”

伟去毒杀已经退位并被降为零陵王的司马德文。张伟叹了一口气说："毒死君王以求得自己能够活命，还不如死了好！"于是便在前往秣陵的路上喝下那缸毒酒而死。张伟是张卲的哥哥。担任太常的褚秀之、担任侍中的褚淡之，都是零陵王司马德文王妃的哥哥。零陵王每当生育一个男孩，宋武帝刘裕就令褚秀之兄弟寻找适当的机会将婴孩杀死。零陵王司马德文自从退位以后，非常担心自己遭到毒手，于是便与褚妃同住在一间屋子里，亲自在床前煮饭吃。一切饮食所必需的东西都由褚妃亲自掌管，所以宋武帝刘裕的人一时找不到下手的机会。九月，宋武帝刘裕令褚淡之与他的哥哥、担任右卫将军的褚叔度一同前往探视褚妃，褚妃遂到另一间屋子中与自己的哥哥相见。刘裕所派的军士趁机跳墙而入，把毒酒送给零陵王司马德文。零陵王不肯喝，他说："按照佛教的说法，自杀的人不能再转世为人。"那些军士就用被子捂住零陵王司马德文的口鼻，将零陵王活活闷死了。宋武帝刘裕在零陵王死后，亲自率领文武百官，在朝廷正殿上哭吊了三天。

九月初五日庚戌，北魏皇帝拓跋嗣回到平城的皇宫。

冬季，十月二十四己亥，宋武帝刘裕下诏，任命北凉河西王沮渠蒙逊为镇军大将军、开府仪同三司、凉州刺史。

十月二十四日己亥，北魏皇帝拓跋嗣前往代郡。

十一月初七日辛亥，宋国把晋恭帝司马德文埋葬在冲平陵，宋武帝刘裕率领文武百官目送。

十二月二十二日丙申，北魏皇帝拓跋嗣前往魏国的西部巡视，抵达云中县。

西秦王乞伏炽磐派遣征西将军乞伏孔子等率领二万名骑兵前往袭击少数民族部落首领契汗秃真所占据的罗川。

北凉河西王沮渠蒙逊所任命的晋昌太守唐契据守郡城叛变，沮渠蒙逊派自己的世子沮渠政德率军前往晋昌讨伐唐契。唐契是唐瑶的儿子。

宋武帝刘裕还是东晋宋公的时候，谢瞻担任宋台中书侍郎，谢瞻的弟弟谢晦担任右卫将军。当时谢晦的权位和受宠幸的程度都很高，他从宋台的所在地彭城回到京师建康迎接自己的家眷，宾客就像车轮的辐条归向车毂一样从四面八方赶到谢晦的家中登门拜访，车马盈门塞路。谢瞻当时也在家中，看到这种情形感到非常惊骇，他对谢晦说："你的名声不是很高，权位也不是很大，而人们趋附于你竟然达到如此的程度！我们谢家对权势一向以恬淡、退让为原则，不愿过问政治，所结交往来的也不过是一些亲朋好友。而你的权势竟然倾动朝野，这哪里是家门的福分呢？"于是，就用篱笆从中间把院子隔开，并说："我不愿意看到这种场面。"等到返回彭城，谢瞻便对宋公刘裕说："我本来出身寒门。我的父亲、祖父，官位不过二千石。而我的弟弟谢晦，刚刚年满三十岁，其志趣、才能都很平庸，但他在您面前受宠信的程度却超过了任何人，官高位显。享福太过，必然招致灾祸，应验应该不会很远。因此特别请求降低谢晦的职位，以保我们这个衰弱的家庭太平无事。"

前后屡陈之。晦或以朝廷密事语瞻，瞻故向亲旧陈说[212]，用为戏笑，以绝其言[213]。及上即位，晦以佐命功，位任益重，瞻愈忧惧。是岁，瞻为豫章[214]太守，遇病不疗[215]。临终，遗晦书曰："吾得启体幸全[216]，亦何所恨[217]！弟思自勉励[218]，为国为家[219]。"

【段旨】

以上为第二段，写宋武帝永初二年（公元四二一年）一年间的大事。主要写：刘裕又残酷地杀害了已经退位的晋恭帝司马德文，还假惺惺地"帅百官临于朝堂三日"；刘裕的心腹功臣谢晦宠遇日隆，宾客辐凑，其兄谢瞻为之不安，为保全家族起见，一面劝其弟谦退，一面以篱笆隔开门庭，与其弟划清界限，以至于有病而故意不治，希求早死；北凉主沮渠蒙逊平定敦煌地区的反抗势力，西域诸国都向其称臣朝贺。

【注释】

⑭² 正月辛酉：正月十二日。⑭³ 上祀南郊：即皇帝亲自在京城的南郊举行祭天大典。⑭⁴ 大赦：在南郊祭天的同时宣布大赦令。⑭⁵ 修岁事：祈求丰年。岁事，农业收成之事。古代帝王的祭祀天地，原本是应该对天地赐福于人类的一种报谢活动，但从秦始皇、汉武帝以来很多帝王都变成了祈求天地神灵对帝王家族或帝王个人的保佑，甚至是祈求长生不死的一种活动。⑭⁶ 夫何为哉：（把这两件事情搅在一起）是图个什么呢。⑭⁷ 为司徒：即只担任司徒，而免去其扬州刺史职务。⑭⁸ 尚书仆射：职同副宰相。⑭⁹ 尚书令：职同宰相。⑮⁰ 辛未：正月二十二日。⑮¹ 公阳：具体方位不详，大约在今山西阳高附近。⑮² 攻上邽：进攻魏国的上邽，即今甘肃天水。上邽是秦州的州治所在地。⑮³ 三月甲子：三月十六日。⑮⁴ 阳平王熙：即拓跋熙，拓跋珪之子，拓跋嗣之弟。传见《魏书》卷十六。⑮⁵ 代都：即平城，在今山西大同东北。⑮⁶ 筑苑：建造园林猎场。⑮⁷ 白登：白登山，在平城东北。⑮⁸ 恂弟子宝：李恂的侄子李宝。后来李渊父子就自称是李宝的后代。⑮⁹ 西域诸国：今新疆境内的诸小国，如车师、焉耆、危须、鄯善等。⑯⁰ 四月己卯朔：四月初一是己卯日。⑯¹ 诏所在淫祠：命令全国各地民间建造的那些乌七八糟的神庙。下诏的主语是皇帝刘裕。淫祠，指随便乱建的供奉不登大雅之堂的诸"神"的庙宇。⑯² 蒋子文：东汉人，曾为秣陵（今江苏南京西南）县尉，为逐捕盗贼而牺牲于山中，孙权建国后，遂称其所死之山叫"蒋山"（即今之钟山），并在山上为之立庙。〖按〗刘裕废除淫祠而独留蒋子文之庙，大约是为了表彰忠于职守之良吏。⑯³ 吐谷浑王阿柴：吐

他前后多次陈请。谢晦有时把朝廷中的机密告诉谢瞻，谢瞻就故意地在亲友、故交当中进行传播，并当作嬉笑取乐的资料，想以此令谢晦以后不要再对自己说。等到刘裕登上皇帝宝座，谢晦以辅佐刘裕篡夺皇位的功劳，官位更高，权势越重，谢瞻就更加忧愁恐惧。这一年，谢瞻担任豫章太守，生病之后，坚决不肯治疗，只希望早点死。临终之时，他写信给谢晦说："我有幸得以保全躯体，也算没有什么遗憾了！希望弟弟能够经常想到要努力上进、管好自己，既是为国，也是为家。"

谷浑是当时活动在青海湖西南侧的少数民族名，本是辽西鲜卑族的一个分支，其头领名吐谷浑。为避免与其亲属发生火并，自动率部西移至今青海湖一带，后来遂以吐谷浑为部落之名。至晋末宋初时，其部落头领名叫阿柴（《魏书》写作"阿犲"）。详情见《晋书》和《魏书》之《吐谷浑传》。⑯开府仪同三司：当时朝廷对高级官僚的一种加官名，意思是可以开设府署，自聘僚属，可以使用国家三公（司徒、司马、司空）的仪仗队等等。只有荣誉，没有实权。⑯安州牧：即安州刺史。安州，指当时吐谷浑所居住的今青海湖西南一带地区。⑯六月乙酉：六月初八。⑯蟠羊山：在今内蒙古察哈尔右翼前旗东南。⑯西巡至河：向西方巡视，直到今内蒙古之乌海、磴口一带的黄河。⑯五涧：水名，流经今甘肃武威南，北流注入马城水。⑰罂：小缸子。⑰前琅邪郎中令：从前琅邪王宫的大总管。晋恭帝司马德文在未被立为傀儡皇帝之前的身份是琅邪王。琅邪郎中令张伟当时在司马德文手下当差。⑰使鸩零陵王：让张伟去毒死已经退位、后来又被降为零陵王的晋恭帝司马德文。⑰于道：在由建康前往秣陵的半路上。当时司马德文被看管在故秣陵县，今南京东南的江宁南。⑰卲：即张卲，字茂宗，其父曾为桓玄任廷尉。刘裕起兵后，张卲劝其父投归刘裕，张卲从此成为刘裕的佐命元勋。传见《宋书》卷四十六。⑰太常：朝官名，主管朝廷的礼仪以及祭祀等事。⑰帝：指刘裕。⑰方便杀之：选择适当的机会将孩子杀死。⑰饮食所资：一切饮食所用的东西。⑰右卫将军：帝王的禁卫军头领。〖按〗此"右卫将军"与前"太常""侍中"都是晋恭帝昔日未退位时的群臣，不是刘裕王朝的现职官员。⑱不复得人身：即所谓"不能再转世为人"。⑱掩杀：捂起口鼻将其闷死。⑱临于朝堂三日：在朝廷正殿上哭吊了三天。⑱庚戌：九月初五。⑱十月己亥：十月二十四日。⑱诏：下诏，这句话的主语是皇帝刘裕。⑱己亥：与上句叙事的同一天。按例，此"己亥"二字应削。⑱如代：到代郡的郡治所在地，即今山西大同东北。⑱十一月辛亥：十一月初七。⑱瞻送：目送。⑲十二月丙申：十二月二十二日。⑲云中：县名，县治盛乐，在今内蒙古和林格尔北。⑲征西将军孔子：姓乞伏，名孔子，时任征西将军。⑲契汗秃真：少数民族部落的头领名。⑲罗川：县名，在今甘肃正宁北。⑲晋昌：郡名，郡治在今甘肃瓜州东南。⑲瑶：即唐瑶，原是北凉

段业的晋兴太守，后叛凉拥立李暠，为李暠的征东将军。事见本书卷一百一十一隆安四年。⑰权遇：权位和受宠信的程度。⑱彭城：即今江苏徐州，刘裕的故乡。当时刘裕的宋台（宋公政府）即设于此。⑲辐凑：从四面八方而来，如同车轮的辐条之归向于车毂。⑳门巷填咽：门前巷口都挤得满满地。填咽，人多而壅塞。㉑名位未多：名望与官位都还不高。未多，不高。㉒归趣乃尔：趋附于你的样子竟达到这样的程度。趣，同“趋”。㉓干豫时事：过问政治。㉔以篱隔门庭：用一道篱笆把院子隔成了两半。门庭，门内的大庭前。㉕素士：寒门；平民。谢瞻、谢晦与谢安同族，比起谢安一门的贵盛，谢瞻遂自称“素士”。㉖二千石：郡太守、诸侯国相一级。㉗志用凡近：志趣庸俗；志向不远大。㉘荣冠台府：但他在您跟前的受宠却超过了一切人。台府，东晋朝廷与宋公府。㉙其应无远：应验的时间不会太久。㉚特乞降黜：求您给他降降官，减点宠，别让他太昏了头。㉛以保衰门：以保我们这个衰弱家族的平安。㉜故向亲旧陈说：故意地对着亲戚朋友散布。㉝以绝其言：想用这种办法使他以后不敢再对自己说。㉞豫章：

【原文】

三年（壬戌，公元四二二年）

春，正月甲辰朔[220]，魏主自云中西巡，至屋窦城[221]。

癸丑[222]，以徐羡之为司空、录尚书事，刺史如故；江州刺史王弘为卫将军、开府仪同三司；中领军谢晦为领军将军兼散骑常侍[223]，入直殿省[224]，总统宿卫[225]。徐羡之起自布衣[226]，又无术学[227]，直以志力局度[228]，一旦居廊庙[229]，朝野推服，咸谓有宰臣之望。沉密寡言，不以忧喜见色[230]；颇工奕棋[231]，观戏常若未解[232]，当世倍以此推之。傅亮、蔡廓常言：“徐公晓万事，安异同[233]。”尝与傅亮、谢晦宴聚，亮、晦才学辩博[234]，羡之风度详整[235]，时然后言[236]。郑鲜之叹曰：“观徐、傅言论[237]，不复以学问为长[238]。”

秦征西将军孔子等大破契汗秃真，获男女二万口，牛羊五十余万头。秃真帅骑数千西走，其别部树奚帅户五千降秦。

郡名，郡治即今江西南昌。㉑⑤遇病不疗：患病后故意不再治疗，希望早点死。㉑⑥启体幸全：看看自己的整个躯体，所幸的是都还完好无损。《论语·泰伯》："曾子有疾，召门弟子曰：'启予足，启予手！'《诗》云：'战战兢兢，如临深渊，如履薄冰。而今而后，吾知免夫。'"《孝经·开宗明义》："孔子曰：'身体发肤，受之父母，不敢毁伤，孝之始也。'"㉑⑦亦何所恨：还有什么遗憾的呢。意思是可以到地下向父母交代了。㉑⑧思自勉励：努力上进，管好自己。㉑⑨为国为家：即不要由于你的张狂而闹得国亡家破。

【校记】

［7］嗣：据章钰校，甲十六行本、乙十一行本、孔天胤本皆无此字，熊罗宿《胡刻资治通鉴校字记》同。［8］诣蒙逊：原"诣"作"请"，"蒙逊"为二空格。据章钰校，甲十六行本、乙十一行本、孔天胤本皆作"诣蒙逊"，熊罗宿《胡刻资治通鉴校字记》同，今据改。［9］恭帝：据章钰校，甲十六行本无"恭"字。

【语译】

三年（壬戌，公元四二二年）

春季，正月初一甲辰，北魏皇帝拓跋嗣从云中继续西行视察，到达屋窦城。

正月初十癸丑，宋武帝刘裕任命徐羡之为司空、录尚书事，依旧担任扬州刺史；任命担任江州刺史的王弘为卫将军、开府仪同三司；任命担任中领军的谢晦为领军将军兼任散骑常侍，轮流到皇宫、中书省值班，统领所有的宫廷警卫部军。徐羡之既不是出身于门阀世家，也没有什么学问，只是凭借着个人的才干和气度，一下子跻身于廊庙之上，于是不论官府和民间都对徐羡之十分推崇、敬佩，都称赞他有宰相的声望。徐羡之为人沉默寡言，从不把自己的内心活动表现在脸色上；他棋艺精湛，但在观看别人对弈的时候总是装出一副根本就不懂的样子，当代人也因此对他倍加推崇。担任尚书仆射的傅亮和担任侍中的蔡廓常说："徐羡之通晓万事，当众人对某事争相发表不同意见的时候，徐羡之却能沉得住气，从不轻易表态。"徐羡之曾经和傅亮、谢晦在酒宴上相聚。傅亮、谢晦才学渊博，能言善辩，而徐羡之却是神态安详、庄重，到了该说话的时候才说话。担任奉常的郑鲜之感叹说："对比徐羡之与傅亮两个人的谈话之后，我不再认为学问的大小是决定一个人的气质、身份高低的首要条件了。"

西秦征西将军乞伏孔子等把罗川将匈奴部落首领契汗秃真打得大败，俘获了二万多名男女、五十多万头牛羊。契汗秃真率领数千名骑兵向西逃走，另一部落首领树奚率领着五千户居民投降了西秦。

二月丁丑[239]，诏分豫州淮以东为南豫州，治历阳[240]，以彭城王义康为刺史；又分荆州十郡置湘州，治临湘[241]，以左卫将军张邵为刺史。

丙戌[242]，魏主还宫。

三月，上不豫[243]，太尉长沙王道怜、司空徐羡之、尚书仆射傅亮、领军将军谢晦、护军将军檀道济并入侍医药。群臣请祈祷神祇，上不许，唯使侍中谢方明[244]以疾告宗庙而已。上性不信奇怪，微时[245]多符瑞[246]，及贵，史官审以所闻[247]，上拒而不答。

檀道济出为镇北将军、南兖州刺史，镇广陵[248]，悉监淮南诸军。

皇太子多狎群小[249]，谢晦言于上曰："陛下春秋既高，宜思存万世[250]，神器至重[251]，不可使负荷非才[252]。"上曰："庐陵[253]何如？"晦曰："臣请观焉。"出造庐陵王义真，义真盛欲与谈[254]，晦不甚答。还曰："德轻于才，非人主也。"丁未[255]，出义真为都督南豫、豫、雍、司、秦、并六州诸军事，车骑将军，开府仪同三司，南豫州刺史。是后，大州率加都督，多者或至五十州[256]，不可复详载矣。

帝疾瘳[257]，己未[258]，大赦。

秦、雍[259]流民南入梁州[260]。庚申[261]，遣使送绢万匹，且漕荆、雍[262]之谷以赈之。

刁逵[263]之诛也，其子弥亡命[264]。辛酉[265]，弥帅数十[10]人入京口[266][11]，太尉留府司马[267]陆仲元击斩之。

乙丑[268]，魏河南王曜[269]卒。

夏，四月甲戌[270]，魏立皇子焘[271]为太平王，拜相国，加大将军；丕为乐平王，弥为安定王，范为乐安王，健为永昌王，崇为建宁王，俊为新兴王。

乙亥[272]，诏封仇池公杨盛为武都王[273]。

秦王炽磐以折冲将军乞伏是辰为西胡校尉，筑列浑城于汁罗[274]以镇之。

二月初四丁丑，宋武帝刘裕下诏，将豫州境内淮河以东地区划分出来，设置为南豫州，治所设在历阳，任命彭城王刘义康为南豫州刺史；又从荆州划分出十个郡设置为湘州，治所设在临湘，任命担任左卫将军的张邵为湘州刺史。

二月十三日丙戌，北魏皇帝拓跋嗣返回皇宫。

三月，宋武帝刘裕患病，担任太尉的长沙王刘道怜、担任司空的徐羡之、担任尚书仆射的傅亮、担任领军将军的谢晦、担任护军将军的檀道济同时入宫，侍奉汤药。群臣全都请求向神灵进行祈祷，宋武帝不允许，只是派担任侍中的谢方明到宗庙中将皇帝的病情祭告祖先而已。宋武帝刘裕一向不相信神仙鬼怪，在他还没有显贵的时候就有很多关于刘裕的奇异征兆，后来刘裕的地位越来越尊贵，当史官向刘裕核实那些传闻是真是假的时候，刘裕全都拒绝回答。

担任护军将军的檀道济出任镇北将军、南兖州刺史，镇守广陵，监淮南诸军。

宋国皇太子刘义符所亲近的大多是一些品行不端的人。担任领军将军的谢晦对宋武帝刘裕说："陛下的年事已高，应该考虑留给后世的东西，国家政权交给什么人，这是至关重要的事情，不能传给没有才能来担负如此大任的人。"宋武帝刘裕问："庐陵王刘义真怎么样?"谢晦说："请让我前去观察他。"谢晦出宫之后就去造访庐陵王刘义真，刘义真很想与谢晦好好谈一谈，而谢晦却不怎么答话。回来后，谢晦对宋武帝说："庐陵王的品德低于才能，不是人主的合适人选。"三月初五丁未，宋武帝刘裕命庐陵王刘义真出任都督南豫、豫、雍、司、秦、并六州诸军事，车骑将军，开府仪同三司，南豫州刺史。从此以后，一个大州的刺史大多都加授都督之职，所统辖的地区，有的多达五十州，已经没法详细地一一列出了。

宋武帝刘裕病情有所好转，三月十七日己未，实行大赦。

从西秦所属的秦州、雍州逃难的难民向南进入宋国境内的梁州。三月十八日庚申，宋国朝廷派使者将一万匹绢送往梁州，同时还从水路将荆州、雍州的米谷漕运到梁州，赈济那些逃难的灾民。

当初，刁逵被诛杀的时候，刁逵的儿子刁弥因为藏匿起来而幸免被杀。三月十九日辛酉，刁弥率领数十人进入京口，被担任太尉留府司马的陆仲元斩杀。

三月二十三日乙丑，北魏河南王拓跋曜去世。

夏季，四月初二甲戌，北魏皇帝拓跋嗣立皇子拓跋焘为太平王，封为相国，加授大将军；封拓跋丕为乐平王，拓跋弥为安定王，拓跋范为乐安王，拓跋健为永昌王，拓跋崇为建宁王，拓跋俊为新兴王。

四月初三乙亥，宋武帝刘裕下诏，封仇池公杨盛为武都王。

西秦王乞伏炽磐任命担任折冲将军的乞伏是辰为西胡校尉，在汁罗修筑列浑城，设兵镇守。

五月，帝疾甚，召太子诫之曰："檀道济虽有干略[275]而无远志，非如兄韶有难御[276]之气也。徐羡之、傅亮，当无异图。谢晦数从征伐，颇识机变，若有同异[277]，必此人也。"又为手诏曰："后世若有幼主，朝事一委宰相，母后不烦[278]临朝。"司空徐羡之、中书令傅亮、领军将军谢晦、镇北将军檀道济同被顾命[279]。癸亥[280]，帝殂[281]于西殿。

帝清简寡欲，严整有法度，被服[282]居处[283]，俭于布素[284]，游宴[285]甚稀，嫔御[286]至少。尝得后秦高祖从女[287]，有盛宠，颇以废事。谢晦微谏，即时遣出。财帛皆在外府[288]，内无私藏[289]。岭南尝献入筒细布[290]，一端八丈[291]，帝恶其精丽劳人，即付有司弹太守[292]，以布还之，并制岭南[293]禁作此布。公主出适[294]，遣送不过二十万，无锦绣之物。内外奉禁[295]，莫敢为侈靡。

太子[296]即皇帝位，年十七。大赦，尊皇太后曰太皇太后，立妃司马氏为皇后。后，晋恭帝女海盐公主也。

魏主服寒食散[297]，频年药发[298]，灾异屡见[299]，颇以自忧。遣中使[300]密问白马公崔浩曰："属者[301]日食赵、代之分[302]。朕疾弥年不愈，恐一旦不讳[303]，诸子并少，将若之何？其为我思身后之计。"浩曰："陛下春秋富盛[304]，行就平愈[305]；必不得已[306]，请陈瞽言[307]。自圣代龙兴[308]，不崇储贰[309]，是以永兴之始，社稷几危[310]。今宜早建东宫[311]，选贤公卿以为师傅，左右信臣[312]以为宾友；入总万机[313]，出抚戎政[314]。如此，则陛下可以优游无为[315]，颐神养寿。万岁之后[316]，国有成主[317]，民有所归，奸宄息望[318]，祸无自生矣。皇子焘年将周星[319]，明睿温和，立子以长，礼之大经。若必待成人然后择之，倒错天伦[320]，则召乱之道也。"魏主复以问南平公长孙嵩[321]，对曰："立长则顺，置贤则人服。焘长且贤，天所命也。"

五月，宋武帝刘裕病势沉重，他召见太子刘义符，告诫说："虽然檀道济很有才干和谋略，然而却没有远大的志向，不像他的哥哥檀韶，有一种难以驾驭的气质。徐羡之、傅亮，应当不会出什么问题。谢晦多次跟随我出征作战，很懂得随机应变，如果有什么特别举动，那一定是谢晦。"又亲手写下诏书说："如果后世君主年幼，朝廷之事一律托付宰相，不允许皇太后临朝主政。"担任司空的徐羡之、担任中书令的傅亮、担任领军将军的谢晦、担任镇北将军的檀道济一同接受了宋武帝刘裕临终的嘱托，成为顾命大臣。二十一日癸亥，宋武帝刘裕在西殿逝世。

宋武帝刘裕清静节俭，生活上欲望很少，为人严整有法度，服饰穿戴、住所的装饰比那些布衣、素士还要俭朴，很少游猎、饮宴，嫔妃与宫女更是少而又少。宋武帝曾经得到后秦王姚兴的侄女，对她非常宠爱，竟因此而耽误了政事。谢晦稍加劝谏，宋武帝立即将她遣出皇宫。所有的财物都在皇宫之外的国库中，皇宫之内没有属于个人的储藏。岭南人曾经进献一种极其精致极其轻薄的细布，八丈为一匹，宋武帝嫌它过于精美，耗费人力，立即下令有关部门弹劾进贡这种细布的州刺史，并把细布发还，同时禁止岭南制作这种细布。公主出嫁，陪送的嫁妆不超过二十万，此外再也没有什么锦绣绸缎等贵重物品。宫内宫外，都严格遵守禁令，没有人敢奢侈浪费。

宋太子刘义符即位为皇帝，年仅十七岁。实行大赦，尊奉皇太后为太皇太后，封太子妃司马氏为皇后。司马皇后，是晋恭帝司马德文的女儿海盐公主。

北魏皇帝拓跋嗣服食寒食散，连年以来，药性发作，灾难性的奇怪征兆屡屡出现，拓跋嗣对此深感担忧。于是他派自己身边的宦官秘密地去咨询白马公崔浩说："近来，日食发生在太阳运行到赵、代分野之时。我的疾病多年不见痊愈，我担心自己一旦去世，几个儿子年纪还都很小，将怎么办？你要为我考虑一下我去世之后的安排。"崔浩回复说："陛下正是壮年，身体不久就会康复；如果真的发生了陛下所担忧的那种情况，就请允许我说说自己的看法。自从圣朝建立以来，一直不太注重及早封立储君，所以才导致在永兴初年发生了几乎使国家倾覆的宫廷政变。现在应该早一点确立太子，挑选贤明的公卿大臣做太子的师傅，左右那些忠直守信的臣属做太子的宾客朋友；让太子在朝廷的时候就协助皇帝日理万机，率军外出的时候则总管军中一切大事。如此的话，陛下就可以身心悠闲，不问政事，颐神养寿。一旦去世，国家已有成熟的君主，人民有所依靠，想趁机生事谋乱的坏人便会彻底绝望，祸患也就无从产生了。皇子拓跋焘将满十二岁，聪明睿智，性情温和，立长子为合法继承人，是礼教的最高准则。如果一定要等到长大成人之后再进行选择，就有可能废长立幼、废嫡立庶，那将导致国家大乱。"北魏皇帝拓跋嗣又将同样的问题拿去询问南平公长孙嵩，长孙嵩回答说："立长子做接班人，名正言顺；立贤能者为接班人，则会使人心服口服。拓跋焘既是长子，又很贤能，立拓跋焘为太子，乃是上天的旨意。"

帝从之，立太平王焘为皇太子，使之居正殿临朝，为国副主；以长孙嵩及山阳公奚斤㉜、北新公安同㉝为左辅，坐东厢，西面；崔浩与太尉穆观㉞、散骑常侍代人丘堆㉟为右弼㊱，坐西厢，东面。百官总己以听㊲焉。帝避居西宫，时隐而窥之，听其决断，大悦。谓侍臣曰："嵩宿德㊳旧臣，历事四世㊴，功存社稷㊵；斤辩捷智谋，名闻遐迩；同晓解俗情㊶，明练于事㊷；观达于政要㊸，识吾旨趣㊹；浩博闻强识㊺，精察天人㊻；堆虽无大用，然在公专谨㊼。以此六人辅相㊽太子，吾与汝曹巡行四境，伐叛柔服㊾，足以得志于天下矣。"

嵩实姓拔拔，斤姓达奚，观姓丘穆陵，堆姓丘敦。是时，魏之群臣出于代北者㊿，姓多重复(341)，及高祖迁洛(342)，始皆改之(343)。旧史恶其烦(344)杂难知，故皆从后姓以就简易，今从之。

魏主又以典东西部刘絜(345)[12]、门下奏事(346)代人古弼、直郎徒河卢鲁元(347)[13]忠谨恭勤，使之给侍[14]东宫(348)，分典机要，宣纳辞令。太子聪明，有大度。群臣时奏所疑，帝曰："此非我所知(349)，当决之汝曹国主(350)也。"

六月壬申(351)，以尚书仆射傅亮为中书监、尚书令，以领军将军谢晦领(352)中书令，侍中谢方明为丹阳尹(353)。方明善治郡，所至有能名；承代前人，不易其政，必宜改者，则以渐移变，使无迹可寻。

戊子(354)，长沙景王道怜卒。

魏建义将军刁雍寇青州(355)，州兵击破之。雍收散卒，走保大乡山(356)。

秋，七月己酉(357)，葬武皇帝于初宁陵(358)，庙号"高祖"。

河西王蒙逊遣前将军沮渠成都帅众一万，耀兵岭南(359)，遂屯五涧(360)。九月，秦王炽磐遣征北将军出连虔等帅骑六千击之。

拓跋嗣听从了他们的意见，于是立太平王拓跋焘为皇太子，让拓跋焘坐在金銮殿参与主持朝政，成为国家的副君；任命长孙嵩以及山阳公奚斤、北新公安同为左辅，坐在东厢，面朝西；任命崔浩与担任太尉的穆观、担任散骑常侍的代郡人丘堆为右弼，坐在西厢，面朝东。其余文武百官各自约束自己，恭敬地听候差遣。拓跋嗣隐退西宫，但也不时地悄悄出来，在暗中进行观察，听听他们如何裁断军国大事，听后非常高兴。他对自己身边的侍从说:“长孙嵩是一位德高望重的老臣，已经侍奉过四代君主，功在国家；奚斤口才敏捷，足智多谋，名闻遐迩；安同通晓风俗，了解民情，对政务精明练达；穆观知道该抓哪些重大问题，明白我的心意；崔浩学识渊博，记忆力很强，能够准确地把握上天和人间的感应关系；丘堆虽然没有太大的才能，然而能够一心一意、谦恭谨慎地效忠于国家。有这样的六个人帮助辅佐太子，我与你们这些人只管前往国家的四方边境进行巡行考察，对叛逆者进行讨伐，对归服者进行安抚，完全可以实现我称霸天下的愿望。”

北魏南平公长孙嵩实际上姓拔拔，山阳公奚斤姓达奚，太尉穆观姓丘穆陵，散骑常侍丘堆姓丘敦。当时，北魏群臣出生于代郡以北的人，很多人的姓氏音多不好念、不好记，等到高祖拓跋宏把都城迁到洛阳时，才都改用一个字或两个字的汉姓。旧史学家嫌他们的复姓太繁杂难记，所以即使是将复姓改成单姓以前的史事，也都按照后来简便易记的单姓记事，现在《资治通鉴》也按照这个原则记事。

北魏皇帝拓跋嗣认为担任典东西部的刘絜、担任门下奏事的代郡人古弼、担任直郎的徒河人卢鲁元为人忠诚、恭谨、勤勉，所以也把他们派到太子宫侍奉太子，分别掌管朝廷机要、传达政令、接纳奏事等。太子拓跋焘不仅聪明，而且大度。文武官员有时就一些疑难问题向拓跋嗣请示，拓跋嗣总是说:“这些不属于我管，应该去找你们的国主裁决。”

六月初一壬申，宋国朝廷任命担任尚书仆射的傅亮为中书监、尚书令，任命担任领军将军的谢晦为代理中书令，任命担任侍中的谢方明为丹阳尹。谢方明善于治理地方，所任职的地方，都称赞他很有才能；凡是继承前任，一般情况下，他都不改变前任已经实行的政策，至于非改不可的，则慢慢加以改变，不让人看出改变的痕迹来。

六月十七日戊子，宋国长沙景王刘道怜去世。

北魏担任建义将军的刁雍率军进犯宋国所属的青州，青州军将刁雍击败。刁雍召集起残兵散卒，退守大乡山。

秋季，七月初八己酉，宋国将宋武帝刘裕安葬在初宁陵，庙号“高祖”。

北凉河西王沮渠蒙逊派遣担任前将军的沮渠成都率领一万人马，到洪池岭以南向西秦政权炫耀武力，遂进驻于五涧。九月，西秦王乞伏炽磐派遣征北将军出连虔等率领六千名骑兵攻击驻扎于五涧的沮渠成都。

初，魏主闻高祖克长安[361]，大惧，遣使请和，自是每岁交聘[362]不绝。及高祖殂，殿中将军沈范等奉使在魏，还，及河，魏主遣人追执之，议发兵取洛阳、虎牢、滑台。崔浩谏曰："陛下不以刘裕欻起[363]，纳其使贡[364]，裕亦敬事陛下。不幸今死，遽乘丧伐之，虽得之，不足为美。且国家今日亦未能一举取江南也，而徒有伐丧[365]之名，窃为陛下不取。臣谓宜遣人吊祭，存其孤弱[366]，恤其凶灾[367]，使义声布于天下，则江南不攻自服矣。况裕新死，党与未离，兵临其境，必相帅拒战[368]，功不可必。不如缓之，待其强臣争权，变难必起，然后命将出师，可以兵不疲劳，坐收淮北[369]也。"魏主曰："刘裕乘姚兴之死而灭之[370]，今我乘裕丧而伐之，何为不可？"浩曰："不然。姚兴死，诸子交争[371]，故裕乘衅伐之。今江南无衅，不可比也。"魏主不从，假司空奚斤节[372]，加晋兵大将军[373]，行扬州刺史[374]，使督宋兵将军、交州刺史周几，吴兵将军、广州刺史公孙表同入寇。

乙巳[375]，魏主如灅南宫[376]，遂如广宁[377]。

辛亥[378]，魏人筑平城外郭，周围三十二里。

魏主如乔山[379]，遂东如幽州[380]。冬，十月甲戌[381]，还宫。

魏军将发[382]，公卿集议于监国[383]之前，以先攻城与先略地。奚斤欲先攻城，崔浩曰："南人长于守城，昔[15]苻氏攻襄阳，经年不拔[384]。今以大兵坐攻[385]小城，若不时克[386]，挫伤军势，敌得徐严而来[387]，我怠彼锐[388]，此危道也。不如分军略地，至淮为限，列置守宰，收敛租谷，则洛阳、滑台、虎牢更在军北[389]。绝望南救[390]，必沿河东走；不则为囿中之物[391]，何忧其不获也？"公孙表固请攻城，魏主从之。于是奚斤等帅步骑二万，济河，营于滑台之东。

当初，北魏皇帝拓跋嗣听到宋高祖刘裕攻克了长安，非常惧怕，于是派遣使者前往宋国的都城建康请求讲和，从那以后，每年与宋国互派使者进行礼节性拜访，往来不绝。等到宋高祖刘裕去世，宋国担任殿中将军的沈范等奉命出使魏国，返回的时候，走到黄河岸边，北魏皇帝拓跋嗣派人追赶，将沈范等捉回，然后商议发兵攻取宋国占领下的洛阳、虎牢、滑台。白马公崔浩劝阻说："陛下没有因为刘裕突然崛起，而是接受了他派来进贡的使臣，刘裕对陛下也非常恭敬。如今刘裕不幸去世，如果我们趁着宋国办丧事的机会出兵攻取宋国的地盘，即使得到了也不算美事。再说就我国的实力来看，现在也不能一举攻克江南，却白落一个'伐丧'的坏名声，我认为陛下不应该那样做。而应该派人前去吊丧，安慰他的继承人，同情他们的不幸，使我们仁义的名声传遍天下，如此一来，则江南不用出兵攻伐，自然会向我们屈服。何况刘裕新死，他的党羽并没有离散。如果我们兵临其境，他们必然齐心协力进行抵抗，我们未必能够获胜。不如暂且缓一缓，等到宋国的权臣互相争权夺势的时候，内部必然发生变乱和灾难，到那时再派将出兵，可以不用疲劳士卒，很容易就能夺取淮北之地。"北魏皇帝拓跋嗣说："刘裕趁后秦王姚兴死的时候，出兵灭掉了后秦，现在我趁刘裕之死而攻伐宋国，怎么就不可以?"崔浩说："事情不是这样。后秦王姚兴死后，他的几个儿子互相争斗，所以刘裕才趁机将后秦灭掉。而现在，江南并没有给我们造成可乘之机，所以不能跟刘裕灭后秦作比较。"北魏皇帝拓跋嗣没有听从崔浩的劝阻，他加授担任司空的奚斤假节、晋兵大将军，兼任扬州刺史，令他统率担任交州刺史的宋兵将军周几、担任广州刺史的吴兵将军公孙表一同进犯宋国。

九月初五乙巳，北魏皇帝拓跋嗣前往灅南宫，又从灅南宫前往广宁。

九月十一日辛亥，北魏为首都平城修筑外郭，周围三十二里。

北魏皇帝拓跋嗣前往乔山，又从乔山往东到达幽州。冬季，十月初五甲戌，返回平城的皇宫。

北魏军队即将出发，公卿大臣全都聚集在监国的太子拓跋焘面前，商议是先攻城还是先夺取土地。山阳公奚斤认为应该先攻城，而白马公崔浩发表意见说："江南之人擅长于守城，过去前秦苻氏出兵攻打襄阳，攻打了一年多都攻打不下。现在率领大军单一地去攻打一座小城，如果再不能及时地将其攻克，就会挫伤军队的士气，而敌人就可以从容、严整地派兵前来增援，到那时我方已经疲惫不堪，而敌方士气高涨，这是非常危险的。不如分出一部分兵力去扩展地盘，把淮河作为界线，划分为郡县，设置太守、县令，收取赋税粮食。如此的话，则洛阳、滑台、虎牢就被我军隔开，留在了我们南下大军的北面。当他们对南方派兵救援感到绝望，必定会沿着黄河向东逃走；不然就会成为牢笼中的禽兽，何必担忧不能将其捕获?"而公孙表坚决请求攻城，北魏皇帝拓跋嗣遂听从了公孙表等人的意见。于是奚斤等率领二万名步兵、骑兵，渡过黄河，驻扎在滑台以东。

时司州刺史毛德祖[392]戍虎牢，东郡太守王景度[393]告急于德祖，德祖遣司马翟广等将步骑三千救之。

先是，司马楚之[394]聚众在陈留[395]之境，闻魏兵济河，遣使迎降。魏以楚之为征南将军、荆州刺史，使侵扰北境[396]。德祖遣长社令王法政将五百人戍邵陵[397]，将军刘怜将二百骑戍雍丘[398]以备之。楚之引兵袭怜，不克。会台送军资[399]，怜出迎之，酸枣民[400]王玉驰以告魏。丁酉[401]，魏尚书滑稽[402]引兵袭仓垣[403]，兵吏悉逾城走，陈留太守冯翊严稜[404]诣斤降。魏以王玉为陈留太守，给兵守仓垣。

奚斤等攻滑台，不拔，求益兵。魏主怒，切责之。壬辰[405]，自将诸国兵五万余人南出天关[406]，逾恒岭[407]，为斤等声援。

秦出连虔与河西沮渠成都[408]战，禽之。

十一月，魏太子焘将兵出屯塞上[409]，使安定王弥[410]与安同居守。

庚戌[411]，奚斤等急攻滑台，拔之。王景度出走；景度司马阳瓒为魏所执，不降而死。魏主以成皋侯苟儿[412]为兖州刺史，镇滑台。

斤等进击翟广等于土楼[413]，破之，乘胜进逼虎牢。毛德祖与战，屡破之。魏主别遣黑矟将军于栗磾将三千人屯河阳[414]，谋取金墉[415]。德祖遣振威将军窦晃等缘河拒之。十二月丙戌[416]，魏主至冀州[417]，遣楚兵将军、徐州刺史叔孙建将兵自平原[418]济河，徇青、兖[419]。豫州刺史刘粹[420]遣治中高道瑾将步骑五百据项城[421]，徐州刺史王仲德将兵屯湖陆[422]。于栗磾济河，与奚斤并力攻窦晃等，破之。

魏主遣中领军代人娥清、期思侯柔然闾大肥[423]将兵七千人会周几、叔孙建南渡河，军于碻磝[424]。癸未[425]，兖州刺史徐琰弃尹卯[426]南走，于

当时宋国担任司州刺史的毛德祖正在戍守虎牢关，驻扎在滑台的宋国东郡太守王景度向毛德祖告急求救，毛德祖立即派遣担任司马的翟广等率领三千名步兵、骑兵前往滑台救援。

先前，东晋逃亡的司马楚之在宋国境内的陈留聚众起兵，他听到北魏的军队已经向南渡过黄河，便派遣使者前往迎接、投降。北魏任命司马楚之为征南将军、荆州刺史，让他率领属下部众侵扰宋国的北部边境。宋国司州刺史毛德祖派遣长社县令王法政率领五百人戍守邵陵，派将军刘怜率领二百名骑兵戍守雍丘，防备司马楚之的进攻。司马楚之率领部众袭击刘怜所据守的雍丘，没有攻克。正巧遇到宋国朝廷为刘怜送来军需物资，刘怜出去迎接，酸枣县的居民王玉飞速将这一消息报告给北魏军。十月二十八日丁酉，北魏担任尚书的滑稽率军袭击仓垣，仓垣的守军全部越城逃走，担任陈留太守的冯翊人严稜前往奚斤的军前投降。北魏任命王玉为陈留太守，拨给他一部分兵力守卫仓垣。

奚斤等率领魏军进攻滑台，没有攻克，遂向北魏皇帝拓跋嗣请求增加兵力。拓跋嗣非常愤怒，严厉地斥责了他。十月二十三日壬辰，拓跋嗣亲自率领各国联军五万多人向南出天关，跨越恒岭，声援奚斤等。

西秦征北将军出连虔攻击北凉河西地区的五涧，活捉了北凉五涧守将、前将军沮渠成都。

十一月，北魏皇太子拓跋焘率军离开平城，驻扎在塞上，他让安定王拓跋弥与北新公安同守卫京师。

十一月十一日庚戌，北魏山阳公奚斤等紧急攻打滑台，终于将滑台攻克。宋国担任东郡太守的王景度出城逃走；在王景度手下担任司马的阳瓒则被魏军活捉，他坚决不肯向魏军投降，遂被杀死。北魏皇帝拓跋嗣任命成皋侯苟儿为兖州刺史，镇守滑台。

奚斤等进攻翟广等所据守的土楼，将土楼攻破，然后乘胜进逼虎牢。宋国司州刺史毛德祖率军与魏军交战，多次将魏军击败。北魏皇帝拓跋嗣另外派遣黑矟将军于栗磾率领三千人马屯驻在河阳，阴谋夺取金墉城。毛德祖派遣振威将军窦晃等沿着黄河南岸设防抵抗。十二月十八日丙戌，北魏皇帝拓跋嗣抵达冀州，他派遣担任楚兵将军、徐州刺史的叔孙建率军从平原津渡过黄河，攻取宋国的青州、兖州。宋国担任豫州刺史的刘粹派遣担任治中的高道瑾率领五百名步兵、骑兵据守项城，派徐州刺史王仲德率军屯驻在湖陆。北魏黑矟将军于栗磾率军渡过黄河，与山阳公奚斤合力攻打宋国振威将军窦晃等，将窦晃的军队击败。

北魏皇帝拓跋嗣派遣担任中领军的代郡人娥清、期思侯柔然人间大肥率领七千人马会合周几、叔孙建向南渡过黄河，驻扎在碻磝。十二月十五日癸未，宋国担任

是泰山、高平、金乡[427]等郡皆没于魏。叔孙建等东入青州，司马爱之、季之[428]先聚众于济东[429]，皆降于魏。

戊子[430]，魏兵逼虎牢。青州刺史东莞[431]竺夔镇东阳城[432]，遣使告急。己丑[433]，诏南兖州刺史檀道济[434]监征讨诸军事，与王仲德共救之。庐陵王义真遣龙骧将军沈叔貍将三千人就刘粹[435]，量宜赴援。

秦王炽磐征秦州牧昙达为左丞相、征东大将军。

【段旨】

以上为第三段，写宋武帝永初三年（公元四二二年）一年间的大事。主要写：刘裕的重臣徐羡之、傅亮、谢晦各自的个性特征。谢晦的谗毁刘义真，与刘裕既表现出对谢晦的不信任而临终又任之为顾命大臣，与当年对待王镇恶的态度相似。刘裕死与历史家对刘裕的盖棺论定，称道其生性俭朴、不信符瑞灾异等奇谈怪论。魏主拓跋嗣因自己多病而立拓跋焘为太子，使居正殿为国副主；以长孙嵩、奚斤、安同为左辅，以崔浩、穆观、丘堆为右弼，使百官总己以听；又以刘絜、古弼、卢鲁元"给侍东宫，分典机要，宣纳辞令"的良好政局，预示了魏国政治的日益昌明。魏主乘刘裕死，发兵进攻刘宋，取得滑台及泰山、高平、金乡诸郡，大兵逼近虎牢、金墉，刘宋形势紧急。

【注释】

[220]正月甲辰朔：正月初一是甲辰日。[221]屋窦城：在今内蒙古准格尔旗东北的黄河西岸。[222]癸丑：正月初十。[223]散骑常侍：皇帝的侍从官，在皇帝身边充当参谋顾问，以及为皇帝起草诏令，等等。[224]入直殿省：经常到宫殿、到中书省值班。直，同"值"。[225]总统宿卫：统领所有的宫廷警卫部队。宿卫，日夜值勤警卫。[226]起自布衣：指不是出身于门阀士族。及文帝元嘉元年（公元四二四年）又称傅亮为"布衣诸生"，意思略同。这些"布衣"都不是指平民百姓，只不过不是门阀士族而已。[227]无术学：没有学问，不懂儒家的思想学说。[228]直以志力局度：只是靠着个人的才干气度。直，只、只凭。[229]居廊庙：在朝廷掌权。廊庙，朝廊、宗庙，指国家的决策部门。[230]不以忧喜见色：不把自己的内心活动表现在脸色上。见，同"现"，表现。[231]颇工奕棋：围棋的水平很高。[232]观

兖州刺史的徐琰丢弃尹卯向南逃走，于是泰山、高平、金乡等郡全部陷入北魏。叔孙建等率军向东进入青州，司马爱之、司马季之早先已在济水以东聚众起兵，现在则全都投降了魏国。

十二月二十日戊子，北魏军逼近虎牢。宋国担任青州刺史的东莞人竺夔镇守东阳城，他派人向朝廷告急求救。

十二月二十一日己丑，宋国皇帝刘义符下诏令担任南兖州刺史的檀道济为监征讨诸军事，会同徐州刺史王仲德一同前去救援。宋国庐陵王刘义真派遣龙骧将军沈叔狸率领三千人马前往悬弧向担任豫州刺史的刘粹靠拢，根据需要及时赴援。

西秦王乞伏炽磐将担任秦州牧的昙达调回京师枹罕，担任左丞相、征东大将军。

戏常若未解：看别人下棋时总装出一种根本不懂的样子。观戏，观看别人对弈。㉝安异同：当众人对某事意见不同时，他能沉得住气，不轻易表态。㉞才学辩博：博学而善辩。㉟风度详整：神态安详而庄重。㊱时然后言：到了该说话的时候才说话。古语云："时然后言，人不厌其言；乐然后笑，人不厌其笑。"㊲观徐、傅言论：对比徐羡之与傅亮两个人的谈话。㊳不复以学问为长：（使我从此认识到）决定一个人气质、身份高低的首先不是学问大小了。㊴二月丁丑：二月初四。㊵历阳：即今安徽和县。㊶治临湘：以今湖南长沙为湘州的州治所在地。㊷丙戌：二月十三日。㊸不豫：不乐；不舒适。此处即指患病。㊹谢方明：谢惠连之父，晋宋之交的能吏。传见《宋书》卷五十三。㊺微时：未显贵时。㊻多符瑞：有许多关于他的奇异征兆。旧说有所谓"夜生，神光照室尽明"；又有"游京口竹林寺，独卧讲堂前，上有五色龙章"；又有所谓"伐荻新洲，遇大蛇，射伤之，明日复至洲里，闻有杵臼声，往觇之，见有群儿捣药。问其故，曰吾主为刘寄奴所伤"；云云。㊼审以所闻：核实那些传说的东西是真是假。㊽广陵：即今江苏扬州西北。㊾多狎群小：与许多小人相亲近。狎，亲昵、不正当的亲近。群小，一些行为、品行不端正的人。㊿思存万世：考虑留给后世的东西。(251)神器至重：国家政权交给什么人，这是至关重要的。神器，国家政权。(252)不可使负荷非才：不能让不成材的人来担此大任。(253)庐陵：指庐陵王刘义真，刘裕之子，孙修华所生。传见《宋书》卷六十一。(254)盛欲与谈：很想和他好好谈谈。(255)丁未：三月初五。(256)多者或至五十州：说一个大州刺史，管辖着五十多个州的兵权。(257)疾瘳：病愈。(258)己未：三月十七日。(259)秦、雍：旧秦州约当今之甘肃东部、陕西西南部一带地区，旧雍州约当今陕西中部一带地区。(260)梁州：晋宋时期的州治即今陕西汉中。(261)庚申：三月十八日。(262)荆、雍：晋宋时的荆州州治即今湖北荆州市荆州区，雍州州治即今湖北襄阳市襄城区。(263)刁逵：桓玄篡政时任豫州刺史，桓玄失败后，被刘裕所杀。事见本书卷一百一十三元兴三年。(264)其子

弥亡命：其子刁弥改名换姓逃匿起来。㉖㉕辛酉：三月十九日。㉖㉖京口：即今江苏镇江市。㉖㉗太尉留府司马：当时刘道怜以太尉的身份驻兵京口，因临时到建康为刘裕“入侍医药”，故留其司马陆仲元在京口任太尉府留守。㉖㉘乙丑：三月二十三日。㉖㉙河南王曜：即拓跋曜，拓跋珪之子，拓跋嗣之弟。㉗⓪四月甲戌：四月初二。㉗①皇子焘：即拓跋焘，日后的魏太武帝。事迹详见《魏书》卷四。㉗②乙亥：四月初三。㉗③武都王：封地武都郡，郡治在今甘肃成县西北。㉗④汁罗：即罗川，在今甘肃正宁西北。㉗⑤干略：才干、谋略。㉗⑥难御：不好驾驭。㉗⑦若有同异：如果有什么特别举动，意即谋反。同异，偏义副词，这里即指“异”，犹今之所谓“出问题”“起变化”。㉗⑧不烦：不劳，客气的说法，实际意思即“不准”“不允许”。㉗⑨同被顾命：同时接受为“顾命大臣”的重任。顾命，帝王临终的嘱托。㉘⓪癸亥：五月二十一日。㉘①殂：死。刘裕死时年六十岁，共在位三年。〖按〗自此以后南北朝之君死例皆称“殂”，不用“崩”字。㉘②被服：服饰穿戴。㉘③居处：指住房子。㉘④俭于布素：比那些布衣、素士还要俭朴。布素，指平民。㉘⑤游宴：游畋、宴乐。㉘⑥嫔御：嫔妃与宫女。御，支使、侍候。㉘⑦后秦高祖从女：后秦主姚兴的侄女。后秦高祖，姚兴的庙号。从女，侄女。㉘⑧外府：国家的仓库。㉘⑨内无私藏：皇宫里没有属于个人的储藏。㉙⓪筒细布：一种极精极薄的布。㉙①一端八丈：端是古代布帛的长度名，有说一丈六尺为一端，也有说四丈为一端。此则八丈一端，以见其薄。㉙②付有司弹太守：把进贡来的筒细布交给有关主管部门，并让他们弹劾该进贡郡的太守，谴责他的劳民多事。㉙③制岭南：给岭南地区下命令。制，皇帝的命令，这里用如动词。㉙④出适：出嫁。适，嫁人。㉙⑤奉禁：遵守禁令。㉙⑥太子：即刘义符，刘裕的长子。㉙⑦寒食散：当时流行的一种养生药，用硫黄、石粉等合成。因为服药后不能吃热食，故称“寒食散”。㉙⑧频年药发：连年药性发作，轻者腹痛难忍，重者丧命。㉙⑨灾异屡见：灾难性的奇怪征兆屡屡出现。灾异，灾难的征兆，如日食、月食、地震、冰雹之类。㉚⓪中使：皇宫里派出的使者，多为太监。㉚①属者：前不久。㉚②日食赵、代之分：日食发生在太阳运行到大梁星，也就是赵、代分野之时。㉚③不讳：无法讳言，隐指病死。㉚④春秋富盛：指年岁不老。㉚⑤行就平愈：很快就要好起来。行，即将、马上。㉚⑥必不得已：如果真的出了那种事情，指一病不起。㉚⑦请陈瞽言：请允许我说说自己的看法。瞽言，谦称自己的见解，如今之所谓“妄言”。㉚⑧自圣代龙兴：指拓跋珪建国称帝。㉚⑨不崇储贰：不重视及早地立太子。崇，重视。㉛⓪永兴之始二句：指拓跋绍与拓跋嗣不和，弑拓跋珪欲夺嫡。事见本书卷一百一十五义熙五年。“永兴”是拓跋嗣的年号。拓跋绍弑拓跋珪，与拓跋嗣诛拓跋绍即皇帝位都在永兴元年（公元四〇九年）。㉛①早建东宫：即早立太子。历代帝王的太子多居东宫。㉛②信臣：忠直守信的臣子。㉛③入总万机：在朝廷的时候协助皇帝日理万机。㉛④出抚戎政：率兵外出的时候总管一切军中大事。㉛⑤优游无为：极言其清闲无事的样子。㉛⑥万岁之后：隐指老帝王之死。㉛⑦成主：成年、成熟的君主。㉛⑧奸宄息望：想生事作乱的坏人都彻底绝望。息望，绝望、死心。㉛⑨年将周星：快满十二岁。周星，指十二年，岁星十二年环行一周天。㉚ 倒错天伦：指废长立幼，废嫡立庶。㉛ 长孙嵩：姓长孙名嵩，早从拓跋珪时代就是魏国的股肱大臣，被封为南平公。传见《魏书》卷二十五。㉜ 奚斤：拓跋珪初期以来的魏国名将。传见《魏书》卷二十九。㉝ 安同：拓跋珪初期以来名将，原匈奴族人，被封为北新公。传见《魏书》卷三十。㉞ 穆观：穆崇之子，拓跋嗣时代的名臣。传见《魏书》卷二十七。㉟ 丘堆：拓跋嗣时代的名臣，代郡人。传见《魏书》卷三十。㊱ 右弼：与"左辅"的意思相同，"弼"，也写作"拂"，都是"辅佐"的意思。㊲ 总己以听：约束自己，恭敬地听命于人。㊳ 宿德：年高有德。㊴ 历事四世：指先后服务于拓跋什翼犍、拓跋珪、拓跋嗣、拓跋焘。㊵ 功存社稷：即"功在国家"。㊶ 晓解俗情：明白百姓们在想什么。㊷ 明练于事：对政务知道怎么处理。㊸ 达于政要：知道抓哪些大问题。㊹ 识吾旨趣：明白我的心思。㊺ 博闻强识：学识渊博，记忆力强。㊻ 精察天人：能准确把握上天与人世的感应关系。㊼ 在公专谨：一心一意、谦恭谨慎地效忠于国家。㊽ 辅相：辅佐。相，也是"辅助"的意思。㊾ 伐叛柔服：对叛乱者讨伐之，对归服者怀柔之。㊿ 代北者：代郡以北，即今内蒙古一带地区，指拓跋氏所在的鲜卑部落。(341) 重复：指音多不好念、不好记。(342) 及高祖迁洛：等后来的孝文帝拓跋宏迁都到洛阳时。高祖，指高祖拓跋宏，也就是孝文帝，拓跋焘的曾孙，公元四七一至四九九年在位。迁洛，将魏国国都由平城迁到洛阳。事在齐明帝建武元年（公元四九四年）。(343) 始皆改之：才都改用一个字或两个字的汉姓。(344) 烦：意思同"繁"。(345) 典东西部刘絜：魏国在其领土内原分为八部，设"八部大人"以统之。后改分为天、地、东、西、南、北六部，此刘絜则一人兼管两部。刘絜，北魏拓跋焘时代的名将，先忠后叛。(346) 门下奏事：官名，属门下省，犹如汉代的谒者，负责出纳诏命。(347) 直郎徒河卢鲁元：魏主身边的侍奉人员徒河人名卢鲁元。徒河，少数民族名，指西晋时居住在今辽宁锦州西北一带的鲜卑人，即历史上所说的慕容氏。前燕、后燕、西燕、南燕的统治者都是徒河人。(348) 给侍东宫：在太子宫中服务。(349) 非我所知：非我所管。知，过问。(350) 汝曹国主：犹言"你们的大王"，指太子拓跋焘。(351) 壬申：六月初一。(352) 领：代理。(353) 丹阳尹：国家都城所在地丹阳县的县令。(354) 戊子：六月十七日。(355) 刁雍寇青州：刁雍是刁逵之侄，刁逵曾在桓玄属下为官，刘裕灭桓玄后，挟私报复灭刁逵之族。刁雍被救后北逃入魏，向魏主请求留在魏晋之边境，以便寻机向刘裕挑衅报仇。事见本书上卷义熙十三年。青州的州治东阳城，前亦曾称广固，即今山东青州。(356) 大乡山：在今山东巨野西南。(357) 七月己酉：七月初八。(358) 初宁陵：在今南京东北的钟山上。(359) 耀兵岭南：向洪池岭以南的西秦政权示威。洪池岭在今甘肃武威东南。(360) 五涧：水名，在今武威东。(361) 高祖克长安：见本书卷一百一十八义熙十三年。(362) 交聘：互相派使节往来访问。(363) 欻起：没有任何凭借地忽然而起。(364) 纳其使贡：接受了他所派遣的使节，意即承认了它这个政权的存在。(365) 伐丧：趁人有丧事而伐之。这被人认为不合古礼。(366) 存其孤弱：慰问他的接班人。(367) 恤其凶灾：同情他们的不幸。(368) 相帅拒战：联合起来、团结起来共同抵抗我们。㊱淮北：淮河以北的广大地区。㊲乘姚兴之死而灭之：事见本书卷一百一十七义熙十二年。㊳诸子交争：指姚弼、姚愔等为争夺继承权先后作乱，被姚兴、姚泓消灭。事见本书卷一百一十七义熙十二年。㊴假司空奚斤节：授予司空奚斤旌节，以提高其在军队中的地位权力。假，授予。㊵晋兵大将军：即"伐晋大将军"，与下文"宋兵将军""吴兵将军"义同，都是以大军所征讨的方向命名，如同汉代的"匈河将军""贰师将军"是也。㊶行扬州刺史：权理扬州刺史，授予其权理敌方首都地区的行政官，以炫耀自己的兵力无敌。下文的"交州刺史""广州刺史"意思相同，都是愿望性的"预封"。㊷乙巳：九月初五。㊸灅南宫：具体方位不详。胡三省曰："晋愍帝建兴元年，猗卢筑新平城于灅北，其后筑宫于灅南。"灅水，即今之桑干河，发源于山西宁武南，东北流经平城南，东流入河北。㊹广宁：即今河北涿鹿，也在灅水边上。㊺辛亥：九月十一日。㊻乔山：在今涿鹿南，旧涿鹿城西。㊼幽州：州治即今北京。㊽十月甲戌：十月初五。㊾将发：将起兵伐宋。㊿监国：即太子拓跋焘。(384)昔苻氏攻襄阳二句：事见本书卷一百四太元三年。(385)坐攻：单一地长期地攻打。(386)若不时克：如果不能及时攻下。(387)徐严而来：从容、严整地杀过来。(388)我怠彼锐：我军疲惫，敌军士气高涨。(389)更在军北：被我军隔开，留在我们南下大军的北面。(390)绝望南救：指望不上南来的救兵。(391)囿中之物：牢笼中的禽兽。(392)毛德祖：晋朝名将毛宝的同族。传见《晋书》卷八十一。(393)东郡太守王景度：东郡的郡治即在滑台，王景度率兵据守之。(394)司马楚之：司马荣期之子，因不满刘裕残杀晋朝宗室，聚众于长社县（今河南长葛东）一带反刘裕。(395)陈留：郡名，郡治在今河南开封，长社东北。(396)北境：指刘裕宋王朝的北部边境。(397)邵陵：即春秋时之"召陵"，在今河南漯河东北。(398)雍丘：即今河南开封东南的杞县。(399)台送军资：刘宋朝廷给刘怜送来军用物资。台，指朝廷。(400)酸枣民：酸枣县的百姓。酸枣县的县治在今河南延津北。(401)丁酉：十月二十八日。(402)尚书滑稽：尚书郎姓滑名稽。(403)仓垣：古城名，在今河南开封东北。(404)冯翊严稜：左冯翊人姓严名稜，时为陈留太守。陈留郡的郡治在今开封，离仓垣不远。(405)壬辰：十月二十三日。(406)天关：在今河北望都西北的太行山上。(407)恒岭：即恒山，在今河北曲阳西北。胡三省曰："此即晋孝武太元二十一年燕主垂袭魏平城之路。魏主珪既平中山，自望都铁关凿恒岭至代五百余里。"(408)沮

【原文】

营阳王(436)

景平元年（癸亥，公元四二三年）

春，正月己亥朔(437)，大赦，改元。

辛丑(438)，帝祀南郊(439)。

渠成都：北凉沮渠蒙逊的部将，当时屯兵五涧。⑨塞上：指今平城北，内蒙古丰镇南的长城一线。⑩安定王弥：即拓跋弥，拓跋嗣之子，拓跋焘之弟。⑪庚戌：十一月十一日。⑫成皋侯苟儿：鲜卑人，原姓“若干”，汉化后始改姓“苟”。⑬土楼：在当时的虎牢关东。⑭河阳：县名，县治在今河南孟州西。⑮金墉：洛阳城内西北角的小城名，这里即指洛阳城。⑯丙戌：十二月十八日。⑰冀州：州治即今河北冀州。⑱平原：平原津，黄河上的渡口名，在今山东平原南的古黄河边上。⑲徇青、兖：扫荡青、兖二州。当时刘宋的青州州治即今山东青州，辖境为今之山东半岛地区，兖州州治在今山东曲阜西，辖境约当今之山东西南部一带地区。⑳豫州刺史刘粹：此指刘宋的豫州刺史，刘宋豫州的州治在今安徽寿县。刘粹，刘裕的同族。传见《宋书》卷四十五。㉑项城：即今河南沈丘。㉒湖陆：县名，在今山东鱼台东南。㉓期思侯柔然闾大肥：闾大肥的封爵是“期思侯”，出身于柔然族。期思是县名，县治在今河南淮滨东南。㉔碻磝：黄河渡口名，在今山东茌平西南的古黄河南岸。㉕癸未：十二月十五日。㉖尹卯：地名，在今山东东阿东南的古济水西岸。㉗泰山、高平、金乡：皆郡名，泰山郡的郡治在今山东泰安东南，高平郡的郡治在今山东鱼台东北，金乡郡的郡治即今山东金乡。㉘司马爱之、季之：晋朝宗室，因不满刘裕篡权而北逃。㉙济东：济水之东，今山东的黄河东南一带地区。㉚戊子：十二月二十日。㉛东莞：县名，县治在今山东沂水，也是郡名，郡治在今山东沂水东北。㉜东阳城：即今山东青州，在此之前也叫广固城。㉝己丑：十二月二十一日。㉞檀道济：刘裕时代的名将与顾命大臣。传见《宋书》卷四十三。㉟就刘粹：刘粹当时驻兵悬弧，即今河南汝南。当时刘义真驻兵寿阳（今安徽寿县）。

【校记】

［10］十：据章钰校，甲十六行本作“千”。［11］京口：据章钰校，乙十一行本作“京口城”，熊罗宿《胡刻资治通鉴校字记》同。［12］刘絜：据章钰校，甲十六行本、孔天胤本皆作“刘洁”。〖按〗《魏书·刘洁传》作“刘洁”。［13］元：据章钰校，甲十六行本作“尤”。［14］侍：严衍《通鉴补》改作“事”。［15］昔：据章钰校，甲十六行本、乙十一行本、孔天胤本皆作“若”，熊罗宿《胡刻资治通鉴校字记》同。

【语译】

营阳王

景平元年（癸亥，公元四二三年）

春季，正月初一己亥，宋国实行大赦，改年号为“景平”。

正月初三辛丑，宋国少帝刘义符亲自到南郊举行祭天大典。

魏于栗䃅攻金墉。癸卯[440]，河南太守王涓之弃城走。魏主以栗䃅为豫州刺史，镇洛阳。

魏主南巡恒岳[441]，丙辰[442]，至邺[443]。

己未[444]，诏征[445]豫章太守蔡廓[446]为吏部尚书[447]。廓谓傅亮曰："选事若悉以见付[448]，不论[449]；不然，不能拜[450]也。"亮以语录尚书徐羡之[451]，羡之曰："黄、散以下[452]悉以委蔡，吾徒不复措怀[453]；自此以上，故宜共参同异[454]。"廓曰："我不能为徐干木署纸尾[455]！"遂不拜。干木，羡之小字也。选案黄纸[456]，录尚书与吏部尚书连名[457]，故廓云然[458]。

沈约论曰[459]："蔡廓固辞铨衡[460]，耻为志屈[461]，岂不知选、录同体[462]，义无偏断[463]乎？良以[464]主暗时难[465]，不欲居通塞之任[466]。远矣哉[467]！"

庚申[468]，檀道济军于彭城。

魏叔孙建入临淄，所向城邑皆溃。竺夔聚民保东阳城[469]，其不入城者，使各依据山险，芟夷禾稼。魏军至，无所得食。济南太守垣苗帅众依夔[470]。

刁雍[471]见魏主于邺，魏主曰："叔孙建等入青州，民皆藏避，攻城不下。彼素服卿威信[472]，今遣卿助之。"乃以雍为青州刺史，给雍骑[473]，使行募兵[474]以取青州。魏兵济河向青州者凡六万骑，刁雍募兵得五千人，抚慰士[16]民，皆送租供军。

柔然寇魏边。二月戊辰[475]，魏筑长城，自赤城[476]西至五原[477]，延袤[478]二千余里，备置戍卒，以备柔然。

丁丑[479]，太皇太后萧氏[480]殂。

北魏黑矟将军于栗磾率军攻打金墉城。正月初五癸卯，宋国担任河南太守的王涓之放弃洛阳逃走。北魏皇帝拓跋嗣任命于栗磾为豫州刺史，镇守洛阳。

北魏皇帝拓跋嗣向南巡视恒山，正月十八日丙辰，到达邺城。

正月二十一日己未，宋国少帝刘义符下诏将担任豫章太守的蔡廓召回京师，任命他担任吏部尚书。蔡廓对担任尚书令的傅亮说："如果把选拔、任免官员的权力全部交给我负责，我没有别的话可说；不然的话，我不会接受吏部尚书这个职务。"傅亮将蔡廓的意思转告给担任录尚书的徐羡之，徐羡之说："把对黄门侍郎、散骑常侍以下官员的任免权交给蔡廓，我们可以不再过问；但对这些职位以上官员的任免，应该共同商议之后再做出决定。"蔡廓说："只在徐干木决定好的文件末尾签名画押的事情我不干！"遂拒绝接受吏部尚书的任命。干木是徐羡之的小名。选部任免、升迁官员签呈的文件一律写在黄纸上，录尚书与吏部尚书要同时在上面签名才能生效，所以蔡廓才这样说。

沈约评论说："蔡廓坚决推辞吏部尚书的职务，认为委屈自己听从他人是一种耻辱，难道他不知道吏部尚书与录尚书事应该对许多大事共同参酌、共同负责，不能一个人说了算吗？其实这是因为当时君主昏庸，世道艰难，蔡廓不愿意干这种负责选拔官员的工作罢了。这个做法真是够高明的！"

正月二十二日庚申，宋国镇北将军檀道济将军队驻扎在彭城。

北魏楚兵将军叔孙建率军攻入宋国所属的临淄，大军所向，宋国各城邑全部溃败。宋国担任青州刺史的竺夔把周围的百姓都集中到东阳城内一同坚守，那些不愿意进入东阳城的人，竺夔就令他们依靠山势险要进行防守，令百姓提前将农田里的庄稼全部收割干净。等魏军到达之后，没有办法就地取得粮食。宋国担任济南太守的垣苗放弃了历城，率领部众前往东阳城投靠竺夔。

北魏建义将军刁雍前往邺城，晋见北魏皇帝拓跋嗣，北魏皇帝拓跋嗣说："楚兵将军叔孙建等进入青州之后，青州的百姓全都躲避起来，叔孙建等攻城又攻不下。那里的人一向敬服你的威严与信义，现在我就派你前去帮助他们。"于是任命刁雍为青州刺史，拨给他一些骑兵，让他一边前进一边招募兵马，以攻取青州。北魏的军队渡过黄河向青州进发的总计有六万名骑兵，刁雍一路又招募了五千人，他对青州境内的官绅庶民极力抚慰，于是他们都为刁雍的军队提供粮草。

柔然军南下侵入北魏的边境。二月初一戊辰，北魏开始修筑长城，东部从赤城开始，向西一直到五原，连延二千多里，并在各处要塞设置戍卒，以防御柔然的进攻。

二月初十丁丑，宋国刘裕的继母太皇太后萧氏去世。

河西王蒙逊及吐谷浑王阿柴皆遣使入贡。庚辰⑱，诏以蒙逊为都督凉、秦、河、沙⑫四州诸军事，骠骑大将军，凉州牧，河西王；以阿柴为督塞表⑬诸军事、安西将军、沙州⑭刺史、浇河公⑮。

三月壬子⑯，葬孝懿皇后⑰于兴宁陵⑱。

魏奚斤、公孙表等共攻虎牢，魏主自邺遣兵助之。毛德祖于城内穴地入七丈⑲，分为六道，出魏围外，募敢死之士四百人，使参军范道基等帅之，从穴中出，掩袭其后。魏军[17]惊扰，斩首数百级，焚其攻具而还。魏兵虽退散，随复更合，攻之益急。

奚斤自虎牢将步骑三千，攻颍川太守李元德等于许昌⑳，元德等败走。魏以颍川人庾龙为颍川太守，戍许昌。

毛德祖出兵与公孙表大战，从朝至晡㉑，杀魏兵数百。会奚斤自许昌还，合击德祖，大破之，亡甲士千[18]余人，复婴城自守。

魏主又遣万余人从白沙㉒渡河，屯濮阳㉓南。

朝议㉔以项城去魏㉕不远，非轻军所抗，使刘粹召高道瑾还寿阳；若沈叔貍已进㉖，亦宜且追㉗[19]。粹奏："虏攻虎牢，未复南向，若遽摄军㉘舍项城，则淮西诸郡无所凭依㉙。沈叔貍已顿肥口㉚，又不宜遽退。"时李元德帅散卒二百至项，刘粹使助高道瑾戍守，请宥㉛其奔败之罪，朝议并许之。

乙巳㉜，魏主畋于韩陵山㉝，遂如汲郡㉞，至枋头㉟。

初，毛德祖在北㊱，与公孙表有旧。表有权略，德祖患之，乃与交通音问㊲，密遣人说奚斤，云表与之连谋㊳。每答表书，多[20]所治定㊴。表以书示斤，斤疑之，以告魏主。先是，表与太史令王亮少同营署㊵，

北凉河西王沮渠蒙逊及吐谷浑王慕容阿柴全都派遣使者到宋国的京师建康纳贡。二月十三日庚辰，宋国少帝刘义符下诏任命北凉河西王沮渠蒙逊为都督凉、秦、河、沙四州诸军事，骠骑大将军，凉州牧，河西王；任命慕容阿柴为督塞表诸军事、安西将军、沙州刺史、浇河公。

三月十五日壬子，宋国将太皇太后萧氏安葬在兴宁陵，谥号为“孝懿皇后”。

北魏晋兵大将军奚斤、吴兵将军公孙表等联合攻打宋国所属的虎牢，北魏皇帝拓跋嗣从邺城派兵前来助战。宋国司州刺史毛德祖在虎牢城内挖掘地道，地道深达七丈，共挖掘了六条地道，直接通到北魏军的包围圈以外，然后招募了四百名敢死士，令担任参军的范道基等率领着从地道中出城，在魏军的背后突然发动袭击。北魏军惊慌失措，宋国的敢死队斩杀了数百名魏军，焚毁了魏军攻城的工具，然后返回虎牢城内。北魏军虽然一时溃散，然而不久就又集结起来，对虎牢展开更加猛烈的攻势。

北魏晋兵大将军奚斤从虎牢率领着三千名步兵、骑兵，攻打宋国颍川太守李元德等所据守的许昌，李元德等兵败逃走。北魏任命颍川人庾龙为颍川太守，戍守许昌。

宋国司州刺史毛德祖率军出城与北魏吴兵将军公孙表等展开大战，从早晨一直拼杀到午后四点前后，宋军杀死了数百名魏军。正遇上北魏晋兵大将军奚斤率军从许昌得胜而回，他与公孙表等前后合击毛德祖，将毛德祖打得大败，毛德祖丧失了一千多名士卒，只得退回虎牢，继续设防坚守。

北魏皇帝拓跋嗣又派遣一万多人马从白沙渡口渡过黄河，驻扎在濮阳以南。

宋国朝廷认为项城距离北魏南征军不远，仅靠轻装部队很难抵抗，遂令豫州刺史刘粹将担任治中的高道瑾召回寿阳；如果沈叔狸已经到达悬弧，也应该令他撤回。豫州刺史刘粹于是上疏给朝廷说：“魏军进攻虎牢，并没有继续南下，如果急忙命令军队退回寿阳，舍弃项城，那么淮河以西各郡便将失去依靠。沈叔狸目前已经进驻肥口，也不应该急于撤退。”当时颍川太守李元德从许昌败退之后，率领着二百名残败士卒到达项城，刘粹便令李元德协助高道瑾戍守项城，请求朝廷宽宥李元德败逃之罪，朝廷对刘粹的请求全部批准。

三月初八乙巳，北魏皇帝拓跋嗣在韩陵山打猎，遂趁机前往汲郡，又抵达枋头。

当初，宋国担任司州刺史的毛德祖在北方的时候，与北魏的吴兵将军公孙表有交情。公孙表有权术、有谋略，毛德祖很担忧此人，于是便与公孙表进行书信往来，却又秘密派人到晋兵大将军奚斤那里行使离间计，说公孙表与毛德祖秘密勾结。毛德祖每次给公孙表回信，都会有多处涂改。公孙表把毛德祖的信件拿给奚斤看，奚斤就更加疑心，便将公孙表与毛德祖暗中联络的事情告诉了魏国皇帝拓跋嗣。先前，公孙表与担任太史令的王亮在年轻的时候曾经同在一个营盘里当兵，公孙表经常欺侮王亮。

好轻侮亮。亮奏："表置军虎牢东，不得便地[511]，故令贼不时灭[512]。"魏主素好术数[513]，以为然，积前后忿，使人夜就帐中缢杀之。

乙卯[514]，魏主济自灵昌津[515]，遂如东郡、陈留[516]。

叔孙建将三万骑逼东阳城，城中文武才一千五百人，竺夔、垣苗悉力固守，时出奇兵击魏，破之。魏步骑绕城列陈十余里，大治攻具。夔作四重堑[517]，魏人填其三重，为橦车[518]以攻城。夔遣人从地道中出，以大麻絙[519]挽之令折。魏人复作长围，进攻逾急。历时浸久，城转堕[520]坏，战士多死伤，余众困乏，旦暮且陷。檀道济至彭城，以司、青二州[521]并急，而所领兵少，不足分赴，青州道近，竺夔兵弱，乃与王仲德兼行先救之。

甲子[522]，刘粹遣李元德袭许昌，斩庾龙。元德因留绥抚[523]，并上租粮[524]。

魏主至盟津[525]。于栗磾造浮桥于冶阪津[526]。乙丑[527]，魏主引兵北济，西如河内[528]。娥清、周几、闾大肥徇地至湖陆、高平，民屯聚[529]而射之。清等尽攻破高平诸县，灭数千家，虏掠万余口。兖州刺史郑顺之戍湖陆，以兵少不敢出。

魏主又遣并州刺史伊楼拔助奚斤攻虎牢。毛德祖随方抗拒，颇杀魏兵，而将士稍零落。

夏，四月丁卯[530]，魏主如成皋，绝虎牢汲河[531]之路。停三日，自督众攻城，竟不能下，遂如洛阳观《石经》[532]。遣使祀嵩高[533]。

叔孙建攻东阳，堕其北城三十许步。刁雍请速入，建不许，遂不克。及闻檀道济等将至，雍又谓建曰："贼[534]畏官军突骑[535]，以锁连车为函陈[536]。大岘[537]已南，处处狭隘，车不得方轨[538]。雍请将所募兵五千

王亮此时便趁机进行报复，他向拓跋嗣奏报说："公孙表将军队屯驻在虎牢以东，没有在要害地段进行布防，故意不按时消灭毛德祖。"北魏皇帝拓跋嗣一向喜好算卦、相面之类的活动，便认为奚斤、王亮等反映的情况属实，同时又勾起以前的旧愤，于是便派人在夜间进入公孙表的营帐，将其勒死。

三月十八日乙卯，北魏皇帝拓跋嗣从灵昌津渡过黄河南下，前往东郡、陈留。

北魏楚兵将军叔孙建率领三万名骑兵逼近东阳城，东阳城中文武官兵总计才一千五百人。竺夔、垣苗竭尽全力进行坚守，并不时地出动奇兵袭击魏军，将叔孙建击败。北魏的步兵、骑兵围绕着东阳城排兵列阵，纵深十多里，他们大量制造攻城的工具准备攻城。青州刺史竺夔在城外挖掘了四道壕沟护卫城池，北魏军已经填平了三道，还专门制造了用来撞击城墙的橦车，准备对东阳城发起猛攻。竺夔就派人从地道中出去，用粗麻绳将橦车拉翻，令其折断。北魏军又在东阳城外构筑起长长的围墙，攻势更加猛烈。经历的时间一长，东阳城的城墙便开始崩塌，守城的战士死伤很多，其余的人也都又困又乏，眼看着东阳城即将陷落。镇北将军檀道济率军抵达彭城，因为司州、青州情况都十分紧急，而檀道济所率领的兵力又很少，不能分别派兵救援，青州距离彭城路近，青州刺史竺夔的兵力又弱，于是檀道济便与徐州刺史王仲德倍道兼程先去救援东阳城。

三月二十七日甲子，宋国担任豫州刺史的刘粹派担任颍川太守的李元德率军袭击许昌，斩杀了北魏新任命的颍川太守庾龙。李元德遂留驻许昌，安抚民众，并收取许昌一带的粮食，送往悬弧供应刘粹军。

北魏皇帝拓跋嗣到达盟津。于栗磾在黄河的冶阪津搭建浮桥。三月二十八日乙丑，北魏皇帝拓跋嗣率军向北渡过黄河，然后向西前往河内郡。娥清、周几、闾大肥到宋国所属的湖陆、高平夺取地盘，湖陆、高平的民众便聚集而居，各自为战，向入侵的魏军射箭反击。娥清等攻破了高平郡所辖的各县，诛灭了数千家，掳掠了一万多口人。宋国担任兖州刺史的郑顺之戍守湖陆，因为兵少，没敢出战。

北魏皇帝拓跋嗣又派遣担任并州刺史的伊楼拔援助晋兵大将军奚斤攻打虎牢。毛德祖随机应变，进行抵抗，杀死了很多魏军，而手下的将士也日渐减少。

夏季，四月初一丁卯，北魏皇帝拓跋嗣前往成皋，截断了虎牢从黄河取水的通道。在成皋停留三天之后，便亲自督促众军攻城，竟然没有攻下，于是便前往洛阳观看《石经》，又派遣使者祭祀嵩山。

北魏楚兵将军叔孙建率军攻打东阳城，东阳城北城被毁掉了三十来步。北魏青州刺史刁雍请求赶快从攻克的缺口处入城，而叔孙建不允许，遂没有将东阳城攻克。等到得知宋国镇北将军檀道济等率领援军即将赶到的消息，刁雍又对叔孙建说："东阳城中的贼众惧怕魏国的勇猛骑兵，所以才把所有战车连接起来作为防御工事，形成方阵。大岘山以南，道路都很狭窄，两辆车不能并行，我请求率领我所招募的

据险以邀[539]之，破之必矣。”时天暑，魏军多疫。建曰：“兵人疫病过半，若相持不休，兵自死尽，何须复战？今全军而返，计之上也。”己巳[540]，道济军于临朐[541]。壬申[542]，建等烧营及器械而遁。道济至东阳，粮尽，不能追。竺夔以东阳城坏，不可守，移镇不其城[543]。

叔孙建自东阳趋滑台，道济分遣王仲德向尹卯。道济停军湖陆，仲德未至尹卯，闻魏兵已远，还就道济。刁雍遂留镇尹卯，招集谯、梁、彭、沛[544]民五千余家，置二十七营以领之。

蛮王梅安帅渠帅[545]数十人入贡于魏。初，诸蛮本居江、淮之间，其后种落滋蔓，布于数州，东连寿春，西通巴、蜀，北接汝、颍[546]，往往有之。在魏世[547]不甚为患；及晋[548]，稍益繁昌，渐为寇暴；及刘、石乱中原[549]，诸蛮无所忌惮，渐复北徙，伊阙[550]以南，满于山谷[551]矣。

河西世子政德[552]攻晋昌[553]，克之。唐契及弟和、甥李宝同奔伊吾[554]，招集遗民[555]，归附者至二千余家，臣于柔然[556]，柔然以契为伊吾王。

秦王炽磐谓其群臣曰：“今宋虽奄有[557]江南，夏人[558]雄据关中，皆不足与[559]也。独魏主奕世[560]英武，贤能为用；且谶[561]云‘恒代之北当有真人’，吾将举国而事之。”乃遣尚书郎莫[21]者阿胡[562]等入见于魏，贡黄金二百斤，并陈伐夏方略。

闰月丁未[563]，魏主如河内，登太行[564]，至高都[565]。

叔孙建自滑台西就奚斤，共攻虎牢。虎牢被围二百日，无日不战，劲兵战死殆尽，而魏增兵转多。魏人毁其外城，毛德祖于其内更筑三重城以拒之；魏人又毁其二重，德祖唯保一城，昼夜相拒，将士眼皆生创。德祖抚之以恩，终无离心。时檀道济军湖陆[566]，刘粹军项城[567]，沈叔狸军高桥[568]，皆畏魏兵强，不敢进。丁巳[569]，魏人作地道以泄虎牢城中井，

五千名士兵占据险要进行伏击，一定能将宋军打败。”当时已经进入暑热季节，北魏军中很多人都染上瘟疫。叔孙建说：“军队当中患病的已经超过一半，如果再相持不下，我们的士兵就要死光了，何必还要再战？现在应该保存实力，安全撤退，才是上策。”四月初三己巳，宋国镇北将军檀道济驻军于临朐。初六壬申，北魏楚兵将军叔孙建等烧毁了营寨以及器械，撤走。檀道济到达东阳的时候，粮食已经吃光，因此无法追击撤退中的北魏军。青州刺史竺夔认为东阳城墙已经被毁坏，难以坚守，遂将青州镇所迁移到不其城。

北魏楚兵将军叔孙建从东阳率军撤往滑台，宋国镇北将军檀道济派遣徐州刺史王仲德率军前往尹卯。檀道济率军停驻在湖陆，王仲德还没有到达尹卯，得知魏兵已经走远，于是又率军返回与檀道济会合。北魏青州刺史刁雍遂留在尹卯镇守，他召集了谯郡、梁郡、彭城、沛郡的五千多户居民，设置为二十七营，进行集中管理。

蛮王梅安率领着数十名蛮族的部落首领前往北魏的都城平城，向魏国进贡。当初，那些蛮族人原本居住在长江、淮河流域，后来因为人口繁衍越来越多，于是分布到好几个州内，向东蔓延到寿春，向西到达巴、蜀，向北延伸到汝水、颍水一带，在这一广大区域内随处都有蛮族人居住。在曹魏时期，他们造成的祸患还不算很大；西晋时期，这些少数民族人口逐渐繁多，势力逐渐强盛，于是便越来越凶暴地进行骚扰和劫掠；等到前赵刘氏、后赵石氏在中原建立起政权的时候，这些蛮夷就更加肆无忌惮，并开始逐渐地向北方迁徙，伊阙以南，已经蛮夷布满山谷。

北凉河西王沮渠蒙逊的世子沮渠政德率军攻击晋昌，将晋昌攻克。唐契和他的弟弟唐和、外甥李宝一同逃往伊吾，他们继续召集忠于前朝的遗老遗少，前往归附他们的人达到二千多家，唐契臣服于柔然，柔然任命唐契为伊吾王。

西秦王乞伏炽磐对属下的臣僚说：“如今宋国虽然广泛地占有整个江南地区，夏王赫连勃勃雄踞于关中，然而都不值得我们与之进行较量。只有魏国，一连几代皇帝都很英明雄武，有才能的人都愿意为他效力；而且有预言说‘恒代以北当有真人出现’，我要率领全国来听命于魏国。”于是便派遣担任尚书郎的莫者阿胡等前往魏国晋见魏国皇帝拓跋嗣，向魏国进献黄金二百斤，同时陈述讨伐夏国的方略。

闰四月十一日丁未，北魏皇帝拓跋嗣前往河内郡，登上太行山，然后又抵达高都。

北魏楚兵将军叔孙建从滑台向西前往虎牢，与晋兵大将军奚斤会合，共同攻打虎牢。虎牢已经被魏军围困了二百天，在这期间，没有一天不在战斗，守城的精锐士卒几乎全部战死，而北魏增援的军队却越来越多。魏军毁坏了虎牢的外城，司州刺史毛德祖就在城内又修筑起三重城进行抵抗；魏军又将修筑起来的三重摧毁了二重，毛德祖只保有最后一城，由于日夜防守、奋战，将士们眼睛都生了疮。毛德祖以恩义安抚他们，众将士始终没有离叛之心。当时，镇北将军檀道济正率军驻扎在湖陆，豫州刺史刘粹率军驻扎在项城，龙骧将军沈叔貍驻扎在高桥，都惧怕魏军的强大而不敢前往虎牢救援。二十一日丁巳，北魏军挖掘地道，将虎牢城中的井水泄走。

井深四十丈，山势峻峭，不可得防。城中人马渴乏，被创者不复出血，重以饥疫，魏仍急攻之。己未[570]，城陷。将士欲扶德祖出走，德祖曰："我誓与此城俱毙，义不使城亡而身存也!"魏主命将士："得德祖者，必生致之。"将军代人豆代田执德祖以献。将佐在城中者，皆为魏所虏，唯参军范道基[22]将二百人突围南还。魏士卒疫死者亦什二三。

奚斤等悉定司、兖、豫[571]诸郡县，置守宰以抚之。魏主命周几镇河南[572]，河南人安之。

徐羡之、傅亮、谢晦以亡失境土，上表自劾[573]，诏勿问。

徐羡之兄子吴郡[574]太守佩之颇豫政事[575]，与侍中王韶之、程道惠、中书舍人邢安泰、潘盛结为党友。时谢晦久病，不堪[576]见客，佩之等疑其诈疾，有异图，乃称[577]羡之意以告傅亮，欲令亮作诏[578]诛之。亮曰："我等三人同受顾命，岂可自相诛戮！诸君果行此事，亮当角巾步出掖门[579]耳。"佩之等乃止。

五月，魏主还平城。

六月己亥[580]，魏宜都文成王穆观[581]卒。

丙辰[582]，魏主北巡，至参合陂[583]。

秋，七月癸酉[584][23]，尊帝母张夫人[585]为皇太后。

魏主如三会屋侯泉[586]。八月辛丑[587]，如马邑[588]，观灅源[589]。

柔然寇河西[590]，河西王蒙逊命世子政德击之。政德轻骑进战，为柔然所杀，蒙逊立次子兴为世子。

九月乙亥[591]，魏主还宫，召奚斤还平城，留兵守虎牢；使娥清、周几镇枋头；以司马楚之所将户口置汝南、南阳、南顿、新蔡[592]四郡，以益豫州[593]。

水井深达四十丈，山势险峻陡峭，没有办法进行防范。虎牢城中人马因为缺水而陷入干渴、困乏之中，受伤的人已经流不出血，再加上饥饿、瘟疫，已经完全丧失了作战能力，而魏军仍然猛攻不止。二十三日己未，虎牢城被魏军攻陷。守军将士想要搀扶着毛德祖出城逃走，毛德祖说："我发誓要与虎牢城共存亡，绝对没有城池失陷而我还活在世上的道理！"北魏皇帝拓跋嗣下令给魏国的将士："一定要活捉毛德祖。"魏军将领代郡人豆代田活捉了毛德祖，押送给拓跋嗣。毛德祖属下将佐凡是在虎牢城中的全都被魏军俘虏，只有担任参军的范道基率领着二百人突破重围回到南方。北魏军中的士卒被瘟疫夺去生命的也有十分之二三。

北魏晋兵大将军奚斤等全部占领了宋国司州、兖州、豫州的各郡县，并为各郡县设置了太守、县令，进行安抚、管理。北魏皇帝拓跋嗣命令担任宋兵将军、交州刺史的周几镇守河南，河南人也只得安心于魏人的统治。

宋国担任司空的徐羡之、担任中书监和尚书令的傅亮、担任领军将军和代理中书令的谢晦因为丧失了国土，遂上表给少帝刘义符，进行自责，请求处分，刘义符下诏不予追究。

宋国司空徐羡之的侄子、担任吴郡太守的徐佩之经常插手朝政，他与担任侍中的王韶之和程道惠、担任中书舍人的邢安泰和潘盛结成朋党。当时，担任领军将军兼任代理中书令的谢晦因为长期生病，不能接见宾客。徐佩之等遂怀疑谢晦是在家装病，暗中一定另有阴谋，于是就称说是司空徐羡之的意思，将自己的怀疑告诉了担任中书监、尚书令的傅亮，想要傅亮代替皇帝刘义符下达诏书诛杀谢晦。傅亮说："我与徐羡之、谢晦一同接受了先帝的顾命，辅佐少帝，岂能自相杀戮！如果你们几位非要杀掉谢晦，我傅亮就弃官不做，穿上平民的衣服，从侧门走出皇宫。"徐佩之等这才没有坚持杀死谢晦。

五月，北魏皇帝拓跋嗣从虎牢回到京师平城。

六月初四己亥，北魏宜都文成王穆观去世。

六月二十一日丙辰，北魏皇帝拓跋嗣到魏国的北部巡视，抵达参合陂。

秋季，七月初八癸酉，宋少帝刘义符尊奉自己的母亲张夫人为皇太后。

北魏皇帝拓跋嗣前往三会河边的屋侯泉。八月初七辛丑，前往马邑，观看灅水的源头。

柔然出兵进犯北凉，北凉河西王沮渠蒙逊令世子沮渠政德率军迎战入侵的柔然军。沮渠政德率领轻骑兵迎战，结果被柔然所杀，沮渠蒙逊遂立次子沮渠兴为世子。

九月十一日乙亥，北魏皇帝拓跋嗣返回平城的皇宫。他将奚斤召回平城，留下军队守卫虎牢；派娥清、周几镇守枋头；将司马楚之所率领的部众安置在汝南、南阳、南顿、新蔡四个侨郡之中，以增加豫州的人口数量。

冬，十月癸卯[594]，魏人广西宫外垣[595]，周二十里。

秃发傉檀之死[596]也，河西王蒙逊遣人诱其故太子虎台，许以番禾、西安[597]二郡处之，且借之兵使伐秦，报其父仇，复取故地。虎台阴许之，事泄而止。秦王炽磐之后，虎台之妹也，炽磐待之如初。后密与虎台谋曰：“秦本我之仇雠[598]，虽以婚姻待之，盖时宜[599]耳。先王之薨，又非天命[600]，遗令不治[601]者，欲全济[602]子孙故也。为人子者，岂可臣妾于仇雠[603]而不思报复乎？”乃与武卫将军越质洛城谋弑炽磐。后妹为炽磐左夫人，有宠[24]，知其谋而告之。炽磐杀后及虎台等十余人。

十一月，魏周几寇许昌，许昌溃，颍川[604]太守李元德奔项[605]。戊辰[606]，魏人围汝阳[607]，汝阳太守王公度亦奔项。刘粹遣其将姚耸夫等将兵助守项城。魏人夷[608]许昌城，毁钟城[609]，以立封疆[610]而还。

己巳[611]，魏太宗[612]殂。壬申[613]，世祖[614]即位，大赦。十二月庚子[615]，魏葬明元帝于金陵[616]。庙号“太宗”。

魏主追尊其母杜贵嫔为密皇后[617]。自司徒长孙嵩以下普增爵位。以襄城公卢鲁元为中书监，会稽公刘絜为尚书令，司卫监[618]尉眷、散骑侍郎刘库仁[619]等八人分典四部[620]。眷，古真[621]之弟子也。

以河内镇将代人罗结为侍中、外都大官[622]，总三十六曹[623]事。结时年一百七，精爽[624]不衰，魏主[25]以其忠悫[625]，亲任之，使兼长秋卿[626]，监典后宫，出入卧内。年一百一十，乃听归老；朝廷每有大事，遣骑访焉；又十年乃卒。

左光禄大夫崔浩研精经术，练习[627]制度，凡朝廷礼仪，军国书诏，无不关掌[628]。浩不好老、庄之书，曰：“此矫诬[629]之说，不近人情。老聃习礼[630]，仲尼所师，岂肯为败法[631]之书以乱先王之治乎？”尤不信佛法，曰：“何为事此胡神[632]？”及世祖即位，左右多毁[633]之。帝不得已，命浩以公归第[634]。然素知其贤，每有疑议，辄召问之。浩纤妍洁

冬季，十月初十癸卯，北魏派人扩建平城西宫的外部苑墙，周围二十里。

当初，南凉王秃发傉檀被西秦王乞伏炽磐毒死的时候，北凉河西王沮渠蒙逊派人诱骗南凉故太子秃发虎台，许诺将番禾、西安二郡让给他，还答应借兵给秃发虎台，令秃发虎台讨伐西秦，为自己的父亲秃发傉檀报仇，重新夺回故土。秃发虎台暗中答应了沮渠蒙逊，然而因为事情泄露而没有施行。西秦王乞伏炽磐的王后，是秃发虎台的妹妹，所以乞伏炽磐对待秃发虎台还像从前一样。而秃发王后却与自己的哥哥秃发虎台密谋说："秦国本来是我们的冤家对头，虽然还当作姻亲看待，但也只不过是一时的权宜之计。先王之死不是自然的生老病死，他临死之时令人不要救治，是为了要保全自己的子孙。我们作为儿女，岂能甘心做仇人的臣妾，而不想报仇呢?"于是，便与武卫将军越质洛城密谋杀死西秦王乞伏炽磐。王后的妹妹是乞伏炽磐的左夫人，很受西秦王的宠爱，她知道了王后与虎台的阴谋，就向乞伏炽磐告发了他们。乞伏炽磐遂将秃发王后和秃发虎台等十多人杀死。

十一月，北魏宋兵将军周几率领魏军进犯宋国刚刚收复的许昌，许昌守军溃散，担任颍川太守的李元德逃奔项城。初五戊辰，北魏军包围了宋国的汝阳，汝阳太守王公度也逃往项城。豫州刺史刘粹派遣属下将领姚耸夫等率军协助守卫项城。北魏军铲平了许昌城，毁坏了钟城，用其材料建立起魏国南境的界墙，然后撤回。

十一月初六己巳，北魏太宗拓跋嗣去世。初九壬申，世祖拓跋焘即皇帝位，实行大赦。十二月初八庚子，北魏将魏明元帝拓跋嗣安葬于金陵。庙号"太宗"。

北魏太武帝拓跋焘追尊自己的母亲杜贵嫔为密皇后。从担任司徒的长孙嵩以下，普遍提升爵位。任命襄城公卢鲁元为中书监，任命会稽公刘絜为尚书令，任命担任司卫监的尉眷、担任散骑侍郎的刘库仁等八个人分别掌管东、西、南、北四部。尉眷，是尉古真的侄子。

北魏太武帝拓跋焘任命担任河内守将的代郡人罗结为侍中、外都大官，总理三十六个部门的事务。罗结当时已经一百零七岁，却精神矍铄，一点也不见衰老。北魏皇帝拓跋焘认为罗结为人忠厚诚实，所以亲近他、重用他，令他兼任长秋卿，总管后宫事务，可以随时出入皇帝的寝宫。一直到一百一十岁的时候，才批准罗结告老回家；然而每当朝廷有重大事件，都会派使者骑马前往罗结的府中进行咨询；又过了十年，罗结去世。

北魏担任左光禄大夫的崔浩对儒家经典以及治国之道很有研究，熟悉各种典章制度，凡是有关朝廷的礼仪，军国诏令，全部由崔浩掌管。崔浩不喜欢老子、庄子之书，他说："老子、庄子的学说，都是违反常理、不合人情的故意做作。老子李聃熟悉古代礼仪，孔子还要向他学习，这样的人怎么竟然写出败坏先王礼法的书籍来扰乱先王的治国之道呢?"崔浩尤其不相信佛法，他说："为什么要供奉这些来自番邦的神灵?"等到世祖拓跋焘即位，拓跋焘身边的很多人都诋毁崔浩。太武帝拓跋焘迫不得已，令崔浩以公爵的身份回家养老。然而一向知道崔浩贤能，每当遇到疑难之事，

白[635]如美妇，常自谓才比张良[636]，而稽古过之[637]。既归第，因修服食养性[638]之术。

初，嵩山道士寇谦之，讚[639]之弟也，修张道陵[640]之术，自言尝遇老子降[641]，命谦之继道陵为天师，授以辟谷轻身之术[642]及《科戒》[643]二十卷，使之清整道教。又遇神人李谱文，云老子之玄孙也，授以《图箓真经》[644]六十余卷，使之辅佐北方太平真君[645]。出《天宫静轮之法》[646]，其中数篇，李君[647]之手笔也。谦之奉其书献于魏主。朝野多未之信。崔浩独师事之，从受其术，且上书赞明[648]其事曰："臣闻圣王受命，必有天应。《河图》《洛书》[649]皆寄言于虫兽之文[650]，未若今日人神接对[651]，手笔粲然，辞旨深妙，自古无比。岂可以世俗常虑[652]而忽上灵[653]之命？臣窃惧之。"帝欣然，使谒者[654]奉玉帛、牲牢祭嵩岳，迎致[655]谦之弟子在山中者，以崇奉天师，显扬新法[656]，宣布天下。起天师道场[657]于平城之东南，重坛五层，给道士百二十人衣食，每月设厨会[658]数千人。

臣光曰："老、庄之书，大指欲同死生[659]，轻去就[660]。而为神仙者，服饵[661]修炼以求轻举[662]，炼草石为金银[663]，其为术正相戾[664]矣。是以刘歆《七略》[665]叙道家为诸子，神仙为方技[666]。其后复有符水、禁咒之术[667]。至谦之遂合而为一[668]，至今循之，其讹甚矣[669]！崔浩不喜佛、老之书而信谦之之言，其故何哉？昔臧文仲祀爰居[670]，孔子以为不智[671]；如谦之者，其为爰居亦大矣[672]。'《诗》三百[673]，一言以蔽之，曰思无邪[674]。'君子之于择术，可不慎哉[675]！"

就召见崔浩，向崔浩请教。崔浩生得肌肤白皙，姣好得如同美女，曾经自认为才干可以和汉代的张良相媲美，而在考辨古制方面更超过张良。崔浩解职回家之后，开始修炼服食养性之术。

当初，嵩山道士寇谦之是寇讚的弟弟，修炼道家人物张道陵所传授的法术。他自己说，曾经遇到老子从天而降，老子令他继承张道陵，担任“天师”，并传授给他“不吃五谷”以减轻体重、飞腾升空等法术及《科戒》二十卷，令他清理、整顿道教。后来又遇到神人李谱文，说是老子李聃的玄孙，授予他《图箓真经》六十多卷，令他去辅佐北方的太平真君。还交给寇谦之一部《天宫静轮之法》，其中有几篇，是李谱文亲手所写。寇谦之将这部书献给北魏太武帝拓跋焘。而不论朝廷还是民间，很多人都不相信。只有崔浩把寇谦之当作老师，跟随寇谦之学习法术，并且还上疏给太武帝拓跋焘，协助寇谦之阐明其事说：“我听说圣明的君主接受天命，上天必定会有祥瑞之事与之相应，《河图》《洛书》都是借助于‘龙’‘龟’等这些动物说事，都不如今天的神灵下界直接与人当面交谈，手书笔迹明晰灿烂，言辞旨意高深奥妙，自古以来，无与伦比。岂能因为世俗之人不相信而忽视了上帝的旨意？我感到非常恐惧。”太武帝于是非常高兴，立即派遣主管接待宾客的谒者带着宝玉、绸缎、猪牛羊等祭品到嵩山祭祀，并将在嵩山修炼的寇谦之的弟子接到平城，为了尊奉天师、宣扬道士寇谦之所编造的所谓新法而布告天下。在平城东南修建了供道教念经祭神的天师道场，道坛高五层，为一百二十名道士提供衣食，每月在道场举行一次宴会，招待数千名道教门徒。

司马光说：“老子、庄子之书，其主要的意思是要人们认识到有生必有死，生不必乐，死不必哀，要人们把出仕、入仕看得很轻很淡，不要像儒家那样追求功名。而修炼神仙的人，则靠服食丹药进行修炼，以求得升天成仙，又烧炼草石，希望能将草石变成黄金白银，神仙家的法术与老、庄的道家思想相违背。所以汉代的刘歆在《七略》中把道家列入诸子略，而把神仙家归入方技略。后来更发展为符水、咒语等。到了寇谦之，竟把老、庄的哲学与方士的骗术合而为一，直至今天还在因循，其荒谬程度简直是太大了！崔浩不喜欢佛、老之书，却相信寇谦之的话，这是什么缘故呢？春秋末年鲁国的大夫臧文仲让人祭祀从海上飞到鲁国东门避风名叫‘爰居’的水鸟，孔子认为臧文仲这件事做得很愚蠢；而像寇谦之这样的人，他的荒谬程度比起臧文仲的祭祀爰居鸟，那就更不可同日而语了。‘《诗经》三百篇，用一句话来概括，就是思想端正，没有邪恶。’一个正派人在选择职业、选择技术的时候，能不慎重对待吗！”

【段旨】

以上为第四段，写宋少帝景平元年（公元四二三年）一年间的大事。主要写：魏军伐宋，攻取临淄、洛阳，并乘势南侵，毁许昌、钟城，以立南境封疆，俨然有欲尽占淮北之势。其中毛德祖之据守虎牢，竺夔、垣苗之据守东阳，战斗最为艰苦卓绝，而形势俱万分危急。檀道济因无力分兵，决策救东阳，东阳因之获全；毛德祖因无外援，虎牢遂最后城陷。毛德祖守虎牢，犹如唐代张巡之守睢阳；在此过程中毛德祖用反间杀魏将公孙表，其情节又颇似曹操间杀韩遂；在此次魏人攻宋中，降魏的晋臣刁雍为魏军出力甚大，史家书此以见刘裕当年挟私杀人之恶果。宋王朝之徐佩之、王韶之、程道惠等结党以倾谢晦，由于傅亮反对，故暂时停息，以见宋廷执政大臣间的矛盾尖锐，危机四伏。魏主拓跋嗣死，其子拓跋焘继位，魏臣崔浩因推崇儒术，不好老庄、不信佛法，被群小所毁，遭新主罢废，崔浩由此崇信道教，为骗子寇谦之做吹鼓手，《史记·封禅书》所写的栾大、李少君又俨然再世。北凉主沮渠蒙逊归服于刘宋，上表称臣。西秦主乞伏炽磐却归附于魏，并为之献伐夏之方略。

【注释】

㊱营阳王：名义符，小字车兵，刘裕的长子。㊲正月己亥朔：正月初一是己亥日。㊳辛丑：正月初三。㊴帝祀南郊：皇帝亲自到京城的南郊祭天。㊵癸卯：正月初五。㊶恒岳：北岳恒山，五岳之一，在今河北曲阳西北。㊷丙辰：正月十八日。㊸邺：邺城，在今河北临漳西南。㊹己未：正月二十一日。㊺诏征：皇帝下令调……到朝廷。㊻蔡廓：晋末宋初的名臣。传见《宋书》卷五十七。㊼吏部尚书：主管选拔、任命官吏，其地位居各部尚书之首，故人称“大尚书”。㊽悉以见付：全部交给我负责。意即由我独立做主，不能受别人控制。㊾不论：不再说什么，意即可以接受任命。㊿不能拜：不能接受任命。当时傅亮是尚书令，尚书省的最高长官，故蔡廓向其提出这种要求。451语录尚书徐羡之：傅亮把蔡廓的话告诉了徐羡之。〖按〗徐羡之当时任“录尚书事”，也总管尚书省的一切事务，如同今之所谓“常务副尚书令”。“录尚书”当作“录尚书事”。452黄、散以下：指黄门侍郎、散骑常侍以下官员的任命问题。453不复措怀：不再过问。454共参同异：共同商量决定。455为徐干木署纸尾：陪着你徐羡之做有职无权的签名画押。徐干木，徐羡之的小名。456选案黄纸：任命官员的黄色文件。457录尚书与吏部尚书连名：通常是由常务副尚书令与吏部尚书两人联名签发。当时旧例如此。458故廓云然：所以蔡廓提出了这种强人所难的要求。459沈约论曰：沈约是齐朝的政治家、文学家，著有《宋书》。此处的所谓“论曰”即《宋书·蔡廓传》后的“史臣曰”。460固辞铨衡：坚决不干吏部尚书的职务。铨衡，选拔人才，任命官员。461耻为志屈：以不能自己做主为羞耻。462岂不知选、录同体：难道

蔡廓不知道吏部尚书与录尚书事应对许多大事共同参酌、共同负责。㊸义无偏断：不能一个人说了算。㊹良以：这实在是由于……。㊺主暗时难：君主昏庸，世道艰难，此指当时的政治形势。㊻不欲居通塞之任：不想干这种负责选拔官员的工作。通塞之任，指选拔官员的工作。因古代有所谓“铨衡之任，得其人则贤路通，不得其人则贤路塞”之语。㊼远矣哉：这个做法真是够高明的。远，高明。㊽庚申：正月二十二日。㊾聚民保东阳城：把周围的百姓都集中到东阳城内去一同坚守。㊿帅众依夔：指率众离开其郡治历城（今山东济南），到东阳（今山东青州）去投奔竺夔。帅，通“率”，率领。(471)刁雍：刁逵之子，当时正集中一些反刘裕的人，活动在黄河、济水之间。(472)彼素服卿威信：他们都一向佩服你的威严与信义。彼，指“河、济之间”的百姓。(473)给雍骑：给了刁雍一些骑兵。(474)行募兵：一边前进，一边招兵买马。(475)二月戊辰：二月初一。(476)赤城：即今河北赤城。(477)五原：县名，在今内蒙古包头西，乌拉特前旗东。(478)延袤：连延。袤，也是“长”的意思。(479)丁丑：二月初十。(480)萧氏：刘裕的继母，刘义符的祖母。(481)庚辰：二月十三日。(482)凉、秦、河、沙：四州名，凉州的州治即今甘肃武威，秦州的州治即今甘肃天水，河州的州治枹罕，在今甘肃临夏，沙州的州治即甘肃酒泉。(483)塞表：犹言塞外，此指今青海西南部的边塞以外。(484)沙州：在今青海贵德、贵南一带。(485)浇河公：封地浇河郡，郡治在今青海贵德。(486)壬子：三月十五日。(487)孝懿皇后：即刘裕的继母萧氏。懿字是谥。(488)兴宁陵：刘裕父亲刘翘的坟墓，在今镇江市东南。(489)穴地入七丈：挖地道挖下去七丈深。(490)许昌：在今河南许昌东。(491)晡：申时，即今下午三五时。(492)白沙：黄河渡口名，在当时的濮阳县北。(493)濮阳：当时的濮阳在今濮阳南的黄河南岸。(494)朝议：朝廷群臣的看法。(495)去魏：离着魏国的本土。(496)已进：已经向虎牢出发增援。(497)亦宜且追：也应该把他追回来。(498)摄军：命令军队。摄，约束。(499)无所凭依：再没有别的依靠。(500)已顿肥口：已经进驻到肥水入淮之口，在今安徽寿县北。顿，屯扎。(501)宥：宽赦。(502)乙巳：三月初八。(503)韩陵山：在当时的邺县（今河北临漳西南）境内。(504)汲郡：郡治在今河南卫辉西南。(505)枋头：当时的黄河渡口名，在今河南卫辉东北，滑县西南。(506)毛德祖在北：毛德祖原是荥阳人，父、祖都沦于北方政权，毛德祖兄弟五人南渡投归于东晋。事见《晋书》卷八十一。(507)交通音问：指书信往来。(508)云表与之连谋：以此作为反间计。(509)多所治定：多有修改。当年曹操离间马超与韩遂，即用此法，《三国演义》有“曹操抹书间韩遂”一回即写其事。(510)同营署：在同一个营盘里当兵。(511)不得便地：没有布防在要害地段。(512)不时灭：没有按时地消灭毛德祖。(513)术数：指算卦、相面之类的迷信活动。(514)乙卯：三月十八日。(515)济自灵昌津：从灵昌津渡过黄河。灵昌津是古延津的一部分，即今河南卫辉市东南一直到滑县的那段旧黄河。(516)东郡、陈留：二郡名，东郡的郡治白马，也就是昔日慕容德做过都城的滑台，在今河南滑县东南的旧黄河南岸，陈留郡的郡治在今河南开封。(517)四重堑：四道壕沟。(518)橦车：即撞车，以撞击城墙使之坍塌。(519)大麻絙：粗麻绳。(520)堕：同“隳”。毁坏；毁掉。(521)司、青二州：司州指毛德祖守卫的虎牢关；青州指竺夔、垣苗守卫的东阳城。522 甲子：三月二十七日。523 绥抚：安抚；抚慰。524 上租粮：收取许昌一带的粮食，送往悬弧供刘粹军用。525 盟津：也作“孟津”，黄河渡口名，在今河南孟州南。526 冶阪津：黄河渡口名，在今河南洛阳西北，旧河阳县东南。527 乙丑：三月二十八日。528 西如河内：河内郡的郡治在今河南沁阳，在盟津东北。今说“西如”，方向有误。529 屯聚：结集而居，人自为战。530 四月丁卯：四月初一。531 汲河：从黄河中取水。532《石经》：东汉灵帝熹平四年（公元一七五年）刻于石上的儒家经典，蔡邕所书，人称《熹平石经》，立于洛阳太学。533 祀嵩高：祭祀嵩山。嵩高，即今之中岳嵩山，汉代以来帝王经常到达的祭天之处，在今洛阳南的登封北。534 贼：指称檀道济的刘宋军队。535 官军突骑：魏国的勇猛骑兵。官军，正统帝王的大军，自称魏军。536 函陈：方阵，四周联结战车作为防御工事。537 大岘：山名，在今山东临朐东南的穆陵关一带。538 不得方轨：两车不能并行，极言其道路崎岖狭窄。539 邀：拦截；伏击。540 己巳：四月初三。541 临朐：即今山东临朐，在青州市（当时的东阳）东南。542 壬申：四月初六。543 不其城：不其县的县城。不其县在今山东即墨东南，青岛城北。544 谯、梁、彭、沛：四郡名，谯郡郡治即今安徽亳州，梁国的都城即今河南商丘，彭城郡治即今江苏徐州，沛郡郡治在今安徽濉溪西北。545 帅渠帅：率领着一些蛮族的部落头领。渠帅，大头领。546 汝、颍：二水名，都流经今河南的东南部，汇入淮水。547 魏世：曹魏政权的统治时期（公元二二〇至二六五年）。548 晋：此指西晋的司马氏政权，其统治时期为公元二六六至三一六年。549 刘、石乱中原：即刘渊、刘聪、刘曜的前赵与石勒、石虎的后赵存在时期。前赵的存在年代为公元三〇四至三二九年，后赵的存在年代为公元三一九至三五一年。550 伊阙：山口名，在今洛阳南的伊水上，两岸有山，对立如门，故称“伊阙”。551 满于山谷：胡三省认为这些蛮族即古代盘瓠的后代。552 河西世子政德：即沮渠政德，沮渠蒙逊之子。553 晋昌：郡名，郡治在今甘肃瓜州东南。晋昌郡于刘宋永初二年（公元四二一年）被北凉之叛将唐契所据，见本卷前文。554 伊吾：在今新疆哈密西。555 遗民：忠于前一个王朝政权的遗老遗少。556 柔然：当时居住在今蒙古国境内的少数民族名，也写作“蠕蠕”“芮芮”。557 奄有：广泛地占有。558 夏人：匈奴人赫连勃勃建立的政权，建都于统万。559 不足与：不值得与之较量。与，打交道。560 奕世：累世；一连几代。561 谶：一种阴谋家所编造的用来蛊惑人心的政治预言。562 莫者阿胡：人名，任尚书郎之职。563 闰月丁未：闰四月十一日。564 太行：太行山，今河北、山西两省交界上的大山，最南端就在当时的河内郡，郡治在今河南沁阳。565 高都：县名，县治在今山西晋城东北。566 湖陆：今山东鱼台东南。567 项城：今河南沈丘。568 高桥：在今安徽寿县附近。569 丁巳：闰四月二十一日。570 己未：闰四月二十三日。571 司、兖、豫：三州名，西晋时司州的州治即今河南洛阳东，兖州的州治廪丘，在今山东郓城西北，豫州的州治即今河南淮阳。东晋时多变化不定。这次刘宋溃败后，司州全部被魏人占领，兖州自湖陆以南，豫州自项城以南尚属刘宋，此文说“悉定”不符合事实。572 河南：河南尹的郡治所在地，即今洛阳。573 自劾：自责，自己要求受处罚。574 吴郡：郡治即今苏州。575 豫政事：指参与国家的重大决策。576 不堪：不能。577 称：假说。578 作诏：傅亮当时任中书监，主管为皇帝起草诏令。579 角巾步出掖门：即换上便衣出殿省回家为民。角巾，古代隐者所戴的头巾。掖门，皇宫头道正门（即端门）两侧的旁门。580 六月己亥：六月初四。581 宜都文成王穆观：穆观是穆崇之子，北魏前期的名臣。传见《魏书》卷二十七。宜都王是穆观的封号，文成是谥号。582 丙辰：六月二十一日。583 参合陂：在今内蒙古凉城东的岱海东南角。584 七月癸酉：七月初八。585 帝母张夫人：刘裕的夫人，刘义符的生母。传见《宋书》卷四十一。586 三会屋侯泉：三会河边的屋侯泉。三会河流经今山西忻州城南，在今定襄东北入滹沱河。587 八月辛丑：八月初七。588 马邑：汉县名，治今山西朔州。589 灅源：灅水的源头。灅水是桑干河的上游，其源头在当时的马邑（治今山西朔州）城南。590 河西：今内蒙古与宁夏邻近的黄河以西地区。591 九月乙亥：九月十一日。592 汝南、南阳、南顿、新蔡：此四郡都在刘裕的管辖区，但因司马楚之把这几个郡的一些百姓、士兵带到了北魏管区，于是便仿照北人南渡后在南方建立侨郡的办法，也在北方建立起南方来人的侨郡。593 以益豫州：以增加豫州的人口数量。当时北魏的豫州州治曾暂设在成皋，今河南荥阳西北的大伾山上。594 十月癸卯：十月初十。595 广西宫外垣：扩大西宫的外部苑墙。广，扩大。西宫，在其国都平城，当年拓跋珪所造。596 秃发傉檀之死：秃发傉檀被乞伏炽磐打败，投降后又被毒死，见本书卷一百一十六义熙十年。597 番禾、西安：二郡名，番禾郡治在今甘肃永昌，西安郡治在今甘肃张掖东南。598 仇雠：冤家对头。雠，对头。599 时宜：临时制宜，是没有办法的事。600 非天命：不是正常地命终而死，指被人所杀。601 遗令不治：秃发傉檀喝了乞伏炽磐送来的毒酒后，迅速发作，左右劝他解救，傉檀为了使子女得全，遂不救而死。事见本书卷一百一十六义熙十年。不治，不抢救。602 全济：全活，使其避免被杀。603 臣妾于仇雠：给仇人做臣妾。604 颍川：郡名，郡治在今河南长葛东。605 项：即上下文所说的“项城”。606 戊辰：十一月初五。607 汝阳：郡名，郡治在今河南商水西南。608 夷：平；铲平。609 钟城：在今山东禹城东南。610 以立封疆：毁掉许昌城、钟城，用其材料建立魏国南境的界墙。611 己巳：十一月初六。612 魏太宗：即拓跋嗣，号明元皇帝，死时三十二岁。613 壬申：十一月初九。614 世祖：即拓跋焘，拓跋嗣之子，字佛狸。615 庚子：十二月初八。616 金陵：拓跋氏的帝陵都叫“金陵”。拓跋珪的“金陵”在盛乐（今内蒙古和林格尔北），拓跋嗣的“金陵”则在平城。617 密皇后：谥曰密，不是姓密。618 司卫监：犹如汉代的卫尉，负责守卫宫廷。619 刘库仁：与什翼犍时的刘库仁同名，不是一个人。620 四部：指东、西、南、北四个政区。当时魏国将其全境总共划为天、地、东、南、西、北六个政区。621 古真：即尉古真，拓跋珪的佐命元勋。传见《魏书》卷二十六。622 外都大官：当时魏国有“外都大官”“内都大官”之职。623 三十六曹：犹今国务院之各部委。624 精爽：犹言“精力”“精气神”。625 忠悫：忠厚、诚实。626 长秋卿：犹如汉代之“大长秋”，主管皇后宫中的各项事务。㉗练习：熟悉。㉘关掌：过问、执掌。㉙矫诬：不合人情地故意做作。㉚老聃习礼：老聃即通常所说的老子。老聃熟悉古礼，孔子向他学习的事情见《史记·老子韩非列传》。㉛败法：败坏先王的礼法。指老子、庄子攻驳儒家的仁义道德、规矩伦理之说。㉜何为事此胡神：为什么要供奉这些来自番邦的神灵。㉝毁：诽谤；说人坏话。㉞以公归第：指免去一切职务，只带着原有的爵位回家养老。㉟纤妍洁白：皮肤洁白细嫩。妍，美好、好看。㊱张良：刘邦的开国元勋，字子房，有运筹帷幄之大功，与萧何、韩信一道被人称为“汉三杰”。事见《史记·留侯世家》。㊲稽古过之：在精通古书，熟悉前代故实方面，比张良强。稽，是“考察”的意思。㊳服食养性：指道家方士所倡导的炼丹吃药，以求益寿延年等事，吃“五石散”是其一宗。㊴讚：即寇讚，原仕于姚秦，姚秦灭后归魏，曾为南雍州刺史。传见《魏书》卷四十二。㊵张道陵：东汉人，道教的创立者，被称为张天师。道教以符水咒语、降神捉妖、长生不老、日月飞升等欺骗百姓，浅陋荒唐，但为南北朝贵族所追奉。㊶尝遇老子降：曾见过老子下界。老子即先秦思想家老聃，被道教的创始者拉去梳妆打扮，说成是道教世界中的大神，可参考《封神演义》。㊷辟谷轻身之术：道教所宣扬的一种据说不吃五谷，减轻体重，可以修炼成仙的方法。㊸《科戒》：道教的清规戒律。㊹《图箓真经》：道教的经典。㊺北方太平真君：指拓跋魏的帝王。为弘扬道教，编神话以寻求庇护者的伎俩，与汉代公羊派儒生蛊惑汉武帝尊儒的伎俩相同。㊻《天宫静轮之法》：道教的经典。㊼李君：即指李谱文。㊽赞明：协助阐明。㊾《河图》《洛书》：汉代阴阳五行家编造的一种说法。据说远古时，黄河中曾有龙驮着“图”出来，伏羲氏就是依照“河图”来画八卦的。又说洛水中有龟背着“书”出来，禹就是根据这种书来制定了九种大法。㊿寄言于虫兽之文：即都是借着“龙”“龟”这些动物说事。(651)人神接对：神灵下界直接与人当面交谈，即寇谦之所谓“尝遇老子降”，又蒙李谱文下界赠书云云。(652)世俗常虑：指那些不相信他们这些鬼话的观点。(653)上灵：犹言“上帝”。(654)谒者：帝王的侍从官员，掌管传达、收发等事。(655)迎致：迎取，迎接到平城宫中。(656)显扬新法：鼓吹宣传寇谦之所编造的这一套新玩意。(657)天师道场：道教念经祭神的场所。(658)厨会：招待道教门徒的宴会。(659)同死生：认为有生必有死，生不必乐，死不必哀，这是道家比较唯物达观的一种人生看法。(660)轻去就：把出仕、入仕看得很淡很轻，不像儒家那样追求功名，追求立德、立功、立言等。(661)服饵：服食各种药物。(662)轻举：即指升天、成仙。(663)炼草石为金银：即指炼金术，炼铁、炼石成金等骗人勾当。(664)正相戾：正好相背、相矛盾。言汉以后的道教所言与先秦道家学派的学问相违背。(665)刘歆《七略》：刘歆编纂的一本目录书。刘歆是西汉末人，刘向之子，著有《七略》，是我国最早的目录书。《老子》《庄子》，在书中都属于“诸子略”。(666)神仙为方技：“神仙家”在《七略》中归于“方技略”。“方技”在古代指各种方药、技术。这个门类中的学问，有科学技术，也有大量的荒唐迷信。“神仙”诸书就属于后者。(667)符水、禁咒之术：张道陵的道教就搞这一套。(668)合而为一：既有老、庄的哲学，又有方士的骗术。669 其讹甚矣：其荒谬可就大了去了。指把道家学派与神仙方术混为一谈。670 臧文仲祀爰居：臧文仲是春秋末年鲁国的大夫，他看到有一种名叫“爰居”的水鸟，落在鲁国的东门外，一连待了三天。臧文仲觉得奇怪，于是就叫鲁国人给它上供。事见《国语·鲁语》。671 孔子以为不智：孔子认为臧文仲是个蠢货。《左传·文公二年》，孔子有所谓“臧文仲不仁者三，不智者三。下展禽，废六关，妾织蒲，三不仁也；作虚器，纵逆祀，祀爰居，三不智也”。672 其为爰居亦大矣：他的荒谬程度比起臧文仲的祀爰居，可就更不可同日而语了。673《诗》三百：《诗经》中有作品三百篇。674 一言以蔽之二句：《诗经》全部作品的内容可以用一句话来概括：他们的思想都端正无邪。见《论语·为政》。675 君子之于择术二句：一个正派人在选择职业、选择技术的时候，能不慎重对待吗。〖按〗司马光批评崔浩“信奉”道教是择术不慎，这没有说到点子上。寇谦之玩弄骗术，崔浩应该是心如明镜的。但由于他身受谗害而官路不通，而他又偏偏没有老子、庄子那种“同生死，轻去就”的度量，今忽逢道教这么一种可以博得帝王欢心的进身术，于是见利忘义，也就不择手段地为虎作伥而心甘如饴了。

【校记】

［16］士：原作“土”。张敦仁《通鉴刊本识误》作“士”，今从改。［17］军：据章钰校，甲十六行本、乙十一行本、孔天胤本皆作“兵”。［18］千：据章钰校，乙十一行本此上有“一”字。［19］追：张敦仁《通鉴刊本识误》改作“退”。［20］多：据章钰校，甲十六行本、乙十一行本、孔天胤本此上皆有“辄”字，熊罗宿《胡刻资治通鉴校字记》同。［21］莫：据章钰校，甲十六行本、乙十一行本皆作“漠”。〖按〗《通志·氏族略》载“莫者氏”。［22］范道基：严衍《通鉴补》改作“沈道基”。［23］癸酉：原无此二字。据章钰校，甲十六行本、乙十一行本、孔天胤本皆有此二字，张敦仁《通鉴刊本识误》、张瑛《通鉴校勘记》同，今据补。［24］有宠：原无此二字。据章钰校，甲十六行本、乙十一行本、孔天胤本皆有此二字，张敦仁《通鉴刊本识误》、张瑛《通鉴校勘记》同，今据补。［25］主：原作“王”。据章钰校，甲十六行本、乙十一行本、孔天胤本皆作“主”，熊罗宿《胡刻资治通鉴校字记》同，今据改。

【研析】

本卷写宋高祖永初元年（公元四二〇年）至宋少帝景平元年（公元四二三年）共四年间的各国大事。从公元四二〇年起，中国的古代历史结束了“魏、晋”，开始进入“南北朝”。在南方的标志是刘裕篡晋建宋，在北方的标志是“五胡十六国”的局面基本结束，拓跋氏建立的魏国基本上统一了北方，整个中国由南方的宋、齐、梁、陈与北方的魏国与北齐、北周相互对立，直到隋朝统一南北两方而止。在此以前的北方的所谓“五胡”是指匈奴、鲜卑、羯、氐、羌；在东晋时期北方曾经出现过的所谓“十六国”是：匈奴人刘渊、刘聪、刘曜的汉（前赵），羯人石勒、石虎的后赵，氐人苻坚、苻登的前秦，羌人姚苌、姚兴的后秦，鲜卑人乞伏国仁、乞伏乾归的西秦，氐人李雄、李寿的成（汉），匈奴人赫连勃勃的夏，鲜卑人慕容廆、慕容皝的前燕，鲜卑人慕容垂、慕容宝的后燕，鲜卑人慕容德的南燕，汉人冯跋的北燕，汉人张骏、张祚的前凉，氐人吕光的后凉，鲜卑人秃发乌孤、秃发傉檀的南凉，汉人李暠的西凉，匈奴人沮渠蒙逊的北凉。这些国家到刘裕建宋，“南北朝”开始时，只还剩下北凉的一些残余势力还在与魏国做最后的斗争，其他国家都已经不存在了。

刘裕篡晋做皇帝，可以说是顺应天心民意的，因为在此以前的东晋实在太腐朽了，而刘裕在他创业的二十年间所建立的功勋与表现出的人格，也的确是震古烁今的。明代袁黄《历史纲鉴补》赞扬刘裕的用兵说：“刘裕用兵，有进无退。闻何无忌败，而兼行济江；闻卢循逼建康，而固守石头，皆所谓计不反顾者。观其‘不能草间求活’之言，具见英雄智略。王仲德深明大势，宜所言针芥相投，卒亦因此集事。”清代王夫之《读通鉴论》赞扬刘裕的历史功勋说：“裕之为功于天下也不一，而自力战以讨孙恩始，破之于海澨，破之于丹徒，破之于郁州，蹙之穷而赴海以死。当其时，桓玄操逆志于上流，道子、元显乱国政于中朝，王凝之、谢琰以庸劣当巨寇，若鸿毛之试于烈焰。微刘裕，晋不亡于桓玄，则即亡于妖寇；即不亡，而三吴全盛之势，士民所集，死亡且无遗也。裕全力以破贼，而不恤其他，可不谓大功乎？”

说到刘裕篡晋，王夫之说：“裕之时，僭窃相乘之时也。裕之所事者，无信之刘牢之；事裕者，怀逆徼功之刘穆之、傅亮、谢晦也。是以终于篡，而几与萧道成等伍。当其奋不顾身以与逆贼争生死之日，岂尝早畜觊觎之情，谓晋祚之终归己哉？于争乱之世而有取焉，舍裕其谁也？”

刘裕的生活俭朴是历代帝王所少有的，文中说他：“帝清简寡欲，严整有法度，被服居处，俭于布素，游宴甚稀，嫔御至少。尝得后秦高祖从女，有盛宠，颇以废事。谢晦微谏，即时遣出。财帛皆在外府，内无私藏。岭南尝献入筒细布，一端八丈，帝恶其精丽劳人，即付有司弹太守，以布还之，并制岭南禁作此布。公主出适，遣送不过二十万，无锦绣之物。内外奉禁，莫敢为侈靡。”尤其值得称道的是，刘裕做了皇帝后，把一些他所穿过的衣服、用过的农具，都收藏在太庙里，用以教育子孙，人是不应该忘本的。作为一个国家的统治者，有没有这种艰苦奋斗的思想，直接影响着他一切方针政策的制定，一切方方面面的工作的推行。

本卷写了魏主拓跋嗣晚年多病，听从崔浩与长孙嵩建议，及早地立拓跋焘为太子，“使之居正殿临朝，为国副主；以长孙嵩及山阳公奚斤、北新公安同为左辅，坐东厢，西面；崔浩与太尉穆观、散骑常侍代人丘堆为右弼，坐西厢，东面。百官总己以听焉。帝避居西宫，时隐而窥之，听其决断，大悦。谓侍臣曰：‘嵩宿德旧臣，历事四世，功存社稷；斤辩捷智谋，名闻遐迩；同晓解俗情，明练于事；观达于政

要，识吾旨趣；浩博闻强识，精察天人；堆虽无大用，然在公专谨。以此六人辅相太子，吾与汝曹巡行四境，伐叛柔服，足以得志于天下矣。'”拓跋嗣的这种行为、做法，说话的这种语气神情，都恰似当年的赵武灵王。一个国家的兴旺，一种事业的发达，没有这样豪迈的一位君主，没有一群大公无私、通力协作的大臣是怎么也不能成功的。魏国自拓跋珪以来，其君主一个强似一个，其疆域日大，兵力日强，制度日好，整个北方逐渐都进入了它的统治之下，这绝不是偶然的。

本卷还写了刘宋将领毛德祖坚守虎牢，与魏军所进行的英勇卓绝的战斗。在当时的河南西部，刘宋与北魏的边境大体上是以黄河为界。景平元年（公元四二三年），“魏奚斤、公孙表等共攻虎牢，魏主自邺遣兵助之。毛德祖于城内穴地入七丈，分为六道，出魏围外，募敢死之士四百人，使参军范道基等帅之，从穴中出，掩袭其后。魏军惊扰，斩首数百级，焚其攻具而还。魏兵虽退散，随复更合，攻之益急”。“魏主又遣并州刺史伊楼拔助奚斤攻虎牢。毛德祖随方抗拒，颇杀魏兵，而将士稍零落。夏，四月丁卯，魏主如成皋，绝虎牢汲河之路。停三日，自督众攻城，竟不能下。”“虎牢被围二百日，无日不战，劲兵战死殆尽，而魏增兵转多。魏人毁其外城，毛德祖于其内更筑三重城以拒之；魏人又毁其二重，德祖唯保一城，昼夜相拒，将士眼皆生创。德祖抚之以恩，终无离心。时檀道济军湖陆，刘粹军项城，沈叔貍军高桥，皆畏魏兵强，不敢进。丁巳，魏人作地道以泄虎牢城中井，井深四十丈，山势峻峭，不可得防。城中人马渴乏，被创者不复出血，重以饥疫，魏仍急攻之。己未，城陷。将士欲扶德祖出走，德祖曰：‘我誓与此城俱毙，义不使城亡而身存也！’魏主命将士：‘得德祖者，必生致之。’将军代人豆代田执德祖以献。将佐在城中者，皆为魏所虏，唯参军范道基将二百人突围南还。”如此悲壮惨烈的战斗，自东晋建国以来，一百多年没有见到过了。不期今天在毛德祖坚守虎牢的战场上见到了。

毛德祖所进行的是像当年汉将李陵所进行的以少抗多，而又没有任何援兵的战斗；而令人气愤的又是“檀道济军湖陆，刘粹军项城，沈叔貍军高桥”，当时分明又有三支宋军驻扎在离此不远的地方，但他们“皆畏魏兵强，不敢进”，这就分明又像韩愈在《张中丞传后叙》中所叙述的“擅强兵，坐而观者，相环也”的情形了。眼睁睁地看着一群无粮、无水、无指望的英雄志士在为国家、为民族而战，周围竟没有一支军队向他们伸出救援的手，这是多么令人丧气的事！辛弃疾在一首《贺新郎》词中写道：“将军百战身名裂。向河梁、回头万里，故人长绝。……啼鸟还知如许恨，料不啼清泪长啼血。”毛德祖被魏人俘去了，没有听说刘宋王朝对毛德祖及其部下进行过任何褒奖，倒是魏人对这位名将格外敬重，他们一定要生俘他，俘去之后又将魏国的公主许配与他。但毛德祖没有任何反应，而是在过了几年之后，又辗转地逃回了南朝。如此感人的故事，真可以写一部悲壮的电视剧了，但可恨的刘宋王朝仍然没有对这位将军做出任何应有的表彰，至今令读者为之愤慨！

卷第一百二十　宋纪二

起阏逢困敦（甲子，公元四二四年），尽强圉单阏（丁卯，公元四二七年），凡四年。

【题解】

本卷写宋文帝元嘉元年（公元四二四年）至元嘉四年共四年间的刘宋与北魏等国的大事。主要写：徐羡之、谢晦等以皇帝刘义符"狎近小人"与"在宫中练兵"为口实将其废黜，并将其残酷杀害。徐羡之等以庐陵王刘义真亲近颜延年、谢灵运等为"构扇异同，非毁执政"，先将其废为庶人，又将其杀害。傅亮率朝廷百官到江陵迎接宜都王刘义隆进京为帝，刘义隆在其心腹僚属王华、王昙首等人的辅佐下，进京取得帝位。刘义隆以准备北伐为名，实际安排对徐羡之、傅亮、谢晦三人动手；刘义隆下诏公布诸人的罪恶，徐羡之自杀，傅亮被捕杀，谢晦在荆州起兵造反，声言要清君之侧；谢晦东下之军被刘义隆所派的檀道济、到彦之等大破于彭城洲，江陵人心瓦解，守将周超投降，谢晦欲北逃魏国，中途被安陆戍主光顺之所获，槛送建康被诛于市。刘义隆宠用王华、刘湛、王昙首、殷

【原文】

太祖文皇帝①上之上

元嘉元年（甲子，公元四二四年）

春，正月，魏改元"始光"。

丙寅②，魏安定殇王弥③卒。

营阳王④居丧无礼，好与左右狎昵⑤，游戏无度。特进致仕⑥范泰上封事⑦曰："伏闻陛下时在后园，颇习武备，鼓鞞⑧在宫，声闻于外。黩武掖庭⑨之内，喧哗省闼⑩之间，非徒不足以威[1]四夷，只生远近之怪⑪。陛下践阼，委政宰臣，实同高宗谅暗之美⑫；而更亲狎小人，惧非社稷至计，经世⑬之道也。"不听。泰，宁⑭之子也。

景仁，称他们为“一时之秀”。魏主拓跋焘五道并进，讨伐柔然，柔然部落大骇，绝迹北走。魏主拓跋焘乘夏主赫连勃勃死，赫连昌新立、兄弟互斗之际，起兵攻夏，大破夏兵，焚统万之西门，虏获其大量人口、牲畜而还；次年又乘魏将奚斤与夏将赫连定相持于长安之际，大举伐夏，魏主退军示弱，夏主出兵追之，魏军伏兵数道出击，大破夏军；夏主逃保上邽，魏主遂占据统万城；夏之长安守将赫连定闻统万城陷，弃长安西奔上邽，魏将娥清、丘堆、奚斤追击至雍，遂略定关中地区，于是秦、雍之氐羌、北凉王蒙逊、氐王杨玄等皆遣使归附于魏，魏封杨玄为梁州刺史、南秦王。刘宋王朝的重臣王华死、郑鲜之死，交州刺史杜弘文被诏还京，中途病死于广州。

【语译】

太祖文皇帝上之上

元嘉元年（甲子，公元四二四年）

春季，正月，北魏改年号为“始光”。

正月初四丙寅，北魏安定殇王拓跋弥去世。

宋少帝刘义符在给自己的父亲宋武帝刘裕服丧期间，违背礼法规定，与自己身边的侍从人员经常有一些不严肃、不正当的亲密举动，而且嬉戏游耍，毫无节制。以“特进”的封号告老还乡的范泰给宋少帝刘义符上了一道密封的奏章。范泰在密奏中说：“听说陛下时常到后园演练武功，宫中擂动战鼓的声音都传到了皇宫以外。在皇宫之内操练士兵，舞刀弄枪，宫门以内喧哗吵闹，陛下这样做不但不能威慑四方的夷族，反倒足以令身边的人与远方的人感到奇怪。陛下登上皇帝宝座，把朝政委托给宰辅大臣，是想让陛下学习商朝高宗武丁在为他父亲守孝期间只管悲哀，不过问朝廷的一切政事的美德；然而，陛下却亲近那些卑微的小人物，恐怕不是从维护国家利益的角度考虑，为治理国家考虑。”少帝没有接受老臣范泰的规劝。范泰是东晋后期著名经学家范宁的儿子。

南豫州⑮刺史庐陵王义真⑯，警悟⑰爱文义⑱，而性轻易⑲，与太子左卫率谢灵运⑳、员外常侍颜延之㉑、慧琳道人㉒情好款密㉓。尝云：“得志㉔之日，以灵运、延之为宰相，慧琳为西豫州㉕都督。”灵运，玄之孙也，性褊傲㉖，不遵法度，朝廷但以文义处之㉗，不以为有实用㉘。灵运自谓才能宜参权要㉙，常怀愤邑㉚。延之，含㉛之曾孙也，嗜酒放纵。徐羡之等恶义真与灵运等游，义真故吏范晏从容戒之㉜，义真曰：“灵运空疏㉝，延之隘薄㉞，魏文帝㉟所谓‘古今文人，类不护细行㊱’者也；但性情所得㊲，未能忘言于悟赏㊳耳。”于是羡之等以为灵运、延之构扇异同㊴，非毁执政㊵，出灵运为永嘉㊶太守，延之为始安㊷太守。

义真至历阳㊸，多所求索㊹，执政每裁量㊺不尽与。义真深怨之，数有不平之言，又表求还都。谘议参军庐江何尚之㊻屡谏，不听。时羡之等已密谋废帝，而次立者应在义真；乃因义真与帝有隙，先奏列其罪恶，废为庶人，徙新安郡㊼。前吉阳令堂邑张约之㊽上疏曰：“庐陵王少蒙先皇优慈㊾之遇，长受陛下睦爱之恩，故在心必言㊿，所怀必亮51，容犯臣子之道52，致招骄恣之愆53；至于天姿夙成54，实有卓然之美55。宜在容养56，录善掩瑕57，训尽义方58，进退以渐59。今猥加剥辱60，幽徙远郡，上伤陛下常[2]棣之笃61，下令远近恇然失图62。臣伏思大宋开基造次63，根条未繁，宜广树藩戚64，敦睦以道65。人谁无过，贵能自新。以武皇之爱子，陛下之懿弟66，岂可以其一眚67，长致沦弃68哉？”书奏，以约之为梁州府69参军，寻杀之70。

宋国担任南豫州刺史的庐陵王刘义真，为人机警，悟性很强，又喜爱文学，擅长文学一类的事物，只是性情不够稳重，好轻举妄动，他与担任太子左卫率的谢灵运、担任员外常侍的颜延之、慧琳道人关系亲密友好。庐陵王刘义真曾经说："一旦我做了皇帝，一定要任用谢灵运、颜延之为宰相，任用慧琳道人为西豫州都督。"谢灵运是谢玄的孙子，为人心胸狭隘，态度傲慢，不遵守法度，所以朝廷只给了他一个文秘方面的职务，不认为他有处理政务的才能。谢灵运却认为凭自己的才能应该参与国家大政的决策，因此心中一直感到怀才不遇而愤愤不平。颜延之，是颜含的曾孙，嗜酒如命，行为放纵。担任司空的徐羡之等讨厌庐陵王刘义真与谢灵运、颜延之等人交往，刘义真的旧部下范晏也曾经隐约委婉地规劝过庐陵王刘义真，刘义真却说："谢灵运眼高手低，好说大话却缺乏实际才能，颜延之心胸狭隘，见识浅薄，正是魏文帝曹丕所说的'从古到今，文人大多都不拘小节'的那种人，只是我与他们性情相投，不能舍弃这种彼此的知心、理解罢了。"于是徐羡之等人便认为谢灵运、颜延之挑拨矛盾、煽动是非，诽谤、诋毁执政的朝廷大臣，遂将谢灵运外放为永嘉太守，将颜延之外放为始安太守。

宋国庐陵王刘义真来到历阳之后，便经常向朝廷索要职权，在朝中执政的大臣往往对刘义真的索求进行压制或减少，不完全满足刘义真的要求。刘义真因此对担任司空的徐羡之等朝廷重臣深怀怨恨，多次表达内心的不满情绪，又上表请求返回京师建康。担任谘议参军的庐江人何尚之屡次对刘义真进行规劝，刘义真都不肯听从。当时徐羡之等已经在密谋废掉少帝刘义符，如果按照长幼次序，当立者应该是刘义真，这是徐羡之等最不愿意看到的；于是便利用刘义真与少帝之间的矛盾，先行奏请，并开列了刘义真的许多罪状，少帝刘义符遂剥夺了刘义真的爵位，将庐陵王刘义真贬为平民，流放到新安郡。曾经担任过吉阳县令的堂邑郡人张约之上疏给少帝刘义符说："庐陵王刘义真从小蒙受先帝的宠爱和优待，长大之后，又受到陛下和睦、友爱之恩，所以才心里有什么，嘴里就说什么，所想的都是大公无私的事情，或许会违背一些做臣、做子的规矩，致使犯下骄纵放任的毛病；但在他生来就有的本质与天性之中，确实具有超众的才华。所以对他应该给以包容，任用他的长处，掩盖他的短处，应该用好的方式方法努力地对他进行教导，即使要贬斥他也得有步骤过度。如今却一下子将他的一切爵位剥夺，废为庶人，流放到远方的边郡，对上而言，有伤于陛下敦笃友爱的兄弟之情，对下而言，会使远近的臣民惊慌失措。我俯首沉思，大宋建国的时间不长，皇室的枝叶还不繁茂，陛下应该更多地封立兄弟子侄为王为侯，与兄弟之间和睦相处，用正道来加强内部的团结。人生谁能不犯错误，贵在能够知错改错。庐陵王刘义真，是武皇帝刘裕的爱子，是陛下的好弟弟，岂能因为犯了一点小过失，就长期地将他舍弃放逐呢？"张约之的奏疏呈递之后，朝廷便任命张约之为梁州府参军，不久又将张约之杀死。

夏，四月甲辰[71]，魏主东巡大宁[72]。

秦王炽磐遣镇南将军吉毗等帅步骑一万，南伐白苟、车孚、崔提、旁为[73]四国，皆降之。

徐羡之等以南兖州刺史檀道济先朝旧将[74]，威服殿省，且有兵众，乃召道济及江州刺史王弘[75]入朝。五月，皆至建康，以废立之谋[76]告之。

甲申[77]，谢晦以领军府[78]屋败，悉令家人出外，聚将士于府内；又使中书舍人邢安泰、潘盛为内应[79]。夜，邀檀道济同宿，晦悚动[80]不得眠，道济就寝便熟，晦以此服之。

时帝于华林园[81]为列肆[82]，亲自沽卖[83]，又与左右引船[84]为乐；夕，游天渊池，即龙舟而寝。乙酉诘旦[85]，道济引兵居前，羡之等继其后，入自云龙门[86]；安泰等先诫宿卫[87]，莫有御[88]者。帝未兴[89]，军士进杀二侍者，伤帝指，扶出东阁，收玺绶。群臣拜辞，卫送故太子宫[90]。

侍中程道惠劝羡之等立皇弟南豫州刺史义恭，羡之等以宜都王义隆[91]素有令望[92]，又多符瑞[93]，乃称皇太后令[94]，数帝过恶，废为营阳王，以宜都王纂承大统[95]，赦死罪以下。又称皇太后令"奉还玺绂[96]"，并废皇后为营阳王妃，迁营阳王于吴[97]。使檀道济入守朝堂。王至吴，止金昌亭[98]。六月癸丑[99]，羡之等使邢安泰就弑之。王多力，突[100]走出昌门[101]，追者以门关[102]踣[103]而弑之。

裴子野[104]论曰："古者人君养子，能言[105]而师授之辞[106]，能行而傅相之礼[107]。宋之教诲[108]，雅异于斯[109]，居中则任仆妾[110]，处外则近趋走[111]。太子、皇子，有帅，有侍[112]，是二职者，皆台皂[113]也。

夏季，四月十四日甲辰，北魏太武帝拓跋焘前往魏国的东部地区巡视，抵达大宁。

西秦王乞伏炽磐派遣担任镇南将军的吉毗等率领一万名步兵、骑兵向南讨伐白苟、车孚、崔提、旁为四个少数民族部落，这四个少数民族部落全都向西秦投降。

宋国担任司空的徐羡之等认为担任南兖州刺史的檀道济是上一辈皇帝宋武帝刘裕手下的老将，其威望震慑朝廷，而且又手握强大的兵权，于是便将檀道济及担任江州刺史的王弘征召入朝。五月，檀道济和王弘全都抵达京师建康，徐羡之等遂将准备废掉少帝刘义符、另立他人为帝的阴谋告诉了檀道济和王弘。

五月二十四日甲申，谢晦以领军府房屋破败为由，令家人全部离开，暂时搬到别处去住，而后在领军府内集结将士；又派担任中书舍人的邢安泰、潘盛在宫中作为内应。夜间，谢晦邀请檀道济同住，谢晦因为内心紧张不安而无法入睡，而檀道济沾枕头就睡着了，谢晦因此对檀道济非常佩服。

当时，宋少帝刘义符在华林园中排列了许多柜台、买卖摊点，并亲自站在柜台前进行售货，又与身边的侍从一起拉纤取乐；到了傍晚，又到天渊池游玩，当天晚上，就睡在龙舟之上。五月二十五日乙酉凌晨，檀道济率军在前，徐羡之等跟随其后，从云龙门进入皇宫；中书舍人邢安泰等已经事先告诉了担任宿卫的军士，因此，檀道济等入宫，并没有遭遇抵抗。少帝刘义符当时还没有起床，军士上前杀掉了二位侍从，碰伤了少帝刘义符的手指，然后挟持少帝离开东阁，收缴了他身上佩戴的皇帝玺印和绶带。群臣向少帝拜别，由军士护送刘义符回到他当太子时所居住的宫殿。

担任侍中的程道惠劝说司空徐羡之等拥立少帝的弟弟、担任南豫州刺史的刘义恭。徐羡之等认为宜都王刘义隆一向享有很好的名声，又有很多与刘义隆相关的祥瑞征兆出现，于是便以皇太后的名义颁布命令，列数少帝刘义符的种种过错，遂将刘义符废黜为营阳王，拥立宜都王刘义隆继承大统，登上皇帝宝座，赦免除去死刑犯以外的一切罪犯。又宣称奉皇太后命令，令刘义符"交回皇帝的印玺和绶带"，同时将皇后司马氏废为营阳王妃，将营阳王刘义符遣送到吴郡。令檀道济入朝守卫朝廷。营阳王刘义符到达吴郡，被软禁在金昌亭。六月二十四日癸丑，徐羡之等指使担任中书舍人的邢安泰前往金昌亭弑杀营阳王刘义符。营阳王刘义符力气很大，他冲出阊门逃走，追杀的人用门闩将营阳王击倒，然后将其杀死。

裴子野评论说："古代的君主教养儿子，刚开始学习说话，就有专门的老师教他说话，刚会走路，就有专门的师傅帮助他学习礼仪。宋国皇帝对皇子的教育一向与古代的这种传统做法不一样。在皇宫之内，皇子被交给太监、宫女们侍候，派到地方上为官时便和一些供役使的人混杂在一起。太子、皇子都有负责担任警卫的武官、将领和充当顾问的文职人员，而担任这两种职务的人都是

制其行止⑭，授其法则，导达臧否⑮，罔弗由之⑯。言不及于礼义，识不达于今古，谨敕⑰者能劝之以吝啬⑱，狂愚者或诱之以凶慝⑲。虽有师傅，多以耆艾⑳大夫为之；虽有友及文学㉑，多以膏粱年少㉒为之。具位㉓而已，亦弗与游㉔。幼王临州㉕，长史行事㉖；宣传教命[3]，又有典签㉗。往往专恣，窃弄威权，是以本根[4]虽茂㉘而端良甚寡㉙。嗣君㉚冲幼㉛，世继奸回㉜。虽恶物丑类，天然自出，然习则生常㉝，其流远矣。降及太宗㉞，举天下而弃之㉟，亦昵比之为㊱也。呜呼！有国有家㊲，其鉴之矣㊳！"

傅亮帅行台㊴百官奉法驾迎宜都王于江陵。祠部尚书㊵蔡廓至寻阳㊶，遇疾不堪前㊷。亮与之别，廓曰："营阳㊸在吴，宜厚加供奉㊹。一旦不幸，卿诸人有弑主之名。欲立于世，将可得邪？"时亮已与羡之议害营阳王，乃驰信㊺止之，不及㊻。羡之大怒曰："与人共计议㊼，如何旋背㊽即卖恶于人㊾邪？"羡之等又遣使者杀前庐陵王义真于新安。

羡之以荆州地重㊿，恐宜都王至，或别用人，乃亟[151]以录命[152]除[153]领军将军谢晦行[154]都督荆、湘等七州诸军事，荆州刺史，欲令居外为援，精兵旧将，悉以配之[155]。

秋，七月，行台至江陵，立行门[156]于城南，题曰"大司马门"[157]。傅亮帅百僚诣门上表[158]，进玺绂[159]，仪物甚盛。宜都王时年十八，下教[160]曰："猥[161]以不德[162]，谬降大命[163]，顾己兢悸[164]，何以克堪[165]？

地位很低的奴仆一类的人。管制太子、皇子能干什么与不应该干什么，以及引导、告诉太子、皇子们什么叫好，什么是坏，没有一样不是按照他们的意思去办。而这些人口中从不谈论什么礼义，又见识短浅，不懂古今，为人谨慎小心的只是劝导、鼓励太子、皇子吝惜财物，而那些生性狂妄愚蠢的人甚至会引诱太子、皇子为非作歹，走上邪恶的道路。宋朝虽然也为太子、皇子安排师傅，然而大多是一些年纪在五六十岁以上的老人担任；虽然也为太子、皇子们设置了太子友、太子文学等辅导官员围绕在太子、皇子的周围，而大多又都由纨绔子弟充任。不过装个样子而已，即使如此，太子、皇子也不与这些人一起活动。年幼的皇子就被派到地方担任州刺史，而代行州刺史职责的是那些担任长史的人；推行教化、执行朝命，又专门设有主管文书的典签官。这些人往往窃弄权柄、专行恣肆、作威作福，所以宋国帝王的儿女虽然众多，而正直、善良的却不多。即位的皇帝年纪很小，懵懂无知，而在朝中掌权的大臣又都是一批接一批的坏人。虽然恶物丑类出自天生，可是风气形成，见怪不怪，却由来已久了。等到了宋明帝刘彧，竟然连整个国家政权都丢掉了，这都是因为宠幸身边那些奸佞小人。哎呀！有国有家的人，应该引为借鉴啊！”

担任中书监、尚书令的傅亮率领朝廷的文武官员，带着皇帝的车驾前往江陵迎接担任荆州刺史的宜都王刘义隆。担任祠部尚书的蔡廓到达寻阳时，因为生病不能继续前行。傅亮在与蔡廓分别时，蔡廓对傅亮说："营阳王刘义符在吴郡，你们要好好地对待他，尽量让他生活得好一些。一旦发生不幸，你们这些人就要背上一个弑杀皇帝的恶名。背着这样的恶名声而想继续活在这个世上，怎么可能呢？"当时，傅亮已经与司空徐羡之商定了谋杀营阳王刘义符之事，于是赶紧派使者飞快地赶往京城给徐羡之送信，阻止他派人弑杀营阳王，然而已经来不及了。徐羡之接到傅亮的传信之后，立即大怒说："跟别人一同商议决定好的事情，怎么能一转身就把罪名推卸到别人的身上呢？"徐羡之等又派使者前往新安，杀死了庐陵王刘义真。

宋国司空徐羡之认为荆州地理位置十分重要，担心宜都王刘义隆到京师建康之后，或许会任用别人继任荆州刺史，于是便迅速地以录尚书事的名义任命担任领军将军的谢晦为代理都督荆、湘等七州诸军事，荆州刺史，想令谢晦居于朝廷之外，互为声援，他把精锐部队和能征惯战的将领全部调拨给谢晦支配。

秋季，七月，出行的朝廷抵达江陵之后，便在江陵城南竖起临时宫殿的正门，上面题写着"大司马门"。担任中书监、尚书令的傅亮率领文武百官前往"大司马门"，向宜都王刘义隆呈递表章，进献皇帝玺印、绶带，仪仗、器物非常盛大。宜都王刘义隆当时十八岁，他下教令说："就凭我这样一个才德不高的人，承蒙诸位大臣的错爱，拥戴我去当皇帝，我审视自己的德能，深感战栗不安，我如何担当得起这样的重任？

辄当暂归朝廷[166]，展哀陵寝[167]，并与贤彦[168]申写所怀[169]。望体其心，勿为辞费[170]。”府州佐史[171]并称臣[172]，请题榜诸门[173]，一依宫省。王皆不许。教州、府、国纲纪[174]宥所统内见刑[175]，原逋责[176]。

诸将佐闻营阳、庐陵王死，皆以为疑，劝王不可东下。司马王华[177]曰：“先帝有大功于天下，四海所服。虽嗣主不纲[178]，人望未改。徐羡之中才寒士[179]，傅亮布衣诸生[180]，非有晋宣帝[181]、王大将军[182]之心明矣；受寄崇重，未容[183]遽敢背德。畏庐陵[184]严断[185]，将来必不自容[186]；以殿下宽睿慈仁，远近所知，且越次奉迎[187]，冀以见德[188]。悠悠之论[189]，殆必不然。又，羡之等五人[190]，同功并位，孰肯相让？就[191]怀不轨，势必不行。废主若存[192]，虑其[193]将来受祸，致此杀害[194]。盖由贪生过深[195]，宁敢一朝顿怀逆志[196]？不过欲握权自固，以少主仰待[197]耳。殿下但当长驱六辔[198]，以副[199]天人之心。”王曰：“卿复欲为宋昌[200]邪？”长史王昙首[201]、南蛮校尉到彦之[202]皆劝王行。昙首仍陈天人符应[203]，王乃曰：“诸公受遗[204]，不容背义[205]。且劳臣旧将，内外充满，今兵力[206]又足以制物[207]，夫何所疑？”乃命王华总后任，留镇荆州。王欲使到彦之将兵前驱[208]，彦之曰：“了彼不反[209]，便应朝服顺流[210]；若使有虞[211]，此师[212]既不足恃，更开嫌隙之端[213]，非所以副远迩之望[214]也。”会雍州刺史褚叔度卒，乃遣彦之权镇襄阳[215]。

甲戌[216]，王发江陵，引见傅亮，号泣，哀动左右。既而问义真及少帝薨废本末，悲哭呜咽，侍侧者莫能仰视。亮流汗沾背，不能对；

我现在应该立即返回朝廷，到祖先的陵寝去一展我的哀思，向先人禀告现在的一切，并与诸位贤能的大臣说说心里话。希望诸位能够体谅我的心情，不要再白费口舌，让我做别的事情。”刘义隆所在州府的僚属全都向宜都王称臣，同时请求宜都王依照皇宫的样子，给现在居住的房子题名为某宫某殿。宜都王刘义隆全都不予批准。宜都王指示荆州刺史府、都督府、宜都王府中的主要僚属：宽宥辖区之内被关押、服刑的犯人和无力偿还所欠州、府、国各种赋税的人。

宜都王刘义隆身边的将佐听到营阳王刘义符、庐陵王刘义真都已经遇害的消息，都对宜都王刘义隆回京当皇帝之事表示怀疑，于是劝说宜都王刘义隆不要东下进京。担任司马的王华说：“先帝刘裕为天下立有大功，四海之内全都敬服。虽然继承人刘义符被废，没能继续统治国家，然而皇家的威望并没有因此而受到影响。司空徐羡之是一个才能中等、出身门第不高的人士，尚书令傅亮是一个寒门出身的知识分子，他们没有晋宣帝司马懿、大将军王敦那样的野心，这是很明显的；他们受先帝顾命辅政的重任，不可能这么快就背弃了先帝的恩德。只是因为惧怕庐陵王刘义真的严明、有决断，将来一定饶不了他们，所以才杀死庐陵王；他们认为殿下为人宽厚、睿智、仁慈，远近所闻，所以才超越长幼次序前来奉迎，希望殿下以此对他们的恩德心怀感激。外面那些肤浅的议论，恐怕是不对的。再说，徐羡之、傅亮、谢晦、檀道济、王弘五个人，功劳相当，地位相等，谁肯服谁？就是想要图谋不轨，也势必行不通。如果让被废掉的营阳王刘义符还活在世上，他们担心将来会有一天大祸临头，所以才将营阳王杀害。主要是因为他们过于为自己的安全考虑，岂敢在一朝之间就突然兴起造反篡位之心？只不过是想要牢牢地把握住手中的权力，想把皇帝当作小孩子看待罢了。殿下只管坐上六匹马拉的车子，长驱直入京师，以顺应天下民心。”宜都王说：“你是不是也想当宋昌那样的人物？”担任长史的王昙首、担任南蛮校尉的到彦之都劝说宜都王前往京师即皇帝位。王昙首还大量引用有关宜都王刘义隆的种种奇特现象来说服宜都王刘义隆，宜都王刘义隆才下定决心说：“徐羡之等诸位公卿接受先帝遗诏辅佐朝政，他们不可能背信弃义。而且功臣旧将充满朝廷内外，如今手下所掌握的荆州地区的兵力完全可以控制局势、制服叛军，还有什么可疑虑的？”于是命王华接替自己，留在江陵镇守荆州。宜都王刘义隆想让南蛮校尉到彦之率军先行，到彦之说：“如果确信徐羡之等不会谋反，就应该身穿朝服，不带任何武装，顺长江东下京师建康；如果朝廷发生变故，我所率领的这支先遣队也管不了事，反倒引发别人对我们的更大不信任，这可不是符合远近民望的做法。”正遇上担任雍州刺史的褚叔度去世，遂派遣到彦之暂且接任褚叔度的雍州刺史职务，镇守襄阳。

七月十五日甲戌，宜都王刘义隆从江陵出发，他接见中书监傅亮时，号啕痛哭，悲哀之情感动了身边所有的人。接着他向傅亮问起庐陵王刘义真以及少帝刘义符被废、

乃布腹心[217]于到彦之、王华等，深自结纳[218]。王以府州文武严兵自卫，台所遣百官众力[219]不得近部伍[220]。中兵参军[221]朱容子抱刀处王所乘舟户外，不解带者累旬[222]。

魏主还宫[223]。

秦王炽磐遣太子暮末帅征北将军木弈干等步骑三万，出貂渠谷[224]，攻河西白草岭[225]、临松郡[226]，皆破之，徙民二万余口而还。

八月丙申[227]，宜都王至建康，群臣迎拜于新亭[228]。徐羡之问傅亮曰："王可方谁？"亮曰："晋文、景[229]以上人。"羡之曰："必能明我赤心[230]。"亮曰："不然[231]。"

丁酉[232]，王谒初宁陵[233]，还，止中堂[234]。百官奉玺绶，王辞让数四，乃受之，即皇帝位于中堂。备法驾[235]入宫，御[236]太极前殿，大赦，改元，文武赐位二等[237]。

戊戌[238]，谒太庙。诏复庐陵王先封[239]，迎其柩及孙修华[240]、谢妃[241]还建康。

庚子[242]，以行荆州刺史谢晦为真[243]。晦将行，与蔡廓别，屏人问曰："吾其免乎[244]？"廓曰："卿受先帝顾命[245]，任以社稷[246]，废昏立明，义无不可；但杀人二兄[247]而以之北面[248]，挟震主之威，据上流之重[249]，以古推今，自免为难[250]。"晦始惧不得去[251]，既发，顾望石头城，喜曰："今得脱矣！"

癸卯[252]，徐羡之进位司徒，王弘[253]进位司空，傅亮加开府仪同三司，谢晦进号卫将军[254]，檀道济进号征北将军[255]。

有司奏车驾[256]依故事[257]临华林园听讼[258]。诏曰："政刑多所未悉[259]，可如先者[260]，二公推讯[261]。"

被杀的经过，不禁低声啜泣，在旁边侍奉的人都不敢抬头看他。傅亮此时汗流浃背，难以回答宜都王的提问，于是便与宜都王刘义隆的心腹到彦之、王华推心置腹倾诉衷情，以求得人家的理解，并努力与到彦之、王华等搞好关系。宜都王刘义隆用荆州刺史府、都督府、宜都王府的文武官员率兵担任警戒，加强自卫，朝廷派来迎驾的文武百官和各种服务人员，不能靠近宜都王刘义隆身边的团队。担任中兵参军的朱容子抱着刀守卫在宜都王刘义隆所乘坐的舰船船舱门外，一连几十天衣不解带。

北魏太武帝拓跋焘返回平城的皇宫。

西秦王乞伏炽磐派太子乞伏暮末率领征北将军木弈干等以及三万名步兵、骑兵从貂渠谷出发，进攻北凉所属的白草岭、临松郡，将白草岭、临松郡的守军全部击败，俘虏了二万多口居民而后班师。

八月初八丙申，宋国宜都王刘义隆抵达京师建康，满朝文武官员都到新亭跪拜迎接。担任司空的徐羡之向担任尚书令的傅亮询问说："宜都王刘义隆可以和谁相比?"傅亮回答说："在晋文帝司马昭、晋景帝司马师之上。"徐羡之说："他一定能够明白我们对他的一片赤诚之心。"傅亮回答说："不一定。"

八月初九丁酉，宜都王刘义隆前往初宁陵拜谒自己的父亲宋武帝刘裕，返回之后，途中在中堂稍事停留。文武百官向他呈上皇帝玺印，宜都王刘义隆再三推辞，最后才接受下来，于是便在中堂即皇帝位。然后乘坐法驾进入皇宫，登上太极殿，实行大赦，改年号为"元嘉"，文武官员全都升级二等。

八月初十戊戌，宋文帝刘义隆拜谒太庙。下诏恢复刘义真原有的"庐陵王"爵位，将其灵柩以及刘义真的母亲孙修华、王妃谢氏迎回京师建康。

八月十二日庚子，将临时代理荆州刺史的谢晦正式任命为实任荆州刺史。谢晦即将前往江陵赴任，在与祠部尚书蔡廓告别的时候，他避开其他人，向蔡廓询问说："我能够逃脱被杀的下场吗?"蔡廓回答说："你受先帝的临终嘱托，先帝把江山社稷托付给你们，你们废掉昏君另立明主，从道理上来说没有什么不可以；但你们却杀死了人家的二位兄长，令弟弟南面称帝，自己又面向北做人家的臣属，挟有使主上感到震恐的威权，位居荆州刺史，据守着长江上游的重镇，以古代来推测现在，想要自免其祸是很难的。"谢晦开始还惧怕不能离开京师，等到出发之后，回头看着石头城，不禁高兴地说："如今我终于脱离虎口了!"

八月十五日癸卯，担任司空的徐羡之晋升为司徒，担任江州刺史的王弘晋升为司空，加授担任中书监、尚书令的傅亮开府仪同三司，担任荆州刺史的谢晦从领军将军进位为卫将军，担任镇北将军的檀道济进位为征北将军。

宋国朝廷的有关部门奏请宋文帝刘义隆，依照过去的旧例，皇帝应该亲临华林园听取有关官员审问犯人。宋文帝刘义隆下诏说："我对政令刑法还有很多方面不熟悉，可以像先前一样，由司徒徐羡之、司空王弘二位进行审理。"

帝以王昙首、王华为侍中，昙首领[262]右卫将军。华领骁骑将军，朱容子为右军将军。

甲辰[263]，追尊帝母胡婕妤曰章皇后[264]。封皇弟义恭为江夏王[265]，义宣为竟陵王[266]，义季为衡阳王[267]。仍以义宣为左将军，镇石头[268]。

徐羡之等欲即以到彦之为雍州[269]，帝不许；征彦之为中领军，委以戎政[270]。彦之自襄阳南下[271]，谢晦已至镇[272]，虑彦之不过己[273]。彦之至杨口[274]，步往江陵[275]，深布诚款[276]，晦亦厚自结纳。彦之留马及利剑、名刀以与晦，晦由此大安。

柔然纥升盖可汗闻魏太宗[277]殂，将六万骑入云中[278]，杀掠吏民，攻拔盛乐宫[279]。魏世祖自将轻骑讨之，三日二夜至云中。纥升盖引骑围魏主五十余重，骑逼马首[280]，相次如堵[281]。将士大惧，魏主颜色自若，众情乃安。纥升盖以弟子于陟斤[282]为大将，魏人射杀之。纥升盖惧，遁去。尚书令刘絜言于魏主曰："大檀[283]自恃其众，必将复来。请俟收田毕，大发兵为二道，东西并进以讨之。"魏主然之。

九月丙子[284]，立妃袁氏为皇后，耽之曾孙[285]也。

冬，十月，吐谷浑威王阿柴卒。阿柴有子二十人，疾病，召诸子弟谓之曰："先公车骑[286]，以大业之故[287]，舍其子拾虔而授孤。孤敢私于纬代[288]而忘先君之志[289]乎？我死，汝曹当奉慕璝为主。"纬代者，阿柴之长子。慕璝者，阿柴之母弟、叔父乌纥提[290]之子也。

阿柴又命诸子各献一箭，取一箭授其弟慕利延使折之，慕利延折之；又取十九箭使折之，慕利延不能折。阿柴乃谕之曰："汝曹知之

宋文帝刘义隆任命王昙首、王华为侍中，令王昙首兼任右卫将军。令王华兼任骁骑将军，任命朱容子为右军将军。

八月十六日甲辰，宋文帝刘义隆追尊自己的生母胡婕妤为章皇后。封自己的弟弟刘义恭为江夏王，刘义宣为竟陵王，刘义季为衡阳王。任命竟陵王刘义宣为左将军，镇守石头城。

担任司徒的徐羡之等想要任命到彦之为雍州刺史，宋文帝刘义隆没有批准；而是征调到彦之回到京师担任中领军，令他统领禁军，同时负责各军事将领的考察与任命。到彦之奉命从雍州治所襄阳出发南下时，担任荆州刺史的谢晦已经抵达江陵任所，他担心到彦之不会绕道来拜访自己。而到彦之到达杨口之后，便弃舟登岸，从陆路前往江陵，极力向谢晦表达了自己的诚挚友好之情，谢晦也对到彦之推心置腹，深情结纳。到彦之还把自己的名马、利剑、名刀留下赠送给谢晦，谢晦因此感到自己的安全有了保障。

柔然纥升盖可汗郁久闾大檀听到魏太宗拓跋嗣去世的消息，立即率领六万名骑兵攻入魏国所属的云中郡，屠杀劫掠官吏和居民，并攻克了盛乐宫。魏世祖拓跋焘亲自率领轻骑兵讨伐柔然，只用了三天两夜就到达了云中。纥升盖可汗郁久闾大檀率领骑兵将北魏皇帝拓跋焘里里外外包围了五十多重，柔然的骑兵一直逼近到拓跋焘的马前，一道又一道，排列得如同墙壁一样。北魏的将士都非常恐惧，而北魏皇帝拓跋焘却神情自若，众人的情绪才逐渐安定下来。纥升盖可汗郁久闾大檀任用自己的侄子郁久闾于陟斤为大将，北魏军便用箭将郁久闾于陟斤射死。纥升盖可汗郁久闾大檀很害怕，便率军撤走了。北魏担任尚书令的刘絜对太武帝拓跋焘说：“郁久闾大檀仗着自己人多势众，肯定还会回来入侵。请等待农田里的庄稼收获完毕，便出动大军，分为东西二路，同时进攻，讨伐柔然。”北魏皇帝拓跋焘同意了刘絜的建议。

九月十八日丙子，宋文帝刘义隆立王妃袁氏为皇后，袁皇后，是袁耽的曾孙女。

冬季，十月，吐谷浑威王慕容阿柴去世。慕容阿柴有二十个儿子。慕容阿柴在病重期间，将所有的子弟叫到面前，对他们说：“先公车骑将军慕容树洛干为了维护汗国政权的稳定，没有让自己的儿子慕容拾虔继位，而是传给了我。我怎么敢出于私心，将王位传给我的儿子慕容纬代，而忘记先君慕容树洛干想要建立一个强大的部族国家的遗志呢？我死之后，你们这些人要尊奉慕容慕璝为国主。”慕容纬代，是慕容阿柴的长子。慕容慕璝是慕容阿柴的同母弟、叔父慕容乌纥提的儿子。

吐谷浑威王慕容阿柴又让自己的儿子们每人献出一支箭，慕容阿柴从中抽取一支箭交给自己的弟弟慕容慕利延，让慕容慕利延将其折断，慕容慕利延很容易地将一支箭折断了；慕容阿柴又把其余的十九支箭交给慕容慕利延，让慕容慕利延将其合在一起同时折断，慕容慕利延无法将十九支合在一起的箭折断。慕容阿柴就以这

乎？孤则易折，众则难摧。汝曹当勠力㉑一心，然后可以保国宁家。”言终而卒。

慕璝亦有才略，抚纳[5]秦、凉失业之民及氐、羌杂种至五六百落，部众转盛。

十二月，魏主命安集将军长孙翰、安北将军尉眷北击柔然，魏主自将屯柞山㉒。柔然北遁，诸军追之，大获而还。翰，肥㉓之子也。

诏拜营阳王母张氏为营阳太妃。

林邑王范阳迈㉔寇日南、九德㉕诸郡。

宕昌王梁弥怱㉖遣子弥黄入见于魏。宕昌，羌之别种也。羌地东接中国，西通西域，长数千里，各有酋帅，部落分地㉗，不相统摄㉘。而宕昌最强，有民二万余落，诸种畏之。

夏主将废太子璝㉙而立少子酒泉公伦㉚。璝闻之，将兵七万北伐伦。伦将骑三万拒之，战于高平㉛，伦败死。伦兄太原公昌将骑一万袭璝，杀之，并其众八万五千，归于统万㉜。夏主大悦，立昌为太子。

夏主好自矜大，名其四门：东曰“招魏㉝”，南曰“朝宋㉞”，西曰“服凉㉟”，北曰“平朔㊱”。

【段旨】

以上为第一段，写宋文帝元嘉元年（公元四二四年）一年间的大事。主要写：徐羡之、谢晦等以皇帝刘义符“狎近小人”与“在宫中练兵”为口实将其废黜，并将其残酷地杀害在吴县；徐羡之等以庐陵王刘义真亲近颜延年、谢灵运、慧琳和尚为“构扇异同，非毁执政”，先将其废为庶人，又将其杀害于新安；傅亮率朝廷百官到江陵迎接宜都王刘义隆进京为帝，刘义隆的僚属王华、王昙首、到彦之等分析形势后，劝刘义隆火速进京；刘义隆进京后即位为帝，对徐羡之、傅亮、谢晦等都加官晋爵，极力将其稳住，而傅亮则已经预感到大难就要临头了；柔然人乘魏主拓跋焘新上台之际南侵云中，攻占盛乐宫，拓跋焘射杀其大

些箭作比喻说："你们知道吗？一支箭很容易折断，很多箭合在一起就难以折断了。你们这些人要同心协力，然后才能保卫国家、安定人民。"说完之后就去世了。

吐谷浑新任君主慕容慕璝也很有才干和谋略，他安抚、接纳那些从秦州、凉州来的无业游民以及氐族、羌族和其他各少数民族五六百落，部众越来越多，势力逐渐强盛起来。

十二月，北魏太武帝拓跋焘命令担任安集将军的长孙翰、担任安北将军的尉眷率军向北攻打柔然，北魏皇帝拓跋焘亲自率军屯驻在柞山。柔然人向北逃遁，北魏各路人马随后追击，大获全胜而回。长孙翰，是长孙肥的儿子。

宋文帝刘义隆下诏，封营阳王刘义符的母亲张氏为营阳太妃。

林邑王范阳迈出兵进犯宋国的日南郡、九德郡。

宕昌王梁弥忽派遣自己的儿子梁弥黄前往北魏的都城平城朝见魏太武帝拓跋焘。宕昌，是羌族的一个支派。羌人的地盘向东与中国相连，向西一直通到西域，东西长数千里，各部落有各部落的首领，各自占领着一块地盘，相互之间谁也不归谁管辖。而宕昌部落最为强大，有二万多落的民众，其他各部落都很惧怕他。

夏王赫连勃勃准备废掉太子赫连璝而改立最小的儿子酒泉公赫连伦为太子。赫连璝得知消息，立即出动七万兵马，从长安出发，向北讨伐赫连伦。赫连伦则率领三万名骑兵进行抵抗，兄弟二人在高平展开决战，赫连伦战败身亡。赫连伦的同胞哥哥、太原公赫连昌率领一万名骑兵袭击太子赫连璝，将赫连璝杀死，接管了赫连璝属下的八万五千名兵众，回到夏国的都城统万。夏王赫连勃勃非常高兴，遂立赫连昌为太子。

夏王赫连勃勃喜好妄自尊大，他给都城统万的四座城门分别命名：东门叫作"招魏"，南门叫作"朝宋"，西门叫作"服凉"，北门叫作"平朔"。

将，柔然人退走；吐谷浑王阿柴临终传位于其弟并教训诸子团结合作；夏国内部叛乱，夏主赫连勃勃"好自矜大"。

【注释】

①太祖文皇帝：名义隆，刘裕之第三子，刘义符与刘义真之弟。太祖是庙号，文字是谥号。②丙寅：正月初四。③安定殇王弥：即拓跋弥，拓跋嗣之子，拓跋焘之弟，安定是其封号，殇是其谥号。④营阳王：即当时的皇帝刘义符，被废黜后始称营阳王。传见《宋书》卷四。⑤狎昵：不严肃、不正当的亲近。⑥特进致仕：以"特进"的封号退休在家。特进，官号名，凡大臣功德优盛为朝廷所敬重，则赐号"特进"，位在三公之下。

致仕，交出职权退休。⑦ 封事：给皇帝上表章的一种，因是封装于函内，不令别的人看，故称“封事”。〖按〗面上封事者是范泰，背后指使者肯定是当时掌大权的野心家。⑧ 鼓鞞：军中的战鼓。⑨ 黩武掖庭：在皇宫里操练士兵，舞刀弄枪。黩武，好武、好战。看似爱好，实为亵渎。这是当时权臣们加给刘义符的“罪名”。掖庭，指妃嫔所居住的皇宫正殿两侧的屋舍。这里泛指宫廷。⑩ 省闼：宫省的大门。⑪ 生远近之怪：让身边的人与远方的人都感到奇怪。⑫ 实同高宗谅暗之美：是想让你学习商朝武丁在他为父亲守孝期间只管悲哀，不过问朝廷的一切政事的美德。高宗，指商朝的帝王武丁，庙号高宗，是商朝中期最有作为的帝王。事见《史记·殷本纪》。谅暗，躲在屋里守孝，朝政一概委之大臣。据说武丁上台后，曾“谅暗”三年。刘义符身边的权臣们当然希望刘义符也能如此。⑬ 经世：治理国家。⑭ 宁：即范宁，东晋后期的著名经学家，著有《穀梁传集解》，孝武帝时曾为豫章太守。传见《晋书》卷七十五。⑮ 南豫州：州治历阳，即今安徽和县。⑯ 庐陵王义真：即刘义真，刘裕的第二子，被封为庐陵王。传见《宋书》卷六十一。⑰ 警悟：聪明。⑱ 爱文义：喜爱并擅长文学一类的事物。⑲ 轻易：不稳重，好轻举妄动。这也是当时诸臣所加的评语。⑳ 谢灵运：东晋名将谢玄之孙，山水诗的开创者，时任太子警卫军的统领。传见《宋书》卷六十七。㉑ 员外常侍颜延之：员外常侍是员外散骑常侍的简称，皇帝的侍从人员，以备参谋顾问。颜延之字延年，当时有名的文学家。传见《宋书》卷七十三。㉒ 慧琳道人：这里的“道人”指和尚，名慧琳。㉓ 情好款密：感情密切。㉔ 得志：指篡位称帝。㉕ 西豫州：即刘宋的豫州，州治寿阳，即今安徽寿县。㉖ 褊傲：狭隘、傲慢。㉗ 以文义处之：只给他一个文秘方面的职务。㉘ 不以为有实用：不认为他有处理政务的才能。㉙ 宜参权要：应该参与国家大政的决策。㉚ 愤邑：愤慨、郁闷。㉛ 含：即颜含，东晋初期的名臣，在家以孝友著称，为官有政绩。传见《晋书·孝友传》。㉜ 从容戒之：隐约委婉地劝告他。㉝ 空疏：眼高手低，大言无实。㉞ 隘薄：狭隘、浅薄。㉟ 魏文帝：曹操之子曹丕，三国曹魏政权的建立者，公元二二〇至二二六年在位，死后谥曰文。㊱ 古今文人，类不护细行：语见曹丕的《又与吴质书》。不护细行，即不修小节。㊲ 性情所得：犹言“感情上合得来”。㊳ 未能忘言于悟赏：不能舍弃这种彼此的知心、理解。忘言，指忘怀、丢掉。悟赏，欣赏、理解。㊴ 构扇异同：犹今之所谓“挑拨矛盾”“煽动是非”。㊵ 非毁执政：诽谤执政大臣，即指徐羡之、傅亮等人。㊶ 永嘉：郡名，郡治即今浙江温州。㊷ 始安：郡名，郡治即今广西桂林。㊸ 至历阳：来到南豫州刺史的任上。刘义真在刘裕死前已被任为南豫州刺史，但因丧事耽搁，过后才来上任。㊹ 多所求索：指向朝廷要职要权。㊺ 裁量：压抑、减少。㊻ 何尚之：刘裕时代的部属，此时为刘义真的谘议参军。传见《宋书》卷六十六。㊼ 新安郡：郡治在今浙江淳安西。㊽ 前吉阳令堂邑张约之：曾经任过吉阳县令的堂邑郡人张约之。吉阳县的县治即今江西吉水。堂邑是郡名，郡治在今江苏六合北。㊾ 优慈：优待、宠爱。㊿ 在心必言：心里有什么就说什么。51 所怀必亮：所想的都是大公无私的事情。52 容犯臣子之道：也许在做臣、做子的规矩上有些过失。容，或许、可能。53 致招骄恣之愆：从而犯下了一些骄纵放任的毛病。54 天姿夙成：生来的本质天性。姿，同“资”。55 实有卓然之美：其质量实在是很优秀的。56 容养：宽容；包涵。57 录善掩瑕：取其长，藏其短。58 训尽义方：应该用好的方法努力地加以教导。59 进退以渐：即使要贬斥也得循序渐进。渐，逐渐、按步骤。60 猥加剥辱：强行罢官摧辱，指废为庶人，流窜远郡。猥加，曲加。61 常棣之笃：指兄弟友爱之情。因《诗经·常棣》是一篇写兄弟情谊的诗，故后代常以此代指兄弟情谊。62 怔然失图：茫然不知如何是好。63 开基造次：指建国的时间不长。造次，匆忙之间。64 广树藩戚：更多地封立兄弟子侄为王为侯。藩戚，为王为侯的亲属。65 敦睦以道：以正道加强内部的团结。66 懿弟：好弟弟。67 一眚：一点小过失。68 长致沦弃：被长期地抛弃在下层。69 梁州府：梁州都督府。梁州的州治即今陕西汉中。70 寻杀之：不久又将张约之杀掉。〖按〗在此之前徐羡之等已为刘义真强加了不少罪名，读者或不能看破。现又详载张约之的一道表章，已为刘义真洗刷清楚。为此徐羡之竟将张约之置于死地，其狼子野心已昭然若揭。71 四月甲辰：四月十四日。72 大宁：今河北张家口。73 白苟、车孚、崔提、旁为：皆当时的少数民族部落名，大约活动在今青海东南部、四川西北部一带地区。74 先朝旧将：上一辈皇帝手下的老将。75 王弘：王导的曾孙，刘裕的亲信。传见《晋书》卷四十一。76 废立之谋：废掉现任皇帝，另立他人为帝的阴谋。77 甲申：五月二十四日。78 领军府：即谢晦的官舍。当时谢晦任领军将军，负责皇帝刘义符的警卫工作。79 内应：邢安泰、潘盛任中书舍人，负责为皇帝起草、管理文件，是皇帝身边的官员，故召之为内应。80 悚动：内心紧张不安。81 华林园：与下文的“天渊池”都是洛阳宫廷里的建筑。东晋建国后，在建康城内重建宫苑，有些仍以洛阳的园池为名。华林园在建康宫廷内的北部。82 列肆：柜台；买卖摊点。83 沽卖：售货。84 引船：拉纤。85 乙酉诘旦：五月二十五日的凌晨。86 入自云龙门：从云龙门杀了进来。87 先诫宿卫：事先告诉守门值勤的士兵。88 御：抵抗。89 未兴：尚未起床。90 故太子宫：此前为太子时所住的宫殿。91 宜都王义隆：即刘义隆，刘裕的第三子，被封为宜都郡王。宜都郡的郡治即今湖北宜都，在宜昌东南，都城建康的西方。92 令望：好名声。93 多符瑞：有很多与刘义隆相关的“吉祥”征兆。据记载，景平初，曾有“黑龙”出现于西方，五色云随之；景平二年（公元四二四年），江陵上空有紫云，望气者以为这都是新帝王将出现之符，当在西方。又说，江陵一带的长江中有九十九个小洲，当地的歌谣有所谓“洲满百，当出王者”，这时江中忽然又冒出了一个小洲云云。94 乃称皇太后令：以皇太后的名义下命令。95 纂承大统：继承皇帝位。96 奉还玺绂：命令刘义符交回皇帝的印玺和绶带。97 吴：即今江苏苏州。98 金昌亭：位于当时苏州城的阊门内。99 六月癸丑：六月二十四日。100 突：冲出。101 昌门：今写作“阊门”，当时吴都城的西郭门。102 门关：门闩。103 踣：跌倒，这里指打倒。104 裴子野：南朝梁代的文史学家，著有《宋略》。下面的文字即引自该书。105 能言：开始学说话。106 师授之辞：

有专门的老师教给他说话。师，周代“师氏”的简称，负责教育国子（帝王、王公的子弟）。⑩⑦傅相之礼：有专门的师傅帮着他学习礼仪。傅，与上文“师”的职责略同，后代有“太子太傅”“太子少傅”等官。相，帮助，这里也是“教导”的意思。⑩⑧宋之教诲：宋代的教育子弟。诲，也是“教”的意思。⑩⑨雅异于斯：素来与古代的这种传统做法不一样。雅，素来、一贯。斯，此。⑪⓪居中则任仆妾：在宫里的时候是交给太监、宫女们侍候。⑪①处外则近趋走：派到地方上为官时便和一些供役使的人混合一起。趋走，指跟前听使唤、供差遣的下级官吏。趋，小步疾行，臣子、下级在君父、长官跟前走路的一种特定姿势。⑪②有帅二句：帅，指负责警卫的武官、将领。侍，指充当顾问的文职人员。⑪③皆台皂：（对于太子、皇子而言）都是奴仆一类的人。台、皂都是奴仆的不同称呼，《左传》中有所谓“士臣皂，仆臣台”云云。⑪④制其行止：管制太子、皇子的能干什么与不准干什么。⑪⑤导达臧否：引导、告诉太子、皇子什么叫好，什么叫坏。臧，善。否，不善。⑪⑥罔弗由之：没有一样不是按照他们的意思办。⑪⑦谨敕：指为人谨慎、小心。⑪⑧劝之以吝啬：劝导、鼓励他们省吃俭用，当守财奴。⑪⑨诱之以凶慝：引诱太子、皇子们为非作歹。⑫⓪耆艾：指年老的人。⑫①友及文学：太子友、太子文学，都是太子、皇子周围的辅导官名。⑫②膏梁年少：犹言“纨绔子弟”。膏粱，富人家的吃食，这里即指富人。⑫③具位：犹言“挂名”“充数”，任其职而不管事。⑫④弗与游：不与太子、皇子们一起活动，根本就不见面。⑫⑤幼王临州：年幼的皇子被派到外面担任州刺史。刘裕灭秦后，留刘义真在关中主事，当时刘义真十二岁，刘义隆任荆州刺史时也是十二岁。⑫⑥长史行事：由长史代替他行使职权。长史是官名，三公、将军、刺史等大员的高级僚属，为诸史之长，位高权重。行事，行使州刺史的大权。⑫⑦典签：官名，在诸王身边主管文书。因为当时诸王年幼，典签多为皇帝派出的亲信充任，所以权力甚大。⑫⑧本根虽茂：指帝王的儿女众多。⑫⑨端良甚寡：正直、善良的不多。⑬⓪嗣君：刚上台的小皇帝。⑬①冲幼：年龄幼小。冲，虚弱。⑬②世继奸回：在朝掌权的大臣又都是一批接一批的坏人。奸，险恶。回，心术不正。⑬③习则生常：风气形成，见怪不怪。⑬④降及太宗：发展到宋明帝刘彧。刘彧的庙号太宗，公元四六五至四七二年在位。⑬⑤举天下而弃之：指刘彧死后，国家政权遂落入萧道成之手，此后再经过两个小傀儡的短暂过渡，刘宋王朝遂被萧氏所篡夺。⑬⑥亦昵比之为：也是宠幸其身边小人的结果。昵，不正当的亲近。⑬⑦有国有家：指后代的帝王。⑬⑧其鉴之矣：可要引此为教训啊。⑬⑨行台：中央朝廷的派出机构，其格局与朝廷略同。因朝廷不能离开京城，故称赴江陵迎驾的百官群体为“行台”。⑭⓪祠部尚书：主管国家的礼仪、祭祀活动的主官，后世改称为“礼部尚书”。⑭①寻阳：即今江西九江。⑭②不堪前：不能再向西走了。〖按〗蔡廓不满意徐羡之、傅亮等人的废立阴谋，但又不敢公然反对，于是用装病的手段避开这种“废旧立新”的具体操作过程。⑭③营阳：指被废的刘义符，时称营阳王，被拘押在吴郡。⑭④厚加供奉：好好地对待他，尽量让他生活得好一些。⑭⑤驰信：派使者飞快地赶到京城。信，信使、使者。⑭⑥不及：没能赶上，指徐羡之已经把营阳王刘义符杀了。⑭⑦ 与人共计议：和我商量好的事情。人，此处即称自己。⑭⑧ 旋背：犹今之所谓“一转身”，极言其快。⑭⑨ 卖恶于人：把坏名声推给别人，指去对别人私下言讲。⑮⓪ 地重：地位重要。⑮① 亟：迅速。⑮② 以录命：用录尚书事的命令。当时徐羡之任录尚书事。⑮③ 除：选任；任命。⑮④ 行：代理。⑮⑤ 悉以配之：全部调拨给谢晦支配。⑮⑥ 行门：行台的正门，也就是临时宫殿的正门。⑮⑦ 题曰“大司马门”：即在刘义隆称皇帝之前先任以为“大司马”之职。大司马在群臣中是地位、权力最高的官。⑮⑧ 上表：即尊刘义隆为皇帝。⑮⑨ 进玺绂：犹言“进玺绶”，即将玉玺及其绶带进呈给刘义隆。绂，印的绶带。⑯⓪ 教：文体名，古代以称诸侯王或将相大臣所下的命令、条教。⑯① 猥：谦辞，犹言“曲蒙”，亦即今天所说的“不好意思”。⑯② 不德：谦称自己。⑯③ 谬降大命：即将任命为皇帝的命令下达给我。谬，也是谦辞。以上两句连起来的意思是，我这个人才德不高，曲蒙你们让我去当皇帝。⑯④ 顾己兢悸：审视自己的德能，深感战栗不安。顾己，自省。⑯⑤ 何以克堪：我怎么承担得起呢。⑯⑥ 辄当暂归朝廷：我应该首先回到朝廷。暂，立即、首先。⑯⑦ 展哀陵寝：哭祭父亲（刘裕）的陵墓，向先人禀告现在的一切。⑯⑧ 贤彦：指朝廷里的英贤，即眼下的掌权人物。⑯⑨ 申写所怀：犹今之所谓“谈谈我的想法”。⑰⓪ 勿为辞费：即“不要再说没用的话”。⑰① 府州佐史：指都督府和刺史府里的僚属们。⑰② 并称臣：都向刘义隆称“臣”，意即称刘义隆为皇帝。⑰③ 题榜诸门：给现在居住的房子题名为某宫某殿。榜，书写并悬挂匾额。⑰④ 教州、府国、纲纪：命令荆州刺史府、都督府、宜都王府三个机构中的主要僚属。纲纪，犹今所谓“骨干”，指高级僚属，如长史、司马、典签等职。⑰⑤ 宥所统内见刑：即在各自所统辖的范围内实行大赦。宥，宽饶。所统，刘义隆所统辖的部门与区域之内。见刑，现被拘押、服刑的犯人。⑰⑥ 原逋责：赦免百姓们过去所欠州、府、国的各种赋税。逋责，所亏欠的钱粮。逋，逃，这里即指亏欠。责，同“债”。⑰⑦ 王华：字子陵，刘裕的旧部属，后成为刘义隆的元勋。传见《宋书》卷六十三。⑰⑧ 嗣主不纲：指刘义符被废，没能继承统治下去。⑰⑨ 中才寒士：一个中等才干的出身门第不高的人。寒士，寒门出身的人，与“士族”“豪族”相对而言，并非指穷人与被压迫阶级。⑱⓪ 布衣诸生：一个寒门出身的知识分子。布衣，非门阀士族出身的人，不是指平民、百姓。前文永初三年（公元四二二年）也称徐羡之“起自布衣”。诸生，指从小念儒家经典。《宋书·傅亮传》说他“博涉经史，尤善文词”。⑱① 晋宣帝：指司马懿，曾杀掉曹魏大将军曹爽，将魏主曹芳拘为自己的傀儡。事见本书卷七十五嘉平元年。⑱② 王大将军：指王敦，曾拥兵进京自己称帝。事见本书卷九十三太宁二年。⑱③ 未容：不会；不可能。⑱④ 庐陵：指庐陵王刘义真。⑱⑤ 严断：严明、有决断。⑱⑥ 必不自容：绝对饶不了他们。⑱⑦ 越次奉迎：越过哥哥立弟弟。刘义真是刘义隆之兄，为立刘义隆而杀死了刘义真。⑱⑧ 冀以见德：希望日后您能感念他们的恩情。⑱⑨ 悠悠之论：外面的一般浅俗看法，指“劝王不可东下”者之所说。⑲⓪ 羡之等五人：即徐羡之、傅亮、谢晦、檀道济、王弘五人。⑲① 就：即使。⑲② 废主若存：如果让被废的皇帝刘义符活着。⑲虑其：担心他们自己。⑭致此杀害：因此他们才将废帝杀害了。⑮贪生过深：是由于他们过于怕死，过于为他们的安全作考虑。⑯顿怀逆志：突然兴起造反篡位之心。⑰以少主仰待：想把您当作小孩子看待。仰待，意即对待，由于是对着皇帝说话，故用“仰”字，以示委婉。⑱长驱六辔：指毫不迟疑地快马进京。当初周勃、陈平诛灭诸吕派人至代迎刘恒时，刘恒当即“乘六乘传”入长安。事见本书卷十三吕后八年。六辔，即汉文帝的“六乘传”，六匹马拉的车子。⑲副：满足；顺应。⑳复欲为宋昌：也想当“宋昌”啦。宋昌是汉文帝为代王时的中尉。周勃、陈平灭诸吕后，派人至代迎代王进京，许多人劝代王不要相信，宋昌分析形势，力劝代王速往。事见本书卷十三吕后八年。㉑王昙首：王弘之弟，先为刘裕部属，后成为刘义隆的元勋。传见《宋书》卷六十三。㉒到彦之：姓到名彦之，刘裕部下的名将，后为南蛮校尉，遂成为刘义隆的僚属。传见《南史》卷二十五。㉓仍陈天人符应：大量引用有关刘义隆的种种奇特现象，即前文所讲过的“紫云”“黑龙”等鬼话。天人符应，“天人感应”说法中所讲的“祥瑞”“灾异”及“河图”“洛书”等等。㉔诸公受遗：指徐羡之、傅亮等接受刘裕的遗诏。㉕不容背义：不可能背叛道义。㉖兵力：指刘义隆荆州地区的武装力量。㉗足以制物：完全可以控制形势，制服叛逆。物，人。㉘将兵前驱：统兵为先遣队，以扫除障碍。㉙了彼不反：既然断定他们不会造反。了，犹言“明白”“确信”。㉚朝服顺流：身穿朝服不带任何武装地顺长江而下。㉛若使有虞：如果朝廷有变故。虞，虑、变故。㉜此师：这支先遣队。㉝更开嫌隙之端：更引起别人对我们的更大的不相信。㉞非所以副远迩之望：这不是顺应全国人心的做法。胡三省曰：“彦之此言诚合大理，而亦自知其才不足以制檀道济也。”㉟权镇襄阳：临时代理雍州刺史褚叔度之职。当时晋宋时期的雍州州治即在襄阳，今湖北襄阳市襄城区。㊱甲戌：七月十五日。㊲布腹心：倾诉衷情，以求得人家理解。㊳深自结纳：努力与他们搞好关系。㊴台所遣百官众力：朝廷所派来的迎驾百官与各种服务人员。台，指朝廷。众力，各种劳力，侍候人的奴仆。㊵不得近部伍：不能接近刘义隆身边的团队。㊶中兵参军：刘义隆贴身警卫的头领。㊷累旬：几十天。㊸还宫：由大宁返回京城王宫。㊹貂渠谷：在今青海大通西北。㊺白草岭：在今青海大通北。㊻临松郡：郡治在今甘肃民乐西。㊼丙申：八月初八。㊽新亭：在当时建康城南的长江边。㊾晋文、景：晋文帝司马昭、晋景帝司马师，西晋政权的奠基者。事见《晋书》卷二。㊿明我赤心：明白我们对他的忠心。(231)不然：不一定。〖按〗此时傅亮已预感到难以自免。(232)丁酉：八月初九。(233)初宁陵：刘裕的陵墓。(234)中堂：当时的太学所在地，在建康的台城以南，秦淮河以北。(235)法驾：《史记索隐》引《汉官仪》曰：“天子卤簿有大驾、法驾。大驾，公卿奉引，大将军参乘，属车八十一乘；法驾，公卿不在卤簿中，惟京兆尹、执金吾、长安令奉引，侍中参乘，属车三十六乘。”由此可知，“法驾”是仅次于“大驾”的一种仪仗队。(236)御：用，这里即指登上。(237)赐位二等：即今之所谓“升两级”。(238)戊戌：八月初十。(239)先封：原有的封爵。㉔⑩孙修华：刘义真的生母。修华是妃嫔的级别称号，为九嫔之一，不是人名。㉔①谢妃：刘义真之妃。㉔②庚子：八月十二日。㉔③以行荆州刺史谢晦为真：以行……为真，由临时代理改为正式任命。㉔④吾其免乎：我可以免掉死亡了吗。㉔⑤顾命：临终嘱托。㉔⑥任以社稷：把江山社稷委托给你们。㉔⑦杀人二兄：杀了人家的两个哥哥，指刘义符、刘义真。㉔⑧以之北面：让弟弟即位为帝，指立刘义隆为帝。㉔⑨据上流之重：指位任荆州刺史。㉕⓪自免为难：难以获得活命。㉕①惧不得去：害怕不能离开京城。㉕②癸卯：八月十五日。㉕③王弘：王导的曾孙，王昙首之兄，刘裕的重要部属。传见《宋书》卷四十二。㉕④进号卫将军：谢晦原任领军将军，现进位为卫将军。㉕⑤进号征北将军：檀道济原为镇北将军，现进号为征北将军。㉕⑥车驾：此处是用以代称皇帝。㉕⑦依故事：按照过去的旧例。㉕⑧临华林园听讼：皇帝到华林园听有关官员审问犯人。此制度从曹魏以来形成。㉕⑨多所未悉：很多事情自己不懂。㉖⓪可如先者：可按先前的办法做。㉖①二公推讯：由司徒徐羡之、司空王弘两位公爵进行审理。推讯，推问、审理，指朝廷复查重大的要案、疑案。㉖②领：兼任。㉖③甲辰：八月十六日。㉖④章皇后：刘裕之妃，刘义隆的生母。章是谥号。㉖⑤义恭为江夏王：刘义恭为江夏郡王。江夏郡的郡治即今湖北武汉。㉖⑥义宣为竟陵王：刘义宣为竟陵郡王。竟陵郡的郡治即今湖北钟祥。㉖⑦义季为衡阳王：刘义季为衡阳郡王。衡阳郡的郡治在今湖南衡山县东北。㉖⑧镇石头：以左将军的职务驻兵石头城。石头城在当时建康城的西侧，是当时京城的重要军事区。㉖⑨为雍州：即任雍州刺史。在此以前到彦之是“权镇襄阳”，徐羡之欲用以为“真”。㉗⓪委以戎政：因为中领军当时不仅统率禁兵，而且还负责各军事将领的考察、任命。㉗①自襄阳南下：由汉水顺流而下进入长江。㉗②已至镇：已经到了荆州刺史的任上。荆州的州治江陵，即今湖北荆州市荆州区。㉗③不过己：不绕道来拜访自己。过，过访、拜会。㉗④杨口：杨水与汉水的汇口名，在今湖北潜江北。杨水西端起自江陵，东端即是杨口，沟通了长江与汉水，从襄阳往江陵，应在杨口转弯，进入杨水。㉗⑤步往江陵：极力表示谦卑，极好的稳军计。㉗⑥深布诚款：努力表达诚挚友好之情。㉗⑦魏太宗：指已去世的魏主拓跋嗣，庙号太宗。㉗⑧云中：郡名，郡治在今内蒙古托克托东北，即下文所说的盛乐。㉗⑨盛乐宫：盛乐是魏国先人什翼犍时代的都城，什翼犍曾建筑新城于旧城之南八里，并建造了盛乐宫以居之。㉘⓪骑逼马首：柔然的骑兵一直逼到拓跋焘的马前。㉘①相次如堵：一道道地排列着像墙壁一样。㉘②于陟斤：人名，纥升盖可汗之侄。㉘③大檀：即纥升盖可汗，名大檀。“纥升盖”在鲜卑语中是制胜的意思。㉘④九月丙子：九月十八日。㉘⑤耽之曾孙：新皇后是袁耽的曾孙女。袁耽字颜道，以参与平苏峻之乱，封秭归男。传见《晋书》卷八十三。㉘⑥先公车骑：我们的先人车骑将军。吐谷浑的上代国君即树洛干，阿柴之兄，曾自号为车骑将军。㉘⑦以大业之故：为了国家政权的安稳。㉘⑧私于纬代：偏向自己的儿子纬代，把国家政权传给他。㉘⑨先君之志：指要建立一个强大的部族国家。㉙⓪乌纥提：阿柴之叔。阿柴之父视罴死后，乌纥提妻阿柴母而生慕璝、慕利延。故阿柴与慕璝、慕利延为同母异父。㉑ 勠力：并力；合力。㉒ 柞山：约在今山西右玉西。㉓ 肥：即长孙肥，拓跋珪的著名将领。传见《魏书》卷二十六。㉔ 林邑王范阳迈：林邑国的国王名范阳迈。林邑是越南境内的古代小国名，当时的疆域约在今越南中南部地区。㉕ 日南、九德：二郡名，日南郡的郡治象林，即今越南顺化，九德郡的郡治即今越南荣市，二郡当时都属刘宋。㉖ 宕昌王梁弥忽：宕昌是羌族部落名，当时居住在今甘肃东南部，其头领名梁弥忽，首都宕昌城，在今甘肃宕昌县西南。㉗ 部落分地：各部落分占一方。㉘ 不相统摄：谁也不能管辖谁。㉙ 太子璝：即赫连璝，当时为录南台事，驻兵长安。㉚ 酒泉公伦：即赫连伦。㉛ 高平：今宁夏固原。㉜ 统万：当时夏国的都城，即今内蒙古乌审旗南的白城子。㉝ 招魏：招魏国来降。㉞ 朝宋：使刘宋来朝。㉟ 服凉：使沮渠蒙逊的北凉归服。㊱ 平朔：荡平遥远的北方，指柔然等部族。

【原文】

二年（乙丑，公元四二五年）

春，正月，徐羡之、傅亮上表归政[307]；表三上，帝乃许之。丙寅[308]，始亲万机。羡之仍[309]逊位还第[310]，徐佩之、程道惠[311]及吴兴太守王韶之[312]等并谓非宜，敦劝甚苦，乃复奉诏视事[313]。

辛未[314]，帝祀南郊，大赦。

己卯[315]，魏主还平城。

二月，燕有女子化为男[316]。燕主以问群臣，尚书左丞傅权对曰：“西汉之末，雌鸡化为雄，犹有王莽之祸[317]；况今女化为男，臣将为君之兆也。”

三月丙寅[318]，魏主尊保母窦氏为保太后[319]。密后[320]之殂也，世祖尚幼，太宗以窦氏慈良，有操行，使保养之。窦氏抚视有恩，训导有礼，世祖德之，故加以尊号，奉养不异所生[321]。

丁巳[322]，魏以长孙嵩为太尉，长孙翰为司徒，奚斤为司空。

夏，四月，秦王炽磐遣平远将军叱卢犍等，袭河西镇南将军沮渠白蹄于临松[323]，擒之，徙其民五千余户于枹罕[324]。

【校记】

［1］威：据章钰校，甲十六行本作“畏”。［2］常：据章钰校，孔天胤本作“棠”。［3］命：据章钰校，孔天胤本作“令”，熊罗宿《胡刻资治通鉴校字记》同。［4］根：据章钰校，甲十六行本、乙十一行本、孔天胤本皆作“枝”。［5］纳：原无此字。据章钰校，甲十六行本、乙十一行本、孔天胤本皆有此字，张敦仁《通鉴刊本识误》同，今据补。

【语译】

二年（乙丑，公元四二五年）

春季，正月，徐羡之、傅亮上表给宋文帝刘义隆，请求将自己手中的权力交还给皇帝自己掌管；奏章一连呈递了三次，宋文帝才批准了他们的请求。初十丙寅，宋文帝刘义隆开始亲自处理朝政。徐羡之乃辞职返回自己的私宅，徐佩之、程道惠以及担任吴兴太守的王韶之等都认为徐羡之这样做不合适，恳切地进行劝说，徐羡之这才接受宋文帝的诏命，上朝任职。

正月十五日辛未，宋文帝刘义隆到京师的南郊举行祭天典礼，实行大赦。

正月二十三日已卯，北魏太武帝拓跋焘返回京师平城。

二月，北燕国有一名女子变成了男人。北燕天王冯跋就此事向文武群臣征求意见，担任尚书左丞的傅权回答说：“西汉末年，曾经发生过母鸡变成公鸡的事情，尚且有王莽篡夺政权之祸；何况现在是女人变成男人，这是臣属变成君主的预兆。”

二月十一日丙寅，北魏太武帝拓跋焘尊奉自己的保姆窦氏为保太后。太武帝拓跋焘的母亲密后去世的时候，拓跋焘的年纪还很小，太宗拓跋嗣认为拓跋焘的保姆窦氏为人很慈爱善良，品行又好，所以就让窦氏抚养拓跋焘。窦氏对拓跋焘非常疼爱，训导也很得体，太武帝拓跋焘很感激她，所以给她奉上保太后的尊号，对窦氏的奉养与亲生的母亲没有什么两样。

三月初二丁巳，北魏太武帝拓跋焘任命长孙嵩为太尉，任命长孙翰为司徒，任命奚斤为司空。

夏季，四月，西秦王乞伏炽磐派遣担任平远将军的叱卢犍等率军袭击北凉镇南将军沮渠白蹄所镇守的临松，将沮渠白蹄活捉，将临松的五千多户居民强制迁徙到西秦的都城枹罕。

魏主遣龙骧将军步堆等来聘㉕，始复通好㉖。

六月，武都惠文王杨盛㉗卒。初，盛闻晋亡，不改义熙㉘年号，谓世子玄曰：“吾老矣，当终为晋臣；汝善事宋帝。”及盛卒，玄自称都督陇右诸军事、征西大将军、开府仪同三司、秦州刺史、武都王，遣使来告丧，始用“元嘉”年号。

秋，七月，秦王炽磐遣镇南将军吉毗等南击黑水羌酋丘担㉙，大破之。

八月，夏武烈帝㉚殂，葬嘉平陵，庙号“世祖”。太子昌即皇帝位，大赦，改元“承光”。

王弘自以始不预定策㉛，不受司空；表让弥年㉜，乃许之。乙酉㉝，以弘为车骑大将军、开府仪同三司。

冬，十月，丘担以其众降秦，秦以担为归善将军；拜折冲将军乞伏信帝为平羌校尉以镇之。

癸卯㉞，魏主大举[6]伐柔然，五道并进：长孙翰等从东道出黑漠㉟，廷尉卿长孙道生等出白、黑二漠之间㊱，魏主从中道，东平公娥清出栗园㊲，奚斤等从西道，出尔寒山㊳。诸军至漠南㊴，舍辎重，轻骑，赍十五日粮，度漠击之。柔然部落大惊，绝迹北走。

十一月，以武都世子玄为北秦州㊵刺史、武都王。

初，会稽孔宁子为帝镇西谘议参军㊶，及即位，以宁子为步兵校尉㊷。与侍中王华并有富贵之愿㊸，疾徐羡之、傅亮专权，日夜构之于帝㊹。会谢晦二女当适㊺彭城王义康㊻、新野侯义宾㊼，遣其妻曹氏及长子世休送女至建康。帝欲诛羡之、亮，并发兵讨晦㊽，声言当伐魏，取河南㊾[7]；又言拜京陵㊿，治行装舰(351)。亮与晦书曰：“薄伐河朔(352)，

北魏太武帝拓跋焘派遣龙骧将军步堆等到宋国的京师建康进行友好访问，两国之间又开始互通友好。

六月，被东晋封为武都王的氐族首领杨盛去世。当初，武都王杨盛虽然得知东晋灭亡的消息，然而仍然坚持使用晋安帝司马德宗的“义熙”年号，他对自己的世子杨玄说：“我已经老了，应当始终做晋国的臣属；你要好好地侍奉宋国的皇帝。”等到杨盛去世之后，世子杨玄遂自称都督陇右诸军事、征西大将军、开府仪同三司、秦州刺史、武都王，并派遣使者到建康向宋国朝廷报告武都王杨盛去世的消息，同时开始使用宋国“元嘉”的年号。

秋季，七月，西秦王乞伏炽磐派遣镇南将军乞伏吉毗等率军南下，攻击黑水羌人部落首领丘担，将丘担打得大败。

八月，夏国武烈帝赫连勃勃去世，埋葬在嘉平陵，庙号“世祖”。夏国太子赫连昌即皇帝位，实行大赦，改年号为“承光”。

宋国被任命为司空的王弘因为从始至终没有参与废黜少帝刘义符以及拥立宋文帝刘义隆的决策，所以坚决辞让司空的任命；他上表推辞了将近一年，宋文帝才予以批准。八月初二乙酉，宋文帝刘义隆任命王弘为车骑大将军、开府仪同三司。

冬季，十月，黑水羌人部落首领丘担带领自己的部众投降了西秦，西秦王乞伏炽磐任命丘担为归善将军；任命担任折冲将军的乞伏信帝为平羌校尉，负责镇抚黑水羌。

十月二十一日癸卯，北魏太武帝拓跋焘出动大军，对柔然展开大规模的进攻，他兵分五路，同时并进：令担任司徒的长孙翰等率军从东路进发，穿越黑漠向北进发；令担任廷尉卿的长孙道生等率军从白、黑二漠之间穿过向北挺进；太武帝拓跋焘亲自率军从中路北进，令东平公娥清率军穿过栗园向北进发；令担任司空的奚斤等率军从西部穿越尔寒山，向北进军。诸路大军到达漠南之后，便舍弃辎重，只用轻骑兵，带够十五天的粮食，向北渡过大漠，突然向柔然发起攻击。柔然部落惊慌失措，便向更加遥远的北方逃走。

十一月，宋国任命武都王杨盛的世子杨玄为北秦州刺史、武都王。

当初，会稽人孔宁子在宋文帝刘义隆担任镇西将军的时候，曾经在他的属下担任过镇西谘议参军，等到刘义隆坐上皇帝宝座，遂任命孔宁子为步兵校尉。担任步兵校尉的孔宁子与担任侍中的王华都有谋取将、相高位的强烈愿望，所以非常忌恨徐羡之、傅亮的专擅权柄，于是便日夜在宋文帝刘义隆面前诋毁徐羡之、傅亮。碰巧遇上谢晦准备把自己的两个女儿分别嫁给彭城王刘义康和新野侯刘义宾，他派自己的妻子曹氏以及长子谢世休护送两个女儿到达建康。宋文帝刘义隆准备诛杀徐羡之、傅亮，同时出兵讨伐谢晦，遂声称要出兵讨伐魏国，攻取河南郡；又说要到京口的兴宁陵祭拜自己的祖父母，遂整治行装，装载舰船。傅亮尚且茫然不知，

事犹未已[353]；朝野之虑[354]，忧惧者多[355]。”又言：“朝士多谏北征，上当遣外监[356]万幼宗往相谘访[357]。”时朝廷处分异常[358]，其谋颇泄[359]。

【段旨】

以上为第二段，写宋文帝元嘉二年（公元四二五年）一年间的大事。主要写：刘义隆上台四个月后亲自掌管政权，徐羡之、傅亮欲退职家居，其党羽徐佩之等坚持请其留任，二人遂又继续理事；新宠孔宁子、王华等日夜煽动、构陷，刘义隆遂以准备北伐为名，安排对徐羡之、傅亮、谢晦三人动手。魏主拓跋焘遣使与宋通好，拓跋焘五道并进，讨伐柔然，柔然部落大骇，绝迹北走。武都王杨盛死，其子杨玄继位，始用元嘉年号，宋廷予以加封。夏主赫连勃勃死，其子赫连昌继位。西秦主乞伏炽磐袭击北凉，又南攻黑水羌。

【注释】

⑳⑦归政：将政权交还皇帝自己管理。刘义隆于元嘉元年（公元四二四年）八月即位，四个月来尚未亲政。[308]丙寅：正月初十。[309]仍：同“乃”。于是。[310]逊位还第：退职回家。[311]徐佩之、程道惠：徐佩之是徐羡之之侄，时为丹阳尹、吴郡太守。传见《宋书》卷四十三。程道惠在刘义符为帝时任侍中、辅国将军、江夏内史，与下文所说的王韶之都是徐羡之等的死党。内史，诸侯封国的行政长官，职同郡太守。[312]王韶之：字休泰，晋末宋初的词臣。传见《宋书》卷六十。[313]乃复奉诏视事：于是继续担任原职。胡三省曰：“速徐、傅之死者，佩之诸公也。”[314]辛未：正月十五日。[315]己卯：正月二十三日。[316]女子化为男：阴阳五行家认为这是重大“灾变”，于是多方附会。[317]王莽之祸：即篡夺西汉政权，自立为“新”朝之事。王莽字巨君，西汉末年的外戚，篡夺孝平皇帝的政权后，自建国号曰“新”。事见《汉书·王莽传》。[318]三月丙寅：三月十一日。[319]保太后：姓窦，拓跋嗣之妃，拓跋焘的养母。保是称号。[320]密后：姓杜，拓跋嗣之妃，拓跋焘的生母。密是谥号。[321]不异所生：和亲生的母亲一样。[322]丁巳：三月初二。疑此句错简，应调到上段的“丙寅”二字前。[323]临松：郡名，郡治在今甘肃民乐西。[324]枹罕：古城名，在今甘肃临夏，当时为河州的州治所在地。[325]来聘：来作友好访问。[326]始复通好：前刘裕灭后秦，取吴中，与魏国关系开始紧张；后魏取宋虎牢，攻宋青州，双方遂成敌国。[327]武都惠文王杨盛：杨盛是武都地区的氐族首领，几世以来一直占据仇池（今甘肃成县西）一带，其中虽也有过反复，但基本上归属东晋。所以旧史对他们的称呼与对待甘肃西部的张轨、李暠等称呼相同，都特别尊崇。武都王是他的称号，惠文是谥号。杨盛的事迹见《魏书》卷一百一。[328]义熙：晋安帝司马德宗的年号（公元四〇五至四一

他在写给谢晦的书信中说："看来马上就要出兵讨伐黄河以北，但尚未最后决定；因为不论官府还是民间，对此感到担忧、恐惧的人很多。"傅亮又说："朝中的官员大多都劝阻皇帝北伐，皇帝应当会派担任外监的万幼宗到你那里去征求你的意见。"当时朝廷的许多安排、部署都很反常，使得宋文帝诛杀徐羡之、傅亮等人的计划有些走漏风声。

八年)。不改义熙年号，表示忠于晋王朝，不承认刘宋政权。㉙黑水羌酋丘担：黑水羌是羌族的部落名，其头领名叫丘担，当时居住在今甘肃舟曲西南。㉚夏武烈帝：即赫连勃勃，匈奴人，夏政权的建立者。《魏书》《晋书》都有传。㉛不预定策：没有参加推翻刘义符，另立刘义隆为帝的政变活动。㉜表让弥年：上表推辞不受司空的职务足有一年。弥，满。㉝乙酉：八月初二。㉞癸卯：十月二十一日。㉟黑漠：约在今河北西北角的尚义一带。㊱白、黑二漠之间：约在今内蒙古集宁东。当时集宁与河北尚义之间的一带地区叫长川，长川的东部叫黑漠，西部叫白漠。㊲栗园：地址不详。㊳尔寒山：地址不详，与上文"栗园"都应在今内蒙古集宁以西。㊴漠南：蒙古高原大沙漠以南，约当今内蒙古自治区的边境一带。㊵北秦州：刘宋时有南秦州，州治在今陕西汉中，故称杨玄所据的武都一带为"北秦州"。这句话的主语是刘宋王朝。㊶镇西谘议参军：刘义隆任镇西将军时的参谋人员。㊷步兵校尉：主管京城苑囿的屯兵。㊸富贵之愿：谋取将相高位的想法。㊹构之于帝：在宋文帝跟前说徐羡之等人的坏话。构，罗织罪名，挑拨煽动。胡三省曰："史言徐、傅偪上固当诛，而王华等之构间亦非也。"㊺适：出嫁；嫁给。㊻彭城王义康：即刘义康，刘裕之子，刘义隆之弟，被封为彭城王。传见《宋书》卷六十八。㊼新野侯义宾：即刘义宾，刘裕之兄刘道怜之子，被封为新野侯。传见《宋书》卷五十一。㊽发兵讨晦：时谢晦任荆州刺史，统兵于江陵。㊾河南：郡名，郡治即今洛阳。㊿京陵：即兴宁陵。刘裕父亲的坟墓，在今江苏镇江东南。(351)治行装舰：收拾行李装船。(352)薄伐河朔：指讨伐拓跋魏。河朔指黄河以北的河北、山西、内蒙古等一带地区。"薄伐河朔"一语是从《诗经·六月》的"薄伐猃狁"一语套来。"薄"字是虚词。(353)事犹未已：这里的意思是尚未最后确定。(354)朝野之虑：犹言"朝野虑之"，大家对此都很担心。(355)忧惧者多：人心惶惶。(356)外监：官名，主管兵器的制造与储存。(357)往相谘访：到你处征求你的意见。(358)处分异常：许多安排、部署都很反常。处分，安排、调动。(359)颇泄：有些泄露。颇，不多。

【校记】

[6]魏主大举：原作"魏王大伐"。据章钰校，甲十六行本、乙十一行本、孔天胤本皆作"魏主大举"，熊罗宿《胡刻资治通鉴校字记》同，今据改。[7]取河南：原无此三字。据章钰校，甲十六行本、乙十一行本、孔天胤本皆有此三字，张敦仁《通鉴刊本识误》、张瑛《通鉴校勘记》同，今据补。

【原文】

三年（丙寅，公元四二六年）

春，正月，谢晦弟黄门侍郎嚼[360]驰使告晦[361]。晦犹谓不然，以傅亮书示谘议参军何承天[362]曰："计幼宗一二日必至，傅公虑我好事[363]，故先遣此书[364]。"承天曰："外间所闻[365]，咸谓西讨[366]已定，幼宗岂有上理[367]？"晦尚谓虚妄，使承天豫立答诏启草[368]，言伐虏宜须明年[369]。江夏内史程道惠得寻阳人书[370]，言"朝廷将有大处分，其事已审[371]"，使其辅国府[372]中兵参军乐冏封以示晦。晦问承天曰："若果尔[373]，卿令我云何[374]？"对曰："蒙将军殊顾[375]，常思报德。事变至矣，何敢隐情[376]？然明日戒严，动用军法[377]，区区所怀[378]，惧不得尽[379]。"晦惧曰："卿岂欲我自裁[380]邪？"承天曰："尚未至此。以王者之重，举天下以攻一州，大小既殊，逆顺[381]又异。境外求全[382]，上计也。其次以腹心将兵屯义阳[383]，将军自帅大众战于夏口[384]；若败，即趋义阳以出北境，其次也。"晦良久曰："荆州用武之地，兵粮易给[385]，聊且决战[386]，走复何晚！"乃使承天造立表檄[387]，又与卫军谘议参军琅邪颜邵[388]谋举兵[389]，邵饮药而死。

晦立幡戒严，谓司马庾登之曰："今当自下[390]，欲屈卿以三千人守城，备御刘粹[391]。"登之曰："下官亲老在都，又素无部众[392]，情计二三[393]，不敢受此旨。"晦仍问诸将佐："战士三千足守城否？"南蛮司马[394]周超对曰："非徒守城而已，若有外寇，可以立功。"登之因曰："超必能办[395][8]，下官请解司马、南郡[396]以授之。"晦即于坐命超为司马，领南义阳[397]太守；转登之为长史，南郡如故。登之，蕴[398]之孙也。

【语译】

三年（丙寅，公元四二六年）

春季，正月，荆州刺史谢晦的弟弟、担任黄门侍郎的谢皭派人骑马飞速赶往江陵，将宋文帝准备出兵前去讨伐的消息通知给谢晦。谢晦还认为不可能，他把傅亮写给自己的书信拿给担任谘议参军的何承天看，并说："我估计万幼宗在这一两天之内就能到达，傅亮担心我好闹事，所以先派人送给我这封书信。"何承天说："外面的传闻，全都说朝廷西来征讨的事情已经确定下来，万幼宗岂有西上荆州找你征求意见的道理？"谢晦还是认为外面的传闻不可靠，遂命何承天预先起草回答皇帝有关北伐意见的草稿，建议讨伐北方的贼虏应该等到第二年进行。担任江夏内史的辅国将军程道惠接到一封寻阳方面的来信，说"朝廷即将采取大动作，事情已经是确定无疑"，让在辅国将军府中担任中兵参军的乐冏秘密送信给谢晦。谢晦向谘议参军何承天询问说："如果事情真的如此，你认为我该怎么办？"何承天回答说："承蒙将军对我的特殊恩宠，我常常想要报答将军对我的恩德。事变已经发生，我怎敢向你隐瞒我的真实想法？然而一旦公开进行调兵遣将，出兵征讨，在我看来，恐怕是不能达到目的。"谢晦这才感到恐惧，他说："你是不是想让我自杀？"何承天说："还不至于到这种程度。但凭借帝王的威势，倾尽全国的兵力来攻取一个荆州，实力大小已经相差悬殊，且以朝廷讨伐地方，臣抗君就叫作逆，君讨臣叫作顺，双方所处地位的差异又如此之大。所以逃往国外以求得保全性命，这是最好的方案。其次，派遣自己的心腹率军屯驻在义阳，将军亲自率领荆州的军队前往夏口迎战朝廷军；如果失败，就赶紧撤回义阳，然后向北逃离国境，这是次一等方案。"谢晦沉思了很久，说："荆州乃是用武之地，兵员、粮草都容易调集补充，暂且先与朝廷打一仗，如果不能取胜，再走也不算晚！"于是派何承天撰写上奏朝廷的表章、发布各郡的檄文，又与担任卫军谘议参军的琅邪人颜邵商议起兵反抗朝廷的计划，颜邵服毒自杀。

谢晦竖起反抗朝廷的大旗，宣布进入紧急战备状态，他对担任司马的庾登之说："现在我要亲自率军东下，想委屈你率领三千人马守卫江陵城，防御雍州刺史刘粹的进攻。"庾登之回答说："我那年迈的父母都在京师建康，而我又一向没有独自带过兵，没有自己亲信的部下，考虑再三，我还是不敢接受你的命令。"谢晦又询问其他各将佐说："三千名战士能不能守住江陵城？"担任南蛮校尉司马的周超回答说："不仅能够守住江陵，如果有外敌进犯，还可以立功呢。"庾登之顺水推舟地说："周超一定能把事情办好，我请求辞去卫军司马、南郡太守的职务，转让给周超。"谢晦当时就在座位上签署命令，任命周超为卫军司马，兼任南义阳太守；将庾登之改任为长史，仍然兼任南郡太守。庾登之，是庾蕴的孙子。

帝以王弘、檀道济始不预废弑之谋，弘弟昙首又为帝所亲委，事将发，密使报弘，且召道济，欲使讨晦。王华等皆以为不可，帝曰："道济止于胁从，本非创谋，杀害之事，又所不关[399]。吾抚而使之，必将无虑。"乙丑[400]，道济至建康。

丙寅[401]，下诏暴羡之、亮、晦杀营阳、庐陵王之罪，命有司诛之。且曰："晦据有上流，或不即罪[402]，朕当亲帅六师[403]为其过防[404]。可遣中领军到彦之即日电发[405]，征北将军檀道济骆驿继路，符[406]卫军府州[407]，以时收翦[408]。已命雍州刺史刘粹等断其走伏[409]。罪止元凶，余无所问。"

是日，诏召羡之、亮。羡之行至西明门[410]外，谢皭正直[411]，遣报亮云："殿内有异处分[412]。"亮辞以嫂病暂还，遣使[9]报羡之。羡之还西州[413]，乘内人问讯车[414]出郭，步走至新林[415]，入陶灶[416]中自经死。亮乘车出郭门，乘马奔兄迪墓，屯骑校尉郭泓收之。至广莫门[417]，上遣中书舍人以诏书[418]示亮，并谓曰："以公江陵之诚[419]，当使诸子无恙。"亮读诏书讫，曰："亮受先帝布衣之眷[420]，遂蒙顾托[421]。黜昏立明，社稷之计[422]也。欲加之罪，其无辞乎[423]！"于是诛亮而徙其妻子于建安[424]。诛羡之二子，而宥其兄子佩之。又诛晦子世休，收系谢皭。

帝将讨谢晦，问策于檀道济，对曰："臣昔与晦同从北征[425]，入关十策[426]，晦有其九，才略明练，殆为少敌。然未尝孤军决胜[427]，戎事恐非其长。臣悉晦智，晦悉臣勇。今奉王命以讨之，可未陈而擒[428]也。"丁卯[429]，征王弘为侍中、司徒、录尚书事、扬州刺史，以彭城王义康为

宋文帝刘义隆因为王弘与檀道济在开始的时候并没有参与废黜、杀害少帝刘义符的阴谋，王弘的弟弟王昙首又是宋文帝刘义隆所亲近并委以重任的人，所以在即将对徐羡之、傅亮等采取行动时，秘密派人通报给王弘，并且征召檀道济，准备令檀道济率军讨伐谢晦。担任侍中的王华等人都认为不能这样做，宋文帝说："征北将军檀道济只是一个胁从，废黜少帝之事并不是他首先提出的，而杀害少帝之事又与檀道济无关。我安抚他，同时派给他任务，肯定不会有其他顾虑。"正月十五日乙丑，檀道济抵达京师建康。

正月十六日丙寅，宋文帝刘义隆下诏，宣布了徐羡之、傅亮以及谢晦杀害营阳王刘义符、庐陵王刘义真的罪行，下令有关部门将其立即逮捕诛杀。诏书中还说："谢晦占据长江上游，或许他不肯服罪，试图反抗，我要亲自统率六军前去堵塞他的逃亡之路。可以派遣担任中领军的到彦之即日起火速出发，征北将军檀道济率军紧随其后，相继出发，已经发下文书告知卫将军府以及荆州刺史府、都督府，即刻将谢晦逮捕归案。已经命令担任雍州刺史的刘粹等率军截断谢晦北逃魏国或潜藏他方的通道。惩治罪犯只限于罪魁祸首谢晦一人，其余人等，一律不予追究。"

就在正月十六日的当天，宋文帝刘义隆下诏召见司徒徐羡之、尚书令傅亮。徐羡之走到西明门外的时候，担任黄门侍郎的谢嚼正在宫内值班，他火速派人通知尚书令傅亮说："皇宫之内有异常的举动。"傅亮遂以自己的嫂子有病为借口暂且返回自己家中，他立即派人通知徐羡之。徐羡之遂返回设在西州的扬州刺史府，然后乘坐着妇女探亲乘坐的车子迅速离开建康城，步行来到新林，进入一个烧制陶器的窑里上吊自杀了。傅亮乘坐着车子出了建康城，然后骑上快马跑到自己哥哥傅迪的墓地，被担任屯骑校尉的郭泓逮捕。当郭泓押着傅亮走到广莫门的时候，宋文帝刘义隆派中书舍人将皇帝的诏书拿给傅亮看，并且向傅亮传达宋文帝的话说："因为当初你到江陵迎接我的时候，态度诚恳，所以我会饶恕你的子孙，保证他们安然无恙。"傅亮读完皇帝的诏书，说："我傅亮蒙受先帝待以平民之间的那种平等真挚的友情，遂成了接受托孤辅政的大臣。废黜昏庸的皇帝，另立英明的君主，这完全是为国家社稷的利益考虑。如果想要杀死我，想找点理由还不容易吗！"于是将傅亮杀死，而将傅亮的妻子儿女流放到建安。诛杀了徐羡之的两个儿子，却宽恕了徐羡之的侄子徐佩之。又诛杀了谢晦的儿子谢世休，逮捕、囚禁了谢嚼。

宋文帝刘义隆即将率军讨伐担任荆州刺史的谢晦，于是向征北将军檀道济询问计策，檀道济回答说："我过去曾经与谢晦一同跟随先帝刘裕北征秦国，当时得以入关消灭秦主姚泓的十条计策中，就有九条是谢晦提出来的，谢晦的才能、谋略精明老练，很少遇到敌手。然而却从未率军独当一面而取胜，恐怕在军事方面不是他的特长。我熟悉谢晦的智谋，谢晦了解我的勇敢。现在奉了君主之命去讨伐谢晦，不用等他列好阵势就可将他擒获。"正月十七日丁卯，宋文帝刘义隆征召担任车骑大将军的王弘回到京师担任侍中、司徒、录尚书事、扬州刺史，任命彭城王刘义康为都

都督荆、湘等八州诸军事，荆州刺史。

乐冏[430]复遣使告谢晦以徐、傅及嚼等已诛。晦先举羡之、亮哀[431]，次发子弟凶问[432]，既而自出射堂勒兵[433]。晦从高祖征讨，指麾处分，莫不曲尽其宜，数日间，四远投集，得精兵三万人。乃奉表称羡之、亮等忠贞，横被冤酷。且言："臣等若志欲执权，不专为国，初废营阳，陛下在远，武皇之子尚有童幼，拥以号令，谁敢非之？岂得溯流三千里，虚馆七旬[434]，仰望鸾旗[435]者哉？故庐陵王，于营阳之世积怨犯上[436]，自贻非命[437]。不有所废，将何以兴[438]？耿弇不以贼遗君父[439]，臣亦何负于宋室[440]邪？此皆王弘、王昙首、王华险躁[441]猜忌，谗构[442]成祸。今当举兵以除君侧之恶[443]。"

秦王炽磐复遣使如魏，请用师于夏[444]。

初，袁皇后生皇子劭，后自详视，使驰白帝曰："此儿形貌异常，必破国亡家，不可举[445]。"即欲杀之。帝狼狈[446]至后殿户外，手拨幔[447]禁之，乃止。以尚在谅暗[448]，故秘之[449]。闰月丙戌[450]，始言劭生。

帝下诏戒严，大赦，诸军相次进路以讨谢晦。晦以弟遯为竟陵[451]内史，将万人总留任[452]，帅众二万发江陵，列舟舰自江津[453]至于破冢[454]，旌旗蔽日，叹曰："恨不得以此为勤王之师[455]！"

晦欲遣兵袭湘州[456]刺史张卲，何承天以卲兄益州刺史茂度与晦善，曰："卲意趣[457]未可知，不宜遽击之。"晦以书招卲，卲不从。

二月戊午[458]，以金紫光禄大夫[459]王敬弘为尚书左仆射，建安太守郑鲜之为右仆射。敬弘，廙[460]之曾孙也。

庚申[461]，上发建康。命王弘与彭城王义康居守，入居中书下省[462]；

督荆、湘等八州诸军事，荆州刺史。

担任辅国中兵参军的乐冏派人前往荆州，将徐羡之、傅亮被杀以及谢嚼被逮捕关押的消息告诉谢晦。谢晦于是先为徐羡之、傅亮治丧举哀，然后又发布自己的儿子和弟弟被杀的消息，做完这些事情之后，谢晦便亲自来到射堂检阅部队，调集兵马。谢晦曾经跟随高祖刘裕东征西讨，所以发号施令、调度指挥，没有一处不恰当合宜，几天的工夫，人们就从四面八方前来投效，聚集起三万名精锐。谢晦上疏给宋文帝刘义隆，称赞徐羡之、傅亮等人忠贞不贰，却突然蒙冤遭到杀害。谢晦说："我与徐羡之、傅亮等如果真想要执掌权柄，不专心为国，当初废黜营阳王的时候，陛下尚在遥远的江陵，武皇帝刘裕的儿子中还有更为幼小的孩童，如果拥立他们为皇帝，以之号令四方，谁敢说个不字？何必还要从京师建康逆流而上三千里前往江陵，使得宫廷皇位无人达七十天之久，以仰望陛下的大驾光临呢？已故的庐陵王刘义真，在营阳王为帝的时候，就因为与营阳王素有积怨而犯上，导致自己死于非命。如果当时他们不被废黜、不被杀死，如何会轮到陛下做皇帝？耿弇要在汉光武帝到达之前把应该消灭的敌人全部消灭干净，而不把贼寇遗留给君父，我又有哪一点对不起宋国皇室呢？这些都是因为王弘、王昙首、王华的阴险、粗暴、猜忌，对我等进行谗毁、罗织罪名而引发的灾祸。我现在就要起兵，用以清除皇帝身边的奸恶之徒。"

西秦王乞伏炽磐再次派遣使者前往北魏，请求出兵攻伐夏国。

当初，宋文帝刘义隆的皇后袁氏生下皇子刘劭的时候，皇后亲自端详这个孩子，然后派使者飞快地向宋文帝奏报说："这个孩子的相貌非同一般，必然会导致国破家亡，不可以将他养大成人。"当时就准备把刘劭杀死。宋文帝慌慌张张地来到寝宫的门外，亲手拨开门帘进行阻止，袁皇后才没有杀死刘劭。因为当时还是在为先帝守孝期间，所以便将刘劭出生之事隐瞒了下来。一直到闰正月初六丙戌，才对外宣布了刘劭诞生的消息。

宋文帝下诏进入紧急战备状态，实行大赦，各路大军按照次序相继出发，前往荆州讨伐谢晦。谢晦任命自己的弟弟谢遯为竟陵内史，率领一万人，总管留守江陵的一切事务，谢晦自己则率领二万名士卒从江陵出发，各种船舰在江面排开，从江津一直排列到破冢，旌旗招展，遮天蔽日，谢晦感慨地说："遗憾的是没有把这支军队用在为皇帝分忧讨逆方面！"

谢晦准备派兵去袭击湘州刺史张邵，担任谘议参军的何承天因为张邵的哥哥、担任益州刺史的张茂度与谢晦关系很好，于是劝阻说："张邵究竟是什么态度，现在还不得而知，所以不应该急于攻击他。"谢晦写信约请张邵，张邵没有听从。

二月初九戊午，宋文帝刘义隆任命担任金紫光禄大夫的王敬弘为尚书左仆射，任命担任建安太守的郑鲜之为尚书右仆射。王敬弘是王廙的曾孙。

二月十一日庚申，宋文帝刘义隆率领大军从京师建康出发。他命王弘与彭城王

侍中殷景仁[463]参掌留任[464]；帝姊会稽长公主[465]留止台内[466]，总摄六宫[467]。

谢晦自江陵东下，何承天留府[468]不从。晦至江口[469]，到彦之已至彭城洲[470]。庾登之据巴陵[471]，畏懦不敢进。会霖雨连日，参军[472]刘和之曰："彼此共有雨耳，檀征北[473]寻至，东军方强，惟宜速战。"登之恇怯，使小将陈祐作大囊，贮茅悬于帆樯，云可以焚舰，用火宜须晴，以缓战期。晦然之，停军十五日。乃使中兵参军孔延秀攻将军萧欣[474]于彭城洲，破之。又攻洲口栅，陷之。诸将咸欲退还夏口，到彦之不可，乃保隐圻[475]。晦又上表自讼[476]，且自矜其捷，曰："陛下若枭四凶于庙庭[477]，悬三监于绛阙[478]，臣便勒众旋旗，还保所任[479]。"

初，晦与徐羡之、傅亮为自全之计，以为晦据上流，而檀道济镇广陵，各有强兵，足以制朝廷；羡之、亮居中秉权，可得持久。及闻道济帅众来上[480]，惶惧无计。

道济既至，与到彦之军合，牵舰缘岸[481]。晦始见舰数不多，轻之，不即出战。至晚，因风帆上[482]，前后连咽[483]；西人离沮，无复斗心。戊辰[484]，台军至忌置洲尾[485]，列舰过江[486]，晦军一时皆溃。晦夜出，投巴陵，得小船还江陵。

先是，帝遣雍州刺史刘粹自陆道帅步骑袭江陵，至沙桥[487]，周超帅万余人逆战，大破之，士卒[10]伤死者过半。俄而晦败问[488]至。初，晦与粹善，以粹子旷之为参军。帝疑之，王弘曰："粹无私，必无忧也。"及受命南讨[489]，一无所顾，帝以此嘉之。晦亦不杀旷之，遣还粹所。

刘义康留守京师，进驻中书下省；命担任侍中的殷景仁参与掌管留守朝廷的一切事务；宋文帝的姐姐会稽长公主住在皇宫，总管后宫的一切事务。

谢晦率军从江陵出发，顺长江东下，担任谘议参军的何承天留在江陵，没有跟随谢晦东下。谢晦率军抵达江口，在朝廷担任中领军的到彦之已经率军到达彭城洲。庾登之此时据守巴陵，他惧怕朝廷军而不敢向前。恰巧遇到淫雨连绵，一连几天不见天气放晴，在庾登之手下担任参军的刘和之说："我们遭遇连绵淫雨，对方也同样遭遇连绵淫雨，征北将军檀道济不久即将率军到来，东方的朝廷军士气正盛，我们只能采取速战速决的战略。"而庾登之始终胆怯，他派小将陈祐制作了一个大口袋，里面装满了茅草，悬挂在桅杆上，声称可以烧毁敌人的舰船，但纵火需要等到天晴，遂以此为借口来拖延交战的时间。谢晦认为庾登之说得有道理，遂停止不前，一耽搁就是十五天。之后才派担任中兵参军的孔延秀率军攻击将军萧欣所镇守的彭城洲，将萧欣击败。然后又进攻彭城洲口朝廷军的营寨，将营寨攻陷。朝廷军一连遭遇两次失败，于是诸将全都想要退回夏口，只有到彦之不同意，于是进驻隐圻据守。谢晦此时再次上疏给宋文帝刘义隆，为自己进行无罪申辩，而且夸耀自己所取得的胜利，谢晦说："陛下如果把'四凶'一样的坏人的人头悬挂在太庙前的高竿上，把'三监'一样的恶人的首级悬挂在宫廷的正门外，我便立即停止东进，调转军旗，返回我的江陵任所。"

当初，谢晦与徐羡之、傅亮为了能够保障自己的安全，以为有谢晦占据长江上游，而檀道济镇守广陵，各自手下都拥有强大的军队，完全可以制约朝廷；而徐羡之、傅亮身居朝廷，手握重权，可以保证永远平安无事。等到得知檀道济率军西上，为朝廷来讨伐谢晦的时候，谢晦不禁感到惊慌失措，无计可施。

征北将军檀道济率领朝廷军到达隐圻之后，便与中领军到彦之等会合，将舰船沿着长江岸边停靠下来。谢晦一开始看见朝廷军的舰船不多，便有些轻敌，因而没有立即出兵迎战。到了晚上，刮起了东风，檀道济等趁着风势扬起风帆，逆流而上，江上的战船前后相连，塞满了江面；谢晦所率领的西路军面对朝廷军如此强大的阵容，不禁人心离散，士气沮丧，早就没有了斗志。二月十九日戊辰，朝廷军挺进到忌置洲的东部边沿，摆开船舰，登上西岸，谢晦军一时之间全部溃败。谢晦趁黑夜逃走，投奔巴陵，后来得到一艘小船，才得以返回江陵。

先前，宋文帝刘义隆派雍州刺史刘粹率领步兵、骑兵从陆路袭击江陵，刘粹抵达江陵城北的沙桥，周超率领一万多人前来迎战，将刘粹所率领的雍州军打得大败，士卒死伤了一大半。不久谢晦战败的消息便传到沙桥。当初，谢晦与刘粹的私人关系很好，谢晦任用刘粹的儿子刘旷之为参军。宋文帝刘义隆因此对刘粹的忠诚深表怀疑。担任侍中、司空的王弘向宋文帝刘义隆解释说："刘粹大公无私，陛下不必担忧。"等到刘粹接受诏命，率军南下征讨谢晦时，毫无顾忌，宋文帝因此对刘粹十分赞许。谢晦也没有因为刘粹率军讨伐自己而杀掉刘粹的儿子刘旷之，而是令刘旷之回到刘粹的身边。

丙子[490]，帝自芜湖东还。

晦至江陵，无他处分[491]，唯愧谢周超而已。其夜，超舍军单舸诣到彦之降。晦众散略尽，乃携其弟遯等七骑北走。遯肥壮，不能乘马，晦每待之，行不得速。己卯[492]，至安陆延头[493]，为戍主光顺之[494]所执，槛送建康[495]。

到彦之至马头[496]，何承天自归[497]。彦之因监[498]荆州府事[499]，以周超为参军。刘粹以沙桥之败告[500]，乃执之。于是诛晦、瞬、遯及其兄弟之子，并同党孔延秀、周超等。晦女彭城王妃被发徒跣[501]，与晦诀曰："大丈夫当横尸战场，奈何狼藉都市[502]！"庾登之以无任[503]，免官禁锢[504]；何承天及南蛮行参军新兴王玄谟[505]等皆见原[506]。晦之走[507]也，左右皆弃之。唯延陵盖[508]追随不舍，帝以盖为镇军功曹督护[509]。

晦之起兵，引魏南蛮校尉王慧龙[510]为援。慧龙帅众一万拔思陵戍[511]，进围项城[512]。闻晦败，乃退。

益州刺史张茂度受诏袭江陵，晦败，茂度军始至白帝。议者疑茂度有贰心[513]，帝以茂度弟邵有诚节，赦不问，代[11]还[514]。

三月辛巳[515]，帝还建康，征谢灵运为秘书监[516]，颜延之为中书侍郎[517]，赏遇甚厚。

帝以慧琳道人善谈论，因与议朝廷大事，遂参权要[518]，宾客辐凑，门车[519]常有数十两[520]，四方赠赂相系[521]，方筵七八[522]，座上恒满。琳著高屐[523]，披貂裘，置通呈、书佐[524]。会稽孔觊尝诣[525]之，遇宾客填咽[526]，暄凉而已[527]。觊慨然曰："遂有黑衣宰相[528]，可谓冠屦失所[529]矣！"

夏，五月乙未[530]，以檀道济为征南大将军、开府仪同三司、江州

二月二十七日丙子，宋文帝刘义隆从芜湖向东返回京师建康。

谢晦逃回江陵之后，没有进行任何部署，只是非常惭愧地向周超道歉而已。当天夜间，周超放弃了自己的军队，乘坐着一艘小船，前往中领军到彦之的军前投降。谢晦的部属此时几乎全部逃散，谢晦遂带着自己的弟弟谢遯等七个人骑着马向北方逃走。谢遯体格健壮肥胖，骑不得马，谢晦等人只得不断地停下来等待他，所以逃走的速度不快。二月三十日己卯，谢晦一行逃到安陆县延头的时候，被地方军事据点的头领光顺之捉获，装入囚车押送到京师建康。

中领军到彦之进抵马头，谢晦的谘议参军何承天主动送上门来。到彦之遂临时代管荆州府的一切事务，他任命周超为参军。刘粹将周超率领一万多人在沙桥将自己打败的事情告诉了到彦之，到彦之遂将周超逮捕。于是诛杀了谢晦、谢皭、谢遯以及他们的子侄，同时被诛杀的还有他们的同党孔延秀、周超等。谢晦的女儿彭城王刘义康的王妃披散着头发光着两只脚，与谢晦诀别说："大丈夫应该为国家而战死沙场，怎么能够被人家拖到街头开刀问斩！"庾登之因为在谢晦背叛朝廷的时候没有为谢晦出力，所以只被免除官职，并且终身不许出来做官；何承天以及在南蛮校尉属下担任代理南蛮校尉参军的新兴郡人王玄谟等都受到宽大处理。在谢晦逃出江陵的时候，谢晦身边的人全都离开了谢晦，只有延陵盖始终追随，不肯离去。宋文帝刘义隆便任命延陵盖为镇军将军到彦之担任功曹参军兼督护。

谢晦在开始起兵的时候，曾经联络北魏担任南蛮校尉的王慧龙作为外援。王慧龙遂率领一万人马攻克了宋国的思陵戍，进而包围了项城。在得知谢晦失败之后，才率军撤走。

宋国担任益州刺史的张茂度接受了宋文帝刘义隆的诏令袭击谢晦的老巢江陵，谢晦失败的时候，张茂度的军队才抵达白帝城。于是有人怀疑张茂度对朝廷有二心，宋文帝刘义隆因为张茂度的弟弟、担任湘州刺史的张邵具有忠诚的节操，因而赦免了张茂度，没有进行追究，只是派人接替了张茂度的职务，把张茂度召回京师建康。

三月初二辛巳，宋文帝刘义隆回到京师，征调永嘉太守谢灵运为秘书监，始安太守颜延之为中书侍郎，给他们的赏赐、待遇都很优厚。

宋文帝刘义隆因为慧琳道人善于谈论，便时常与他一同探讨朝廷大事，慧琳道人遂得以参与国家大政方针的决策，于是宾客从四面八方前来登门拜访，门前经常停留着数十辆前来拜会的车辆，四方馈赠、贿赂的礼物接连不断，每天都要摆设一丈见方的筵席七八桌，座上的宾客常满。慧琳道人脚上穿着高齿的拖板鞋，身上披着貂皮大衣，专门设置了通呈、书佐两名侍从。会稽人孔觊曾经登门拜访慧琳道人，看到宾客拥挤不通，只能与慧琳道人寒暄两句而已。孔觊感慨地说："国家居然有穿黑衣服的宰相，朝廷执政者的权柄竟然转移到和尚的手中！"

夏季，五月十七日乙未，宋国任命征北将军檀道济为征南大将军、开府仪同三司、

刺史，到彦之为南豫州刺史。遣散骑常侍袁渝等十六人分行[531]诸州郡县，观察吏政，访求民隐[532]；又使郡县各言损益[533]。丙午[534]，上临延贤堂[535]听讼[536][12]，自是每岁三讯[537]。

左仆射王敬弘[538]，性恬淡，有重名，关署文案[539]，初不省读[540]。尝预听讼[541]，上问以疑狱[542]，敬弘不对。上变色，问左右："何故不以讯牒[543]副仆射[544]？"敬弘曰："臣乃得讯牒读之[545]，正自不解[546]。"上甚不悦，虽加礼敬，不复以时务及之[547]。

六月，以右卫将军王华为中护军[548]，侍中如故。华以王弘辅政，王昙首为上所亲任，与己相埒[549]，自谓力用不尽[550]，每叹息曰："宰相顿有数人[551]，天下何由得治？"是时，宰相无常官[552]，唯人主所与议论政事、委以机密者，皆宰相也，故华有是言。亦有任侍中[553]而不为宰相者。然尚书令、仆[554]、中书监、令[555]、侍中、侍郎[556]、给事中[557]，皆当时要官也。

华与刘湛、王昙首、殷景仁俱为侍中，风力局干[558]，冠冕一时[559]。上尝与四人于合殿[560]宴饮，甚悦。既罢出，上目送良久，叹曰："此四贤，一时之秀[561]，同管喉唇[562]，恐后世难继也！"

黄门侍郎谢弘微[563]与华等皆上所重，当时号曰"五臣"。弘微，琰[564]之从孙也。精神端审[565]，时然后言[566]，婢仆之前不妄语笑，由是尊卑大小[13]，敬之若神。从叔混[567]特重之，常曰："微子[568]异不伤物[569]，同不害正[570]，吾无间[571]然。"

上欲封王昙首、王华等，拊御床[572]曰："此坐非卿兄弟[573]，无复今日[574]。"因出封诏[575]以示之。昙首固辞曰："近日之事，赖陛下英明，罪人斯得[576]。臣等岂可因国之灾以为身幸？"上乃止。

魏主诏问公卿："今当用兵，赫连、蠕蠕[577]，二国何先？"长孙嵩、

江州刺史，任命中领军到彦之为南豫州刺史。又派遣担任散骑常侍的袁渝等十六人分别前往各州、郡、县考察各级官员的执政情况、访求民间疾苦；又令各郡县分别上疏奏陈自己在执政方面的优点、缺点、政绩与不足。二十八日丙午，宋文帝刘义隆驾临延贤堂旁听法官判案，从此以后，皇帝每年三次亲自前往华林园旁听审案。

宋国担任左仆射的王敬弘，性情恬淡，负有盛名，而在下属请求批复的文件上签字的时候，竟然从来都不审查把关。他曾经陪同宋文帝一同旁听法官判案，宋文帝就一件有疑问的案件向王敬弘咨询，王敬弘竟然回答不出。宋文帝马上变了脸色，质问身边的人说："你们为何不把有关该犯人的口供、定案资料等案卷的副本送给左仆射观看？"王敬弘回答说："我已经看过他们送来的副本，但我根本看不懂。"宋文帝非常不高兴，虽然对王敬弘依然以礼相待，但不再跟他谈论时政要务。

六月，宋国任命右卫将军王华为中护军，依然担任侍中。王华因为王弘辅佐朝政，王昙首深受皇帝的宠幸与信任，二人的地位和受宠信的程度不相上下，王华便觉得自己的能力无法发挥，往往叹息说："宰相的职务一下子就设置了好几个，天下怎么能治理得好呢？"当时，宰相职务并没有固定的官职，只要皇帝与谁一起商谈政事，把机要大事委托给谁，谁就是宰相，所以王华才说出这样的话。也有虽然担任侍中职务，却不算宰相的人。然而，尚书令与尚书仆射、中书监与中书令、侍中、黄门侍郎、给事中，都是当时的重要高级官员。

担任中护军的王华与刘湛、王昙首、殷景仁同时担任侍中，他们的气度、才干，在当时为群臣之首。宋文帝刘义隆曾经与他们四人在合殿一同宴饮，宋文帝非常高兴。宴饮结束之后，四个人告辞，走出皇宫，宋文帝望着他们离去的背影看了好久，然后叹息了一声说："这四位贤才，是一个时期之内最优秀的人才，共同辅佐朝政，恐怕后世很难再有这样的情形出现！"

宋国担任黄门侍郎的谢弘微与担任侍中的王华等人都受到皇帝器重，当时把他们合称为"五臣"。谢弘微，是谢琰的堂孙子。其为人正直、严谨，到了该说话的时候才开口发表意见，在奴仆婢女面前从来都不苟言笑，因此不论地位尊卑、年纪大小，都像敬重神明一样敬重谢弘微。他的堂叔谢混特别看重他，常说："谢弘微在不同意别人观点的时候也不会伤害别人，在赞同别人意见的时候也能坚持不失正道，我找不出他的毛病。"

宋文帝刘义隆想要封赏王昙首、王华等人，他抚摸着御座说："这个宝座，如果不是因为有了你们兄弟，就不会有今天的我。"于是便把准备封赏他们的诏书拿给王昙首、王华等人观看。王昙首坚决推辞说："近来所发生的事情，全赖陛下的英明，使犯罪的人得到了应有的惩罚。而我等怎么能因为国家发生灾祸，而自己得到好处呢？"宋文帝这才作罢。

北魏太武帝拓跋焘下诏向公卿大臣征求意见说："现在我要出兵攻打赫连氏的夏国和柔然，你们认为应该首先攻击哪一个？"担任太尉的长孙嵩、担任司徒的长孙

长孙翰、奚斤皆曰："赫连土著[578]，未能为患。不如先伐蠕蠕，若追而及之，可以大获；不及，则猎于阴山[579]，取其禽兽皮角以充军实[580]。"太常崔浩曰："蠕蠕鸟集兽逃[581]，举大众追之则不能及，轻兵追之又不足以制敌。赫连氏土地不过千里，政刑残虐，人神所弃，宜先伐之。"尚书刘絜、武京侯安原[582]请先伐燕。于是魏主自云中西巡至五原[583]，因畋[584]于阴山，东至和兜山[585]。秋，八月，还平城。

诏[586]殿中将军吉恒聘于魏。

燕太子永[587]卒，立次子翼为太子。

秦王炽磐伐河西[588]，至廉川[589]，遣太子暮末等步骑三万攻西安[590]，不克，又攻番禾[591]。河西王蒙逊发兵御之，且遣使说夏主，使乘虚袭枹罕[592]。夏主遣征南大将军呼卢古将骑二万攻苑川[593]，车骑大将军韦伐将骑三万攻南安[594]。炽磐闻之，引归。九月，徙其境内老弱、畜产于浇河[595]及莫河仍寒川[596]，留左丞[14]相昙达守枹罕。韦伐攻拔南安，获秦秦州刺史翟爽、南安太守李亮。

吐谷浑握逵等帅部众二万[15]落叛秦，奔昴川[597]，附于吐谷浑王慕璝。

大旱，蝗[598]。

左光禄大夫范泰上表曰："妇人有三从之义[599]，无自专之道。谢晦妇女[600]犹在尚方[601]，唯陛下留意。"有诏原之[602]。

魏主闻夏世祖[603]殂，诸子相图[604]，国人不安，欲伐之。长孙嵩等皆曰："彼若城守，以逸待劳；大檀[605]闻之，乘虚入寇，此危道也。"崔浩[606]曰："往年以来，荧惑[607]再守羽林、钩己[608]而行，其占秦亡[609]；今年五星[610]并出东方，利以西伐。天人相应[611]，不可失也。"嵩固

翰、担任司空的奚斤都回答说："赫连氏是居住在城郭屋舍之内的人，还没有成为国家的祸患。不如先讨伐柔然，如果能够将柔然人追上，就会有很大的收获；如果追赶不上，也可以利用这个机会在阴山进行一次大规模的狩猎活动，用得到的禽兽皮毛骨角来充实军用物资。"担任太常的崔浩说："柔然人来的时候就像飞鸟一样，霎时就聚集在一起，而离去的时候又像野兽一样，刹那间就逃散得无影无踪，出动大军进行追击又追击不上，派遣轻骑兵追击又不能将其制服。而赫连氏所占据的土地不超过一千里，政治残暴，刑罚酷虐，国民和上天全都抛弃了他，所以应该首先讨伐赫连氏。"担任尚书的刘絜、武京侯安原则请求首先讨伐北燕。于是北魏太武帝便亲自从云中郡向西巡视，一直到达五原，趁机在阴山脚下进行狩猎，然后向东抵达和兜山。秋季，八月，返回京师平城。

宋文帝刘义隆下诏令担任殿中将军的吉恒为使者出使北魏。

北燕太子冯永去世，北燕王冯跋立次子冯翼为太子。

西秦王乞伏炽磐率军攻伐北凉河西王沮渠蒙逊，大军抵达廉川，乞伏炽磐派遣太子乞伏暮末等率领三万名步兵、骑兵进攻西安，太子乞伏暮末等没有将西安攻克，便转而去攻打番禾。北凉河西王沮渠蒙逊出兵抵御西秦军的入侵，同时派遣使者前往夏国游说夏国皇帝赫连昌，想让赫连昌趁西秦都城枹罕防守空虚的机会出兵袭击枹罕。夏国皇帝赫连昌遂派遣征南大将军呼卢古率领二万名骑兵进攻西秦所属的苑川，派车骑大将军韦伐率领三万名骑兵进攻南安。西秦王乞伏炽磐得知夏国出兵的消息，立即率军返回。九月，西秦王乞伏炽磐将其境内的老弱、牲畜、资产全部迁移到浇河以及莫河仍寒川，留下左丞相昙达负责守卫都城枹罕。夏国的车骑大将军韦伐攻克了南安，擒获了西秦担任秦州刺史的翟爽、南安太守李亮。

归附于西秦的吐谷浑部落首领慕容握逵等率领属下的二万落部众背叛了西秦，投奔昴川，依附于吐谷浑王慕容慕璝。

宋国发生了严重的旱灾，又遭遇了蝗灾。

宋国担任左光禄大夫的范泰上疏给宋文帝刘义隆说："妇女在家要听从父母，出嫁之后要听从丈夫，如果丈夫去世就要听从儿子，没有自作主张的道理。谢晦的妻子、女儿还被羁押在尚方官署做苦工，希望陛下留意此事。"宋文帝遂下诏赦免了她们。

北魏太武帝拓跋焘得知夏国世祖赫连勃勃去世，赫连勃勃的几个儿子之间发生内斗，国内政局不稳的消息，就想出兵讨伐夏国。担任太尉的长孙嵩等都劝阻说："夏国人如果坚守城池，可以以逸待劳；而柔然可汗郁久闾大檀得知我们出兵夏国的消息，趁我们国内防守空虚的机会入侵我国，那可就危险了。"担任太常的崔浩说："近年来，荧惑星两次擦过羽林星和钩己星，它所兆示的含义是秦国将要灭亡；今年金、木、水、火、土五星同时出现在东方，显示出兵西讨必然获利。上天已经指示了人间应该做的事情，机不可失。"长孙嵩极力反对崔浩的言论，坚决反对出兵讨伐

争[612]之。帝大怒，责嵩在官贪污，命武士顿辱[613]之。于是遣司空奚斤帅四万五千人袭蒲阪[614]，宋兵将军周几[615]帅万人袭陕城[616]，以河东太守薛谨为乡导。谨，辩[617]之子也。

魏主欲以中书博士[618]平棘李顺[619]总前驱之兵[620]，访于崔浩，浩曰："顺诚有筹略，然臣与之婚姻，深知其为人果于去就[621]，不可专委。"帝乃止。浩与顺由是有隙。

冬，十月丁巳[622]，魏主发平城。

秦左丞相昙达与夏呼卢古战于嵻崀山[623]，昙达兵败。十一月，呼卢古、韦伐进攻枹罕。秦王炽磐迁保定连[624]。呼卢古入南城[625]，镇京将军赵寿生率死士三百人力战却之。呼卢古、韦伐又攻沙州[626]刺史出连虔于湟河[627]，虔遣后将军乞伏万年击败之。又攻西平[628]，执安西将军库洛干，坑战士五千余人，掠民二万余户而去。

仇池氐杨兴平[629]求内附[630]。梁、南秦二州[631]刺史吉翰遣始平[632]太守庞谘据武兴[633]。氐王杨玄遣其弟难当将兵拒谘，谘击走之。

魏主行至君子津[634]，会天暴寒，冰合，戊寅[635]，帅轻骑二万济河袭统万。壬午[636]，冬至，夏主方燕群臣[637]，魏师奄至[638]，上下惊扰。魏主军于黑水[639]，去城三十余里。夏主出战而败，退走入城。门未及闭，内三郎豆代田[640]帅众乘胜入西宫[641]，焚其西门。宫门闭，代田逾宫垣而出。魏主拜代田勇武将军。魏军夜宿城北。癸未[642]，分兵四掠，杀获数万，得牛马十余万。魏主谓诸将曰："统万未可得也，他年当与卿等取之。"乃徙其民万余家而还。

夏弘农太守曹达闻周几将至，不战而走。魏师乘胜长驱，遂入三辅[643]。会几卒于军中，蒲阪守将东平公乙斗[644]闻奚斤将至，遣使诣统万

西秦。太武帝拓跋焘于是大怒，责备长孙嵩利用职权进行贪污，下令武士按住长孙嵩的头向地上碰撞，以此来侮辱他。拓跋焘于是派遣担任司空的奚斤率领四万五千人马袭击夏国所属的蒲阪，派担任宋兵将军的周几率领一万人马袭击陕城，令担任河东太守的薛谨为向导。薛谨，是薛辩的儿子。

北魏太武帝拓跋焘准备任用担任中书博士的平棘人李顺统领前锋部队，便去征求太常崔浩的意见，崔浩说："李顺确实很有谋略，然而我与李顺有姻亲关系，所以深知他的为人，此人不把改换门庭、另找主子当成一回事，所以不能让他独自担当如此重任。"太武帝遂打消了重用李顺的想法。崔浩与李顺之间也因此事而产生矛盾。

冬季，十月十一日丁巳，北魏太武帝拓跋焘从都城平城出发。

西秦担任左丞相的昙达率军与夏国的征南大将军呼卢古在嵻崀山展开激战，昙达被呼卢古所率领的夏国军打败。十一月，夏国的征南大将军呼卢古与车骑大将军韦伐联合进攻西秦的都城枹罕。西秦王乞伏炽磐遂将都城从枹罕迁往定连城，进行坚守。呼卢古率军进入枹罕城的南城，西秦担任镇京将军的赵寿生率领三百人的敢死队拼死力战，才将呼卢古和韦伐所率领的夏军击退。呼卢古、韦伐又转而进攻沙州刺史出连虔所据守的湟河，出连虔派遣后将军乞伏万年率军将其击败。呼卢古、韦伐又率军进攻西平城，活捉了守卫西平的安西将军库洛干，活埋了五千名俘虏，劫持了二万多户居民而后离去。

仇池一带的氐族部落首领杨兴平请求归附宋国。宋国担任梁、南秦二州刺史的吉翰派遣担任始平太守的庞谘进驻武兴。氐王杨玄派自己的弟弟杨难当率军抗拒庞谘，被庞谘赶走。

北魏太武帝拓跋焘行至君子津时，突然遭遇严寒，黄河水面坚冰聚合。十一月初三戊寅，拓跋焘率领二万名轻骑兵渡过黄河袭击夏国的都城统万。初七壬午，是冬至日，夏国皇帝赫连昌正在设宴招待群臣，北魏的军队突然来到，夏国君臣惊慌失措、躁动不安。北魏太武帝拓跋焘将军队驻扎在黑水，距离统万城还有三十多里。夏国皇帝赫连昌率军出战，结果大败而回，退入统万城中。城门还没有来得及关闭，北魏担任内三郎的豆代田已经乘胜攻入统万城内的西宫，纵火焚毁了皇宫的西门。夏国朝廷下令关闭了所有宫门，豆代田遂从宫墙翻越而出。北魏太武帝拓跋焘立即提升豆代田为勇武将军。北魏军夜间驻扎在统万城以北。初八癸未，北魏军分别出动，到四方进行大肆地抢劫掳掠，杀死、俘虏了数万人，抢夺的牛马有十多万头。北魏太武帝拓跋焘对诸将说："夏国的都城统万，我们这次还不能得到它，来年我要与诸位爱卿再来夺取它。"于是裹挟着一万多户居民返回魏国。

夏国担任弘农太守的曹达得知北魏宋兵将军周几率领一万人马即将到达的消息，不敢迎战，弃城逃走。北魏的军队遂长驱直入，深入夏国境内的三辅地区。不巧的是周几很快便病死军中，夏国蒲阪守将东平公赫连乙斗听说北魏司空奚斤即将率军

告急。使者至统万，魏军已围其城；还，告乙斗曰："统万已败矣。"乙斗惧，弃城西奔长安，斤遂克蒲阪。夏主之弟助兴[645]先守长安，乙斗至，与助兴弃长安，西奔安定[646]。十二月，斤入长安，秦、雍氐羌[647]皆诣斤降。河西王蒙逊及氐王杨玄闻之，皆遣使附魏。

前吴郡太守徐佩之[648]聚党百余人，谋以明年正会[649]于殿中作乱，事觉，壬戌[650]，收斩之。

营阳太妃[651]张氏卒。

秦征南将军吉毗镇南漒[652]，陇西人辛澹帅户三千据城逐毗，毗走还枹罕，澹南奔仇池[653]。

魏初得中原[654]，民多逃隐。天兴[655]中，诏采诸漏户[656]，令输缯帛[657]。于是自占[658]为绸茧罗縠户[659]者甚众，不隶郡县[660]，赋役不均[661]。是岁，始诏一切罢之，以属郡县[662]。

【段旨】

以上为第三段，写宋文帝元嘉三年（公元四二六年）一年间的大事。主要写：谢晦得到朝廷要讨伐他的消息，于是在荆州起兵造反；刘义隆下诏公布徐羡之等人的罪恶，下令逮捕徐羡之、傅亮，徐羡之自杀，傅亮被捕杀；谢晦在荆州为徐羡之、傅亮发丧，上表自辩无罪，指诉王弘、王昙首等为恶人，声言要清君之侧；谢晦东下之军先破刘义隆所派的到彦之军于彭城洲，继而刘义隆所派的檀道济军又到，会合到彦之军，乘风共攻谢晦军，谢晦军溃，单身逃回江陵；刘义隆派雍州刺史刘粹南袭江陵，谢晦的部将周超大破之；待谢晦在东路作战失败的消息传开后，江陵人心瓦解，周超投降到彦之，谢晦与其弟欲北逃魏国，中途在到来的消息，便立即派使者前往都城统万，向朝廷告急求救。使者到达统万的时候，北魏的军队已经包围了统万城；使者又立即返回蒲阪，向赫连乙斗报告说："都城统万已经被魏军打败了。"赫连乙斗听到这样的消息，心中非常恐惧，立即丢弃了蒲阪城，向西逃往长安，魏国的奚斤遂顺利地占领了蒲阪。夏国皇帝赫连昌的弟弟赫连助兴原先本来还在守卫着长安，赫连乙斗来到长安之后，便与赫连助兴一同丢弃了长安，继续向西逃往安定。十二月，魏国司空奚斤率领魏军进入长安，秦州、雍州的氐族人、羌族人全都到奚斤的军前投降。北凉河西王沮渠蒙逊以及氐王杨玄得知魏军在夏国境内连连获胜的消息，全都派遣使者前往北魏，表示愿意臣附于魏国。

宋国徐羡之的侄子、前吴郡太守徐佩之聚集了一百多名党羽，密谋在第二年正月初一大臣朝贺天子的聚会时在金銮殿中发动叛乱，事情不密，被发觉，十二月十七日壬戌，徐佩之被逮捕、斩首。

宋国营阳王刘义符的母亲、刘裕的妃子张氏去世。

西秦担任征南将军的吉毗镇守南漒，陇西人辛澹率领三千户居民占据了南漒城，驱逐吉毗，吉毗逃回了西秦的都城枹罕，辛澹则向南投奔了仇池。

北魏刚刚打败后燕，占据燕都中山的时候，中原地区的很多居民或是逃往他处，或是藏匿起来。道武帝拓跋珪天兴年间，下诏清查那些没有纳入户籍的人家，惩罚他们向朝廷缴纳丝绸。于是自己申报为政府抽丝、纺织丝绸的专业户很多，这些人不归当地的郡县管辖，因此造成与其他农业户缴纳的赋税与所出劳役的不平等。本年度，太武帝拓跋焘开始下诏，废止对这些抽丝、纺织丝绸专业户的旧有管理章程，把他们全部纳入所在郡县的管辖之内。

安陆县被戍主光顺之所获，槛送建康被诛于市。刘义隆宠用王华、刘湛、王昙首、殷景仁，称他们为"一时之秀，同管喉唇，恐后世难继"；再加上受宠信的谢弘微，他们在当时被称作"五臣"。秦王乞伏炽磐进攻北凉，沮渠蒙逊求救于夏王赫连勃勃；夏王派兵攻秦，彼此互有胜负。魏主拓跋焘乘夏主赫连勃勃死，赫连昌新立，兄弟互斗之际，起兵攻夏，拓跋焘率轻骑袭统万，夏主战败，魏军一度攻入西宫，焚其西门，虏获大量人口牲畜而还。魏将奚斤破夏兵于蒲阪，并进而与夏将赫连定相持于长安，于是秦和雍之氐羌、北凉王沮渠蒙逊、氐王杨玄等皆遣使归附于魏。

【注释】

㊱黄门侍郎瞬：即谢瞬。黄门侍郎是皇帝身边的侍从官员。㉛驰使告晦：派使者飞马奔驰报告谢晦情况紧急。㉜何承天：宋初比较有见识的官吏，也是有名的学者。传见《宋书》卷六十四。㉝好事：好闹事，沉不住气。㉞先遣此书：即朝中暂时还没有向我们动手的迹象。㉟所闻：所传说。㊱西讨：西来讨伐谢晦。㊲幼宗岂有上理：万幼宗哪里会来荆州找你征求意见。上，逆流而上，指来江陵。㊳豫立答诏启草：预先写好一份回答诏书有关北伐意见的草稿。㊴宜须明年：应该等到第二年。须，等待。㊵寻阳人书：寻阳方面的人来信。寻阳，即今江西九江。㊶已审：已经是确定无疑。㊷辅国府：辅国将军府，当时程道惠实任江夏内史，而带有辅国将军的职衔。㊸果尔：果真如此。㊹卿令我云何：你认为我该怎么办。㊺殊顾：特殊的关照；特殊的宠遇。㊻隐情：隐瞒真实的想法。㊼明日戒严二句：指公开地进行调兵遣将，出兵征讨。明日，明目张胆，公开行动。动用军法，下令出兵。㊽区区所怀：即"在我看来""按我的想法"。㊾惧不得尽：怕是不能达到目的。㊿自裁：自尽；自杀。(381)逆顺：以臣抗君谓之逆，以君讨臣谓之顺。(382)境外求全：指北逃魏国。(383)义阳：郡名，郡治即今河南信阳。(384)夏口：即今湖北武汉市汉口区。(385)易给：易于调集充足。(386)聊且决战：即先跟他们打一仗。(387)造立表檄：写作表章、檄文，表章上给朝廷，檄文发给各州郡。(388)卫军谘议参军琅邪颜卲：自己的参谋琅邪人姓颜名卲。卫军，卫将军的简称，当时谢晦兼有卫将军之职。琅邪是郡名，原地在今山东境内，东晋以来在南方设有侨郡，郡治在今江苏句容北。(389)举兵：指首先起兵造反。(390)自下：自己率军顺流东下。(391)备御刘粹：防备刘粹。刘粹当时任雍州刺史，驻兵襄阳。(392)素无部众：意谓没有单独带过兵，没有自己亲信的部下。(393)情计二三：犹言"考虑再三"。(394)南蛮司马：南蛮校尉的司马。(395)必能办：一定能办得到。(396)司马、南郡：当时庾登之任卫军司马，兼南郡太守。(397)南义阳：设立在荆州境内的侨郡名，以安置昔日由今河南信阳一带迁到荆州的流民。(398)蕴：庾冰之子，曾任广州刺史，桓温弑废帝司马奕，庾蕴自杀。(399)又所不关：又没有参与。关，参与。(400)乙丑：正月十五。(401)丙寅：正月十六。(402)不即罪：不服罪，指试图反抗。(403)六师：犹言"六军"，指天子的军队。古代天子六军，大国诸侯三军。(404)为其过防:《宋书·徐羡之传》作"为其遏防"，意即"堵塞他的逃窜之路"。(405)电发：迅速出发。(406)符：下文书告知。(407)卫军府州：谢晦所统领的卫将军府、州刺史府与都督府。(408)以时收翦：即刻将谢晦逮捕。(409)断其走伏：截断他北逃魏国或潜藏他方的通道。(410)西明门：原是洛阳城西出的城门名，建康城仿洛阳命名，此即建康的西门。(411)正直：正在宫内值班。(412)异处分：异常的举动。(413)还西州：即返回其扬州刺史的官署。当时扬州刺史的官署在台城西，故曰"西州"。(414)内人问讯车：妇女探亲乘坐的车子。(415)新林：即新林浦，长江上的渡口名，在建康城西南的新亭与板桥之间。(416)陶灶：烧陶器的窑。(417)广莫门：建康城的北门。(418)诏

书：宣布讨伐徐、傅、谢三人的诏书。全文见《宋书·徐羡之传》。⑭419江陵之诚：指傅亮前往江陵迎刘义隆时所表现的诚恳。⑭420布衣之眷：像平民之间的平等真挚的朋友交情。眷，关心、关照。⑭421遂蒙顾托：就成了接受顾命的大臣。⑭422社稷之计：是为了国家社稷作打算。⑭423欲加之罪二句：如果想杀某个人，想找点理由还不容易吗。这两句是春秋时晋国大臣里克杀掉奚齐、卓子，立了晋惠公，又被晋惠公所杀时说的话。见《左传·僖公十年》。⑭424建安：郡名，郡治即今福建建瓯。⑭425同从北征：指当年一道跟刘裕北伐后秦事。见本书卷一百一十八义熙十三年。⑭426入关十策：指消灭姚泓的各项方针谋略。⑭427孤军决胜：指率军独当一面。⑭428未陈而擒：不用等到摆好阵式就可以将其擒获。⑭429丁卯：正月十七日。⑭430乐冏：当时在江夏内史、辅国将军程道惠府中任参军。⑭431先举羡之、亮哀：先为徐羡之、傅亮治丧举哀。⑭432次发子弟凶问：而后再发布其子、其弟遇难的消息。问，同“闻”，消息。⑭433自出射堂勒兵：自己到演武厅检阅部队。射堂，犹今所谓“演武厅”。⑭434虚馆七旬：指皇位无人达七十天之久。五月乙酉刘义符被废，八月丙申刘义隆进宫，其间相隔七十天。⑭435仰望鸾旗：即仰望您的大驾光临。鸾旗，帝王的旌旗，这里指刘义隆从荆州来的旗号。⑭436积怨犯上：指刘义真与谢灵运、颜延之等人一起胡说八道，对刘义符不满。⑭437自贻非命：犹言自己找着被杀。贻，给。非命，非正常死亡。⑭438不有所废二句：他们不被杀，怎么会轮到你做皇帝。这两句也是当年里克说的话，见《左传·僖公十年》。⑭439耿弇不以贼遗君父：耿弇要在汉光武帝到达前把应消灭的敌人消灭干净。耿弇是汉光武帝刘秀的将领。耿弇讨伐张步，受到挫折，刘秀将率兵来援。耿弇对部下说：“岂能以贼遗君父？”遂迅即发动进攻，消灭了敌人，以胜利迎接了刘秀的到来。事见本书卷四十一建武五年。谢晦在这里用以比喻杀刘义真。⑭440何负于宋室：有什么对不起刘义隆的朝廷。⑭441险躁：险恶、粗暴。⑭442谗构：谗毁、罗织。⑭443除君侧之恶：消除皇帝身边的恶人。⑭444请用师于夏：乞伏炽磐早在宋少帝景平元年（公元四二三年）就入贡于魏，并请求伐夏，今又再次提出。⑭445不可举：不能养活。举，给新生儿的洗沐礼，通常即借指养育。⑭446狼狈：匆忙赶来的样子。⑭447手拨幔：亲手打开门帘。皇帝亲手拨帘，极言其心急之状。⑭448谅暗：指正在为其父刘裕守孝。⑭449秘之：瞒起没说。因古代儿女在为父母守孝的三年期间不能有婚娶同房等事。⑭450闰月丙戌：闰正月初六。⑭451竟陵：诸侯王的封地，郡治即今湖北钟祥。⑭452总留任：总管留守荆州的事务。⑭453江津：长江渡口名，在江陵城南。⑭454破冢：长江渡口名，在江陵东南三十里的长江东岸。⑭455勤王之师：为皇帝分忧讨逆的军队。勤，帮助。⑭456湘州：州治即今湖南长沙。⑭457意趣：思想动向。⑭458戊午：二月初九。⑭459金紫光禄大夫：即光禄大夫，当时多为加官名，备参谋顾问。以其佩金印紫绶，故称“金紫光禄大夫”。⑭460廙：即王廙，东晋初期人，王导的堂兄弟，晋元帝的姨表兄弟，人品不高。传见《晋书》卷七十六。⑭461庚申：二月十一日。⑭462中书下省：当时中书省有上、中、下三省，是皇帝之下的最高权力机关，负责为皇帝起草文件、制定政策。⑭463殷景仁：宋初名臣，刘义隆的亲信。传见《宋书》卷六十三。㊹参掌留任：参与掌管留守朝廷的一切事宜。㊺会稽长公主：刘裕之女，刘义隆的姐妹。“会稽”是其封地名。“长公主”，是对皇帝姐妹的称呼。㊻留止台内：在宫廷内住宿，以表示其昼夜不离宫廷。㊼总摄六宫：总管后宫的一切事务。摄，管理。㊽留府：留守谢晦在江陵的统帅府。㊾江口：也叫西江口，或叫夏浦，在今湖北监利东南。㊿彭城洲：在今湖南岳阳东北长江中。471巴陵：即今湖南岳阳。472参军：庾登之的参军。473檀征北：即檀道济，时任征北将军，统领着接续在到彦之之后的讨伐大军。474将军萧欣：此指朝廷方面的将领。下文“诸将”也是指朝廷方面的将领。475隐圻：也称“隐几”，在彭城洲东北（今湖南临湘东北）的长江北岸。476自讼：自己申辩，表白无罪。477枭四凶于庙庭：把“四凶”一样的坏人的人头悬挂在太庙门前的高竿。四凶指舜时的四个大坏人，即共工、驩兜、三苗、鲧。这里代指王华、王昙首、王弘等刘义隆的亲信。478悬三监于绛阙：把“三监”一样的坏人的人头悬挂在宫廷的正门外。“三监”指西周成王时的管叔、蔡叔、霍叔。周公派他们三人去监视被封在朝歌的殷纣王的儿子武庚禄父，结果他们反而串联武庚禄父一道反对朝廷。这里也是比喻王华、王昙首、王弘等人。绛阙，宫廷正门的门楼。479还保所任：回到我受任的荆州地面上去。480来上：率兵到建康的上游来讨伐谢晦。481牵舰缘岸：把战船都停靠在岸边。482因风帆上：趁着风势船帆向上游移来。483前后连咽：前后相连，堵塞江面，极言其多。484戊辰：二月十九日。485忌置洲尾：忌置洲的东部边沿。忌置洲在今湖南岳阳北的长江中。486列舰过江：摆开战船，排成浮桥，军队通过浮桥登上西岸。487沙桥：在江陵城北。488晦败问：谢晦失败的消息。489南讨：当时刘粹驻兵襄阳，江陵在襄阳之南，故曰“南讨”。490丙子：二月二十七日。491无他处分：没有再做别的部署。492己卯：二月三十日。493安陆延头：安陆县的延头，在今湖北安陵西南。在江陵去北义阳（今河南信阳）的途中。494戍主光顺之：地方军事据点的头领姓光名顺之。495槛送建康：装进囚车押送到建康。槛，囚车。496马头：马头戍，在江陵城南的长江南岸，北对江津戍。497自归：犹言“自首”，自己送上门来。498监：监管；临时代管。499荆州府事：即荆州刺史府的一切事务。500以沙桥之败告：因周超曾在沙桥打得刘粹惨败，故刘粹阻止到彦之任用周超。501被发徒跣：披散头发、光着脚，这是古代给君亲送葬的一种礼仪。502奈何狼藉都市：怎么能让人家拖到街头开刀问斩。503无任：指不受谢晦任用，不对他的罪行负责。504禁锢：指不准再进入仕途。505南蛮行参军新兴王玄谟：代理南蛮校尉参军的新兴郡人王玄谟。行，代理、试用。新兴郡的郡治即今山西忻州。王玄谟是一个大言无实的官僚。传见《宋书》卷七十六。506见原：被宽赦。507走：指出逃江陵时。508延陵盖：姓延陵，名盖。509镇军功曹督护：镇军将军到彦之的功曹参军兼督护。510王慧龙：王愉之孙。王愉被刘裕所杀，王慧龙逃到北魏，魏以为南蛮校尉。传见《魏书》卷三十八。511思陵戍：在今河南淮阳西北。512项城：县名，县治在今河南沈丘南。513疑茂度有贰心：张茂度是刘裕的元勋，但与谢晦“素善”，故有人疑之。514代还：令他人往代其任，召其本人回朝。515三月辛巳：

三月初二。⑯秘书监：秘书省的长官，下管太史、著作二局。⑰中书侍郎：中书监与中书令的属官。中书省负责起草诏命，制定国家章程。⑱参权要：参与国家大政方针的决策。⑲门车：停在门前的前来拜会的车辆。⑳两：同“辆”。㉑相系：接连不断。㉒方筵七八：每天都要摆一丈见方的筵席七八桌，极言其结交的人士之多。㉓著高屐：穿着带有高齿的拖板鞋。㉔置通呈、书佐：置有通呈、书佐两个侍从。通呈负责通报、传话，书佐负责记录与起草文件。㉕诣：到，前去拜访他。㉖填咽：拥挤不通。㉗暄凉而已：只能寒暄两句，顾不上说别的话。㉘遂有黑衣宰相：国家竟然有了穿黑衣服的宰相。黑衣，指和尚穿的衣服。㉙冠屦失所：国家执政者的冠履，竟然让和尚穿戴起来了。冠屦，官员们的帽靴。这里真正的意思是，朝廷执政者的权柄转到和尚的手里去了。㉚五月乙未：五月十七日。㉛分行：分道下去视察。㉜民隐：百姓们不敢说的事情，实即民间的疾苦。㉝各言损益：都说说自己的优点和缺点、成绩与不足。㉞丙午：五月二十八日。㉟延贤堂：在建康的华林园内。㊱听讼：旁听法官判案。㊲每岁三讯：指华林园这种表演性的“审判”，一年要举行三回。㊳王敬弘：一个出身大士族、居高官而不任事的人，王胡之之孙。传见《宋书》卷六十六。㊴关署文案：在下属请求批复的文件上签字。㊵初不省读：从来不审查把关。初，从来。省读，阅读。㊶预听讼：指跟着皇帝一道旁听法官判案。预，参与、参加。㊷疑狱：有问题的案例。㊸讯牒：指有关该犯人的口供、定案资料。讯，口供。㊹副仆射：把副本送给仆射看。副，这里用如动词。㊺乃得讯牒读之：讯牒我已读过了。㊻正自不解：我根本看不懂。㊼不复以时务及之：不再与他商谈国家当前要解决的问题。㊽中护军：中护军将军的简称，负责统领警卫朝廷的军队，并主管国家各将领的选拔与任用。㊾与己相埒：都与自己的地位和受宠信的程度不相上下。相埒，相等。㊿自谓力用不尽：自己觉得力量得不到充分发挥。实即对前两个人瞧不起。51顿有数人：设立着好几个。顿，置、设有。52无常官：无固定的官职，不确定究竟哪个职务算是宰相。53侍中：门下省的长官，帝王身边参谋顾问的人员之长，在当时通常即宰相之职。54尚书、令仆：即尚书令与尚书仆射。55中书监、令：中书监与中书令。56侍郎：即黄门侍郎。57给事中：任职于殿中，以备参谋顾问。58风力局干：气度、才干。59冠冕一时：为当时群臣之首。60合殿：也称西殿，即当时宫中大殿后的西堂。61一时之秀：一个时期内的最优秀人才。62同管喉唇：都是我的咽喉与唇舌，指诸官为皇帝起草诏令，出纳王命而言。63谢弘微：谢安的族人，自幼职位显要，为官清廉。传见《宋书》卷五十八。64琰：谢安之子。传见《晋书》卷七十九。65精神端审：指为人正直、谨慎。66时然后言：到了该说话的时候才说话，即俗所谓“不苟言笑”。67混：即谢混，谢安之孙，谢琰之子。传见《晋书》卷七十九。68微子：对谢弘微的爱称。69异不伤物：不同意别人的意见时能不伤人。70同不害正：赞同别人的意见时能坚持不失正道。71无间：找不到漏洞；挑不出毛病。72拊御床：摸着皇帝的宝座。73非卿兄弟：指王华、王昙首，二人是同族兄弟。74无复今日：我今天不可能坐到这个地方来。575 封诏：准备封赏他们的诏书。576 罪人斯得：犯罪的人都得到了应有的惩处。577 蠕蠕：即柔然。578 土著：居住在城郭屋舍的人，以别于游牧民族。579 阴山：内蒙古境内的东西走向的大山，横亘在呼和浩特、包头以北。580 军实：军用物资。581 鸟集兽逃：来时如鸟之集，逃时如兽之散，极言其松散难以捕捉。582 安原：魏国名臣安同之子，被封为武京侯。传见《魏书》卷三十。583 五原：郡名，郡治在今内蒙古包头西。584 畋：打猎。585 和兜山：约在今内蒙古集宁西北。586 诏：命令，这句的主语是刘宋政权。587 燕太子永：即冯永，冯跋的太子。588 河西：指建都于今甘肃武威的沮渠蒙逊政权。历史上称之为“北凉”。因其地处黄河之西，故北凉的统治者自己也称为“河西王”。589 廉川：即今青海的乐都。590 西安：郡名，郡治在今甘肃张掖东南。591 番禾：郡名，郡治即今甘肃永昌。592 枹罕：当时西秦乞伏氏政权的都城，在今甘肃临夏。593 苑川：古城名，在今甘肃兰州东。594 南安：郡名，郡治在今甘肃陇西东南。595 浇河：郡名，郡治即今青海贵德。596 莫河仍寒川：即莫贺川，在当时的浇河郡西南，今青海共和的南方。597 昴川：即今四川阿坝藏族羌族自治州。598 大旱二句：既大旱，又有蝗灾。这句话是写刘宋王朝的统治区。599 三从之义：指在家从父，既嫁从夫，夫死从子。600 妇女：妻子和女儿。601 尚方：官署名，负责为皇帝制造各种用品。这里指谢晦的妻女被发配到这里为奴。602 原之：赦免了她们。603 夏世祖：即赫连勃勃。604 诸子相图：指赫连璝攻杀赫连伦，赫连昌又攻杀赫连璝。605 大檀：当时柔然族的首领。606 崔浩：魏国文臣，在拓跋珪时代很受宠信，拓跋焘继位以来，被放回家赋闲，颇不甘寂寞。事见本书卷一百一十九《宋纪一》。607 荧惑：即今之火星。608 再守羽林、钩己：两次擦羽林、钩己二星而过。守，靠近。羽林、钩己，都是星宿名。事见本书卷一百一十七义熙十一年。609 其占秦亡：它所表达的意思就是秦国将要灭亡。占，神秘现象所昭示的含义，犹今之所谓“预示”。610 五星：指金、木、水、火、土五星。611 天人相应：上天已经指示了人间应做的事情。612 固争：坚决反对崔浩的言论，反对出兵伐秦。613 顿辱：抓着人的头往地上撞，以此来侮辱之。614 蒲阪：黄河渡口名，也是历来的军事要地，在今山西风陵渡的北面，当时属夏。615 宋兵将军周几：魏国的“宋兵将军”姓周名几。宋兵将军，犹言“伐宋将军”，以攻取的对象为名，如汉代之“贰师将军”“匈河将军”是也。616 陕城：陕县县城，陕县在今河南三门峡西。617 辩：即薛辩，原为姚秦的河北太守，刘裕进取河南、关中时，薛辩投降刘裕，被任为平阳太守。夏人攻占关中，薛辩投降魏国。传见《魏书》卷四十二。618 中书博士：中书省里的博士官，以知识渊博充参谋顾问之用。619 平棘李顺：平棘人李顺。平棘，即今河北赵县。620 总前驱之兵：总管先头部队。621 果于去就：不把改换门庭、另找主子当成一回事，意即容易叛变。622 十月丁巳：十月十一日。623 嵻崀山：在今甘肃临夏东南。624 定连：城名，约在今四川西北部的阿坝一带。625 南城：枹罕的南面的城门。626 沙州：州名，州治即今青海乐都。㉗湟河：郡名，郡治即今青海西宁东南。㉘西平：古城名，即今青海西宁。㉙杨兴平：仇池一带的氐族人，是称藩于刘宋的杨玄的部下。㉚内附：指想归附刘宋，成为刘宋的郡县。㉛梁、南秦二州：属一个刺史管辖，州治在今陕西汉中。㉜始平：郡名，郡治在今陕西兴平东南。㉝武兴：即今陕西略阳。㉞君子津：渡口名，在今内蒙古清水河县与托克托之间的黄河上。㉟戊寅：十一月初三。㊱壬午：十一月初七。㊲燕群臣：宴享群臣。燕，这里同“宴”。㊳奄至：突然来到。㊴黑水：无定河的上游，流经当时统万城（今内蒙古乌审旗南的白城子）的东北侧。㊵内三郎豆代田：魏国皇帝的侍卫，名豆代田。内三郎，魏国皇帝的宫内卫士，上属于幢将。㊶西宫：统万城内赫连昌的西宫。㊷癸未：十一月初八。㊸三辅：指京兆尹、左冯翊、右扶风，即管辖当时的长安城及其四周的三个郡。㊹东平公乙斗：夏国的东平公，名叫乙斗。㊺助兴：赫连助兴，赫连昌之弟。㊻安定：郡名，郡治在今甘肃泾川北。㊼秦、雍氐羌：秦、雍二州的氐人与羌人。秦州的州治即今甘肃天水，雍州的州治即当时的长安。㊽徐佩之：徐羡之之侄。徐羡之被杀时，刘义隆特别赦免了他。㊾正会：正月初一大臣朝贺天子的集会。㊿壬戌：十二月十七日。651营阳太妃：营阳王刘义符的生母，刘裕之妃。652南溧：县名，县治在今青海东南部西倾山附近。653仇池：在今甘肃成县西，当时为称藩于刘宋的氐王杨玄的首府。654初得中原：指打败后燕，占据燕都中山（今河北定州）之时，事在晋安帝隆安元年（公元三九七年）。655天兴：拓跋珪的年号（公元三九八至四〇四年），共七年。656采诸漏户：清查不上户口的人。657令输缯帛：罚他们向国家上交丝绸。缯，红色的丝绸。658自占：自报。659绸茧罗縠户：为政府抽丝织绸的专业户。绸，这里的意思同“抽”。660不隶郡县：不归当地的郡县管辖。661赋役不均：与其他农业户的待遇不平等，缴纳的赋税与所出劳役的多少不同。662一切罢之二句：指撤销对这些所谓“绸茧罗縠”专业户的管理章程，把他们纳入所在郡县的管辖之内。

【校记】

［8］办：原作“辨”。据章钰校，甲十六行本、乙十一行本、孔天胤本皆作“办”，熊罗宿《胡刻资治通鉴校字记》同，今据改。［9］使：据章钰校，甲十六行本、乙十一行本皆作“信”。［10］卒：据章钰校，甲十六行本、乙十一行本、孔天胤本皆作“众”。［11］代：据章钰校，乙十一行本作“使”。［12］讼：据章钰校，乙十一行本作“訊”。［13］大小：据章钰校，甲十六行本、乙十一行本、孔天胤本二字皆互乙。［14］丞：原误作“承”。据章钰校，甲十六行本、乙十一行本、孔天胤本皆作“丞”，今据改。［15］万：据章钰校，甲十六行本、乙十一行本、孔天胤本“万”下皆有“余”字。

【原文】

四年（丁卯，公元四二七年）

春，正月辛巳[663]，帝祀南郊。

乙酉[664]，魏主还平城[665]。统万徙民在道多[16]死，能至平城者什才六七[666]。

己亥[667]，魏主如幽州[668]。夏主遣平原公定[669]帅众二万向长安。魏主闻之，伐木阴山，大造攻具，再谋伐夏。

山羌[670]叛秦。二月，秦王炽磐遣左丞相昙达招慰武始[671]诸羌，征南将军吉毗招慰洮阳[672]诸羌。羌人执昙达送夏；吉毗为羌所击，奔还，士马死伤者什八九。

魏主还平城。

乙卯[673]，帝如丹徒[674]；己巳[675]，谒京陵[676]。初，高祖既贵，命藏微时[677]耕具以示子孙。帝至故宫[678]见之，有惭色。近侍或进曰："大舜躬耕历山[679]，伯禹亲事水土[680]。陛下不睹遗物，安知先帝之至德，稼穑之艰难乎？"

三[17]月丙子[681]，魏主遣高凉王礼[682]镇长安。礼，斤之孙也。又诏执金吾[683]桓贷造桥于君子津。

丁丑[684]，魏广平王连[685]卒。

丁亥[686]，帝还建康。

戊子[687]，尚书右仆射郑鲜之[688]卒。

秦王炽磐以辅国将军段晖为凉州刺史，镇乐都[689]；平西将军麹景为沙州刺史，镇西平[690]；宁朔将军出连辅政为梁州刺史，镇赤水[691]。

夏，四月丁未[692]，魏员外散骑常侍[693]步堆等来聘。

庚戌[694]，以廷尉王徽之为交州[695]刺史，征[696]前刺史杜弘文。弘文有疾，自舆[697]就路。或劝之待病愈，弘文曰："吾杖节三世[698]，常欲投躯帝庭[699]，况被征乎！"遂行，卒于广州。弘文，慧度之子也。

【语译】

四年（丁卯，公元四二七年）

春季，正月初七辛巳，宋文帝刘义隆到京师建康的南郊举行祭天典礼。

正月十一日乙酉，北魏太武帝拓跋焘返回都城平城。魏军从夏国的都城统万所俘虏的居民很多都死在了迁徙的途中，能够到达平城的只有十分之六七。

正月二十五日己亥，北魏太武帝拓跋焘前往幽州。夏国皇帝赫连昌派遣平原公赫连定率领二万名部众向长安进发，准备夺回长安。北魏太武帝拓跋焘得知消息，立即派人前往阴山采伐树木，大规模打造攻城的器械，准备再次出兵攻打夏国。

分布在武始、洮阳附近山中羌族人背叛了西秦。二月，西秦王乞伏炽磐派担任左丞相的昙达前去招抚武始郡境内的各羌人部落，派征南将军吉毗招抚洮阳县境内的各羌人部落。武始的羌人将左丞相昙达捉住，送给了夏国；征南将军吉毗则受到洮阳羌人的攻击，只得逃回枹罕，所率领的士卒马匹死伤了十分之八九。

北魏太武帝拓跋焘从幽州返回平城。

二月十一日乙卯，宋文帝刘义隆前往丹徒；二十五日己巳，拜谒京陵。当初，宋高祖刘裕显贵之后，命令将自己收藏多年的贫贱之时所使用的耕田农具陈列出来让子孙看。宋文帝刘义隆来到刘裕当年的故居，看见这些陈列的农具，脸上不禁露出羞愧的神色。身边的侍从就有人上前进言说："大舜曾经亲自在历山耕田种地，大禹亲自与人民一起挖土凿山，治理天下洪水。陛下如果不看到先帝的这些遗物，又怎能知道先帝那种高尚的品德，以及在田间耕作的艰辛呢？"

三月初三丙子，北魏太武帝拓跋焘派遣高凉王拓跋礼率军镇守长安。拓跋礼，是拓跋斤的孙子。太武帝又下诏令担任执金吾的桓贷率人在君子津建造大桥。

三月初四丁丑，北魏广平王拓跋连去世。

三月十四日丁亥，宋文帝刘义隆从丹徒返回京师建康。

三月十五日戊子，宋国担任尚书右仆射的郑鲜之去世。

西秦王乞伏炽磐任命担任辅国将军的段晖为凉州刺史，镇守乐都；任命担任平西将军的麹景为沙州刺史，镇守西平；任命担任宁朔将军的出连辅政为梁州刺史，镇守赤水。

夏季，四月初四丁未，北魏担任员外散骑常侍的步堆等到宋国进行回访。

四月初七庚戌，宋国任命担任廷尉的王徽之为交州刺史，将前任交州刺史杜弘文召回京师。杜弘文当时正在患病，遂让人抬着踏上返京之路。有人劝他等病好之后再走，杜弘文说："我家祖孙三代担任交州刺史，一直渴望能够前往京师，到朝廷中拜见皇帝，何况现在是朝廷征召呢！"于是带病上路，竟然死在广州。杜弘文，是杜慧度的儿子。

魏奚斤与夏平原公定相持于长安。魏主欲乘虚伐统万，简[700]兵练士，部分[701]诸将：命司徒长孙翰等将三万骑为前驱，常山王素[702]等将步兵三万为后继，南阳王伏真等将步兵三万部送[703]攻具，将军贺多罗将精骑三千为前候[704]。素，遵之子也。五月，魏主发平城，命龙骧将军代人陆俟[705]督诸军镇大碛[706]，以备柔然。辛巳[707]，济君子津。

壬午[708]，中护军王华卒。

魏主至拔邻山[709]，筑城，舍辎重，以轻骑三万倍道先行。群臣咸谏曰："统万城坚，非朝夕可拔。今轻军讨之，进不可克，退无所资[710]，不若与步兵、攻具一时俱往。"帝曰："用兵之术，攻城最下[711]。必不得已，然后用之。今以步兵、攻具皆进，彼必惧而坚守。若攻不时拔[712]，食尽兵疲，外无所掠，进退无地。不如以轻骑直抵其城，彼见步兵未至，意必宽弛[713]。吾羸形[714]以诱之，彼或出战，则成擒[715]矣。所以然者，吾之军士去家二千余里，又隔大河[716]，所谓'置之死地而后生[717]'者也。故以之攻城则不足，决战则有余矣。"遂行。

六月癸卯朔[718]，日有食之。

魏主至统万，分军伏于深谷，以少众至城下。夏将狄子玉降魏，言："夏主闻有魏师，遣使召平原公定，定曰：'统万坚峻，未易攻拔。待我擒奚斤，然后徐往。内外击之，蔑不济[719]矣。'故夏主[18]坚守以待之。"魏主患之[720]，乃退军以示弱，遣娥清[721]及永昌王健[722]帅骑五千西掠居民。

魏军士有得罪亡奔夏者，言魏军粮尽，士卒食菜，辎重在后，步兵

北魏司空奚斤率领魏军与夏国平原公赫连定所率领的夏国军在长安展开对峙。北魏太武帝拓跋焘准备趁夏国后方兵力空虚的机会攻伐夏国的都城统万，于是精选士卒，调兵遣将：命令担任司徒的长孙翰等率领三万名骑兵担任前部先锋，令常山王拓跋素等率领三万名步兵作为后续部队，令南阳王拓跋伏真等率领三万名步兵负责运送攻城的工具，令将军贺多罗率领三千名精锐骑兵在大军前面负责侦察敌情。常山王拓跋素是拓跋遵的儿子。五月，北魏太武帝拓跋焘从都城平城出发，他命担任龙骧将军的代郡人陆俟统领北方各路兵马镇守大碛，防范柔然人乘虚入侵。初九辛巳，拓跋焘从君子津渡过黄河。

五月初十壬午，宋国担任中护军的王华去世。

北魏太武帝拓跋焘到达拔邻山，在拔邻山修筑城堡，留下辎重，然后率领三万名轻骑兵，将两天的路程合并为一天，先行进发。群臣全都劝阻说："夏国的统万城城池坚固，不是一朝一夕就能将其攻克的。如今率领轻骑兵前往讨伐，如果不能很快将统万城攻克，后退的时候，又没有依靠，大军将会陷入困境，不如让这些轻骑兵和步兵以及攻城的工具同时前进。"太武帝拓跋焘回答说："用兵打仗，攻取城池是最下策。只有到了迫不得已的时候才用兵攻城。现在如果步兵、攻城的工具一同前进，对方一定因为惧怕而全力以赴进行守城。如果我们采用攻城的办法，万一不能很快将城攻下，军粮吃尽，士卒疲惫不堪，在城外什么东西也得不到，我们就会陷入进退维谷的窘境。不如率领轻骑兵径直进逼统万城下，他们看到我们的步兵还没有到达，思想上必定产生松懈。我们故意将弱势暴露给他们，来引诱他们上当，他们如果出城迎战，一定会成为我军的俘虏。我之所以要这样做，是因为我们的军士是到远离家乡二千多里，中间又有大河阻隔，正所谓'置之死地而后生'。所以用三万骑兵攻城则力量不足，如果用来决战则是绰绰有余了。"遂率军先行。

六月初一癸卯，发生日食。

北魏太武帝拓跋焘率领三万名轻骑兵抵达夏国的都城统万，将军队分别埋伏在山谷之中，只带领少量军队抵达统万城下。夏国将领狄子玉向魏国投降，狄子玉说："夏国皇帝赫连昌听到有魏国的军队入侵，便立即派遣使者征调平原公赫连定，赫连定说：'统万城城池坚固、地势险峻，不容易被敌人攻克。等我擒获了魏将奚斤，然后再慢慢地率军前往统万。到那时再对魏军进行内外夹击，没有不能取胜的道理。'所以夏国皇帝赫连昌才决心坚守统万，等待平原公赫连定的到来。"北魏太武帝对夏主赫连昌所采取的坚守不战策略感到非常忧虑，于是便率军撤退，向夏军显示自己的兵力并不是很强大，同时派遣中领军娥清及永昌王拓跋健率领五千名骑兵向西去劫掠居民。

北魏军中有一名因为犯罪而逃往夏国的人，向夏国人述说北魏军中的粮食已经吃尽，士卒每天靠吃野菜充饥，全部辎重都远在后方，步兵也没有到来，应该趁

未至，宜急击之。夏主从之。甲辰⑦²³，将步骑三万出城。长孙翰等皆言："夏兵步陈难陷⑦²⁴，宜避其锋。"魏主曰："吾远来求贼⑦²⁵，惟恐不出。今既出矣，乃避而不击，彼奋我弱，非计也。"遂收众伪遁，引而疲之。

夏兵为两翼，鼓噪追之，行五六里，会有风雨从东南来，扬沙晦冥。宦者赵倪，颇晓方术⑦²⁶，言于魏主曰："今风雨从贼上来，我向之，彼背之，天不助人⑦²⁷；且将士饥渴，愿陛下摄骑⑦²⁸避之，更待后日。"崔浩叱之曰："是何言也！吾千里制胜⑦²⁹，一日之中，岂得变易⑦³⁰？贼贪进不止，后军已绝⑦³¹，宜隐军分出⑦³²，掩击不意⑦³³。风道在人⑦³⁴，岂有常也！"魏主曰："善！"乃分骑为左右队以掎⑦³⁵之。魏主马蹶而坠⑦³⁶，几为夏兵所获。拓跋齐⑦³⁷以身捍[19]蔽，决死力战，夏兵乃退。魏主[20]腾马得上⑦³⁸，刺夏尚书斛黎文，杀之；又杀骑兵十余人，身中流矢，奋击不辍，夏众大溃。齐，翳槐⑦³⁹之玄孙也。

魏人乘胜逐夏主至城北⑦⁴⁰，杀夏主之弟河南公满及兄子蒙逊，死者万余人。夏主不及入城，遂奔上邽⑦⁴¹。魏主微服⑦⁴²逐奔者，入其城⑦⁴³。拓跋齐固谏，不听。夏人觉之，诸门悉闭。魏主因与齐等入其宫中，得妇人裙，系之槊上，魏主乘之而上⑦⁴⁴，仅乃得免。会日暮，夏尚书仆射问至⑦⁴⁵奉夏主之母出走。长孙翰将八千骑追夏主至高平⑦⁴⁶，不及而还。

乙巳⑦⁴⁷，魏主入城，获夏王[21]、公、卿、将[22]、校及诸母、后妃、姊妹、宫人以万数，马三十余万匹，牛羊数千万头，府库珍宝、

机赶紧攻打。夏国皇帝赫连昌听从了这名降者的意见。六月初二甲辰，赫连昌率领三万名步兵、骑兵出城迎战魏军。北魏司徒长孙翰等全都提醒太武帝拓跋焘说："夏国步兵的阵势恐怕难以攻破，应该暂且避一避他的锋芒。"拓跋焘说："我们率领大军远道而来寻求与贼军开战，唯恐他们不肯出战。现在他们已经出城，却要我避开不战，就等于是在鼓励敌人的士气而削弱我军的力量，这不是好办法。"于是集结队伍假装逃跑，引诱夏军前来追赶，以此来使夏军疲惫。

夏国军兵分两路，从左右两侧包抄过来，他们一面擂动进军的战鼓，一面喊杀连天地紧紧追赶魏军，追赶了五六里之后，遇到狂风暴雨从东南方向滚滚而来，风头扬起的沙尘铺天盖地，大白天就如同黑夜一样。宦官赵倪稍微懂得一些天文气象，他对北魏太武帝拓跋焘说："现在风雨从贼人的方向而来，我们是面对风雨，而贼人则是背对风雨，看来上天不肯帮助我们；再说将士已经是又饥又渴，希望陛下收兵暂且躲避，等来日再战。"太常崔浩斥责他说："这是什么话！我国大军从千里远的地方前来奔袭敌人，就有必胜的把握，怎么能在一天之中，因为遭遇风雨而突然改变计划？贼人贪图获胜而追击不止，他们后面已经没有后续部队，现在我们应该隐蔽军队，分成数批从贼人的背后出击，杀他们一个出其不意。风向是固定的，关键在于人怎样利用它，岂能一定认为是对我军不利！"太武帝拓跋焘说："太常说得很对！"于是便把骑兵分成两队，从左右两翼向敌人发起攻击。此时太武帝拓跋焘却突然因为马失前蹄而摔下马来，差一点被夏军活捉。拓跋齐一面用自己的身体掩护拓跋焘，一面拼死力战，夏兵这才退走。太武帝拓跋焘腾身跃上战马，用手中的兵器径直刺向夏国担任尚书的斛黎文，将斛黎文杀死；又一连杀死了夏国的十多名骑兵，拓跋焘身上被流矢射中，但他仍然奋力拼杀不止，于是夏军大败。拓跋齐，是拓跋翳槐的玄孙。

北魏军乘胜追击夏国皇帝赫连昌，一直追到统万城北，杀死了赫连昌的弟弟河南公赫连满及其侄子赫连蒙逊，杀死了夏国一万多名军士。赫连昌来不及进入统万城，遂逃奔上邽。北魏太武帝拓跋焘换上普通士卒的服装亲自追杀败逃的夏军，遂进入统万城。拓跋齐坚决劝阻，拓跋焘不听。夏国人发觉杀入城中的一名士卒像是北魏皇帝拓跋焘，于是立即关闭了所有的城门。太武帝拓跋焘趁机与拓跋齐等进入夏国的皇宫，抢到一条女人的裙子，便把裙子捆绑在槊上，太武帝拓跋焘登着裙槊爬上城墙，越城逃出，这才得以幸免。等到傍晚时分，夏国的尚书仆射问至保护着夏国皇帝赫连昌的母亲出城逃走。北魏担任司徒的长孙翰率领着八千名骑兵追赶夏主赫连昌，一直追到高平，没有追上，只得返回。

六月初三乙巳，北魏太武帝拓跋焘进入夏国的都城统万，俘获了夏国的王、公、卿、将、校，以及赫连昌父亲赫连勃勃的皇后、嫔妃，赫连昌的皇后、嫔妃、姐妹、宫女数以万计，缴获的马匹有三十多万匹，牛羊数千万头，府库中的珍宝、车旗、

车旗、器物不可胜计，颁赐将士有差[748]。

初，夏世祖性豪侈，筑统万城，高十仞[749]，基厚三十步[750]，上广十步，宫墙高五仞，其坚可以厉刀斧[751]。台榭壮大，皆雕镂图画，被以绮绣，穷极文采。魏主顾谓左右曰："蕞尔[752]国而用民如此[753]，欲不亡，得乎！"

得夏太史令张渊、徐辩，复以为太史令。得故晋将毛脩之[754]、秦将军库洛干[755]，归库洛干于秦，以毛脩之善烹调，用为太官令[756]。魏主见夏著作郎天水赵逸所为文，誉夏主太过，怒曰："此竖[757]无道，何敢如是[758]！谁所为邪？当速推之[759]！"崔浩曰："文士褒贬，多过其实，盖非得已，不足罪也。"乃止。魏主纳夏世祖三女为贵人。

奚斤与夏平原公定犹相拒于长安。魏主命宗正娥清、太仆丘堆帅骑五千略地关右[760]。定闻统万已破，遂奔上邽。斤追至雍[761]，不及而还。清、堆攻夏贰城[762]，拔之。

魏主诏斤等班师。斤上疏[23]言："赫连昌亡保上邽，鸠合余烬[763]，未有蟠据[764]之资，今因其危，灭之为易。请益铠马[765]，平昌而还。"魏主不许。斤固请，乃许之，给斤兵万人，遣将军刘拔送马三千[24]匹，并留娥清、丘堆使共击夏。

辛酉[766]，魏主自统万东还，以常山王素为征南大将军、假节，与执金吾桓贷、莫云[767]留镇统万。云，题[768]之弟也。

秦王炽磐还枹罕。

秋，七月己卯[769]，魏主至柞岭[770]。柔然寇云中，闻魏已克统万，乃遁去。

秦王炽磐谓群臣曰："孤知赫连氏必无成，冒险归魏[771]，今果如孤言。"八月，遣其叔父平远将军渥头等入贡于魏。

器物多得无法统计，遂依照功劳的大小，分成不同等级赏赐给诸将士。

当初，夏国世祖赫连勃勃性情奢侈，所修筑的统万城，总高达十仞，城墙底部宽三十步，上面宽十步，宫墙高五仞，其坚固的程度，可以当作磨刀石，在上面磨砺刀斧。亭台楼榭十分雄伟壮观，上面全都雕镂着各种图案，再用各种丝绸锦绣作为装饰，精致豪华到了无以复加的程度。北魏太武帝拓跋焘回头对身边的人说："这么小的一个国家，竟然如此地耗费人力物力，还想不灭亡，怎么可能呢！"

北魏军俘虏了夏国的太史令张渊、徐辩，太武帝拓跋焘任命他们做了魏国的太史令。俘获了故东晋的将领毛脩之、西秦的将军库洛干，拓跋焘将库洛干送归西秦，因为毛脩之善于烹饪，遂任命毛脩之为太官令。北魏太武帝拓跋焘看见了夏国担任著作郎的天水人赵逸所写的一篇赞颂夏主赫连氏的文章，认为赞美得太过分，不禁勃然大怒说："这小子太没道理，竟然昧着良心写出这种赞誉赫连勃勃的文章！是谁写的？赶紧把他查出来治罪！"担任太常的崔浩劝解说："文人褒贬，大多都言过其实，总体来说都是出于迫不得已，不值得治他们的罪。"拓跋焘这才不再追究。北魏太武帝拓跋焘把夏世祖赫连勃勃的三个女儿收入后宫，封为贵人。

北魏司空奚斤与夏国的平原公赫连定还在长安进行对峙。北魏太武帝拓跋焘命令担任宗正的娥清、担任太仆的丘堆率领五千名骑兵去攻取关右的地盘。夏国平原公赫连定得知都城统万已经被魏军攻破，遂抛弃长安，也逃往上邽。奚斤率军追赶，一直追到雍城，没有追上，便率军返回。娥清、丘堆率领五千名骑兵进攻夏国的贰城，将贰城攻克。

北魏太武帝拓跋焘下诏命司空奚斤等班师。奚斤上疏给太武帝拓跋焘说："夏主赫连昌逃往上邽据守，他虽然纠集起一些残余力量，却没有盘踞一方的实力，现在趁其危困，消灭他很容易。请求为我增加一些铠甲与战马，我要先灭掉赫连昌而后再班师。"北魏太武帝拓跋焘没有批准。奚斤一再请求，拓跋焘才批准了他的请求，于是拨给奚斤一万名士兵，派将军刘拔为奚斤送去三千匹马，并留下宗正娥清、太仆丘堆，让他们与奚斤一道扫平夏国的残余势力。

六月十九日辛酉，北魏太武帝拓跋焘率领大军从夏国的都城统万返回东方的魏国，他任命常山王拓跋素为征南大将军、假节，与担任执金吾的桓贷、莫云留下镇守统万城。莫云，是莫题的弟弟。

西秦王乞伏炽磐返回西秦的都城枹罕。

秋季，七月初七己卯，北魏太武帝拓跋焘抵达柞岭。柔然出兵进犯魏国的云中，当他们得知北魏军已经攻克了夏国的都城统万之后，立即全军撤走。

西秦王乞伏炽磐对属下群臣说："我知道赫连氏一定会一事无成，所以才冒险归附于魏国，现在果然像我所说的那样。"八月，乞伏炽磐派自己的叔父、平远将军乞伏渥头等人前往魏国进贡。

壬子[772]，魏主还至平城，以所获颁赐留台[773]百官有差。

魏主为人壮健鸷勇，临城对陈[774]，亲犯矢石，左右死伤相继，神色自若，由是将士畏服，咸尽死力。性俭率[775]，服御饮膳[776]，取给而已[777]。群臣请增峻京城及修宫室曰："《易》云：'王公设险，以守其国[778]。'又萧何云：'天子以四海为家，不壮不丽，无以重威[779]。'"帝曰："古人有言：'在德不在险[780]。'屈丐[781]蒸土筑城而朕灭之，岂在城也[782]？今天下未平，方须民力，土功之事，朕所未为。萧何之对，非雅言也[783]。"每以为财者军国之本，不可轻费。至于赏赐，皆死事勋绩之家，亲戚贵宠未尝横有所及[784]。命将出师，指授[785]节度[786]，违之者多致负败。明于知人，或拔士于卒伍之中，唯其才用所长，不论本末[787]。听察精敏[788]，下无遁情[789]，赏不违贱，罚不避贵，虽所甚爱之人，终无宽假[790]。常曰："法者，朕与天下共之，何敢轻也。"然性残忍，果于杀戮，往往已杀而复悔之。

九月丁酉[791]，安定[792]民举城降魏。

氐王杨玄遣将军苻白作[793]围秦梁州刺史出连辅政于赤水。城中粮尽，民执辅政以降。辅政至骆谷[794]，逃还。冬，十月，秦以骁骑将军吴汉为平南将军、梁州刺史，镇南漒。

十一月，魏主遣军司马公孙轨兼大鸿胪[795]，持节[796]策拜杨玄为都督荆、梁等四州诸军事，梁州刺史，南秦王[797]。及境，玄不出迎，轨责让之，欲奉策以还[798]，玄惧而郊迎。魏主善之[799]，以轨为尚书[800]。轨，表[801]之子也。

十二月，秦梁州刺史吴汉为群羌所攻，帅户二千还于枹罕。

魏主行如中山[802]，癸卯[803]，还平城。

八月十一日壬子，北魏太武帝拓跋焘返回魏国的都城平城，把缴获的战利品按照不同等级赏赐给留守朝廷的文武百官。

北魏太武帝拓跋焘，身强体壮，性格稳健，又像凶猛的鸷鸟一样勇猛，每当率军攻城或与敌军对阵，他总是亲冒矢石，奋勇当先，即使是身边的人一个接一个地倒下，拓跋焘依然神色自若，因此全军将士对他既惧怕又敬服，全都愿意为他拼死效力。拓跋焘生活俭朴、性格率真，穿的用的吃的喝的，只要能够维持生活就可以了。群臣请求增高、加固京师平城的城墙，并为拓跋焘修缮宫室，他们说："《易经》上说：'王公设置险要，为的是保家卫国。'汉代的萧何也说过：'天子以四海为家，如果皇宫不够壮观、不够华美，便不能提高皇帝的权威。'"拓跋焘说："古人说过这样的话：'只在恩德，不在险要。'赫连勃勃用蒸过的土来筑城，却被我灭掉，国家兴亡的关键难道在于城墙的坚固不坚固吗？如今天下还没有完全平定，正是需要人力的时候，大兴土木一类的事情，我不会去做。萧何的话不是好话，不应该奉为经典。"拓跋焘常常认为，财富是军国的根本，不可以轻易地浪费。至于赏赐所及，都是为国立功而死的功勋之家，而那些皇亲国戚、受宠信的臣属则从未凭空地加以占有。他派遣将领、调动军队出兵打仗，都要亲自指点传授，指挥调度，违背他指令的大多都会失败。他具有知人之明，有时甚至在士卒之中选拔将领，对所提拔任用的人，只看他是否有才能可用，而不论他的出身与经历。拓跋焘具有敏锐的分析、观察能力，能够洞察细微，属下绝对没有办法弄虚作假来隐瞒他、欺骗他，该赏赐的一定赏赐，即使是对地位卑贱的人；该罚的一定要罚，即使是对地位尊贵的人、自己最喜欢的人，也绝对不会有所宽宥。他常说："法律，我与全国之人要共同遵守，怎么敢轻视呢。"然而，拓跋焘生性残忍，说杀人就杀人，杀过人之后又往往感到后悔。

九月二十六日丁酉，夏国所属的安定郡的居民全部投降了北魏。

氐王杨玄派将军苻白作率军将西秦担任梁州刺史的出连辅政包围在赤水城。赤水城中的粮食已经吃尽，城中的民众遂逮捕了出连辅政，向氐人投降。出连辅政被押送途中，抵达骆谷的时候伺机逃回了西秦。冬季，十月，西秦王乞伏炽磐任命担任骁骑将军的吴汉为平南将军、梁州刺史，镇守南漒。

十一月，北魏太武帝拓跋焘派遣担任军司马的公孙轨兼任大鸿胪，手持符节前往仇池，任命氐王杨玄为都督荆、梁等四州诸军事，梁州刺史，南秦王。公孙轨到达氐王的境内，杨玄竟然不肯出来迎接，公孙轨责备氐王杨玄，并准备捧着北魏太武帝拓跋焘加封杨玄的策文返回魏国，杨玄这才感到惧怕，赶紧到郊外迎接。北魏太武帝拓跋焘认为公孙轨出使时的表现很好，遂任命公孙轨为尚书。公孙轨，是公孙表的儿子。

十二月，西秦担任梁州刺史的吴汉不断受到羌人的攻击，遂率领二千户居民返回西秦的都城枹罕。

北魏太武帝拓跋焘前往中山巡视。十二月初四癸卯，从中山返回平城。

【段旨】

以上为第四段，写宋文帝元嘉四年（公元四二七年）一年间的大事。主要写：魏将奚斤与夏将赫连定相持于长安，魏主乘虚大举伐统万，夏主坚守等援，城坚难下；魏主退军示弱，夏主出兵追之，魏军伏兵数道出击，大破夏军；夏主逃保上邽，魏主遂占据统万城；夏之长安守将赫连定闻统万城陷，弃长安西奔上邽，魏将娥清、丘堆、奚斤追击至雍，遂略定关中地区。历史家详细描写了魏主拓跋焘的此次破夏方略，并集中评论了拓跋焘之为人，拓跋焘除酷苛好杀一项外，其他生活俭朴，不事豪华，知人善任，赏罚分明，是很好的一代明君。氐王杨玄破秦将于赤水，魏主封杨玄为梁州刺史、南秦王。刘宋王朝的重臣王华、郑鲜之死，交州刺史杜弘文被诏还京，中途病死于广州。

【注释】

⑥⑥③正月辛巳：正月初七。⑥⑥④乙酉：正月十一日。⑥⑥⑤魏主还平城：自统万前线返回平城。⑥⑥⑥什才六七：仅有十分之六七。⑥⑥⑦己亥：正月二十五日。⑥⑥⑧幽州：郡治即今北京，距当时北燕的边界不远。⑥⑥⑨平原公定：即赫连定，赫连勃勃之子。⑥⑦⓪山羌：当时居住在武始、洮阳附近山区的羌族人。⑥⑦①武始：郡名，郡治勇田，在今甘肃临洮。⑥⑦②洮阳：在今甘肃临潭西南。⑥⑦③乙卯：二月十一日。⑥⑦④丹徒：旧县名，在今江苏镇江南，刘裕的旧居在这里。⑥⑦⑤己巳：二月二十五日。⑥⑦⑥京陵：即兴宁陵，刘裕父亲的坟墓。⑥⑦⑦微时：贫贱的时候。⑥⑦⑧故宫：即刘裕少时的旧居。⑥⑦⑨躬耕历山：亲自在历山从事农田劳动。历山的地址说法不一，其一说在今济南东南。舜耕历山的故事见《史记·五帝本纪》。⑥⑧⓪亲事水土：大禹亲自治水的故事见《史记·夏本纪》。⑥⑧①三月丙子：即三月初三。⑥⑧②高凉王礼：即拓跋礼，拓跋斤的孙子。拓跋斤是拓跋珪的堂兄弟，事迹见本书卷一百四太元元年。⑥⑧③执金吾：也称中尉，首都的警察局长。⑥⑧④丁丑：三月初四。⑥⑧⑤广平王连：即拓跋连，拓跋珪之子。⑥⑧⑥丁亥：三月十四日。⑥⑧⑦戊子：三月十五日。⑥⑧⑧郑鲜之：原为刘裕的部属，甚见宠信，为人率直，言无所隐，曾为都官尚书、丹阳尹，文帝时为尚书仆射。传见《宋书》卷六十四。⑥⑧⑨乐都：郡名，郡治即今青海乐都。⑥⑨⓪西平：郡名，郡治即今青海西宁，在当时也是沙州的州治所在地。⑥⑨①赤水：在今青海共和东南的黄河边，在当时也是西秦的梁州州治所在地。⑥⑨②四月丁未：四月初四。⑥⑨③员外散骑常侍：与散骑常侍职务略同，以备参谋顾问。⑥⑨④庚戌：四月初七。⑥⑨⑤交州：州治龙编，在今越南河内东北，当时属于东晋。⑥⑨⑥征：诏；召其到朝廷。⑥⑨⑦自舆：让人抬着。⑥⑨⑧杖节三世：杖节指受朝廷任命，专治一方。节，旌节，朝廷授予使者或方面大员的信物。以竹为之，以旄牛尾为之饰。三世，指其祖杜瑗、其父杜慧度与杜弘文自己。杜慧度的事迹见《晋书·良吏传》。⑥⑨⑨投躯帝庭：即有幸到朝廷拜见皇帝。⑦⓪⓪简：选拔。⑦⓪①部分：部署、分

配。㊷常山王素：即拓跋素，拓跋遵之子。拓跋遵是拓跋珪之弟。传见《魏书》卷五十一。⑬部送：运送。⑭前候：在大军之前，负责侦察、哨探。候，侦察。⑮陆俟：魏初名将。传见《魏书》卷四十。⑯大碛：犹言“大漠”，谓驻兵于今内蒙古北境的大沙漠之南。碛，沙石地。⑰辛巳：五月初九。⑱壬午：五月初十。⑲拔邻山：在今陕西榆林市横山区西北，当时统万城东北的黑水以东。⑳退无所资：退下来无所凭依。资，凭借、依靠。㉑攻城最下：《孙子·谋攻》：“上兵伐谋，其次伐交，其次伐兵，其下攻城。”㉒不时拔：不能及时攻下。㉓宽弛：松懈。㉔羸形：故意示敌以弱形。羸，瘦弱。㉕成擒：现成的俘虏。㉖隔大河：指远离本土，悬军于黄河之西。㉗置之死地而后生：《孙子·九地》：“投之亡地然后存，陷之死地然后生。”㉘六月癸卯朔：六月初一是癸卯日。㉙蔑不济：没有不成功的。蔑，不。㉚患之：患其坚守不出战。㉛娥清：北魏前期的名将。传见《魏书》卷三十。㉜永昌王健：即拓跋健，拓跋焘之弟。传见《魏书》卷十五。㉝甲辰：六月初二。㉞步陈难陷：步兵排列的阵式难以攻破。㉟求贼：寻求与敌军开战。㊱方术：此处指带有迷信色彩的天文气象之术。㊲天不助人：老天爷不向着我们。人，此处指我方。㊳摄骑：犹言“收兵”。㊴千里制胜：从好远的地方来奔袭敌军。㊵一日之中二句：怎能突然之间说变就变。㊶后军已绝：已经没有后续部队。㊷隐军分出：把军队隐蔽起来，分成几支轮番交替地派出去。㊸掩击不意：出其不意地对他们发起攻击。掩，袭击。㊹风道在人：谓风向是固定的，关键在于人的利用。㊺掎：拖；牵制。即攻击他的侧翼。㊻马蹶而坠：因为马倒而从马上掉下来。㊼拓跋齐：拓跋翳槐的后代，被封为河间公。传见《魏书》卷十四。㊽腾马得上：即腾身上马。㊾翳槐：什翼犍之兄，拓跋珪的伯父。㊿城北：指统万城北。741上邽：即今甘肃天水，当时秦州的州治所在地。742微服：便衣。743入其城：进入了夏都统万城。744乘之而上：登着裙褋爬上城墙，翻城而出。745问至：人名，姓问，名至。746高平：即今宁夏固原。747乙巳：六月初三。748有差：根据功劳大小赏赐的多少不同。749十仞：一仞八尺，总高约八丈。750三十步：一步五尺，基宽约十五丈。751厉刀斧：当作磨刀石，磨砺刀枪。〖按〗赫连勃勃修统万城的情景见本书卷一百一十六。其中有所谓“蒸土筑城，锥入一寸，即杀作者而并筑之”。752蕞尔：极言其微小的样子。753用民如此：如此地耗费黎民的人力物力。754毛脩之：东晋将领，先随刘裕攻取了长安，刘裕回京，关中大乱后，夏人攻占长安，晋军南撤途中毛脩之被夏人所获，一直到现在。事见本书卷一百一十八义熙十四年。755库洛干：西秦乞伏氏的将领，上年被夏人俘获于西平。756太官令：为帝王管理伙食的官员。757此竖：指赵逸。竖，奴才，骂人语。758何敢如是：指写作如此昧着良心称誉赫连勃勃之文。759当速推之：要立即查办他。推，推问、查办。760略地关右：攻取关中地区的地盘。关右，即关西，指今函谷关以西的陕西中部地区。761雍：古城名，即今陕西凤翔。762贰城：在今陕西黄陵西。763鸠合余烬：犹言“集合起残兵败将”。鸠合，集聚。余烬，烧剩下的灰。764蟠据：指坚守、存身。765铠马：铠甲与战马，这里即指人马。⑯辛酉：六月十九日。⑰执金吾桓贷、莫云：此句叙事疑有误，一个执金吾不可能由两个人担任。⑱题：莫题，拓跋珪的部将。传见《魏书》卷二十三。⑲七月己卯：七月初七。⑳柞岭：即柞山，在今山西右玉西。㉑归魏：乞伏氏归附于魏，见本书上卷景平元年。㉒壬子：八月十一日。㉓留台：帝王在京的留守处。㉔临城对陈：亲自率军攻城，或亲自率军与敌对阵。陈，同“阵”。㉕俭率：俭朴、率真，即今所谓“不讲究排场，不装腔作势”。㉖服御饮膳：穿的用的吃的喝的。御，用。㉗取给而已：能维持生活需要就行。㉘王公设险二句：二语见《易经·坎卦·彖辞》。设险，指筑城挖沟。国，此处指京城。㉙重威：提高其权威。重，加重、提高。以上三句见《史记·萧相国世家》。㉚在德不在险：语见《史记·孙子吴起列传》，是吴起对魏武侯说的话。㉛屈丐：即赫连勃勃。㉜也：同“耶”。反问虚词。㉝非雅言也：不是好话，不应该奉为经典。㉞横有所及：凭空地加以占有。横，无端、无理。㉟指授：指点、传授。㊱节度：指挥、调度。㊲不论本末：不论他的出身与经历。㊳听察精敏：听其言，察其实，了解得清清楚楚。㊴无遁情：没法弄虚作假。遁，隐瞒、欺骗。㊵终无宽假：即有过必罚。宽假，宽大、饶恕。㊶九月丁酉：九月二十六日。㊷安定：郡名，郡治即今甘肃泾川北。㊸苻白作：姓苻，名白作。㊹骆谷：即当时的仇池，氐王杨玄的国都。㊺大鸿胪：朝官名，负责接待宾客。㊻持节：手持皇帝所授予的旌节，以显示该使者的身份、级别之高。㊼南秦王：因当时乞伏炽磐在枹罕（今甘肃临夏）称秦王（历史上的西秦），仇池（今甘肃成县西）在枹罕东南，故称杨玄为“南秦王”。㊽奉策以还：捧着魏主加封杨玄的策文回去，不给他加封了。策，皇帝加封某人为王时将诏令写在竹简或金玉制作的册页上，以示庄严。㊾善之：认为公孙轨这次出使的表现好。㊿尚书：即尚书郎，相当于今之部长一级。801表：即公孙表，魏初的主要将领之一。传见《魏书》卷三十三。802中山：即今河北定州。803癸卯：十二月初四。

【校记】

［16］多：张敦仁《通鉴刊本识误》作“伤”。［17］三：原作“二”。据章钰校，甲十六行本、乙十一行本皆作“三”，张敦仁《通鉴刊本识误》同，今据改。［18］主：原作“王”。据章钰校，甲十六行本、乙十一行本皆作“主”，熊罗宿《胡刻资治通鉴校字记》同，今据改。［19］捍：原作“捍”。据章钰校，甲十六行本、乙十一行本皆作“捍”，熊罗宿《胡刻资治通鉴校字记》同，今据改。［20］主：原作“王”。据章钰校，甲十六行本、乙十一行本皆作“主”，熊罗宿《胡刻资治通鉴校字记》同，今据改。［21］王：据章钰校，甲十六行本、孔天胤本皆作“主”。［22］将：据章钰校，甲十六行本、乙十一行本、孔天胤本皆无此字。［23］疏：原无此字。据章钰校，甲十六行本、乙十一行本、孔天胤本皆有此字，张敦仁《通鉴刊本识误》同，今据补。［24］千：原作“十”。据章钰校，甲十六行本、乙十一行本、孔天胤本皆作“千”，今据改。

【研析】

本卷写宋文帝元嘉元年（公元四二四年）至元嘉四年共四年间的各国大事，其中最重要的莫过于徐羡之、谢晦、傅亮三个权臣强加罪名废掉并杀死皇帝刘义符，以及刘义隆继位后毫不迟疑地诛灭徐羡之、傅亮、谢晦这三个孽臣了。谢晦的作孽早在上卷就已经开始了。首先他对皇太子不满，他对刘裕说："陛下春秋既高，宜思存万世，神器至重，不可使负荷非才。"当刘裕问他第二个儿子刘义真的情况如何时，谢晦说："臣请观焉。"于是他去找庐陵王刘义真，刘义真是很想与他好好谈谈的，但谢晦不想说话，回来就对刘裕说："德轻于才，非人主也。"刘裕已立与想立的两个儿子都被谢晦否定了，那今后怎么办呢？刘裕没有再说话，而谢晦的狼子野心已经暴露无遗。当刘裕一死，他们立刻编造罪名，掀起事端，他们先说刘义符"多狎群小"，接着又说刘义符"居丧无礼"，然后又说刘义符"时在后园，颇习武备，鼓鞞在宫，声闻于外"。刘义符受不了这几个家伙的气，想训练一批自己贴身的武装，这已经是无可奈何之举，想不到又成了新的罪名。读书至此，不由得使我想到了曹操的孙辈曹髦，《汉晋春秋》写曹髦之死说："帝见威权日去，不胜其愤。乃召侍中王沈、尚书王经、散骑常侍王业，谓曰：'司马昭之心，路人所知也。吾不能坐受废辱，今日当与卿自出讨之。'……乃出怀中版令投地，曰：'行之决矣。正使死，何所惧？况不必死邪？'……遂帅僮仆数百，鼓噪而出。文王弟屯骑校尉伷入，遇帝于东，止车门，左右呵之，伷众奔走。中护军贾充又逆帝，战于南阙下。帝自用剑。众欲退。太子舍人成济问充曰：'事急矣，当云何？'充曰：'畜养汝等，正为今日。今日之事，无所问也！'济即前刺帝，刃出于背。"刘义符的处境不也正是这种样子吗？由于练兵不成，日后遂连一个为他出力的人也没有。刘义符被他们害得很惨，他们废掉刘义符之后，先是把他押到了苏州暂住，后来又派人去杀他。刘义符身高力大，几个人制服不了，冲出了门外，于是这伙人就在背后追赶，最后竟用门闩把刘义符活活打死了。

又由于刘义符死后，按次序应该立刘义真，而刘义真又是徐羡之、谢晦等所特别不愿意的，于是他们就及早地为刘义真编造罪名，在未废刘义符之前，先以刘义符的名义，将刘义真废为庶人，又将其杀死。王夫之《读通鉴论》对此感慨地说："乱臣贼子敢推刃于君父，有欲篡而弑者，有欲有所援立而弑者，有祸将及身迫而弑者，又其下则女子小人狎侮而激其忿戾，愍不畏死，遂成乎弑者。若夫身为顾命大臣，以谋国自任，既无篡夺之势，抑无攀立之主，身极尊荣，君无猜忌，而背憎翕訿，晨揣夕谋，相与协比而行弥天之巨恶，此则不可以意测，不可以情求者矣，而徐羡之、傅亮、谢晦以之……武帝托大臣以辅弼之任，夫岂不望其捡柙而规正之？乃范泰谏而羡之、亮、晦寂无一言。王诚终不可诲矣，顾命大臣苟尽忠夹辅以不底于大恶，亦未遽有必亡之势也。恶有甫受遗诏以辅之，旋相与密谋而遽欲弑之，抑取无过之庐陵而先凌蔑之。至于弑逆已成，乃左顾右眄，迎立宜都，处心如此，诚不可以人理测者。”其实也很明显，他们就是想找一个关系疏远、势力微弱，而又意想不到的人出来接班，以求对他们感恩戴德，以利于他们的专制朝权，为所欲为。这种心理与当年周勃、陈平灭掉诸吕之后，不立齐王刘襄，而迎立代王刘恒是同样的道理。

而宜都王刘义隆果然也正像当年的代王刘恒一样，他带领群臣迅即来京，即皇帝位；与刘恒不同的是，他没有对徐羡之、谢晦等表现任何的感谢之情，也没有给徐羡之、谢晦等任何过渡的余地，他很快地就把徐羡之、傅亮、谢晦等一一灭掉了。这倒也是一件大快人心的事。

徐羡之、傅亮、谢晦三人的死，自然是死有余辜。即使不像徐、傅、谢这样作恶，但参与了统治集团内部父子、兄弟相杀的大臣，通常也难有好下场。周勃、陈平灭掉了吕氏一党，无少长皆杀之；随后又诬蔑齐王刘襄的亲戚不好，而选来了代王刘恒，刘恒又与周勃、陈平异口同声地诬蔑惠帝后宫的诸子都不姓刘，也是“无少长皆杀之”。周勃、陈平算是为刘恒做皇帝扫清了一切道路，但刘恒是否就感谢周勃、陈平了呢？没有，而是对他们更加害怕了。陈平是第二年病死，不用再管；而周勃则被汉文帝下了狱，最后死于栖栖惶惶之中。为什么呢？汉文帝害怕。“你们过去能如此残酷地对待我的兄弟，今后就不会如此残酷地对待我吗？”《左传》写晋国的大臣里克忠于公子重耳。晋献公死后，受宠的小儿子卓子继位，里克把他杀了；朝臣又立了卓子之弟，里克又把他杀了。里克迎立公子重耳，重耳害怕不敢来，里克只好立了公子夷吾。夷吾即位后立即把里克杀了，理由是“弑君”。里克说：“我不弑君，能轮到您为君吗？”夷吾说：“你一连杀了我的两个弟兄，你就必须死。”这就是卷入统治集团内部，给人“扫除道路”的结果。所以刘义隆不论从哪个角度考虑都得杀了徐羡之、傅亮、谢晦三人。

本卷写了刘义隆王朝的一些执政大臣以及他们的君臣关系，如说：“华与刘湛、王昙首、殷景仁俱为侍中，风力局干，冠冕一时。上尝与四人于合殿宴饮，甚悦。既罢出，上目送良久，叹曰：‘此四贤，一时之秀，同管喉唇，恐后世难继也！’”像是刘义隆很有先见之明，以及刘宋的政治多么好，其实不是。再过几年，刘湛就与殷景仁闹得水火不容，朝臣分做两大派系，直到刘义隆下令将刘湛抓起来杀掉为止。既有今日，何必当初？这既表现了刘义隆的浅薄，也表现了历史家文章的前后矛盾，既然后面如此之坏，前面的写法怎能不留些余地呢？

本卷还写道：“初，高祖既贵，命藏微时耕具以示子孙。帝至故宫见之，有惭色。近侍或进曰：‘大舜躬耕历山，伯禹亲事水土。陛下不睹遗物，安知先帝之至德，稼穑之艰难乎？’”刘裕的用心本来是很好的，想教育他的孩子别忘本，但佼佼如刘义隆这样的儿子，居然“有惭色”，感到难以见人。明代袁黄在《历史纲鉴补》中写道：“宋文帝以耕为愧事，虽较葛布笼灯差胜，若元英宗见遗衣缣素，木棉里加补缀，嗟叹良久，其识趣相越何啻霄壤!”

本卷还写到魏主拓跋焘为人的一些特点：“魏主为人壮健鸷勇，临城对陈，亲犯矢石，左右死伤相继，神色自若，由是将士畏服，咸尽死力。性俭率，服御饮膳，取给而已。群臣请增峻京城及修宫室曰：‘《易》云：“王公设险，以守其国。”又萧何云：“天子以四海为家，不壮不丽，无以重威。”’帝曰：‘古人有言：“在德不在险。”屈丐蒸土筑城而朕灭之，岂在城也？今天下未平，方须民力，土功之事，朕所未为。萧何之对，非雅言也。’每以为财者军国之本，不可轻费。至于赏赐，皆死事勋绩之家，亲戚贵宠未尝横有所及。”这段话的意思有三点：其一是魏国的帝王，历代都是英姿勃勃，其国势蒸蒸日上绝非偶然；其二是个人的生活俭朴，从不以帝王的身份而大搞特殊；其三是花钱要花对地方，“至于赏赐，皆死事勋绩之家，亲戚贵宠未尝横有所及”，这话说得深刻。尤其批判萧何在艰苦年代为刘邦大修未央宫的强词夺理，更令人称快。

卷第一百二十一　宋纪三

起著雍执徐（戊辰，公元四二八年），尽上章敦牂（庚午，公元四三〇年），凡三年。

【题解】

本卷写宋文帝元嘉五年（公元四二八年）至元嘉七年共三年间的刘宋与北魏等国的大事。主要写：魏将奚斤等攻夏主赫连昌于上邽，裨将安颉诱赫连昌出战而擒之，赫连昌之弟赫连定逃回平凉即位为夏王；魏将奚斤追击赫连定于平凉，赫连定设伏邀击，大败魏军，擒奚斤、娥清等，长安一带遂又被夏人所占据。魏主出兵讨伐柔然，群臣谏阻，崔浩分析了柔然与刘宋之形势，预言宋兵必不敢北出，柔然必克，结果柔然在魏军的突然攻击下绝迹西走，其可汗纥升盖竟因此愤悒而死，魏主获得巨大胜利，占据了大片领土，拥有了众多的人口与牲畜，国家为之富饶。宋文帝刘义隆派将军到彦之率王仲德、竺灵秀等出兵北伐，魏主依据崔浩的形势分析，令黄河南岸之洛阳、虎牢、滑台、碻磝的各据点守兵一律撤至河北，宋将到彦之则昏昏然进占各地，自东至西，所在置戍，战线连绵二千里。魏将安颉渡河攻金墉，刘宋守将杜骥、姚耸夫弃城走，洛阳、虎牢相继被魏所取；到彦之闻洛阳、虎牢失守，不听垣护之“宜使竺灵秀助朱脩之守滑台，自帅

【原文】

太祖文皇帝上之中

元嘉五年（戊辰，公元四二八年）

春，正月辛未[①]，魏京兆王黎[②]卒。

荆州刺史、彭城王义康[③]，性聪察，在州职事修治[④]。左光禄大夫范泰[⑤]谓司徒[⑥]王弘曰：“天下事重，权要难居。卿兄弟盛满[⑦]，当深存降挹[⑧]。彭城王，帝之次弟，宜征还入朝[⑨]，共参朝政。”弘纳其言。时大旱，疾疫，弘上表引咎逊位[⑩]，帝不许。

大军进拟河北”之劝，竟在敌兵尚远距千里时弃滑台、烧舟船而南奔；部将竺灵秀亦弃须昌南逃，又被魏将大破于湖陆，刘宋之北伐遂告吹灯，“彦之之北伐也，甲兵资实甚盛；及败还，委弃荡尽，府藏、武库为之空虚”；刘宋王朝为此则只是斩竺灵秀，免到彦之、王仲德之官以塞责而已。夏主赫连定原与刘宋相约联合攻魏，魏主又用崔浩之谋，移兵大破夏主于鹑觚原，乘胜取安定、平凉，夏人西奔上邽，长安与整个关中又归魏国所有。秦主乞伏炽磐死，其子暮末继立，北凉沮渠蒙逊两次进攻西秦，都被秦主暮末所破。燕主冯跋死，其弟冯弘乘机篡取政权，尽杀冯跋之子百余人。武都王杨玄死，其弟杨难当废杨玄之子而自称武都王。刘宋王朝之权臣王弘辞职归家，刘义隆之弟刘义康进朝辅政，刘义康贪权无厌，为其日后之取败埋下伏笔。刘宋词臣谢灵运不服王昙首、殷景仁等之受宠握权，心存不满，称疾不朝，放情山水，被纠弹罢职。

【语译】

太祖文皇帝上之中

元嘉五年（戊辰，公元四二八年）

春季，正月初二辛未，北魏京兆王拓跋黎去世。

宋国担任荆州刺史的彭城王刘义康，性情聪慧、观察敏锐，在荆州任上，凡是属于自己职权范围之内的事情都办得很好。担任左光禄大夫的范泰对担任司徒的王弘说：“掌管国家大事，责任重大，而权要的位子很难长久保持。你和你的兄弟王昙首都身居要职，地位权势都已经达到顶峰，满则招损，应当多想一想谦退自贬之事，免得将来后悔。彭城王刘义康，是皇帝的二弟，应该将他召回朝廷，让他在朝廷任职，共同参与朝政。”王弘采纳了范泰的建议。当时正遭遇大旱灾，瘟疫流行，王弘遂趁机上疏给宋文帝刘义隆，称说由于自己为官有过，所以招致上天的谴责，应该引咎辞职，宋文帝没有批准王弘的辞职申请。

秦商州⑪刺史领浇河太守⑫姚濬叛，降河西⑬。秦王炽磐以尚书焦嵩代濬，帅骑三千讨之。二月，嵩为吐谷浑元绪⑭所执。

魏改元“神䴥”⑮。

魏平北将军尉眷⑯攻夏主于上邽，夏主退屯平凉⑰。奚斤进军安定⑱，与丘堆、娥清[1]军合。斤马多疫死，士卒乏粮，乃深垒自固。遣丘堆督租⑲于民间，士卒暴掠，不设儆备。夏主袭之，堆兵败，以数百骑还城。夏主乘胜，日来城下钞掠⑳，不得刍牧㉑，诸将患之。监军侍御史㉒安颉㉓曰：“受诏灭贼，今更为贼所困，退守穷城，若不为贼杀，当坐法诛㉔，进退皆无生理。而诸王公㉕晏然㉖曾不为计㉗乎？”斤曰：“今军士无马，以步击骑，必无胜理。当须㉘京师救骑至，合击之。”颉曰：“今猛寇游逸㉙于外，吾兵疲食尽，不一决战，则死在旦夕，救骑何可待乎！等于就死㉚，死战，不亦可乎㉛！”斤又以马少为辞。颉曰：“今敛㉜诸将所乘马，可得二百匹，颉请募敢死之士出击之，就㉝不能破敌，亦可以折其锐。且赫连昌狷㉞而无谋，好勇而轻，每自出挑战，众皆识之。若伏兵掩击，昌可擒也。”斤犹难之。颉乃阴与尉眷等谋，选骑待之。既而夏主来攻城，颉出应之。夏主自出陈前搏战㉟，军士识其貌，争赴之㊱。会天大风，扬尘，昼昏，夏主败走。颉追之，夏主马蹶而坠，遂擒之。颉，同㊲之子也。

夏大将军、领司徒、平原王定㊳收其余众数万，奔还平凉㊴，即皇帝位。大赦，改元“胜光”。

三月辛巳㊵，赫连昌至平城，魏主馆之于西宫㊶，门内器用皆给㊷乘舆之副㊸；又以妹始平公主妻之，假㊹常忠将军，赐爵会稽公。

西秦担任商州刺史兼任浇河太守的姚濬背叛了西秦国，投降了北凉河西王沮渠蒙逊。西秦王乞伏炽磐令担任尚书的焦嵩代替姚濬担任商州刺史兼浇河太守，率领三千名骑兵讨伐姚濬。二月，焦嵩被吐谷浑的部落首领慕容元绪擒获。

北魏改年号为“神䴥”。

北魏担任平北将军的尉眷率领魏军进攻夏主赫连昌所据守的上邽，夏主赫连昌撤出上邽，退往平凉据守。奚斤率军进抵安定，他与丘堆、娥清所率领的魏军会合。奚斤属下的很多战马都死于瘟疫，士卒又缺乏粮食，因此无法向夏军展开进攻，只得深挖壕沟，修筑营垒进行自我保护。他派遣太仆丘堆到民间去征收租粮，士卒到了民间之后，只顾大肆进行抢掠，而没有进行警戒。夏主赫连昌趁机率军袭击，丘堆被打得大败，在几百名骑兵的护卫下逃回安定城。夏主赫连昌凭借着战胜后的士气，每天率军到安定城下进行抢掠，北魏军得不到粮草，诸将都很发愁。担任监军侍御史的安颉说：“我们接受皇帝的诏命前来剿灭贼寇，如今反倒被贼寇所困，撤退到安定这样一座孤城进行坚守，即使不被贼寇杀死，回国之后也会因为败军之罪而被杀头，无论我们是前进还是后退，都没有活路可走。而诸位王公竟如此安然地待在这里一点也不着急，难道就不曾考虑应对的办法吗？”奚斤说：“如今军士没有马匹，用步兵去攻击骑兵，肯定没有获胜的道理。应当等到朝廷所派救援的骑兵到来，我们与他们会合之后再联合进攻敌人。”安颉说：“如今凶猛的贼寇在安定城外骑马游荡，而我军已经疲惫不堪，又没有粮食，如果不出城与夏军决一死战，那么被夏军消灭是早晚的事，又如何能够等到救兵到来呢！反正左右都是死，与夏军决死一战，不是也可以吗！”奚斤又以马匹太少为借口。安颉说：“如果把诸将手下所有的战马集中起来，还能有二百匹，请允许我招募敢死队出城去攻打敌人，即使不能将敌人打败，也可以挫挫敌人的锐气。再说夏主赫连昌气量狭小，性情急躁而又缺少谋略，虽然好勇斗狠，却行动轻率，经常亲自出来挑战，士卒全都认识他。如果设好埋伏再去突袭，很可能将赫连昌擒获。”奚斤还是很不情愿。安颉于是便暗中与尉眷等进行谋划，挑选出战马、骑士等待机会。不久，夏主赫连昌便亲自率军前来攻城，安颉出城迎战。夏主赫连昌亲自出到阵前与魏军交战，魏国的军士都认出是夏主赫连昌，于是争相赴敌。又恰好遇到狂风大作，飞沙走石，大白天变得如同黑夜，夏主赫连昌率军败走。安颉率军猛追，夏主赫连昌突然马失前蹄摔下马来，随即被安颉活捉。安颉，是安同的儿子。

夏国担任大将军兼任司徒的平原公赫连定召集起剩余的数万名兵众，逃回了平凉，在平凉即位为夏国皇帝。实行大赦，改年号为“胜光”。

三月十三日辛巳，夏主赫连昌被押送到魏国的都城平城，北魏太武帝拓跋焘让他住在自己的西宫里，赫连昌在西宫之中，日常所需的东西，都与太武帝拓跋焘所使用的一样；拓跋焘还把自己的妹妹始平公主嫁给赫连昌为妻，授予他常忠将军的头衔，

以安颉为建节将军，赐爵西平公；尉眷为宁北将军，进爵渔阳公。

魏主常使赫连昌侍从左右，与之单骑共逐鹿，深入山涧。昌素有勇名，诸将咸以为不可。魏主曰：“天命有在[45]，亦何所惧?”亲遇[46]如初。

奚斤自以为元帅，而昌为偏裨[47]所擒，深耻之。乃舍辎重，赍三日粮，追夏主于平凉。娥清欲循水[48]而往，斤不从，自北道邀其走路[49]。至马髦岭[50]，夏军将遁，会魏小将有罪亡归于夏，告以魏军食少无水。夏主乃分兵邀斤，前后夹击之，魏兵大溃，斤及娥清、刘拔[51]皆为夏所擒，士卒死者六七千人。

丘堆守辎重在安定，闻斤败，弃辎重奔长安，与高凉王礼[52]偕奔蒲阪[53]，夏人复取长安。魏主大怒，命安颉斩丘堆，代将其众，镇蒲阪以拒之。

夏，四月，夏主遣使请和于魏，魏主以诏谕之使降。

壬子[54]，魏主西巡。戊午[55]，畋于河西[56]。大赦。

五月，秦文昭王炽磐卒[57]，太子暮末即位，大赦，改元“永弘”。

平陆令河南成粲[58]复劝王弘逊位，弘从之，累表陈请。帝不得已，六月庚戌[59]，以弘为卫将军、开府仪同三司[60]。

甲寅[61]，魏主如长川[62]。

葬秦文昭王于武平陵，庙号“太祖”。秦王暮末以右丞相元基为侍中、相国、都督中外诸军、录尚书事，以镇军大将军、河州牧谦屯[63]为骠骑大将军，征[64]安北将军、凉州刺史段晖为辅国大将军、御史大夫，叔父右禁将军千年为镇北将军、凉州牧，镇湟河[65]，以征北将

封他为会稽公。任命安颉为建节将军，赐爵为西平公；任命平北将军尉眷为宁北将军，晋升为渔阳公。

北魏太武帝拓跋焘常常让常忠将军、会稽公赫连昌跟随在自己的身边，还单人独骑与赫连昌一起出去打猎，追逐麋鹿，深入深山峡谷。赫连昌一向以勇猛被人称道，所以诸将都以为太武帝不应该这样做。太武帝拓跋焘却说：“上天授命于我，让我做了皇帝，我还惧怕什么？”对赫连昌依然像当初那样亲密对待。

魏国司空奚斤觉得自己身为统帅，而夏主赫连昌却被属下的副将活捉，这简直是奇耻大辱。于是他下令军队舍弃所有的辎重，每人只带着三天的粮食，全力以赴前往平凉追赶新即位的夏国皇帝赫连定。担任宗正的娥清想要沿着泾水逆流而上，奚斤不同意，遂从北路赶往平凉，准备在赫连定向北逃跑的途中进行截击。魏军到达马髦岭，夏军正准备逃走，正好魏军中有一名小将因为犯了罪，为逃避处罚而归降了夏军，他将魏军所携带的粮食很少，以及缺水等情况全都告诉了夏主赫连定。赫连定于是派兵分头截击奚斤所率领的北魏军，他们采用前后夹击的战术向奚斤的军队展开进攻，结果魏军被打得大败，司空奚斤以及宗正娥清、将军刘拔全都被夏军活捉，士卒被杀死的有六七千人。

北魏担任太仆的丘堆正在安定守卫着奚斤留下来的辎重，他听到奚斤战败被擒的消息之后，立即丢下辎重逃往长安，然后与高凉王拓跋礼一同逃奔蒲阪，夏国人重新夺回了长安。北魏太武帝拓跋焘得知消息后大怒，命令建节将军、西平公安颉将丘堆斩首，然后接管丘堆的部众，镇守蒲阪，抵抗夏军的进攻。

夏季，四月，夏主赫连定派使者前往北魏，请求和解，北魏太武帝拓跋焘下诏，命令赫连定向魏国投降。

四月十五日壬子，北魏太武帝拓跋焘到魏国的西部巡视。二十一日戊午，拓跋焘在黄河以西打猎。实行大赦。

五月，西秦文昭王乞伏炽磐去世，太子乞伏暮末即位为西秦王，实行大赦，改年号为“永弘”。

宋国担任平陆县令的河南人成粲又劝说担任司徒的王弘急流勇退，王弘听从了成粲的意见，于是连续上疏给宋文帝刘义隆，请求允许自己辞职。宋文帝迫不得已，于六月十四日庚戌，改任王弘为卫将军、开府仪同三司。

六月十八日甲寅，北魏太武帝拓跋焘前往长川视察。

西秦将文昭王乞伏炽磐安葬于武平陵，庙号“太祖”。西秦王乞伏暮末任命担任右丞相的乞伏元基为侍中、相国、都督中外诸军事、录尚书事；任命担任镇军大将军、河州牧的谦屯为骠骑大将军；将担任安北将军、凉州刺史的段晖召回枹罕，改任为辅国大将军、御史大夫；任命自己的叔父、担任右禁将军的乞伏千年为镇北将

军木弈干为尚书令、车骑大将军，以征南将军吉毗为尚书仆射、卫大将军。

河西王蒙逊因秦丧，伐秦西平⑯。西平太守麴承谓之曰："殿下若先取乐都⑰，则西平必为殿下之有；西平[2]苟望风请服⑱，亦明主⑲之所疾⑳也。"蒙逊乃释西平，攻乐都。相国元基帅骑三千救乐都㉑，甫入城㉒，而河西兵至。攻其外城，克之；绝其水道，城中饥渴，死者太半。东羌乞提㉓从元基救乐都，阴与河西通谋，下绳引内其兵，登城者百余人，鼓噪烧门。元基帅左右奋击，河西兵乃退。

初，文昭王疾病，谓暮末曰："吾死之后，汝能保境则善矣。沮渠成都㉔为蒙逊所亲重，汝宜归之㉕。"至是，暮末遣使诣蒙逊，许归成都以求和。蒙逊引兵还，遣使入秦吊祭㉖。暮末厚资送成都，遣将军王伐送之。蒙逊犹疑之，使恢武将军㉗沮渠奇珍伏兵于扪天岭㉘，执伐并其骑士三百人以归。既而遣尚书郎王杼送伐还秦，并遗暮末马千匹及锦罽银缯㉙。秋，七月，暮末遣记室郎中㉚马艾如河西报聘㉛。

魏主还宫。八月，复如广宁观温泉㉜。

柔然纥升盖可汗遣其子将万余骑寇魏边。魏主自广宁还，追之，不及。九月，还宫。

冬，十月甲辰㉝，魏主北巡。壬子㉞，畋于牛川㉟。

秦凉州牧乞伏千年，嗜酒残虐，不恤㊱政事。秦王暮末遣使让之，千年惧，奔河西㊲。暮末以叔父光禄大夫沃陵为凉州牧，镇湟河。

徐州刺史王仲德㊳遣步骑二千伐魏济阳㊴、陈留㊵。

军、凉州牧，镇守湟河；任命担任征北将军的木弈干为尚书令、车骑大将军；任命担任征南将军的吉毗为尚书仆射、卫大将军。

北凉河西王沮渠蒙逊趁着西秦国内办理丧事的机会，出兵讨伐西秦所属的西平。西秦担任西平太守的曲承对沮渠蒙逊说："殿下如果首先攻取乐都，那么西平必将为殿下所有；如果您的大军一到，我们西平马上就赶着向您投降，这恐怕也是圣明的君主您所最痛恨的。"沮渠蒙逊遂放弃攻打西平，转而进攻乐都。西秦相国乞伏元基亲自率领三千名骑兵从都城枹罕赶来救援乐都，乞伏元基刚刚进入乐都城，北凉的兵马就已经来到了乐都城下。他们进攻乐都的外城，将外城攻陷；同时断绝了城内的水源，城中立即陷入缺水的困境，被渴死的超过了一半。东羌部落首领乞提跟随乞伏元基一同来救援乐都，却暗中与北凉围城的军队相勾结，他们从城墙上悬下绳索接应北凉军入城，北凉有一百多名军士便攀着绳索爬上了乐都城墙，他们一面呐喊着虚张声势，一面纵火烧毁了城门。乞伏元基率领左右的亲兵奋力反击，才将进入城中的北凉军打退。

当初，西秦文昭王乞伏炽磐病重时，对太子乞伏暮末说："我死之后，你如果能够保全国境就已经很好了。沮渠成都是沮渠蒙逊最亲近、最器重的人，你应该将他送回凉国。"到现在，西秦王沮渠暮末才派遣使者到北凉河西王沮渠蒙逊面前，请求送回沮渠成都，与北凉讲和。沮渠蒙逊同意了西秦的讲和条件，率军返回，并派遣使者到西秦的都城枹罕吊唁文昭王乞伏炽磐。乞伏暮末赠送给沮渠成都一份丰厚的礼物，派将军王伐护送他返回北凉。北凉河西王沮渠蒙逊对乞伏暮末的诚意依然表示怀疑，遂派恢武将军沮渠奇珍率军埋伏在扪天岭，俘虏了西秦护送沮渠成都回国的王伐将军及其手下的三百名骑士，回到姑臧。不久，沮渠蒙逊派遣担任尚书的王杼送王伐返回秦国，同时还赠送给西秦王乞伏暮末一千匹马以及其他一些编制精美的毛织品和刺绣精美并带有银饰的丝织品。秋季，七月，西秦王乞伏暮末派遣担任记室郎中的马艾前往北凉进行礼节性的回访。

北魏太武帝拓跋焘从长川返回平城的皇宫。八月，拓跋焘又前往广宁观看温泉。

柔然纥升盖可汗派遣自己的儿子率领着一万多名骑兵进犯北魏的边境。北魏太武帝拓跋焘从广宁返回平城，便率军追击入侵的柔然军，没有追上。九月，拓跋焘返回皇宫。

冬季，十月初十甲辰，北魏太武帝拓跋焘到魏国的北方进行巡视。十八日壬子，在牛川进行狩猎活动。

西秦担任凉州牧的乞伏千年，不仅嗜酒如命，而且性情残暴酷虐，不关心政事。西秦王乞伏暮末派使者前去责备他，乞伏千年非常恐惧，便投降了北凉河西王沮渠蒙逊。乞伏暮末任命自己的叔父、担任光禄大夫的乞伏沃陵为凉州牧，镇守湟河。

宋国担任徐州刺史的王仲德派遣二千名步兵、骑兵进攻北魏所属的济阳、陈留。

魏主还宫。

魏定州[91]丁零鲜于台阳[92]等二千余家叛入西山[93]，州郡不能讨。闰月，魏主遣镇南将军叔孙建[94]讨之。

十一月乙未朔[95]，日有食之。

魏主如西河[96]校猎。十二月甲申[97]，还宫。

河西王蒙逊伐秦，至磐夷[98]，秦相国元基等将骑万五千拒之。蒙逊还攻西平，征虏将军出连辅政等将骑二千救之。

秘书监谢灵运，自以名辈才能，应参时政[99]。上唯接以文义[100]，每侍宴谈赏[101]而已。王昙首、王华、殷景仁名位素出灵运下[102]，并见任遇[103]，灵运意甚不平，多称疾不朝直[104]；或出郭游行[105]，且二百里，经旬不归，既无表闻[106]，又不请急[107]。上不欲伤大臣意，讽令自解[108]。灵运乃上表陈疾，上赐假，令还会稽[109]。而灵运游饮自若[110]，为法司所纠[111]，坐免官。

是岁，师子王刹利摩诃[112]及天竺迦毗黎王月爱[113]，皆遣使奉表入贡，表辞皆如浮屠之言[114]。

魏镇远将军平舒侯燕凤[115]卒。

【段旨】

以上为第一段，写宋文帝元嘉五年（公元四二八年）一年间的大事。主要写：魏将奚斤等攻夏主赫连昌于上邽，裨将安颉诱其出战而破擒之，赫连昌之弟赫连定逃回平凉即位称夏王，魏主宠爱赫连昌，以妹妻之，赐爵会稽公，使之侍从左右。魏将奚斤追击赫连定于平凉，赫连定设伏邀击，大败魏军，擒奚斤、娥清等；丘堆弃安定、长安奔蒲阪，长安遂又被夏人所占据。秦主乞伏炽磐死，其子暮末继立，北凉沮渠蒙逊趁机攻秦乐都，北凉不胜而退；秦主暮末趁势放回北凉被俘之将沮渠成都，向北凉请和，北凉与秦暂时结好，后又连续攻秦。刘宋的范泰、成粲劝王弘谦退，令其推荐文帝之弟刘义康进朝辅政。刘宋之词臣谢灵运不服王昙首、殷景仁等之受宠握权，心存不满，称疾不朝，放情山水，被纠弹罢职。

北魏太武帝拓跋焘从牛川返回平城的皇宫。

北魏定州境内的丁零人鲜于台阳等二千多家背叛了魏国，逃入西山，所在州郡没有能力将其讨平。闰十月，北魏太武帝拓跋焘派镇南将军叔孙建率军讨伐进入西山的鲜于台阳等。

十一月初一乙未，发生日食。

北魏太武帝拓跋焘前往西河举行狩猎比赛。十二月二十一日甲申，返回皇宫。

北凉河西王沮渠蒙逊率军讨伐西秦，大军抵达磐夷，西秦担任相国的乞伏元基等率领一万五千名骑兵反击北凉的入侵。沮渠蒙逊转而进攻西平，西秦担任征虏将军的出连辅政等率领二千名骑兵救援西平。

宋国担任秘书监的谢灵运认为自己无论是名望、才干，都应该参与当时重大问题的决策。而宋文帝刘义隆却只把谢灵运当作一个词臣来看待，让其不时地陪同宴饮，也只是谈论一些鉴赏诗文人物而已。而同为侍中的王昙首、王华、殷景仁，原来的名望和地位一直都在谢灵运之下，却全都受到皇帝的重用和恩宠。谢灵运因此而愤愤不平，经常以生病为借口不上朝，不到禁省里当值；有时出城游历、旅行，一下子就走出二百多里，十天八天不回朝，既不上表奏明情况，也不请假。宋文帝刘义隆不愿意让大臣丢了面子，就暗示谢灵运，让他自己提出辞职。谢灵运于是上表给宋文帝，陈述自己的病情，宋文帝遂批准谢灵运休假，令他回到会稽养病。而谢灵运依然像过去那样出游、宴饮，于是遭到有关部门的弹劾、检举，遂被免官。

这一年，师子国国王刹利摩诃以及天竺迦毗黎王月爱全都派遣使者带着表章到宋国的都城建康进贡，表章上使用的言辞全都与和尚们说的话一样。

北魏担任镇远将军的平舒侯燕凤去世。

【注释】

①正月辛未：正月初二。②京兆王黎：即拓跋黎，拓跋珪之子。传见《魏书》卷六。③义康：即刘义康，刘裕之子，刘义隆之弟。传见《宋书》卷六十八。④职事修治：职权范围内的事情都办得很好。⑤光禄大夫范泰：光禄大夫是闲散职务，在皇帝身边充参谋顾问之用。范泰，范宁之子，晋宋时期的儒臣，曾为刘裕部下。传见《宋书》卷六十。⑥司徒：古代的三公之一，晋宋时期多用为朝廷宰辅的加官。⑦兄弟盛满：指王弘与其弟王昙首都身居要职。盛满，以喻位高权大，无以复加。⑧深存降挹：多想点谦卑自贬。存，思考。降挹，谦退。因古代有所谓“亢龙有悔”，“满招损，谦受益”之古训，故范泰诫之。⑨征还入朝：召回朝廷，在朝任职。当时刘义康任荆州刺史，驻节于江陵。⑩引咎逊位：称说由于自己为官有过，故而招致上天的谴责，应该提出辞职。

汉代以来，根据阴阳五行家的说法凡是天降“灾异”，就是意味着执政大臣有问题。今“大旱，疾疫”，故王弘引咎辞职。⑪ 商州：东晋前期张氏占据河西时，张祚曾称敦煌郡为商州，今乞伏氏又以“商州”遥称敦煌。⑫ 领浇河太守：兼任浇河太守。领，兼任。浇河，郡名，郡治在今青海贵德。其实姚濬当时所占据的就是浇河郡，所谓“商州刺史”只是一个虚名。⑬ 降河西：投降了沮渠蒙逊，时沮渠蒙逊自称“河西王”，历史上称河西为“北凉”。⑭ 吐谷浑元绪：吐谷浑的部落首领姓元名绪。⑮ 神䴥：䴥是鹿的一种，这年魏主打猎获䴥，故以为年号。⑯ 尉眷：魏国名将，尉古真之侄。传见《魏书》卷二十六。⑰ 平凉：古城名，在今甘肃华亭西。⑱ 安定：县名，即今甘肃泾川北，当时为安定郡的郡治所在地。⑲ 督租：实际就是抢粮。⑳ 钞掠：抢东西、抢人。㉑ 不得刍牧：使得城里的魏军没法出来割草、放牲口。㉒ 监军侍御史：以朝廷侍御史的身份来奚斤军中任监军。侍御史是御史大夫的属官，负责监察。㉓ 安颉：魏国名将安同之子。传见《魏书》卷三十。㉔ 当坐法诛：指以败军之罪被杀。㉕ 诸王公：当时奚斤被封为宣城王，丘堆被封为临淮公，娥清被封为东平公，故安颉如此相称。㉖ 晏然：安然无事的样子，指对这种局面一点都不着急。晏，安。㉗ 不为计：不进行考虑；不做打算。㉘ 须：等待。㉙ 游逸：盛气凌人地骑马游荡。㉚ 等于就死：犹如陈涉之所谓“等死”，二者都是死。㉛ 死战二句:《史记·陈涉世家》有所谓“今亡亦死，举大计亦死，等死，死国可乎?”此处安颉的三句话完全模仿《史记》。㉜ 敛：搜集；集中使用。㉝ 就：即使。㉞ 狷：急躁。㉟ 搏战：这里即指挑战。㊱ 争赴之：犹今之所谓“一齐扑上去”。㊲ 同：即安同，魏国拓跋珪时代的名臣，为当时的八公之一。传见《魏书》卷三十。㊳ 平原王定：即赫连定，赫连勃勃之子，赫连昌之弟。㊴ 平凉：郡名，郡治在今甘肃平凉西南，华亭之西侧。㊵ 三月辛巳：三月十三日。㊶ 馆之于西宫：让他住宿在自己的西宫里。馆，招待住宿。㊷ 给：提供；给他使用。㊸ 乘舆之副：留着给帝王替换使用的东西，意即一切都和拓跋焘用的一样。㊹ 假：加封；授予。㊺ 天命有在：谓上天授命于我，让我做皇帝。㊻ 亲遇：亲密对待。㊼ 偏裨：副将、小将，指自己身边的副职与僚属。㊽ 循水：指沿着泾水逆流而上。㊾ 邀其走路：截击其向北逃跑的道路。邀，拦截。㊿ 马髦岭：在今宁夏固原东南，当时的平凉北面。51 刘拔：魏国将领，上年曾与奚斤一同击夏。52 高凉王礼：即拓跋礼。53 蒲阪：即今山西之蒲州，在今永济西南的黄河边。54 壬子：四月十五日。55 戊午：四月二十一日。56 畋于河西：在黄河以西打猎。此处之所谓“河西”乃君子津的黄河以西，即今内蒙古准格尔旗的东北方。57 炽磐卒：乞伏炽磐于晋安帝义熙八年（公元四一二年）即位，至此共在位十六年。乞伏炽磐传见《晋书》卷一百二十五。58 平陆令河南成粲：身任平陆县令的河南郡人姓成名粲。平陆县的县治在今山东汶上西北，河南郡的郡治即今洛阳。59 六月庚戌：六月十四日。60 开府仪同三司：加官名，意思是开府设置僚属与使用仪仗的规格都和三公一样。王弘原任侍中、司徒、扬州刺史、录尚书，职为宰相。今免去侍中、司徒，仍留有扬州刺史、录尚书，又新加了卫将军与虚衔开府仪同三司。㊶ 甲寅：六月十八日。㊷ 长川：古城名，在今河北尚义西北。㊸ 河州牧谦屯：河州刺史姓谦名屯。河州的州治即乞伏氏政权的都城枹罕，在今甘肃临夏。㊹ 征：调，指调其入朝。当时段晖正带兵驻扎于乐都。㊺ 湟河：郡名，郡治白土，在今青海西宁东南。㊻ 西平：古城名，即今青海西宁，当时为西平郡的郡治所在地。㊼ 乐都：郡名，郡治即今青海乐都。㊽ 西平苟望风请服：如果您的大军一到，我们西平马上就赶着向您投降。苟，如果。请服，请求臣服。㊾ 明主：尊称沮渠蒙逊。㊿ 所疾：所恨；所恼怒。因为奉命守城，不战而降，是“不忠”的表现，这种人谁也不喜欢，故曲承如此说。先取乐都截断了西平与枹罕的联系，曲承再投降就有借口了。(71) 救乐都：由枹罕出发往援乐都。(72) 甫入城：刚刚进入乐都城。甫，始、刚刚。(73) 东羌乞提：东羌部落的头领，名叫乞提，当时归属于乞伏氏。(74) 沮渠成都：沮渠蒙逊的部将，前此于宋武帝永初三年（公元四二二年）伐秦时被乞伏炽磐所俘。事见本书卷一百一十九。(75) 归之：放沮渠成都回国，借以获得两国讲和。(76) 入秦吊祭：他国有丧，遣使祭吊，是一种有礼的表现。(77) 恢武将军：北凉人自己起的军官名，恢武即扩大武功的意思。(78) 扪天岭：约在今甘肃武威东南。(79) 锦罽银缯：编织精美的毛制品和刺绣精美带有银饰的丝织品。(80) 记室郎中：帝王身边的文秘人员。(81) 如河西报聘：到北凉的都城姑臧做礼节性的回访。如，前往。报聘，回访。(82) 如广宁观温泉：广宁即今河北涿鹿。胡三省引《水经注》曰：“下洛县故城南，魏燕州广宁县，广宁郡治。”引《魏土地记》曰：“下洛城东南四十里有桥山，山下有温泉，泉上有祭堂，雕檐华宇，被于浦上；石池吐泉，汤汤其下。炎凉代序，是水灼焉无改，能治百疾，赴者若流。”(83) 十月甲辰：十月初十。(84) 壬子：十月十八日。(85) 牛川：平川名，在今内蒙古呼和浩特西南。(86) 不恤：不忧虑；不关心。(87) 奔河西：往投河西王沮渠蒙逊。(88) 王仲德：名懿，因犯晋讳，故以字行。先随刘裕破卢循，后为刘裕的开国元勋，又为宋文帝时的名将。传见《宋书》卷四十六。(89) 济阳：县名，县治在今河南兰考东北。(90) 陈留：县名，县治在今河南开封。(91) 定州：古城名，即今河北定州，古代也叫中山，是汉代中山国的都城，慕容德建立的南燕也曾建都于此。(92) 丁零鲜于台阳：丁零族人姓鲜于，名台阳。(93) 叛入西山：叛变后逃入西山。西山即今河北曲阳西面的太行山，在当时的定州以西。(94) 叔孙建：魏国名将，历事拓跋珪、拓跋嗣、拓跋焘三朝。传见《魏书》卷二十九。(95) 十一月乙未朔：十一月初一是乙未日。(96) 西河：即今内蒙古清水河县、托克托一带的黄河，因其地处于魏国都城平城（今山西大同东北）之西，故称“西河”。(97) 十二月甲申：十二月二十一日。(98) 磐夷：具体方位不详，约在今甘肃永登附近。(99) 应参时政：应该参与当时重大问题的决策。(100) 接以文义：只是作为一个词臣来对待。文义，即指文章辞藻。(101) 每侍宴谈赏：不时地陪着皇帝宴饮或是谈论鉴赏诗文人物。每，经常、不时地。(102) 素出灵运下：历来处于谢灵运之下。(103) 并见任遇：都得到了皇帝的信任、恩宠。(104) 不朝直：不上朝、不到禁省里值班。(105) 游行：游历、旅行。(106) 无表闻：不上表奏明情况。(107) 请急：请假。(108) 讽令自解：示意让他自己提出辞职，指辞去秘书监的职务。解，辞职。⑲令还会稽：让他回到会稽闲居，但尚未免掉其职务。会稽是郡名，郡治即今浙江绍兴，当时谢灵运的家在这里。⑩游饮自若：旅游、纵酒，还是与往常一样。⑪为法司所纠：于是受到了执法官员的抨击、检举。纠，弹劾。《宋书·谢灵运传》作“为御史中丞傅隆所奏”。⑫师子王刹利摩诃：师子国的国王名叫刹利摩诃。师子国即今斯里兰卡。⑬天竺迦毗黎王月爱：天竺国内的迦毗黎王名叫月爱。天竺，即今印度。当时的天竺国内有迦毗黎、苏摩黎、斤陀利、婆黎等小国。⑭表辞皆如浮屠之言：表章上使用的语言都与和尚们说的话一样。浮屠，这里指和尚。⑮燕凤：魏国的名臣，曾历仕什翼犍、拓跋珪、拓跋嗣、拓跋焘四世。传见《魏书》卷二十四。

【原文】

六年（己巳，公元四二九年）

春，正月，王弘上表乞解州、录[116]，以授彭城王义康。帝优诏不许[117]。癸丑[118]，以义康为侍中，都督扬、南徐、兖三州诸军事，司徒，录尚书事，领南徐州刺史。弘与义康二府并置佐领兵[119]，共辅朝政。弘既多疾，且欲委远大权[120]，每事推让义康。由是义康专总内外之务。

又以抚军将军江夏王义恭[121]为都督荆、湘等八州诸军事，荆州刺史，以侍中刘湛[122]为南蛮校尉，行府州事[123]。帝与义恭书，诫之曰：“天下艰难，家国[3]事重，虽曰守成，实亦未易。隆替[124]安危，在吾曹耳，岂可不感寻王业[125]，大惧负荷[126]？汝性褊急[127]，志之所滞，其欲必行[128]，意所不存，从物回改[129]。此最弊事，宜念裁抑[130]。卫青遇士大夫以礼，与小人有恩[131]；西门、安于[132]，矫性齐美[133]；关羽、张飞[134]，任偏同弊[135]。行己[136]举事，深宜鉴此！若事异今日[137]，嗣子幼蒙[138]，司徒[139]当

【校记】

[1]娥清：据章钰校，甲十六行本、乙十一行本皆作“娥青”。[2]西平：原无此二字。据章钰校，甲十六行本、乙十一行本皆有此二字，今据补。

【语译】

六年（己巳，公元四二九年）

春季，正月，王弘上疏给宋文帝刘义隆，请求解除自己所担任的扬州刺史、录尚书事职务，转授给彭城王刘义康。宋文帝下诏对王弘进行慰勉，却没有批准王弘的请求。二十日癸丑，宋文帝任命彭城王刘义康为侍中，都督扬、南徐、兖三州诸军事，司徒，录尚书事，兼任南徐州刺史。令王弘与刘义康的府衙中都设有录尚书事的僚佐，都执掌兵权，共同辅佐朝政。王弘本来已经体弱多病，再加上他又想把大权交给别人，使自己远离权势，所以每件事都推让给刘义康。于是彭城王刘义康开始总揽朝廷内外大权。

宋文帝刘义隆又任命担任抚军将军的江夏王刘义恭为都督荆、湘等八州诸军事，荆州刺史，任命担任侍中的刘湛为南蛮校尉，代为处理刘义恭都督府以及荆州刺史府的一切事务。宋文帝刘义隆在写给江夏王刘义恭的信中，告诫江夏王说：“治理天下是一件非常艰巨、非常困难的事情，家事、国事至关重要，虽然说只是守住现有的基业，其实也很不容易。是使国家兴隆还是衰败，是安全还是危险，就全靠我们这些人了，岂能不深思王业创建的艰辛，而寻求长治久安的治国办法，时刻担心自己不能担负起治理好国家的责任？你的气量小，性子又有些急躁，自己弄不明白的事情，还一定坚持要办，自己没有想过的事情，就随着别人怎么说就怎么办。这是最不好的事情，你应该时刻注意克制自己。汉代的大将军卫青对士大夫全都以礼相待，即使是对待士卒，也施予恩德；战国时代的西门豹性情急躁，董安于性情舒缓，他们都能改变自己的性格，使自己扬名于后世；蜀汉时期的关羽、张飞，都因为偏狭任性，导致丧身辱国。为人行事，一定要以此为借鉴！如果突然发生与今天完全不同的意外之事，我的儿子年纪还小，不懂事，担任司徒的彭城王刘义康就要像

周公之事[140]，汝不可不尽祇顺[141]之理。尔时天下安危，决汝二人[142]耳。

“汝一月自用钱不可过三十万，若能省此[143]，益美。西楚府舍[144]，略所谙究[145]，计当不须改作[146]，日求新异。凡讯狱[147]多决当时[148]，难可逆虑[149]，此实为难。至讯日，虚怀博尽[150]，慎无以喜怒加人。能择善者而从之，美自归己；不可专意自决，以矜独断之明[151]也！

“名器[152]深宜慎惜[153]，不可妄以假人[154]。昵近爵赐[155]，尤应裁量。吾于左右虽为少恩，如闻外论[156]不以为非[157]也。

“以贵凌物[158]，物不服；以威加人[159]，人不厌[160]。此易达事[161]耳。

“声乐嬉游[162]，不宜令过；蒲酒[163]渔猎，一切勿为；供用奉身[164]，皆有节度；奇服异器，不宜兴长[165]。又宜数引见佐史[166]，相见不数[167]，则彼我不亲；不亲，无因得尽人情[168]；人情不尽，复何由知众事也[169]？”

夏酒泉公隽[170]自平凉奔魏。

丁零鲜于台阳等请降于魏[171]，魏主赦之。

秦出连辅政等未至西平[172]，河西王蒙逊拔西平，执太守麹承。

二月，秦王暮末立妃梁氏为王[4]后，子万载为太子。

三月丁巳[173]，立皇子劭为太子。戊午[174]，大赦。

辛酉[175]，以左卫将军殷景仁为中领军。帝以章太后[176]早亡，奉太后所生苏氏[177]甚谨。苏氏卒，帝往临哭，欲追加封爵，使群臣议之。景仁以为古典无之，乃止。

初，秦尚书[178]陇西辛进[179]从文昭王[180]游陵霄观，弹飞鸟，误中秦王暮末之母，伤其面。及暮末即位，问母面伤之由，母以状告。暮末

周公那样担当起辅佐幼主、执掌政权的重任，到那时，你不可以对他不恭敬、不顺从。到那时，国家的安危，就全都掌握在你们二人手中了。

“你每个月的私人开支不可以超过三十万，如果能够少于这个数目，那就更好。荆州刺史府，我大略有所了解，我想现在还不必再盖新的，以追求新颖、与众不同。凡是听讼审案，大多是根据当时审问的情况随即做出判决，很难事先就考虑好，这确实是一件比较难办的事情。在审案的时候，一定要虚怀若谷，认真听取别人的意见，让他们把要说的话说完，千万不要让自己被喜怒哀乐的情绪所左右。如果能够采纳好的意见，事情成功之后，美好的声誉自然会属于自己；切不可一意孤行，独自决断，借以夸耀自己见解的高明！

“对于官职、爵位和与其相应的冠服、仪仗、信物等，一定要珍惜，要慎重把握，不可以随便地封赠给别人。对自己所亲近、所喜欢的人进行封爵、赏赐，尤其应该慎重，要再三斟酌。我对于自己身边的人很少给予封爵和赏赐，当我听到外面有人议论我缺少恩德时，我认为他们的说法是错误的，我不认为自己这样做是不对的。

“凭借自己出身高贵，就盛气凌人，别人不会信服；凭借自己的权势而压人一头，别人就会不满意。这是最容易理解的道理。

“歌舞、游乐，都不要过度；赌博、酗酒、捕鱼、打猎，这一切都不要去做；凡是用来养生的各种生活需要，都要有所节制限度；对于奇装异服、古玩珍宝，不应该喜好和提倡。还应该更多地与自己的参佐、僚属们在一起，见面的次数太少，他们就不会亲近我们；不亲近我们，就没有办法让人家说出全部的心里话；人家连心里话都不愿意跟你说，你又如何能够知道外面的各种事情呢?”

夏国酒泉公赫连隽从平凉逃往北魏。

丁零人鲜于台阳等向魏国请求投降，北魏太武帝拓跋焘赦免了他们叛逃的罪行。

西秦征虏将军出连辅政率领二千名骑兵救援西平，他们还没有到达西平，北凉河西王沮渠蒙逊已经攻克了西平，活捉了西秦担任西平太守的麹承。

二月，西秦王乞伏暮末立太子妃梁氏为王后，立儿子乞伏万载为太子。

三月二十五日丁巳，宋文帝刘义隆立皇子刘劭为太子。二十六日戊午，实行大赦。

三月二十九日辛酉，宋文帝刘义隆任命担任左卫将军的殷景仁为中领军。宋文帝刘义隆因为自己的生母章太后胡氏死得早，所以对章太后的母亲，即自己的外祖母苏氏感情非常深厚。外祖母苏氏去世，宋文帝刘义隆亲自到外祖母家中哭祭，还想为外祖母追加封爵，他就此事让群臣进行商议。担任中领军的殷景仁认为古代没有给外祖母封爵的先例，宋文帝刘义隆才打消了给外祖母封爵的想法。

当初，西秦担任尚书的陇西郡人辛进跟随文昭王乞伏炽磐游览陵霄观，他在用弹弓射击空中飞鸟的时候，不小心误中了西秦王乞伏暮末的母亲，射伤了她的脸。等到乞伏暮末即位为秦王之后，便询问母亲脸上的伤是怎么来的，他的母亲便将当

怒，杀进，并其五族二十七人。

夏，四月癸亥[181]，以尚书左仆射王敬弘[182]为尚书令，临川王义庆[183]为左仆射，吏部尚书济阳江夷[184]为右仆射。

初，魏太祖命尚书邓渊[185]撰《国记》[186]十余卷，未成而止。世祖更命崔浩与中书侍郎邓颖等续成之，为《国书》三十卷。颖，渊之子也。

魏主将击柔然，治兵于南郊，先祭天，然后部勒行陈。内外群臣皆不欲行，保太后[187]固止之，独崔浩劝[188]之。

尚书令刘絜等共推太史令张渊、徐辩使言于魏主曰："今兹己巳[189]，三阴之岁[190]，岁星袭月[191]，太白[192]在西方，不可举兵。北伐必败；虽克，不利于上。"群臣因共赞[193]之曰："渊等少时尝谏苻坚南伐[194]，坚不从而败，所言无不中，不可违也。"魏主意不决，诏浩与渊等[5]论难于前[195]。

浩诘渊、辩[196]曰："阳为德，阴为刑，故日食修德[197]，月食修刑[198]。夫王者用刑，小则肆诸市朝[199]，大则陈诸原野[200]。今出兵以讨有罪，乃所以修刑[201]也。臣窃观天文，比年[202]以来，月行掩昴[203]，至今犹然。其占[204]，三年天子大破旄头之国[205]。蠕蠕、高车，旄头之众也，愿陛下勿疑。"渊、辩复曰："蠕蠕，荒外[206]无用之物，得其地不可耕而食，得其民不可臣而使，轻疾[207]无常，难得而制。有何汲汲[208]，而劳士马以伐之？"浩曰："渊、辩言天道，犹是其职[209]；至于人事形势，尤非其所知。此乃汉世常谈[210]，施之于今[211]，殊不合事宜。何则？蠕蠕本国家北边之臣，中间叛去[212]。今诛其元恶[213]，收其良民，令复旧役[214]，非无用也。

时发生的事情详细地告诉了乞伏暮末。乞伏暮末非常生气，就杀死了辛进及其五族亲属中的二十七人。

夏季，四月初二癸亥，宋国任命担任尚书左仆射的王敬弘为尚书令，任命临川王刘义庆为尚书左仆射，任命担任吏部尚书的济阳人江夷为右仆射。

当初，北魏太祖拓跋珪令担任尚书的邓渊撰写《国记》十多卷，书未写完便停止了。世祖拓跋焘又命担任太常的崔浩与担任中书侍郎的邓颖等将其续写完成，书名被称为《国书》，共计三十卷。邓颖，是邓渊的儿子。

北魏太武帝拓跋焘准备进攻柔然，于是在平城的南郊举行大规模的阅兵仪式，先祭天，然后开始组织军队排兵布阵。朝廷内外的臣僚都不愿意发动这次战争，就连保太后窦氏都坚决阻拦，只有崔浩一个人极力怂恿对柔然用兵。

北魏担任尚书令的刘絜等共同推举担任太史令的张渊、徐辩，让他们向北魏太武帝拓跋焘进言说："今年是己巳年，恰好是个三阴的年份，岁星将遮住月亮，太白星出现在西方，这些都预示不可以对外用兵。如果进行北伐，必定会失败；即使获胜，也会对皇帝不利。"群臣趁机全都表示赞同说："张渊等年轻的时候曾经以天文星象劝阻秦王苻坚不可以南征晋国，苻坚没有接受，结果导致败亡，张渊他们所判断的事情没有一件不应验，所以不可以不采纳他们的意见。"北魏太武帝拓跋焘不知道该听谁的才对，于是下诏令太常崔浩与张渊等在自己面前当面进行辩论。

崔浩质问张渊、徐辩说："阳刚象征着恩德，阴柔象征着刑罚。发生日食，就意味着上天对人间帝王提出警告，帝王就得检讨自己，提高自己的道德修养；发生月食，这是提示人间帝王应该使用刑罚。帝王动用刑罚，小的用刑就是在闹市中处决犯人，大的用刑就是要调兵遣将，在原野上行兵布阵，攻城略地，在战场上消灭叛逆。现在出兵讨伐柔然，就是为了使用刑罚。我私下里观测天象，近年，月亮的运行，掩蔽了昴星，一直到现在还是如此。'月行掩昴'所预示的征兆表明：三年之内，天子要大败昴星所对应的北方塞外民族所建立的国家。柔然、高车，就是昴星所对应的塞外民族。希望陛下不要再对出兵攻打柔然有所怀疑。"张渊、徐辩又说："柔然国，对我们来说，就是荒服之外没有任何用途的一片土地，得到它也不能在上面耕田种地、收获粮食以供我们食用，得到那里的人口，也不能当作臣属进行驱使，他们骑马逐水草而居，行动飘忽迅速，出没无常，很难把他们制服。有什么必要非得辛辛苦苦、费力劳神地出动兵马去讨伐他们？"崔浩反驳他们说："张渊、徐辩如果谈论天道运行，还算是他们职责范围之内的事情；至于人世间的事情以及对形势的分析，那就尤其不是他们所能知道的了。他们所说的那一套，乃是汉代反战派们的口头禅，没有什么新鲜的，而他们却把这样的话拿到今天来用，就显得特别不合时宜。为什么要这样说呢？因为柔然原本是我们国家北部边境的臣属国，后来背叛了我们魏国向北方逃走。现在诛灭柔然的罪魁祸首，收回在其统治之下的善良百姓，让他们还像过去一样仍旧归我们管辖，

世人皆谓渊、辩通解数术[215]，明决成败[216]，臣请试问之：属者[217]统万未亡之前，有无败征？若其不知，是无术也；知而不言，是不忠也。”时赫连昌在坐，渊等自以未尝有言，惭不能对。魏主大悦。

既罢，公卿或尤[218]浩曰：“今南寇[219]方伺国隙，而舍之北伐；若蠕蠕远遁，前无所获，后有疆寇，将何以待之？”浩曰：“不然。今不先破蠕蠕，则无以待南寇。南人闻国家克统万以来，内怀恐惧，故扬声动众以卫淮北[220]。比吾破蠕蠕，往还之间，南寇必不动也。且彼步我骑，彼能北来，我亦南往；在彼甚困，于我未劳。况南北殊俗，水陆异宜，设使国家与之河南[221]，彼亦不能守也。何以言之？以刘裕之雄杰，吞并关中，留其爱子[222]，辅以良将[223]，精兵数万，犹不能守。全军覆没[224]，号哭之声，至今未已。况义隆今日君臣非裕时之比。主上英武，士马精强，彼若果来，譬如以驹犊[225]斗虎狼也，何惧之有！蠕蠕恃其绝远，谓国家力不能制，自宽[226]日久，故夏则散众放畜，秋肥乃聚，背寒向温[227]，南来寇钞。今掩其不备，必望尘骇散。牡马护牝[228]，牝马恋驹[229]，驱驰难制[230]，不得水草，不过数日，必聚而困弊，可一举而灭也。暂劳永逸，时不可失，患在上无此意。今上意已决，奈何止之？”寇谦之谓浩曰：“蠕蠕果可克乎？”浩曰：“必克。但恐诸将琐琐[231]，前后顾虑，不能乘胜深入，使不全举[232]耳。”

为我们服役，而并非无用。世上的人都认为张渊、徐辩懂得一些沟通天人关系的法术，能够预知成败，那我请问他们二位：此前不久，在夏国的都城统万没有被我们攻破之前，有没有败亡的征兆？如果有而他们不知道，说明他们没有这种预知成败的能力；如果他们知道却没有明确地说出来，就是他们对夏国、对夏王的不忠。”当时故夏王赫连昌也在座，张渊等因为自己从来没有跟当时的夏王赫连昌说起过，因而感到非常羞惭，一句话也回答不上来。北魏太武帝拓跋焘非常高兴。

崔浩与张渊、徐辩的辩论结束之后，公卿大臣等有人责备崔浩说：“如今南方的贼寇正在虎视眈眈地寻找进攻的机会，而我们却撇下他们北伐柔然；如果柔然向远处逃得无影无踪，我们的出兵征讨将一无所获，而背后却有边寇入侵，我们将采用什么办法来应对呢？”崔浩回答说：“你们的看法不对。现在如果不首先击破柔然，就没有办法对付南方的贼寇。南方的宋国得知我国攻占了夏国的都城统万以来，内心已经十分恐惧，所以才宣称要出动军队防守淮河以北。在我们出兵击败柔然、凯旋的这段时间之内，南方的宋国肯定不会对我国采取军事行动。再说，宋国主要是步兵，而我国是骑兵，他们能往北来，我们也能南往；对他们来说北来会累得要死，而我军南下却不会感到非常疲劳。何况南方、北方风俗不同，南方河道纵横，北方一马平川，就是我们把黄河以南白送给宋国，宋国也守不住。凭什么这样说呢？请看：就凭宋武帝刘裕那样的英雄豪杰，他吞并了关中之后，留下自己的爱子桂阳公刘义真镇守关中，同时为刘义真配备了王脩、王镇恶、沈田子、毛德祖、傅弘之这样优秀的将领，还有数万名精兵，尚且不能守住关中。最后落得个全军覆没，将士家属的号哭之声至今还没有停止。何况今天的宋文帝刘义隆君臣，已经完全不能与刘裕时期相比。而我们的皇帝英明雄武，我们国家的军队兵强马壮，如果宋国的军队敢来侵犯，其结果必然像小马驹、小牛犊与虎狼搏斗一样，有什么可以值得我们惧怕的！柔然仗恃着距离遥远，以为我们的国家没有力量将其制服，遂麻痹大意、放松戒备，时间已经很久，所以在夏天，他们四散放牧牲畜，到秋季战马肥壮之时才聚集在一起，他们为躲避北方的寒冷而南来寻找温暖的地方，所以才不时地南来入侵劫掠。现在我们趁其不加防备，突然发动袭击，他们必将吓得望风逃散。公马护着母马，母马眷顾着小马驹，因此行动缓慢，很难驱赶着它们快速驰骋，再加上不能及时找到水草，用不了几天，他们一定会重新聚集在一起，而此时他们的处境势必更加困顿窘迫，我们则可以一举将其消灭。短时间的劳顿却可以换来长久的安逸，机会不可丧失，最让人担忧的是皇帝没有出兵柔然的决心。如今皇帝的决心已定，我们为什么要劝阻他呢？”道士寇谦之深表怀疑地向崔浩询问说：“我们真的能够战胜柔然吗？”崔浩坚定地回答说：“一定能。只怕出征的将领信心不足，瞻前顾后，不能果断地乘胜深入，以至于不能彻底地消灭柔然罢了。”

先是，帝因魏使者还，告魏主曰："汝趣归我河南地[233]！不然，将尽我将士之力。"魏主方议伐柔然，闻之大笑，谓公卿曰："龟鳖小竖[234]，自救不暇，夫何能为[235]？就使能来，若不先灭蠕蠕，乃是坐待寇至，腹背受敌，非良策也。吾行决矣。"

庚寅[236]，魏主发平城，使北平王长孙嵩、广陵公楼伏连[237]居守。魏主自东道向黑山[238]，使平阳王长孙翰[239]自西道向大娥山[240]，同会柔然之庭[241]。

五月壬辰朔[242]，日有食之。

王敬弘固让尚书令，表求还东[243]。癸巳[244]，更以敬弘为侍中、特进[245]、左光禄大夫[246]，听其东归。

丁未[247]，魏主至漠南，舍辎重，帅轻骑兼马[248]袭击柔然，至栗水[249]。柔然纥升盖可汗先不设备，民畜满野，惊怖散[6]去，莫相收摄[250]。纥升盖烧庐舍，绝迹西走[251]，莫知所之。其弟匹黎先主东部[252]，闻有魏寇，帅众欲就其兄。遇长孙翰，翰邀击，大破之，杀其大人[253]数百。

夏主[254]欲复取统万，引兵东至侯尼城[255]，不敢进而还。

河西王蒙逊伐秦。秦王暮末留相国元基守枹罕，迁保定连[256]。

南安[257]太守翟承伯等据罕幵谷[258]以应河西。暮末击破之，进至治城[259]。

西安太守莫者幼眷[260]据汧川[261]以叛，暮末讨之，为幼眷所败，还于定连。

蒙逊至枹罕，遣世子兴国进攻定连。六月，暮末逆击兴国于治城，擒之，追击蒙逊至谭郊[262]。

吐谷浑王慕瓒遣其弟没利延，将骑五千会蒙逊伐秦。暮末遣辅国大将军段晖等邀击，大破之。

先前，宋文帝刘义隆趁北魏使者返回的机会，令使者带话给北魏太武帝拓跋焘说："你要赶紧把黄河以南的土地归还给我们！不然的话，我就要出动全军将士将其夺回。"北魏太武帝拓跋焘正在与群臣商议北征柔然，听到刘义隆说出这样的话，不禁大笑着对公卿大臣们说："龟鳖一样的小孩子，他的将士用来自救都来不及，还能有什么作为？即使宋军能来，如果我们不首先灭掉柔然，而是坐在这里等待贼寇到来，我们就会腹背受敌，这可不是好办法。我已下定决心出兵讨伐柔然了。"

四月二十九日庚寅，北魏太武帝拓跋焘从京都平城出发，他令北平王长孙嵩、广陵公楼伏连留守京都。拓跋焘率领大军从东路向黑山进发，派平阳王长孙翰率领大军从西路向大娥山进发，约定时间在柔然可汗的大本营会师。

五月初一壬辰，发生日食。

王敬弘坚决辞让尚书令职位，他上疏给宋文帝刘义隆，请求返回东方的会稽郡。五月初二癸巳，宋文帝刘义隆改任王敬弘为侍中、特进、左光禄大夫，准许他东归。

五月十六日丁未，北魏太武帝拓跋焘率领大军抵达大漠以南，他令全军舍弃辎重，只率领轻骑兵，每名骑兵再另备一匹副马，前往袭击柔然，抵达栗水岸边。柔然纥升盖可汗郁久闾大檀早先并没有布防进行戒备，人口、牲畜布满原野，那些柔然人看到魏军突然袭来，吓得惊慌失措，立即四处逃散，没有办法将他们聚拢到一起。纥升盖可汗郁久闾大檀遂烧毁了自己的房屋帐篷，不留踪迹地向遥远的西方逃走，没有人知道他逃向了哪里。郁久闾大檀的弟弟郁久闾匹黎原本统治着柔然的东部地区，他得知魏军突然进犯，就率领自己的部众准备到西部依附于自己的哥哥郁久闾大檀。途中遭遇北魏平阳王长孙翰，长孙翰指挥魏军拦腰截击，将郁久闾匹黎所率部众打得大败，杀死了郁久闾匹黎属下的数百名部落首领。

夏主赫连定准备收复夏国的故都统万城，他率领大军向东抵达侯尼城，却又不敢继续前进，遂率军返回。

北凉河西王沮渠蒙逊率军攻伐西秦。西秦王乞伏暮末留下相国乞伏元基守卫都城枹罕，自己则迁移到定连据守。

西秦所任命的南安太守翟承伯等据守罕开谷背叛了西秦，以声援北凉河西王沮渠蒙逊的进攻。被西秦王乞伏暮末率军击败，乞伏暮末乘胜进抵治城。

西秦担任西安太守的莫者幼眷占据汧川背叛了西秦，西秦王乞伏暮末率军讨伐莫者幼眷，却被莫者幼眷打败，只得退回定连。

北凉河西王沮渠蒙逊率军进抵西秦的都城枹罕，他派自己的世子沮渠兴国率军进攻西秦王乞伏暮末所据守的定连。六月，乞伏暮末在治城迎战沮渠兴国，活捉了沮渠兴国，并乘胜追击河西王沮渠蒙逊，一直追到谭郊。

吐谷浑王慕容慕璝派自己的弟弟慕容没利延率领五千名骑兵与北凉河西王沮渠蒙逊会合，共同讨伐西秦。西秦王乞伏暮末派遣辅国大将军段晖等率军迎战，将北凉、吐谷浑联军打得大败。

柔然纥升盖可汗既走，部落四散，窜伏山谷，杂畜布野，无人收视。魏主循栗水西行，至菟园水㉖³，分军搜[7]讨，东西五千里，南北三千里，俘斩甚众。高车㉖⁴诸部乘魏兵势，钞掠柔然。柔然种类前后降魏者三十余万落，获戎马百余万匹，畜产、车庐㉖⁵，弥漫山泽，亡虑㉖⁶数百万。

魏主循弱水㉖⁷西行，至涿邪山㉖⁸，诸将虑深入有伏兵，劝魏主留止。寇谦之以崔浩之言㉖⁹告魏主，魏主不从。秋，七月，引兵东还至黑山[8]，以所获班赐将士有差。既而得降人言："可汗先被病㉗⁰，闻魏兵至，不知所为，乃焚穹庐，以车自载，将数百人入南山。民畜窘聚㉗¹，方六十里[9]无人统领，相去百八十里㉗²。追兵不至，乃徐西遁，唯此得免。"后闻凉州贾胡㉗³言："若复前行二日，则尽灭之矣。"魏主深悔之。

纥升盖可汗愤悒而卒，子吴提立，号敕连㉗⁴可汗。

武都孝昭王杨玄㉗⁵疾病，欲以国授其弟难当。难当固辞，请立玄子保宗而辅之，玄许之。玄卒，保宗立。难当妻姚氏劝难当自立，难当乃废保宗，自称都督雍、凉、秦三州诸军事，征西大将军，开府仪同三司，秦州刺史，武都王。

河西王蒙逊遣使送谷三十万斛以赎世子兴国于秦，秦王暮末不许。蒙逊乃立兴国母弟菩提㉗⁶为世子。暮末以兴国为散骑常侍，以其妹平昌公主妻之。

八月，魏主至漠南㉗⁷，闻高车东部屯巳尼陂㉗⁸，人畜甚众，去魏军千余里，遣左仆射安原等将万骑击之。高车诸部迎降者数十万落，获马牛羊百余万。

柔然国纥升盖可汗郁久闾大檀逃走之后，他的部落遂四分五裂，逃散到深山峡谷之中，各种牲畜散布在原野之间，根本就没有人敢出来看管。北魏太武帝拓跋焘沿着栗水西行，一直到达菟园水，然后下令军队分头进行搜剿，搜剿的范围东西长五千里，南北宽三千里，俘虏、斩杀的人口非常多。高车族各部落也趁火打劫，他们借助魏国的军威，进入柔然境内大肆抄掠抢夺。柔然各部落的民众先后向魏国投降的多达三十多万落，北魏缴获的战马一百多万匹，其他各类牲畜、车辆、帐篷漫山遍野，堆积得到处都是，有数百万之多。

北魏太武帝拓跋焘沿着弱水继续西行，抵达涿邪山，诸将都担心继续深入会遇到柔然的伏兵，于是劝阻太武帝拓跋焘就此停下来，不要再继续西进。道士寇谦之将太常崔浩所说的“只怕出征的将领信心不足，瞻前顾后，不能果断地乘胜深入，以至于不能彻底地消灭柔然”的话告诉北魏太武帝，太武帝没有接受劝告。秋季，七月，太武帝拓跋焘率军东返，到达黑山的时候，将缴获的战利品按照不同等次颁发给西征的全军将士。不久，从投降的柔然人那里得知：“柔然可汗郁久闾大檀前些时候正在患病，突然听到魏国大军即将袭来的消息，惊得不知如何是好，遂放火烧毁了房舍帐篷，乘着车子，带着数百人进入南山。人和家畜无可奈何地拥挤在一起，占据了方圆六十里的地面，根本没有人出来统领，距离魏军所到达的涿邪山只有一百八十里的路程。后来看到魏军没有继续前来追赶，这才放慢速度，慢慢地向西逃走，因此得以幸免。”后来又从凉州到东方来做买卖的匈奴商人那里得知：“如果再继续向前搜寻两天，就能将柔然彻底消灭了。”太武帝拓跋焘非常后悔。

柔然纥升盖可汗郁久闾大檀忧愤交加，很快去世，他的儿子郁久闾吴提即位，号称敕连可汗。

被宋国封为武都王的氐王杨玄患了重病，他想把王位传给自己的弟弟杨难当。杨难当坚决推辞，请求立杨玄的儿子杨保宗为武都王，自己辅佐他治理仇池，杨玄同意了杨难当的意见。杨玄去世之后，杨保宗即位。杨难当的妻子姚氏则鼓动杨难当自立为王，杨难当便废掉杨保宗，自称都督雍、凉、秦三州诸军事，征西大将军，开府仪同三司，秦州刺史，武都王。

北凉河西王沮渠蒙逊派使者给西秦送去三十万斛粮食，想以此赎回自己的世子沮渠兴国，西秦王乞伏暮末没有同意。沮渠蒙逊遂立沮渠兴国的同母弟沮渠菩提为世子。西秦王乞伏暮末任命沮渠兴国为散骑常侍，并把自己的妹妹平昌公主嫁给沮渠兴国为妻。

八月，北魏太武帝拓跋焘率领大军返回到大漠以南，他听说高车东部的部落屯驻在巳尼陂，人口、牲畜非常多，距离魏军有一千多里，遂派遣担任左仆射的安原等率领一万名骑兵前往袭击高车。高车各部落迎着魏军投降的有数十万落，安原此行缴获的马牛羊有一百多万头。

冬，十月，魏主还平城。徙柔然、高车降附之民于漠南，东至濡源[279]，西暨[280]五原[281]、阴山[282]，三千里中，使之耕牧而收其贡赋。命长孙翰、刘絜、安原及侍中代人古弼[283]同镇抚之。自是魏之民间马牛羊及毡皮为之价贱。

魏主加崔浩侍中、特进、抚军大将军，以赏其谋画之功。浩善占天文，常置铜铤[284]于酢器[285]中，夜有所见[286]，即以铤画纸作字以记其异。魏主每如浩家，问以灾异，或[287]仓猝不及束带[288]；奉进疏食，不暇精美，魏主必为之举箸，或立尝而还。魏主尝引浩出入卧内，从容谓浩曰："卿才智渊博，事朕祖考[289]，著忠三世，故朕引卿以自近。卿宜尽忠规谏，勿有所隐。朕虽或时忿恚，不从卿言，然终久深思卿言也。"尝指浩以示新降高车渠帅[290]曰："汝曹视此人尪纤[291]懦弱，不能弯弓持矛，然其胸中所怀，乃过于兵甲。朕虽有征伐之志而不能自决，前后有功，皆此人所教也。"又敕尚书[292]曰："凡军国大计，汝曹所不能决者，皆当咨浩[293]，然后施行。"

秦王暮末之弟轲殊罗烝[294]于文昭王左夫人[295]秃发氏，暮末知而禁之。轲殊罗惧，与叔父什寅谋杀暮末，奉沮渠兴国以奔河西[296]。使秃发氏盗门钥[297]，钥误，门者以告暮末。暮末悉收其党杀之，而赦轲殊罗。执什寅，鞭之。什寅曰："我负汝死，不负汝鞭[298]！"暮末怒，刳其腹，投尸于河。

夏主少凶暴无赖，不为世祖所知[299]。是月，畋于阴槃[300]，登苛蓝山[301]，望统万城泣曰："先帝若以朕承大业者，岂有今日之事乎！"

十一月己丑朔[302]，日有食之，不尽如钩；星昼见[303]，至晡方没[304]；河北地暗[305]。

魏主西巡，至柞山[306]。

冬季，十月，北魏太武帝拓跋焘返回京都平城。他将投降的柔然人、高车人安置在大漠以南，其范围东到濡源，西到五原、阴山的三千里之中，让他们耕种农田、放牧牛羊，国家向他们征收赋税。命平阳王长孙翰、尚书令刘絜、左仆射安原以及担任侍中的代郡人古弼共同镇守安抚。从此以后，魏国民间的马牛羊以及皮货都因此而降低了价钱。

北魏太武帝拓跋焘加授太常崔浩为侍中、特进、抚军大将军，用以奖赏他出谋划策的功劳。崔浩精通占卜、天文，他经常把铜条放置在盛醋的器皿中，夜间如果看到天文星象发生变化，就用铜条在纸上记录下来。北魏太武帝拓跋焘每次到崔浩的家中，都要向崔浩询问灾异，有时突然驾临，崔浩赶紧出来迎接，仓促之间连官服上的腰带都没来得及系好；崔浩为太武帝献上的饮食，也由于来不及准备而不能烹调得很精美，但拓跋焘一定会拿起筷子多少吃一点，有时就站着尝一下再回宫。太武帝拓跋焘曾经拉着崔浩进入自己的寝宫，从容地对崔浩说："你有很高的才能和智慧，知识渊博，侍奉我的祖父、父亲和我，忠心耿耿，三世闻名，所以我才把你当作最亲信的近臣。你要竭尽忠诚，直言规劝，不要有所隐瞒。我虽然有时很生气，不能接受你的意见，然而最终我还是会考虑你的意见的。"太武帝曾经指着崔浩，介绍给新投降的高车部落大头领说："你们别看这个人长得身材弱小，既不会弯弓射箭，又不能手持戈矛杀敌立功，然而他心中所蕴藏的智慧，却超过百万大军。我虽然有征伐的志向，却不能自我决断，前前后后，每次建立的功劳，都是出自这个人的谋划。"又下令给尚书省的官员们说："凡是有关军国大事，你们这些人所不能决定的，都应当询问崔浩，征得他的同意，然后再去执行。"

西秦王乞伏暮末的弟弟乞伏轲殊罗与自己父亲文昭王乞伏炽磐的左夫人秃发氏私通，乞伏暮末得知后严厉禁止。乞伏轲殊罗非常恐惧，就与自己的叔父乞伏什寅密谋杀害西秦王乞伏暮末，然后带着沮渠兴国投奔北凉。乞伏轲殊罗让秃发氏盗取乞伏暮末寝宫房门的钥匙，而秃发氏却错拿了别的门上的钥匙，守门人遂报告给乞伏暮末。乞伏暮末将乞伏轲殊罗的党羽全部逮捕、杀死，却赦免了乞伏轲殊罗。乞伏暮末把乞伏什寅抓起来，用皮鞭抽打。乞伏什寅说："你可以要我的命，却不能用皮鞭打我！"乞伏暮末大怒，就剖开他的肚子，然后将尸体扔到河中。

夏主赫连定小的时候非常凶残暴虐，是个无赖，一直得不到世祖赫连勃勃的赏识。本月，赫连定到阴槃县境内打猎，他登上苛蓝山，望着远方的故都统万城，不禁流下眼泪说："先帝如果让我继承他的大业，怎么会是今天这个样子呢！"

十一月初一己丑，发生日食，太阳只剩下像钩子那样的一小部分；大白天，天上的星辰清晰可见，一直到下午四点钟左右才消失；黄河以北地区一片黑暗。

北魏太武帝拓跋焘到魏国的西部巡视，一直到达柞山。

十二月，河西王蒙逊、吐谷浑王慕璝皆遣使入贡[307]。

是岁，魏内都大官[308]中山文懿公李先[309]，青、冀二州刺史安同[310]皆卒。先年九十五。

秦地震，野草皆自反[311]。

【段旨】

以上为第二段，写宋文帝元嘉六年（公元四二九年）一年间的大事。主要写：魏主出兵讨伐柔然，群臣谏阻，唯崔浩劝其行，崔浩分析了柔然与刘宋之形势，预言宋兵必不敢北出，柔然必克云云，高屋建瓴，句句精到；结果柔然可汗在魏军的突然攻击下绝迹西走，莫知所之，魏主获得大片国土与牲畜、人口，柔然可汗纥升盖竟因此愤悒而死；可惜魏主未能彻底坚持崔浩的方针，未能将柔然彻底荡平，事后魏主深悔之；魏主迁柔然、高车等降附之民于漠南，使其耕牧而收其税，派将镇抚，以致民间马牛羊及毡皮为之价贱。魏主接见降人时对崔浩才能、作用的高度评价。北凉沮渠蒙逊攻取西秦之枹罕，派其世子兴国进攻迁都定连之西秦，西秦主暮末大破之，并俘获了蒙逊之世子兴国，又破北凉与吐谷浑之联军，沮渠蒙逊仓皇逃走。刘宋王朝之权臣王弘辞职归家，刘义康总理朝政；刘义隆又以其弟刘义恭为荆州刺史，又为书诫刘义恭以克服褊急，不要以贵凌人等。武都王杨玄死，其弟杨难当废杨玄之子而自称武都王。夏主赫连定登山遥望统万城而叹息，但又无力收复。

【注释】

⑯解州、录：请求免去扬州刺史与录尚书事两种重要职务。⑰优诏不许：说客气话，加以慰勉，不允许辞职。⑱癸丑：正月二十日。⑲二府并置佐领兵：谓让刘义康和王弘两处都设有录尚书事的僚佐，都执掌兵权。《宋书·王弘传》作："义康由是代弘为司徒，与之分录。"⑳委远大权：把大权交给别人，自己离大权远点儿。㉑义恭：即刘义恭，刘裕之子，刘义隆之弟。传见《宋书》卷六十一。㉒刘湛：字弘仁，曾是刘义隆所宠信、所倚靠的大臣之一。传见《宋书》卷六十九。㉓行府州事：代为处理刘义恭都督府及荆州刺史府的一切事务。行，代管、兼管。㉔隆替：兴隆与衰败。㉕感寻王业：指深思王业创建的艰难，而寻找长治久安的治国办法。㉖大惧负荷：非常害怕自己不能担起治好国家的责任。《左传·昭公七年》有所谓"其父折薪，其子不克负荷"，后人引以

十二月，北凉河西王沮渠蒙逊、吐谷浑王慕容慕璝全都派遣使者到宋国的都城建康进贡。

这一年，北魏担任内都大官的中山文懿公李先和担任青、冀二州刺史的安同全都去世。李先享年九十五岁。

西秦境内发生地震，野草倒的方向都反了过来。

为说不肖子弟不能继承发展父祖的事业。⑫7 褊急：气量小、性子急。⑫8 志之所滞二句：自己弄不明白的事情，还一定坚持要办。⑫9 意所不存二句：自己没有想过的事情，就随着别人怎么说就怎么办。存，想、思考。⑬0 宜念裁抑：应该注意加以克制。裁抑，犹今之所谓“克制”。⑬1 卫青遇士大夫以礼二句：语见《史记·淮南衡山列传》。原文作：“大将军遇士大夫以礼，于士卒有恩，众皆乐为之用。”⑬2 西门、安于：西门豹、董安于，都是战国时人。⑬3 矫性齐美：都能改变自己的性情，扬名于后世。相传西门豹性情刚急，常佩韦以提醒自己思缓；董安于性情宽缓柔弱，常佩弦以提醒自己思刚。⑬4 关羽、张飞：都是三国时代刘备的部将，现已家喻户晓。⑬5 任偏同弊：都因为偏狭任性，导致丧身辱国。关羽“刚而自矜”，凌侮麋芳、傅士仁，后与孙权作战中，麋、傅倒戈，使关羽兵败被杀。张飞“暴而无恩”，经常鞭打左右，后被帐下范强、张达所杀。事见本书卷六十九黄初二年。⑬6 行己：犹言“持身”，即为人处世。⑬7 事异今日：隐指日后自己身死。⑬8 幼蒙：年幼不懂事。⑬9 司徒：以称刘义康，时刘义康任司徒之职。⑭0 当周公之事：指辅佐幼主，执掌政权。当年武王去世时，成王年幼，由周公辅佐成王，总理天下之事。⑭1 祇顺：恭敬、顺从。⑭2 决汝二人：决定权在你们兄弟二人手里，指掌管朝廷大政的刘义康与刘义恭。⑭3 省此：少于这个数目。⑭4 西楚府舍：即指荆州刺史府，前刘义隆曾居，今刘义恭正居此。⑭5 谙究：犹言“了解、熟悉”。⑭6 计当不须改作：我想不必再盖新的。计，寻思、考虑。⑭7 讯狱：审判犯人。⑭8 多决当时：都是根据当时审问的情况随即作出判决。⑭9 逆虑：事先考虑好。⑮0 虚怀博尽：自己要虚心地听取别人的意见。⑮1 以矜独断之明：以夸耀自己见解的高明。矜，显示、夸耀。⑮2 名器：指官职、爵位和与此相应的冠服、仪仗、信物等等。⑮3 慎惜：珍惜；慎重把握。⑮4 妄以假人：随随便便地封赠予人。假，给予。⑮5 昵近爵赐：对身边亲近的人封赐爵位或赏赐东西。昵近，亲近，这里指亲近的人。⑮6 如闻外论：（当我听到别人议论我“少恩”时，）我认为他们的说法错误。外，不在理、不合正道。⑮7 不以为非：不认为我自己做得不对。⑮8 以贵凌物：靠着出身高贵，盛气凌人。凌物，蔑视人。物，人。⑮9 加人：压人。加，压、居人之上。⑯0 不厌：不满；不平。⑯1 易达事：容易理解的道理。⑯2 声乐嬉游：歌舞、游乐。⑯3 蒲酒：赌博、酗酒。蒲，樗蒲，古代的赌博用具，类似今之掷骰子。⑯4 供用奉身：指衣、食、住、

行等各种生活需要。⑯兴长：指喜爱、提倡。⑯数引见佐史：更多一点地和自己的僚属们在一起。数，多、频繁。佐史，当作“佐吏”，即参佐、僚属。⑯相见不数：见面的次数不多。⑯无因得尽人情：没法让人家说出全部的心里话。⑯复何由知众事也：还怎么能知道外面的各种事情呢。也，同“耶”。反问语词。⑰酒泉公隽：即赫连隽。⑰请降于魏：去年鲜于台阳等叛魏逃往西山，今又请降。⑰未至西平：还没有到达西平。⑰三月丁巳：三月二十五日。⑰戊午：三月二十六日。⑰辛酉：三月二十九日。⑰章太后：姓胡，刘义隆的生母。刘义隆五岁时，胡氏被谴身死。文帝即位后，谥之曰章。⑰太后所生苏氏：此指章太后的生母，亦即刘义隆的外祖母，姓苏。⑰尚书：此处即“尚书令”的简称。⑰陇西辛进：陇西郡人姓辛名进。陇西郡的郡治在今甘肃陇西东南。⑱文昭王：即乞伏炽磐，谥曰文昭。⑱四月癸亥：四月初二。⑱王敬弘：桓玄的姐夫，但不依附桓氏；刘裕执政后，为官亦若即若离。传见《宋书》卷六十六。⑱临川王义庆：刘义庆，刘裕弟刘道规之子。爱好文学，撰有《世说新语》。传见《宋书》卷五十一。⑱江夷：字茂远，随刘裕讨桓玄起家，为官贞正。传见《宋书》卷五十三。⑱邓渊：字彦海，明习旧事，对魏国典章制度的建立颇多贡献。传见《魏书》卷二十四。⑱《国记》：犹言“国史”，拓跋魏的创建及其发展的历史。⑱保太后：姓窦，拓跋嗣之妃，拓跋焘的养母。保是称号。⑱劝：鼓励；怂恿。⑱今兹己巳：今年是“己巳”年。⑲三阴之岁：是个“三阴”的年头。古人把“天干”中的甲、丙、戊、庚、壬称为阳，把乙、丁、己、辛、癸称为阴；把“地支”中的子、寅、辰、午、申、戌称为阳，把丑、卯、巳、未、酉、亥称为阴。己、巳本身都是阴，“己巳”年又由二阴合成，故称“三阴”。⑲岁星袭月：木星将与月亮遇到一起。岁星，即今之木星。⑲太白：即今之金星，古人以为象征战争。⑲赞：助；帮着说。⑲谏苻坚南伐：张渊原仕于苻坚，自己说当年曾指称天文星象以劝阻苻坚的出兵伐晋。见《魏书·术艺传》。⑲论难于前：在魏主面前互相辩论。难，攻击、驳斥。⑲诘渊、辩：质问张渊、徐辩。诘，问、提出质问。⑲日食修德：天空出现日食，这意味着上天对人间帝王提出警告，帝王就得检讨自己，就得提高自己的道德修养了。食，同“蚀”。⑲月食修刑：天空出现月食，这是上天提示人间帝王应该使用刑罚。⑲小则肆诸市朝：小的用刑就是在市场处决犯人。⑳大则陈诸原野：大的用刑就是调兵遣将，讨伐叛乱。陈诸原野，指行兵布阵，攻城略地。⑳乃所以修刑：就是为了使用刑罚。⑳比年：近年；连年。⑳月行掩昴：月亮掩蔽了昴星。昴，星名，二十八宿之一。⑳其占：“月行掩昴”所预示的征兆。占，含义、解释。指天文、星象以及卜筮所表现的征兆。⑳大破旄头之国：大破北方的民族之国。旄头即昴星所分野的国家，古人以昴星对应塞外民族。胡三省曰：“昴为旄头，胡星也。”⑳荒外：荒服以外。古人将所知的领土划为五圈，离天子都城最近的叫“甸服”，其次叫“侯服”，再次叫“绥服”，再次叫“要服”，最外叫“荒服”。意即荒远，不可羁勒之意。⑳轻疾：指骑马逐水草而居，时来时去。⑳有何汲汲：又何必辛辛苦苦、费劲劳神地去……有，这里同“又”。汲汲，辛劳匆忙的样子。⑳⑨ 犹是其职：还是他们分内的工作，意即还有谈这种话的资格。㉑⓪ 汉世常谈：汉代反战派们的口头禅。汉武帝欲伐匈奴，韩安国以为“得其地不足以为广，有其众不足以为强”云云，见《史记·韩长孺列传》。其后主父偃、严安又说过类似的意思，见《史记·平津侯主父列传》。211 施之于今：用在今天。212 中间叛去：柔然曾一度臣服于魏，后叛魏北走。见本书卷一百八太元十九年。213 元恶：首恶；罪魁祸首。214 令复旧役：使其仍归我们统辖，为我们服役。215 通解数术：懂得一些沟通天人关系的法术。此处指观测天文星象以推测人世吉凶而言。216 明决成败：可以预先判明成功与失败。217 属者：前不久。218 尤：责备；怪罪。219 南寇：指刘宋政权。220 以卫淮北：以保卫淮河以北，约当今河南东南部与安徽、江苏北部一带地区，当时为刘宋与北魏的交界处。上年刘宋将领王仲德曾派小部队攻击济阳、陈留，即崔浩所指。221 河南：黄河以南，指今河南中部以及安徽、江苏之西北部一带地区，当时被魏所占。222 留其爱子：指十二岁的刘义真。223 辅以良将：指王镇恶、沈田子等人。224 全军覆没：刘裕攻取关中的全部军队，驻守在长安、蒲阪、洛阳一线，后来都被夏人所消灭。事见本书卷一百一十八义熙十四年。225 驹犊：小马驹、小牛犊。226 自宽：指自己松懈、麻痹。227 背寒向温：想到南边来找个温暖的地方住着。228 牡马护牝：公马护着母马。牡，公畜。牝，母畜。229 牝马恋驹：母马舍不得丢下小马驹。230 驱驰难制：指畜群难以驱赶。231 琐琐：信心不足、不果断的样子。232 不全举：不能整个端掉，彻底消灭。233 趣归我河南地：赶紧把黄河以南的地区归还我们。趣，同“促”，迅速。河南地，此指内蒙古的河套一带。234 龟鳖小竖：龟鳖一般的小竖子。因南方多水泽，故北方人以龟鳖骂江南人。235 夫何能为：他们能干什么。夫，彼、他们。也可以说是发语词。236 庚寅：四月二十九日。237 楼伏连：魏国名将。传见《魏书》卷三十。238 黑山：也叫杀虎山，在今内蒙古呼和浩特东南。239 长孙翰：魏国名将长孙肥之子，传见《魏书》卷二十六。240 大娥山：地址未详。241 柔然之庭：柔然可汗的大本营，在今蒙古乌兰巴托西的哈尔和林西北。242 五月壬辰朔：五月初一是壬辰日。243 还东：指还余杭县的老家，在今浙江杭州西。244 癸巳：五月初二。245 特进：加官名，无实职。地位崇高，仅在三公之下。246 光禄大夫：本属光禄勋，给皇帝充当参谋顾问之用，这时也是加官，是一种荣誉称号。247 丁未：五月十六日。248 兼马：一个人两匹马，以备替补。249 栗水：在柔然可汗庭南，今蒙古国的达兰扎达加德北。250 莫相收摄：犹今之所谓“互不统属”，谁也管不了谁。251 绝迹西走：不留踪迹地向西方逃去，极言其害怕之甚。252 先主东部：本来主管东部地区。253 大人：犹言“高官”，各部落的头领。254 夏主：指赫连定，赫连昌之弟。255 侯尼城：约在今甘肃华亭附近。256 迁保定连：迁移到定连，在定连坚守。定连约在今甘肃临夏东南。257 南安：郡名，郡治在今甘肃陇西东南，当时属于乞伏氏政权。258 罕开谷：约在今甘肃临夏附近。259 治城：约在今甘肃临夏东南。260 西安太守莫者幼眷：西秦的西安郡太守姓莫者，名幼眷。此“西安郡”的地址不详。261 汧川：当在今甘肃临夏附近。262 谭郊：在今甘肃临夏西北。263 苑园水：

在今蒙古乌兰巴托西南，当时的栗水之西。㉔高车：当时北方的少数民族，分别居住在柔然以南的今内蒙古北部和柔然以北蒙古与俄罗斯交界处。㉕车庐：车子与帐篷。㉖亡虑：差不多；大概。㉗弱水：此"弱水"即指菟园水西的河水，史无明载。㉘涿邪山：在今蒙古的浚稽山西北。㉙崔浩之言：指"恐诸将琐琐，前后顾虑，不能乘胜深入，使不全举"之语。㉚被病：患病；得病。㉛窘聚：无可奈何地拥挤在一起。㉜相去百八十里：指魏兵所追到的地点，距柔然人窘聚之所在只有一百八十里。㉝凉州贾胡：从凉州到东方来做买卖的匈奴人。㉞敕连：鲜卑语是"神圣"的意思。㉟武都孝昭王杨玄：杨玄是仇池地区的氐族头领，因其自动承认刘宋王朝为其宗主，故刘宋王朝加封其为武都王，孝昭是其死后的谥号。㊱菩提：当时沮渠氏亦信佛，故以佛教语命名其子。㊲漠南：今内蒙古境内的大沙漠以南。㊳巳尼陂：约在今内蒙古太仆寺旗一带。㊴濡源：地名，因濡水（今滦河）之源而得名，在今河北丰宁西北、赤城东北。㊵暨：此处意思同"及"。至；达到。㊶五原：县名，县治在今内蒙古包头西北。㊷阴山：横亘于今呼和浩特、包头以北的东西走向大山。㊸古弼：拓跋嗣、拓跋焘时代的名臣。传见《魏书》卷二十八。㊹铜铤：铜条。㊺酢器：盛醋的器皿。酢，同"醋"。铜条置于醋中，起化学变化，此铜条即可用以写字。㊻夜有所见：见到天文星象有何变化。㊼或：有的时候。㊽仓猝不及束带：为匆忙迎驾而来不及系上袍带。㊾祖考：祖指拓跋珪，考指拓跋嗣。㊿渠帅：大头领。(291)尪纤：身材弱小。(292)尚书：此指尚书省的诸官员。(293)咨浩：询问崔浩；征求崔浩的意见。(294)烝：晚辈男人奸淫上辈之妇女。(295)文昭王左夫人：乞伏炽磐的嫔妃。文昭是乞伏炽磐的谥号。夫人是嫔妃的名号之一，有时也用作妃嫔的统

【原文】

七年（庚午，公元四三〇年）

春，正月癸巳(312)，以吐谷浑王慕璝为征西将军、沙州刺史、陇西公(313)。

庚子(314)，魏主还宫。壬寅(315)，大赦。癸卯(316)，复如广宁，临温泉。

二月丁卯(317)，魏平阳[10]威王长孙翰(318)卒。

戊辰(319)，魏主还宫。

帝(320)自践位以来，有恢复河南(321)之志。三月戊子(322)，诏简(323)甲卒五万给右将军到彦之，统安北将军王仲德、兖州刺史竺灵秀舟师入河(324)。又使骁骑将军段宏将精骑八千直指虎牢(325)，豫州刺史刘德武将

称。㉖奔河西：指前去投降沮渠蒙逊。㉗门钥：暮末房门的钥匙。㉘我负汝死二句：两句的意思是，你可以杀我，但不能打我。负，欠。㉙不为世祖所知：得不到赫连勃勃的赏识。㉚畋于阴槃：在阴槃县境打猎。阴槃县的县治在今甘肃平凉东。㉛苛蓝山：在今甘肃华亭南，当时的阴槃县西南。㉜十一月己丑朔：十一月初一是己丑日。㉝星昼见：白天出现了星星。㉞至晡方没：直到申时才落下去。晡，申时，即今之下午三五时。㉟河北地暗：黄河以北地区一片黑暗。㊱柞山：约在靠近今山西西北角的内蒙古境内，其地有魏国帝王的宫殿。㊲遣使入贡：派遣使者向刘宋王朝进贡。《宋书·文帝纪》元嘉六年十二月有所谓"河南国、河西王遣使献方物"。㊳内都大官：当时魏国有内都大官、外都大官、都坐大官，合称"三都大官"。㊴中山文懿公李先：中山公是李先的封号，文懿是谥号。李先是魏初名将。传见《魏书》卷三十三。㊵安同：魏国名臣，安原与安颉之父。传见《魏书》卷三十。㊶野草皆自反：野草倒伏的方向都反了过来。

【校记】

［3］家国：据章钰校，孔天胤本二字互乙。［4］王：原误作"皇"。据章钰校，甲十六行本、乙十一行本、孔天胤本皆作"王"，今据改。［5］等：据章钰校，甲十六行本、乙十一行本、孔天胤本皆作"辩"。［6］散：据章钰校，甲十六行本、孔天胤本皆作"走"。［7］搜：据章钰校，甲十六行本作"收"。［8］黑山：据章钰校，孔天胤本作"燕山"，张敦仁《通鉴刊本识误》同。［9］方六十里：原无此四字。据章钰校，甲十六行本、乙十一行本、孔天胤本皆有此四字，张敦仁《通鉴刊本识误》、张瑛《通鉴校勘记》同，今据补。

【语译】

七年（庚午，公元四三〇年）

春季，正月初六癸巳，宋国文皇帝刘义隆任命吐谷浑王慕容慕璝为征西将军、沙州刺史、陇西公。

正月十三日庚子，北魏太武帝拓跋焘从西部返回平城的皇宫。十五日壬寅，实行大赦，十六日癸卯，拓跋焘又前往广宁，到达温泉。

二月初十丁卯，北魏平阳威王长孙翰去世。

二月十一日戊辰，北魏太武帝拓跋焘从温泉返回平城的皇宫。

宋文帝刘义隆自从即位以来，就一直怀有收复黄河以南地区的雄心壮志。三月初二戊子，刘义隆下诏，令调拨五万名全副武装的士卒，交给右将军到彦之指挥，令到彦之统领安北将军王仲德、兖州刺史竺灵秀率领水军由汴水乘坐舰船进入黄河。又令担任骁骑将军的段宏率领八千名精锐骑兵直指虎牢，令担任豫州刺史的刘德武

兵一万继进，后将军长沙王义欣㉖将兵三万监征讨诸军事。义欣，道怜㉗之子也。

先遣殿中将军田奇使于魏，告魏主曰："河南旧是宋土，中为彼所侵㉘。今当修复旧境，不关河北。"魏主大怒曰："我生发未燥㉙，已闻河南是我地。此岂可得！必若进军，今当权敛戍㉚相避，须㉛冬寒[11]地净，河冰坚合，自更取之。"

甲午㉜，以前南广平㉝太守尹冲为司州㉞刺史。

长沙王义欣出镇彭城㉟，为众军声援；以游击将军胡藩㊱戍广陵㊲，行府州事㊳。

壬寅㊴，魏封赫连昌为秦王㊵。

魏有新徙敕勒㊶千余家，苦于将吏㊷侵渔，出怨言，期㊸以草生马肥，亡归漠北。尚书令刘絜、左仆射安原奏请及河冰未解，徙之河西㊹，向春冰解，使不得北遁。魏主曰："此曹㊺习俗，放散日久，譬如囿中之鹿，急则奔突，缓之自定。吾区处自有道㊻，不烦徙也。"絜等固请不已，乃听分徙三万余落于河西，西至白盐池㊼。敕勒皆惊骇，曰："圈我于河西，欲杀我也！"谋西奔凉州㊽。刘絜屯五原河北㊾，安原屯悦拔城㊿以备之。癸卯[351]，敕勒数千骑叛，北走，絜追讨之。走者无食，相枕而死[352]。

魏南边诸将表称："宋人大严[353]，将入寇。请兵三万，先其未发，逆击之，足以挫其锐气，使不敢深入。"因请悉诛河北流民在境上者，以绝其乡导[354]。魏主使公卿议之，皆以为当然。崔浩曰："不可。南方下湿，入夏之后，水潦[355]方降，草木蒙密，地气郁蒸，易生疾疠，不可行师。且彼既严备，则城守必固，留屯久攻[356]，则粮运不继；

率领一万名士卒随后进发，又令担任后将军的长沙王刘义欣率领三万名士卒，担任监征讨诸军事。刘义欣，是刘道怜的儿子。

大军出动之前，宋文帝刘义隆先派担任殿中将军的田奇出使北魏，告诉北魏太武帝拓跋焘说："黄河以南地区过去原本是宋国的领土，后来被你们国家所侵占。现在宋国要恢复旧日的疆界，与黄河以北没有关系。"北魏太武帝拓跋焘大怒说："从我刚刚出生，头发还没干的时候起，就听说黄河以南是我们魏国的疆土。你们岂能妄想得到它！如果你们一定要出兵夺取黄河以南，我将会暂时收军后退，等到冬季天气寒冷，农田里的庄稼已经收获干净，黄河结成厚厚的冰层时，我自然会再次将黄河以南之地夺回来。"

三月初八甲午，宋文帝刘义隆任命前南广平太守尹冲为司州刺史。

长沙王刘义欣镇守彭城，作为各路出征大军的声援；令担任游击将军的胡藩戍守广陵，代替长沙王刘义欣管理都督府与南兖州刺史府的日常事务。

三月十六日壬寅，北魏太武帝拓跋焘封被俘虏的故夏王赫连昌为秦王。

北魏境新近迁移来的一千多家敕勒人，因为不堪忍受看管他们的北魏将领、官吏的压迫和侵夺，于是口出怨言，并约定等到春草萌生、牧马肥壮之时，便逃往大漠以北。担任尚书令的刘絜、担任左仆射的安原向太武帝拓跋焘奏请：趁着黄河还没有解冻，赶紧将这些敕勒人迁徙到黄河以西，等到春天黄河解冻之后，他们就无法向北逃走。北魏太武帝拓跋焘说："这些人长期过着游牧生活，放荡、散漫已经成为习性，现在迁徙到我们魏国境内，就像是被关在动物园中的麋鹿，你把它逼得太急，它就要乱跑乱撞，稍微缓和一下，它自己就会安定下来。我自有办法安排、处置他们，不必自找麻烦，再次将他们迁移。"刘絜等坚决请求将敕勒人迁移，拓跋焘遂允许他们把其中的三万多落迁往黄河以西，西部到达白盐池。那些敕勒人都非常惊慌恐惧，说："把我们圈到黄河以西，这是想要杀死我们吧！"于是密谋向西逃往凉州投奔北凉河西王沮渠蒙逊。尚书令刘絜率军屯驻在五原郡的黄河以北地区，左仆射安原率军屯驻在悦拔城以防范敕勒人逃走。三月十七日癸卯，数千名敕勒族骑兵背叛了魏国向北方逃走，刘絜率军随后追击。逃走的敕勒骑兵进入大漠之后，因为既缺水又缺粮，遂在逃亡的途中一个挨一个地死去。

北魏南部边境的守将向太武帝拓跋焘奏报："宋国已经进入大规模紧急战备状态，即将进犯我国。请求增援三万人，在宋军没有出动之前，我们先发制人，一定能够挫败宋军的锐气，令他们不敢深入我国境内。"并趁机请求将在边境上的黄河以北地区的流民全部杀掉，以防止他们为宋军充当向导。北魏太武帝拓跋焘就这个问题令朝中的公卿大臣进行商议，大臣全都认为应当如此。只有担任侍中的崔浩持反对意见，他说："我们不能这样做。南方地势低洼潮湿，进入夏季之后，雨水增多，草木生长旺盛，地气蒸腾，天气闷热，最容易生病，不利于出兵打仗。而且宋国既然已经严加戒备，则必然牢固地坚守城池，如果我们久攻不下，军队就得长时间留

分军四掠，则众力单寡，无以应敌。以今击之，未见其利。彼若果能北来，宜待其劳倦，秋凉马肥，因敌取食[357]，徐往击之，此万全之计也。朝廷群臣及西北守将，从陛下征伐，西平赫连[358]，北破蠕蠕[359]，多获美女、珍宝，牛马成群。南边诸将[360]闻而慕之，亦欲南钞[361]以取资财，皆营私计[362]，为国生事，不可从也。”魏主乃止。

诸将复表[363]：“南寇已至，所部[364]兵少。乞简幽州[365]以南劲兵助己戍守，及就漳水[366]造船严备[367]以拒之。”公卿皆以为宜如所请，并署[368]司马楚之、鲁轨、韩延之[369]等为将帅，使招诱南人。浩曰：“非长策也。楚之等皆彼所畏忌[370]，今闻国家[371]悉发幽州以南精兵，大造舟舰，随以轻骑，谓国家欲存立司马氏[372]，诛除刘宗[373]，必举国震骇，惧于灭亡。当悉发精锐，并心竭力，以死争之，则我南边诸将无以御之。今公卿欲以威力却敌，乃所以速之[374]也。张虚声而召实害，此之谓矣。故楚之之徒，往则彼来[375]，止则彼息，其势然也。且楚之等皆纤利小才[376]，止能招合轻薄无赖而不能成大功，徒使国家兵连祸结而已。昔鲁轨说姚兴以取荆州[377]，至则败散，为蛮人[378]掠卖为奴，终于祸及姚泓[379]，此已然之效也。”魏主未以为然。浩乃复陈天时，以为南方举兵必不利，曰：“今兹害气在扬州[380]，一也；庚午自刑[381]，先发者伤，二也；日食昼晦，宿值斗、牛[382]，三也；荧惑伏于翼、轸[383]，主乱及丧，四也；太白[384]未出，进兵者败，五也。夫兴国之君，先修人事，

下来攻打城市，则粮食运输必然接济不上；如果分散军队四处劫掠，则兵力分散，就会导致势孤力单，没有办法应付宋军的进攻。现在出兵攻打宋国，我看不出有什么好处。宋军如果真的北上，我们应该等到宋军已经疲惫不堪，秋季天气凉爽，战马肥壮，然后到敌人的占领区去就地解决粮食问题，慢慢地出兵进行反击，这才是万全之计。朝廷中的文武大臣以及西北边境上的守将，跟随陛下征伐，向西平定了夏国的赫连氏，向北击败了柔然，得到了许多的美女、珍宝，牛马成群。南部边境的守将得知消息之后心里非常羡慕，所以也想向南出征以抄掠宋国的资财，其实都是为个人的私利考虑，会给国家招惹是非，他们的意见不可以听从。”北魏太武帝才没有出兵。

南方边境的守将又上表给太武帝拓跋焘说：“宋军已经开始入侵我国，我们属下的兵力太少。请朝廷从幽州以南挑选精锐士卒南下增援我们戍守边境，并请在漳水建造舰船，严加防备各条河流的渡口，以抗拒宋军的进攻。”朝中的公卿大臣都认为应该批准边疆守将的请求，并任命司马楚之、鲁轨、韩延之等为将帅，招降引诱宋国的人民归附魏国。担任侍中的崔浩又反对说：“这不是长久之计。司马楚之等人都是打着反抗刘氏政权、复辟晋王朝的旗号，所以深受宋国畏惧和忌恨的人，如果听说我们国家已经出动幽州以南所有的精锐部队，又大量地打造舰船，再配以轻骑兵，必定认为我们国家想要恢复司马氏政权，诛灭刘氏家族，必定举国上下惊恐不安，担心被灭亡。就会动员全国所有的精锐部队，并同心合力拼死与我们相争，那样一来，我国南部边境的诸位守将将没有办法抵挡他们的进攻。现在满朝的公卿大臣想要依靠军队的威力来使宋国退军，反而招致敌人更快地前来进攻我们。虚张声势却招来实实在在的灾祸，就是说的这种情况。所以，司马楚之等一旦前去挑衅，就会招惹宋军北来进攻，如果司马楚之等不去挑衅，宋军必然不会出兵北进，这是势所必然。而且司马楚之等人都是目光短浅、只贪图眼前小利而没有多大才能的人物，让他们去招纳宋国人，只能招来一些轻薄无赖，而不能成就什么大功劳，白白地导致国家兵连祸结而已。过去鲁轨劝说后秦王姚兴攻取东晋所属的荆州，而后秦军刚一进入东晋境内，就被东晋军击败，军士四处逃散，被东晋人抓获，卖为奴隶，这场灾祸一直延续到姚泓时期，刘裕出兵北伐，终于灭掉了后秦政权，这是过去活生生的例证。”太武帝拓跋焘不以为意。崔浩于是又向拓跋焘讲述天象的变异，认为宋国如果发动这场战争，肯定会损兵折将，对自己不利，崔浩说：“今年的害气在扬州，这是其一；今年是庚午年，庚属金，午属火，以火克金，先发动战争的一定损伤巨大，这是其二；去年十月初一发生日食的时候，白昼如同黑夜，太阳正运行到斗、牛二星之间，预示对宋国不利，这是其三；荧惑星运行到翼、轸二星之间，预示楚地将有死丧之灾祸，这是其四；象征兵象的太白星没有出现，主动出兵的一方必定遭遇失败，这是其五。能够使国家兴旺的君主，一定要首先处理好人世间的事情，

次尽地利，后观天时，故万举万全。今刘义隆新造之国，人事未洽[385]；灾变屡见，天时不协[386]；舟行水涸[387]，地利不尽。三者无一可，而义隆行之，必败无疑。”魏主不能违众言，乃诏冀、定、相[388]三州造船三千艘，简幽州以南戍兵[389]集河上以备之。

秦乞伏什寅母弟前将军白养、镇卫将军去列，以什寅之死，有怨言，秦王暮末皆杀之[390]。

夏，四月甲子[391]，魏主如云中。

敕勒万余落复叛走，魏主使尚书封铁追讨，灭之。

六月己卯[392]，以氐王杨难当为冠军将军、秦州刺史、武都王。

魏主使平南大将军、丹杨王大毗[393]屯河上；以司马楚之为安南大将军、荆州刺史[12]，封琅邪王，屯颍川[394]以备宋。

吐谷浑王慕璝将其众万八千袭秦定连，秦辅国大将军段晖等击走之。

到彦之自淮入泗，泗[13]水渗[395]，日行才十里，自四月至秋七月，始至须昌[396]。乃溯河西上。

魏主以河南四镇[397]兵少，命诸军悉收众北渡[398]。戊子[399]，魏碻磝[400]戍兵弃城去；戊戌[401]，滑台[402]戍兵亦去。庚子[403]，魏主以大鸿胪阳平公杜超为都督冀、定、相三州诸军事，太宰，进爵阳平王，镇邺，为诸军节度。超，密太后[404]之兄也。庚戌[405]，魏洛阳、虎牢戍兵皆弃城去。

到彦之留朱脩之守滑台，尹冲守虎牢，建武将军杜骥守金墉。骥，预[406]之玄孙也。诸军进屯灵昌津[407]，列守南岸，至于潼关。于是司、兖[408]既平，诸军皆喜，王仲德独有忧色，曰：“诸贤[409]不谙北土情伪[410]，必堕其计。胡虏虽仁义不足，而凶狡有余，今敛戍北归，必并力完聚[411]。若河冰既合，将复南来，岂可不以为忧乎？”

甲寅[412]，林邑[413]王范阳迈遣使入贡，自陈与交州不睦[414]，乞蒙恕宥。

其次是尽地利，然后再观看天时，所以做什么事情都能获得成功。如今宋国皇帝刘义隆所面对的是一个刚刚建立不久的国家，人心还不稳定；各种灾变多次出现，天时也很不顺；河水干涸，船行困难，可见地利也很不顺畅。天时、地利、人事，三个方面没有一方面令人满意，而刘义隆竟然要发动战争，肯定必败无疑。”北魏太武帝拓跋焘不能违背众臣的意见，遂下诏令冀州、定州、相州打造三千艘战船，从幽州以南各地的驻军当中拣选精锐到黄河边集结，防备宋军的入侵。

西秦乞伏什寅的同母弟担任前将军的乞伏白养、担任镇卫将军的乞伏去列，都因为乞伏什寅被剖腹而死，颇有怨言，西秦王乞伏暮末索性将他们一并杀死。

夏季，四月初八甲子，北魏太武帝拓跋焘前往云中。

一万多落敕勒族人又背叛了北魏逃走，北魏太武帝拓跋焘派担任尚书的封铁率军追击，将叛逃的敕勒人全部消灭。

六月二十四日己卯，宋文帝刘义隆任命氐王杨难当为冠军将军、秦州刺史、武都王。

北魏太武帝拓跋焘令担任平南大将军的丹杨王拓跋大毗率军驻扎在黄河沿岸；任命司马楚之为安南大将军、荆州刺史，封为琅邪王，率军驻扎在颍川，防备宋军的进攻。

吐谷浑王慕容慕璝率领自己的一万八千名部众袭击西秦所属的定连，被西秦担任辅国大将军的段晖等击退。

到彦之从淮河进入泗水，由于天旱，泗水水位浅，舰船每天只能前进十里，从四月到秋季七月，才到达须昌。然后进入黄河，逆流西上。

北魏太武帝拓跋焘因为黄河以南的金墉、虎牢、滑台、碻磝四镇的守军很少，遂下令各处驻军全部收缩到黄河以北。七月初四戊子，北魏戍守碻磝的军队放弃了碻磝撤走；十四日戊戌，戍守滑台的军队也弃城撤往黄河以北。十六日庚子，北魏太武帝拓跋焘任命担任大鸿胪的阳平公杜超为都督冀州、定州、相州三州诸军事，太宰，提升爵位为阳平王，率军镇守邺城，统领前方各路人马。杜超，是密太后杜氏的哥哥。二十六日庚戌，北魏洛阳、虎牢的守军全部弃城撤到黄河以北。

宋国右将军到彦之留下朱脩之守卫滑台，留下担任司州刺史的尹冲率军戍守虎牢，留下建武将军杜骥率军戍守金墉。杜骥，是杜预的玄孙。诸军进驻灵昌津，沿着黄河南岸列阵据守，一直到达潼关。此时司州、兖州全部平定，诸军毫不费力地夺取了黄河以南，都很欢喜，只有安北将军王仲德脸上露出忧愁的神色，他说："诸位贤能不了解北魏军的真实情况，一定会落入他们的圈套。胡虏虽然不够仁义，但在凶狠狡诈方面却绰绰有余，现在他们把黄河以南的守军全部撤到黄河以北，必定是为了积蓄力量。一旦到了冬季，黄河水面冰封，他们肯定会再次南下，岂能不令人为此感到担忧呢?"

七月三十日甲寅，林邑王范阳迈派使者到宋国的都城建康进贡，并向朝廷述说自己曾经与宋国所属的交州多次交兵，请求宋国原谅。

八月，魏主遣冠军将军安颉督护诸军，击到彦之。丙寅[415]，彦之遣裨将吴兴姚耸夫渡河攻冶坂[416]，与颉战；耸夫兵败，死者甚众。戊寅[417]，魏主遣征西大将军长孙道生[418]会丹阳王大毗屯河上以御彦之。

燕太祖[419]寝疾，召中书监申秀、侍中阳哲于内殿，属以后事。九月，病甚，辇而临轩[420]，命太子翼摄国事，勒兵听政，以备非常。

宋夫人欲立其子受居，恶翼听政，谓翼曰："上疾将瘳[421]，奈何遽[422]欲代父临天下乎？"翼性仁弱，遂还东宫，日三往省疾。宋夫人矫诏绝内外，遣阍寺[423]传问[424]而已。翼及诸子、大臣并不得见，唯中给事[425]胡福独得出入，专掌禁卫。

福虑宋夫人遂成其谋，乃言于司徒、录尚书事、中山公弘[426]。弘与壮士数十人被甲入禁中，宿卫皆不战而散。宋夫人命闭东阁[427]，弘家僮库斗头劲捷有勇力，逾阁而入，至于皇堂[428]，射杀女御[429]一人。太祖惊惧而殂。弘遂即天王位，遣人巡城告曰："天降凶祸，大行崩背[430]，太子不侍疾，群公[431]不奔丧，疑有逆谋，社稷将危。吾备介弟之亲[432]，遂摄大位以宁国家，百官扣门入[433]者，进陛[14]二等[434]。"

太子翼帅东宫兵出战而败，兵皆溃去，弘遣使赐翼死。太祖有子百余人，弘皆杀之。谥太祖曰"文成皇帝"，葬长谷陵。

己丑[435]，夏主遣其弟谓以代[436]伐魏鄜城[437][15]，魏平西将军始平公隗归等击之，杀万余人，谓以代遁去。夏主自将数万人邀击隗归于鄜城东，留其弟上谷公社干、广阳公度洛孤守平凉[438]，遣使来求和[439]，约合兵灭魏，遥分河北：自恒山[440]以东属宋，以西属夏。

八月，北魏太武帝拓跋焘派担任冠军将军的安颉统领各路人马，迎战宋国右将军到彦之所统领的北伐军。十二日丙寅，宋国右将军到彦之派遣副将吴兴人姚耸夫率军向北渡过黄河，进攻冶坂，与安颉展开激战；姚耸夫所率领的宋军被北魏军打败，伤亡惨重。二十四日戊寅，北魏太武帝拓跋焘派遣担任征西大将军的长孙道生会合丹杨王拓跋大毗率军驻扎在黄河沿岸，抵抗到彦之所率领的宋军。

北燕太祖冯跋身患重病，他在内殿召见担任中书监的申秀、担任侍中的阳哲，将自己死后的事情托付给他们二人。九月，冯跋病势逐渐沉重，他乘坐着辇车出来坐在殿前的廊檐下，命令太子冯翼代理朝政，令军队听命于太子，用以防范突然发生的意外。

北燕王冯跋的夫人宋氏想立自己所生的儿子冯受居为燕王，她对太子冯翼代理朝政感到非常痛恨，就对冯翼说："燕王的病即将痊愈，你为何这么急着想要代替你的父亲统治燕国呢?"冯翼生性仁慈、懦弱，他听了宋夫人的话之后，就退回自己的太子宫，只是每天三次到燕王冯跋的面前探视、问安。宋夫人遂假传北燕王冯跋之命，断绝内外交通，有什么事情，只派宦官进行传话。太子冯翼以及诸位王子、朝廷大臣全都无法见到燕王，只有担任中给事的胡福可以自由出入燕王冯跋的寝宫，负责安全警卫。

胡福担心宋夫人的阴谋得逞，于是便将宋夫人的所作所为告诉了担任司徒、录尚书事的中山公冯弘。冯弘遂率领数十名全副武装的勇士进入后宫，在后宫担任宿卫的禁卫军全都不战而散。宋夫人急忙让人关闭了后宫的东门，冯弘的家僮库斗头行动敏捷，很有勇力，他翻墙越过东门，进入皇堂，一箭就射死了太祖冯跋身边的一位侍女。太祖冯跋受惊而死。冯弘遂即位为北燕天王。他派人到龙城的大街小巷宣布说："上天降下灾祸，天王冯跋已经驾崩，太子冯翼不能在天王病榻旁边侍奉汤药，各位公爵不来奔丧，恐怕会有什么阴谋，国家面临着覆亡的危险。我作为已故天王的大弟弟，于是登上天王的宝座，用以安定国家，文武百官凡是拥戴我的，就到朝廷报到，每人官爵提升二级。"

北燕太子冯翼率领东宫的卫队讨伐冯弘，结果被冯弘打败，卫兵全都溃散而去，冯弘派使者逼迫冯翼自杀而死。太祖冯跋有一百多个儿子，冯弘把他们全部杀死。给太祖冯跋所上谥号为"文成皇帝"，埋葬在长谷陵。

九月初六己丑，夏主赫连定派遣自己的弟弟赫连谓以代率军攻伐北魏的鄜城，北魏担任平西将军的始平公拓跋隗归等率军反击，杀死了夏军一万多人，赫连谓以代逃走。夏主赫连定又亲自率领数万人前往鄜城以东拦击拓跋隗归，他留下自己的弟弟上谷公赫连社干、广阳公赫连度洛孤守卫平凉，同时派使者到宋国求和，与宋国约定联合起来消灭北魏，并预先规定好了瓜分北魏的方案：从恒山以东划归宋国，恒山以西划归夏国。

魏主闻之，治兵，将伐夏，群臣咸曰："刘义隆兵犹在河中[441]，舍之西行，前寇未必可克，而义隆乘虚济河，则失山东[442]矣。"魏主以问崔浩，对曰："义隆与赫连定遥相招引，以虚声唱和，共窥大国[443]。义隆望定进，定待义隆前，皆莫敢先入[444]。譬如连鸡[445]，不得俱飞，无能为害也。臣始谓[446]义隆军来，当屯止河中[447]，两道北上，东道向冀州，西道冲邺，如此，则陛下当自讨之，不得徐行。今则不然，东西列兵径二千里[448]，一处不过数千，形分势弱[449]。以此观之，儜儿情见[450]，此不过欲固河自守，无北渡意也。赫连定残根易摧，拟之必仆[451]。克定之后，东出潼关[452]，席卷而前[453]，则威震南极[454]，江、淮以北无立草[455]矣。圣策独发[456]，非愚近所及[457]，愿陛下勿疑。"甲辰[458]，魏主如统万[459]，遂袭平凉[460]，以卫兵将军王斤镇蒲坂[461]。斤，建[462]之子也。

秦自正月不雨，至于九月，民流叛者甚众。

冬，十月，以竟陵王义宣[463]为南徐州[464]刺史，犹戍石头[465]。

戊午[466]，立钱署[467]，铸四铢钱[468]。

到彦之、王仲德沿河置守，还保东平[469]。

乙亥[470]，魏安颉自委粟津[471]济河，攻金墉。金墉[16]不治既久，又无粮食。杜骥欲弃城走，恐获罪。初，高祖灭秦，迁其钟虡[472]于江南，有大钟没于洛水[473]，帝使姚耸夫将千五百人往取之。骥绐[474]之曰："金墉城已修完，粮食亦足，所乏者人耳。今虏骑南渡，当相与并力御之[475]。

北魏太武帝拓跋焘得知夏国、宋国准备联合进攻魏国的消息，便整顿兵马，想要出兵讨伐夏国，群臣都发表意见说："宋国皇帝刘义隆的军队还停留在黄河岸边，舍弃宋军而向西攻打夏国，不仅未必能够战胜夏国，而后方刘义隆的军队如果乘虚渡过黄河，则山东地区就不再属于魏国所有。"北魏太武帝拓跋焘又去咨询担任侍中的崔浩，崔浩回答说："宋国的刘义隆与夏国的赫连定隔着千山万水，遥相勾结，用空无实际的语言互相应和，共同窥伺强大的魏国。刘义隆希望赫连定首先进兵，赫连定等待刘义隆先于自己出兵，结果是谁也不敢率先对魏国发起进攻。这就如同两只绑在一起的鸡，哪一只也飞不起来，不会给我们造成危害。我开始的时候还认为刘义隆的军队北来之后，会将兵力集中在黄河的中段，然后兵分两路，同时北上，东路军进攻冀州，西路军攻取邺城，这样的话，就必须陛下亲自率军前往讨伐，行动还要迅速，不得怠慢。现在看来则不是这样，宋军沿着黄河设防，东西战线拉开有二千里，而每处的兵力不超过数千人，兵力过于分散，就显得力量薄弱。以此看来，刘义隆这个孬种心中所想的已经是一目了然：只不过是沿着黄河自守，并没有北渡黄河的意思。赫连定只是一个没有拔净的残根余孽，很容易摧折，只要对准他一用力，他就会倒毙。攻克了赫连定之后，再东出潼关，由西向东席卷而进，收拾宋军，则魏国的声威将震动整个宋国，长江、淮河以北地区，就如同被大风刮过，恐怕所有直立的野草全都倒伏了。陛下独自做出的英明决策，不是一般性情愚钝、见识短浅的人所能理解的，希望陛下不要犹豫不决。"九月二十一日甲辰，北魏太武帝拓跋焘前往统万城，遂趁势袭击了平凉，然后令担任卫兵将军的王斤镇守蒲坂。王斤，是王建的儿子。

西秦自从正月以来就没有下过雨，一直延续到九月，由于旱情严重，所以便不断有人逃亡、叛变。

冬季，十月，宋文帝刘义隆任命竟陵王刘义宣为南徐州刺史，仍然令他率军驻守石头城。

十月初五戊午，宋国设立铸造钱币的衙署，开始铸造重量为四铢的铜钱。

宋国的右将军到彦之、安北将军王仲德沿着黄河布防、设置守卫之后，便返回东平据守。

十月二十二日乙亥，北魏担任冠军将军的安颉率领魏军从委粟津向南渡过黄河，夺取金墉城。金墉城已经很久没有经过整修，城内又没有屯粮。守将宋国建武将军杜骥遂准备放弃金墉撤退，又担心会因此被判罪。当初宋高祖刘裕灭掉后秦的时候，将洛阳的钟虡等全都迁移到了江南，有一口大钟落入洛水之中，宋文帝刘义隆此时派副将姚耸夫率领一千五百人前往洛水打捞那口大钟。杜骥遂欺骗姚耸夫说："金墉城已经整修完毕，城中的粮食也很充足，所欠缺的就是人。如今魏国的骑兵已经向南渡过黄河，我们应当同心协力抵御魏军的进攻。等到击退魏军，建立了大功之后，

大功既立，牵钟未晚[476]。”耸夫从之。既至，见城不可守，乃引去，骥遂南遁。丙子[477]，安颉拔洛阳，杀将士五千余人。杜骥归，言于帝曰：“本欲以死固守，姚耸夫及城遽走[478]，人情沮败[479]，不可复禁。”上大怒，诛耸夫于寿阳[480]。耸夫勇健，诸偏裨[481]莫及也。

魏河北诸军会于七女津[482]。到彦之恐其南渡，遣裨将王蟠龙溯流夺其船，杜超等击斩之。安颉与龙骧将军陆俟[483][17]进攻虎牢，辛巳[484]，拔之。尹冲及荥阳太守清河崔模降魏。

秦王暮末为河西[485]所逼，遣其臣王恺、乌讷阗请迎于魏[486]，魏人许以平凉、安定封之。暮末乃焚城邑，毁宝器，帅户万五千，东如上邽[487]。至高田谷[488]，给事黄门侍郎郭恒谋劫沮渠兴国以叛[489]，事觉，暮末杀之。夏主闻暮末将至[490]，发兵拒之。暮末留保南安[491]，其故地[492]皆入于吐谷浑。

十一月乙酉[493]，魏主至平凉，夏上谷公社干等婴城固守。魏主使赫连昌招之，不下；乃使安西将军古弼等将兵趣安定[494]。夏主自鄜城还安定，将步骑二万北救平凉，与弼遇，弼伪退以诱之；夏主追之，魏主使高车[495]驰击之，夏兵大败，斩首数千级。夏主还走，登鹑觚原[496]，为方陈以自固。魏兵就围之。

壬辰[497]，加征南大将军檀道济都督征讨诸军事，帅众伐魏。

甲午[498]，魏寿光侯叔孙建、汝阴公长孙道生济河而南。

到彦之闻洛阳、虎牢不守，诸军相继奔败，欲引兵还。殿中将军垣护之[499]以书谏之，以为宜使竺灵秀助朱脩之守滑台，自帅大军进拟河北[500]，且曰：“昔人有连年攻战，失众乏粮，犹张胆争前，莫肯轻退。

再来打捞大钟也不算晚。”姚耸夫接受了杜骥的建议，遂率领着一千五百人来到金墉城。当他看到金墉城根本无法坚守，便率军离去。杜骥趁机放弃金墉城，率军向南撤走。二十三日丙子，安颉率军攻克了洛阳，杀死宋军将士五千多人。杜骥回到建康，对宋文帝刘义隆说：“本来正准备拼死据守金墉城，不料副将军姚耸夫一到金墉就立即逃走，引起军心动摇，士气沮丧，再也无法禁止。”宋文帝不禁大怒，就在寿阳将姚耸夫斩首。姚耸夫勇猛雄健，当时的许多副将都比不上他。

北魏驻扎在黄河以北的各路军马全部到七女津集结。宋国右将军到彦之担心魏军会向南渡过黄河，便派遣副将王蟠龙率人逆流而上，企图夺取魏军的船只，结果被杜超等击败、斩首。北魏冠军将军安颉与龙骧将军陆俟率军进攻虎牢，十月二十八日辛巳，将虎牢攻克。尹冲以及担任荥阳太守的清河人崔模投降了北魏。

西秦王乞伏暮末承受不了北凉的逼迫，遂决计归降魏国，他派遣属臣王恺、乌讷阗为使者前往北魏，请求北魏派军队前来迎接，魏国人许诺将平凉、安定分封给乞伏暮末。乞伏暮末于是放火焚毁了自己所在的城邑，捣毁了国家的各种宝器，然后率领着一万五千户向东进发，前往上邽。当他们走到高田谷的时候，乞伏暮末手下担任给事黄门侍郎的郭恒企图劫夺沮渠兴国，然后一道去投奔北凉河西王沮渠蒙逊，事情被发觉，乞伏暮末遂将郭恒杀死。夏主赫连定听到西秦王乞伏暮末即将经过的消息，便派兵迎击。乞伏暮末不敢继续东进，只得在南安停留下来据守，而西秦故地则全部被吐谷浑所占有。

十一月初三乙酉，北魏太武帝拓跋焘抵达夏国的平凉，夏国上谷公赫连社干等在平凉城四周设防坚守。拓跋焘令夏国故王赫连昌招降平凉的守军，平凉守军不肯向北魏投降；拓跋焘遂令担任安西将军的古弼等率军往攻其都城安定。夏主赫连定从鄜城返回安定，然后亲自率领二万名步兵、骑兵向北救援平凉，路上与古弼相遇，古弼假装撤退引诱夏主赫连定；赫连定果然上当受骗，率军随后追击，北魏太武帝拓跋焘下令高车人组成的军队飞速出击，夏军被打得大败，被杀死了数千人。夏主赫连定回身逃走，登上鹑觚原，将残兵败将结成方阵用以自保。北魏军赶来，将赫连定团团围困在鹑觚原。

十一月初十壬辰，宋文帝刘义隆加授征南大将军檀道济为都督征讨诸军事，率领诸军讨伐北魏。

十一月十二日甲午，北魏寿光侯叔孙建、汝阴公长孙道生率领魏军向南渡过黄河。

到彦之听到洛阳、虎牢已经失守，各军相继战败逃亡的消息，就准备率军撤回。担任殿中将军的垣护之写信劝谏到彦之，垣护之认为应该派遣担任兖州刺史的竺灵秀率军增援朱脩之戍守滑台，到彦之则应该自率大军做出要渡过黄河向北进军的样子，垣护之说：“过去有人连年攻战，即使在损兵折将、军队缺乏粮草的情况下，

况今青州丰穰[501]，济漕流通[502]，士马饱逸，威力无损。若空弃滑台[503]，坐丧成业[504]，岂朝廷受任之旨[505]邪？”彦之不从。护之，苗[506]之子也。

彦之欲焚舟步走，王仲德曰：“洛阳既陷，虎牢不守，自然之势也。今虏去我[507]犹千里，滑台尚有强兵，若遽舍舟南走，士卒必散。当引舟入济[508]，至马耳谷口[509]，更详所宜[510]。”彦之先有目疾，至是大动；且将士疾疫，乃引兵自清入济[511]，南至历城[512]，焚舟弃甲，步趋彭城。竺灵秀弃须昌，南奔湖陆[513]，青、兖大扰[514]。长沙王义欣在彭城，将佐恐魏兵大至，劝义欣委镇还都，义欣不从。

魏兵攻济南[515]，济南太守武进[516]萧承之[517]帅数百人拒之。魏众大集，承之使偃兵[518]，开城门。众曰：“贼众我寡，奈何轻敌之甚！”承之曰：“今悬守穷城[519]，事已危急，若复示弱，必为所屠，唯当见强[520]以待之耳。”魏人疑有伏兵，遂引去。

魏军围夏主数日，断其水草，人马饥渴。丁酉[521]，夏主引众下鹑觚原。魏武卫将军丘眷击之，夏众大溃，死者万余人。夏主中重创，单骑走，收其余众，驱民五万，西保上邽。魏人获夏主之弟丹杨公乌视拔、武陵公秃骨及公侯以下百余人。是日，魏兵乘胜进攻安定[522]，夏东平公乙斗弃城奔长安，驱略数千家，西奔上邽。

戊戌[523]，魏叔孙建攻竺灵秀于湖陆，灵秀大败，死者五千余人。建还屯范城[524]。

己亥[525]，魏主如安定。庚子[526]，还，临平凉，掘堑围之。安慰初附，赦秦、雍之民，赐复[527]七年。夏陇西守将降魏。

尚且勇敢地奋勇争先，不肯轻易地向后退却。何况今年青州地区粮食获得了大丰收，济水中粮食运输畅通无阻，军队、战马饱暖安逸，军威和实力并没有受到损失。如果在这种情况下毫无理由地放弃滑台，白白地丧失掉此前已经获取的功劳，这难道是朝廷授命于你的本意吗?”到彦之没有接受垣护之的意见。垣护之，是垣苗的儿子。

宋国右将军到彦之准备将所有舰船烧毁，然后率军徒步返回，担任安北将军的王仲德说:“洛阳已经陷落，虎牢恐怕也守不住，这是形势发展的必然结果。如今魏军距离我军还有一千里，滑台还有比较强大的守军，如果我们急忙舍弃舰船向南逃走，士卒必定会逃散。应当把所有舰船开进济水，等到达马耳谷口的时候，再根据实际情况做出下一步的行动方案。”到彦之原先就患有眼病，现在病情发作；而且将士中也有很多人生病，于是便从清口把船只开进济水，向南抵达历城，然后便焚毁所有舰船，丢弃了所有铠甲，徒步奔赴彭城。兖州刺史竺灵秀也放弃了须昌，向南逃往湖陆，青州、兖州立即陷入一片混乱。宋国长沙王刘义欣镇守彭城，他属下的将佐担心会有魏国大军到来，所以都劝说长沙王刘义欣放弃彭城，返回建康，刘义欣没有同意。

北魏军攻打宋国所属的济南。宋国担任济南太守的武进人萧承之率领数百人进行抵抗。而北魏军越来越多，萧承之下令军队全都放倒兵器，大开城门。众人都说:“敌众我寡，为什么还要这样轻敌!”萧承之说:“如今我们这样一支远离大后方的孤军据守着一座已经陷入穷途末路的城池，形势本来已经非常危险，如果我们再向敌人示弱，必然会遭到魏军的屠杀，所以我们要向敌人显示出我们的强大，以等待敌人的进攻。”魏军怀疑济南城内设有埋伏，遂率军撤退。

北魏军将夏主赫连定围困在鹑觚原已经好几天，同时切断了鹑觚原所有的水源和运送粮草的通道，夏国军人马饥渴难忍。十一月十五日丁酉，夏主赫连定率领众人冲下鹑觚原。魏国担任武卫将军的丘眷率军向夏军发起攻击，夏军立时溃败，被杀死了一万多人。夏主赫连定也身负重伤，遂单人独骑落荒而逃，他召集起残兵败将，劫持着五万居民向西据守上邽。魏军俘获了夏主赫连定的弟弟丹杨公赫连乌视拔、武陵公赫连秃骨以及公爵、侯爵以下的高官贵族一百多人。这一天，北魏军乘胜进攻安定，夏国东平公赫连乙斗弃城逃奔长安，后来又驱赶着数千户居民，向西逃奔上邽。

十一月十六日戊戌，北魏寿光侯叔孙建率军进攻宋国兖州刺史竺灵秀所据守的湖陆，竺灵秀被打得大败，损失了五千多人。叔孙建率军撤到范城驻扎。

十一月十七日己亥，北魏太武帝拓跋焘前往安定。十八日庚子，从安定返回，然后亲临平凉，他下令在平凉城四周挖掘战壕，将平凉城重重包围起来。安抚新归附的居民，下诏免除秦州、雍州居民七年的田赋租税。夏国陇西守将向魏军投降。

辛丑[528]，魏安颉督诸军攻滑台。

河西王蒙逊遣尚书郎宗舒等入贡于魏。魏主与之宴，执崔浩之手以示舒等曰："汝所闻崔公，此则是也。才略之美，于今无比。朕动止咨之[529]，豫陈成败[530]，若合符契[531]，未尝失也。"

魏以叔孙建都督冀、青等四州诸军事。

魏尚书库结[532]帅骑五千迎秦王暮末。秦卫将军吉毗以为不宜内徙[533]，暮末从之，库结引还。

南安诸羌万余人叛秦，推安南将军、督八郡诸军事、广宁[534]太守焦遗为主，遗不从，乃劫遗族子长城护军亮[535]为主，帅众攻南安。暮末请救于氐王杨难当，难当遣将军苻献帅骑三千救之，暮末与之合击诸羌。诸羌溃，亮奔还广宁，暮末进军攻之，以手令与焦遗使取亮。十二月，遗斩亮首出降，暮末进遗号镇国将军。秦略阳[536]太守弘农杨显以郡降夏。

辛酉[537]，以长沙王义欣为豫州刺史，镇寿阳。寿阳土荒民散，城郭颓败，盗贼公行。义欣随宜经理[538]，境内安业，道不拾遗，城府完实[539]，遂为盛藩[540]。芍陂[541]久废，义欣修治堤防，引河水[542]入陂，溉田万余顷，无复旱灾。

丁卯[543]，夏上谷公社干、广阳公度洛孤出降，魏克平凉。

关中侯豆代田得奚斤、娥清等[544]，献于魏主。魏主以夏主之后赐代田，命斤膝行执[18]酒以奉代田，谓斤曰："全汝生者，代田也。"赐代田爵井陉侯[545]，加散骑常侍、右卫将军，领[546]内都幢将[547]。

夏长安、临晋[548]、武功[549]守将皆走，关中悉入于魏。魏主留巴东公延普镇安定，以镇西将军王斤镇长安。壬申[550]，魏主东还，以奚斤为宰士[551]，使负酒食以从[552]。

十一月十九日辛丑，北魏冠军将军安颉督促各军加紧攻打滑台。

北凉河西王沮渠蒙逊派遣担任尚书郎的宗舒等人前往魏国进贡。北魏太武帝拓跋焘设宴招待宗舒等人，席间，太武帝拉着侍中崔浩的手让宗舒等人看，他说："你们所听说的崔公，就是这个人。其才能、谋略之高，在当今之世没有人能与他相比。我的一举一动，都要向他咨询，听取他的意见，他预言未来的成功与失败，就像合符、合契一样准确无误，从来没有过失误。"

北魏任命寿光侯叔孙建都督冀州、青州等四州诸军事。

北魏担任尚书的库结率领五千名骑兵前往南安迎接西秦王乞伏暮末。西秦担任卫将军的吉毗劝说乞伏暮末不应该搬迁到魏国境内去住，乞伏暮末听从了吉毗的意见，北魏尚书库结遂率领原班人马返回魏国。

西秦王乞伏暮末所在的南安，有一万多羌人背叛了西秦，他们推戴安南将军、督八郡诸军事的广宁太守焦遗为盟主，遭到焦遗的拒绝，这些羌人就劫持了焦遗的侄子、担任长城护军的焦亮为盟主，焦亮率领着这一万多羌族人进攻据守南安的西秦王乞伏暮末。乞伏暮末赶紧派人向氐王杨难当求救，杨难当派将军苻献率领三千名骑兵前往南安救援，乞伏暮末与苻献会合后联合攻击诸羌人。羌人被击败后四散溃逃，被羌人推举为盟主的焦亮也逃往广宁，乞伏暮末率军进攻广宁，他手书诏令让安南将军焦遗诛杀焦亮。十二月，焦遗将自己的侄子焦亮斩首，出城向西秦王乞伏暮末投降，乞伏暮末晋升焦遗为镇国将军。西秦担任略阳郡太守的弘农人杨显献出略阳投降了夏国。

十二月初九辛酉，宋文帝刘义隆任命长沙王刘义欣为豫州刺史，镇守寿阳。寿阳地区土地荒芜，居民流散，城郭坍塌颓败，盗贼在光天化日之下就敢公开抢劫。刘义欣因地制宜地加以经营管理，豫州境内很快便恢复了正常的社会秩序，人民安居乐业，遗失在路上的东西也没有人拾取，城池经过重新整修，已经完好无损，府库充实，已然成为一个富庶强盛的诸侯国。芍陂年久失修，刘义欣便派人修筑堤防，将淝河之水引入其中，可以灌溉一万多顷良田，此后这一地区便再也没有发生过旱灾。

十二月十五日丁卯，夏国平凉守将上谷公赫连社干、广阳公赫连度洛孤出城投降，北魏遂占领了平凉。

北魏关中侯豆代田救出了被夏国俘虏的魏国司空奚斤、宗正娥清等，送给北魏太武帝拓跋焘。拓跋焘将夏主赫连定的皇后赏赐给豆代田，并命令司空奚斤捧着酒，膝行，向豆代田敬酒，拓跋焘对奚斤说："保全你性命的是豆代田。"遂赐封豆代田为井陉侯，加授散骑常侍、右卫将军，兼任内都幢将。

夏国所属长安、临晋、武功的守将全都弃城逃走，关中地区遂全部归入北魏的版图。北魏太武帝拓跋焘留下巴东公拓跋延普镇守安定，令担任镇西将军的王斤镇守长安。十二月二十日壬申，北魏太武帝拓跋焘班师返回东方，任命奚斤为宰士，令他每天背着酒水食物跟随在自己身边。

王斤骄矜不法，信用左右，调役[553]百姓，民不堪命，南奔汉川[554]者数千家。魏主案治[555]得实，斩斤以徇[556]。

右将军到彦之、安北将军王仲德皆下狱免官，兖州刺史竺灵秀坐弃军伏诛。上见垣护之书而善之，以为北高平[557]太守。

彦之之北伐也，甲兵资实[558]甚盛；及败还，委弃荡尽，府藏[559]、武库[560]为之空虚。它日，上与群臣宴，有荒外[561]降人在坐。上问尚书库部郎[562]顾琛："库中仗[563]犹有几许？"琛诡对[564]："有十万人仗[565]。"上既问而悔之，得琛对，甚喜。琛，和[566]之曾孙也。

彭城王义康与王弘并录尚书[567]，义康意犹怏怏，欲得扬州[568]，形于辞旨[569]；以弘弟昙首居中[570]，为上所亲委，愈不悦。弘以老病，屡乞骸骨，昙首自求吴郡[571]，上皆不许。义康谓人曰："王公久病不起，神州讵宜卧治[572]？"昙首劝弘减府中文武[573]之半以授义康。上听割二千人[574]，义康乃悦。

【段旨】

以上为第三段，写宋文帝元嘉七年（公元四三〇年）一年间的大事。主要写：宋文帝刘义隆派将军到彦之率王仲德、竺灵秀等出兵北伐；魏主听众将所言，欲抢先发动南侵，后听崔浩之言而止；魏主又听众议，欲令司马氏之降者为将帅以招诱南人，崔浩又言这容易令南方理解为魏欲助司马氏谋取复辟，反而强化刘宋部下抗战之决心；崔浩预言刘宋北伐之举必败。魏主令黄河南岸之洛阳、虎牢、滑台、碻磝，各据点守兵一律撤至河北，到彦之则进据各地，自东至西，所在置戍，战线连绵二千里。魏将安颉渡河攻金墉，刘宋守将杜骥、姚耸夫弃城走，洛阳、虎牢遂相继被魏所取；到彦之闻洛阳、虎牢失守，不听垣护之"宜使竺灵秀助朱脩之守滑台，自帅大军进拟河北"之劝，竟在远距敌兵千里之时弃滑台，烧舟船而南奔彭城，竺灵秀则弃须昌，南奔湖陆；魏将又攻湖陆，大破竺灵

王斤为人傲慢，不遵守国家法度，信任身边的亲信，随意地征调、役使百姓，人民不堪忍受他的统治，向南逃往宋国所属汉川的就有数千家。北魏太武帝拓跋焘对此事进行深入追究、审问，查出实情之后，遂将镇西将军王斤斩首后巡行示众。

宋国右将军到彦之、安北将军王仲德因为北伐失败而被下狱、免官，兖州刺史竺灵秀因为弃军罪而被诛杀。宋文帝刘义隆看到了殿中将军垣护之写给到彦之的劝谏信，非常欣赏，遂任命垣护之为北高平郡太守。

宋国右将军到彦之率军北伐的时候，所携带的武器以及各种军用物资非常充实；等到失败撤军而回的时候，将所携带的武器、军用物资全部丢光，储藏货币或各种物资的国库、储藏铠甲兵器的军用仓库因此而变得空无所有。有一天，宋文帝刘义隆与群臣一同饮宴，当时有境外归附的人在座。宋文帝刘义隆向担任尚书库部郎的顾琛询问说："武库中的兵器还有多少？"顾琛便隐瞒实情地回答说："还有可供十万人使用的兵器。"宋文帝问过之后就感到后悔，听了顾琛的回答，不禁十分高兴。顾琛，是顾和的曾孙。

宋国彭城王刘义康与王弘同时担任录尚书事，刘义康心中仍然怏怏不快，他还想得到扬州刺史这一职务，并在言谈话语中时常流露出来；又因为王弘的弟弟王昙首担任侍中，在宫中任职，深受宋文帝刘义隆的宠幸与信任，于是更加不高兴。王弘遂以自己年老多病为由，多次请求辞职回家养老，王昙首也主动请求辞去侍中职务，希望去担任吴郡太守，宋文帝刘义隆都没有批准。彭城王刘义康对人说："王弘长期患病不起，岂能让一个躺在床上的病人来治理国家？"王昙首劝说自己的哥哥王弘将自己所管的事情连同负责这些事情的下属官员拨出一半给彭城王刘义康。宋文帝刘义隆没有答应，只同意分出二千人给刘义康，刘义康这才高兴起来。

秀军，刘宋之北伐遂告吹灯。"彦之之北伐也，甲兵资实甚盛；及败还，委弃荡尽，府藏、武库为之空虚"；刘宋王朝为此则只是斩竺灵秀，免到彦之、王仲德了事。夏主赫连定原与刘宋相约联合攻魏，灭魏后以恒山为界中分其地；魏主闻其谋，即欲移兵伐夏，群臣劝阻，崔浩则分析刘宋之北伐，不过"欲固河自守，无北渡意"，摧毁赫连定，返而攻宋不迟；于是魏主遂移兵大破夏主于鹑觚原，乘胜取安定、平凉，夏人西奔上邽，长安与整个关中都归魏所有。燕主冯跋临死前托后事于申秀、阳哲，以辅太子冯翼；冯跋的宠妃宋氏欲立其子受居，隔绝内外消息，结果被冯跋之弟冯弘乘机篡取政权，尽杀冯跋之子百余人。刘义隆之弟刘义康贪权无厌，为其取败做铺垫。刘义欣为豫州刺史镇寿阳，"随宜经理，境内安业，修陂溉田，遂为强藩"。

【注释】

⑫正月癸巳：正月初六。⑬以吐谷浑王慕璝为征西将军、沙州刺史、陇西公：此句的主语是“刘宋王朝”。上年十二月有“河西王蒙逊、吐谷浑王慕璝皆遣使入贡”之语，这里是刘宋王朝对之做出回答。又因对沮渠蒙逊以前曾有过加封，故这次不再提；吐谷浑王慕璝是首次派使来朝，故对之加封。⑭庚子：正月十三日。⑮壬寅：正月十五日。⑯癸卯：正月十六日。⑰二月丁卯：二月初十。⑱平阳威王长孙翰：平阳王是长孙翰的封号，威字是谥号。⑲戊辰：二月十一日。⑳帝：此指宋文帝刘义隆。㉑河南：此“河南”指今河南内之黄河以南地区。㉒三月戊子：三月初二。㉓简：选拔，这里即指调拨。㉔舟师入河：水军由汴水进入黄河。㉕虎牢：关名，在今河南荥阳西北的古汜水镇，古成皋城的南侧。㉖义欣：即刘义欣，刘义隆的堂兄弟。传见《宋书》卷五十一。㉗道怜：刘裕之弟。传见《宋书》卷五十一。㉘为彼所侵：被尔等所占据。指宋少帝景平元年（公元四二三年）刘宋军大败，河南大片地区被魏军所占事。见本书卷一百一十九。㉙我生发未燥：从我刚降生头发未干的时候起。㉚权敛戍：暂时收兵后退。敛戍，撤退驻守的将士。㉛须：等。㉜甲午：三月初八。㉝南广平：刘宋的侨置郡名，在今湖北襄樊。㉞司州：州治洛阳，现属北魏。刘义隆欲夺取河南，故先任命司州刺史。㉟彭城：即今江苏徐州。㊱胡藩：刘裕的心腹部下，帮刘裕篡晋很有力。传见《宋书》卷五十。㊲广陵：即今江苏扬州西北。㊳行府州事：刘义欣当时为南兖州刺史，州治广陵，今率军驻彭城，故以胡藩代管其都督府与刺史的日常职务。㊴壬寅：三月十六日。㊵封赫连昌为秦王：旧夏主赫连昌被俘后一直被拘在拓跋焘身边，且娶拓跋焘之妹为妻。㊶新徙敕勒：即上年袭击巳尼陂所勒令搬迁来的敕勒人。敕勒，也叫“铁勒”，即高昌族人。㊷将吏：指看管他们的魏国将吏，即长孙翰、刘絜、安原等人的部下。㊸期：准备；约好时间。㊹徙之河西：把他们迁居到黄河以西，指今内蒙古鄂尔多斯市及所邻近的陕西、宁夏北部一带地区。㊺此曹：犹言“这些人”。㊻区处自有道：有办法安排、处置他们。㊼白盐池：在今宁夏盐池县北。㊽西奔凉州：往投沮渠蒙逊。凉州，指甘肃走廊一带地区，首埠姑臧，即今甘肃武威。㊾五原河北：五原郡的黄河以北地区。五原是郡名，郡治在今内蒙古包头西，地处黄河以北。㊿悦拔城：也叫代来城，在今内蒙古东胜西，杭锦旗东。(351)癸卯：三月十七日。(352)相枕而死：一个挨一个地死去。相枕，相互枕藉，极言其多而密。(353)大严：大规模处于军事状态。(354)绝其乡导：以防止他们给刘宋的军队当向导。(355)水潦：雨水。(356)留屯久攻：指魏军长时间地留下来攻打城市。(357)因敌取食：到敌人的占领区去就地解决粮食问题。(358)西平赫连：指攻拔统万，活捉赫连昌。事见本书上卷元嘉四年。(359)北破蠕蠕：即指上年大破柔然。(360)南边诸将：守卫南部边境的将领。(361)南钞：向南抄掠刘宋王朝。钞，同“抄”，抄掠。(362)皆营私计：都是为了个人的私利。(363)复表：又上表请求。(364)所部：自己所统领的部众。(365)幽

州：州治蓟城，即今北京，当时属魏国管辖。㊱㊅漳水：发源于今山西东南部，其故道流经今河北磁县南，东北流经今肥乡、广宗、武强、沧州，到天津东南入海。㊱㊆严备：指严加防备各条河流的渡口。㊱㊇署：任命；派遣。㊱㊈司马楚之、鲁轨、韩延之：都是晋王朝的将领，因不满刘裕篡晋逃归魏国。事见本书卷一百一十八。㊲㊀彼所畏忌：因为司马楚之等都打着反对刘氏政权、复辟晋王朝的旗号。㊲㊁国家：崔浩自指魏国。㊲㊂存立司马氏：即恢复东晋王朝。㊲㊃诛除刘宗：诛灭刘裕家族。㊲㊄乃所以速之：反而招引敌人更快地来进攻我们。㊲㊅往则彼来：司马楚之等一去挑衅，就会把刘宋军队招惹来。㊲㊆纤利小才：即耍一些小聪明、玩一些小手段。㊲㊇鲁轨说姚兴以取荆州：事在晋安帝义熙十二年（公元四一六年），“秦王兴使鲁宗之将兵寇襄阳，未至而卒。其子轨引兵入寇，雍州刺史赵伦之击败之”。见本书卷一百一十七。㊲㊈蛮人：指晋朝军队。㊲㊉祸及姚泓：指刘裕北伐，灭掉了姚氏的后秦政权。事在晋安帝义熙十三年（公元四一七年）。见本书卷一百一十八。㊳㊀害气在扬州：胡三省曰：“扬州于辰在丑，而是岁在午。丑为金库，午为火旺，以火害金，故害气在扬州。”㊳㊁庚午自刑：胡三省曰：“岁在庚午。庚，金也；午，火也。以火克金，故为自刑。”㊳㊂宿值斗、牛：谓去年十一月初一日食的时候，太阳正运行到斗、牛二星之间。斗、牛是吴地的分野，日食发生在这里，预示着时局对刘宋不利。㊳㊃荧惑伏于翼、轸：火星运行到了翼、轸二星之间。荧惑，即今之火星，古人认为这是一颗灾星。翼、轸，二十八宿中的星名，是楚地的分野。荧惑伏于翼、轸，意味着楚地将有死丧之祸。㊳㊄太白：即今之金星，古人认为这颗星表示兵象。太白未出，就不利于出兵。㊳㊅未洽：未融洽，指人心不稳，对政权不满意。㊳㊆不协：不顺。㊳㊇水涸：河水干枯。㊳㊈冀、定、相：三州名，冀州的州治即今河北冀州，定州的州治即今河北定州，相州的州治邺城在今河北临漳西南。㊳㊉戍兵：各军事据点上的驻兵。㊴㊀暮末皆杀之：胡三省曰：“暮末淫刑以逞，众叛亲离，不亡得乎？”㊴㊁四月甲子：四月初八。㊴㊂六月己卯：六月二十四日。㊴㊃丹杨王大毗：即拓跋大毗。㊴㊄屯颍川：驻兵于颍川。颍川郡的郡治在今河南长葛东。㊴㊅泗水渗：指泗水中的水位越来越低。㊴㊆须昌：在今山东东平西北，当时的济水边上，离黄河不远。㊴㊇河南四镇：指碻磝、滑台、虎牢、金墉四大驻兵重地。㊴㊈收众北渡：把黄河以南的军队都收缩到黄河以北。㊴㊉戊子：七月初四。㊵㊀碻磝：当时的黄河渡口名，在今山东东阿西北、聊城东南。㊵㊁戊戌：七月十四日。㊵㊂滑台：在今河南滑县东南的古黄河南岸。㊵㊃庚子：七月十六日。㊵㊄密太后：拓跋焘的生母，姓杜，密是谥号。㊵㊅庚戌：七月二十六日。㊵㊆预：即杜预，晋初名将，曾与王濬等共灭东吴，又著有《春秋经传集解》。传见《晋书》卷三十四。㊵㊇灵昌津：也叫延津，古黄河渡口名，在今河南卫辉市。㊵㊈司、兖：二州名，司州的州治洛阳，辖今黄河以南的河南中部地区，兖州，旧时的州治廪丘（今山东郓城西北），辖黄河以南的今河南东部与山东西南部一带地区。㊵㊉诸贤：指到彦之等北伐诸将。㊶㊀不谙北土情伪：不了解魏国的真实情况。谙，了解、熟悉。情伪，犹言“虚实”。㊶㊁并力完聚：即积蓄力量。⑫甲寅：七月三十日。⑬林邑：南方小国名，也叫“占城”“占婆”，其地在今越南的中南部。⑭与交州不睦：林邑自范奴文称王以来，常与交州发生战争。交州的州治龙编在今越南河内东北，当时属刘宋。⑮丙寅：八月十二日。⑯冶坂：在今河南孟州西、洛阳西北的黄河北岸。⑰戊寅：八月二十四日。⑱长孙道生：拓跋焘的名将，长孙嵩之侄。传见《魏书》卷二十五。⑲燕太祖：即冯跋，历史上称他的王朝叫“北燕”。⑳临轩：出来坐在殿前的廊檐下。㉑瘳：病愈。㉒奈何遽：怎么能这么迫不及待地……。遽，匆忙、立即。㉓阍寺：“阍”指看守宫门的人，“寺”指帝王的侍者。“阍寺”在这里即指太监。㉔传问：传达消息。㉕中给事：即给事中。在宫廷内侍候帝王并充当参谋顾问的人，权力甚大。㉖中山公弘：即冯弘，字文通，冯跋之弟。㉗东阁：后宫的东门。㉘皇堂：内殿门前的设有四壁的厅堂。㉙女御：侍妾。㉚大行崩背：老皇帝去世。大行，古称已经去世，但尚未安葬的帝王。崩背，即指去世。背，离开。㉛群公：指太子以外的其他皇子。㉜吾备介弟之亲：我作为老皇帝的大弟弟。介，大。㉝扣门入：指自觉投靠、拥护我冯弘的人。㉞进陛二等：官爵提升两级。㉟己丑：九月初六。㊱谓以代：人名。㊲鄜城：县名，在今陕西黄陵与黄龙之间。㊳平凉：在今甘肃平凉西南，华亭之西。㊴来求和：来与刘宋求和。㊵恒山：在今河北曲阳西的太行山上。这里实则即指河北与山西交界的太行山，㊶河中：犹言“河上”，亦即黄河岸边。㊷失山东：此指太行山、恒山以东，即今河北南部一带地区。㊸共窥大国：共同打我们魏国的主意。窥，偷看，阴谋下手。㊹皆莫敢先入：谁也不敢先对魏国发起进攻。㊺连鸡：两只拴在一起的鸡。㊻始谓：起先估计。㊼屯止河中：集中兵力于黄河的中段，即今河南的黎阳、浚县一带。㊽径二千里：战线拉得宽达二千里。㊾形分势弱：兵力分散，形势衰弱。㊿僔儿情见：这个孬种的心思已经暴露无遗。僔儿，犹今之所谓“孬种”，指刘义隆。情，心思、心理。(451)拟之必仆：对准用力，必然倒毙。拟，对准，这里即指攻击。仆，倒毙。(452)潼关：古代陕西、河南两地间的重要关塞，即今之陕西潼关，在两省的交界线。(453)席卷而前：指由西向东地收拾宋军。(454)南极：南方的尽头，指刘宋全境。(455)无立草：如同大风一过，草皆倒伏。(456)圣策独发：主意只能由您自己提出。(457)非愚近所及：不是那些见识短浅的人所能理解。(458)甲辰：九月二十一日。(459)统万：已被魏国所占的夏国都城，即今内蒙古乌审旗南的白城子。(460)平凉：古城名，在今甘肃平凉西南，华亭之西，当时的平凉郡治所在地。(461)蒲坂：古代的黄河渡口名，即今山西风陵渡北的古蒲州城。(462)建：即王建，拓跋珪的女婿。传见《魏书》卷三十。(463)竟陵王义宣：即刘义宣，刘裕之子，刘义隆之弟。传见《宋书》卷六十八。(464)南徐州：东晋以来的侨置郡，在今江苏镇江。(465)犹戍石头：刘义宣既任南徐州刺史，则应驻兵京口（今江苏镇江），但战争时期，京城紧要，故仍令之驻守石头城。(466)戊午：十月初五。(467)钱署：铸造钱币的衙门。(468)四铢钱：一种重量为四铢的铜钱。铢，一两的二十四分之一。(469)还保东平：他们自己的行辕则设在东平郡。刘宋的东平郡治当时在须昌，今山东东平西北。(470)乙亥：

十月二十二日。㊼委粟津：黄河渡口名，约在洛阳城东北，洛阳城东南有委粟山。㊽钟虡：泛称庙堂里的乐器。虡是悬钟磬的架子。㊾洛水：自西南流来，流经洛阳城南，东北至成皋西汇入黄河。㊿绐：欺骗。⑤并力御之：即留姚竿夫在洛阳一道守城。⑥牵钟未晚：再打捞大钟也不迟。⑦丙子：十月二十三日。⑧及城遽走：到达了金墉又急速逃去。⑨人情沮败：人心涣散、崩溃。⑩寿阳：即今安徽寿县。⑪诸偏裨：指刘宋当时的一般将领。偏裨，偏将、副将。⑫七女津：约在今河南范县东南的黄河上。⑬龙骧将军陆俟：魏初名将，传见《魏书》卷四十。⑭辛巳：十月二十八日。⑮河西：指沮渠蒙逊政权。⑯请迎于魏：投降魏国，请魏国派兵来迎。⑰东如上邽：向东方的上邽城进发。上邽，即今甘肃天水。⑱高田谷：约在今甘肃陇西一带，还在上邽以西。⑲劫沮渠兴国以叛：想带着沮渠兴国一道去投沮渠蒙逊。沮渠兴国是沮渠蒙逊的太子，在此之前侵秦，被秦人所俘，被秦王暮末一直带在身边。⑳夏主闻暮末将至：当时夏主赫连定率兵在鄜城，即今陕西黄陵与黄龙之间。㉑南安：郡名，郡治在今甘肃陇西县东南。㉒其故地：指今甘肃的兰州、青海的西宁及其以南的大片地区。㉓十一月乙酉：十一月初三。㉔趣安定：往攻其现时的都城安定。趣，同"趋"。㉕高车：此指归附于魏国的高车族人。㉖鹑觚原：在今甘肃灵台北。㉗壬辰：十一月初十。㉘甲午：十一月十二日。㉙垣护之：刘宋时期的著名将领。传见《宋书》卷五十。㉚进拟河北：做出个要渡河向北进军的样子。㉛青州丰穰：青州地区年丰粮足。青州的州治东阳，即今山东青州。穰，丰收。㉜济漕流通：济水中的粮食运输畅通无阻。当时的济水可从须昌直通今山东北部的济南、渤海、乐陵等郡。㉝空弃滑台：毫无理由地放弃滑台不守。滑台，即今河南滑县，当时在黄河边上，为军事重镇。㉞坐丧成业：白白地丧失掉之前已取得的业绩。㉟岂朝廷受任之旨：这难道是朝廷受命予你的意思吗。受任，即委任。㊱苗：即垣苗，原仕于南燕慕容超，后归刘裕。传见《宋书》卷五十。㊲去我：距离我等。㊳引舟入济：把黄河中的战船都开进济水。㊴马耳谷口：即马耳关，在今山东诸城西南。㊵更详所宜：再详细地商量下一步该怎么办。㊶自清入济：从清口把船只开进了济水。清口即汶水与济水的汇口，在今山东梁山东南。㊷历城：即今山东济南。㊸湖陆：县名，在今山东鱼台东南。㊹青、兖大扰：青州、兖州一片混乱。㊺济南：郡名，郡治即历城。㊻武进：县名，县治在今江苏丹阳东南。㊼萧承之：萧道成之父。㊽偃兵：放倒武器，故意示敌以不在乎、不畏惧。㊾悬守穷城：远离大后方的孤军防守已处于穷途末路的城池。㊿见强：表现出强有力。⑤丁酉：十一月十五日。⑥安定：今甘肃泾川北，当时为安定郡的郡治所在地。⑦戊戌：十一月十六日。⑧范城：范县县城，在今山东梁山县西北。⑨己亥：十一月十七日。⑩庚子：十一月十八日。⑪赐复：免除劳役税赋。⑫辛丑：十一月十九日。⑬动止咨之：一举一动都要听取一下他的意见。⑭豫陈成败：预言未来的成功与失败。豫，同"预"。⑮若合符契：都与合符、合契一样地准确无误。兵符、契约都是一分为二，双方各执其一半，到时相合以为验。⑯库结：原姓库傉官，后改为库氏，史家纪事取其简便，故预先如此称呼。㉝不宜内徙：不应该搬迁到魏国境内去。㉞广宁：郡名，郡治在今甘肃漳县西南。㉟长城护军亮：以护军的身份兼理长城县事务的焦亮。长城县治在今甘肃平凉西北。㊱略阳：郡名，郡治在今甘肃秦安东北。㊲辛酉：十二月初九。㊳随宜经理：因地制宜地加以经营管理。㊴完实：完好、充实。㊵盛藩：富庶强盛的诸侯国。藩，篱。诸侯自称为中央天子的藩篱。㊶芍陂：湖泊名，在今安徽寿县西南。陂，堤坝、湖泊的边沿。㊷河水：指淝河水。㊸丁卯：十二月十五日。㊹得奚斤、娥清等：由于奚斤的错误指挥，奚斤、娥清等被夏军打败俘获。见本书前文元嘉五年。㊺井陉侯：豆代田原为关中侯，即汉之所谓"关内侯"，有侯爵，无封邑，比列侯级低。今为"井陉侯"，则有了封邑。井陉县在今河北石家庄西。㊻领：兼任。㊼内都幢将：宫廷禁卫军中的将官。㊽临晋：县名，在今陕西大荔东，靠近黄河。㊾武功：郡名，郡治美阳，在今陕西周至西北。㊿壬申：十二月二十日。(551)宰士：伙食管理员。(552)负酒食以从：背着酒水食物跟在魏主身后。以其丧师被俘，故辱之如此。(553)调役：征调、奴役。(554)汉川：即指汉水，由西向东流经今陕西南部的略阳、汉中、安康入河南。这一带地区当时属刘宋。(555)案治：考察、审问。(556)徇：持其首或载其尸巡行示众。(557)北高平：郡名，郡治湖陆，在今山东鱼台东北。(558)资实：指各种军用物资。(559)府藏：指贮藏货币或各种物资的国库。(560)武库：指贮藏铠甲兵械的军用仓库。(561)荒外：这里即指国境以外。(562)库部郎：掌管国家仓库的部长。(563)库中仗：武库中的兵器。(564)诡对：隐瞒实际情况地回答。(565)有十万人仗：有可供十万人使用的武器。仗，武器。(566)和：即顾和，东晋初期的名臣。传见《晋书》卷八十三。(567)并录尚书：同时掌管尚书省，等于为左右二宰相。(568)欲得扬州：想再兼任扬州刺史。扬州由于是国家都城所在的州，故其刺史权位极重，通常由皇帝最亲信的人兼理。(569)形于辞旨：说话时常流露出来。(570)居中：在宫中任职，指任侍中。(571)自求吴郡：要求辞掉相权，去任吴郡太守。吴郡的郡治即今江苏苏州。(572)讵宜卧治：怎能让一个病人躺在床上治理国家。卧治，实指挂空名，不管事。(573)府中文武：指录尚书府中的参佐僚属。减府中文武之半以授义康，即将自己所管的事情连同管这些事情的下属官员拨出一半，并给了刘义康。意思是自己只管四分之一，让刘义康管四分之三。(574)上听割二千人：皇帝没有答应王弘自己请求的"减府中文武之半"，只同意了减少两千人。〖按〗以上种种，都为刘义康日后的犯事倒台做伏笔。

【校记】

［10］平阳：原作"阳平"。据章钰校，甲十六行本、乙十一行本、孔天胤本二字皆互乙，今据改。〖按〗《魏书·长孙翰传》作"平阳王"。［11］寒：据章钰校，甲十六行本作"至"。［12］荆州刺史：原无此四字。据章钰校，甲十六行本、乙十一行本、孔天胤本皆有此四字，张敦仁《通鉴刊本识误》、张瑛《通鉴校勘记》同，今据补。［13］泗，泗：此字原不重。据章钰校，甲十六行本、孔天胤本此字皆重，张敦仁《通鉴刊本识误》

同，今从补。[14] 陛：胡三省注云："陛，阶级也；谓进阶也。"据章钰校，甲十六行本作"阶"。[15] 鄜城：据章钰校，甲十六行本作"鄜城"。[16] 金墉：据章钰校，甲十六行本、乙十一行本、孔天胤本"墉"下皆有"城"字。[17] 陆俟：原作"陆侯"。胡三省注云："按《北史》，'陆侯'当作'陆俟'。"据章钰校，甲十六行本、乙十一行本皆作"陆俟"，今据改。[18] 执：原作"埶"。据章钰校，甲十六行本、乙十一行本皆作"执"，今据改。

【研析】

本卷写宋文帝元嘉五年（公元四二八年）至元嘉七年共三年间的各国大事，其中最值得议论的是魏主拓跋焘听从崔浩的建议，率军北伐，大破柔然的胜利情景。魏主想伐柔然，群臣提出各种理由反对，崔浩一一驳斥，以为必胜。群臣提出担心刘宋出兵来伐，崔浩说："南人闻国家克统万以来，内怀恐惧，故扬声动众以卫淮北。比吾破蠕蠕，往还之间，南寇必不动也。且彼步我骑，彼能北来，我亦南往；在彼甚困，于我未劳。……以刘裕之雄杰，吞并关中，留其爱子，辅以良将，精兵数万，犹不能守。全军覆没，号哭之声，至今未已。况义隆今日君臣非裕时之比。主上英武，士马精强，彼若果来，譬如以驹犊斗虎狼也，何惧之有！蠕蠕恃其绝远，谓国家力不能制，自宽日久，故夏则散众放畜，秋肥乃聚，背寒向温，南来寇钞。今掩其不备，必望尘骇散。牡马护牝，牝马恋驹，驱驰难制，不得水草，不过数日，必聚而困弊，可一举而灭也。……但恐诸将琐琐，前后顾虑，不能乘胜深入，使不全举耳。"这种分析问题的思路是我们很熟悉的——当年曹操破袁绍后，欲出兵北伐三郡乌桓，众谋士都怕荆州的刘表、刘备出兵来袭。郭嘉力排众议，料定刘表必不敢断然来袭，而三郡乌桓必可以短时间内将其剿灭，全军胜利而回。曹操采纳了郭嘉的建议，事实证明了郭嘉谋略的无比正确。现在魏主也断然听取了崔浩的建议，事实又恰如崔浩所言。而且果然又是由于诸将未能趁势穷追，致使柔然的残部得以侥幸逃走。文章说："魏主至漠南，舍辎重，帅轻骑兼马袭击柔然，至栗水。柔然纥升盖可汗先不设备，民畜满野，惊怖散去，莫相收摄。纥升盖烧庐舍，绝迹西走，莫知所之。……纥升盖可汗既走，部落四散，窜伏山谷，杂畜布野，无人收视。魏主循栗水西行，至菟园水，分军搜讨，东西五千里，南北三千里，俘斩甚众。……柔然种类前后降魏者三十余万落，获戎马百余万匹，畜产、车庐，弥漫山泽，亡虑数百万。魏主循弱水西行，至涿邪山，诸将虑深入有伏兵，劝魏主留止。……既而得降人言：'可汗先被病，闻魏兵至，不知所为，乃焚穹庐，以车自载，将数百人入南山。民畜窘聚，方六十里无人统领，相去百八十里。追兵不至，乃徐西遁，唯此得免。'……魏主深悔之。纥升盖可汗愤悒而卒。"这是多么精彩的战争描写！即使如司马迁《史记》之文笔能赶上这种文章的也不算多。

魏主尝引崔浩到他的卧室，推心置腹地对他说："卿才智渊博，事朕祖考，著忠三世，故朕引卿以自近。卿宜尽忠规谏，勿有所隐。朕虽或时忿恚，不从卿言，然终久深思卿言也。”魏主又曾指着崔浩对新投降的高车人说：“汝曹视此人尫纤懦弱，不能弯弓持矛，然其胸中所怀，乃过于兵甲。朕虽有征伐之志而不能自决，前后有功，皆此人所教也。”又告诉尚书说：“凡军国大计，汝曹所不能决者，皆当咨浩，然后施行。”像这样的君臣知遇，即使如刘邦之与张良，刘备之与诸葛亮，苻坚之与王猛，恐怕都难以超过。谁能想到就是这样一位大臣后来还是被魏主灭门了。掩卷深思，世事真是难以预料，难以索解。

另外，本卷又写了刘义隆的派将出兵北伐，最后竟落得丧师辱国，狼狈而归。文章说：当时魏主令黄河南岸之洛阳、虎牢、滑台、碻磝各个据点的守兵都一律撤至黄河北，而宋将到彦之则是逐个地派兵进占各地，结果从东至西，到处派兵防守，战线竟绵延了两千里，这是一个有战略头脑的将军所会采取的行兵布阵吗？而每个战略要地的守将，又都怯懦无比，简直与当年的东晋守将没有什么差别。当魏将安颉渡黄河进攻金墉时，宋将杜骥、姚耸夫弃城逃走，于是洛阳、虎牢遂兵不血刃地相继被魏军所占领。而大将到彦之听到洛阳、虎牢失守的消息时，不听部下垣护之“宜使竺灵秀助朱脩之守滑台，自帅大军进拟河北”的劝告，竟在远距敌兵尚有千里之遥时弃滑台、烧舟船而南奔彭城；部将竺灵秀则是弃须昌，南奔湖陆；魏将追攻湖陆，大破竺灵秀军。刘义隆的所谓“北伐”就是这样几乎没有经过什么战斗，以溃逃失败而可耻地著之于历史。“彦之之北伐也，甲兵资实甚盛；及败还，委弃荡尽，府藏、武库为之空虚。”失败的责任应该追究谁？到彦之该不该送上军事法庭？檀道济当时在什么地方？要不要负败军的责任？结果只以“右将军到彦之、安北将军王仲德皆下狱免官，兖州刺史竺灵秀坐弃军伏诛”草草了事。王仲德是有过建言的，罪魁祸首是到彦之。到彦之为什么没有受到严厉惩处呢？就因为他在刘义隆解决谢晦、徐羡之、傅亮的问题上起过作用，所以刘义隆就对他网开一面了。到彦之、竺灵秀等人在与魏军作战上的表现，看不出与东晋的将领有何差别，都是同样的腐朽、怯懦、自私。当年刘牢之、刘裕等人身上“北府兵”的那种勇敢无畏的气概，到此已经丧失殆尽了。

最后应该说的是，在刘义隆这次“北伐”可耻溃败的浊流污水中闪现了两点悦目的光辉，一个是萧承之，一个是刘义欣。萧承之当时任济南太守，当到彦之的大军向南狼狈逃走后，济南这座孤城就呈现在了魏兵的直接攻击之下，文章说：“魏兵攻济南，济南太守武进萧承之帅数百人拒之。魏众大集，承之使偃兵，开城门。众曰：‘贼众我寡，奈何轻敌之甚！’承之曰：‘今悬守穷城，事已危急，若复示弱，必为所屠，唯当见强以待之耳。’魏人疑有伏兵，遂引去。”精彩！事隔二百年，又完全像诸葛亮对付司马懿一样演了一场“空城计”，却又出奇地奏效了，真是不可思议。

刘义欣是刘裕的小儿子，刘义隆的小弟，当时被委派率领一支军队驻守彭城，当到彦之率大军向南溃去后，徐州将很快被魏军所攻时，刘义欣的将佐们“恐魏兵大至，劝义欣委镇还都，义欣不从”。有志气，也有勇气，不像到彦之、竺灵秀那种软骨头，还像是刘裕的儿子。不久，刘义隆改派刘义欣镇守寿阳（今安徽寿州），“寿阳土荒民散，城郭颓败，盗贼公行。义欣随宜经理，境内安业，道不拾遗，城府完实，遂为盛藩。芍陂久废，义欣修治堤防，引河水入陂，溉田万余顷，无复旱灾”。表明刘宋还有人才，刘裕的儿子中还有几个能成气候的，这个小王朝还能支撑若干年。

卷第一百二十二　宋纪四

起重光协洽（辛未，公元四三一年），尽旃蒙大渊献（乙亥，公元四三五年），凡五年。

【题解】

本卷写宋文帝元嘉八年（公元四三一年）至元嘉十二年共五年间的刘宋与北魏等国的大事。主要写：宋将檀道济率王仲德、段宏救滑台，军至历城，乏食不能进，在行将崩溃之际，夜间以"唱筹量沙"之法，稳定军心，全军而返。魏兵猛攻滑台，宋将朱脩之坚守数月，城破被俘，受到魏人的钦敬。魏主拓跋焘起兵伐燕，燕之十郡降魏，魏主发其民以围燕都和龙，燕王冯弘的旧太子冯崇与其弟冯朗、冯邈在辽西率部降魏；燕王向魏国称藩求和，愿送女、送回扣留的使臣于什门等，但坚持不送其子为质；又向刘宋称藩入贡，又请降于高句丽，请求高句丽出兵相迎。刘宋的益州刺史刘道济与其长史费谦等聚敛兴利，伤政害民，引起民变，民变者诈称司马飞龙，北依氐王杨难当，杨难当资之以兵，使之为乱于益州，于是蜀地的土著与侨居者一时皆叛；变民围攻成都，刘道济与部将裴方明多方拒之；其后刘道济死，梁儁之、裴方明、周籍之等大破变民头领程道养、赵广，变民奔散入山。刘宋的梁、秦二州刺史甄法护政刑不治，失氐羌之和，朝廷起用萧思话以代甄法护，氐王杨难当乘机袭梁州，甄法护弃州逃走，梁州遂为杨难当所占据，朝廷诛甄法护；萧思话到梁州后，与杨难当战，部将萧承之大破杨

【原文】

太祖文皇帝上之下

元嘉八年（辛未，公元四三一年）

春，正月壬午朔[①]，燕大赦，改元"大兴"。

丙申[②]，檀道济等自清水[③]救滑台，魏叔孙建、长孙道生拒之。丁酉[④]，道济至寿张[⑤]，遇魏安平公乙旃眷[⑥]。道济帅宁朔将军王仲德、骁骑将军段宏奋击，大破之；转战至高梁亭[⑦]，斩魏济州[⑧]刺史悉烦库结[⑨]。

难当，悉收复汉中故地。刘宋之权臣殷景仁引刘湛入朝共执朝政，刘湛不满居于殷景仁之下，借助司徒刘义康之力，对殷景仁极尽挑拨排挤之能事，甚至欲派杀手刺杀之，因有皇帝维护，刘湛未能得手。夏主赫连定攻南安伐秦，秦主乞伏暮末穷蹙降夏，被夏主所杀，西秦遂灭；夏主赫连定欲渡河西击沮渠蒙逊，结果被吐谷浑王慕容慕璝击败俘获，送与魏国，夏政权亦从此灭亡。魏主拓跋焘派拓跋范、崔徽等镇守关中，轻徭薄赋，政刑简易，关中遂安。吐谷浑、柔然、北凉都遣使归附于魏，龟兹、疏勒等西域九国入贡于魏，魏国的势力空前强大。魏主获胜后“理废职，举遗民”，更定法令，起用贤才，而崔浩要“大整流品”，“明辨族姓”，搞魏晋以来的门阀制度，由是得罪于众人。刘宋之臣谢灵运因好山泽之游，被人奏为有异志，谢灵运诣朝廷自明，被用为临川内史；又因游放自若，废弃郡事，被有司所纠，谢灵运拒捕逃逸，并作诗以晋之“贞臣”自居，被弃市于广州。北凉主沮渠蒙逊死，其子沮渠牧犍对魏、对宋两面称藩进贡，敦煌有谣言预言北凉将亡。

【语译】

太祖文皇帝上之下

元嘉八年（辛未，公元四三一年）

春季，正月初一壬午，北燕实行大赦，改年号为“大兴”。

正月十五日丙申，宋国征南大将军檀道济等率军从清水出发，救援滑台，北魏寿光侯叔孙建、征西大将军长孙道生率军进行抵抗。十六日丁酉，檀道济等抵达寿张，遭遇北魏安平公拓跋乙旃眷。檀道济率领宁朔将军王仲德、骁骑将军段宏奋力反击，将北魏拓跋乙旃眷打得大败；然后转战至高梁亭，斩杀了北魏担任济州刺史的悉烦库结。

夏主击秦将姚献，败之；遂遣其叔父北平公韦伐⑩帅众一万攻南安⑪。城中大饥，人相食。秦侍中、征虏将军出连辅政，侍中、右卫将军乞伏延祚，吏部尚书乞伏跋跋逾城奔夏。秦王暮末穷蹙⑫，舆榇出降⑬，并沮渠兴国⑭送于上邽⑮。秦太子司直⑯焦楷奔广宁⑰，泣谓其父遗曰:“大人荷国宠灵⑱，居藩镇重任。今本朝颠覆，岂得不率见众⑲唱大义以殄⑳寇仇?”遗曰:“今主上已陷贼庭，吾非爱死而忘义，顾以大兵追之，是趣绝其命㉑也。不如择王族之贤者，奉以为主而伐之，庶有济㉒也。”楷乃筑坛誓众，二旬之间，赴者万余人。会遗病卒，楷不能独举事，亡奔河西㉓。

二月戊午㉔，以尚书右仆射江夷㉕为湘州刺史。

檀道济等进至济上㉖，二十余日间，前后与魏三十余战，道济多捷。军至历城㉗，叔孙建等纵轻骑邀其前后，焚烧草谷[1]。道济军乏食，不能进，由是安颉、司马楚之等得专力攻滑台，魏主复使楚兵将军王慧龙㉘助之。朱脩之㉙坚守数月，粮尽，与士卒熏鼠食之。辛酉㉚，魏克滑台，执脩之及东郡㉛太守申谟，虏获万余人。谟，钟㉜之曾孙也。

癸酉㉝，魏主还平城，大飨，告庙，将帅及百官皆受赏，战士赐复㉞十年。

于是魏南鄙㉟大水，民多饿死。尚书令刘絜言于魏主曰:“自顷边寇内侵，戎车屡驾㊱，天赞圣明㊲，所在克殄㊳。方难㊴既平，皆蒙优锡㊵。而郡国之民，虽不征讨，服勤农桑，以供军国，实经世㊶之

夏主赫连定率领夏军进攻西秦将领姚献，将姚献打败；遂乘胜派自己的叔父北平公赫连韦伐率领一万人进攻西秦王乞伏暮末所据守的南安。南安城中发生了严重的饥荒，人们为了活命，已经到了人吃人的境地。西秦侍中、征虏将军出连辅政，侍中、右卫将军乞伏延祚，吏部尚书乞伏跋跋全都翻越城墙出来向夏军投降。西秦王乞伏暮末的实力已经消耗殆尽，在走投无路的情况下，只得拉着棺材出城，向夏军投降，夏国北平公赫连韦伐将乞伏暮末，连同沮渠兴国一同送往上邽。西秦担任太子司直的焦楷逃往广宁，哭着对老父焦遗说："父亲大人蒙受国家的恩宠，担任镇守广宁、藩护朝廷的重任。如今国家已经覆亡，您怎么不率领现有的兵众，高举义旗，号召各方起兵消灭寇仇呢？"焦遗回答说："如今秦王乞伏暮末已经落入贼寇之手，我并不是惧怕死亡而忘记忠君爱国的大义，只是有所顾虑，担心我们率军追赶夏人过急，会促使夏人很快杀死秦王。我们不如从王族中选择一名贤能，拥戴他为国王，然后出兵讨伐夏国，或许还有成功的希望。"焦楷于是筑起一座高台，聚众盟誓，只用了二十天的时间，前来投奔的就有一万多人。然而遗憾的是焦遗偏偏在这时候生病去世，焦楷没有能力独自承担起兵抗击夏军的大任，遂逃往北凉投奔了河西王沮渠蒙逊。

二月初七戊午，宋文帝刘义隆任命担任尚书右仆射的江夷为湘州刺史。

檀道济等率军抵达济水岸边，在二十多天的时间里，前后与魏军交战三十多次，多数情况下都是檀道济所率领的宋军获得胜利。宋军遂进抵历城，北魏寿光侯叔孙建等派出轻骑兵展开游击战，不断地或从前方或从背后向檀道济所率领的宋军展开攻击，并焚烧了宋军的粮草。檀道济的军中因为缺乏粮食而无法继续前进，使得北魏冠军将军安颉、安南大将军司马楚之等得以集中力量进攻滑台，北魏太武帝拓跋焘又令担任楚兵将军的王慧龙前往增援安颉等。朱修之坚守了数月，滑台城中粮食已尽，便与士卒一起用浓烟熏出洞里的老鼠，用来充饥。二月初十辛酉，北魏军攻陷了滑台，活捉了朱修之以及担任东郡太守的申谟，被魏军俘虏的有一万多人。申谟，是申钟的曾孙。

二月二十二日癸酉，北魏太武帝拓跋焘返回平城，举行盛大的祭祀典礼，将北伐柔然、西伐夏国、南御宋国的成功祭告祖庙中的先王，所有出征的将帅以及文武百官全都接受了赏赐，出征的士卒所受到的奖赏是十年不用缴纳赋税、不服劳役。

此时，北魏的南部边境地区发生了大水灾，当地的居民饿死了很多。担任尚书令的刘絜向北魏太武帝拓跋焘建议说："自从不久之前，四方贼寇入侵边境以来，兵车屡次出动，老天爷也在帮助圣明的君主，大军所到之处攻无不克，战无不胜，打到谁，谁就被消灭。如今四方边境上的寇乱都已经被削平，有功的将帅以及文武百官、全军士卒，全都蒙受了陛下的优待和赏赐。而各郡、封国之内的百姓，虽然没有参加征讨，然而他们辛勤地在田间耕种庄稼、植桑养蚕，用来供应国家和军队的

大本，府库之所资㊷。今自山以东㊸，遍遭水害，应加哀矜，以弘覆育㊹。”魏主从之，复㊺境内一岁租赋。

檀道济等食尽，自历城引还。军士有亡降魏者，具告之。魏人追之，众恟惧㊻将溃。道济夜唱筹量沙㊼，以所余少米覆其上。及旦，魏军见之，谓道济资粮有余，以降者为妄而斩之。时道济兵少，魏兵甚盛，骑士四合。道济命军士皆被甲，己白服乘舆㊽，引兵徐出。魏人以为有伏兵，不敢逼，稍稍引退。道济全军而返。

青州刺史萧思话㊾闻道济南归，欲委镇保险㊿，济南太守萧承之固谏，不从。丁丑(51)，思话弃镇奔平昌(52)；参军刘振之戍下邳(53)，闻之，亦委城走。魏军竟不至，而东阳积聚(54)已为百姓所焚。思话坐征(55)，系尚方(56)。

燕王立夫人慕容氏为王后。

庚戌(57)，魏安颉等还平城。魏主嘉朱脩之守节(58)，拜侍中[2]，妻以宗女。

初，帝之遣到彦之也，戒之曰：“若北国兵动，先其未至，径前入河；若其不动，留彭城勿进。”及安颉得宋俘，魏主始闻其言。谓公卿曰：“卿辈前谓我用崔浩计(59)为谬，惊怖固谏。常胜之家，始皆自谓逾人(60)，至于归终，乃不能及。”

司马楚之上疏，以为诸方已平，请大举伐宋。魏主以兵久劳，不许。征(61)楚之为散骑常侍，以王慧龙为荥阳太守(62)。

需要，他们是治理国家的根本，国家府库中各种储备的来源全要依靠他们。现在从恒山、太行山以东，到处都遭遇了洪水的灾害，陛下应该同情他们、顾念他们，扩大陛下负载万物、抚育万民的恩德。”太武帝拓跋焘采纳了刘絜的建议，下诏免除全国人民一年的租税。

宋国征南大将军檀道济等因为军中已经没有了粮食，遂率军从历城撤回。军中有人投降了魏军，他们把檀道济军中缺粮的情况告诉了魏军。魏军遂尾随追击，檀道济所率领的宋军将士也都因为担心粮食断绝而人心惶恐，眼看就要自行崩溃。檀道济便利用夜间作掩护，令军士一面称量沙土，一面大声地数着数，然后将剩余的仅有一点粮食覆盖在沙土上面。等到天亮之后，魏军看见檀道济军中粮食充足，便认为投降的宋军有意欺骗他们，遂将那些降卒全部斩首。当时檀道济的军队人数很少，而北魏军人数众多、兵力强盛，骑兵从四面八方向历城包围过来。檀道济就下令军士全都穿上铠甲，自己则身穿白色的便服，坐着车子，率领军队从容闲暇地出城而去。北魏军认为宋军一定设有埋伏，所以不仅不敢向前逼近，反而渐渐向后撤退。檀道济才得以保全实力撤回宋国境内。

宋国担任青州刺史的萧思话得知征南大将军檀道济向南撤退的消息，就准备放弃青州治所所在地东阳城，撤退到其他险要的地方据守，担任济南太守的萧承之一再地进行劝阻，萧思话都不肯听从。二月二十六日丁丑，萧思话放弃了东阳城逃往平昌；担任参军的刘振之正在戍守下邳，得知萧思话弃城逃走的消息，便也放弃下邳逃走。然而北魏的军队并没有到达东阳城，而东阳城由于无人镇守，城中官府仓库中的各种物资储备遂被城中百姓全部焚毁。萧思话因此被判有罪而被调回京师建康，关押在尚方署的监狱中。

北燕王冯弘立夫人慕容氏为王后。

庚戌日，北魏冠军将军安颉等回到魏国的都城平城。北魏太武帝拓跋焘赞扬朱脩之忠于宋国、坚守节操，遂任命朱脩之为侍中，并将宗室的女儿嫁给朱脩之为妻。

当初，宋文帝刘义隆派遣右将军到彦之率军北伐的时候，曾经告诫到彦之说：“如果北方魏国的军队已经出动，你要赶在他们未到之前，径直向前北渡黄河；如果魏军没有动静，你就留在彭城不要贸然前进。”等到北魏冠军将军安颉捉到了宋军的俘虏，北魏太武帝拓跋焘才得知宋文帝所嘱咐的这番话。拓跋焘对属下的公卿大臣们说：“你们这些人以前还认为我听信崔浩的计策是错误的，竟然吓得惊慌失措，一再地加以阻拦。一直打胜仗的人，开始的时候都认为自己比别人强，直到最后，才知道自己赶不上别人。”

司马楚之上疏给太武帝拓跋焘，他认为四方的强敌都已经被削平，因此请求出兵大举进攻宋国。北魏太武帝拓跋焘因为军队长期在外征战，已经非常疲劳，因此没有批准司马楚之的建议。而是将司马楚之调回京师平城，任命为散骑常侍，任命担任楚兵将军的王慧龙为荥阳太守。

慧龙在郡十年，农战并修⑥³，大著声绩，归附者万余家。帝纵反间于魏，云："慧龙自以功高位下，欲引宋人入寇，因执司马楚之以叛。"魏主闻之，赐慧龙玺书⑥⁴曰："刘义隆畏将军如虎，欲相中害⑥⁵，朕自知之。风尘之言⑥⁶，想不足介意。"帝复遣刺客⑥⁷吕玄伯刺之，曰："得慧龙首，封二百户男⑥⁸，赏绢千匹。"玄伯诈为降人，求屏人⑥⁹有所论；慧龙疑之，使人探其怀，得尺刀。玄伯叩头请死，慧龙曰："各为其主耳。"释之。左右谏曰："宋人为谋未已，不杀玄伯，无以制将来。"慧龙曰："死生有命，彼亦安能害我？我以仁义为捍蔽⑦⁰，又何忧乎？"遂舍之。

夏，五月庚寅⑦¹，魏主如云中。

六月乙丑⑦²，大赦。

夏主杀乞伏暮末及其宗族五百人。

夏主畏魏人之逼，拥秦民⑦³十余万口，自治城⑦⁴[3]济河，欲击河西王蒙逊而夺其地。吐谷浑王慕璝遣益州⑦⁵刺史慕利延⑦⁶、宁州⑦⁷刺史拾虔⑦⁸帅骑三万，乘其半济邀击之，执夏主定以归⑦⁹，沮渠兴国被创⑧⁰而死。拾虔，树洛干⑧¹之子也。

魏之边吏获柔然逻者⑧²二十余人，魏主赐衣服而遣之，柔然感悦。闰月乙未⑧³，柔然敕连可汗遣使诣魏，魏主厚礼之。

魏主遣散骑侍郎周绍来聘，且求昏，帝依违⑧⁴答之。

荆州刺史江夏王义恭年浸长⑧⁵，欲专政事，长史刘湛每裁抑⑧⁶之，遂与湛有隙⑧⁷。帝心重湛，使人诘让⑧⁸义恭，且和解之。是时，王华、

北魏担任荥阳太守的王慧龙在荥阳任职十年，他既抓农业又修战备，政绩斐然，声望显著，前去投奔他的有一万多家。宋文帝刘义隆遂派人到魏国去行使反间计说："荥阳太守王慧龙认为自己的功劳虽高却职位低下，所以就想勾引宋军入侵魏国，自己趁机抓获司马楚之作为向宋国的献礼，然后背叛魏国投降宋国。"北魏太武帝拓跋焘听到这些传言，遂赐给王慧龙一封盖有皇帝玺印的书信，说："宋国皇帝刘义隆惧怕将军，就像惧怕老虎一样，所以才想方设法要中伤将军、陷害将军，我心里很清楚。对那些流言蜚语，希望你不要介意。"宋文帝刘义隆又派遣吕玄伯为刺客，前去刺杀王慧龙，宋文帝刘义隆对吕玄伯说："如果能够将王慧龙的首级砍下来带回，我就封给你二百户的采邑，赐你为男爵，还赏赐给你一千匹丝绸。"吕玄伯遂假装向王慧龙投降，并请求王慧龙摒退身边所有的侍从，自己有话需要单独与王慧龙谈；王慧龙对此非常怀疑，便让人上前搜查他的全身，果然从他的怀中搜出一把长约一尺的刀来。吕玄伯向王慧龙磕头，请求速死，王慧龙说："你不过是为自己的主人尽忠罢了。"便将吕玄伯释放。王慧龙身边的人都劝谏说："宋国人的阴谋不会就此停止，如果不杀掉吕玄伯，又如何杜绝以后不再发生此类事件呢。"王慧龙说："什么时候生，什么时候死，都是命中注定的，宋国人又怎能害得了我呢？我以仁义待人，使人不忍心加害于我，又何必担忧呢？"还是坚持释放了吕玄伯。

夏季，五月十一日庚寅，北魏太武帝拓跋焘前往云中。

六月十六日乙丑，宋国实行大赦。

夏主赫连定杀死了向自己投降的西秦王乞伏暮末以及乞伏氏家族的五百人。

夏主赫连定惧怕北魏的逼迫，便胁迫着灭掉西秦王乞伏暮末时所俘获的十多万西秦民众，从冶城渡过黄河，准备袭击北凉河西王沮渠蒙逊，夺取沮渠蒙逊的地盘。吐谷浑王慕容慕璝派遣担任益州刺史的慕利延、担任宁州刺史的慕容拾虔率领三万名骑兵，趁着夏国军队刚刚有一半人渡过黄河的机会，突然向夏军发动袭击，遂活捉了夏主赫连定，得胜而回，沮渠兴国身受重伤而死。慕容拾虔，是慕容树洛干的儿子。

北魏的边防官员活捉了柔然的二十几名探子，北魏太武帝拓跋焘不仅没有杀死他们，反而赏赐给他们衣服，释放他们回柔然。柔然人深深地被北魏的这一友好举动所感动。闰六月十六日乙未，柔然敕连可汗郁久闾吴提派使者前往北魏，北魏太武帝拓跋焘非常友好、热情地接待了他们。

北魏太武帝拓跋焘派遣担任散骑侍郎的周绍前往宋国进行回访，并且请求与宋国皇室结为婚姻，宋文帝刘义隆模棱两可地答复了北魏的使者。

宋国担任荆州刺史的江夏王刘义恭，年纪逐渐长大，于是便想由自己来处理荆州的政务，而担任长史的刘湛却总是压制他，不让他插手政务，刘义恭与刘湛之间遂产生了矛盾。宋文帝刘义隆心中很器重刘湛，于是便派使者到荆州去质问、责备江夏王刘义恭，同时为他们进行调解。当时，王华、王昙首全都已经去世，

王昙首皆卒[89]，领军将军殷景仁素与湛善，白帝以时贤零落[90]，征湛为太子詹事[91]，加给事中，共参政事。以雍州刺史张邵[92]代湛为抚军长史[93]、南蛮校尉[94]。

顷之，邵坐在雍州营私蓄聚[95]，赃满二百四十五万，下廷尉[96]，当死[97]。左卫将军谢述[98]上表，陈邵先朝旧勋[99]，宜蒙优贷[100]。帝手诏酬纳[101]，免邵官，削爵土。述谓其子综曰："主上矜邵夙诚[102]，特加曲恕[103]，吾所言谬会[104]，故特见酬纳耳。若此迹宣布[105]，则为侵夺主恩[106]，不可之大者也。"使综对前焚之[107]。帝后谓邵曰："卿之获免，谢述有力焉。"

秋，七月己酉[108]，魏主如河西[109]。

八月乙酉[110]，河西王蒙逊遣子安周入侍于魏。

吐谷浑王慕璝遣侍郎谢太宁奉表于魏，请送赫连定。己丑[111]，魏以慕璝为大将军、西秦王[4]。

左仆射临川王义庆固求解职[112]。甲辰[113]，以义庆为中书令，丹杨尹如故。

九月癸丑[114]，魏主还宫。庚申[115]，加太尉长孙嵩柱国大将军，以左光禄大夫崔浩为司徒，征西大将军长孙道生为司空。道生性清俭[116]，一熊皮鄣泥[117]，数十年不易。魏主使歌工历颂群臣[118]曰："智如崔浩，廉若道生。"

魏主欲选使者诣河西，崔浩荐尚书李顺。乃以顺为太常[119]，拜河西王蒙逊为侍中、都督凉州西域羌戎诸军事、太傅、行征西大将军、凉州牧、凉王，王武威、张掖、敦煌、酒泉、西海、金城、西平七郡。册[120]曰："盛衰存亡，与魏升降[121]。北尽穷发[122]，南极庸、岷[123]，西被昆岭[124]，东至河曲[125]，王实征之[126]，以夹辅皇室[127]。置将相、群卿、百官，

担任领军将军的殷景仁一向与刘湛关系密切，遂向宋文帝进言，提醒宋文帝：眼下的贤臣已经死丧殆尽，宋文帝刘义隆于是征调刘湛回到朝廷，担任掌管皇后与太子宫中事务的太子詹事，加授给事中，与殷景仁共同参与朝政。令担任雍州刺史的张卲接替刘湛，担任抚军长史、南蛮校尉。

不久，张卲被指控在雍州刺史任上营私舞弊，聚敛私财，收受赃款达二百四十五万，遂被交付廷尉审判治罪，廷尉判定张卲死罪。担任左卫将军的谢述上疏给宋文帝刘义隆，替张卲求情，认为张卲是为上代皇帝宋武帝刘裕立过功勋的老臣，应该受到特别的优待，有罪应当宽赦。宋文帝刘义隆接受了谢述的意见，并亲手写回信答复谢述，免去张卲的官职，并取消他的爵位、封地。谢述告诉他的儿子谢综说：“皇上念在张卲一片忠诚，所以才特别网开一面，加以饶恕，而我所上的奏章不过是碰巧之事，所以才破例被采纳。如果把我劝说皇帝宽待张卲这件事传扬出去，就等于抢了皇帝的恩德，作为自己的人情，这是绝对不可以的事情。”便让谢综当着自己的面将所上奏章的草稿烧掉了。宋文帝刘义隆后来对张卲说：“你这次能侥幸地死里逃生，全靠谢述为你求情。”

秋季，七月初一己酉，北魏太武帝拓跋焘前往黄河以西巡视。

八月初七乙酉，北凉河西王沮渠蒙逊派自己的儿子沮渠安周到北魏的都城平城充当人质。

吐谷浑王慕容慕璝派担任侍郎的谢太宁前往北魏进献表章，请求将俘虏的夏国国王赫连定献给魏国。八月十一日己丑，北魏任命慕容慕璝为大将军、西秦王。

宋国担任左仆射的临川王刘义庆一再请求解除自己所担任的尚书左仆射、丹杨尹职务。八月二十六日甲辰，任命临川王刘义庆为中书令，依然担任丹杨尹。

九月初六癸丑，北魏太武帝拓跋焘从河西地区返回平城的皇宫。十三日庚申，太武帝拓跋焘加授担任太尉的长孙嵩为柱国大将军，任命担任左光禄大夫的崔浩为司徒，任命担任征西大将军的长孙道生为司空。长孙道生为官清廉，生活节俭，一块用熊皮制作的马鞍下面的垫布，一连用了几十年也没有更换过。北魏太武帝拓跋焘让皇家乐队逐个地把大臣歌颂了一遍，他们称颂说：“智慧如崔浩，廉洁若道生。”

北魏太武帝拓跋焘准备选派一名使者出使北凉，担任司徒的崔浩便向太武帝推荐了担任尚书的李顺。太武帝拓跋焘遂任命李顺为太常，令他带着册书前往北凉的都城姑臧，册封河西王沮渠蒙逊为侍中、都督凉州西域羌戎诸军事、太傅、行征西大将军、凉州牧、凉王，辖区包括武威、张掖、敦煌、酒泉、西海、金城、西平，总计七个郡。册书上说：“凉王与魏国同盛衰、共存亡。向北直到极其遥远的不毛之地，向南直到上庸、岷山，向西直到昆仑山，向东直到河套地区，在以上这个广大的区域之内，凡是有不遵从王命，不服从管教的势力，凉王都有权进行征伐，以扶助、辅佐我们魏国的皇室。对自己辖区之内的将帅、宰相、公卿、文武百官，

承制假授[128]，建天子旌旗，出入警跸[129]，如汉初诸侯王故事[130]。”

壬申[131]，魏主诏曰：“今二寇[132]摧殄，将偃武修文，理废职[133]，举逸民[134]。范阳卢玄、博陵崔绰、赵郡李灵、河间邢颖、勃海高允、广平游雅、太原张伟等，皆贤隽之胄[135]，冠冕州[5]邦[136]。《易》曰：‘我有好爵，吾与尔縻[137]之。’如玄之比者，尽敕州郡以礼发遣[138]。”遂征玄等及州郡所遣至者数百人，差次叙用[139]。崔绰以母老固辞。玄等皆拜中书博士。玄，谌[140]之曾孙；灵，顺[141]之从父兄也。

玄舅崔浩，每与玄言，辄叹曰：“对子真[142]使我怀古之情更深。”浩欲大整流品[143]，明辨姓族[144]。玄止之曰：“夫创制立事，各有其时；乐为此者，讵有几人[145]？宜加三思。”浩不从，由是得罪于众。

初，魏昭成帝[146]始制法令：“反逆者族。其余当死者听入金、马赎罪。杀人者听与死家牛马、葬具以平[147]之。盗官物，一备五[148]；私物，一备十。”四部大人[149]共坐王庭决辞讼[150]，无系讯连逮之苦，境内安之。太祖[151]入中原，患前代律令[152]峻密，命三公郎王德删定[153]，务崇简易。季年被疾[154]，刑罚滥酷[155]；太宗[156]承之，吏文[157]亦深。冬，十月戊寅[158]，世祖命崔浩更定律令，除五岁、四岁刑[159]，增一年刑。巫蛊[160]者，负羖羊[161]、抱犬沈诸渊。初令官阶九品[162]者得以官爵除刑[163]。妇人当刑而孕，产后百日乃决[164]。阙左[165]悬登闻鼓[166]，以达冤人[167]。

魏主如漠南。十一月丙辰[168]，北部敕勒莫弗库若干[169]帅所部数万骑，驱鹿数百万头，诣魏主行在[170]。魏主大猎以赐从官。十二月丁丑[171]，还宫。

有权以皇帝的名义直接进行任命，可以竖立天子的旗帜，出入时可以像皇帝出行时那样进行清道、戒严，就像汉朝初年所封的诸侯王韩信、彭越等那种样子。”

九月二十五日壬申，北魏太武帝拓跋焘下诏说：“现在秦国乞伏氏和夏国赫连氏这两个贼寇已经分别被消灭，我们将停止战争和武备，转而致力于文化教育，重振已经荒废了的职业、事业，选拔任用被遗漏在山村草野之中的卓越人才。范阳的卢玄、博陵的崔绰、赵郡的李灵、河间的邢颖、勃海的高允、广平的游雅、太原的张伟等，都是前代贤人的后裔，他们都是所在州郡中的佼佼者。《周易》上说：‘我有好的爵位，我要与你共同享受。’像卢玄这类的人物，要敕令他们所在的州郡，按照礼节将他们发送到朝廷来。”于是征聘卢玄等以及各州郡所选送的各类人才总计数百人，根据他们的才能排出等级顺序，依次加以任用。博陵的崔绰以母亲年老为由一再推辞。卢玄等全都被任命为中书博士。卢玄，是卢谌的曾孙；李灵，是李顺的堂兄。

卢玄的舅舅是担任司徒的崔浩，每次与卢玄谈话，都要叹息着说：“面对着卢玄，我的怀古幽情更加浓厚。”崔浩准备下大力气清理朝野士人的人品等级，查清各家族姓氏统系的源流。卢玄劝阻他说：“创立大业、修订制度，都要根据当时的形势需要；赞成这种做法的能有几个人？应该三思而后行。”崔浩没有听从外甥卢玄的意见，而是按照自己的意愿行事，结果得罪了很多人。

当初，北魏昭成皇帝拓跋什翼犍时期所制定的法令法规中规定：“谋反、叛逆的人应被诛灭全族。其他被判处死罪的人可以通过向朝廷缴纳钱物、马匹进行赎罪。杀人的人，允许向受害者家属以牛马和丧葬费作为抵偿。盗取官府财物的，要赔偿五倍；盗取私人财物的，要赔偿十倍。”由东、西、南、北四部大人共同坐在王庭中，审判案件，没有羁押、刑讯、拖延不决的痛苦，境内之人全都习以为常。道武帝拓跋珪进入中原之后，担心中原地区前代实行的律令过于严峻细密，遂下令担任三公郎的王德进行删改修订，务必要使法律条文简单明了。但是道武帝到了晚年，由于疾病缠身，刑罚反而越来越严峻残酷；太宗拓跋嗣继承前代的遗风，法律条文更加苛刻严酷。冬季，十月初一戊寅，世祖拓跋焘令司徒崔浩修订律令，删除四年、五年的有期徒刑，增加一年的有期徒刑条款。凡是从事巫蛊活动的，就令其背着黑公羊、抱着狗，投入深水之中。开始允许官阶在九品以上的官员让出官爵以减免刑罚。妇女在判刑期间如果怀有身孕，就等到产下孩子以后一百天再执行。又规定：宫门的左侧要设立“登闻鼓”，以便于含冤负屈之人击鼓鸣冤，使冤情得以上达。

北魏太武帝拓跋焘前往大漠以南。十一月初十丙辰，魏国北部的敕勒族君主库若干率领自己部下的数万名骑兵，把数百万头麋鹿驱赶到北魏太武帝拓跋焘的临时住地。北魏太武帝拓跋焘遂举行了一场盛大的狩猎活动，用以赏赐随从的官员。十二月初一丁丑，拓跋焘返回平城的皇宫。

是岁，凉王[172]改元“义和”。

林邑王范阳迈寇九德[173]，交州[174]兵击却之。

【段旨】

以上为第一段，写宋文帝元嘉八年（公元四三一年）一年间的大事。主要写：宋将檀道济率王仲德、段宏救滑台，军至历城，乏食不能进，在行将崩溃之际，夜间以“唱筹量沙”之法，稳定军心，全军而返。魏兵猛攻滑台，宋将朱脩之坚守数月，城破被俘，受到魏人的钦敬；魏军获胜后，以王慧龙为荥阳太守，王慧龙农战并修，治郡大有声绩，刘义隆行反间于魏，魏主不受其骗，对王慧龙下玺书褒奖。夏主赫连定攻南安伐秦，秦主乞伏暮末穷蹙降夏，被夏主所杀，西秦遂灭。夏主赫连定欲渡河西击沮渠蒙逊，结果被吐谷浑王慕容慕璝击败俘获，送与魏国，夏政权亦从此灭亡。吐谷浑、柔然、沮渠蒙逊都遣使归附于魏；魏主拓跋焘封吐谷浑王慕容慕璝为西秦王；封沮渠蒙逊为凉王，王河西一带之七郡，魏国空前强大。魏主获胜后之“理废职，举遗民”，更定法令，起用贤才，等等；而崔浩要“大整流品”，“明辨族姓”，搞魏晋以来的门阀制度，由是得罪于众人。刘义隆之弟荆州刺史刘义恭与其长史刘湛争权，刘义隆调刘湛进京，进入核心集团，而刘义恭的前景呈现凶兆。

【注释】

①正月壬午朔：正月初一是壬午日。②丙申：正月十五日。③清水：即清口，在今山东梁山东南。④丁酉：正月十六日。⑤寿张：县名，县治在今山东东平西南。⑥安平公乙旃眷：姓拓跋，名乙旃眷，北魏的宗室，被封为安平公。⑦高梁亭：约在今山东东平北。⑧济州：当时北魏的济州州治即在碻磝城，今山东东阿西北的古黄河边。⑨悉烦库结：人名，姓悉烦，名库结。⑩北平公韦伐：姓赫连，名韦伐，被封为北平公。⑪南安：郡名，郡治在今甘肃陇西东南，去年西秦王乞伏暮末逃居于此。⑫穷蹙：指势力消耗殆尽。⑬舆榇出降：拉着棺材，以表示请罪，这是古代帝王、诸侯向人投降的一种仪式。〖按〗乞伏氏政权历经乞伏国仁、乞伏乾归、乞伏炽磐、乞伏暮末，前后共历四十六年。⑭并沮渠兴国：连同沮渠兴国。沮渠兴国于元嘉六年（公元四二九年）被乞伏氏所擒，今将其一道送归夏国。⑮送于上邽：当时夏国的都城统万已被魏国所占，夏主赫连定这时逃居在上邽。⑯太子司直：太子的属官，执掌监察、弹劾等事。⑰广宁：西秦的郡名，郡治在今甘肃漳县西南。⑱荷国宠灵：蒙受国家的恩宠。荷，蒙受。宠灵，恩

这一年，北凉王沮渠蒙逊更换年号为“义和”。

林邑王范阳迈率军进犯宋国所属的九德郡，被交州兵击退。

宠。⑲见众：现有的兵力。见，同“现”。⑳殄：灭。㉑趣绝其命：因秦国的追兵追夏人过急，可能促使夏人杀掉秦主暮末。趣，促、加速。㉒庶有济：或许能有所成。济，成功。㉓亡奔河西：往投沮渠蒙逊。㉔二月戊午：二月初七。㉕江夷：晋宋之际的名臣。传见《宋书》卷五十三。㉖济上：济水边上。㉗历城：即今山东济南，在当时的济水南岸。㉘楚兵将军王慧龙：王慧龙原是晋人，降魏后被任为楚兵将军。㉙朱脩之：刘宋时期的名臣，朱序之孙。传见《宋书》卷七十六。㉚辛酉：二月初十。㉛东郡：郡治白马，即当时的滑台，在今河南滑县东南。㉜钟：即申钟，后赵石鉴时，曾任司徒。事见《晋书》卷一百七。㉝癸酉：二月二十二日。㉞赐复：免除其劳役、赋税，为赏赐其北伐柔然、西伐夏、南御刘宋之功。㉟南鄙：南部边境地区。㊱戎车屡驾：兵车屡次出动。㊲天赞圣明：老天爷帮助圣明的君主。圣明，以称魏主拓跋焘。㊳所在克殄：打到谁，谁就被消灭。㊴方难：四方边境上的寇乱。㊵优锡：优待、赏赐。锡，赐。㊶经世：治国。㊷所资：所凭借；所依赖。㊸自山以东：谓恒山、太行山以东。㊹弘覆育：扩大关怀面。覆，谓天之所覆盖。育，指造化之抚育万物。这里都比喻帝王的恩德。㊺复：免除。㊻众恟惧：檀道济的人马都恐惧粮食断绝。㊼唱筹量沙：唱着数字量沙土。㊽白服乘舆：身着白色便服，坐着轿车，以表现其从容闲暇。㊾萧思话：刘裕舅舅的儿子。传见《宋书》卷七十八。㊿委镇保险：指丢掉东阳城（今山东青州），另依托险要的地方防守。镇，州刺史与督军的驻防地点。保，依托、依靠。51丁丑：二月二十六日。52平昌：县名，在今山东安丘西南。53下邳：在今江苏邳州西南。54积聚：指政府仓库的各种物资。55坐征：因此被调到京城。56系尚方：关押在尚方署的监狱里。57庚戌：二月初一是“壬子”，本月中无“庚戌”日，疑字有误。58守节：指忠于刘宋，坚守滑台抗魏事。59崔浩计：崔浩不主张首先对刘宋展开进攻，认为刘宋如对魏发动进攻则必败。事见本书卷一百二十一元嘉七年。60自谓逾人：总以为自己比别人强。61征：召；使之入朝。62荥阳太守：荥阳郡的郡治即今荥阳东北的古荥镇。胡三省曰：“魏虽置荥阳太守，实以虎牢为重镇。”〖按〗虎牢关在今荥阳西北的古汜水镇，也就是楚汉战争时的成皋城的南侧，在当时荥阳城的西方。63并修：都搞得很好。64玺书：盖着皇帝玺印的书信，极表其郑重、宠信。65中害：中伤、陷害。66风尘之言：没有根据的谣传，犹今之所谓“流言蜚语”。67复遣刺客：此即魏主所谓“刘义隆畏将军如虎”者也。68封二百户男：封给二百户的采邑，赐之为男爵。69屏人：打发开周围的人。屏，同“摒”，支开。70以仁义为捍蔽：以仁义待人，使人不忍加害。71五月庚

寅：五月十一日。⑫ 六月乙丑：六月十六日。⑬ 秦民：此指灭掉乞伏暮末后所俘获的西秦部众。⑭ 治城：约在今甘肃兰州西南的黄河边。⑮ 益州：州治成都。⑯ 慕利延：慕璝之弟。⑰ 宁州：州治在今云南晋宁东。但在这里“益州”“宁州”仅是吐谷浑人的一种官号。⑱ 拾虔：树洛干之子，慕璝的堂弟。⑲ 执夏主定以归：夏主定即赫连定。〖按〗夏政权自赫连勃勃建国，经赫连昌，至赫连定被吐谷浑人所灭，共历二十六年。胡三省曰：“自是中原及西北之地一归于魏矣。”⑳ 被创：被兵器所伤。㉑ 树洛干：前代的吐谷浑王，视罴之子，继其叔乌纥提为王。树洛干卒于晋安帝义熙十三年（公元四一七年），其弟阿柴即位。阿柴死，其兄之子慕璝继位，即今之吐谷浑王。㉒ 逻者：探子。㉓ 闰月乙未：闰六月十六日。㉔ 依违：似依似违，像同意又不同意，即今之所谓“模棱两可”。㉕ 浸长：渐渐长大。㉖ 裁抑：压制；不让插手。㉗ 有隙：自刘裕开始，封其幼子为州刺史，派心腹人为之任长史，掌握一切权力。今幼子长大，故与长史“有隙”。㉘ 诘让：质问、责备。㉙ 王华、王昙首皆卒：王华卒于元嘉四年（公元四二七年），年四十三岁；王昙首卒于元嘉七年。㉚ 时贤零落：眼下的贤臣死丧殆尽。时贤，一时之内的贤才。㉛ 太子詹事：掌管皇后与太子宫中的事务，下有太子家令、家丞等职。〖按〗太子詹事并不是多么重要的官，关键在于有下面的“加给事中”，可以进宫陪侍皇帝，于是就进入了核心集团。㉜ 张卲：刘裕的亲信，对刘裕的北伐、篡晋都有汗马之功，后又为刘义隆所亲信，任雍州刺史。传见《宋书》卷四十六。刘宋时的雍州州治侨居于襄阳。㉝ 抚军长史：抚军将军的长史，当时刘义恭任抚军将军。㉞ 南蛮校尉：荆州刺史的下属，主管南方的蛮族事宜，是荆州地区重要的统兵将军之一。㉟ 蓄聚：贪赃枉法地聚敛钱财。㊱ 下廷尉：交由全国最高的司法长官审判治罪。廷尉，犹如后代的刑部尚书。㊲ 当死：判处死刑。当，判定。㊳ 谢述：刘裕的僚属，后又为刘义隆所赏识。传见《宋书》卷五十二。㊴ 先朝旧勋：给上代皇帝立过功勋的人，指曾助刘裕讨伐桓玄，又不依附刘毅者。⑩⓪ 优贷：待遇应从优，有罪应宽赦。⑩① 手诏酬纳：亲手写回信表明采纳。⑩② 矜卲夙诚：体怜张卲旧日的一向忠诚。矜，怜念。夙，平素、旧日。⑩③ 曲恕：不该恕而恕；网开一面而加以饶恕。⑩④ 谬会：刚好碰巧了。“谬”字是客气用语。⑩⑤ 若此迹宣布：这件事如果传扬出去。此迹，指劝文帝宽待张卲事。⑩⑥ 侵夺主恩：即今所谓“掠人之美”，抢着做人情。⑩⑦ 对前焚之：当面把上书的草稿烧掉了。⑩⑧ 七月己酉：七月初一。⑩⑨ 河西：今黄河以西的内蒙古、宁夏一带地区。⑪⓪ 八月乙酉：八月初七。⑪① 己丑：八月十一日。⑪② 固求解职：当时刘义庆任尚书左仆射，并领有丹杨尹之职。⑪③ 甲辰：八月二十六日。⑪④ 九月癸丑：九月初六。⑪⑤ 庚申：九月十三日。⑪⑥ 清俭：清廉、俭朴。⑪⑦ 熊皮鄣泥：用熊皮制作的马鞍下的垫布，下垂于马腹两侧，以障尘土。⑪⑧ 历颂群臣：逐个地把大臣们歌颂一遍。⑪⑨ 太常：朝官名，负责礼乐、祭祀诸事。⑫⓪ 册：也写作“策”，皇帝加封子弟与功臣时所使用的一种文体，内容包括对该受封者所加的封号，所赐予的疆土，以及对受封者所告诫、勉励的言语等。⑫① 与魏升降：犹言与魏国同盛衰、共存亡。刘邦分封功臣时有所谓“黄河如带，泰山若砺，国土永存，爰及苗裔”，意思与此相似。⑫ 北尽穷发：向北直到极远的不毛之地。⑬ 南极庸、岷：向南直到上庸、岷山。上庸，县名，县治在今湖北竹山西南，也是上庸郡的郡治所在地。岷山，在今四川松潘北，是四川北部与甘肃邻近地区的大山。⑭ 西被昆岭：向西直到昆仑山。被，加，这里也是“到达”的意思。⑮ 河曲：犹言“河套”，即今内蒙古巴彦淖尔市一带地区。⑯ 王实征之：在以上广大的区域内，凡有不遵王命、不服管教的势力，你都可以征讨。《史记·齐太公世家》写周天子封姜太公为齐国君主时有所谓“五侯九伯，若实征之，以夹辅周室”；又赐太公履，曰“东至海，西至河，南至穆陵，北至无棣”云云，魏主之册文乃效《史记》。⑰ 夹辅皇室：以扶助、辅佐我们魏国的皇家。夹，扶、左右搀扶。皇室，指拓跋氏政权。⑱ 承制假授：以魏主的名义分封、任命所属地区的官爵。假授，委任。假，加、予。⑲ 警跸：指帝王出门时的清道、戒严。⑳ 如汉初诸侯王故事：像西汉初期所封的诸侯王韩信、彭越等那种样子。西汉初期诸侯王国的政权建置与中央天子相同，诸侯王有自己任命丞相、都尉以外其他官吏的权力。㉑ 壬申：九月二十五日。㉒ 二寇：指西秦乞伏氏与夏赫连氏政权。㉓ 理废职：重振已经荒废了的职业、事业。㉔ 举逸民：选拔任用遗漏在山村草野的卓越人才。㉕ 皆贤儁之胄：都是前代贤人的子孙。胄，后裔。㉖ 冠冕州邦：都是各州郡的佼佼者。㉗ 我有好爵二句：二句见《易经·中孚卦》。意思是我有好的爵位，要与你共同享受。縻，系，把印绶系在你身上，即“加封”“委任”的意思。㉘ 以礼发遣：按照礼节发送他们到朝廷来。㉙ 差次叙用：排出等级顺序，依次任用。〖按〗上述诸人，卢玄传见《魏书》卷四十七，李灵传见《魏书》卷四十九，游雅传见《魏书》卷五十四，张伟传见《魏书·儒林传》。㉚ 谌：即卢谌，东晋初人，字子谅，曾任敌后抗战英雄刘琨的从事中郎，刘琨死前曾写过《重赠卢谌》诗。其后卢谌辗转于石氏之间，冉闵之败，遂死于兵。传见《晋书》卷四十四。㉛ 顺：即李顺，字德正，拓跋焘时的名臣。传见《魏书》卷三十六。㉜ 子真：即卢玄，字子真。㉝ 整流品：指清理朝野士人的人品等级。㉞ 明辨姓族：查清各家族姓氏统系的源流。㉟ 讵有几人：犹言“能有几人”，意谓赞成者不多。讵，也写作“渠”，意思相同。㊱ 昭成帝：即什翼犍，魏国的前代君主，谥曰昭成。㊲ 平：抵偿。㊳ 一备五：指偷一赔五。备，赔偿。㊴ 四部大人：指东、西、南、北四大区的最高长官。㊵ 决辞讼：审判案件。㊶ 太祖：指拓跋珪，时称道武帝，庙号太祖。㊷ 前代律令：指中原地区前代实行的律令。㊸ 三公郎王德删定：事见本书卷一百一十隆安二年。三公郎，官名，尚书省各部门的郎官之一，犹如今之中央各部部长。㊹ 季年被疾：拓跋珪因服寒食散，晚年时常犯病，暴躁无常。季年，晚年、末年。㊺ 刑罚滥酷：拓跋珪刑罚滥酷的情景，见本书卷一百一十隆安四年。㊻ 太宗：拓跋嗣，时称明元帝，庙号太宗。㊼ 吏文：指法律条文。㊽ 十月戊寅：十月初一。㊾ 五岁、四岁刑：指五年、四年期限的徒刑。㊿ 巫蛊：以巫术陷人于病、死。(161) 羖羊：黑羊。(162) 官阶九品：谓九品以上的官员。(163) 以官爵除刑：让出官爵以减免刑罚。⑯决：犹今之所谓“执行”。⑯阙左：宫门的左侧。阙，古代的双阙，即后代的宫门两侧的五凤楼。⑯悬登闻鼓：悬挂在宫前让有事者自己击鼓以求见。⑯达冤人：使有冤情者得以上达。⑯十一月丙辰：十一月初十。⑯敕勒莫弗库若干：敕勒族（即高车）的君主名叫库若干。莫弗，犹匈奴之所谓“单于”，是臣民对其君长的称呼。⑰诣魏主行在：把野兽驱赶到魏主出巡中途停歇的地方。天子以四海为家，停宿哪里，就称哪里为“行在”或“行在所”。⑰十二月丁丑：十二月初一。⑰凉王：即北凉王沮渠蒙逊。⑰九德：郡名，郡治即今越南荣市，上属于交州，当时为刘宋所管辖。⑰交州：州治龙编，在今越南河内东北，当时属刘宋王朝所管辖。

【原文】

九年（壬申，公元四三二年）

春，正月丙午[175]，魏主尊保太后窦氏[176]为皇太后，立贵人赫连氏为皇后，子晃为皇太子。大赦，改元“延和”。

燕王[177]立慕容后之子王仁[178]为太子。

三月庚戌[179]，卫将军王弘进位太保，加中书监。丁巳[180]，征南大将军檀道济进位司空，还镇寻阳[181]。

壬申[182]，吐谷浑王慕璝送赫连定于魏，魏人杀之。慕璝上表曰：“臣俘擒僭逆[183]，献捷王府，爵秩虽崇而土不增廓[184]，车旗既饰[185]而财不周赏[186]。愿垂[187]鉴察。”魏主下其议[188]。公卿以为：“慕璝所致[189]唯定而已，塞外之民皆为己有，而贪求无厌，不可许也。”魏主乃诏曰：“西秦王[190]所得金城、枹罕、陇西[191]之地，朕即与之，乃[6]是裂土[192]，何须复廓[193]？西秦款至[194]，绵绢随使疏数，临时增益[195]，非一赐而止[196]也。”自是慕璝贡使至魏者稍简。

魏方士祁纤奏改代为万年[197]，以[7]代尹[198]为万年尹，代令[199][8]为万年令。崔浩曰：“昔太祖应天受命，兼称代、魏[200]以法殷商[201]。国家

【校记】

［1］草谷：据章钰校，甲十一行本、乙十一行本、孔天胤本二字皆互乙。［2］拜侍中：原无此三字。据章钰校，甲十一行本、乙十一行本、孔天胤本皆有此三字，张敦仁《通鉴刊本识误》同，今据补。［3］冶城：原作“治城”。据章钰校，甲十一行本、乙十一行本皆作“冶城”，今据改。［4］西秦王：据章钰校，乙十一行本“西”上有“封”字。［5］州：原作“周”。胡三省注云：“‘周’当作‘州’。”据章钰校，甲十一行本、乙十一行本皆作“州”，今据改。

【语译】

九年（壬申，公元四三二年）

春季，正月初一丙午，北魏太武帝拓跋焘尊奉保太后窦氏为皇太后，册封贵人赫连氏为皇后，立皇子拓跋晃为皇太子。实行大赦，改年号为“延和”。

北燕王冯弘立王后慕容氏所生的儿子冯王仁为王太子。

三月初六庚戌，宋国担任卫将军的王弘晋升为太保，加授中书监。十三日丁巳，提升担任征南大将军的檀道济为司空，檀道济从京师建康返回寻阳镇守。

三月二十八日壬申，吐谷浑王慕容慕璝将俘虏的夏国国王赫连定押送给北魏，北魏将赫连定杀死。慕容慕璝上表给北魏太武帝拓跋焘说：“我出兵俘虏了背叛魏国、自称尊号的赫连定，把胜利的消息呈献给朝廷，陛下虽然将崇高的爵位和官阶赏赐给我，然而我的地盘并没有因此而增加，我虽然有了代表地位、荣耀的仪仗队，而所得到的财物不多，还不够我赏赐部下之用。希望陛下能够体察下情。”北魏太武帝拓跋焘把吐谷浑王慕容慕璝的请求交给公卿大臣讨论。公卿大臣都认为：“吐谷浑王慕容慕璝送来的只是一个赫连定，而塞外的居民则全部被慕容慕璝占为己有，却仍然贪求无厌，不能答应他的要求。”太武帝拓跋焘遂下诏给慕容慕璝说：“西秦王所攻占的金城、枹罕、陇西等地，我已经承认归你所有，这就等于是我分封给你的土地了，哪里还用再给你另外扩大？西秦归附的使者来到平城，我们每次都会将绵绢等物品赏赐给你们，至于每次赏赐的多少，要根据你所派使者次数的多少而临时进行决定，我对你的赏赐已经不止一次了。”从此以后，吐谷浑王慕容慕璝派往北魏进贡的使者遂逐渐减少。

北魏的方士祁纤奏请太武帝拓跋焘，要求把代县改名为万年县，把代郡改称万年郡，把代县县令改称万年令，把代尹改称万年尹。担任司徒的崔浩说：“过去太祖拓跋珪顺应民心，接受天命，遂既可以称为代国，又可以称为魏国，以取法于‘殷

积德，当享年万亿，不待假名以为益[202]也。纤之所闻[203]，皆非正义，宜复旧号。”魏主从之。

夏，五月壬申[204]，华容文昭公王弘[205]卒。弘明敏有思致，而轻率少威仪，性褊隘[206]，好折辱人，人以此少[207]之。虽贵显，不营财利[208]；及卒，家无余业。帝闻之，特赐钱百万，米千斛[209]。

魏主治兵于南郊，谋伐燕。

帝遣使者赵道生聘[210]于魏。

六月戊寅[211]，司徒、南徐州刺史彭城王义康改领扬州刺史[212]。

诏分青州置冀州[213]，治历城[214]。

吐谷浑王慕璝遣其司马赵叙入贡，且来告捷[215]。

庚寅[216]，魏主伐燕。命太子晃录尚书事，时晃才五岁。又遣左仆射安原、建宁王崇[217]等屯漠南以备柔然。

辛卯[218]，魏主遣散骑常侍邓颖来聘。

乙未[219]，以吐谷浑王慕璝为都督西秦、河、沙三州诸军事，征西大将军，西秦、河二州刺史，进爵陇西王，且命慕璝悉归[220]南方将士先没于夏者[221]，得百五十余人。

又加北秦州刺史杨难当征西将军。难当以兄子保宗为镇南将军，镇宕昌[222]；以其子顺为秦州刺史，守上邽。保宗谋袭难当，事泄，难当囚之。

壬寅[223]，以江夏王义恭为都督南兖等六州诸军事、开府仪同三司、南兖州刺史，临川王义庆为都督荆、雍[9]等七州诸军事，荆州刺史，竟陵王义宣[224]为中书监，衡阳王义季[225]为南徐州刺史。初，高祖以荆州居上流之重，土地广远[226]，资实[227]兵甲居朝廷之半，故遗诏令诸子居之[228]。上以义庆宗室令美[229]，且烈武王[230]有大功于社稷，故特用之。

秋，七月己未[231]，魏主至濡水[232]。庚申[233]，遣安东将军奚斤发幽州民及密云丁零[234]万余人，运攻具，出南道，会和龙[235]。魏主至辽西[236]，燕

朝’也可以称为‘商朝’。如果能够积恩累德，国运自然会享受万年、亿年，并不需要借助一个美好的名称来延长国家的寿命。祁纤所奏报的，都不属于正义，还是应该使用原来的名称。”太武帝拓跋焘接受了崔浩的意见。

夏季，五月二十九日壬申，华容文昭公王弘去世。王弘思维敏捷，很有政治头脑，然而言行很随便，缺少威仪，性情又狭隘、急躁，喜欢折服、侮辱人，人们因此不太瞧得起他。王弘虽然官高位显，却从不为自家积累财富；等到王弘去世，家中竟然没有多余的财富。宋文帝刘义隆听说以后，特别赏赐给王弘的家属一百万钱、一千斛米。

北魏太武帝拓跋焘到南郊训练军队，打算出兵讨伐北燕。

宋文帝刘义隆派赵道生为使者前往北魏进行访问。

六月初五戊寅，宋国改由担任司徒、南徐州刺史的彭城王刘义康兼任扬州刺史。

宋文帝刘义隆下诏将青州划分出一部分，设置为冀州，冀州的州治设在历城。

吐谷浑王慕容慕璝派遣担任司马的赵叙为使者，到宋国的都城建康进贡，并将活捉夏主赫连定的事情报告给宋国朝廷。

六月十七日庚寅，北魏太武帝拓跋焘率军讨伐北燕。他令太子拓跋晃担任录尚书事，当时拓跋晃只有五岁。又派遣担任左仆射的安原、建宁王拓跋崇等率军屯驻在大漠以南，防备柔然乘虚出兵入侵。

六月十八日辛卯，北魏太武帝拓跋焘派遣担任散骑常侍的邓颖到宋国进行回访。

六月二十二日乙未，宋国任命吐谷浑王慕容慕璝为都督西秦、河、沙三州诸军事，征西大将军，西秦、河州二州刺史，晋爵为陇西王，同时命陇西王慕容慕璝全部放回被夏国俘虏的一百五十多名宋国将士。

宋国又加授北秦州刺史杨难当为征西将军。杨难当任命自己哥哥的儿子杨保宗为镇南将军，镇守宕昌；任命自己的儿子杨顺为秦州刺史，守卫上邽。杨保宗阴谋袭击杨难当，结果事情泄露，杨难当遂将杨保宗囚禁起来。

六月二十九日壬寅，宋文帝刘义隆任命江夏王刘义恭为都督南兖等六州诸军事、开府仪同三司、南兖州刺史，任命临川王刘义庆为都督荆、雍等七州诸军事，荆州刺史，任命竟陵王刘义宣为中书监，任命衡阳王刘义季为南徐州刺史。当初宋高祖刘裕因为荆州地处长江上游，地位重要，所辖地域辽阔，各种物资以及军队数量几乎占了国家的一半，所以留下遗诏，必须由自己的几位皇子轮流到荆州任职。宋文帝刘义隆认为临川王刘义庆既是皇族中的优秀人物，又有很好的声誉，而且刘义庆的父亲烈武王刘道规又为国家立有大功，所以破例任用刘义庆为荆州刺史。

秋季，七月十七日己未，北魏太武帝拓跋焘率领讨伐北燕的大军抵达濡水。十八日庚申，拓跋焘派遣担任安东将军的奚斤征调幽州的民众以及居住在密云境内的丁零族人，总计一万多人，为大军运送攻城的工具，令他们从南路进发，到北燕的都城和龙与征讨大军会合。北魏太武帝拓跋焘进抵辽西，北燕王冯弘派遣担任

王遣其侍御史崔聘奉牛酒犒师。己巳[237]，魏主至和龙。

庚午[238]，以领军将军殷景仁为尚书仆射，太子詹事刘湛为领军将军。

益州刺史刘道济，粹之弟也。信任长史费谦、别驾张熙等，聚敛兴利[239]，伤政害民，立官冶[240]，禁民鼓铸[241]而贵卖铁器，商贾失业，吁嗟满路。

流民许穆之，变姓名称司马飞龙，自云晋室近亲，往依氐王杨难当。难当因民之怨，资飞龙以兵，使侵扰益州[242]。飞龙招合蜀人，得千余人，攻杀巴兴令[243]，逐阴平[244]太守。道济遣军击斩之。

道济欲以五城[245]人帛氐奴[246]、梁显为参军督护[247]，费谦固执不与。氐奴等与乡人赵广构扇[248]县人，诈言司马殿下[249]犹在阳泉山[250]中，聚众得数千人，引向广汉[251]；道济参军程展会治中[252]李抗之，将五百人击之，皆败死。巴西[253]人唐频聚众应之。赵广等进攻涪城[254]，陷之。于是涪陵[255]、江阳[256]、遂宁[257]诸郡守皆弃城走，蜀土侨、旧俱反[258]。

燕石城[259]太守李崇等十郡降于魏。魏主发其民三万穿围堑[260]以守和龙[261]。崇，绩[262]之子也。

八月，燕王使数万人出战，魏昌黎公丘[263]等击破之，死者万余人。燕尚书高绍帅万余家保羌胡固[264]。辛巳[265]，魏主攻绍，斩之。平东将军贺多罗攻带方[266]，抚军大将军永昌王健[267]攻建德[268]，骠骑大将军乐平王丕[269]攻冀阳[270]，皆拔之。

九月乙卯[271]，魏主引兵西还，徙营丘、成周、辽东、乐浪、带方、玄菟[272]六郡民三万家于幽州。

燕尚书郭渊劝燕王送款[273]献女于魏，乞为附庸[274]。燕王曰："负衅[275]在前，结忿已深，降附取死，不如守志更图也。"

侍御史的崔聘带着牛、酒等前来慰劳魏军。二十七日己巳，北魏太武帝拓跋焘抵达和龙。

七月二十八日庚午，宋文帝刘义隆任命担任领军将军的殷景仁为尚书仆射，任命担任太子詹事的刘湛为领军将军。

宋国担任益州刺史的刘道济，是刘粹的弟弟。他信任担任长史的费谦、担任别驾的张熙等，为了搜刮民财、牟利赚钱，竟然不惜损伤官府的威信和人民的生计，他开设官办的冶炼与制造业，禁止民间鼓风铸铁打造工具，而由他掌管的官府高价出卖铁器，导致行商坐贾全部失去了赖以谋生的职业，辖区内的民众因此怨声载道。

益州流民许穆之，改名换姓为司马飞龙，他自称是晋室宗亲，前往依附于氐王杨难当。杨难当遂利用益州人对官府的怨恨，资助司马飞龙一些兵力，让司马飞龙侵扰益州。司马飞龙召集蜀地之人，得到了一千多人，司马飞龙便率领着这些人进攻巴兴，杀死了巴兴县县令，又驱逐了阴平郡太守。益州刺史刘道济派军队击败、斩杀了司马飞龙。

宋国担任益州刺史的刘道济准备任用五城人帛氐奴、梁显为参军督护，担任长史的费谦坚决反对。帛氐奴等遂与自己的同乡赵广编造事端、挑拨煽动五城县的民众，谎称司马飞龙还在阳泉山中，于是便聚集起了数千人，由帛氐奴等率领着进攻广汉；在刘道济属下担任参军的程展会同担任治中的李抗之率领五百人前往征讨，结果全部战败身亡。巴西郡人唐频聚众起兵，响应帛氐奴。赵广等率领部众进攻涪城，将涪城攻陷。此时涪陵、江阳、遂宁各郡太守全都弃城逃走，居住在蜀地境内的北方流民和旧有的居民全都起来谋反。

北燕石城太守李崇等十个郡全部投降了北魏。北魏太武帝拓跋焘便向其征调三万名民众，围绕着北燕的都城和龙深挖壕沟，将和龙围困起来。李崇，是李绩的儿子。

八月，北燕王冯弘派数万人出城作战，结果全被北魏昌黎公拓跋丘等所击败，北燕军损失了一万多人。北燕担任尚书的高绍率领着一万多户居民保卫羌胡固。初九辛巳，北魏太武帝拓跋焘亲自率军进攻守卫羌胡固的高绍，将高绍击败并斩首。北魏担任平东将军的贺多罗率领魏军进攻带方郡，担任抚军大将军的永昌王拓跋健率领魏军进攻建德郡，担任骠骑大将军的乐平王拓跋丕率军进攻冀阳，所到之处，全部告捷。

九月十四日乙卯，北魏太武帝拓跋焘率军西返，他将营丘、成周、辽东、乐浪、带方、玄菟六郡的居民总计三万户迁徙到幽州安置。

北燕担任尚书的郭渊劝说北燕王冯弘向北魏送表称臣，同时将女儿献给北魏太武帝拓跋焘，请求做北魏境内的诸侯国。北燕王冯弘说："在此之前，我们就已经与魏国结下仇怨，而且仇怨很深，即使是投降魏国，也只是前去送死，还不如立志坚守，以后看情况再决定下一步的行动计划。"

魏主之围和龙也，宿卫之士多在战陈，行宫[276]人少。云中镇将朱脩之[277]谋与南人袭杀魏主，因入和龙[278]，浮海南归。以告冠军将军毛脩之[279]，毛脩之不从，乃止。既而事泄，朱脩之逃奔燕。魏人数伐燕，燕王遣脩之南归求救。脩之泛海至东莱[280]，遂还建康，拜黄门侍郎[281]。

赵广等进攻成都，刘道济婴城自守。贼众屯聚日久，不见司马飞龙，欲散去。广惧，将三千人及羽仪[282]诣阳泉寺[283]，诈云迎飞龙。至则谓道人枹罕程道养曰："汝但自言是飞龙，则坐享富贵；不则断头！"道养惶怖许诺。广乃推道养为蜀王，车骑大将军，益、梁二州牧，改元"泰始"[284]，备置百官。以道养弟道助为骠骑将军、长沙王，镇涪城；赵广、帛氏奴、梁显及其党张寻、严遐皆为将军，奉道养还成都。众至十余万，四面围城，使人谓道济曰："但送费谦、张熙来，我辈自解去。"道济遣中兵参军裴方明、任浪之各将千余人出战，皆败还。

冬，十一月乙巳[285]，魏主还平城。

壬子[286]，以少府[287]中山甄法崇[288]为益州刺史[289]。

初，燕王嫡妃王氏，生长乐公崇，崇于兄弟为最长。及即位，立慕容氏为王后，王氏不得立，又黜崇，使镇肥如[290]。崇母弟广平公朗、乐陵公邈相谓曰："今国家将亡，人无愚智皆知之。王复受慕容后之谮[291]，吾兄弟死无日矣！"乃相与亡奔辽西，说崇使降魏，崇从之。会魏主使给事中[292][10]王德招崇，十二月己丑[293]，崇使邈如魏，请举郡降。燕王闻之，使其将封羽围崇于辽西。

魏主征诸名士之未仕者，州郡多逼遣之。魏主闻之，下诏令守宰

北魏太武帝拓跋焘在包围北燕都城和龙的时候，平时负责保护皇帝的禁卫军将士大多在前方冲锋陷阵，留在拓跋焘临时住所的警卫人员很少。朱脩之此时正在魏国云中担任镇将，他阴谋策动来自南方的汉人一起袭击、杀死太武帝拓跋焘，事成之后，便奔往北燕的都城和龙，然后从和龙渡海返回宋国。他将自己的意图告诉了冠军将军毛脩之，毛脩之不同意他的意见，朱脩之遂没有采取行动。不久密谋之事逐渐泄露出去，朱脩之惧怕被杀，遂逃往北燕。魏军屡次攻伐北燕，北燕王冯弘派遣朱脩之回到南方向宋国求救。朱脩之遂乘船渡海抵达东莱，终于返回宋国的京师建康，宋文帝刘义隆任命朱脩之为黄门侍郎。

赵广等率领部众进攻成都，刘道济在成都城四周设防，进行坚守。叛民已经在成都城下聚集了很久，仍然看不到司马飞龙的踪影，就准备各自散去。赵广看到这种情形，心里害怕，遂率领着三千人和仪仗队前往阳泉寺，对外谎称是去迎接司马飞龙。赵广到达阳泉寺之后，便对寺中的道士枹罕人程道养说："你只要说自己是司马飞龙，这样一来，你就可以坐享荣华富贵；否则的话，我立即就砍下你的脑袋！"程道养惊恐万状，只好答应。赵广于是推举道士程道养为蜀王，车骑大将军，益州、梁州二州牧，改年号为"泰始"，并设置文武百官。任命程道养的弟弟程道助为骠骑将军、长沙王，镇守涪城；叛民首领赵广、帛氐奴、梁显及其党羽张寻、严遐全都自称将军，拥着程道养回到成都。此时叛民已经聚集起十多万人，他们从四面八方包围了成都，又派人对刘道济说："你只要把费谦、张熙送出来，我们就解散而去。"刘道济派遣担任中兵参军的裴方明、任浪之各自率领一千多人出城与叛民作战，全都大败而回。

冬季，十一月初四乙巳，北魏太武帝拓跋焘回到京师平城。

十一月十一日壬子，宋国任命担任少府的中山郡人甄法崇为益州刺史，以取代刘道济。

当初，北燕王冯弘的原配夫人王氏，生下长乐公冯崇，冯崇在兄弟排行中年纪最大。等到冯弘即位为燕王之后，却封慕容氏为王后，王氏没有能够当上王后，燕王冯弘又废黜冯崇，让冯崇出去镇守肥如。冯崇的同母兄弟广平公冯朗、乐陵公冯邈互相议论说："如今国家面临着即将覆灭的危险，对于这一点，不论是有智慧的人还是愚蠢的人都看得很清楚。而父王又听信慕容王后的谗言，我们兄弟恐怕是死到临头了！"于是一同逃往辽西投奔长乐公冯崇，并劝说冯崇派使者投降北魏，冯崇接受了他们的意见。又恰好遇到北魏太武帝拓跋焘派担任给事中的王德前来招降冯崇，十二月十九日己丑，冯崇派遣冯邈前往北魏，请求献出全郡投降北魏。北燕王冯弘听到冯崇等投降北魏的消息，立即派将领封羽率军将冯崇等围困在辽西。

北魏太武帝拓跋焘征聘那些还没有出来做官的知名人士，各州郡大多采用强制的手段遣送他们前往京师平城。太武帝拓跋焘得知消息以后，遂下诏令各郡县的太

以礼申谕[294]，任其进退[295]，毋得逼遣。

初，帝以少子绍为庐陵孝献王[296]嗣，以江夏王义恭子朗为营阳王[297]嗣。庚寅[298]，封绍为庐陵王[299]，朗为南丰县[300]王。

裴方明等复出击程道养营，破之，焚其积聚。

贼党江阳杨孟子将千余人屯城南[301]，参军梁儁之统南楼[302]，投书说谕孟子，邀使入城见刘道济。道济版为主簿[303]，克期讨贼。赵广知其谋，孟子惧，将所领奔晋原[304]，晋原太守文仲兴与之同拒守。赵广遣帛氐奴攻晋原，破之，仲兴、孟子皆死。裴方明复出击贼，屡战，破之，贼遂大溃。程道养收众得七千人，还广汉，赵广别将五千余人还涪城。

先是，张熙说道济粜仓谷，故自九月末围城至十二月，粮储俱尽。方明将二千人出城求食，为贼所败，单马独还，贼众复大集。方明夜缒[305]而上，道济为设食，涕泣不能食。道济曰："卿非大丈夫，小败何苦？贼势既衰，台兵垂至[306]，但令卿还[307]，何忧于贼？"即减左右以配之[308]。贼于城外扬言，云"方明已死"，城中大恐。道济夜列炬火，出方明以示众，众乃安。道济悉出财物于北射堂[309]，令方明募人[310]。时城中或传道济已死[311]，莫有应者。梁儁之说道济遣左右给使[312]三十余人出外，且告之曰："吾病小损[313]，各听归家休息[314]。"给使既出，城中乃安，应募者日有千余人。

初，晋谢混[315]尚晋陵公主[316]。混死，诏公主与谢氏绝婚[317]。公主悉以混家事委混从子弘微[318]。混仍世宰辅[319]，僮仆千人，唯有二女，年数岁。

守县令要礼貌地向他们说明情况，是愿意入朝做官还是愿意在野为民，都尊重他们本人的意愿，官府不得强迫。

当初，宋文帝刘义隆把自己的小儿子刘绍过继给庐陵孝献王刘义真为后，把江夏王刘义恭的儿子刘朗过继给营阳王刘义符为后。十二月二十日庚寅，宋文帝刘义隆封刘绍为庐陵郡王，封刘朗为南丰县王。

裴方明等再次出兵攻打被叛民推举为蜀王的程道养的营寨，将营寨攻破，焚毁了他们积聚的各种军用物资。

叛民的党羽江阳人杨孟子率领一千多名部众驻扎在江阳城南，在益州担任参军的梁儁之居于南门城楼，负责南城的守卫，他写信给杨孟子，劝说杨孟子归降朝廷，并邀请他入城晋见益州刺史刘道济。刘道济遂任命杨孟子为主簿，与他约定日期，共同消灭叛民。叛民首领赵广得知了他们的计划，杨孟子非常恐惧，遂率领自己的属下逃奔晋原，担任晋原太守的文仲兴遂与杨孟子共同坚守晋原，抗击叛民。赵广派帛氐奴率领叛民进攻晋原，将晋原攻陷，文仲兴以及杨孟子全都战死。中兵参军裴方明再次率军出击，经过多次苦战，终于将叛民击败，叛民于是彻底崩溃。蜀王程道养召集起七千名残兵败将，退回广汉，赵广则带领着另外的五千多人回到涪城。

先前，担任别驾的张熙曾经劝说益州刺史刘道济出售仓库中的粮食，所以，从九月末叛民包围成都开始，到了十二月，粮食储备就全部被吃光用尽。中兵参军裴方明只得率领二千人出城寻找粮食，结果被叛民击败，裴方明只剩得单人独骑逃走，而叛民则乘胜重新聚集起来，再次包围了成都。裴方明趁黑夜逃到成都城下，城上垂下绳索将其吊上城去，刘道济为裴方明准备好饮食，裴方明泪流满面，根本无法下咽。刘道济劝解说："你哪里像个男子汉大丈夫，这么一点小小的失败有什么好痛苦的？叛民的士气已经逐渐衰落，朝廷的救兵即将到来，只要你回来了就好，何必担忧叛贼不被消灭？"刘道济遂把自己身边的亲兵拨出一部分给裴方明。叛民在成都城外大声宣传，说"裴方明已经被我们杀死了"，城中人听了更加恐惧。刘道济为了安定人心，便在夜间令人点燃火把，让大家都看到裴方明还活着，众人这才安下心来。刘道济把所有的财物全部拿出来摆放在刺史衙门里的演武厅，令裴方明招募军队。当时成都城中都在传说益州刺史刘道济已经病死，因此没有人前来应募。参军梁儁之建议刘道济令在自己身边的三十多名仆从各自回家，并且告诉他们说："我的病已经稍微好些了，你们这些人可以回家休息几天了。"这些仆从回到各自的家中之后，关于刘道济病死的谣言也就平息下去，城中人心安定下来，前来应募的人每天都有一千多人。

当初，东晋担任尚书左仆射的谢混娶了皇帝的女儿晋陵公主为妻。后来谢混遭到刘裕的诬陷被杀，晋安帝司马德宗遂下诏，令晋陵公主与谢家断绝关系。晋陵公主便把谢混家的事务全部委托给谢混的侄子谢弘微管理。谢混家一连几代都在朝廷中担任宰辅之臣，家中的僮仆就有一千人，却只有两个女儿，才几岁。谢弘微替谢

弘微为之纪理生业[320]，一钱尺帛[321]有文簿[322]。九年而高祖即位[323]，公主降号东乡君[324]，听还谢氏[325]。入门，室宇仓廪，不异平日；田畴垦辟，有加于旧[326]。东乡君叹曰："仆射[327]平生重此子[328]，可谓知人；仆射为不亡[329]矣！"亲旧见者为之流涕。是岁，东乡君卒，公私咸谓赀财宜归二女，田宅、僮仆应属弘微。弘微一无所取，自以私禄[330]葬东乡君。

混女夫殷叡好摴蒱[331]，闻弘微不取财物，乃夺其妻妹及伯母、两姑之分以还戏责[332]。内人[333]皆化弘微之让[334]，一无所争。或讥之[335]曰："谢氏累世财产，充殷君一朝戏责[336]。理之不允[337]，莫此为大。卿视而不言，譬弃物江海以为廉耳。设使立清名[338]而令家内不足[339]，亦吾所不取[340]也。"弘微曰："亲戚争财，为鄙之甚[341]。今内人尚能无言，岂可导之使争[342]乎？分多共少[343]，不至有乏[344]，身死之后，岂复见关也[345]？"

秃发保周[346]自凉奔魏，魏封保周为张掖公[347]。

魏李顺复奉使至凉，凉王蒙逊遣中兵校郎[348]杨定归谓顺曰："年衰多疾，腰髀不随，不堪拜伏。比[349]三五日消息小差[350]，当相见。"顺曰："王之老疾，朝廷所知；岂得自安[351]，不见诏使[352]！"明日，蒙逊延顺入至庭中[353]，蒙逊箕坐隐几[354]，无动起之状。顺正色大言曰："不谓此叟无礼乃至于此！今不忧覆亡而敢陵侮天地[355]，魂魄逝矣[356]，何用见之[357]！"握节将出[358]。凉王使定归追止之，曰："太常[359]既雅恕衰疾[360]，传闻朝廷[361]有不拜之诏[362]，是以敢自安耳。"顺曰："齐桓公[363]九合诸侯[364]，一匡天下[365]，周天子赐胙[366]，命无下拜[367]，桓公犹不敢失臣礼，下拜登受[368]。今王虽功高，未如齐桓；朝廷虽相崇重，未有不拜之诏。而

混家细心经营，即使是一文钱、一尺布都记入账簿。九年之后，宋高祖刘裕即位，他将晋陵公主降号为东乡君，允许她返回谢家去。东乡君回到谢家一看，房舍、仓廪与当初没有什么两样；农田按时耕种，荒地得到开垦，比过去经营得还要好。东乡君感慨说："尚书仆射谢混在世的时候最器重这个孩子，真可以算是有知人之明；仆射死也瞑目了！"谢家的亲朋故友看到这种情形全都感动得痛哭流涕。这一年，东乡君去世，无论是官府还是私人，都认为谢家的财物应该归谢混的两个女儿所有，而田产、房屋、僮仆等则应该归属于谢弘微。谢弘微却一无所取，他拿出自己的俸禄，安葬了东乡君。

谢混的女婿殷叡嗜好赌博，他听说谢弘微拒绝接受谢混家的财物，于是便把自己妻子的妹妹以及伯母、两个姑姑应得的家产夺走，拿去偿还自己欠下的赌债。而谢氏家里的人全都被谢弘微的不贪钱财的行为所感动，竟然没有人对殷叡的行为提出抗议。于是就有人讥讽谢弘微说："谢家几代人积累起来的财产，竟然被殷叡这小子用来还了一个早晨所欠的赌债。世界上最不公平的事情，没有比这个再大的了。而你看在眼里却连一句话都不说，这就如同把东西扔到江海里，还认为自己很廉洁。如果只为空立一个清廉的名声，而使家中财用不足、缺吃少穿，这是鄙陋至极的事情。"谢弘微回答说："亲戚之间为了钱财而发生争斗，这是最卑鄙的事情了。如今我的家里人尚且不说什么，我又岂能引导他们为了财产而去争抢呢？截长补短，勉强过得去就行了，身死之后，谁还去关心那些身外之物？"

投奔北凉的秃发保周逃出北凉，投奔了北魏，北魏封秃发保周为张掖公。

北魏担任太常的李顺再次奉命出使北凉，北凉河西王沮渠蒙逊派遣担任中兵校郎的杨定归对李顺说："凉王沮渠蒙逊已经年老体衰，加上身患多种疾病，腰腿行动不便，不能向魏国皇帝下跪叩拜。等过个三五天身体稍微有些好转，再请与使者相见。"李顺回答说："凉王年老多病，朝廷早已知道；然而岂能贪图自己的舒适，而不接见朝廷派来的使者呢！"第二天，北凉王沮渠蒙逊邀请李顺来到宫中，沮渠蒙逊伸开两腿，上身还依靠在小几上，见了李顺，根本就没有准备站起来迎接的意思。李顺表情严肃，大声地说："没有料到这个老头竟然无礼到这种程度！不担心国家被灭亡，竟敢对魏国皇帝如此无礼，我看他的灵魂已经离开躯体，变成了一个死人，我还有什么必要见他！"于是手握符节就要返回魏国向皇帝拓跋焘复命。凉王沮渠蒙逊赶紧令杨定归前去追赶他，并对李顺说："太常既然已经宽容凉王年老力衰、体弱多病，听说魏国朝廷已经有允许臣子可以不行跪拜之礼的诏令，所以才敢这样自我安闲。"李顺驳斥说："齐桓公多次召集诸侯会盟，才稳定了周襄王的统治地位，维持了周王朝的统治秩序，周天子把祭祀天地祖先用过的祭肉送给齐桓公，告诉齐桓公不要下座位行跪拜之礼，但齐桓公却不敢有失臣属的礼节，仍然走下台阶行过跪拜之礼，然后才上台去接受祭肉。如今大王虽然功高，却比不上齐桓公；朝廷虽然对你很尊重，却没有可以不下拜的诏命。而大王竟然摆出一副如此高傲怠慢的样子，这

遽自偃蹇[369]，此岂社稷之福[370]邪?”蒙逊乃起，拜受诏。

使还，魏主问以凉事。顺曰:“蒙逊控制河右逾三十年[371]，经涉艰难，粗识机变[372]，绥集荒裔[373]，群下畏服，虽不能贻厥孙谋[374]，犹足以终其一世[375]。然礼者德之舆[376]，敬者身之基[377]也。蒙逊无礼、不敬，以臣观之，不复年[378]矣。”魏主曰:“易世[379]之后，何时当灭?”顺曰:“蒙逊诸子，臣略见之，皆庸才也。如闻敦煌太守牧犍[380]，器性粗立[381]，继蒙逊者，必此人也。然比之于父，皆云不及。此殆[382]天之所以资圣明[383]也。”魏主曰:“朕方有事东方[384]，未暇西略。如卿所言，不过数年之外，不为晚也。”

初，罽宾沙门[385]昙无谶，自云能使鬼治病，且有秘术[386]。凉王蒙逊甚重之，谓之“圣人”，诸女及子妇皆往受术。魏主闻之，使李顺往征[387]之。蒙逊留不遣，仍杀之[388]。魏主由是怒凉。

蒙逊荒淫猜虐，群下苦之。

【段旨】

以上为第二段，写宋文帝元嘉九年（公元四三二年）一年间的大事。主要写：魏主拓跋焘起兵伐燕，燕之石城太守等十郡降魏，魏主发其民以围燕都和龙，燕王冯弘的旧太子冯崇与其弟冯朗、冯邈在辽西率部降魏，燕王派兵往围之。魏臣李顺出使北凉，斥责沮渠蒙逊之倨傲无礼，并预言一年后蒙逊将死，北凉将灭云云。刘宋的益州刺史刘道济与其长史费谦等聚敛兴利，伤政害民，引起民变，民变者诈称司马飞龙，为晋室近亲，率部北依氐王杨难当，杨难当资之以兵，使之为乱于益州，刘道济之僚属败死，变民攻陷涪城，涪陵、江阳、遂宁诸郡的长官皆弃城走，蜀地的土著与侨居者一时皆叛；变民将领围攻成都，刘道济与部将裴方明百方拒之，城中始得少安。吐谷浑王慕容慕璝向魏主求封求赏不

样的表现会对你们的国家有好处吗?”沮渠蒙逊这才起身，下拜，接受诏命。

北魏太常李顺在北凉完成使命之后，返回北魏的都城平城，北魏太武帝拓跋焘向李顺询问北凉的情况。李顺回答说:“凉王沮渠蒙逊控制河右地区，已经超过了三十年，他经历过各种艰难，很有一套权谋与随机应变的能力，他讨伐并安定了荒远边地的民族，部属对他也很敬畏，虽然没有长谋远虑，为儿孙留下完善的基业，但在他统治凉州的时候，是不会被人消灭的。不过，重礼是有德的表现，对人恭敬是立身的基础。沮渠蒙逊既傲慢无礼，又不懂得恭敬，依我看，沮渠蒙逊大概活不过一年了。”太武帝拓跋焘说:“沮渠蒙逊的后代继承他的王位之后，什么时候会灭亡?”李顺回答说:“沮渠蒙逊的几个儿子，我粗略地观察了一下，全都是些庸才。好像听说担任敦煌太守的沮渠牧犍，其气度品性大致还可以，继承沮渠蒙逊的一定会是他。然而沮渠牧犍与他的父亲沮渠蒙逊相比较，都说他比不上沮渠蒙逊。这恐怕是上天在用这种办法帮助圣明的陛下完成统一天下的伟大功业吧。”北魏太武帝拓跋焘说:“我正对东方的燕国用兵，没有时间顾及向西方发展。如果真的像你所说的那样，灭掉凉国也不过是几年之后的事情，还不算晚。”

当初，从罽宾国来的和尚昙无谶，自称能够驱使鬼神为人治病，并且有秘密法术。北凉王沮渠蒙逊非常尊敬他，把他称作“圣人”，沮渠蒙逊的几个女儿以及儿媳妇全都到昙无谶那里让他传授如何多生子女的法术。北魏太武帝拓跋焘得知消息，就派遣担任太常的李顺前往北凉征召昙无谶。北凉王沮渠蒙逊却留住昙无谶不放，最后竟然将昙无谶杀死。北魏太武帝拓跋焘对北凉王沮渠蒙逊的行为非常愤怒。

北凉王沮渠蒙逊荒唐淫乱、猜忌暴虐，部属深受其苦。

果，又遣使入朝于刘宋，刘宋封之为陇西王。谢弘微当年在谢混被杀，受谢混之妻晋陵公主之托，为谢混家持家理财，其后一无所取之清廉无私。刘宋的权臣王弘死，家无余财，刘义隆之弟刘义康又领扬州刺史，刘义庆为荆州刺史，刘义恭为南兖州刺史。

【注释】

⑰⑤ 正月丙午：正月初一。⑰⑥ 保太后窦氏：拓跋嗣之妃，拓跋焘的养母。保是谥号。⑰⑦ 燕王：冯跋之弟冯弘。⑰⑧ 王仁：即冯王仁。⑰⑨ 三月庚戌：三月初六。⑱⓪ 丁巳：三月十三日。⑱① 还镇寻阳：由历城还军建康，又由建康回寻阳。寻阳即今江西九江，当时的军事重地，又是江州的州治所在地。⑱② 壬申：三月二十八日。⑱③ 僭逆：称王作乱者，指赫连定。⑱④ 土不增廓：地盘没有增加、扩大。⑱⑤ 车旗既饰：仪仗队是有了。车

旗，指王者的车驾旌旗。⑱财不周赏：指所得的钱财不多，还不够赏赐部下之用。指与沮渠蒙逊所受的奖赏相比而言。⑱垂：谦辞，犹言“请您留意”。⑱下其议：把他的请求交给群臣讨论。⑱所致：所送来的东西。⑲西秦王：指吐谷浑王慕璝，魏主新封之为西秦王。⑲金城、枹罕、陇西：三郡名，金城郡的郡治在今兰州西北侧，枹罕郡的郡治在今甘肃临夏，陇西郡的郡治在今甘肃陇西东南侧，以上地区是西秦的地盘，也有时被沮渠蒙逊或赫连氏政权所占有。此时都被吐谷浑所占据。⑲乃是裂土：这就等于是我所分封给你的土地了，但从实际而言那是慕容慕璝自己开拓来的。⑲何须复廓：哪里还用我再给你另加扩大。⑲西秦款至：西秦归附的使者一到平城。款，真情，这里指衔命而来的使者。⑲绵绢随使疏数二句：随着使臣来的次数的多少，临时决定增减其赏赐数额。疏数，疏密。⑲非一赐而止：我已经赏赐过你们好多次了。⑲改代为万年：把代县改名叫万年县，把代郡改名叫万年郡。⑲代尹：代郡的行政长官，与“太守”的职务、级别都相同。就晋、宋的情况看，国家都城所在的郡，其行政长官称“尹”，如“丹杨尹”是也。⑲代令：代县县令。⑳兼称代、魏：既可称代国，也可称魏国。就如同商朝也可称殷朝一样。⑳以法殷商：以取法于“殷朝”也可以称为“商朝”。⑳不待假名以为益：没必要靠着一个好名称来延长我们的年头。假，借用。益，延长。⑳所闻：所奏闻；所禀报。⑳五月壬申：五月二十九日。⑳华容文昭公王弘：华容公是王弘的封号，文昭是王弘的谥号。⑳褊隘：狭隘、急躁。⑳少：短；瞧不起。⑳不营财利：不擅长理财，不积累财富。⑳斛：容量单位，等于一石，十斗。⑳聘：访问。㉑六月戊寅：六月初五。㉑改领扬州刺史：原来王弘任扬州刺史，今王弘死，故由刘义康兼任。领，兼任。㉑置冀州：刘宋的侨置冀州下属广川、平原、清河、乐陵、魏郡、河间、顿丘、高阳、勃海九郡。㉑治历城：州治设在历城，即今山东济南。㉑告捷：指俘获赫连定之捷。㉑庚寅：六月十七日。㉑建宁王崇：即拓跋崇，拓跋焘之弟。㉑辛卯：六月十八日。㉑乙未：六月二十二日。㉒悉归：全部放回。㉒南方将士先没于夏者：指景平二年（公元四二四年）刘义真由长安溃败时被夏人俘去的将士，后吐谷浑灭夏，这些人又到了吐谷浑。㉒宕昌：在今甘肃宕昌西南。㉒壬寅：六月二十九日。㉒竟陵王义宣：即刘义宣，刘义隆之弟。传见《宋书》卷六十八。㉒衡阳王义季：即刘义季，刘义隆之弟。传见《宋书》卷六十一。㉒土地广远：指荆州所属的地盘大。㉒资实：指各种后勤物资。㉒令诸子居之：让他的儿子们轮流在荆州任职。㉒宗室令美：皇族中的优秀人物。令，也是“美”的意思，偏于指人的品德才干而言。㉓烈武王：指临川王刘道规，烈武是谥号。刘道规是刘裕之弟，在讨伐桓玄与消灭卢循的战役中建有大功。传见《宋书》卷五十一。㉓七月己未：七月十七日。㉓濡水：今滦河上游，流经今河北的沽源、承德、卢龙，在乐亭南入海。㉓庚申：七月十八日。㉓密云丁零：居住在密云的丁零族人。密云曾是郡名，郡治白檀，在今北京市密云水库东北的长城边上。㉓和龙：也叫龙城，即今辽宁朝阳，当时为北燕冯氏政权的都城。㉓辽西：郡名，北魏的辽西郡治肥如，在今河北迁安东北。㉓⑦己巳：七月二十七日。㉓⑧庚午：七月二十八日。㉓⑨聚敛兴利：搜刮民财，牟利赚钱。㉔⓪立官冶：开设官办的炼铁与制造事业。㉔①禁民鼓铸：不许百姓鼓风铸造铁工具。㉔②益州：州治即今四川成都。㉔③巴兴令：巴兴县令。巴兴，即今四川蓬溪。㉔④阴平：郡名，郡治在今甘肃文县西。㉔⑤五城：即今四川中江。㉔⑥帛氏奴：人名。㉔⑦参军督护：都督帐下的军官名。㉔⑧构扇：编造事端、挑拨煽动。㉔⑨司马殿下：指司马飞龙。㉕⓪阳泉山：阳泉县的山区。阳泉县在今四川德阳西。㉕①广汉：郡名，郡治雒县，在今四川广汉北。㉕②治中：官名，州刺史的高级僚属。㉕③巴西：郡名，郡治在今四川绵阳东。㉕④涪城：在今四川三台西北。㉕⑤涪陵：郡名，郡治在今重庆涪陵东北。㉕⑥江阳：郡名，郡治即今四川泸州。㉕⑦遂宁：郡名，郡治即今四川蓬溪县。㉕⑧蜀土侨、旧俱反：居住在蜀地的北方流民和旧有居民全都造反了。侨，指侨置郡县的流亡人口。㉕⑨石城：郡名，郡治在今辽宁建昌西。㉖⓪穿围堑：环城挖深沟，使城中人不能出来。㉖①以守和龙：将和龙围困住。㉖②绩：前燕慕容儁的部下。事见本书卷一百升平三年。㉖③昌黎公丘：即拓跋丘。㉖④羌胡固：具体方位不详。㉖⑤辛巳：八月初九。㉖⑥带方：郡名，郡治在今朝鲜平壤南的沙里苑东南。〖按〗北燕冯氏政权的领域似难达此处，疑另有带方在今辽宁西部。㉖⑦永昌王健：即拓跋健，拓跋焘之弟。传见《魏书》卷十七。㉖⑧建德：北燕郡名，郡治在今辽宁建昌西北。㉖⑨乐平王丕：即拓跋丕，拓跋焘之弟。传见《魏书》卷十七。㉗⓪冀阳：郡名，在今朝鲜平壤南。此处之“冀阳”疑亦在今辽宁西部。㉗①九月乙卯：九月十四日。㉗②营丘、成周、辽东、乐浪、带方、玄菟：都是后燕以来取用他处地名，在今辽宁西部设置的小郡。㉗③送款：指送表称臣，表示归降。㉗④乞为附庸：请求做魏国境内的诸侯国。㉗⑤负衅：犹言“结仇”，指扣押北魏使者于什门。事见《魏书·节义传》。㉗⑥行宫：指魏主拓跋焘在外的临时住所。㉗⑦朱脩之：原是刘宋将领，孤军坚守滑台，英勇卓绝，城破被魏人所俘，魏主任以为将军。事见本书上卷。传见《宋书》卷七十六。㉗⑧因入和龙：当时冯氏政权与刘宋通好，故可以向北燕借路南归。㉗⑨毛脩之：原为刘裕的将领，刘义真关中撤退时，被夏兵俘获。后来夏主赫连昌被魏人所灭，毛脩之遂又失落于魏国，为魏主做饭。传见《宋书》卷四十八。㉘⓪东莱：郡名，郡治掖县，即今山东莱州。㉘①黄门侍郎：皇帝身边的侍从官员。㉘②羽仪：指用羽毛装饰的仪仗，这里即指仪仗队。㉘③阳泉寺：阳泉山中的寺庙。㉘④改元“泰始”：“泰始”是西晋司马炎的年号（公元二六五至二七四年），赵广等以复晋为名，故仍用西晋年号以唤起人心。㉘⑤十一月乙巳：十一月初四。㉘⑥壬子：十一月十一日。㉘⑦少府：朝官名，主管为宫廷制造各种器物并负责为皇家理财。㉘⑧中山甄法崇：中山郡人甄法崇。中山郡的郡治即今河北定州。㉘⑨为益州刺史：以取代贪饕而又无能的刘道济。㉙⓪肥如：当时为辽西郡的郡治，在今河北迁安东北。㉙①谮：说人坏话。㉙②给事中：皇帝的侍从官员。㉙③十二月己丑：十二月十九日。㉙④申谕：说明情况。㉙⑤任其进退：入朝为官还是在野为民都任其自便。㉙⑥庐陵孝献王：即刘义真，刘裕之子，刘义隆之兄，被徐羡之等所杀。庐陵王是其封号，孝献是谥号。㉙⑦营阳王：即废帝刘义符，刘义隆之兄。㉙⑧庚寅：十二月二十日。㉙⑨庐陵王：庐陵郡王。庐陵郡的郡治在今江西吉水东北。㉚⓪南丰县：县治在今江西广昌东。㉚①城南：江阳县城南。当时的江阳县即今四川泸州。㉚②统南楼：居于南门城楼，负责南城的守卫。统，管理。㉚③版为主簿：任以为主簿。版，犹如今之委任状。主簿，州刺史的高级僚属，掌管文书。㉚④晋原：郡名，郡治在今四川崇州西北。㉚⑤縋：用绳子吊。㉚⑥台兵垂至：朝廷的军队很快就要到来。㉚⑦但令卿还：谓只要你回来了就好。但，只。㉚⑧减左右以配之：把自己身边的人拨出一部分归他统领。㉚⑨射堂：刺史衙门里的演武厅。㉛⓪募人：招募军队。㉛①已死：已经病死。㉛②左右给使：身边听候支使的人。㉛③吾病小损：我的病情减轻。㉛④各听归家休息：你们可以回家休息几天了。听，任便。〖按〗称自己的病情转好，令身边的人回家休息，是故意示人以从容闲暇。㉛⑤谢混：谢安之孙，谢琰之子。传见《晋书》卷七十八。㉛⑥尚晋陵公主：娶晋安帝之女为妻。尚，上配，即“娶”。㉛⑦与谢氏绝婚：谢混是刘毅一党，因反对刘裕被刘裕所杀，晋安帝为保护女儿只好将女儿召回娘家。谢混被杀在晋安帝义熙八年（公元四一二年）。㉛⑧弘微：刘裕时的名臣，谢思之子，谢混之堂侄，过继于谢混之弟谢峻。传见《宋书》卷五十八。㉛⑨仍世宰辅：一连几代为辅相之臣。仍，意思同“频”。㉜⓪纪理生业：管理其全家的生计、生活。纪理，经营、管理。㉜①一钱尺帛：一文钱，一尺帛，以言其一切开支。㉜②有文簿：都要登记上账。㉜③高祖即位：指刘裕篡晋称帝。㉜④降号东乡君：刘裕篡晋后，自己的女儿称“公主”，旧时晋朝皇帝的女儿则一律降号称“君”，故晋陵公主也就成了“东乡君”。㉜⑤听还谢氏：允许她还回到婆家去住。㉜⑥有加于旧：比过去经营得还要好。㉜⑦仆射：指谢混，谢混曾为尚书左仆射。㉜⑧平生重此子：生前一向夸奖这个孩子。㉜⑨不亡：犹今之所谓“瞑目”“死而无憾”。㉝⓪私禄：自己的俸禄。㉝①摴蒱：也作“樗蒲”。古代的赌博工具，近似于今之掷色子。㉝②戏责：赌债。戏，博戏，即上所谓“摴蒱”。责，同“债”，赌输所欠的钱。㉝③内人：指谢氏的家里的人。㉝④化弘微之让：被谢弘微不贪钱财的行为所感动。化，被……所感动。㉝⑤讥之：讥讽谢弘微。㉝⑥充殷君一朝戏责：被殷叡这个小子用来还了一个早晨的赌债。㉝⑦理之不允：世界上最不公平的事情。不允，不公平。㉝⑧立清名：空立一个“清廉”的好名声。㉝⑨而令家内不足：到头来把家里弄得缺吃少穿。㉞⓪亦吾所不取：这也是我们所不赞成的。㉞①为鄙之甚：这是最鄙陋的事情了。㉞②导之使争：引导他们为财产而争抢起来。㉞③分多共少：犹言取有余补不足。共，同“供”。㉞④不至有乏：即能勉强过得去也就行了。㉞⑤身死之后二句：等人死了之后，还有人关心这些钱财的事情吗。也，同“耶”。反问语气词。㉞⑥秃发保周：秃发傉檀之子，义熙十年（公元四一四年）秃发氏被乞伏氏所灭后，秃发保周等往投沮渠蒙逊，今又往投魏国。㉞⑦张掖公：本书卷一百一十六作“张掖王”，互相抵迕。㉞⑧中兵校郎：帝王的侍卫军官名。㉞⑨比：及；等。犹今之所谓“再过”。㉟⓪消息小差：病症略好。㉟①自安：贪图自己的舒适。㉜诏使：朝廷派来的使者。㉝庭中：宫中。㉞箕坐隐几：两腿直伸，上身还趴在小桌上。古人的所谓“坐”，即跪坐。如果臀部落席，两腿直伸，其状如箕，这叫“箕坐”，是一种不礼貌、没有规矩的坐姿。隐几，上身趴在小几上，这是一种懒散、休息的样子。㉟陵侮天地：以喻其对魏国皇帝无礼。天地，以喻帝王，帝王对臣民如天之覆，如地之载。㊱魂魄逝矣：这个人的灵魂已经离开躯体，已经成了死人。㊲何用见之：还有什么必要再见他。㊳握节将出：准备立即回去，向魏国皇帝复命。节，旌节，以竹为之，以旄牛尾为饰，是皇帝特派人员所持的凭证。㊴太常：敬称李顺，李顺在魏任太常。㊵雅恕衰疾：宽容了有病的我。雅，感谢对方的谦辞。㊶传闻朝廷：我听说魏国。㊷不拜之诏：有允许臣子可以不拜谢的诏令。㊸齐桓公：名小白，春秋时代的齐国诸侯，公元前六八五至前六四三年在位，是有名的“春秋五霸”之首。㊹九合诸侯：多次召集诸侯会盟。㊺一匡天下：指稳定了周襄王的统治地位，维持了周王朝的统治秩序。周襄王之弟王子带勾结戎狄颠覆周襄王之统治事，见《左传》与《史记·齐太公世家》。㊻赐胙：把祭天祭祖用过的祭肉送给齐桓公。周天子将祭祀天地的肉分与诸侯大臣，是对该诸侯大臣的专宠。㊼命无下拜：当时告诉齐桓公，让他不要下座位行拜谢之礼。㊽下拜登受：但齐桓公还是坚持走下台阶行跪拜礼，再上台去接过祭肉。〖按〗《左传》记此事说：“周天子使宰孔赐齐侯胙，曰：“天子有事于文武，使孔赐伯舅胙。”齐侯将下拜，孔曰：‘且有后命。天子使孔曰：以伯舅耋老，加劳，赐一级，无下拜。’”齐桓公说：“天威不违颜咫尺，小白余敢贪天子之命，无下拜？恐陨越于下，以遗天子羞，敢不下拜？”于是他“下拜登受”。㊾遽自偃蹇：竟然摆出一种如此高傲怠慢的样子。遽，居然；竟然。㊿此岂社稷之福：你这样的表现会对你们国家有好处么。(371)逾三十年：超过了三十年。〖按〗沮渠蒙逊于晋安帝隆安五年（公元四〇一年）杀段业自立为王，至今已三十一年。(372)粗识机变：很有一套权谋与随机应变的能力。粗识，稍微明白一点。这是在帝王面前的一种婉转的说话艺术，也可以用为自己的谦辞。(373)绥集荒裔：讨伐并安定了荒远的边地。绥集，犹言安抚。(374)贻厥孙谋：为其儿孙作打算，意即传国于他的后代。(375)犹足以终其一世：在他统治凉州的时候，是不会被人消灭的。(376)礼者德之舆：重礼是有德的表现。(377)敬者身之基：对人恭敬是立身的基础。(378)不复年：不能再活过一年。(379)易世：改代，指沮渠蒙逊死后，其子上台。(380)牧犍：沮渠蒙逊之子。(381)器性粗立：气质、人格大致具备。粗，大致、初步。与前文“粗识机变”的“粗”字用法相同。(382)殆：大概；差不多。(383)天之所以资圣明：老天爷用这种办法来帮助圣明的帝王完成统一天下的大业。资，助。(384)有事东方：指讨伐北燕。(385)罽宾沙门：罽宾国来的和尚。罽宾是西域国名，在今克什米尔一带，是佛教大乘教派的发源地。沙门，意即和尚。(386)秘术：如所谓使妇女多子等。(387)征：调，调其到魏国京城。(388)仍杀之：乃将其杀死，大概是不希望让魏国君主的儿子太多。仍，这里同“乃”。

【校记】

［6］乃：严衍《通鉴补》改作“使”。［7］以：原无此字。据章钰校，乙十一行本有此字，今据补。［8］代令：原作“以代令”。据章钰校，甲十一行本、乙十一行本皆无“以”字，今据删。［9］荆雍：据章钰校，孔天胤本二字互乙。［10］给事中：原作“给事郎”。严衍《通鉴补》改作“给事中”，今据以校正。〖按〗《魏书·岛夷冯跋列传》作“给事中”。

【原文】

十年（癸酉，公元四三三年）

春，正月乙卯[389]，魏主遣永昌王健督诸军救辽西[390]。

己未[391]，大赦。

丙寅[392]，魏以乐安王范[393]为都督秦、雍等五州诸军事，卫大将军，开府仪同三司，长安镇都大将[394]。魏主以范年少，更选旧德[395]平西将军崔徽、征北大将军雁门张黎为之副，共镇长安。徽，宏[396]之弟也。范谦恭宽惠，徽务敦大体[397]，黎清约[398]公平，政刑简易，轻傜薄赋，关中遂安。

二月庚午[399]，魏主以冯崇为都督幽平东夷诸军事，车骑大将军，幽、平二州牧，封辽西王，录其国尚书事[400]，食辽西十郡，承制假授[401]尚书、刺史、征虏[402]已下官。

魏平凉休屠[403]征西将军金崖、羌泾州刺史狄子玉[404]与安定镇将[405]延普争权。崖、子玉举兵攻普，不克，退保胡空谷[406]。魏主以虎牢镇大将[407]陆俟为安定镇大将，击崖等，皆擒之。

魏主征陆俟为散骑常侍，出为怀荒[408]镇大将。未期岁[409]，高车诸莫弗[410]讼俟[411]严急无恩，复请前镇将郎孤。魏主征俟还，以孤代之。俟既至，言于帝曰：“不过期年，郎孤必败，高车必叛。”帝怒，切责之，

【语译】

十年（癸酉，公元四三三年）

春季，正月十五日乙卯，北魏太武帝拓跋焘派遣永昌王拓跋健率领各路大军前往辽西救援准备投降北魏的冯崇。

正月十九日己未，宋国实行大赦。

正月二十六日丙寅，北魏任命乐安王拓跋范为都督秦、雍等五州诸军事，卫大将军，开府仪同三司，长安镇都大将。太武帝拓跋焘因为乐安王拓跋范年纪太小，所以就又挑选德高望重的老前辈平西将军崔徽、征北大将军雁门人张黎作为他的副手，共同镇守长安。崔徽，是崔宏的弟弟。拓跋范为人谦恭宽厚，好施恩惠，崔徽为人注重抓大事，张黎清静俭朴，办事公平，政事简单，刑罚公正，注意减轻人民的赋税和徭役，关中地区逐渐安定下来。

二月初一庚午，北魏太武帝拓跋焘任命冯崇为都督幽平东夷诸军事，车骑大将军，幽州、平州二州州牧，封为辽西王，总管燕国尚书省的一切事务，划分辽西等十个郡作为冯崇的封地，在自己的王国之内可以以魏国皇帝的名义直接任命自己辖区内的尚书、刺史、征虏将军以下级别的官吏。

北魏担任征西将军的平凉地区匈奴休屠部落人金崖、担任泾州刺史的羌族人狄子玉与担任安定镇将的延普在争夺权力。金崖遂与狄子玉出兵攻打延普，没有取胜，便撤退到胡空谷据守。北魏太武帝拓跋焘任命担任虎牢镇大将的陆俟为安定镇大将，率军攻打金崖等，将他们全部抓获。

北魏太武帝拓跋焘征调担任安定镇大将的陆俟回到朝廷担任散骑常侍，接着又出任怀荒镇大将。陆俟在怀荒镇大将任上不到一年的时间，高车族各部落首领便向朝廷控告陆俟执法严苛、性情急躁、没有恩德，请求允许原任镇将郎孤担任怀荒镇大将。北魏太武帝拓跋焘遂将陆俟召回，令郎孤代替陆俟担任怀荒镇大将。陆俟回到朝廷之后，对太武帝拓跋焘说："用不了一年，郎孤必然失败，高车人肯定会发动叛乱。"太武帝拓跋焘非常愤怒，对陆俟严加责备，令陆俟带着建业公的爵位回家赋闲。

使以建业公归第[412]。明年，诸莫弗果杀郎孤而叛。帝大惊，立召俟问之曰："卿何以知其然也？"俟曰："高车不知上下之礼[413]，故臣临之以威，制之以法，欲以渐训导[414]，使知分限[415]。而诸莫弗恶臣所为，讼臣无恩，称孤之美。臣以罪去，孤获还镇，悦其称誉，益收名声，专用宽恕待之。无礼之人，易生骄慢，不过期年，无复上下，孤所不堪，必将复以法裁之。如此，则众心怨怼，必生祸乱[416]矣。"帝笑曰："卿身虽短，思虑何长也！"即日复以为散骑常侍。

壬午[417]，魏主如河西，遣兼散骑常侍宋宣来聘，且为太子晃求婚。帝依违[418]答之。

刘道济卒，梁儁之、裴方明等密埋其尸于斋后，诈为道济教命[419]以答签疏[420]，虽其母、妻亦不知也。程道养于毁金桥[421]登坛郊天[422]，方明将三千人出击之，道养等大败，退保广汉[423]。

荆州刺史临川王义庆以巴东[424]太守周籍之督巴西[425]等五郡诸军事，将二千人救成都。

三月，亡人[426]司马天助降于魏，自称晋会稽世子元显[427]之子。魏人以为青、徐二州刺史，东海公[428]。

壬子[429]，魏主还宫。

赵广等自广汉至郫[430]，连营百数。周籍之与裴方明等合兵攻郫，克之，进击广等于广汉，广等走还涪及五城[431]。夏，四月戊寅[432]，始发刘道济丧。

帝闻梁、南秦二州[433]刺史甄法护刑政不治，失氐、羌之和，乃自徒中[434]起萧思话为梁、南秦二州刺史。法护，法崇[435]之兄也。

凉王蒙逊病甚，国人共议，以世子菩提幼弱，立菩提之兄敦煌太

第二年，高车各部落首领果然杀死了怀荒镇大将郎孤，起兵叛变。太武帝不禁大吃一惊，立即召见陆俟，向陆俟询问说："你是怎么知道高车部落首领会杀死郎孤叛变的?"陆俟回答说："高车人不懂得下级应该服从上级的道理，所以我只能用威严对待，运用法律进行制裁，准备采用循序渐进的办法慢慢引导他们知晓礼仪，懂得上尊下卑的等级约束。而各部落首领开始怨恨我的所作所为，遂向朝廷控告我没有恩德，而称赞郎孤。我便被认为有罪而免去官职，离开了怀荒镇，而郎孤得以重新回到怀荒镇。郎孤感激高车人称赞自己，于是更加注重收买人心，以博取声望，遂专用宽厚来对待他们。不懂得礼仪的人，最容易滋生傲慢情绪，不会超过一年，这些高车部落首领就会放纵到与郎孤不分上下的程度，郎孤再也无法容忍，必将用严刑峻法加以整顿。这样一来，高车部落首领就又会心怀怨恨，祸乱也就发生了。"太武帝笑着说："你的身材虽然很短，而你的思虑却如此长远呀!"当天就又任命陆俟为散骑常侍。

二月十三日壬午，北魏太武帝拓跋焘前往河西地区，他派遣兼任散骑常侍的宋宣前往宋国进行访问，并且为太子拓跋晃向宋文帝刘义隆求婚。宋文帝刘义隆的态度仍然是模棱两可。

宋国担任益州刺史的刘道济去世，担任参军的梁儁之、担任中兵参军的裴方明等秘密地将刘道济的尸体埋葬在书斋的后面，并假托刘道济的口气发布命令，批复各种往来的公文、案牍等，即使是刘道济的母亲、妻子也不知道刘道济已经去世。蜀王程道养在毁金桥登上高台祭祀上天，中兵参军裴方明率领三千人出城攻击，程道养等被官军打得大败，退回广汉据守。

宋国担任荆州刺史的临川王刘义庆任命担任巴东太守的周籍之为督巴西等五郡诸军事，率领二千人前往成都救援。

三月，四处逃亡的东晋皇族成员司马天助投降了北魏，他自称是东晋会稽王世子司马元显的儿子。魏国人任命司马天助为青、徐二州刺史，东海郡公。

三月十三日壬子，北魏太武帝拓跋焘从河西返回平城的皇宫。

赵广等从广汉一直到郫县，连营一百座。周籍之与裴方明等联合进攻郫县，将郫县攻克，然后乘胜进攻赵广等所据守的广汉，赵广等分别逃往涪城和五城。夏季，四月初十戊寅，裴方明等对外发布了益州刺史刘道济已经去世的消息，才为刘道济发丧。

宋文帝刘义隆听说担任梁、南秦州二州刺史的甄法护因为政刑措施处理不得法，因而与氐族人、羌族人产生了矛盾，于是起用正在服刑的原青州刺史萧思话为梁、南秦二州刺史。甄法护，是甄法崇的哥哥。

北凉河西王沮渠蒙逊病势沉重，国中的贵族一同商议，认为世子沮渠菩提年纪太幼小，遂拥立沮渠菩提的哥哥、担任敦煌太守的沮渠牧犍为世子，加授沮渠牧犍

守牧犍为世子，加中外都督、大将军、录尚书事。蒙逊卒，谥曰“武宣王”，庙号“太祖”。牧犍即河西王位，大赦，改元“永和”。立子封坛为世子，加抚军大将军、录尚书事，遣使请命于魏[436]。牧犍聪颖好学，和雅有度量，故国人立之。

先是，魏主遣李顺迎武宣王女为夫人，会卒。牧犍称先王遗意，遣左丞宋繇送其妹兴平公主于魏，拜右昭仪[437]。

魏主谓李顺曰：“卿言蒙逊死，今则验矣，又言牧犍立，何其妙哉！朕克凉州，亦当不远。”于是赐绢千匹，厩马一乘[438]，进号安西将军。宠待弥厚，政事无巨细，皆与之参议。

遣顺拜牧犍都督凉、沙、河三州[439]西域羌戎诸军事，车骑将军，开府仪同三司，凉州刺史，河西王，以宋繇为河西王右相。牧犍以无功受赏，留顺，上表乞安、平一号[440]。优诏不许[441]。

牧犍尊敦煌刘昞为国师[442]，亲拜之[443]，命官属以下皆北面受业[444]。

五月己亥[445]，魏主如山北[446][11]。

林邑王[447]范阳迈遣使入贡，求领交州[448]。诏答以道远，不许。

裴方明进军向涪城，破张寻、唐频，擒程道助，斩严遐，于是赵广等皆奔散。

六月，魏永昌王健、左仆射安原督诸军击和龙，将军楼勃[449]别将五千骑围凡城[450]。燕守将封羽以凡城降，收其三千余家而还。

辛巳[451]，魏人发秦、雍兵一万，筑小城于长安城内。

秋，八月，冯崇上表请说降其父，魏主不听。

九月，益州刺史甄法崇至成都，收费谦，诛之。程道养、张寻将二千余家逃入郪山[452]，余党各拥众藏窜山谷，时出为寇不绝。

为中外都督、大将军、录尚书事。凉王沮渠蒙逊去世，谥号为“武宣王”，庙号“太祖”。沮渠牧犍即位为河西王，实行大赦，改年号为“永和”。河西王沮渠牧犍立自己的儿子沮渠封坛为世子，加授抚军大将军、录尚书事，然后派使者到北魏请求任命。沮渠牧犍聪明好学，为人和善文雅，有度量，所以国内的贵族拥戴他为河西王。

先前，北魏太武帝拓跋焘派李顺迎娶沮渠蒙逊的女儿为夫人，却正遇沮渠蒙逊去世。沮渠牧犍遂宣称是父亲的遗愿，派遣担任左丞的宋繇护送自己的妹妹兴平公主前往北魏，北魏太武帝拓跋焘封兴平公主为右昭仪。

北魏太武帝拓跋焘对太常李顺说:“你曾经预言沮渠蒙逊会死，现在已经应验了，你还说沮渠牧犍会继承王位，现在也应验了，这是多么奇妙的事情啊！我攻克凉州，看来也为期不远了。”于是赏赐给李顺绸缎一千匹，皇家御马棚中的马四匹，同时提升李顺为安西将军。对李顺特别尊崇优待，朝廷方面的事务不论大小都要与李顺商议。

拓跋焘派遣安西将军李顺为使者前往北凉，任命河西王沮渠牧犍为都督凉州、沙州、河州西域羌戎诸军事，车骑将军，开府仪同三司，凉州刺史，河西王，任命北凉担任左丞的宋繇为河西王右相。沮渠牧犍认为自己无功受赏，遂留下李顺，然后上疏给太武帝拓跋焘，请求加封自己为安西将军或是平西将军。拓跋焘在回复的诏书中对沮渠牧犍说了不少赞扬、安慰的话，但对加封安西将军或是平西将军的请求却婉言拒绝了。

北凉河西王沮渠牧犍尊奉敦煌人刘昞为国师，亲自向刘昞行跪拜之礼，并命令官属以下人员都要像弟子一样恭恭敬敬地向刘昞学习。

五月初一己亥，北魏太武帝拓跋焘前往武周山以北地区巡视。

林邑王范阳迈派使者到宋国进贡，请求兼任交州刺史。宋文帝刘义隆借口路途遥远而拒绝了林邑王的要求。

裴方明率军进攻叛民所盘踞的涪城，击败了张寻、唐频，活捉了程道助，斩杀了严遐，其余的叛民首领赵广等遂四处逃散。

六月，北魏永昌王拓跋健、左仆射安原率领各路大军袭击北燕的都城和龙，魏国将军楼勃率领另外一支拥有五千名骑兵的队伍包围了凡城。北燕凡城守将封羽献出凡城投降了北魏，北魏军逮捕了三千多户居民返回魏国。

六月十四日辛巳，北魏从秦州、雍州征调了一万兵力，在长安城内修筑起一座小城。

秋季，八月，冯崇上疏给太武帝拓跋焘，请求允许他返回和龙劝说自己的父亲冯弘投降北魏，太武帝拓跋焘没有同意。

九月，宋国担任益州刺史的甄法崇抵达成都，他立即逮捕了费谦，并将费谦斩首。蜀王程道养、将军张寻率领着二千多家居民逃入郪山，其余的党羽各自率领着自己的部众窜入深山峡谷之中，但仍然不时地出来进行骚扰抢劫。

戊午[453]，魏主遣兼大鸿胪崔赜持节，拜氐王杨难当为征南大将军，开府仪同三司，秦、梁二州牧，南秦王。赜，逞[454]之子也。

杨难当因萧思话未至，甄法护将下[455]，举兵袭梁州，破白马[456]，获晋昌[457]太守张范，败法护参军鲁安期等；又攻葭萌[458]，获晋寿[459]太守范延朗。冬，十一月丁未[460]，法护弃城[461]奔洋川之西城[462]。难当遂有汉中之地，以其司马赵温为梁、秦二州刺史。

甲寅[463]，魏主还宫。

十二月己巳[464]，魏大赦。

辛未[465]，魏主如阴山[466]之北。

魏宁朔将军卢玄来聘。

前秘书监谢灵运，好为山泽之游，穷幽极险[467]，从者数百人，伐木开径，百姓惊扰，以为山贼。会稽[468]太守孟颉与灵运有隙，表其有异志[469]，发兵自防。灵运诣阙自陈[470]，上以为临川内史[471]。

灵运游放自若，废弃郡事，为有司所纠[472]。是岁，司徒遣使随州从事[473]郑望生收灵运[474]。灵运执望生，兴兵逃逸[475]，作诗曰："韩亡子房奋[476]，秦帝鲁连耻[477]。"追讨，擒之。廷尉奏灵运率众反叛，论正斩刑。上爱其才，欲免官而已。彭城王义康坚执，谓不宜恕。乃降死一等，徙广州[478]。

久之，或告[479]灵运令人买兵器，结健儿，欲于三江口[480]篡取[481]之，不果。诏于广州弃市。灵运恃才放逸[482]，多所陵忽[483]，故及于祸。

魏立徐州于外黄[484]，以刁雍[485]为刺史。

十一年（甲戌，公元四三四年）

春，正月戊戌[486]，燕王遣使请和于魏，魏主不许。

杨难当以克汉中告捷于魏，送雍州流民[487]七千家于长安。萧思话至襄阳，遣横野司马[488]萧承之为前驱。承之缘道收兵，得千人，进据磝头[489]。杨难当焚掠汉中，引众西还，留赵温守梁州；又遣其魏兴[490]太

九月二十二日戊午，北魏太武帝拓跋焘派遣兼任大鸿胪的崔赜手持符节封拜氐王杨难当为征南大将军，开府仪同三司，秦、梁二州牧，南秦王。崔赜，是崔逞的儿子。

氐王杨难当趁着萧思话尚未到任，而原任刺史甄法护还没有离任的机会，率军袭击了宋国所属的梁州，攻陷了白马，活捉了宋国担任晋昌太守的张范，打败了在甄法护手下担任参军的鲁安期等；然后又进攻葭萌，活捉了宋国担任晋寿太守的范延朗。冬季，十一月十二日丁未，甄法护弃城逃往洋川郡的郡治所在地西城。氐王杨难当遂占有了汉中之地，他任命担任司马的赵温为梁、秦二州刺史。

十一月十九日甲寅，北魏太武帝拓跋焘返回平城的皇宫。

十二月初五己巳，北魏实行大赦。

十二月初七辛未，北魏太武帝拓跋焘前往阴山之北。

北魏担任宁朔将军的卢玄到宋国访问。

宋国前秘书监谢灵运，喜欢游山玩水，寻幽探险，跟随他的经常有好几百人，他们砍伐树木，开辟道路，闹得百姓惊恐不安，以为是山上的土匪下来了。担任会稽太守的孟𫖮与谢灵运有矛盾，遂上表给宋文帝刘义隆，指控谢灵运心怀不轨，想要谋反，同时发兵防范谢灵运攻击自己。谢灵运遂前往京师建康，向朝廷说明情况，宋文帝刘义隆任命谢灵运为临川内史。

然而谢灵运依然像过去一样游荡放纵，荒废了郡中的政务，遭到有关部门的弹劾。这一年，担任司徒的彭城王刘义康派遣担任随州从事的郑望生去逮捕谢灵运。谢灵运逮捕了郑望生，同时起兵反抗，后来又逃跑，并且作诗说：“韩国被嬴秦灭亡，张良奋起抗击秦国；秦王称帝，鲁仲连深以为耻。”朝廷出动军队追捕谢灵运，将谢灵运活捉。廷尉奏称谢灵运率众造反，判处谢灵运斩刑。宋文帝刘义隆因为爱惜谢灵运的文才，就打算免除他的官职而已。彭城王刘义康坚持认为，对谢灵运绝不能宽恕。宋文帝于是免除谢灵运的死罪，将谢灵运流放到广州。

过了很久之后，有人举报谢灵运让人购买兵器，聚集勇士，想要在三江口发动叛乱，没有成功。宋文帝刘义隆遂下诏，在广州将谢灵运斩首示众。谢灵运恃才傲物，行为放纵，对很多人、很多事都表现得很傲慢，目空一切，所以为自己招来杀身之祸。

北魏将外黄设为徐州，任命刁雍为徐州刺史。

十一年（甲戌，公元四三四年）

春季，正月初四戊戌，北燕王冯弘派遣使者到北魏请求讲和，北魏太武帝拓跋焘不答应。

氐王杨难当把自己攻克宋国汉中的胜利消息报告给北魏，并将长安一带过去流亡到汉中地区的七千户百姓送回长安。萧思话到达襄阳，他派遣担任横野司马的萧承之担任前锋。萧承之沿途招募新兵，得到了一千人，遂进驻磝头。氐王杨难当在汉中烧杀劫掠了一番之后，率军向西撤退，只留下赵温守卫梁州；杨难当又派遣自

守薛健据黄金山[491]。思话遣阴平[492]太守萧坦攻铁城戍[493]，拔之。

二月，赵温、薛健与其冯翊太守蒲甲子合攻坦营，坦击破之，温等退保西水[494]。临川王义庆遣龙骧将军裴方明将三千人助承之拔黄金戍而据之。温弃州城[495]，退据小城，健、甲子退保下桃城[496]。思话继至，与承之共击赵温等，屡破之。行参军王灵济别将出洋川[497]，攻南城[498]，拔之，擒其守将赵英。南城空无所资[499]，灵济引兵还，与承之合。

魏主以西海公主[500]妻柔然敕连可汗，又纳其妹为夫人，遣颍川王提[501]往逆之。丁卯[502]，敕连遣其异母兄秃鹿傀送妹，并献马二千匹。魏主以其妹为左昭仪。提，曜[503]之子也。

辛卯[504]，魏主还宫。三月甲寅[505]，复如河西。

杨难当遣其子和将兵与蒲甲子等共击萧承之，相拒四十余日，围承之数十重，短兵接，弓矢无所复施。氐[506]悉衣犀甲[507]，戈矛所不能入。承之断矟[508]长数尺，以大斧椎之，一矟辄贯数人。氐不能当，烧营走，据大桃[509]。闰月，承之等追击之至南城。氐败走，斩获甚众。悉收汉中故地，置戍于葭萌水[510]。

初，桓希既败[511]，氐王杨盛据汉中。梁州刺史范元之、傅歆皆治魏兴[512]，唯得魏兴、上庸、新城三郡[513]。及索邈为刺史[514]，乃治南城。至是，南城为氐所焚，不可复固，萧思话徙镇南郑。

甲戌[515]，赫连昌叛魏西走[516]。丙子[517]，河西候将[518]格杀之。魏人并其群弟诛之。

己卯[519]，魏主还宫。

辛巳[520]，燕王遣尚书高颙上表称藩，请罪于魏，乞以季女[521]充掖庭[522]。魏主乃许之，征其太子王仁入朝[523]。

己属下担任魏兴太守的薛健据守黄金山。萧思话派遣担任阴平郡太守的萧坦率军进攻铁城戍，将铁城戍攻克。

二月，赵温、薛健以及担任冯翊太守的蒲甲子联合进攻宋国阴平郡太守萧坦的军营，被萧坦击败，赵温等遂退往西水据守。临川王刘义庆派遣龙骧将军裴方明率领三千人增援萧承之，攻克了黄金戍，遂留在黄金戍据守。赵温抛弃了梁州州城南郑，退守小城，薛健、蒲甲子撤往南郑城东面的下桃城据守。萧思话率领大军随后赶来，与担任前锋的萧承之会师后，共同攻打赵温等，多次将赵温打败。担任行参军的王灵济率领另外一支部队穿越洋川，进攻南城，将南城攻克，活捉了南城守将赵英。因为南城已经空无所有，王灵济只好率军返回，与横野司马萧承之会合。

北魏太武帝拓跋焘把自己的女儿西海公主嫁给柔然敕连可汗郁久闾吴提，又娶郁久闾吴提的妹妹为夫人，派颍川王拓跋提前往柔然迎娶。二月初四丁卯，柔然敕连可汗郁久闾吴提派自己同父异母的哥哥郁久闾秃鹿傀护送自己的妹妹前往北魏，同时进献给北魏二千匹马。北魏太武帝拓跋焘封郁久闾吴提的妹妹为左昭仪。拓跋提，是拓跋曜的儿子。

二月二十八日辛卯，北魏太武帝拓跋焘返回皇宫。三月二十一日甲寅，拓跋焘又前往河西地区。

氐王杨难当派遣自己的儿子杨和率军与冯翊太守蒲甲子等联合进攻宋国横野司马萧承之，双方相互对峙了四十多天，将萧承之里里外外包围了好几十重，两军用短兵器展开肉搏战，弓矢全都派不上用途。氐族士兵全都身穿犀牛皮制作的铠甲，宋军的戈矛根本刺不透。萧承之便下令军中，把矛的长柄截短，仅留下几尺长，然后用大斧捶击，这样一来，一矛刺过去就能同时刺穿几个人。氐族士兵抵挡不住宋军的进攻，遂烧毁了自己的营寨逃到大桃戍据守。闰三月，萧承之等率领宋军追击氐军，一直追到南城。氐兵败走，宋军斩杀、俘虏了很多氐族人。将失陷的汉中固有领土全部收复，然后在葭萌水留军戍守。

当初，东晋的桓希失败之后，氐王杨盛曾经占据了汉中。东晋担任梁州刺史的范元之、傅歆把魏兴郡当作梁州的州治，梁州所辖只有魏兴、上庸、新城三个郡。等到索邈担任梁州刺史的时候，便把治所迁移到南城。现在，南城被氐族人焚毁，一时之间不可能修复，萧思话遂把梁州州治迁到南郑。

闰三月十一日甲戌，赫连昌从魏国向西叛逃。十三日丙子，北魏在河西地区担任巡逻任务的将领将赫连昌杀死。北魏人遂趁机将赫连昌的弟弟们全部诛杀。

闰三月十六日己卯，北魏太武帝拓跋焘从河西地区返回平城的皇宫。

闰三月十八日辛巳，北燕王冯弘派遣担任尚书的高颙前往魏国的都城平城向太武帝拓跋焘呈递降表，愿意做魏国的附属国，并向魏国请罪，同时请求将自己的小女儿送入魏国的后宫充当嫔妃。北魏太武帝拓跋焘表示同意，同时下诏征召北燕的王太子冯王仁到魏国朝廷充当人质。

燕王送魏使者于什门[524]还平城。什门在燕二十一年，不屈节。魏主下诏褒称，以比苏武[525]，拜治书御史[526]，赐羊千口，帛千匹，策告宗庙，颁示天下。

戊子[527]，休屠金当川[528]围魏阴密[529]。夏，四月乙未[530]，魏征西大将军常山王素[531]击之。丁未[532]，魏主行如河西[533]。壬戌[534]，获当川，斩之。

甄法护坐委镇[535]赐死于狱。杨难当遣使奉表谢罪，帝下诏赦之。

河西王牧犍遣使上表，告嗣位[536]。戊寅[537]，诏以牧犍为都督凉、秦等四州诸军事，征西大将军，凉州刺史，河西王。

六月甲辰[538]，魏主还宫。

燕王不遣太子质魏[539]，散骑常侍刘滋谏曰："昔刘禅[540]有重山之险[541]，孙皓[542]有长江之阻，皆为晋擒[543]。何则？强弱之势异也。今吾弱于吴、蜀而魏强于晋，不从其欲，将有危亡之祸。愿亟遣太子，而修政事，抚百姓，收离散，赈饥穷，劝农桑，省赋役，社稷犹庶几[544]可保。"燕王怒，杀之。

辛亥[545]，魏主遣抚军大将军永昌王健等伐燕，收其禾稼，徙民[546]而还。

秋，七月壬午[547]，魏主如美稷[548]，遂至隰城[549]，命阳平王它[550]督诸军击山胡白龙[551]于西河[552]。它，熙之子也。

魏主轻山胡，日自变量十骑登山临视之。白龙伏壮士十余处掩击[553]之，魏主坠马，几为所擒。内入行长[554]代人[555]陈建以身捍之，大呼奋击，杀胡数人，身被十余创，魏主乃免。

九月戊子[556]，大破胡众，斩白龙，屠其城。冬，十月甲午[557]，魏人

北燕王冯弘送魏国的使者于什门返回平城。于什门在北燕被扣留了二十一年，一直没有向北燕屈服。北魏太武帝拓跋焘下诏进行褒奖，将于什门比作是汉代出使匈奴的苏武，并任命于什门为治书御史，赏赐给予什门一千头羊，一千匹帛，并将其写在简策上，到太庙中祭告列祖列宗，并昭告全国。

闰三月二十五日戊子，匈奴族休屠部落首领金当川率领部众包围了魏国所属的阴密。夏季，四月初三乙未，北魏担任征西大将军的常山王拓跋素率兵出击。十五日丁未，北魏太武帝拓跋焘前往河西地区。三十日壬戌，魏军活捉了金当川，将金当川斩首。

宋国前益州刺史甄法护被指控犯有弃城逃亡罪，被逮捕下狱，并强迫其在狱中自杀身亡。氐王杨难当派使者带着表章前往宋国的都城建康，向宋国朝廷请罪，宋文帝刘义隆下诏不予追究。

北凉河西王沮渠牧犍派使者到宋国的都城建康呈递表章，将自己即位为河西王的事情奏报给宋国朝廷。五月十六日戊寅，宋文帝刘义隆下诏，任命沮渠牧犍为都督凉、秦等四州诸军事，征西大将军，凉州刺史，河西王。

六月十三日甲辰，北魏太武帝拓跋焘返回皇宫。

北燕王冯弘不肯将王太子冯王仁送到北魏充当人质，担任散骑常侍的刘滋劝谏说:“从前蜀汉后主刘禅拥有重山之险，东吴的孙皓拥有长江作为阻隔，结果全都被晋国擒获。什么原因呢？蜀、吴的实力与晋国的实力相比较，强弱相差悬殊所造成的。如今，我们的力量比蜀、吴还弱小，而魏国的力量比当初晋国的力量还要强大，如果我们不能满足魏国的欲望，就会面临亡国的灾难。希望赶紧把太子送往魏国，然后安抚百姓，招徕离散逃亡的人民，赈济饥饿贫穷，鼓励人民种田养桑，减轻人民的赋税和徭役，国家或许还有保全的可能。”燕王冯弘听后勃然大怒，竟然将刘滋斩首。

六月二十日辛亥，北魏太武帝拓跋焘派遣担任抚军大将军的永昌王拓跋健等率军征伐北燕，抢收了北燕农田里的庄稼，劫掠了大批的北燕居民，然后班师。

秋季，七月二十一日壬午，北魏太武帝拓跋焘前往美稷，又从美稷到达隰城，他命令阳平王拓跋它统领各军袭击匈奴族山胡部落首领白龙所占据的西河。拓跋它，是拓跋熙的儿子。

北魏太武帝拓跋焘没有把山胡部落放在眼里，他每天都带着数十名骑兵登上山顶向下瞭望。山胡部落首领白龙便在十多处拓跋焘可能出没的地方埋伏下勇士，突然向拓跋焘发动袭击，拓跋焘从马背上跌落下来，差一点被山胡人活捉。幸亏担任内入行长的代郡人陈建用自己的身体捍卫着拓跋焘，他大声呼喊着奋起反击，杀死了好几名匈奴人，身上受了十多处伤，太武帝拓跋焘才幸免于难。

九月二十八日戊子，北魏军将山胡部落打得大败，斩杀了山胡部落首领白龙，屠灭了山胡人所据守的城池。冬季，十月初五甲午，北魏军又在五原击败了白龙的

破白龙余党于五原[558]，诛数千人，以其妻子赐将士。

十一月，魏主还宫。十二月甲辰[559]，复如云中[560]。

十二年（乙亥，公元四三五年）

春，正月己未朔[561]，日有食之。

辛酉[562]，大赦。

辛未[563]，上祀南郊[564]。

燕王数为魏所攻，遣使诣建康称藩奉贡。癸酉[565]，诏封为燕王。江南谓之黄龙国[566]。

甲申[567]，魏大赦，改元"太延"。

有老父投书于敦煌[568]东门，求之，不获。书曰："凉王三十年若七年[569]。"河西王牧犍以问奉常[570]张慎，对曰："昔虢[571]之将亡，神降于莘[572]。愿陛下崇德修政，以享三十年之祚。若盘于游田[573]，荒于酒色，臣恐七年将有大变。"牧犍不悦。

二月丁未[574]，魏主还宫。

三月癸亥[575]，燕王遣大将汤烛入贡于魏，辞以太子王仁有疾，故未之遣。

领军将军刘湛与仆射殷景仁素善，湛之入也，景仁实引之[576]。湛既至，以景仁位遇[577]本不逾己[578]，而一旦居前，意甚愤愤；俱被时遇[579]，以景仁专管内任[580]，谓为间己[581]，猜隙渐生。知帝信仗景仁，不可移夺[582]。时司徒义康专秉朝权，湛尝为义康上佐[583]，遂委心自结，欲因宰相之力[584]以回上意[585]，倾黜[586]景仁，独当时务[587]。

夏，四月己巳[588]，帝加景仁中书令、中护军，即家为府[589]；湛加太子詹事[590]。湛愈愤怒，使义康毁景仁于帝，帝遇之益隆。景仁对亲旧叹曰：

余党，诛杀了数千人，并将他们的妻子分别赏赐给军中的将士。

十一月，北魏太武帝拓跋焘返回皇宫。十二月十六日甲辰，太武帝拓跋焘再次前往云中。

十二年（乙亥，公元四三五年）

春季，正月初一己未，发生日食。

正月初三辛酉，宋国实行大赦。

正月十三日辛未，宋文帝刘义隆到建康城的南郊祭天。

北燕王冯弘因为多次遭到北魏军的进攻，遂派遣使者到宋国的京师建康，向宋国称臣、进贡。正月十五日癸酉，宋文帝刘义隆下诏，封冯弘为燕王。宋国称北燕为黄龙国。

正月二十六日甲申，北魏实行大赦，改年号为“太延”。

有一名老翁，把书信放在北凉所属的敦煌城东门，官府派人寻找投书的老翁，却无论如何也找寻不到。老翁在书信中说：“凉王可以在位三十年，或者在位七年。”北凉河西王沮渠牧犍不明白是什么意思，就询问担任奉常的张慎，张慎回答说：“过去虢国将要灭亡的时候，神仙降临在虢国的莘地。过了七年，晋国灭掉了虢国。希望陛下能够推广恩德，勤于政务，国家还能维持三十年的国运。如果只顾追求出游打猎的乐趣，沉迷于酒色而荒废了朝政，我担心七年之后，国家将会遭遇大变故。”河西王沮渠牧犍很不高兴。

二月二十日丁未，北魏太武帝拓跋焘从云中返回皇宫。

三月初六癸亥，北燕王冯弘派遣大将汤烛前往北魏进贡，并向魏国解释说因为太子冯王仁身体有病，所以没有让他到魏国来。

宋国担任领军将军的刘湛与担任尚书仆射的殷景仁一向关系友好，刘湛能够入朝为官，实际上是殷景仁向皇帝的举荐。刘湛到了朝廷之后，却因为殷景仁的地位、待遇原本在自己之下，却一朝之间位居自己之上，心里便有些愤愤不平；刘湛与殷景仁受到宋文帝刘义隆的宠信程度差不多，而殷景仁位为侍中，专门负责为皇帝起草诏令，下达旨意，刘湛遂认为殷景仁在宋文帝面前挑拨离间，令宋文帝不信任自己，于是刘湛与殷景仁之间逐渐产生了矛盾。刘湛知道宋文帝刘义隆对殷景仁的信任与倚重，自己是无法改变的。当时，担任司徒的彭城王刘义康在朝廷中总揽朝政，刘湛曾经在刘义康的属下担任过高级僚佐，于是便千方百计地与刘义康交结，想要依靠刘义康的力量来改变宋文帝刘义隆对殷景仁的态度，以达到排挤殷景仁而由自己独揽朝权的目的。

夏季，四月己巳日，宋文帝刘义隆加授担任尚书仆射的殷景仁为中书令、中护军，并把中书令、中护军的办事机构都搬到殷景仁的家中；而对领军将军刘湛则只加授了太子詹事。刘湛因此更加愤怒，遂鼓动彭城王刘义康在宋文帝刘义隆面前诋毁殷景仁，而宋文帝刘义隆对殷景仁却更加尊崇。殷景仁对自己的亲朋故旧感慨说：

“引之令入，入便噬人！”乃称疾解职。表疏累上，帝不许，使停家养病。

湛议[591]遣人若劫盗者[592]于外杀之，以为帝虽知，当有以解之[593]，不能伤义康至亲之爱[594]。帝微闻之，迁护军府[595]于西掖门[596]外，使近宫禁，故湛谋不行。

义康僚属及诸附丽湛[597]者，潜相约勒[598]，无敢历[599]殷氏之门。彭城王主簿[600]沛郡刘敬文父成，未悟其机，诣景仁求郡[601]。敬文遽往谢湛[602]曰：“老父悖耄[603]，遂就殷铁干禄[604]。由敬文暗浅[605]，上负生成[606]，阖门惭惧，无地自处。”唯后将军司马[607]庾炳之[608]游二人之间，皆得其欢心，而密输忠于朝廷。景仁卧家不朝谒[609]，帝常使炳之衔命往来，湛不疑也。炳之，登之[610]之弟也。

燕王遣右卫将军孙德来乞师。

五月庚申[611]，魏主进宜都公穆寿[612]爵为王，汝阴公长孙道生为上党王，宜城公奚斤为恒农[613]王，广陵公楼伏连为广陵王。加寿征东大将军。寿辞曰：“臣祖父崇所以得效功前朝，流福于后者，由梁眷[614]之忠也。今眷元勋未录[615]，而臣独奕世受赏[616]，心实愧之。”魏主悦，求眷后，得其孙，赐爵郡公。寿，观之子也。

龟兹、疏勒、乌孙、悦般、渴槃陁、鄯善、焉耆、车师、粟持[617]九国入贡于魏。魏主以汉世虽通西域，有求则卑辞而来，无求则骄慢不服。盖自知去中国绝远，大兵不能至故也。今报使往来，徒为劳费，终无所益，欲不遣使。有司固请，以为：“九国不惮险远，慕义入贡，不宜拒绝，以抑将来[618]。”乃遣使者王恩生等二十辈[619]使西域。

"我把刘湛引荐到朝廷，而刘湛到了朝廷之后就开始咬人!"于是便声称自己有病，请求辞职，奏章一连呈递了好几次，宋文帝刘义隆都没有批准，只是令殷景仁安心在家中养病。

刘湛又准备派人装作强盗，趁殷景仁外出时刺杀他，认为即使宋文帝知道了真相，也有办法进行解释，宋文帝也不会因为一个殷景仁而伤害了自己与刘义康之间的手足亲情。宋文帝稍微听到一点风声，便立即把殷景仁的护军府迁移到皇宫正门旁边的西侧门外面，使其靠近皇宫禁地，所以刘湛的阴谋没有得逞。

宋国彭城王刘义康的僚属以及那些趋附、巴结刘湛的人，彼此暗中互相约束，谁也不敢登殷景仁的家门。担任彭城王主簿的沛郡人刘敬文的父亲刘成，因为不清楚官场中的内幕，竟然跑到殷景仁家里请求获得一个郡太守的职位。刘敬文为此赶紧跑到刘湛那里解释说:"我的父亲年老糊涂，竟然跑到殷景仁那里去求官做。这也是因为我刘敬文愚昧，见识浅薄，对上辜负了'生我者，养我者'的人，我们全家都非常惭愧恐惧，感到无地自容。"只有担任后将军司马的庾炳之能够同时周旋于刘湛与殷景仁之间，二人都很喜欢他，而庾炳之暗中却效忠于朝廷。殷景仁躺在家中不到朝廷参加朝会、拜见宋文帝，宋文帝便经常派庾炳之到殷景仁那里往来传递消息，而刘湛一直没有对庾炳之产生怀疑。庾炳之，是庾登之的弟弟。

北燕王冯弘派遣担任右卫将军的孙德到宋国请求出兵相救。

五月初四庚申，北魏太武帝拓跋焘晋升宜都公穆寿为宜都王，晋升汝阴公长孙道生为上党王，晋升宜城公奚斤为恒农王，晋升广陵公楼伏连为广陵王。加授宜都王穆寿为征东大将军。穆寿推辞说:"我的祖父穆崇所以能够效忠前朝、建立功劳，为子孙后代留下福泽，全靠梁眷忠心耿耿。如今，梁眷的元勋之功还没有得到褒奖，而我却独自一连几代人蒙受奖赏，心中实在感到愧疚。"北魏太武帝拓跋焘听后非常高兴，遂下诏寻求梁眷的后人，找到了梁眷的孙子，遂赐爵为郡公。穆寿，是穆观的儿子。

地处西域的龟兹、疏勒、乌孙、悦般、渴槃陁、鄯善、焉耆、车师、粟持九个国家全都派使者到北魏进贡。北魏太武帝拓跋焘认为汉代虽然曾经通使西域，但是，西域各国只有在有求于中国的时候，才会言辞谦卑地前来归附，一旦对中国无所求的时候，则态度傲慢，不肯顺从。因为他们知道自己的国家距离中国太遥远，中国的大军绝对不能到达西域，对他们的背叛行为进行征讨。现在西域派使节前来进贡，如果魏国也派出使节进行回访，其实是白白地劳神费力，最终连一点好处也得不到，所以便不准备派使者前往西域。但有关部门的官员却一再请求，他们认为:"这九个国家的使者不惧怕艰难险阻来到魏国，因为他们仰慕魏国的道德仁义，才千里迢迢前来进贡，所以不应该拒绝他们的好意，以至于堵塞了日后别的国家慕义前来的道路。"太武帝拓跋焘这才派王恩生等二十批人出使西域。王恩生等刚刚渡过大沙漠，

恩生等始度流沙[620]，为柔然所执。恩生见敕连可汗，持魏节不屈。魏主闻之，切责敕连，敕连乃遣恩生等还。竟[621]不能达西域。

甲戌[622]，魏主如云中。

六月甲午[623]，魏主以时和年丰，嘉瑞沓臻[624]，诏大酺[625]五日，遍祭百神，用答天贶[626]。

丙午[627]，高句丽王[12]琏遣使入贡于魏，且请国讳[628]。魏主使录帝系[629]及讳以与之，拜琏都督辽海诸军事、征东将军、辽东郡公、高句丽王。琏，钊[630]之曾孙也。

戊申[631]，魏主命骠骑大将军乐平王丕、镇东大将军徒河屈垣[632][13]等帅骑四万伐燕。

扬州诸郡大水。己酉[633]，运徐、豫、南兖谷以赈之。扬州西曹主簿[634]沈亮建议，以为酒糜谷[635]而不足疗饥，请权[636]禁止；诏从之。亮，林子[637]之子也。

秋，七月，魏主畋于稒阳[638]。

己卯[639]，魏乐平王丕等至和龙。燕王以牛酒犒军，献甲三千。屈垣责其不送侍子[640]，掠男女六千口而还。

八月丙戌[641]，魏主如河西。九月甲戌[642]，还宫。

魏左仆射河间公安原，恃宠骄恣。或告原谋为逆。冬，十月癸卯[643]，原坐族诛。

甲辰[644]，魏主如定州。十一月乙丑[645]，如冀州。己巳[646]，畋于广川[647]。丙子[648]，如邺[649]。

魏人数伐燕，燕日危蹙，上下忧惧。太常杨岷复劝燕王速遣太子入侍。燕王曰："吾未忍为此。若事急，且东依高丽以图后举。"岷曰："魏举天下[650]以击一隅[651]，理无不克。高丽无信，始虽相亲，终恐为

就被柔然人擒获。王恩生被押送去见柔然敕连可汗郁久闾吴提时，手持魏国皇帝颁发的符节，坚决不肯屈服。北魏太武帝拓跋焘得到出使西域的王恩生等被柔然抓获的消息，立即派遣使者前往柔然，对敕连可汗郁久闾吴提严加责备，敕连可汗才将王恩生等放回。魏国的使者始终没有能够到达西域。

五月十八日甲戌，北魏太武帝拓跋焘前往云中。

六月初八甲午，北魏太武帝拓跋焘因为当时国家政局稳定，风调雨顺，五谷丰登，好的神秘征兆屡屡出现，遂下诏允许全国人民欢聚畅饮五天，全面祭祀各种神灵，用来答谢上天的恩赐。

六月二十日丙午，高句丽国王高琏派使者到北魏进贡，同时请求告知当今皇帝以及皇帝祖先的名讳。北魏太武帝拓跋焘遂派人将皇帝的世系表以及名讳抄录下来送给高句丽，任命高琏为都督辽海诸军事、征东将军、辽东郡公、高句丽王。高琏，是高句丽王高钊的曾孙。

六月二十二日戊申，北魏太武帝拓跋焘命令担任骠骑大将军的乐平王拓跋丕、担任镇东大将军的徒河地区的鲜卑人屈垣等率领四万名骑兵讨伐北燕。

宋国扬州所属各郡发生了大水灾。六月二十三日己酉，将徐州、豫州、南兖州的粮食运送到扬州赈济灾民。担任扬州西曹主簿的沈亮建议，认为酿酒太浪费粮食，却不能解除人民的饥饿，请求暂且禁止酿酒；宋文帝刘义隆下诏批准。沈亮，是沈林子的儿子。

秋季，七月，北魏太武帝拓跋焘到稒阳打猎。

七月二十四日己卯，北魏担任骠骑大将军的乐平王拓跋丕等抵达北燕的都城和龙。北燕王冯弘派人带着牛和酒前来慰劳北魏的军队，并献上三千副铠甲。镇东大将军屈垣责备北燕王冯弘不将太子冯王仁送到魏国的朝廷侍奉皇帝，遂劫掠了六千名男女，然后班师。

八月初一丙戌，北魏太武帝拓跋焘前往河西地区。九月二十日甲戌，拓跋焘返回皇宫。

北魏担任左仆射的河间公安原，依仗太武帝对他的宠爱，遂骄横跋扈，恣意妄为。于是便有人告发安原阴谋造反。冬季，十月十九日癸卯，安原被灭族。

十月二十日甲辰，北魏太武帝拓跋焘前往定州。十一月十二日乙丑，前往冀州。十六日己巳，到广川打猎。二十三日丙子，前往邺城。

北魏多次出兵攻打北燕，北燕的疆土一天比一天减少，局势一天比一天危急，朝廷上下忧愁恐惧。担任太常的杨岷又劝说北燕王冯弘赶快将太子冯王仁送往北魏充当人质。北燕王冯弘说："我现在还不忍心这样做。如果到了最后的危急时刻，我就暂且向东去依附于高丽，等待日后再寻找机会收复国土。"杨岷说："魏国出动全国的兵力来攻打小小的燕国，就没有不获全胜的道理。高丽一向不守信用，开始投奔

变。”燕王不听，密遣尚书阳伊请迎于高丽[652]。

丹杨尹萧摹之上言：“佛化被于中国[653]，已历四代[654]，形像塔寺[655]，所在千数[656]。自顷以来，情敬浮末[657]，不以精诚为至，更以奢竞[658]为重。材竹铜彩，糜损无极；无关神祇[659]，有累人事[660]。不为之防[661]，流遁未息[662]。请自今欲铸铜像及造塔寺者，皆当列言[663]，须报乃得为之。”诏从之。摹之，思话从叔也。

魏秦州刺史薛谨击吐没骨[664]，灭之。

杨难当释杨保宗[665]之囚，使镇童亭[666]。

【段旨】

以上为第三段，写宋文帝元嘉十年（公元四三三年）至元嘉十二年共三年间的大事。主要写：魏主拓跋焘派拓跋范、崔徽等镇守关中，轻徭薄赋，政刑简易，关中遂安。魏主派陆俟为怀荒镇大将，管理高车诸部，刑法严明，诸部咸怨；魏主改用郎孤，郎孤宽松纵容，遂致高车叛乱，魏主复用陆俟后，称赞陆俟的料事之明。魏主几次出兵伐燕，多掠其人口而归，燕主向魏国称藩求和，愿送女、送回扣留的使臣于什门等，但坚持不送其子为质；又向刘宋称藩入贡，又请降于高句丽，请求高句丽出兵来迎。益州刺史刘道济死，梁儁之、裴方明、周籍之等大破变民头领程道养、赵广，变民部众奔散入山；朝廷派甄法崇为益州刺史，诛刘道济之胁从费谦。梁、秦二州刺史甄法护政刑不治，失氐羌之和，朝廷起用萧思话以代甄法护，氐王杨难当乘机袭梁州，甄法护弃州逃走，梁州遂为杨难当所占据，朝廷诛甄法护；萧思话到梁州后，与杨难当战，部将萧承之大破杨难当，悉收汉中故地。谢灵运因好山泽之游，被人奏为有异志，谢灵运诣朝廷自明，被用为临川内史；又因游放自若，废弃郡事，被有司所纠，谢灵运拒捕逃逸，并作诗以晋之“贞臣”自居，被斩于广州。刘宋之权臣殷景仁引刘湛入朝共执朝政，刘湛不满居于殷景仁之下，借助司徒刘义康之力，极尽挑拨排挤之能事，甚至欲派杀手刺杀之，因有皇帝维护，刘湛未能得手。北凉主沮渠牧犍对魏、对宋两面称藩进贡，敦煌有谣言预言北凉将亡，西域九国入贡于魏。

的时候可能对我们很友善，但最终恐怕靠不住。”北燕王冯弘听不进杨嶓的意见，他秘密派遣担任尚书的阳伊前往高丽，请求派兵前来迎接。

宋国担任丹杨尹的萧摹之上疏给宋文帝刘义隆说：“佛教文化流行于中国，已经经历东汉、魏、晋、宋四个朝代，所塑造的佛像与兴建的佛塔、寺庙到处都成百上千。最近以来，世俗所追求的都是一些表面的东西，而把真正的恭敬、信仰放在了次要的地位，重在攀比奢侈豪华。所用的木料、竹材、黄铜、绸缎，浪费耗损的不计其数；这与佛教的神灵没有什么关系，反而给人间百姓的生活造成很大的负担。如果不加以限制，流弊恐怕不会自行止息。请从今往后，凡是要铸造铜像以及建造佛塔、寺庙的，都要事先向上级提出申请，等得到批复同意之后才可以动工。”宋文帝刘义隆下诏批准。萧摹之，是萧思话的堂叔。

北魏担任秦州刺史的薛谨率军袭击吐没骨部落，将吐没骨部落消灭。

氐王杨难当将自己的侄子杨保宗从监牢里释放出来，派他去镇守童亭。

【注释】

㊴ 正月乙卯：正月十五日。㊵ 救辽西：冯弘之子冯崇以辽西郡（郡治肥如）降魏，冯弘派兵围之，故魏主发兵相救。㊶ 己未：正月十九日。㊷ 丙寅：正月二十六。㊸ 乐安王范：即拓跋范，拓跋焘之弟。㊹ 长安镇都大将：长安军事区的最高长官，位同刺史，只管军事。胡三省曰：“都大将又在镇大将之上。”㊺ 旧德：德高望重的老人。㊻ 宏：崔浩之父。传见《魏书》卷二十四。㊼ 务敦大体：注意搞好大的方面。敦，注意、讲究。㊽ 清约：清静、俭朴。㊾ 二月庚午：二月初一。㊿ 录其国尚书事：总管燕国尚书省的一切事务。录，管理。(401) 承制假授：以魏主的名义任命所辖地区的官吏。(402) 征虏：指征虏将军。(403) 魏平凉休屠：魏国平凉郡的休屠人。休屠是匈奴族的部落之一。北魏平凉郡的郡治在今甘肃华亭西。(404) 羌泾州刺史狄子玉：任北魏泾州刺史的羌族人狄子玉。北魏的泾州州治临泾，在今甘肃泾川西北。(405) 安定镇将：镇守安定郡的将军。安定郡的郡治在今甘肃泾川北，当时的临泾之南，相距不远。(406) 胡空谷：在今陕西彬市西南，本书前文曾有所谓“胡空堡”，即其地也。(407) 虎牢镇大将：虎牢关军事区域的长官，地位低于镇都大将，高于镇将。虎牢关在今河南荥阳西北的古汜水镇，在古成皋城的南侧。(408) 怀荒：即今河北的张北。(409) 未期岁：不到一周年。(410) 高车诸莫弗：高车族的各个部落酋长。莫弗，犹如其他少数民族的酋长。(411) 讼俟：告陆俟的状。(412) 归第：即免其现有职务，带着“建业公”的爵位回家为民。(413) 不知上下之礼：不懂下级应该服从上级的道理。(414) 以渐训导：慢慢地加以教育。渐，逐渐。(415) 分限：本分、限度，指等级约束。(416) 必生祸乱：以上经验首见于《左传·昭公二十年》子产教导子太叔之治

郑。㊼㊼417 壬午：二月十三日。418 依违：似依似违，即今之所谓“模棱两可”。419 诈为道济教命：假托刘道济的口气发布命令。教命，文体名，指王公将相以及方面大员给下属部门所发的文件、文告。420 以答签疏：以批复各种往来的公文、案牍。421 毁金桥：应在成都城外不远。422 郊天：帝王在都城南面的祭天。423 广汉：郡名，郡治在今四川广汉城北，当时称作雒县。424 巴东：郡名，郡治鱼复，在今重庆奉节东。425 巴西：郡名，郡治在今四川绵阳东。426 亡人：逃亡者。427 元显：即司马元显，会稽王司马道子之子，被桓玄叛乱所杀。事见本书卷一百一十二元兴元年。428 东海公：东海郡公。东海郡的郡治在今江苏镇江，当时属刘宋，此处是用以为封号。429 壬子：三月十三日。430 郫：县名，县治在今四川成都市郫都区东。431 五城：县名，也写作“伍城”，即今四川中江，在当时的广汉郡东。432 四月戊寅：四月初十。433 梁、南秦二州：属一个刺史管辖，州治都在今之陕西汉中。434 徒中：服劳役的囚犯中。萧思话原任青州刺史，因被魏人打败，丢失领土而被朝廷下狱。事见本书卷一百二十元嘉元年。435 法崇：即甄法崇。436 请命于魏：请求魏主拓跋焘予以承认。437 右昭仪：昭仪是嫔妃的称号，有左右二人，地位仅低于皇后。438 厩马一乘：皇家御马棚中的马四匹。厩，马棚。乘，四匹。古称一车四马为一乘，这里即指四匹马。439 凉、沙、河三州：凉州的州治即今甘肃武威，沙州的州治即今甘肃酒泉，河州的州治枹罕在今甘肃临夏。440 乞安、平一号：请求加封为“安西将军”或是“平西将军”。441 优诏不许：在朝廷回复的诏书中说了不少表扬、安慰的话，但对乞求“安、平一号”事，婉言不许。442 国师：国家、朝廷的老师。443 亲拜之：亲自给刘昞行跪拜之礼。444 北面受业：像弟子一样恭敬地向老师学习。北面，老师面南而坐，弟子面北叩见。445 五月己亥：五月初一。446 山北：武周山之北。武周也作“武州”，即今山西大同。447 林邑王：林邑是越南境内的古代小国名，辖境在今越南国的中南部。448 交州：州治龙编，在今越南河内东北，当时属刘宋政权管辖。449 楼勃：人名。450 凡城：在今河北平泉境内。451 辛巳：六月十四日。452 郪山：郪县境内的山。郪县县治在今四川三台南。453 戊午：九月二十二日。454 逞：即崔逞，原仕于慕容宝，后归拓跋珪，因对答傲慢被杀。传见《魏书》卷三十二。455 将下：将离任而去。456 白马：即白马戍，在今陕西勉县西的沔水北岸。457 晋昌：郡名，郡治在今陕西瓜州东南。458 葭萌：县名，也称葭萌关，县治在今四川广元西南，剑门关的东南。459 晋寿：郡名，郡治即葭萌关。460 十一月丁未：十一月十二日。461 弃城：弃梁州的州治南郑。462 洋川之西城：洋川郡的郡治西城，即今陕西西乡。463 甲寅：十一月十九日。464 十二月己巳：十二月初五。465 辛未：十二月初七。466 阴山：横亘于今内蒙古呼和浩特、包头、河套以北的东西走向的大山。467 穷幽极险：专门攀登那些隐蔽险要、人所不至的地方。468 会稽：郡名，郡治即今浙江绍兴。469 表其有异志：上表告发谢灵运想造反。470 诣阙自陈：自己到朝廷说明情况。471 临川内史：临川王国的行政长官，级别相当于郡太守。临川郡治在今江西抚州西。472 为有司所纠：被监察部门的官员所纠察、弹劾。473 随州从事：此语疑有误，当时无“随州”之名，只有随县，在今湖北境内，当时属于安陆郡。胡三省以为当时郑望生是任“江州从事”，江州的州治即今江西九江。从事，即从事史，州刺史的高级僚属。⑭收灵运：逮捕谢灵运。收，拘捕。⑮兴兵逃逸：举兵反抗，后又逃跑。⑯韩亡子房奋：子房是刘邦谋臣张良的字，张良的祖辈在战国时期的韩国任宰相，韩国被秦始皇灭掉后，张良奋起为韩国报仇。先找刺客行刺秦始皇于博浪沙，未成；后佐刘邦，终于推翻了秦王朝。事见《史记·留侯世家》。⑰秦帝鲁连耻：鲁连即鲁仲连，战国时期齐国的侠义之士。秦兵围邯郸，魏人辛垣衍劝赵王尊秦为帝，鲁仲连驳斥了辛垣衍的投降主义论调，并说：“彼若肆然而为帝，过而遂正于天下，则连有赴东海而死耳，吾不忍为之民也。”事见《战国策·赵策三》与《史记·鲁仲连邹阳列传》。〚按〛谢灵运先以不服王弘、王昙首之获宠掌权，以自己不能“参机要”而耿耿于怀；今又以张良、鲁仲连自比，把自己打扮成晋王朝的忠贞之士，反复无常，言不由衷，如同李斯之末路。⑱徙广州：流放于广州。⑲或告：有人举报。〚按〛史文用语如此，乃暗示其强加罪名。⑳三江口：即今广州东南的珠江与东江的汇口。因北江与西江在广州西合成珠江，再合东江为三江，故称“三江口”。㉑篡取：武力劫取。㉒放逸：放纵。㉓多所陵忽：对很多人、很多事表现傲慢，目空一切。㉔外黄：县名，县治在今河南兰考东南。㉕刁雍：原晋人，刁畅之子，刁逵之侄。刘裕灭桓玄，刁氏曾因得罪过刘裕，被挟私灭门。刁雍被救送后秦，后又奔魏，遂成为铁杆的反刘裕势力。事见本书《晋纪四十》。㉖正月戊戌：正月初四。㉗雍州流民：北魏的雍州州治在长安。“雍州流民”指长安一带过去流亡到汉中地区的百姓。㉘横野司马：横野将军的司马，当时萧思话任横野将军。㉙磝头：即当时的安康县，在今陕西汉阴西北。㉚魏兴：郡名，郡治在今陕西安康之西北侧。㉛黄金山：在今陕西洋县东，山下有黄金戍，为军事要地。㉜阴平：郡名，郡治在今甘肃文县西。㉝铁城戍：在黄金山上，与山下的黄金戍相对。㉞西水：胡三省注引《水经注》，以为当作“酉水”。酉水，汉水上游的支流，流经今陕西洋县东，离当时的黄金山不远。㉟州城：即梁州的州城南郑，今之陕西汉中。㊱下桃城：在当时的南郑城东。㊲洋川：即洋水，流经今陕西西乡东，在当时的南郑城东北流入汉水。㊳南城：即褒中县，在当时的南郑西南。㊴无所资：无所凭借，指没有吃的、用的，无法防守。㊵西海公主：拓跋焘之女。㊶颍川王提：拓跋焘的堂兄弟。传见《魏书》卷十六。㊷丁卯：二月初四。㊸曜：即拓跋曜，魏主拓跋焘之叔。㊹辛卯：二月二十八日。㊺甲寅：三月二十一日。㊻氐：指杨难当的部下，杨难当是当时氐族头领。㊼衣犀甲：身穿犀牛皮制的铠甲。㊽断矟：把矛的长柄截短。矟，长矛。㊾大桃：即大桃戍，在今陕西略阳东。㊿葭萌水：即白水，自西北流来，在今四川广元西南入嘉陵江。因其经过葭萌（今广元西南）城下，故亦称葭萌水。⑤桓希既败：事在晋安帝元兴三年（公元四〇四年）。桓希是桓玄的族人，桓玄篡位时桓希任梁州刺史。桓玄失败后，桓希被益州刺史毛璩所攻杀。见本书卷一百一十三。⑤皆治魏兴：因梁州的州治南郑（今陕西汉中）被杨盛所据，故东晋所派的梁州刺史范元之、傅歆等人只好以魏兴郡当作梁州的州治。魏兴郡治在今陕西安康西北。⑬唯得魏兴、上庸、新城三郡：当时东晋的梁州只能管辖魏兴、上庸、新城三个郡。上庸郡的郡治在今湖北竹山县西南，新城郡的郡治即今湖北房县。⑭索邈为刺史：事在晋安帝义熙九年（公元四一三年）。谯纵据蜀叛乱，梁州仍被仇池杨氏所占。谯纵被灭后，索邈被刘裕任为梁州刺史。事见本书卷一百一十六。⑮甲戌：闰三月十一日。⑯赫连昌叛魏西走：夏主赫连昌于宋文帝元嘉五年（公元四二八年）被魏将安颉所擒，魏主宠待之，赐爵会稽公，又以妹始平公主妻之。至今乃又叛走。⑰丙子：闰三月十三日。⑱河西候将：巡逻在河西地区的魏国的侦察兵将领。此处的"河西"指今内蒙古乌海、磴口一带的黄河之西。⑲己卯：闰三月十六日。⑳辛巳：闰三月十八日。㉑季女：最小的女儿。㉒充掖庭：充当嫔妃。掖庭，指帝王的后宫。㉓入朝：即到魏国充当人质。㉔于什门：魏国的坚贞之臣，于晋安帝义熙十年（公元四一四年）出使燕国，被燕人所扣留，持节不屈至今。事见本书卷一百一十六及《魏书·节义传》。㉕苏武：西汉武帝时人，出使匈奴被扣留十九年，执汉节不屈，昭帝时始被放回。事见《汉书·苏武传》。㉖治书御史：帝王身边的侍从官，负责管理平议廷尉所上报的案件。㉗戊子：闰三月二十五日。㉘休屠金当川：匈奴族休屠部落的头领名叫金当川。㉙阴密：县名，在今甘肃灵台西南。㉚四月乙未：四月初三。㉛常山王素：即拓跋素，拓跋焘之叔。㉜丁未：四月十五日。㉝河西：指内蒙古鄂尔多斯市一带的黄河之西。㉞壬戌：四月三十日。㉟委镇：指其弃梁州城逃向洋州西城。㊱告嗣位：沮渠牧犍前已向北魏"告嗣位"，今又向刘宋"告嗣位"，两面都不得罪。㊲戊寅：五月十六日。㊳甲辰：六月十三日。㊴质魏：到魏国为质。㊵刘禅：即阿斗，刘备之子，三国时的蜀后主，公元二二三至二六三年在位。蜀国建都于成都。㊶有重山之险：指与曹魏隔着秦岭。㊷孙皓：孙权之孙，三国时吴国的亡国之君，公元二六四至二八〇年在位。吴国建都于今之南京。㊸皆为晋擒：刘禅被灭于魏元帝景元二年（公元二六一年），见本书卷七十八。其时晋虽尚未代魏，但国家政权早已为司马氏所掌握。孙皓被灭于晋武帝太康元年（公元二八〇年），见本书卷七十九。㊹庶几：或许。㊺辛亥：六月二十日。㊻徙民：实即劫掠其人口。㊼七月壬午：七月二十一日。㊽美稷：旧县名，县治在今山西汾阳西北。㊾隰城：县名，即今山西汾阳，当时为西河郡的郡治所在地。㊿阳平王它：即拓跋它，拓跋珪之孙，拓跋熙之子。传见《魏书》卷十六。551山胡白龙：山胡族的头领名叫白龙。山胡是匈奴族的一支，当时居住在今山西离石以西、甘肃泾川县以东的陕西中北部地区。552西河：此指今山西与陕西交界的黄河。553掩击：突然袭击。554内入行长：武官名。北魏置，掌宿卫，在魏主卧室内值班的卫士之长。内入，可以进入卧室，意即贴身卫士。行长，犹言"队长"。555代人：代郡人。代郡的郡治即今山西大同以北。556九月戊子：九月二十八日。557十月甲午：十月初五。558五原：郡名，郡治在今内蒙古包头西。559十二月甲辰：十二月十六日。560云中：郡名，郡治盛乐，在今内蒙古托克托东北。561 正月己未朔：正月初一是己未日。562 辛酉：正月初三。563 辛未：正月十三日。564 上祀南郊：刘宋皇帝到都城的南郊祭天。565 癸酉：正月十五日。566 黄龙国：因其首都在和龙，故如此称。到金朝建国时有所谓“黄龙府”，亦指此地。567 甲申：正月二十六日。568 敦煌：在今甘肃敦煌西，当时沮渠牧犍逃居于此。569 凉王三十年若七年：凉王可以在位三十年，也可以在位七年。若，或。570 奉常：也叫太常，执掌国家的礼乐、祭祀诸事。571 虢：春秋时代的小诸侯国名，国都在今河南陕县东南，僖公五年（公元前六五五年）被晋国所灭。572 神降于莘：虢国境内的莘地，有鬼神下界。莘，在今陕县硖石镇西。《左传·庄公三十二年》，有所谓“神降于莘”。史嚣感慨地说：“虢其亡乎！吾闻之：国将兴，听于民；将亡，听于神。”后七年，虢被晋所灭。573 盘于游田：只顾追求打猎行游的乐趣。盘，乐。574 二月丁未：二月二十日。575 三月癸亥：三月初六。576 景仁实引之：是殷景仁建议让皇帝把刘湛召到朝廷的。见本书卷一百二十二元嘉八年。577 位遇：地位、待遇。578 本不逾己：本来在自己之下。579 俱被时遇：等被召进朝廷，两个人走红的程度差不多了。时遇，犹今之所谓“走红”“受宠”。580 内任：当时殷景仁为侍中，负责为皇帝起草诏令，下达旨意。581 谓为间己：认为殷景仁挑拨自己与皇帝的关系。582 不可移夺：没法改变皇帝对殷景仁的宠信。583 上佐：高级僚属，刘湛曾为刘义康的长史。584 宰相之力：指刘义康的力量，当时刘义康任司徒，位同宰相，总揽国政。585 回上意：改变刘义隆对殷景仁的态度。586 倾黜：即今之所谓“挤下去”。587 独当时务：让自己来“独揽朝权”。588 四月己巳：四月初一是“丁亥”，本月中无“己巳”，疑字有误。589 即家为府：把中书令、中护军的办事机构都搬到殷景仁家里，亦即在家里办公。590 湛加太子詹事：此句叙事可疑，前文已有“征湛为太子詹事，加给事中，共参政事”，此处何烦再“加”太子詹事。591 议：准备；想要。592 遣人若劫盗者：派人装扮成土匪模样。若，像是。593 有以解之：有办法进行分说。594 义康至亲之爱：刘义康与刘义隆的兄弟手足之情。595 护军府：即上述“中护军”的办事机关。596 西掖门：皇宫正门旁边的西侧门。597 附丽湛：趋附、巴结刘湛。丽，也是“附”的意思。598 潜相约勒：彼此相互约束。599 历：过；前往。因知二人的矛盾之深，故有事也不敢往求。600 彭城王主簿：刘义康的秘书长。刘义康被封为彭城王。601 求郡：请求获得一个郡太守之位。602 遽往谢湛：赶紧去找刘湛解释。603 悖耄：犹今之所谓“老糊涂”。604 遂就殷铁干禄：竟然跑到殷景仁那里讨官做。殷铁，殷景仁的小名。称人小名，表示轻蔑。干禄，讨官。605 暗浅：愚昧；不懂事。606 上负生成：辜负了“生我者，养我者”的人。生成，生养、成就。607 后将军司马：刘义隆之子始兴王刘濬的高级僚属。刘濬当时任后将军。司马是军中执法的官。608 庾炳之：字仲文，刘义隆时代的权臣之一。传见《宋书》卷五十三。609 不朝谒：不到朝廷拜见皇帝。610 登之：东晋权臣庾冰的曾孙。传见《宋书》卷五十三。611 五月庚申：五月初四。612 穆寿：穆崇之孙，穆观之子。穆崇在拓跋珪危难之际，曾为之报信让其逃脱。穆观任职于拓跋嗣时代，颇受倚重。穆寿为拓跋焘的将领。穆氏诸传见《魏书》卷二十七。⑬恒农：即弘农，郡名，郡治在今河南灵宝北，后世为献文帝拓跋弘避讳，改称“恒农”。⑭梁眷：匈奴族刘显的部下。拓跋珪势力尚弱时，亦属于刘显。刘显欲杀拓跋珪，梁眷使穆崇给拓跋珪报信，使拓跋珪得以逃脱。⑮元勋未录：大功尚未褒奖。未录，未叙，没有提上日程。⑯奕世受赏：一连几代地蒙受褒奖。⑰龟兹、疏勒、乌孙、悦般、渴槃陁、鄯善、焉耆、车师、粟持：都是当时的西域国名，龟兹、疏勒、乌孙、鄯善、焉耆、车师都是汉以来的古国，在今新疆维吾尔自治区内，悦般在今新疆西北部与哈萨克斯坦境内，渴槃陁在今新疆西部与阿富汗境内，粟持在葱岭西的塔吉克斯坦境内。⑱以抑将来：以至于堵塞了日后别的国家慕义前来的道路。⑲二十辈：二十伙人；二十个使团。辈，犹今之所谓“批”“起”。⑳流沙：即今甘肃敦煌以西、新疆罗布泊以东的白龙堆沙漠。㉑竟：到底；始终。㉒甲戌：五月十八日。㉓六月甲午：六月初八。㉔嘉瑞沓臻：好的神秘征兆屡屡出现。嘉瑞，犹言“祥瑞”，阴阳五行家所鼓吹的神秘征兆，如凤凰出、麒麟降、嘉苗生等等。沓臻，屡至、屡屡出现。臻，至、到来。㉕大酺：全国性的欢聚痛饮。古代有时对饮酒有限制，故国家下令允许畅饮也写入历史。㉖天贶：上天的赏赐。㉗丙午：六月二十日。㉘请国讳：即询问魏主拓跋焘的名字。要高句丽也为“焘”字避讳。㉙帝系：拓跋魏的帝王世系表。㉚钊：东晋初时的高丽王，成帝咸康八年（公元三四二年）被慕容皝打败，被百济人所杀。㉛戊申：六月二十二日。㉜徒河屈垣：徒河地区的鲜卑人姓屈名垣。徒河，即今辽宁锦州。㉝己酉：六月二十三日。㉞扬州西曹主簿：扬州刺史府的西曹主簿。胡三省注：“自晋以来，公府分东、西曹，各有掾属、主簿。”㉟酒糜谷：造酒浪费粮食。糜，耗、费。㊱权：暂时。㊲林子：即沈林子，沈约的祖父，刘裕部下的名将，在破卢循、破司马休之及收复关中之役中立有大功。传见《宋书》卷一百。㊳稒阳：县名，在今内蒙古包头一带。㊴己卯：七月二十四日。㊵侍子：即质子。燕王冯弘答应送太子入魏为质，而至今未送。㊶八月丙戌：八月初一。㊷九月甲戌：九月二十日。㊸十月癸卯：十月十九日。㊹甲辰：十月二十日。㊺十一月乙丑：十一月十二日。㊻己巳：十一月十六日。㊼广川：县名，县治在今河北景县西南。㊽丙子：十一月二十三日。㊾邺：古城名，在今河北临漳西南，石勒、石虎时代的都城。㊿举天下：以魏国全国的兵力。(651)一隅：一个角落，指小小的燕国。(652)请迎于高丽：即投降高句丽，请高句丽派兵来接。因为他们已经不可能自己率部前往。(653)佛化被于中国：佛教文化流行于中国。被，加、流行。(654)四代：指东汉、魏、晋、宋。(655)形像塔寺：塑造的神像与兴建的佛塔与寺庙。(656)所在千数：到处都成百上千。(657)情敬浮末：都是追求一些表面的东西，把真正的恭敬、信仰放在其次。(658)奢竞：奢侈豪华。(659)无关神祇：与佛教的神灵不沾边。(660)有累人事：对于百姓的生活影响可就大啦。有累，有损、有害。人事，人的生活。(661)不为之防：如不加以限制、管理。防，限制。(662)流遁未息：指越发展越坏。(663)列言：指向上提出申请。(664)吐没骨：当时的少数民族部落名，生活地区不详。(665)杨保宗：氐王杨盛之孙，杨玄之子。杨玄死后，杨难当夺杨保宗之位自立为“大秦王”。杨保宗谋袭杨难当，事泄被囚，见前文元嘉九年。㊅㊅ 童亭：在今甘肃天水东南。

【校记】

［11］北：张敦仁《通鉴刊本识误》作“南”。［12］高句丽王：据章钰校，甲十一行本、乙十一行本皆无“句”字。［13］屈垣：严衍《通鉴补》改作“屈恒”。〖按〗《魏书》作“屈垣”。

【研析】

本卷写宋文帝元嘉八年（公元四三一年）至元嘉十二年共五年间的各国大事，其中值得议论的有如下几点：

第一，写了魏军南攻宋镇滑台，宋将檀道济率王仲德、段宏等北出往救，军至历城，乏食不能进，在行将崩溃之际，夜间以“唱筹量沙”之法，稳定军心，全军而返。其文曰：“檀道济等进至济上，二十余日间，前后与魏三十余战，道济多捷。军至历城，叔孙建等纵轻骑邀其前后，焚烧草谷。道济军乏食，不能进。……檀道济等食尽，自历城引还。军士有亡降魏者，具告之。魏人追之，众恟惧将溃。道济夜唱筹量沙，以所余少米覆其上。及旦，魏军见之，谓道济资粮有余，以降者为妄而斩之。时道济兵少，魏兵甚盛，骑士四合。道济命军士皆被甲，己白服乘舆，引兵徐出。魏人以为有伏兵，不敢逼，稍稍引退。道济全军而返。”作为一个独当一面的将军，能在紧急时刻迅速作出反应，麻痹、误导敌人，使自己转危为安，檀道济的表现是令人敬佩的。明代杨一奇《史谈补》说：“善用兵者，有余而示之不足，敌莫得以测其伏；不足而示之有余，敌莫得以捣其虚。孙膑之减灶，檀道济之量沙，是也。”

第二，本文写了宋将朱脩之坚守滑台，由于檀道济的救兵被魏军挡住，最后退回，于是使朱脩之的滑台守军遂陷于无望之中，但朱脩之还是在无望的战斗中表现了他的艰苦卓绝，其文曰：“由是安颉、司马楚之等得专力攻滑台，魏主复使楚兵将军王慧龙助之。朱脩之坚守数月，粮尽，与士卒熏鼠食之。辛酉，魏克滑台，执脩之及东郡太守申谟，虏获万余人。”朱脩之的表现是可歌可泣的，就如同上卷所描写过的毛德祖守虎牢，是东晋与南朝将领中所罕见的英雄人物。也正因此，相比之下更加显出了檀道济的无能。由于他未能完成救滑台的任务，导致了滑台这群英雄守军的全军覆没。而檀道济断送西线守军不救，这已经是第二次了，其上次不救毛德祖的怯懦无能，至今尚令人心有余痛。好在朱脩之也像毛德祖一样，受到了魏国君主的敬重，后来也像毛德祖那样又辗转回到了南方。

第三，本卷还写了魏主拓跋焘任用王慧龙为荥阳太守，王慧龙治理荥阳有方，引起宋文帝刘义隆的忌恨，招致刘义隆对之行反间计，乃至派刺客前往行刺。文章说："慧龙在郡十年，农战并修，大著声绩，归附者万余家。帝纵反间于魏，云：'慧龙自以功高位下，欲引宋人入寇，因执司马楚之以叛。'魏主闻之，赐慧龙玺书曰：'刘义隆畏将军如虎，欲相中害，朕自知之。风尘之言，想不足介意。'帝复遣刺客吕玄伯刺之，曰：'得慧龙首，封二百户男，赏绢千匹。'玄伯诈为降人，求屏人有所论；慧龙疑之，使人探其怀，得尺刀。玄伯叩头请死，慧龙曰：'各为其主耳。'释之。左右谏曰：'宋人为谋未已，不杀玄伯，无以制将来。'慧龙曰：'死生有命，彼亦安能害我？我以仁义为捍蔽，又何忧乎？'遂舍之。"刘义隆身为南朝皇帝，竟使用如此卑下的手段；相反，魏主的表现竟能如此的高屋建瓴。历史家用笔如此，其对南朝一群孬种的蔑视油然而出。王慧龙是什么人呢？其祖父名叫王愉，在刘裕没有发达以前，曾对刘裕有过不礼貌的表现。刘裕掌权后，为报私仇灭了王愉的满门。当时王慧龙十四岁，被一个和尚所掩护而救了出来，为避难逃到了魏国。从此，王慧龙与刁雍、司马楚之、司马休之等联合一起，共同反对刘裕，与刘宋政权进行不共戴天的斗争，这是刘裕没有政治风度、心胸狭隘造下的恶果。刘义隆不能为其父道歉赔罪，反而出此下策，令人憎恨。

第四，本卷写了东晋遗臣谢灵运的下场。谢灵运是东晋名将谢玄的孙子，有一个令人敬佩的出身。但谢灵运本人的表现令人讨厌。首先他恃才傲物，目空一切。他瞧不起王华、王昙首等人，总觉得皇帝对他不重用，没有让他"参机要"，进入决策集团的范围。于是纵酒狂放，在官场而不理政事，到处游山玩水，搅得鸡飞狗跳，让人把他误以为是土匪强盗，因而被监察部门一再弹劾。但谢灵运对此不仅没有收敛，反而越发心怀不满，乃至图谋造反，于是被朝廷正法于广州。迨至谢灵运被判死刑时，忽然又一变常态，反过来以东晋王朝的忠臣孝子自居，以忠于韩国、与暴秦势不两立的汉代张良及战国时代的鲁仲连自命，写诗说什么"韩亡子房奋，秦帝鲁连耻"，出尔反尔，言不由衷，完全像个献身投靠赵高，最后又被赵高杀掉，临死还以"忠臣"自命的秦朝的李斯。谢灵运在文学史上的贡献是写山水诗，人格上没有什么东西可讲。

第五，本卷还写了忘恩负义的刘宋的臣子刘湛。刘湛原是宋文帝刘义隆手下权臣殷景仁的朋友，由于殷景仁的推荐，刘义隆把刘湛调进朝廷，委以重任。刘湛获任后，立即妒忌殷景仁，嫌殷景仁居他之前，处处设计陷害他，一心倾倒殷景仁，由他独揽一切。刘湛勾结刘义隆之弟刘义康，甚至企图派刺客刺杀殷景仁，多亏皇帝亲自护持，才使刘湛未能得手。这些描写都是为下卷刘义隆解决刘义康、刘湛的大举动埋下伏笔。

此外还写了魏臣李顺出使北凉，斥责北凉主沮渠蒙逊的傲慢无礼，情景略似刘邦使者陆贾出使南越，与粗鲁无知的南越王赵佗对话的情景，故事详见《史记·郦生陆贾列传》；写了宋臣谢混被杀，谢弘微受谢混妻晋陵公主之托，为谢混理家之尽心尽力而又廉洁无私的故事，写出了一个生活在道德沦丧氛围中的出淤泥而不染的高尚形象。

卷第一百二十三　宋纪五

起柔兆困敦（丙子，公元四三六年），尽重光大荒落（辛巳，公元四四一年），凡六年。

【题解】

本卷写了宋文帝元嘉十三年（公元四三六年）至元嘉十八年共六年间的刘宋与北魏等国的大事。主要写：刘宋权臣刘义康、刘湛乘文帝刘义隆抱病之际杀害名将檀道济及其诸子，自毁长城，致使魏人暗自窃喜。刘义康专权跋扈，对皇帝无君臣之礼，天下进贡者首先进给刘义康，皇帝倒在其次；刘湛等借着刘义康以倾轧殷景仁，使殷景仁处于病休状态；文帝病时，刘湛等高唱要立长君，并预做了弟继兄位的种种准备，使刘宋君相之间的怨隙已不可调和。刘义隆乘刘湛在家丁母忧之际，突然起用殷景仁，收捕刘湛、刘斌等党羽杀之，出刘义康为江州刺史，又移为都督江、交、广三州诸军事，徙广州，朝臣扶令育上书劝止，被杀；赖有会稽长公主护持，刘义康得暂时无事。殷景仁病死，朝廷任用王球、始兴王刘濬、范晔、沈演之、沈璞等主持国事。魏人起兵伐燕，燕王冯弘向高丽投降，冯弘入高丽后又向刘宋请迎，终被高丽人所杀，北燕遂灭。魏主派使者招抚西

【原文】

太祖文皇帝中之上

元嘉十三年（丙子，公元四三六年）

春，正月癸丑朔①，上有疾，不朝会。

甲寅②，魏主还宫③。

二月戊子④，燕王遣使入贡于魏，请送侍子⑤。魏主不许⑥，将举兵讨之。壬辰⑦，遣使者十余辈⑧诣东方高丽等诸国告谕⑨之。

司空、江州刺史、永修公⑩檀道济，立功前朝⑪，威名甚重，左右腹心并经百战，诸子又有才气，朝廷疑畏之。帝久疾不愈，刘湛说司徒义康，以为“宫车一日晏驾⑫，道济不复可制”。会帝疾笃⑬，

域，西域归附之者十六国，从此朝贡不绝。魏主拓跋焘欲讨北凉，奚斤、古弼、李顺等人皆以其地无水草为由反对，独崔浩、伊馛赞成之；魏主以源贺为向导，并使其居前以招抚秃发氏之旧部，故军事进展顺利，最后姑臧城溃，牧犍面缚出降。柔然乘魏取凉州之际，派兵进袭魏地，被魏人击退。魏主由凉州获得了许多儒学、文学之士如胡叟、常爽、索畅等，皆重用之，魏之儒风由此而振起。在刘宋的益州境内起事的流民将领程道养、赵广等在坚持了五年的斗争后，终于被刘宋王朝所讨平。宋文帝刘义隆爱好学术，在都城立儒学、玄学、史学、文学，令雷次宗、何尚之、何承天、谢元四人分别主持之。沮渠蒙逊之子沮渠无讳在国破之后坚持战斗，收复酒泉，又攻张掖；魏使拓跋健讨之，沮渠无讳兵败，欲西渡流沙，破鄯善而居之。氐王杨难当谋据蜀地，宋将刘道真、刘道锡、裴方明等进行了有效的抵抗。

【语译】

太祖文皇帝中之上

元嘉十三年（丙子，公元四三六年）

春季，正月初一癸丑，宋文帝刘义隆因为患病，没有到金銮殿接受群臣的朝贺。

正月初二甲寅，北魏太武帝拓跋焘从广川返回平城的皇宫。

二月初六戊子，北燕王冯弘派使者到北魏的都城平城向魏国进贡，请求将太子冯王仁送到魏国朝廷服侍。北魏太武帝拓跋焘没有同意北燕的请求，他准备出兵讨伐北燕。初十壬辰，北魏派出十多批使节团前往东方的高丽等国，将魏国即将讨伐北燕的事情通告各国。

宋国担任司空、江州刺史的永修县公檀道济，在前任皇帝在位的时候立下了大功劳，所以他的威望、名声都很高，他身边的亲信也都身经百战，檀道济的几个儿子又都很有才气，所以朝廷对檀道济既猜忌又惧怕。宋文帝刘义隆久病不愈，担任领军将军的刘湛遂劝说担任司徒的彭城王刘义康，刘湛认为“如果皇帝刘义隆突然在某一天去世，就再也没有人能够控制得住檀道济”。恰巧宋文帝的病情转重，

义康言于帝，召道济入朝⑭。其妻向氏谓道济曰："高世之勋⑮，自古所忌。今无事相召，祸其⑯至矣。"既至，留之累月。帝稍间⑰，将遣还，已下渚⑱，未发；会帝疾动，义康矫诏召道济入祖道⑲，因执之。三月己未⑳，下诏称："道济潜散金货，招诱剽猾㉑，因朕寝疾，规肆祸心㉒。"收付廷尉㉓，并其子给事黄门侍郎㉔植等十一人诛之，唯宥其孙孺㉕。又杀司空参军薛彤、高进之。二人皆道济腹心，有勇力，时人比之关、张㉖。

道济见收，愤怒，目光如炬，脱帻㉗投地曰："乃坏汝万里长城！"魏人闻之，喜曰："道济死，吴子㉘辈不足复惮㉙！"

庚申㉚，大赦。以中军将军南谯王义宣为江州刺史。

辛未㉛，魏平东将军娥清、安西将军古弼将精骑一万伐燕，平州㉜刺史拓跋婴帅辽西诸军会之。

氐王杨难当自称大秦王，改元"建义"，立妻为王后，世子为太子，置百官皆如天子之制。然犹贡奉宋、魏不绝。

夏，四月，魏娥清、古弼攻燕白狼城㉝，克之。

高丽遣其将葛卢孟光㉞将众数万随阳伊㉟至和龙迎燕王，高丽屯于临川㊱。燕尚书令郭生因民之惮迁㊲，开城门纳魏兵。魏人疑之，不入。生遂勒兵攻燕王。王引高丽兵入自东门，与生战于阙下，生中流矢死。葛卢孟光入城，命军士脱弊褐㊳，取燕武库精仗㊴以给之㊵，大掠城中。

五月乙卯㊶，燕王帅龙城见户㊷东徙，焚宫殿，火一旬不灭。令妇人被甲居中㊸，阳伊等勒精兵居外，葛卢孟光帅骑殿后㊹，方轨而进㊺，

彭城王刘义康遂向宋文帝提议，将担任江州刺史的檀道济召回京师。檀道济的妻子向氏对檀道济说："高出于世上一切人的功勋，自古以来就遭到别人的忌恨。现在国家又没有发生什么事情，却无缘无故将你召回京师，恐怕是大祸临头了。"檀道济回到京师建康，在建康逗留了两个月。宋文帝的病情逐渐好转，遂打算令檀道济返回寻阳任所，檀道济的船只已经离开了秦淮河码头，只是还没有正式开船出发；而宋文帝刘义隆此时病情突然加重，彭城王刘义康遂假传皇帝诏命，令檀道济返回，入宫参加为他举办的祭祀路神以及饮宴送别活动，檀道济遵命入宫之后，便被逮捕起来。三月初八己未，宋文帝刘义隆下诏说："檀道济私自散发家财，招纳、引诱那些勇猛险恶之徒，趁着皇帝生病的机会，阴谋造反。"遂将檀道济交付给廷尉审理，连同檀道济的儿子、担任给事黄门侍郎的檀植等十一个人全部处死，只赦免了檀道济尚在童稚之中的孙子。同时被杀死的还有担任司空参军的薛彤、高进之。因为他们二人都是檀道济的心腹，又有勇力，当时的人都把他们比作刘备的结义兄弟关羽和张飞。

檀道济被逮捕之后，愤怒已极，目光就像两把燃烧的火炬，他揪下头巾狠狠地摔在地上，愤恨地说："你们竟然拆毁了自家的万里长城！"北魏的人听到檀道济被杀死的消息，高兴地说："檀道济已经死了，用不着再惧怕吴地的那些小子！"

三月初九庚申，宋国实行大赦。任命担任中军将军的南谯王刘义宣为江州刺史。

三月二十日辛未，北魏担任平东将军的娥清、担任安西将军的古弼率领一万名精骑兵攻伐北燕，担任平州刺史的拓跋婴率领辽西的各路人马前往与娥清等会合。

氐王杨难当自称大秦王，改年号为"建义"，立自己的妻子为王后，立世子为太子，按照天子的制度设置文武百官。然而仍然不断地派使者前往宋国、北魏进贡。

夏季，四月，北魏的平东将军娥清、安西将军古弼率军进攻北燕的白狼城，将白狼城攻克。

高丽派遣将领葛卢孟光率领数万人马跟随北燕的使者阳伊抵达北燕的都城和龙，来迎接北燕王冯弘前往高丽，高丽的人马驻扎在和龙城东的临川。北燕担任尚书令的郭生因为百姓都惧怕被强迫迁移到遥远的高丽，遂打开和龙的城门准备放北魏军入城。而北魏军却对此心怀疑虑，不敢进入。郭生遂召集兵马进攻北燕王冯弘。冯弘赶紧派人引领着高丽的兵马从和龙城的东门入城，双方在皇宫门口展开激战，郭生被流矢射死。高丽将领葛卢孟光率军进入和龙，他令军士们脱下身上的破衣服，换上从北燕的武器库中拿出的新铠甲，扔掉手里的破兵器，换上从北燕武器库中挑选出来的精良的刀枪剑戟，把自己的部队装备起来，然后在城中大肆进行劫掠。

五月初五乙卯，北燕王冯弘率领和龙城中现有的居民向东迁移，他焚毁了和龙的宫殿，大火整整燃烧了十天还没有熄灭。冯弘下令，让妇女身穿铠甲走在迁移队伍的中间，令担任尚书的阳伊等率领精兵在外围担任保卫，高丽的葛卢孟光率领骑

前后八十余里。古弼部将高苟子帅骑欲追之，弼醉，拔刀止之，故燕王得逃去。魏主闻之，怒，槛车征弼及娥清至平城，皆黜为门卒。

戊午㊻，魏主遣散骑常侍封拨使高丽，令送燕王。

丁卯㊼，魏主如河西。

六月，诏宁朔将军萧汪之将兵讨程道养。军至郪口㊽，帛氏奴㊾请降。道养兵败，还入郪山㊿。

赫连定之西迁(51)也，杨难当遂据上邽(52)。秋，七月，魏主遣骠骑大将军乐平王丕、尚书令刘絜督河西、高平诸军以讨之。先遣平东将军崔赜(53)赍诏书谕难当(54)。

魏散骑侍郎游雅来聘。

己未(55)，零陵王(56)太妃褚氏卒，追谥曰“晋恭思皇后”，葬以晋礼。

八月，魏主畋于河西(57)。

魏主遣广平公张黎发定州兵一万二千通莎泉道(58)。

九月庚戌(59)，魏乐平王丕等至略阳(60)。杨难当惧，请奉诏(61)，摄(62)上邽守兵还仇池(63)。诸将议，以为“不诛其豪帅，军还之后，必相聚为乱”；又，“大众远出，不有所掠，无以充军实，赏将士”。丕将从之，中书侍郎高允(64)参丕军事，谏曰：“如诸将之谋，是伤其向化(65)之心，大军既还，为乱必速。”丕乃止，抚慰初附，秋毫不犯，秦、陇遂安。难当以其子顺为雍州刺史，镇[1]下辨(66)。

高丽不送燕王于魏，遣使奉表，称“当与冯弘俱奉王化”。魏主以高丽违诏，议击之，将发陇右(67)骑卒。刘絜曰：“秦、陇新民(68)，且当优复(69)，俟其饶实，然后用之。”乐平王丕曰：“和龙新定，宜广修农桑

兵殿后，两车并行，前后拉开八十多里。北魏安西将军古弼的部将高苟子率领骑兵想要前去追击，古弼当时喝醉了酒，他拔出刀来进行阻止，所以北燕王冯弘才得以逃走。北魏太武帝拓跋焘得知消息，非常愤怒，就下令用囚车将安西将军古弼和平东将军娥清押回平城，把他们二人贬为看门的士卒。

五月初八戊午，北魏派遣担任散骑常侍的封拨出使高丽，令高丽将北燕王冯弘押送到北魏。

五月十七日丁卯，北魏太武帝拓跋焘前往河西巡视。

六月，宋文帝刘义隆下诏，令宁朔将军萧汪之率军前往蜀地讨伐自称蜀王的叛民首领程道养。萧汪之率军抵达郪口，叛民将领帛氐奴向官军投降。程道养的军队于是溃败，又逃回了郪山。

夏王赫连定向西迁移的时候，氐王杨难当遂趁机占领了上邽。秋季，七月，北魏太武帝拓跋焘派遣担任骠骑大将军的乐平王拓跋丕、担任尚书令的刘絜统领河西地区、高平地区的各路人马讨伐杨难当。在对杨难当发动攻击之前，先派平东将军崔赜带着太武帝的诏书为杨难当分析形势，劝说杨难当退出所占领的上邽。

北魏担任散骑侍郎的游雅到宋国进行访问。

七月初十己未，宋国零陵王太妃褚氏去世，被追谥为晋恭思皇后，用晋国皇家的礼仪将其安葬。

八月，北魏太武帝拓跋焘到黄河以西地区打猎。

北魏太武帝拓跋焘派遣担任广平公的张黎从定州征调一万二千名士兵修建从平城通往莎泉的道路。

九月初二庚戌，北魏乐平王拓跋丕等率军抵达略阳。氐王杨难当十分恐惧，遂请求按照魏国太武帝拓跋焘的诏令行事，收拢上邽的守军返回仇池。诸将经过商议，都认为"如果不把杨难当属下为首的杀掉，魏军一旦撤回之后，他们必然还会叛乱"；再有，"大军远征，如果没有抢夺到什么东西，就没有办法补充军用物资、奖赏将士"。拓跋丕准备听从诸将的意见，担任中书侍郎的高允正在拓跋丕手下参与军事，他劝谏拓跋丕说："如果采纳了诸将的意见，一定会伤害杨难当他们的向往归化之心，大军撤走之后，他们必定很快发动叛乱。"拓跋丕这才没有按照诸将的意愿行事，他安抚新归附的民众，军纪严明，秋毫无犯，秦、陇地区遂安定下来。氐王杨难当任命自己的儿子杨顺为雍州刺史，镇守下辨。

高丽没有按照北魏的意愿，将北燕王冯弘送往北魏，而是上表给太武帝拓跋焘，请求"希望能与冯弘一同尊奉魏国的教化"。北魏太武帝拓跋焘因为高丽违背了自己的诏命，遂商议出兵攻打高丽，并准备征调陇山以西一带地区的骑兵。担任尚书令的刘絜劝阻说："秦、陇之民都是刚刚接受魏国统治的人，朝廷应当对他们格外优待，免除他们的赋税劳役，等他们生活富裕、殷实的时候，再使用他们。"乐平王拓跋丕

以丰军实，然后进取，则高丽一举可灭也。”魏主乃止。

癸丑⑳，封皇子濬为始兴王，骏为武陵王。

冬，十一月己酉㉑，魏主如稒阳㉒，驱野马于云中㉓，置野马苑。闰月壬子㉔，还宫。

初，高祖克长安，得古铜浑仪㉕，仪状虽举㉖，不缀七曜㉗。是岁，诏太史令钱乐之更铸浑仪，径六尺八分，以水转之，昏明中星与天相应㉘。

柔然与魏绝和亲㉙，犯魏边。

吐谷浑惠王慕璝㉚卒，弟慕利延立。

十四年（丁丑，公元四三七年）

春，正月戊子㉛，魏北平宣王长孙嵩㉜卒。

辛卯㉝，大赦。

二月乙卯㉞，魏主如幽州。三月丁丑㉟，魏主以南平王浑㊱为镇东大将军、仪同三司，镇和龙。己卯㊲，还宫。

帝遣散骑常侍刘熙伯如魏议纳币㊳，会帝女亡而止。

夏，四月，赵广、张寻、梁显等各帅众降；别将㊴王道恩斩程道养，送首，余党悉平㊵。丁未㊶，以辅国将军周籍之为益州刺史。

魏主以民官㊷多贪，夏，五月己丑㊸，诏吏民得㊹举告守令不如法者。于是奸猾㊺专求牧宰㊻之失，迫胁在位㊼，横于闾里；而长吏咸降心㊽待之，贪纵如故㊾。

丙申⑩⓪，魏主如云中。

秋，七月戊子⑩①，魏永昌王健等讨山胡白龙余党于西河⑩②，灭之。

说："和龙刚刚被平定，应该在那里大规模推广种田植桑，用以充实军用物资，然后再出兵进取，那样的话，一次就可以把高丽彻底消灭。"北魏太武帝拓跋焘这才打消了立即出兵高丽的念头。

九月初五癸丑，宋文帝刘义隆封皇子刘濬为始兴王，封刘骏为武陵王。

冬季，十一月初一己酉，北魏太武帝拓跋焘前往稒阳，派人把野马驱赶到云中郡，在云中郡设立了野马苑。闰十二月初五壬子，北魏太武帝拓跋焘返回平城的皇宫。

当初，宋高祖刘裕攻克长安的时候，得到了一台古人用黄铜制作的浑天仪，这台浑天仪的样子虽然大体尚好，但上面应该具备的日、月和金、木、水、火、土五星却都已经没有了。这一年，宋文帝刘义隆下诏令担任太史令的钱乐之重新制造浑天仪，浑天仪的直径为六尺八分，用水作为动力，使浑天仪上的星宿能够运转起来，不论是早晨的日出还是晚上的日落，都与天空中的实际情况相符合。

柔然与北魏断绝和亲关系，继续出兵进犯北魏的边境。

吐谷浑惠王慕容慕璝去世，慕容慕璝的弟弟慕容慕利延即位。

十四年（丁丑，公元四三七年）

春季，正月十二日戊子，魏国北平宣王长孙嵩去世。

正月十五日辛卯，宋国实行大赦。

二月初九乙卯，北魏太武帝拓跋焘前往幽州。三月初二丁丑，北魏太武帝拓跋焘任命南平王拓跋浑为镇东大将军、开府仪同三司，镇守和龙。初四己卯，拓跋焘返回皇宫。

宋文帝刘义隆准备派遣担任散骑常侍的刘熙伯前往北魏商议公主出嫁送聘礼的有关事宜，不料，宋文帝的女儿逝世，此事遂到此而止。

夏季，四月，宋国蜀地的叛民首领赵广、张寻、梁显等分别率领自己的部众向朝廷投降；另一叛民将领王道恩斩杀了蜀王程道养，并将程道养的首级送往京师建康，流民的叛变至此遂全部平息。初二丁未，宋国朝廷任命担任辅国将军的周籍之为益州刺史。

北魏太武帝拓跋焘因为地方官员大多贪赃枉法，夏季，五月十五日己丑，下诏说：官吏和百姓可以向朝廷检举、告发太守、县令中那些违法乱纪者。于是一些奸诈、狡猾之徒便专门搜寻州牧、郡守、县令的过失，借此进行要挟勒索，在地方上横行霸道；而有把柄落在他们手中的各级地方官员反倒低声下气地对待他们，与他们相互勾结，贪赃枉法依然如故。

五月二十二日丙申，北魏太武帝拓跋焘前往云中郡。

秋季，七月十五日戊子，北魏永昌王拓跋健等率军讨伐盘踞在黄河以西地区的山胡首领白龙的余党，将他们一网打尽。

八月甲辰[103]，魏主如河西。九月甲申[104]，还宫。

丁酉[105]，魏主遣使者拜吐谷浑王慕利延为镇西大将军、仪同三司，改封西平王[106]。

冬，十月癸卯[107]，魏主如云中。十一月壬申[108]，还宫。

魏主复遣散骑侍郎董琬、高明等多赍金帛使西域，招抚九国[109]。琬等至乌孙，其王甚喜，曰："破落那[110][2]、者舌[111]二国皆欲称臣致贡于魏，但无路自致[112]耳，今使君[113]宜过抚之[114]。"乃遣导译[115]送琬诣破落那，明诣者舌。旁国闻之，争遣使者随琬等入贡，凡十六国。自是每岁朝贡不绝。

魏主以其妹武威公主妻河西王牧犍。河西王遣宋繇奉表诣平城谢，且问其母及[3]公主所宜称[116]。魏主使群臣议之，皆曰："母以子贵，妻从夫爵。牧犍母宜称'河西国太后'；公主于其国称'王后'，于京师[117]则称'公主'。"魏主从之。

初，牧犍娶凉武昭王[118]之女。及魏公主至，李氏与其母尹氏迁居酒泉，顷之，李氏卒，尹氏抚之，不哭，曰："汝国破家亡[119]，今死晚矣[120]。"牧犍之弟无讳镇酒泉，谓尹氏曰："后诸孙在伊吾[121]，后欲就之[122]乎？"尹氏未测其意，绐[123]之曰："吾子孙漂荡，托身异域；余生无几，当死此，不复为毡裘之鬼[124]也。"未几，潜奔伊吾。无讳遣骑追及之，尹氏谓追骑曰："沮渠酒泉[125]许吾归北[126]，何为复追？汝取吾首以往，吾不复还矣。"追骑不敢逼，引还。尹氏卒于伊吾。

牧犍遣将军沮渠旁周入贡于魏，魏主遣侍中古弼、尚书李顺赐其侍臣衣服，并征世子封坛[127]入侍。是岁，牧犍遣封坛如魏。亦遣使诣

八月初一甲辰，北魏太武帝拓跋焘前往黄河以西地区巡视。九月十二日甲申，返回皇宫。

九月二十五日丁酉，北魏太武帝拓跋焘派使者任命吐谷浑王慕容慕利延为镇西大将军、开府仪同三司，改封其为西平王。

冬季，十月初一癸卯，北魏太武帝拓跋焘前往云中郡。十一月初一壬申，拓跋焘返回平城的皇宫。

北魏太武帝拓跋焘又派遣担任散骑侍郎的董琬、高明等带着很多的金银珍宝、绫罗绸缎等出使西域，招降、安抚西域的龟兹、疏勒、乌孙、悦般、渴槃陁、鄯善、焉耆、车师、粟持等九个国家。董琬等抵达乌孙，乌孙国王非常高兴地说："破落那、者舌两个国家都想向魏国称臣、进贡，只是自己没有门路前往魏国，现在使君应该到那两个国家去安抚他们。"于是派遣向导、翻译人员送董琬等前往破落那，送高明前往者舌。乌孙旁边的国家听说魏国的使者已经来到西域，都争相派遣使者跟随董琬等到魏国进贡，总计有十六个国家。从此以后，这些国家每年都派使者到魏国朝见皇帝，进献贡品，从不间断。

北魏太武帝拓跋焘把自己的妹妹武威公主嫁给北凉河西王沮渠牧犍为妻。河西王沮渠牧犍派担任右相的宋繇带着表章前往魏国的都城平城谢恩，并向太武帝拓跋焘请示他们对沮渠牧犍的母亲以及从魏国下嫁到北凉的武威公主应该怎么称呼。北魏太武帝拓跋焘令群臣商议此事，群臣都说："母以子贵，妻子随从丈夫的爵位。沮渠牧犍的母亲应该称呼为'河西国太后'；武威公主在北凉则应该称为'王后'，在魏国则应称为'公主'。"拓跋焘听从了群臣的意见。

当初，沮渠牧犍娶了西凉武昭王李暠的女儿为妻。等到北魏的武威公主来到之后，李氏遂与自己的母亲尹氏迁居到酒泉，不久，李氏去世，她的母亲尹氏抚摸着李氏的尸体，连哭都没有哭一声，只是说："你已经国破家亡，现在死已经晚了。"沮渠牧犍的弟弟沮渠无讳镇守酒泉，他对尹氏说："太后，你的几个孙子现在都在伊吾，你想不想前去投奔他们？"尹氏不知道沮渠无讳的真正用意，遂欺骗他说："我的子孙已经流浪四方，漂泊在异国他乡；我活在世上的时间已经不多了，只有死在这里，不想再死到生番化外之地去了。"不久，尹氏便偷偷地逃往伊吾。沮渠无讳所派遣的骑兵追上了尹氏，尹氏对这些追兵说："酒泉太守沮渠无讳已经允许我前往北方投奔我那些在伊吾的孙子，你们为何又来追赶？你们就把我的脑袋带回去吧，我不会再返回酒泉。"追赶的骑兵不敢过于逼迫，只得返回。尹氏后来死在了伊吾。

沮渠牧犍派遣将军沮渠旁周前往北魏进贡，北魏太武帝拓跋焘派遣担任侍中的古弼、担任尚书的李顺前往北凉的都城姑臧，把侍从官员的衣服赏赐给北凉的文武群臣，并征召北凉的世子沮渠封坛到魏国充当人质。这一年，沮渠牧犍派遣世子沮渠封坛前往北魏。同时也派遣使者前往宋国的京师建康，进献各种杂书以及敦煌人

建康，献杂书及敦煌赵𢾺所撰《甲寅元历》[128]，并求杂书数十种，帝皆与之。

李顺自河西还，魏主问之曰："卿往年言取凉州之策[129]，朕以东方有事[130]，未遑[131]也。今和龙已平，吾欲即以此年西征，可乎？"对曰："臣畴昔[132]所言，以今观之，私谓不谬[133]。然国家戎车屡动，士马疲劳，西征之议，请俟他年[134]。"魏主乃止。

十五年（戊寅，公元四三八年）

春，二月丁未[135]，以吐谷浑王慕利延为都督西秦、河、沙[136]三州诸军事，镇西大将军，西秦、河二[4]州刺史，陇西王。

三月癸未[137]，魏主诏罢[138]沙门年五十以下[139]者。

初，燕王弘至辽东，高丽王琏遣使劳之曰："龙城王冯君，爰适野次[140]，士马劳乎？"弘惭怒，称制让之[141]。高丽处之平郭[142]，寻徙北丰[143]。弘素侮[144]高丽，政刑赏罚，犹如其国[145]。高丽乃夺其侍人，取其太子王仁为质。弘怨高丽，遣使[5]上表求迎[146]。上遣使者王白驹等迎之，并令高丽资遣[147]。高丽王不欲使弘南来，遣将孙漱、高仇等杀弘于北丰，并其子孙十余人，谥弘曰"昭成皇帝"。白驹等帅所领七千余人掩讨漱、仇，杀仇，生擒漱。高丽王以白驹等专杀，遣使执送[148]之。上以远国，不欲违其意，下白驹等狱，已而原[149]之。

夏，四月，纳故黄门侍郎殷淳女为太子劭妃。

五月戊寅[150]，魏大赦。

丙申[151]，魏主如五原[152]。秋，七月，自五原北伐柔然。命乐平王丕督十五将出东道，永昌王健督十五将出西道，魏主自出中道。至浚稽山[153]，复分中道为二：陈留王崇从大泽向涿邪山[154]，魏主从浚稽北向天山[155]，西登白阜[156]，不见柔然而还。时漠北大旱，无水草，人马多死。

赵畋所撰写的《甲寅元历》，同时向宋国索要数十种杂书，宋文帝刘义隆按照其要求，全数赠予。

北魏尚书李顺从河西出使回来，北魏太武帝拓跋焘向他询问说："你往年曾经和我说过攻取凉州的策略，我那时因为征讨北燕，没有顾得上。现在燕国的都城和龙已经被我们平定，我想今年之内就出兵攻取凉州，你认为可以吗？"李顺回答说："我过去跟陛下所说的话，现在看来，我觉得仍然不错。然而国家屡次出兵，士卒马匹都已疲惫不堪，出兵西征之事，希望等到以后再说。"北魏太武帝拓跋焘遂暂时终止了西征的计划。

十五年（戊寅，公元四三八年）

春季，二月初七丁未，宋国任命吐谷浑王慕容慕利延为都督西秦、河、沙三州诸军事，镇西大将军，西秦、河二州刺史，陇西王。

三月十三日癸未，北魏太武帝拓跋焘下诏：佛门和尚，凡是五十岁以下的一律还俗。

当初，北燕王冯弘到达辽东的时候，高丽王高琏派遣使者前来安慰说："龙城王冯先生，来到我们这个破地方，士卒马匹想来一定都很疲劳吧？"冯弘又羞愧又愤怒，遂以国王对臣民说话的口气责备高丽王。高丽人把冯弘等安置在平郭，不久又将他们迁徙到北丰。北燕王冯弘一向轻视高丽，对属下臣民的发号施令、赏赐惩罚，仍然像在自己的龙城时一样。高丽人遂强行夺走冯弘身边所有的侍从，拘捕了冯弘的太子冯王仁作为人质。冯弘怨恨高丽，遂派使者前往宋国上表给宋文帝，请求宋国派兵前来迎接。宋文帝刘义隆遂派遣使者王白驹等前往高丽迎接冯弘，并命令高丽为冯弘准备路费，送冯弘前往宋国。高丽王高琏不愿意让冯弘南下，于是便派遣部将孙漱、高仇等到北丰，杀死了冯弘，连同冯弘的十多个子孙，给冯弘上谥号为"昭成皇帝"。王白驹遂率领自己手下的七千多人突袭了高丽的将领孙漱、高仇，将高仇杀死，将孙漱活捉。高丽王高琏认为王白驹等擅自诛杀高丽的将领，于是派使者将王白驹抓获，并遣送到宋国。宋文帝刘义隆认为高丽是一个地处边远的国家，因而不愿意令其感到失望，便把王白驹等关入监牢，不久又把王白驹等释放。

夏季，四月，宋文帝刘义隆给皇太子刘劭娶故黄门侍郎殷淳的女儿为太子妃。

五月初九戊寅，北魏实行大赦。

五月二十七日丙申，北魏太武帝拓跋焘前往五原。秋季，七月，拓跋焘从五原率军向北讨伐柔然。他令乐平王拓跋丕统领十五位将领从东路进发，令永昌王拓跋健率领十五位将领从西路进发，北魏太武帝拓跋焘亲自率领大军从中路进发。到了浚稽山，又将中路人马分为两路：由陈留王拓跋崇率领一路从大泽向涿邪山进发，北魏太武帝拓跋焘率领一路从浚稽山向天山进发，他向西登上白皋山，因为看不见一点柔然人的踪影，遂率军而回。当时，大漠以北遭遇大旱，找不到水草，人马死了很多。

冬，十一月丁卯朔[157]，日有食之。

十二月丁巳[158]，魏主至平城。

豫章雷次宗[159]好学，隐居庐山[160]。尝征为散骑侍郎，不就。是岁，以处士征至建康，为开馆于鸡笼山[161]，使聚徒教授。帝雅好艺文，使丹杨尹庐江何尚之[162]立玄学[163]，太子率更令何承天[164]立史学，司徒参军谢元立文学，并次宗儒学为四学。元，灵运[165]之从祖弟也。帝数幸次宗学馆，令次宗以巾褠[166]侍讲[167]，资给[168]甚厚。又除给事中[169]，不就。久之，还庐山。

臣光曰："《易》曰：'君子多识前言往行，以畜[170]其德。'孔子曰：'辞达而已矣[171]。'然则史者儒之一端[172]，文者儒之余事[173]；至于老、庄虚无[174]，固非所以为教也[175]。夫学者所以求道，天下无二道[176]，安有四学哉？"

帝性仁厚恭俭，勤于为政，守法而不峻，容物而不弛[177]。百官皆久于其职[178]，守宰以六期为断[179]，吏不苟免[180]，民有所系[181]。三十年间，四境之内，晏安[182]无事，户口蕃息[183]；出租供徭，止于岁赋[184]，晨出暮归，自事[185]而已。闾阎[186]之间，讲诵相闻[187]；士敦操尚[188]，乡耻轻薄。江左风俗，于斯[189]为美。后之言政治者，皆称"元嘉"焉。

【段旨】

以上为第一段，写宋文帝元嘉十三年（公元四三六年）至元嘉十五年共三年间的大事。主要写：刘宋权臣刘义康、刘湛乘文帝刘义隆抱病之际杀害名将檀道济及其诸子，自毁长城，致使魏人闻之而喜；魏人起兵伐燕，燕王冯弘向高丽投降，高丽乘机大掠龙城，冯弘入高丽后又向刘宋请迎，终被高丽人所杀，北燕遂灭；在益州起事的流民将领程道养、赵广等在历经五年的斗争后，终于被刘宋王朝所讨平；

冬季，十一月初一丁卯，发生日食。

十二月二十二日丁巳，北魏太武帝拓跋焘返回平城。

宋国豫章郡人雷次宗喜欢学习，隐居于庐山。朝廷曾经征聘他为散骑侍郎，他不肯出山就职。这一年，雷次宗以隐士的身份被征召到京师建康，朝廷特意在鸡笼山开设了学馆，令雷次宗招收学生，讲授学业。宋文帝刘义隆一向喜好文学，遂令担任丹杨尹的庐江人何尚之讲授玄学，令担任太子率更令的何承天讲授史学，令担任司徒参军的谢元讲授文学，加上雷次宗的儒学，合计为四门学科。谢元，是谢灵运的族弟。宋文帝刘义隆多次驾临雷次宗的学馆，令雷次宗身穿士人的服装为自己讲授儒学，宋文帝给雷次宗的物质赏赐非常优厚。又任命雷次宗为给事中，雷次宗拒绝就职。很久之后，雷次宗又回到庐山过起了隐居生活。

司马光说："《易经》上说：'君子要多多地记取前人的言论与行事，使自己的品德不断得到提高。'孔子说：'只要把意思表达清楚就可以了，不必追求辞藻的华丽。'这样看来，史学只不过是儒家学问中的一项，而文章之学是儒家学问中的细枝末流，有时间也可以学一点；至于老子、庄子的学说都是讲究'虚无'，都以'清静无为'为安身立命之本，本来就不是拿来对人宣讲的东西。学习的目的就是为了寻求正确的道理，而寻求正确的道理只有儒家的'圣人'之学一道而已，怎么会有四门学科呢？"

宋文帝性情仁厚、谦恭、节俭，勤于政务，严守法度，却不苛刻，对人宽容，却又能坚守法纪。文武百官都能长时间地担任同一种职务，郡守、县令以六年作为一个任期，官吏因而能够坚持原则，不敷衍了事，百姓们都感到有所依靠。三十年间，国家内部太平、安定，人口得到繁衍，户数增加；赋税差役，只限于国家所规定的每年应缴纳的部分，人们早上离家到田间耕作，太阳落山则回家休息，只为自己做事罢了。里巷、胡同之间授课、诵读的声音随处都可以听到；知识分子都重视道德修养，乡下人也把为人轻薄看作是一种耻辱。江南的风俗，以这个时期为最好。后人在谈论前朝的政治时，都会称颂"元嘉时代"。

魏主派使者招抚西域，西域归附之者十六国，从此朝贡不绝；魏主大举伐柔然，结果找不到柔然人踪影，人马多死，无功而还；宋文帝刘义隆爱好学术，在都城立儒学、玄学、史学、文学，令雷次宗、何尚之、何承天、谢元四人分别主持，司马光对此发表议论，并连带评论了刘义隆在位期间政治建树。

【注释】

①正月癸丑朔：正月初一是癸丑日。②甲寅：正月初二。③还宫：由广川（今河北景县西南）回归平城的宫殿。④二月戊子：二月初六。⑤送侍子：送其子入侍于魏，即送儿子去魏国当人质。⑥不许：因其屡次说送，屡次反悔。⑦壬辰：二月初十。⑧十余辈：十多批；十多伙。⑨告谕：把即将讨伐燕国的事情通告诸国，令其不得助燕；若有奔逸，使不得容受。⑩永修公：永修县公是檀道济的封号，其封地是永修县，县治在今江西永修西北。⑪立功前朝：在刘裕为帝的时候立有大功，指佐助刘裕破桓玄、佐助刘裕北伐并辅之称帝等。⑫宫车一日晏驾：皇帝刘义隆忽然在某一天死去。宫车，皇帝乘坐的车子，这里即指刘义隆。一日，犹今之所谓“忽然某一天”。晏驾，晚出。宫车不能按时出来上朝，隐指皇帝死。⑬疾笃：病势沉重。⑭召道济入朝：当时檀道济为江州刺史，驻节于寻阳，即今江西九江。⑮高世之勋：高出于其他一切世人的功勋。高世，犹言“盖世”，极言其大得无比。⑯其：表示推断的虚词，意思略同于“将”。大概、或许。⑰稍间：病情稍好。⑱下渚：指离开了秦淮河的码头，尚未正式开船。秦淮河流经当时建康城的南面、西面，在其西北角注入长江。渚，江中小岛，这里即指河边、码头。⑲入祖道：入宫祭祀道神，实即令其入宫向皇帝告别。⑳三月己未：三月初八。㉑剽猾：勇猛险恶之徒。㉒规肆祸心：阴谋造反。规，图谋、打算。肆，纵、实行。㉓收付廷尉：交由司法部门。收，逮捕。廷尉，朝官名，国家的最高司法长官。㉔给事黄门侍郎：官名，侍奉帝王周围，以备参谋顾问。㉕唯宥其孙孺：只饶过了还在童孺中的各个孙子。宥，宽释、饶过。㉖关、张：关羽、张飞。刘备的结义兄弟，心腹猛将。㉗脱帻：揪下头巾。㉘吴子：当时北朝人对南朝人的贱称。㉙不足复惮：用不着再怕他们。㉚庚申：三月初九。㉛辛未：三月二十日。㉜平州：北魏的平州州治在肥如，今河北迁安东北，当时也是辽西郡的郡治所在地。㉝白狼城：在今辽宁建昌西北，当时北燕的军事重镇。㉞葛卢孟光：人名。㉟阳伊：北燕人，去年奉命去高丽，请高丽派兵来迎。㊱临川：在当时的和龙城东。㊲惮迁：害怕被强迫搬迁到高丽。㊳弊褐：破袄。㊴精仗：精良的兵器，这里也包括新制的铠甲。㊵以给之：把他们武装起来、装备起来。㊶五月乙卯：五月初五。㊷见户：现有的人口。㊸居中：在队伍的中心。㊹殿后：也称“断后”，即今之所谓“后卫”。㊺方轨而进：表示搬迁的人既多而且有秩序、不慌不忙的样子。方轨，并车，有秩序的样子。㊻戊午：五月初八。㊼丁卯：五月十七日。㊽郪口：在今四川遂宁西北，当时的郪江入涪水之口。㊾帛氏奴：益州乱民的将领。㊿郪山：在当时的郪县境内，今四川三台南。(51)赫连定之西迁：指赫连定畏魏国之逼，率众西行渡河欲袭沮渠蒙逊之地以居之，结果被吐谷浑人俘去事。见本书卷一百二十二元嘉八年。(52)上邽：今甘肃天水。(53)崔赜：崔逞之子。传见《魏书》卷三十二。(54)谕难当：为杨难当分析形势，劝其退出所占的上邽。(55)己未：七月初十。(56)零陵王：即被刘裕所篡权，随后又将其杀害的晋恭帝司马德文。(57)河西：此指内蒙古鄂尔多

斯市一带的黄河西岸地区。㊳莎泉道：从平城通往莎泉的道路。莎泉县的县治在今山西灵丘西。㊴九月庚戌：九月初二。㊵略阳：郡名，郡治陇城，在今甘肃秦安东北，当时的上邽以北。㊶请奉诏：请求允许按魏主的诏书行事，即退出上邽。㊷摄：收敛；约束。㊸仇池：郡名，郡治在今甘肃成县西，杨氏家族长期占据的地方。㊹高允：字伯恭，魏国的谋臣，曾与崔浩同修《国纪》。传见《魏书》卷二十八。㊺向化：向往归化。㊻下辨：县名，县治在今甘肃成县西北，当时的仇池郡东。㊼陇右：陇山以西，即今甘肃东部、宁夏东南部一带地区。㊽新民：新受魏国统治之民。㊾优复：优待，免除其赋税劳役。㊿癸丑：九月初五。(71)己酉：十一月初一。(72)稒阳：县名，县治在今内蒙古包头东。(73)云中：郡名，郡治盛乐，在今内蒙古托克托东北。(74)闰月壬子：闰十二月初五。(75)铜浑仪：铜制的浑天仪。(76)仪状虽举：浑天仪的样子虽然大体尚好。(77)不缀七曜：上面所应具备的日、月与金、木、水、火、土五星都已经不存在了。不缀，不相连属，这里即指丢失、不存在。(78)昏明中星与天相应：浑天仪上的星宿运转，不论早晨、晚上都和天空中的实际情况一样。(79)绝和亲：断绝了和亲关系。柔然可汗于元嘉八年（公元四三一年）娶魏西海公主为妻，同时魏主纳柔然可汗之妹为夫人。见本书卷一百二十二。(80)吐谷浑惠王慕璝：惠是吐谷浑王慕璝的谥号。(81)正月戊子：正月十二日。(82)北平宣王长孙嵩：长孙嵩被封为北平郡王，宣是谥号，魏国的三代元勋。传见《魏书》卷二十九。(83)辛卯：正月十五日。(84)二月乙卯：二月初九。(85)三月丁丑：三月初二。(86)南平王浑：即拓跋浑，拓跋熙之子。传见《魏书》卷十六。(87)己卯：三月初四。(88)议纳币：指商量送聘礼的问题。币，礼品。北魏从元嘉十年（公元四三三年）起已两次向刘宋求婚，刘宋皆"依违答之"，现在同意了。(89)别将：另一支军队的部队长。此"别将"是与益州的主将裴方明、梁儁之与荆州来的主将周籍之相对而言。(90)余党悉平：许穆之、赵广等流民于元嘉九年（公元四三二年）起兵造反，历时五年，至今始被削平。(91)丁未：四月初二。(92)民官：亲民之官，指太守、县令等。(93)五月己丑：五月十五日。(94)得：可以。(95)奸猾：指奸诈狡猾的刁民。(96)牧宰：指州牧、县令等地方官。(97)在位：指各级地方官僚。(98)降心：犹言"低声下气"。(99)贪纵如故：贪赃枉法和从前一样，与前文"民官多贪"互相照应。(100)丙申：五月二十二日。(101)七月戊子：七月十五日。(102)西河：此指内蒙古阿拉善盟一带的黄河以西地区。(103)八月甲辰：八月初一。(104)九月甲申：九月十二日。(105)丁酉：九月二十五日。(106)改封西平王：在此之前，魏主封慕璝为西秦王，今改封其弟为西平王。(107)十月癸卯：十月初一。(108)十一月壬申：十一月初一。(109)招抚九国：西域九国入贡于魏，见本书卷一百二十二元嘉十二年。(110)破落那：国名，国都贵山城，在新疆以西的吉尔吉斯斯坦境内，相当于汉代的大宛。(111)者舌：国名，即汉代的康居。在破落那的西北，今乌兹别克斯坦一带。(112)无路自致：自己没有门路送上门来。(113)使君：原是汉族人对刺史、太守的敬称，这里是对使者的尊称，犹言"大使先生"。(114)宜过抚之：应该前去安抚一下。(115)导译：向导兼翻译。(116)且问其母及公主所宜称：并向魏主请示他们对沮渠牧犍之母与对魏国下嫁到北凉的公主应该怎么称呼。(117)于京师：即在魏国。⑱凉武昭王：即李暠，西凉政权（公元四〇〇至四二一年）的创建者。传见《魏书》卷九十九。⑲国破家亡：西凉政权于宋武帝永初二年（公元四二一年）被沮渠蒙逊所灭。见本书卷一百一十九。⑳今死晚矣：谓早在自己国家灭亡时，就该殉国而死。㉑后诸孙在伊吾：你的几个孙子现在都在伊吾。后，敬称李氏之母尹氏。伊吾，在今新疆哈密西。沮渠蒙逊先后灭掉了李嵩的儿子李歆、李恂后，李暠的孙子李宝率众西逃伊吾。事见本书卷一百一十九景平元年。㉒就之：前往投奔他们。㉓绐：欺骗。㉔不复为毡裘之鬼：犹言"不想再死到生番化外之地去了"。毡裘，以称少数民族之所居。㉕沮渠酒泉：指沮渠无讳，时为酒泉太守。㉖归北：指往投在伊吾的诸孙。伊吾在酒泉西北，故云。㉗世子封坛：沮渠牧犍的世子，名叫封坛。㉘《甲寅元历》：当时的一种历法书。㉙取凉州之策：其言见本书卷一百二十二元嘉十年。㉚东方有事：指用兵于燕。㉛未遑：顾不上。㉜畴昔：从前；前些时候。㉝私谓不谬：我自己觉得没有错误。㉞请俟他年：请等别的年头。俟，等待。㉟二月丁未：二月初七。㊱西秦、河、沙：三州名，西秦州的州治苑川，在今甘肃兰州东，河州的州治枹罕，今甘肃临夏，沙州的州治即今甘肃酒泉。㊲癸未：三月十三日。㊳罢：这里是指令其还俗。㊴五十以下：指身体强壮，可以从事劳动、服兵役。㊵爰适野次：犹言"来到我们这个破地方"。爰，虚词，此处义同"乃"。野次，荒野的处所，语似谦而带嘲弄之辞。㊶称制让之：以帝王对臣民说话的口吻责备他。㊷平郭：县名，县治在今辽宁盖州市西南。㊸寻徙北丰：不久又将其迁到北丰县。寻，不久、很快。北丰县的县治在今沈阳西北。㊹素侮：一向瞧不起。㊺政刑赏罚二句：对属下臣民的发号施令、赏赐惩罚，仍和在龙城时一样。㊻求迎：求刘宋派兵前往迎接。㊼资遣：出路费送其上路。㊽执送：逮捕押送回来。㊾原：宽免；释放。㊿五月戊寅：五月初九。(151)丙申：五月二十七日。(152)五原：郡名，郡治在今内蒙古包头西。(153)浚稽山：在蒙古国境内的图勒河与鄂尔浑河之间。(154)涿邪山：在浚稽山的西方。(155)天山：即今蒙古国的杭爱山东部，在当时的柔然可汗庭（今哈拉和林西北）的西面。(156)白阜：山名，胡三省疑即雪山，在天山之西的今杭爱山南面。(157)十一月丁卯朔：十一月初一是丁卯日。(158)十二月丁巳：十二月二十二日。(159)豫章雷次宗：豫章郡人雷次宗，字仲伦，当时有名的隐士兼儒生，拜和尚慧远为师。事见《宋书·隐逸传》。豫章郡的郡治即今江西南昌。(160)庐山：中国名山之一，在今江西九江南。(161)鸡笼山：也叫鸡鸣山，在当时的台城北，今南京内的解放门南。(162)何尚之：字彦德，一个地位很高但又持身谨慎的官僚。传见《宋书》卷六十

【原文】

十六年（己卯，公元四三九年）

春，正月庚寅[190]，司徒义康进位大将军、领司徒[191]，南兖州刺史、

六。⑯③ 玄学：当时一种专门研究玄虚的“学问”，以《老子》、《庄子》、佛学、《易经》等为主要谈论对象。⑯④ 太子率更令何承天：太子率更令是太子的属官，为太子主管宫廷门户与赏罚等事，有如朝官中的光禄勋、卫尉等职。何承天是当时著名的官僚兼学者。传见《宋书》卷六十四。⑯⑤ 灵运：即谢灵运，晋宋之交的著名山水诗人，东晋名将谢玄之孙，因谋反被宋廷所杀。传见《宋书》卷六十七。⑯⑥ 巾褠：巾指帽子，褠指单衣，是当时士大夫们交往时的一种比较讲究的服饰，仅次于朝服。帝王让国学博士穿着这种衣服给他讲书，是表示不以君臣关系相对待。⑯⑦ 侍讲：给皇帝讲课。侍，陪侍，表示对皇帝的尊重。⑯⑧ 资给：赏赐、给予。⑯⑨ 给事中：官名，皇帝的侍从官员。⑰⓪ 畜：积累；提高。⑰① 辞达而已矣：话说明白就行了，不必追求辞藻的华丽。这句话见《论语·卫灵公》。⑰② 史者儒之一端：史学是儒家学问中的一项。⑰③ 文者儒之余事：文章之学是儒家学问中的细枝末流，有时间就学一点。孔子有所谓“有余力则学文”。一生追求雕章琢句，如司马相如所为，非孔子所提倡。⑰④ 老、庄虚无：老子、庄子的学说都是讲“虚无”，都以“清静无为”为安身立命之基。⑰⑤ 固非所以为教也：本来就不是拿来对人宣讲的东西。⑰⑥ 天下无二道：只有儒家的“圣人”之学一道而已。⑰⑦ 容物而不弛：对人宽容，但又能坚守法纪。⑰⑧ 久于其职：一个官职要做好多年，近于汉朝的“为官者长子孙”，甚至以官职为其姓氏。⑰⑨ 守宰以六期为断：做太守、县令的长官最多可以做满六年。⑱⓪ 不苟免：即坚持原则，不敷衍了事。⑱① 民有所系：百姓们都感到有依靠。⑱② 晏安：太平、安定。⑱③ 户口蕃息：人口增加。⑱④ 止于岁赋：只有“岁赋”一项而已。岁赋，指一年一度的正常赋税。⑱⑤ 自事：为自己做事。⑱⑥ 闾阎：犹今之所谓“里巷”“胡同”，百姓的聚居之处。⑱⑦ 讲诵相闻：指彼此都在读书、谈学问。⑱⑧ 士敦操尚：念书的人都重视道德修养。⑱⑨ 于斯：在这个时期。

【校记】

［1］镇：据章钰校，甲十一行本、乙十一行本、孔天胤本皆作“守”。［2］破落那：据章钰校，甲十一行本、乙十一行本、孔天胤本皆作“破洛那”。［3］其母及：原无此三字。据章钰校，甲十一行本、乙十一行本、孔天胤本皆有此三字，张敦仁《通鉴刊本识误》、张瑛《通鉴校勘记》同，今据补。［4］二：原误作“三”。据章钰校，甲十一行本、乙十一行本、孔天胤本皆作“二”，今据改。［5］使：据章钰校，甲十一行本、乙十一行本、孔天胤本此下皆有“来”字。

【语译】

十六年（己卯，公元四三九年）

春季，正月二十五日庚寅，宋国担任司徒的彭城王刘义康进位为大将军、兼任

江夏王义恭进位司空。

魏主如定州[192]。

初，高祖[193]遗诏，令诸子次第居荆州[194]。临川王义庆在荆州八年，欲为之选代[195]，其次应在南谯王[196]义宣。帝以义宣人才凡鄙，置不用。二月己亥[197]，以衡阳王义季为都督荆、湘等八州诸军事，荆州刺史。义季尝春月出畋[198]，有老父被苫[199]而耕，左右斥之[200]。老父曰："盘于游畋[201]，古人所戒[202]。今阳和布气[203]，一日不耕，民失其时[204]。奈何以从禽之乐[205]而驱斥老农也[206]？"义季止马曰："贤者也！"命赐之食。辞曰："大王不夺农时，则境内之民皆饱大王之食，老夫何敢独受大王之赐乎！"义季问其名，不告而退。

三月，魏雍州刺史葛那寇上洛[207]。上洛太守镡长生弃郡走。

辛未[208]，魏主还宫。

杨保宗与兄保显自童亭奔魏[209]。庚寅[210]，魏主以保宗为都督陇西诸军事、征西大将军、开府仪同三司、秦州牧、武都[211]王，镇上邽[212]，妻以公主；保显为镇西将军、晋寿公[213]。

河西王牧犍通于其嫂李氏，兄弟三人传嬖之[214]。李氏与牧犍之姊共毒魏公主[215]，魏主遣解毒医乘传[216]救之，得愈。魏主征李氏[217]，牧犍不遣，厚资给，使居酒泉。

魏每遣使者诣西域，常诏牧犍发导护[218]送出流沙[219]。使者自西域还，至武威[220]，牧犍左右有告魏使者曰："我君承蠕蠕可汗[221]妄言云：'去岁魏天子自来伐我，士马疫死，大败而还。我擒其长弟乐平王丕[222]。'我君大喜，宣言于国。又闻可汗遣使告西域诸国，称'魏已削弱，今天下唯我为强，若更有魏使[223]，勿复供奉'。西域诸国颇有贰心。"使还，

司徒，担任南兖州刺史的江夏王刘义恭进位为司空。

北魏太武帝拓跋焘前往定州。

当初，宋高祖刘裕留下遗诏，令自己的几位皇子都轮流担任荆州刺史。临川王刘义庆在荆州担任了八年刺史，宋文帝刘义隆想要选择一个人去接替刘义庆担任荆州刺史，按照次序应该轮到南谯王刘义宣，宋文帝认为刘义宣才能平庸，人格低下，便不肯令他担任荆州刺史。二月初五己亥，任命衡阳王刘义季为都督荆州、湘州等八州诸军事，荆州刺史。衡阳王刘义季曾经在春天外出打猎，遇到一位老农身披蓑衣在农田里耕种，衡阳王身边的随从便大声地轰他走开。那个老农说："迷恋于游玩、打猎的快乐，这是古人所禁止的。如今春风和暖、阳气上升，正是播种五谷的季节，农民一天不耕作，就要错过农时。你怎么能为了自己享受放纵鹰犬捕捉野兽的乐趣，而驱逐训斥老农呢?"衡阳王刘义季听到这番话，赶紧勒住自己的马说："这乃是一位贤者!"遂令随从将自己携带的饮食赏赐给这位老农。老农谢绝说："大王如果能够不让百姓耽误农时，则州境之内的百姓都能饱食大王的饮食，我这个老农怎敢独自享用大王的赏赐呢!"刘义季问老农叫什么名字，老农没有告诉他就告退了。

三月，北魏担任雍州刺史的葛那率军侵入宋国所属的上洛郡。宋国担任上洛太守的镡长生放弃郡城逃走。

三月初七辛未，北魏太武帝拓跋焘返回平城的皇宫。

氐王杨难当的侄子杨保宗与自己的哥哥杨保显从自己所镇守的童亭逃奔北魏。三月二十六日庚寅，北魏太武帝拓跋焘任命杨保宗为都督陇西诸军事、征西大将军、开府仪同三司、秦州牧、武都王，镇守上邽，并把公主嫁给杨保宗为妻；任命杨保显为镇西将军、晋寿县公。

北凉河西王沮渠牧犍与自己的嫂子李氏私通，他们兄弟三人轮流宠爱李氏。李氏与沮渠牧犍的姐姐合谋在魏国武威公主的饮食中下毒，想要毒死武威公主。北魏太武帝拓跋焘得知消息后，立即派解毒的医生乘坐驿站的快车飞速赶到姑臧进行解救，才把武威公主救活。北魏太武帝拓跋焘征召李氏前往魏国，而河西王沮渠牧犍不肯交出李氏，而是拨给李氏很多财产，将李氏送到酒泉居住。

北魏每次派遣使者前往西域，都要下诏令河西王沮渠牧犍派人充当向导与护送者，一直护送使者走出大沙漠。魏国的使者从西域返回，抵达武威，沮渠牧犍身边的侍从有人告诉北魏的使者说："我们河西王沮渠牧犍听到柔然敕连可汗郁久闾吴提说：'去年魏国皇帝亲自率军讨伐柔然，结果害上瘟疫，将士、战马死了很多，大败而回。柔然还活捉了魏国皇帝拓跋焘的弟弟乐平王拓跋丕。'我们河西王听后非常高兴，还在凉州境内大肆宣传。还听说柔然可汗郁久闾吴提派遣使者到西域各国宣扬，说'魏国已经被柔然削弱，现在天下只有柔然最强大，如果再有魏国的使者到达西域，不要再为他们提供各种物资'。西域各国现在对魏国都怀有二心。"魏国的使者返回之后，

具以状闻。魏主遣尚书贺多罗使凉州观虚实[224]。多罗还，亦言牧犍虽外修臣礼，内实乖悖[225]。

魏主欲讨之，以问崔浩。对曰："牧犍逆心已露，不可不诛。官军往年北伐，虽不克获，实无所损。战马三十万匹，计在道死伤不满八千，常岁羸死[226]亦不减万匹[227]。而远方乘虚，遽谓[228]衰耗不能复振。今出其不意，大军猝至[229]，彼必骇扰，不知所为，擒之必矣。"魏主曰："善！吾意亦以为然。"于是大集公卿议于西堂[230]。

弘农王奚斤等三十余人皆曰："牧犍，西垂下国，虽心不纯臣，然继父位以来，职贡[231]不乏；朝廷待以藩臣，妻以公主。今其罪恶未彰，宜加恕宥。国家新征蠕蠕，士马疲弊，未可大举。且闻其土地卤瘠[232]，难得水草，大军既至，彼必婴城固守。攻之不拔，野无所掠，此危道也。"

初，崔浩恶尚书李顺[233]。顺使凉州凡十二返[234]，魏主以为能。凉武宣王[235]数与顺游宴，对其群下时为骄慢之语，恐顺泄之，随以金宝纳于顺怀，顺亦为之隐。浩知之，密以白魏主，魏主未之信。及议伐凉州，顺与尚书古弼皆曰："自温圉水[236]以西至姑臧，地皆枯石，绝无水草。彼人[237]言，姑臧城南天梯山[238]上，冬有积雪，深至丈余，春夏消释，下流成川，居民引以溉灌。彼闻军至，决此渠口，水必乏绝。环城百里之内，地不生草，人马饥渴，难以久留。斤等之议是也。"魏主乃命浩与斤等相诘难[239]。众无复他言，但云"彼无水草"。浩曰："《汉书·地理志》称'凉州之畜为天下饶'，若无水草，畜何以蕃[240]？又，汉人终不于[241]无水草之地筑城郭、建郡县也。且雪之消释，仅能敛尘，

便把自己听到的消息奏报给北魏太武帝拓跋焘。北魏太武帝拓跋焘遂派遣担任尚书的贺多罗出使北凉，以观察北凉政权的实际状况。贺多罗从北凉返回，也向太武帝奏报说：河西王沮渠牧犍表面上虽然对魏国称臣，谨慎地遵守着臣属的礼节，而内心却对魏国怀有背叛之心。

北魏太武帝拓跋焘准备出兵讨伐北凉河西王沮渠牧犍，遂去征求担任司徒的崔浩的意见。崔浩回答说："沮渠牧犍的叛逆之心已经显露出来，不能不对他进行讨伐。官军往年出征北伐，虽然没有获得胜利，实际上也没有什么损失。出征的战马有三十万匹，估计在路上连死带伤不会超过八千匹，而常年病死的也不会少于一万匹。而远方的北凉对此不了解，因此就认定我们国力消耗殆尽，再也无法振作起来。现在我们出其不意，率领大军突然到达北凉境内，他们必然惊慌失措，不知如何是好，活捉沮渠牧犍那是毫无问题的。"北魏太武帝拓跋焘说："你分析得很好！我也是这样考虑的。"于是召集所有公卿大臣，在太极殿的西堂召开御前会议。

弘农王奚斤等三十多位大臣都说："沮渠牧犍的北凉，只是西部边陲上的一个小小附属国，即使他心里很不情愿臣服魏国，然而自从他继承了他父亲沮渠蒙逊的王位以来，向我们魏国进贡却从来没有间断过；朝廷也把他当作藩属国对待，并把公主嫁给他为妻。如今沮渠牧犍的罪恶还没有完全暴露出来，所以还是应该宽恕他。国家刚刚结束征讨柔然，将士、战马都很疲惫，不可以大举兴兵。而且听说北凉的土地贫瘠，到处都是盐碱地，不长庄稼，也很难找到水草，如果我们的大军一到，他们必然坚守城池。我们攻打城池若攻不下，在野外又得不到粮草，那可是很危险的。"

当初，司徒崔浩厌恶尚书李顺。而李顺前后出使凉州十二次，太武帝拓跋焘遂认为李顺很有才能。北凉武宣王沮渠蒙逊曾经多次与李顺一起游赏、宴饮，并在自己的臣僚面前不时说一些有辱魏国的傲慢无礼之言，又担心李顺将其泄露出去，于是便把一些金银财宝等塞入李顺的怀中，李顺因为得了沮渠蒙逊的好处，便为他隐恶扬善。崔浩知道了李顺隐私，就秘密地报告了太武帝拓跋焘，拓跋焘开始时还不相信。等到商议出兵讨伐凉州的时候，李顺与担任尚书的古弼都说："从温围水往西一直到达姑臧，地面全是乱石，绝对没有水草。那里的人都说姑臧城以南的天梯山上，冬天有积雪，厚一丈多，到了春天、夏天，积雪融化，下流成川，当地的居民便把这些从山上流下来的水引入农田灌溉庄稼。如果他们知道大军抵达，一定会掘开引水的沟渠，水源就会断绝。围绕着姑臧城一百里之内，地面寸草不生，人马饥渴，很难在那里久留。奚斤等人的看法是对的。"拓跋焘遂令司徒崔浩与奚斤等人互相进行辩论。众人也没有再讲什么话，只坚持说"那里缺乏水草"。崔浩说："《汉书·地理志》说'凉州地区的畜产，是全国最多的地方'，如果没有水草，牲畜如何能够繁殖很多？再说，汉代人无论如何不会在没有水草的地方修筑城郭、设置郡县。

何得通渠溉灌乎？此言大为欺诬[242]矣。”李顺曰：“耳闻不如目见，吾尝目见，何可共辩[243]？”浩曰：“汝受人金钱，欲为之游说，谓我目不见便可欺邪？”帝隐听[244]，闻之，乃出见斤等，辞色严厉。群臣不敢复言，唯唯而已。

群臣既出，振威将军代人伊馛[245]言于帝曰：“凉州若果无水草，彼何以为国？众议皆不可用，宜从浩言。”帝善之。

夏，五月丁丑[246]，魏主治[247]兵于西郊。六月甲辰[248]，发平城。使侍中宜都王穆寿辅太子晃监国，决留台事[249]，内外听焉。又使大将军长乐王嵇敬[6]、辅国大将军建宁王崇将二万人屯漠南以备柔然。命公卿为书以让河西王牧犍，数其十二罪，且曰：“若亲帅群臣委贽[250]远迎，谒拜马首，上策也；六军[251]既临，面缚舆榇[252]，其次也；若守迷穷城[253]，不时悛悟[254]，身死族灭，为世大戮[255]。宜思厥中[256]，自求多福！”

己酉[257]，改封陇西王吐谷浑慕利延为河南王。

魏主自云中济河。秋，七月己巳[258]，至上郡属国城[259]。壬午[260]，留辎重，部分[261]诸军，使抚军大将军永昌王健、尚书令刘絜与常山王素为前锋，两道并进，骠骑大将军乐平王丕、太宰阳平王杜超为后继，以平西将军源贺[262]为乡导。

魏主问贺以取凉州方略，对曰：“姑臧城旁有四部鲜卑[263]，皆臣祖父[264]旧民。臣愿处军前，宣国威信[265]，示以祸福，必相帅归命。外援既服，然后取其孤城，如反掌耳。”魏主曰：“善！”

八月甲午[266]，永昌王健获河西畜产二十余万。

河西王牧犍闻有魏师，惊曰：“何为乃尔[267]？”用左丞姚定国计，不肯出迎，求救于柔然。遣其弟征南大将军董来将兵万余人出战于城南，

而且，融化的雪水仅能压压灰尘，如何能够挖渠引水，灌溉农田？这些话都是欺人之谈。”李顺说：“耳听为虚，眼见为实，没有水草，是我亲眼所见，你凭什么这样跟我辩论？”崔浩说：“你接受了人家的金钱，就想替别人说话，你因为我没有亲眼所见，就可以随便欺骗不成？”太武帝拓跋焘正躲在屏风背后偷听，听到这里，便走出来召见奚斤等，声色俱厉。群臣都不敢再言语，只是唯唯诺诺而已。

群臣都已经出宫而去，担任振威将军的代郡人伊馛对太武帝拓跋焘说：“如果凉州真的没有水草，那他们靠什么立国？众人的意见都不可采用，还是应该听从崔浩的意见。”太武帝认为伊馛的话说得很有道理。

夏季，五月十四日丁丑，北魏太武帝拓跋焘在平城的西郊集合、检阅军队。六月十一日甲辰，便率领大军从平城出发。拓跋焘令担任侍中的宜都王穆寿留在平城，辅佐太子拓跋晃处置留守朝廷的一切事务，朝廷内外的事务全部听任裁决。又派遣担任大将军的长乐王拓跋嵇敬、担任辅国大将军的建宁王拓跋崇率领二万人驻扎在大漠以南防备柔然。又命令公卿大臣给河西王沮渠牧犍写信，列数他的十二大罪状，并且说：“你如果能够亲自率领属下的文武群臣带着礼品，出城远迎，在太武帝的马前下跪叩拜，这是上策；如果等到魏国的大军进抵姑臧城下，你再背缚双手，用车拉着棺材出城投降，这是中策；如果你执迷不悟，坚守孤城，顽抗到底，不及时醒悟悔改，其后果将是身死族灭，成为人世上最大的耻辱。你要反复权衡、思之再三，想一想到底哪一种对你最合适，为自己求得多福！”

六月十六日己酉，宋国朝廷改封陇西王吐谷浑慕容慕利延为河南王。

北魏太武帝拓跋焘率领大军从云中渡过黄河。秋季，七月初七己巳，抵达上郡属国城。二十日壬午，将军中的军用物资、重武器装备等就地留下，并部署任务、分配兵力：令担任抚军大将军的永昌王拓跋健、担任尚书令的刘絜与常山王拓跋素担任前部先锋，兵分两路，齐头并进；令担任骠骑大将军的乐平王拓跋丕、担任太宰的阳平王杜超作为后续部队，随后进发；任命平西将军源贺为向导。

北魏太武帝拓跋焘向源贺询问攻取凉州的策略，源贺回答说：“凉国的都城姑臧旁边有四个鲜卑部落，都是我祖父秃发思复鞬的旧部下。我希望在大军到达之前，先行抵达那里，向鲜卑人宣传魏国的兵威与信义，为他们分析祸福利害，他们必然会相继投降。姑臧城外的人投降之后，城内就失去了外援，我们攻取一座毫无外援的孤城，就易如反掌了。”拓跋焘回答说：“很好！”

八月初二甲午，北魏永昌王拓跋健夺取了北凉的二十多万头牲畜。

北凉河西王沮渠牧犍听到魏国出动大军前来征讨的消息，不禁大惊失色，他说：“怎么会有这样的事情发生？”他听信了担任左丞的姚定国的计策，没有带着礼物出城远迎，而是派人向柔然国求救。他派遣自己的弟弟、担任征南大将军的沮渠董来率领一万多人出城，在城南迎战魏军，不料，这一万多人刚刚听到一点风声就立时

望风奔溃。刘絜用卜者言，以为日辰不利，敛兵不追，董来遂得入城。魏主由是怒之。

丙申[268]，魏主至姑臧，遣使谕牧犍令出降。牧犍闻柔然欲入魏边为寇，冀幸魏主东还，遂婴城固守；其兄子祖[269]逾城出降。魏主具知其情[270]，乃分军围之。源贺引兵招慰诸部下[271]三万余落，故魏主得专攻姑臧，无复外虑。

魏主见姑臧城外水草丰饶，由是恨李顺。谓崔浩曰："卿之昔言，今果验矣。"对曰："臣之言不敢不实，类皆如此。"

魏主之将伐凉州也，太子晃亦以为疑。至是，魏主赐太子诏曰："姑臧城东[7]西门外涌泉[272]合于城北，其大如河。自余[273]沟渠流入漠中，其间乃无燥地[274]。故有此敕[275]，以释汝疑。"

庚子[276]，立皇子铄为南平王[277]。

九月丙戌[278]，河西王牧犍兄子万年帅所领降魏。姑臧城溃，牧犍帅其文武五千人面缚请降。魏主释其缚而礼之。收其城内户口二十余万，仓库珍宝不可胜计。使张掖王秃发保周[279]、龙骧将军穆罴[8]、安远将军源贺分徇诸郡，杂胡降者又数十万。

初，牧犍以其弟无讳为沙州刺史，都督建康[280]以西诸军事，领酒泉太守；宜得[281]为秦州刺史，都督丹岭[282]以西诸军事，领张掖太守；安周[283]为乐都[284]太守；从弟唐兒为敦煌太守。及姑臧破，魏主遣镇南将军代人奚眷击张掖，镇北将军封沓击乐都。宜得烧仓库，西奔酒泉；安周南奔吐谷浑，封沓掠数千户而还。奚眷进攻酒泉，无讳、宜得收遗民奔晋昌[285]，遂就唐兒于敦煌。魏主使弋阳公元絜守酒泉，及武威、张掖皆置将守之。

溃不成军。北魏担任尚书令的刘絜听信了巫师的占卜，认为日期、时辰对魏军不利，所以收兵，没有追赶溃逃的北凉军，沮渠董来才得以逃回姑臧城中。北魏太武帝拓跋焘对刘絜的行为非常愤怒。

八月初四丙申，北魏太武帝拓跋焘到达姑臧城下，他派遣使者劝说沮渠牧犍出城投降。沮渠牧犍听说柔然准备出兵入侵魏国的边境，便认为太武帝拓跋焘应该会率军东还，抗击柔然，于是便在姑臧城四周布防坚守；沮渠牧犍的侄子沮渠祖却翻墙出城，向北魏军投降。北魏太武帝从沮渠祖的口中完全了解了姑臧城中的底细，于是便分兵将姑臧城包围。源贺率领一部分魏军招抚秃发氏政权的旧部下，立即就有三万多落投降了北魏，所以拓跋焘才得以集中兵力围攻姑臧，不必再担心姑臧会有外援。

北魏太武帝拓跋焘看见姑臧城外水草丰茂，因此特别怨恨尚书李顺。他对崔浩说："你过去所说的话，现在果然应验了。"崔浩回答说："我说的话不敢不实事求是，而且一向如此。"

北魏太武帝拓跋焘准备出兵讨伐北凉的时候，太子拓跋晃也对姑臧城周围没有水草表示怀疑。现在，拓跋焘便用诏书告诉太子拓跋晃说："姑臧城的东、西门外，都有泉水涌出，这些泉水在姑臧城北汇合到一起，水势大如江河。从其他沟渠流入沙漠之中，这一带根本没有一点干燥不毛之地。我之所以要发这封诏书给你，就是为了解除你的疑虑。"

八月初八庚子，宋文帝刘义隆立皇子刘铄为南平郡王。

九月二十五日丙戌，北凉河西王沮渠牧犍的侄子沮渠万年率领自己的部下投降了魏国。姑臧城内的守军立即溃败，河西王沮渠牧犍只得反绑双臂，率领属下的文武臣僚五千人出城向北魏投降。北魏太武帝拓跋焘为沮渠牧犍解开身上的绳索，以礼相待。北魏接收了姑臧城中的户口二十多万，仓库中的珍宝多得不可胜数。太武帝拓跋焘令张掖王秃发保周、龙骧将军穆罴、安远将军源贺分别前往各郡攻占地盘，各少数民族向北魏投降的又有好几十万人。

当初，北凉河西王沮渠牧犍任命自己的弟弟沮渠无讳为沙州刺史，都督建康以西诸军事，兼酒泉太守；沮渠宜得为秦州刺史，都督丹岭以西诸军事，兼张掖太守，沮渠安周为乐都太守；任命自己的堂弟沮渠唐兒为敦煌太守。等到都城姑臧被北魏军攻破，北魏太武帝拓跋焘派遣担任镇南将军的代郡人奚眷率军袭击张掖，派遣镇北将军封沓率军攻击沮渠安周所镇守的乐都。沮渠宜得烧毁了张掖仓库，向西逃往酒泉；沮渠安周放弃了乐都，向南投奔了吐谷浑，北魏镇北将军封沓掳掠了数千户居民后返回。镇南将军奚眷则率军进攻酒泉，沮渠无讳与沮渠宜得一同放弃了酒泉，召集了一些遗民，投奔了晋昌，又从晋昌前往敦煌，投靠担任敦煌太守的沮渠唐兒。北魏太武帝拓跋焘派弋阳公元絜守卫酒泉，武威、张掖，也都分别派遣将领担任守卫。

魏主置酒姑臧，谓群臣曰：“崔公[286]智略有余，吾不复以为奇；伊馛弓马之士，而所见乃与崔公同，深〔9〕可奇也！”馛善射，能曳牛却行，走及奔马[287]，而性忠谨，故魏主特爱之。

魏主之西伐也，穆寿[288]送至河上[289]。魏主敕之曰：“吴提[290]与牧犍相结素深，闻朕讨牧犍，吴提必犯塞，朕故留壮兵肥马，使卿辅佐太子。收田既毕，即发兵诣漠南[291]，分伏要害以待虏至。引使深入，然后击之，无不克矣。凉州路远，朕不得救，卿勿违朕言！”寿顿首受命。寿雅信中书博士公孙质，以为谋主。寿、质皆信卜筮，以为柔然必不来，不为之备。质，轨[292]之弟也。

柔然敕连可汗闻魏主向姑臧，乘虚入寇。留其兄乞列归与嵇敬、建宁王崇相拒于北镇[293]，自帅精骑深入，至善无[294]七介山[295]，平城大骇，民争走中城[296]。穆寿不知所为，欲塞[297]西郭门，请太子避保南山[298]，窦太后[299]不听[300]而止。遣司空长孙道生、征北大将军张黎拒之于吐颓山[301]。会嵇敬、建宁王崇击破乞列归于阴山[302]之北，擒之，并其伯父他吾无鹿胡[303]及将帅五百人，斩首万余级。敕连闻之，遁去，追至漠南而还。

冬，十月辛酉[304]，魏主东还，留乐平王丕及征西将军贺多罗镇凉州[305]，徙沮渠牧犍宗族及吏民三万户于平城[306]。

癸亥[307]，秃发保周帅诸部鲜卑据张掖叛魏。

十二月乙亥[308]，太子劭加元服[309]，大赦。劭美须〔10〕眉，好读书，便弓马[310]，喜延宾客，意之所欲，上必从之。东宫置兵[311]与羽林等[312]。

北魏太武帝拓跋焘在姑臧摆设酒宴招待文武百官，拓跋焘对群臣说："司徒崔浩足智多谋，我对此已经不以为奇；而振武将军伊馛只不过是一个骑马射箭的武夫，他的见解竟然与崔浩相同，实在是太令人感到惊奇了！"伊馛射箭的技艺很高超，又很有勇力，能拽着牛尾巴让牛倒着走，跑起来速度极快，能追上飞奔的马，而性情又很忠厚恭谨，所以太武帝拓跋焘非常喜爱他。

北魏太武帝拓跋焘率军西征的时候，留守平城的宜都王穆寿从平城送太武帝拓跋焘一直送到黄河边上。拓跋焘下令给他说："柔然敕连可汗郁久闾吴提与凉国的河西王沮渠牧犍之间私人交情很深，他如果听到我出兵征讨沮渠牧犍，一定会出兵进犯我国的边境，所以我才留下强壮的兵马，令你辅佐太子拓跋晃。等到农田里的庄稼收获完毕，你要立即出兵前往大漠以南，派兵分别进入要害之地进行防守。等柔然军到来之后，要引诱他们深入境内，然后再出兵攻击，就能攻无不克。凉州路途遥远，我无法回军相救，你一定不要违背我今天的嘱托！"穆寿叩拜，接受了指令。穆寿一向听信担任中书博士的公孙质，把公孙质当作自己的智囊。而穆寿、公孙质又都相信占卜，认为柔然一定不会出兵来犯，所以根本没有进行戒备。公孙质，是公孙轨的弟弟。

柔然敕连可汗郁久闾吴提得知北魏太武帝拓跋焘率军讨伐北凉的消息，遂抓住北魏国内兵力空虚的机会率军入侵北魏。他留下自己的哥哥郁久闾乞列归率军牵制北魏驻防北镇的长乐王拓跋嵇敬、建宁王拓跋崇，郁久闾吴提亲自率领精骑兵深入魏国境内，一直到达善无的七介山，北魏的都城平城得知柔然大军前来进犯的消息，人心惊骇，百姓争相跑入主城。宜都王穆寿此时惊慌得不知如何是好，他想关闭西城门，护送皇太子拓跋晃逃往平城南部的山中据守，因为窦太后不允许，穆寿才没有能够带着太子逃跑。穆寿派遣担任司空的长孙道生、担任征北大将军的张黎到吐颓山迎战柔然军。碰巧此时长乐王拓跋嵇敬、建宁王拓跋崇在阴山之北击败了柔然敕连可汗的哥哥郁久闾乞列归，将郁久闾乞列归俘虏，同时被俘虏的还有郁久闾吴提的伯父他吾无鹿胡以及将帅等五百人，斩杀了一万多人。柔然敕连可汗郁久闾吴提得知自己的哥哥乞列归兵败被俘的消息后，立即率军退走，北魏出兵追击，一直追到大漠以南才返回。

冬季，十月初一辛酉，北魏太武帝拓跋焘率军东返，他留下乐平王拓跋丕以及征西将军贺多罗镇守凉州，将河西王沮渠牧犍、沮渠牧犍的族人以及北凉的官员、百姓总计三万户迁移到北魏的都城平城。

十月初三癸亥，北魏张掖王秃发保周率领各鲜卑部落占据张掖，背叛了北魏。

十二月十六日乙亥，宋国朝廷为皇太子刘劭举行加冠典礼，实行大赦。太子刘劭长得眉清目秀，喜好读书，对骑马射箭也很熟练，又喜欢招揽宾客，无论他想要做什么，宋文帝刘义隆无不依从。东宫设置的卫戍军队与皇帝的警卫部队羽林军的数量相等。

壬午[313]，魏主至平城，以柔然入寇，无大失亡，故穆寿等得不诛。魏主犹以妹婿待沮渠牧犍，征[11]西大将军、河西王如故。牧犍母卒，葬以太妃之礼[12]，为武宣王[314]置守冢三十家。

凉州自张氏[315]以来，号为多士[316]。沮渠牧犍尤喜文学，以敦煌阚骃[317]为姑臧太守，张湛为兵部尚书，刘昞、索敞、阴兴为国师助教[318]，金城宋钦为世子洗马[319]，赵柔为金部郎[320]，广平程骏、骏从弟弘为世子侍讲[321]。魏主克凉州，皆礼而用之，以阚骃、刘昞为乐平王丕从事中郎[322]。安定胡叟，少有俊才，往从牧犍，牧犍不甚重之。叟谓程弘曰："贵主[323]居僻陋之国而淫名[324]僭礼[325]，以小事大而心不纯壹，外慕仁义而实无道德，其亡可翘足待也。吾将择木[326]，先集于魏[327]。与子暂违，非久阔[328]也。"遂适魏。岁余而牧犍败。魏主以叟为先识，拜虎威将军，赐爵始复男[329]。河内常爽[330]，世寓[331]凉州，不受礼命[332]，魏主以为宣威将军。河西右相宋繇[333]从魏主至平城而卒。

魏主以索敞为中书博士[334]。时魏朝方尚武功，贵游子弟[335]不以讲学[336]为意。敞为博士十余年，勤于诱导，肃而有礼，贵游皆严惮[337]之，多所成立[338]，前后显达至尚书、牧守[339]者数十人。常爽置馆[340]于温水[341]之右，教授[342]七百余人。爽立赏罚之科，弟子事之如严君[343]。由是魏之儒风始振。高允[344]每称爽训厉有方，曰："文翁[345]柔胜[346]，先生刚克[347]，立教虽殊，成人[348]一也。"

陈留[349]江彊，寓居凉州，献经、史、诸子千余卷及书法[350]，亦拜中书博士。魏主命崔浩监秘书事[351]，综理史职[352]；以中书侍郎高允、散骑侍郎张伟[353]参典著作[354]。浩启称："阴仲达[355][13]、段承根[356]，凉土美才，请同修国史。"皆除著作郎[357]。仲达，武威人；承根，晖[358]之子也。

十二月二十三日壬午，北魏太武帝拓跋焘回到京师平城，认为柔然此次进犯，并没有给国家造成多大损失，所以便没有将宜都王穆寿等斩首。拓跋焘仍然把亡国之君沮渠牧犍当作自己的妹夫看待，令他照旧担任征西大将军、河西王。沮渠牧犍的母亲去世，北魏按照太妃的礼节将其安葬，还安排三十户人家负责为北凉武宣王沮渠蒙逊看守坟墓，进行祭扫和修护。

凉州自从张寔等建立前凉政权以来，号称人才济济。河西王沮渠牧犍尤其喜欢文学，他任命敦煌人阚骃为姑臧太守，任命张湛为兵部尚书，任命刘昞、索敞、阴兴为国师助教，任命金城人宋钦为世子洗马，任命赵柔为金部郎，任命广平人程骏、程骏的堂弟程弘为世子侍讲。北魏太武帝拓跋焘攻克了凉州之后，对上述这些人全都以礼相待，并加以录用，他任命阚骃、刘昞为乐平王拓跋丕担任从事中郎。安定人胡叟，年少时就很有才华，他前去投奔河西王沮渠牧犍，而沮渠牧犍不太看重他。胡叟便对担任世子侍讲的程弘说："你的主子身处偏僻简陋的国度，却随便乱用帝王之名，使用自己不该使用的礼仪，以小国侍奉大国，却又三心二意，缺乏诚心，外表上仰慕仁义道德而实际上却毫无道德可言，看来距离灭亡没有多长时间了。我要另外选择一个可以栖身的国家，我准备先走一步，到魏国去等你。与你不会离别太久。"于是前往北魏。只过了一年多，沮渠牧犍的北凉就被北魏灭掉了。北魏太武帝拓跋焘认为胡叟有先见之明，遂任命胡叟为虎威将军，封为始复男爵。河内郡人常爽，世代寄居在凉州，从来不接受前此任何政权的聘任，北魏太武帝拓跋焘任命常爽为宣威将军。在河西王属下担任右相的宋繇跟随太武帝拓跋焘到达平城便去世了。

北魏太武帝拓跋焘任命索敞为中书博士。当时北魏正在崇尚武功，贵族出身而没有官职的子弟都不把学习文化知识当作一回事。索敞担任中书博士十多年，他循循善诱，神情严肃而又懂礼，贵族子弟都很敬重他，有不少人在学问上获得成就，先后身居显要，担任尚书郎与州刺史、郡太守的有好几十人。常爽在温水之西设立学馆，招收、教育了七百多名学生。常爽在教育学生的时候，专门设有赏罚这一学科，学生对待他就像对待严厉的父亲一样。从此以后，北魏开始兴起研读儒学之风。高允每每称赞常爽的教学严厉而有方法，他说："文翁以善于诱导启发的方式使当地逐步形成风气，而先生则是以刚直严厉取胜，教育的方式虽然有所不同，然而造就人才则是一样的。"

陈留郡人江彊，寄居于凉州，他向北魏进献了经书、史书、诸子百家之书一千多卷，还有一些有关汉字碑帖以及书法理论方面的书籍，因此也被任命为中书博士。拓跋焘命令司徒崔浩兼任掌管图书秘籍以及撰写历史等事务的秘书监，全面负责修订国史的工作；任命担任中书侍郎的高允、担任散骑侍郎的张伟共同参与管理文章写作方面的事务。崔浩向太武帝启奏说："阴仲达、段承根，都是凉州有名的人才，请允许他们共同参与修订国史的工作。"于是，阴仲达、段承根全都被任命为著作郎。阴仲达，是武威人；段承根，是段晖的儿子。

浩集诸历家[359]，考校[360]汉元以来[361]日月薄食[362]、五星行度[363]，并讥前史之失[364]，别为《魏历》[365]，以示高允。允曰：“汉元年十月，五星聚东井[366]，此乃历术之浅事[367]。今讥汉史而不觉此谬，恐后人之讥今犹今之讥古也。”浩曰：“所谬云何?”允曰：“按《星传》[368]：‘太白[369]、辰星[370]常附日而行[371]。’十月，日在尾、箕[372]，昏没于申南[373]，而东井方出于寅北[374]，二星何得背日而行[375]？是史官欲神其事[376]，不复推之于理也。”浩曰：“天文[377]欲为变[378]者，何所不可[379]邪!”允曰：“此不可以空言争，宜更审之[380]。”坐者咸怪允之言，唯东宫少傅游雅[381]曰：“高君精于历数，当不虚也。”后岁余，浩谓允曰：“先所论者，本不经心；及[14]更考究，果如君言。五星乃以前三月聚东井[382]，非十月也。”众乃叹服。允虽明历，初不推步[383]及为人论说，唯游雅知之。雅数以灾异[384]问允，允曰：“阴阳灾异，知之甚难；既已知之，复恐漏泄[385]，不如不知也。天下妙理至多，何遽[386][15]问此!”雅乃止。魏主问允：“为政何先?”时魏多封禁良田[387]，允曰：“臣少贱，唯知农事。若国家广田积谷，公私有备，则饥馑不足忧矣。”帝乃命悉除田禁以赋百姓[388]。

吐谷浑王慕利延闻魏克凉州，大惧，帅众西遁，逾沙漠[389]。魏主以其兄慕璝有擒赫连定[390]之功，遣使抚谕之，慕利延乃还故地。

氏王杨难当将兵数万寇魏上邽，秦州[391]人多应之。东平吕罗汉[392]说镇将拓跋意头[393]曰：“难当众盛，今不出战，示之以弱，众情离沮[394]，

崔浩广泛地搜集各家有关天文、历法的资料，考查、核对汉高祖元年以来的日食、月食，以及金、木、水、火、土五星运行的轨迹度数，并对前代历史对天文星象记载的错误进行抨击，另行撰写了一部名叫《魏历》的历法书，请中书侍郎高允过目。高允说："汉高帝元年十月，金、木、水、火、土五星同时出现在东井星座附近，这在历法书上是一个很浅显的错误。现在批评汉代的史官，却没有发现这个错误，恐怕后人批评我们，就像我们今天批评古人一样。"崔浩不解地问："错误在什么地方？"高允说："按照《星传》的记载：'太白星、辰星，经常围绕太阳一同运转。'十月的时候，太阳运行到尾宿、箕宿两个星座附近，太白星、辰星在十月的黄昏时应随太阳隐没于鹑尾方向，而此时东井星座则刚刚从娵訾方向升起，正好与太白星、辰星下落的方向相对，太白星、辰星怎么可能背离太阳跑到东井星座出现的娵訾方向去与木星、火星、土星相聚呢？这是史官为了神话汉高祖刘邦，而不再详细推究是否合乎情理。"崔浩坚持说："天上的星宿想要预示一下人世的变故，也不是没有这种可能！"高允说："这不是靠空谈、辩论所能解决的问题，应该更加仔细地观察验证才行。"在座的人全都对高允的看法感到奇怪，只有担任东宫少傅的游雅说："高先生精于历法，所推算的应该不会错。"过了一年多，崔浩对高允说："先前咱们讨论的问题，我原本没有经过缜密的思考；后来经过仔细的考察推究，果然像先生所说的那样。金、木、水、火、土五星聚集于东井的事情确实发生过，只不过不是发生在十月份，而是提前了三个月。"众人这才对高允表示叹服。高允虽然精于天文历法，然而却从来不搞凭天文变化以推断人世祸福那一套，也不与人谈论，只有东宫少傅游雅深知他在这方面的高深造诣。游雅曾经多次就自然界所发生的各种异常现象请求高允推断，高允说："要想真正弄明白阴阳灾变其实是非常困难的；即使弄明白了，还要担心泄露天机会给社会造成动荡，给自己带来灾祸，所以还不如不明白的好。天下的奥秘很多，你何必急着问这方面的问题！"游雅遂不再问。北魏太武帝拓跋焘向高允询问说："治理国家，什么是第一要务？"当时北魏把许多良田变成牧场，不允许百姓耕种，高允便有针对性地回答说："我从小贫贱，只知道耕田种地方面的事情。如果国家能够广泛地开垦农田，多多地储备粮食，无论是官府还是私人都有一定的粮食储备，那么遇到灾荒年景就不用发愁了。"太武帝于是下令，全部解除有关农田的禁令，把良田全部交给百姓耕种，然后向百姓收税。

吐谷浑王慕容慕利延听到北魏攻克凉州的消息，非常恐惧，于是率领自己的部众，越过大沙漠，向西方逃走。北魏太武帝拓跋焘因为慕容慕利延的哥哥慕容慕璝有擒获夏主赫连定，并将赫连定送给魏国的功劳，遂派遣使者对慕容慕利延进行安抚、解释，慕容慕利延这才率领部众返回故地。

氐王杨难当率领数万人马进犯北魏所属的上邽，秦州人很多都起兵响应。东平郡人吕罗汉对担任镇将的拓跋意头说："杨难当虽然人多势众，现在如果我们不出兵

不可守也。”意头遣罗汉将精骑千余出冲难当陈，所向披靡，杀其左右骑八人，难当大惊。会魏主以玺书[395]责让难当，难当引还仇池[396]。

南丰太妃[397]司马氏卒，故营阳王之后也。

赵广、张寻等复谋反[398]，伏诛。

【段旨】

以上为第二段，写宋文帝刘义隆元嘉十六年（公元四三九年）一年间的大事。主要写：魏主拓跋焘欲讨北凉，奚斤、古弼、李顺等人皆以其地无水草为由反对，独崔浩、伊馛赞成；魏主出兵前，先令大臣为书让之，劝其归降，牧犍不听；魏主以源贺为向导，并使其居前以招抚秃发氏之旧部，故军事进展顺利；魏军围姑臧，牧犍之两侄前后出降，姑臧城溃，牧犍面缚出降，魏获城内户口二十余万，城外杂胡降者又十余万；魏命将镇守武威、张掖、酒泉。柔然乘魏取凉州之际，派兵进袭魏地，穆寿腐朽溃败，窦太后遣长孙道生、张黎引兵拒之，嵇敬、拓跋崇大破柔然于阴山北，柔然遁去。魏主由凉州获得了许多儒学、文学之士，如胡叟、常爽、索敞等，皆重用之，魏之儒风由此而振。崔浩、高允等人的精通历法，驳正了一些前史所载的星变之谬。刘义隆之弟刘义季为荆州刺史能听隐者之谏，止猎以不误农时。杨难当攻魏上邽，魏将吕罗汉拒之，难当退回仇池。

【注释】

⑲⓪正月庚寅：正月二十五日。⑲①领司徒：兼任司徒。自汉朝以来“大将军”位置在三公以上，故同时任“司徒”者，曰“兼任”。⑲②定州：即今河北定州，古代中山国的都城。⑲③高祖：指刘裕。⑲④诸子次第居荆州：每个儿子都轮流做一回荆州刺史。荆州是当时最大、最重要的州，州治江陵，在今湖北荆州市荆州区。⑲⑤选代：选择下一任的代替者。⑲⑥南谯王：刘义宣的封号，封地在南谯州。⑲⑦二月己亥：二月初五。⑲⑧出畋：出去打猎。⑲⑨被苫：身披蓑衣。被，这里的意思同“披”。⑳⓪斥之：即轰他走开，嫌他妨碍打猎。⑳①盘于游畋：迷恋打猎的快乐。盘，乐、迷恋。⑳②古人所戒：这是古人曾告诫我们的。《尚书·无逸》中有“文王不敢槃于游田，以庶邦惟正之供”。又有“继自今嗣王，则无淫于观、于逸、于游、于田，以万民惟正之供”。据说这是周公告诫成王，让他不要贪恋畋猎的诗。⑳③阳和布气：春天的阳光散放暖气，正是播植五谷的季节。⑳④民失其

迎战，就等于向他示弱，民心一旦瓦解，上邽可就守不住了。”拓跋意头遂派遣吕罗汉率领一千多名精骑兵出城，径直向杨难当的军阵冲杀过去，锐不可当，所向披靡，杀死了八名杨难当身边的侍卫骑兵，杨难当大为震惊。恰遇北魏太武帝拓跋焘派人送来盖有皇帝玺印的文书，对杨难当的行为进行严厉的责备，杨难当遂借机率众返回仇池。

宋国南丰太妃司马氏去世，司马氏，是故营阳王刘义符的王后。

赵广、张寻等再次起兵谋反，被官府诛杀。

时：老百姓就要错过农时。㉕从禽之乐：放纵鹰犬捕捉野兽之乐。从，同“纵”。⑳也：意思同“耶”，反问语气词。⑳上洛：郡名，郡治在今湖北郧西县西北，当时属于刘宋。⑳辛未：三月初七。⑳自童亭奔魏：杨保宗之父原是氐族的头领，其父死后，政权被其叔杨难当所篡取，杨保宗也被其叔所囚。后来被放出，使其镇守童亭（今甘肃天水东南），今杨保宗逃奔魏国。⑩庚寅：三月二十六日。⑪武都：郡名，郡治在今甘肃成县西北。⑫上邽：古城名，即今甘肃天水。⑬晋寿公：晋寿县公。晋寿县的县治在今四川阆中西北。⑭传嬖之：轮替着宠爱她。⑮魏公主：即武威公主，拓跋焘之妹，嫁与沮渠牧犍为妃。⑯乘传：乘驿车，以取其快。⑰征李氏：召李氏回魏。⑱导护：向导与护送者。⑲送出流沙：送过白龙堆沙漠。流沙，即白龙堆沙漠，在今敦煌以西新疆东部的东西交通线上。⑳武威：郡名，郡治姑臧，即今甘肃武威，当时北凉政权的都城。㉑承蠕蠕可汗：听到蠕蠕可汗说。“蠕蠕”也写作“蚋蚋”，是魏人对柔然的贱称，其可汗名吴提，号敕连可汗。㉒擒其长弟乐平王丕：此说纯属捏造。㉓更有魏使：再有魏国来使。㉔使凉州观虚实：观察北凉政权的实际状况。㉕乖悖：乖背、傲慢。㉖羸死：因疾病或瘦弱而死，即正常死亡。㉗不减万匹：也不少于一万匹。㉘遽谓：因此就说我们。㉙猝至：突然来到。㉚西堂：平城太极殿的西堂。㉛职贡：即进贡。职，也是“贡”的意思。㉜卤瘠：指盐碱地，不长庄稼。㉝恶尚书李顺：说尚书李顺的坏话。崔浩与李顺原是亲戚，元嘉三年（公元四二六年），魏主伐夏时想用李顺，崔浩以为“不可专委”，矛盾从此开始。见本书卷一百二十。㉞十二返：十二次；十二个来回。㉟凉武宣王：即沮渠蒙逊，魏封之为凉王，武宣是其死后的谥号。㊱温围水：河水名，胡三省以为当作“温围水”，可供参考。㊲彼人：那里的人。㊳天梯山：在今甘肃武威西南。㊴诘难：攻驳、辩论。㊵蕃：盛；繁殖得多。㊶终不于：无论如何不会在……㊷大为欺诬：实在是以假话骗人。㊸何可共辩：怎能与我辩论。㊹隐听：躲在后面偷听。㊺伊馛：拓跋焘时的名将。传见《魏书》卷四十四。㊻五月丁丑：五月十四日。㊼治：集合、检阅。㊽六月甲辰：六月十一日。㊾决留台事：处置留守朝廷的一切事务。㊿委贽：古代

礼俗，解释不一。胡三省的说法是：贽是见人所持的礼品。见人需要叩拜时，只能将礼品先放在地上，叩拜完毕再拿起礼物给人送上。㉑六军：古代称天子的大军，这里是拓跋焘自指。㉒面缚舆榇：背缚双手，车上拉着棺材。这是古代帝王、诸侯向人投降的一种仪式，表示认罪请死。面缚，因两手背缚，前头只见其面，故称。㉓守迷穷城：即坚守穷城，执迷不悟。㉔不时悛悟：不能及时地醒悟悔改。悛，悔改。㉕为世大戮：成为人世的最大耻辱。戮，辱。㉖宜思厥中：应该想想哪一种对你合适。㉗己酉：六月十六日。㉘七月己巳：七月初七。㉙上郡属国城：在今陕西榆林北的长城外，其中住着归附于魏国的其他民族。㉚壬午：七月二十日。㉛部分：部署、分配。㉜源贺：鲜卑人，秃发傉檀之子。秃发氏的南凉政权被乞伏炽磐所灭后，秃发贺逃到了魏国，因受拓跋焘赏识，被封为平西将军，赐姓源，故称“源贺”。㉝四部鲜卑：四个鲜卑部落。㉞臣祖父：源贺之父即秃发傉檀，源贺之伯为秃发乌孤与秃发利鹿孤，源贺之祖为秃发思复犍。传皆见《晋书》卷一百二十六、《魏书》卷九十九。㉟宣国威信：向他们宣扬魏国的兵威与信义。㊱八月甲午：八月初二。㊲何为乃尔：为什么会有这种事情。㊳丙申：八月初四。㊴兄子祖：即沮渠祖，沮渠牧犍哥哥的儿子。㊵具知其情：完全了解其城中的底细。㊶诸部下：秃发氏南凉政权的老部下。㊷涌泉：谓东、西门外都有泉水涌出。㊸自余：其他；别的。㊹乃无燥地：没有一点干燥不毛之地。乃，竟、根本。㊺故有此敕：我特别地写这封信。敕，帝王的命令，这里即指书信。㊻庚子：八月初八。㊼南平王：南平郡王。南平郡的郡治在今湖北公安西北。㊽丙戌：九月二十五日。㊾秃发保周：秃发傉檀之子，源贺之兄，曾在乞伏氏政权当人质，秃发政权被灭后，秃发保周逃归于魏，被封为张掖王。㊿建康：郡名，郡治在今甘肃高台西南。(281)宜得：即沮渠宜得，牧犍之弟。(282)丹岭：即山丹岭，在今甘肃山丹。(283)安周：即沮渠安周，牧犍之弟。(284)乐都：郡名，郡治即今青海乐都。(285)晋昌：郡名，郡治在今甘肃瓜州东南。(286)崔公：即指崔浩。(287)走及奔马：可以跑步追上飞奔的马。(288)穆寿：穆观之子，拓跋焘的女婿。传见《魏书》卷二十七。(289)河上：此指内蒙古清水河县一带的黄河边上，在当时的平城之西。(290)吴提：即当时的柔然敕连可汗，名吴提。(291)漠南：蒙古高原大沙漠以南，即今之内蒙古中段的北部边境边区。(292)轨：即公孙轨，拓跋焘的将领，为人贪婪残虐。传见《魏书》卷三十三。(293)北镇：指拓跋焘打败高车后在北部沿边设立的六个军镇，即怀荒镇（今河北张北）、柔玄镇（今内蒙古兴和西北）、抚冥镇（今内蒙古四子王旗东南）、武川镇（今内蒙古武川西）、怀朔镇（今内蒙古固阳西南）、沃野镇（今内蒙古乌拉特前旗东南）。(294)善无：郡名，郡治在今山西右玉东南，在当时的平城西南。(295)七介山：在善无郡治的西南。(296)中城：主城。当时平城除其主城外，尚有东城、西城。(297)塞：封闭。(298)避保南山：逃往南山以守之。南山，平城以南的山区。(299)窦太后：即保太后，拓跋嗣之妃，拓跋焘的养母。(300)不听：不允许。(301)吐颓山：在今山西平鲁东北。(302)阴山：横亘于今内蒙古呼和浩特、包头城北的东西走向的大山。(303)他吾无鹿胡：人名，敕连可汗之伯父。㉚④十月辛酉：十月初一。㉚⑤凉州：州治即今甘肃武威。㉚⑥徙沮渠牧犍宗族及吏民三万户于平城：从此北凉政权灭亡。北凉自段业建国（公元三九七年），历沮渠蒙逊，至此沮渠牧犍灭亡，前后共四十二年。㉚⑦癸亥：十月初三。㉚⑧十二月乙亥：十二月十六日。㉚⑨加元服：即实行加冠典礼。男孩到了十八岁，实行加冠礼，表示已经到了成年。元服，帽子。㉛⓪便弓马：对骑马挽弓很熟练。便，娴熟。㉛①东宫置兵：太子宫中所设置的卫戍军队。㉛②与羽林等：与皇帝的警卫部队羽林军数量相同。㉛③壬午：十二月二十三日。㉛④武宣王：指沮渠蒙逊。㉛⑤张氏：指张寔、张骏等的前凉政权（公元三一七至三七六年），共历时五十九年。㉛⑥多士：人才多。㉛⑦敦煌阚骃：敦煌人姓阚，名骃。㉛⑧国师助教：太学里的教官名。国师相当于后来的"祭酒"，是最高领导。助教协助进行教学。这里没有"博士"，助教即是主要教官。㉛⑨世子洗马：同"太子先马"，太子的侍从官员，在太子出行时为太子的仪仗及侍从队伍充当前导。㉜⓪金部郎：官名，主管国家的货币以及各种物资。㉜①世子侍讲：也叫"太子侍读"，专门给太子讲书的人。㉜②从事中郎：官名，主管文书案卷，兼充参谋顾问之用。㉜③贵主：你们主子，指称沮渠牧犍。㉜④淫名：随便乱用帝王之名。㉜⑤僭礼：使用自己不该用的礼仪。僭，越分。㉜⑥择木：择木而栖的省略语，以比喻选择好的君主。《左传·哀公十一年》，孔子曰："鸟则择木，木岂能择鸟？"㉜⑦先集于魏：谓我先走一步，到魏国去等着你。㉜⑧非久阔：不会离别很久的。阔，别离。㉜⑨始复男：胡叟的爵位名。始复，是封地名，方位不详。男，表示爵位的级别。有关胡叟的事迹见《魏书》卷五十二。㉝⓪河内常爽：河内郡人姓常名爽。事见《魏书·儒林传》。河内郡的郡治野王，即今河南沁阳。㉝①寓：寄居。㉝②不受礼命：不接受前此任何政权的聘任。㉝③河西右相宋繇：沮渠牧犍的右丞相宋繇。传见《魏书》卷五十二。㉝④中书博士：中书省里的博士官，以学识渊博充参谋顾问之用；也有一种博士是太学里的教官，以教育贵族子弟为任务。索敞即第二种。㉝⑤贵游子弟：贵族出身而无官职的子弟，与后世的"纨绔子弟"意思略同。㉝⑥讲学：讲书、学习，这里即指学，学习文化知识。㉝⑦严惮：敬重。㉝⑧多所成立：有不少人在学问上获得成就。㉝⑨尚书、牧守：尚书郎与州刺史、郡太守。㉞⓪置馆：设立学馆。㉞①温水：河水名，在当时的桑干城西，今山西山阴东。㉞②教授：教育；教育学生。㉞③严君：严厉的父亲。㉞④高允：字伯恭，拓跋焘时代的著名文臣与学者。传见《魏书》卷四十八。㉞⑤文翁：西汉时的蜀郡太守，以在蜀郡兴办文教事业闻名于世。事见《汉书·循吏传》。㉞⑥柔胜：指以诱导启发的方式使当地逐步形成风气。㉞⑦刚克：以刚直严厉取胜。㉞⑧成人：使人成材。㉞⑨陈留：郡名，郡治即今安徽亳州。㉟⓪书法：指有关汉字碑帖以及书法理论的著作。㉟①监秘书事：即为秘书监，秘书省的最高长官，负责管理图书秘籍以及撰写历史等。㉟②综理史职：管理历史写作方面的事情。㉟③张伟：字仲业，魏国的儒学之臣。传见《魏书·儒林传》。㉟④参典著作：参加管理文章写作方面的事务。㉟⑤阴仲达：姑臧人，少以文学闻名。传见《魏书》卷五十二。㉟⑥段承根：姑臧人，段晖之子。传见《魏书》卷五十二。㉟⑦著作郎：秘书省的官员，负责编写国史。㊳晖：即段晖，西秦人，曾仕于乞伏炽磐、乞伏慕末父子。㊴集诸历家：搜集各家有关天文、历法的资料。㊵考校：考查核对。㊶汉元以来：汉高祖元年（公元前二〇六年）以来的。㊷日月薄食：即日食、月食。薄，迫，指星宿之间的相互逼近、遮掩。㊸五星行度：金、木、水、火、土五星运行的轨迹度数。㊹前史之失：前代历史对天文星象记载的错误。㊺别为《魏历》：另写了一本名叫《魏历》的历法书。㊻五星聚东井：金、木、水、火、土五星同时出现在井宿附近。《汉书·高帝纪》："元年冬十月，五星聚于东井，沛公至霸上。"㊼此乃历术之浅事：这在历法书上是很浅显的错误。㊽按《星传》：根据《星传》上说。《星传》是古代记述各星宿运行的书。㊾太白：即金星。㊿辰星：即水星。[371]常附日而行：经常围绕太阳一同运转。准确一点说，即二星与太阳的角距离不大于四十五度。[372]日在尾、箕：太阳运行到尾、箕二星附近。尾星是苍龙七宿的第六宿，属天蝎星座。箕星是苍龙七宿的第七宿，也叫南箕，属人马座。[373]昏没于申南：谓太白、辰星在十月黄昏时应随太阳没于鹑尾方向。古代天文学用十二地支表示十二次，申代表鹑尾方向。[374]东井方出于寅北：谓当太白与辰星没于鹑尾方向的时候，东井星座刚刚从娵訾方向出来。古代天文学以寅代表娵訾，刚好与太白、辰星下落的方位相对。[375]何得背日而行：谓十月黄昏时，太阳在鹑尾方向降落，如果太白（金星）、辰星（水星）这时跑到东井出现的娵訾方向去与木星、火星、土星相"聚"，那不就背离太阳了吗。[376]神其事：指神化刘邦。说由于刘邦的入关，使天上的星宿也都出现了奇特的现象。[377]天文：指天上的星宿。[378]欲为变：想预示一下人世的变故。[379]何所不可：有什么不可以呢。[380]宜更审之：应该更仔细地观察验证。[381]游雅：魏国的文学之士，著有《太华殿赋》。传见《魏书》卷五十四。[382]五星乃以前三月聚东井：谓公元前二〇六年的确发生过"五星聚东井"，也就是"五星连珠"的事情，但不是在秦历的十月，而是在秦历的七月。[383]初不推步：从来不搞凭天文变化以推断人世祸福的那一套。推步，由汉代董仲舒等所带头搞起来的根据星宿进行推断人世吉凶的一种迷信活动。[384]灾异：汉代儒生所宣传的一种迷信活动，专门从自然界的异常

【原文】

十七年（庚辰，公元四四〇年）

春，正月己酉[399]，沮渠无讳[400]寇魏酒泉。元絜轻之，出城与语。壬子[401]，无讳执絜以围酒泉。

二月，魏假通直常侍[402]邢颖来聘。

三月，沮渠无讳拔酒泉。

现象来推断人世的灾变。㊳⑤复恐漏泄：担心讲出去会给社会造成动荡，或给自己带来灾殃。㊳⑥何遽：何必急着。㊳⑦封禁良田：指把良田变成牧场，不允许人耕种。㊳⑧以赋百姓：指让百姓种地，向百姓收税。㊳⑨逾沙漠：逃到了今青海大沙漠的西南方。㊴⓪擒赫连定：捉到了夏主赫连定，并将其送给魏国。事见本书卷一百二十二元嘉八年。㊴①秦州：州治即上邽，今之甘肃天水。㊴②东平吕罗汉：东平郡人姓吕名罗汉。东平郡的郡治范县，在今河南范县东南。㊴③镇将拓跋意头：上邽军镇的将军姓拓跋，名意头。㊴④离沮：涣散、分崩。㊴⑤玺书：盖着玺印的文书，极言其庄重、严厉。㊴⑥仇池：杨氏政权的大本营所在地，在今甘肃成县西。㊴⑦南丰太妃：废帝刘义符的皇后、晋恭帝的女儿海盐公主。刘义隆让刘义恭的儿子刘朗为刘义符之后，封以为南丰王，遂称刘义符之后为“南丰太妃”。㊴⑧复谋反：元嘉十四年（公元四三七年）赵广、张寻等投降朝廷，到建康后，今又谋反。

【校记】

［6］嵇敬：原作“稽敬”。胡三省注云：“‘稽敬’，《北史》作‘嵇敬’，当从之。《魏书·官氏志》，北方诸姓，纥奚氏改为嵇氏。”严衍《通鉴补》改作“嵇敬”，今据以校正。［7］东：原无此字。据章钰校，甲十一行本、乙十一行本、孔天胤本皆有此字，张敦仁《通鉴刊本识误》、张瑛《通鉴校勘记》同，今据补。［8］穆罴：据章钰校，甲十一行本、乙十一行本、孔天胤本皆作“穆罴”。〖按〗《魏书》《北史》皆载“伏乾弟罴袭爵，尚新平长公主”。［9］深：据章钰校，甲十一行本、乙十一行本、孔天胤本“深”上皆有“此”字，张敦仁《通鉴刊本识误》同。［10］须：据章钰校，甲十一行本、乙十一行本皆作“鬚”，张敦仁《通鉴刊本识误》同。［11］征：据章钰校，孔天胤本此上有“拜”字。［12］之礼：据章钰校，甲十一行本二字互乙，乙十一行本无“礼”字。［13］阴仲达：原作“阴仲逵”。据章钰校，甲十一行本、乙十一行本皆作“阴仲达”，张敦仁《通鉴刊本识误》同，今据改。［14］及：据章钰校，甲十一行本、乙十一行本皆作“乃”。［15］遽：原作“以”。张敦仁《通鉴刊本识误》作“遽”，今据改。

【语译】

十七年（庚辰，公元四四〇年）

春季，正月二十日己酉，沮渠无讳率领部众企图夺回被北魏占领的酒泉。北魏酒泉守将弋阳公元絜根本就没把沮渠无讳放在眼里，他出城与沮渠无讳进行对话。二十三日壬子，沮渠无讳活捉了弋阳公元絜，趁势包围了酒泉。

二月，北魏临时任命邢颖为通直常侍，派他出使宋国。

三月，故北凉沙州刺史沮渠无讳攻陷了酒泉。

夏，四月戊午朔[403]，日有食之。

庚辰[404]，沮渠无讳寇魏张掖，秃发保周屯删丹[405]。丙戌[406]，魏主遣抚军大将军永昌王健[407]督诸将讨之。

司徒义康专总朝权。上羸疾积年，心劳辄发[408]，屡至危殆。义康尽心营奉，药石非口所亲尝不进，或连夕不寐，内外众事皆专决施行。性好吏职[409]，纠剔文案[410]，莫不精尽。上由是多委以事，凡所陈奏，入无不可。方伯以下[411]，并令义康选用；生杀大事，或以录命断之[412]。势倾远近，朝野辐凑[413]，每旦[414]府门常有车数百乘。义康倾身引接[415]，未尝懈倦。复能强记[416]，耳目所经，终身不忘，好于稠人广席，标题所忆[417]以示聪明。士之干练者，多被意遇[418]。尝谓刘湛曰："王敬弘[419]、王球[420]之属，竟何所堪[421]？坐取富贵，复那可解。"然素无学术，不识大体，朝士有才用者皆引入己府[422]，府僚无施[423]及忤旨者乃斥为台官[424]。自谓兄弟至亲，不复存君臣形迹[425]，率心而行[426]，曾无猜防[427]。私置僮[428]六千余人，不以言台[429]。四方献馈[430]，皆以上品荐[431]义康，而以次者供御[432]。上尝冬月啖甘[433]，叹其形味并劣。义康曰："今年甘殊有佳者[434]。"遣人还东府[435]取甘，大供御者三寸[436]。

领军刘湛与仆射殷景仁有隙[437]，湛欲倚义康之重以倾[438]之。义康权势已盛，湛愈推崇之，无复人臣之礼，上浸不能平[439]。湛初入朝，上恩礼甚厚。湛善论治道，谙[440]前代故事，叙致铨理[441]，听者忘疲。每入云

夏季，四月初一戊午，发生日食。

四月二十三日庚辰，沮渠无讳率众进犯北魏所属的张掖，秃发保周率众驻扎在删丹。二十九日丙戌，北魏太武帝拓跋焘派遣担任抚军大将军的永昌王拓跋健统领诸将讨伐沮渠无讳。

宋国担任司徒的彭城王刘义康总揽朝政大权。宋文帝刘义隆近年来一直患病，稍微有点劳累就会发病，曾经几次病危。刘义康对宋文帝刘义隆尽心竭力地进行侍奉，宋文帝刘义隆所吃的药，刘义康不亲口尝过，绝对不让宋文帝吃下去，有时一连几夜都不睡觉，朝廷内外的各种事务都由刘义康独自裁决施行。刘义康精通并喜欢管理各种行政事务，审阅公文，发现并指出大臣们所送来的案卷中的各种问题，无不精心尽力。宋文帝因此便将许多事务都委托给刘义康办理，凡是刘义康所奏请的事情，只要送入宫中，就没有不被批准的。州刺史、督军以外的其他官员，全部令刘义康独自选拔任用；有关赦免、诛杀的大事，刘义康有时就以录尚书事的名义进行判决。刘义康的势力倾动朝野，不论是朝中的官员，还是民间的士人，就犹如车轮上的辐条集中于车轴一样，从四面八方前来趋附，每天早上，司徒府门前经常停放着数百辆车。刘义康都亲自接待，从未有过厌倦和懈怠。刘义康又有很强的记忆力，凡是眼睛所见、耳中所闻，就一辈子都不会忘记，他喜好在稠人广众之中引头说起自己所熟记的东西，以此来炫耀自己的聪明。那些办事能力强、有经验的知识分子，有很多都受到刘义康的赏识和重用。刘义康曾经对担任领军将军的刘湛说："王敬弘、王球这类的人，叫人如何能够忍受？什么事情也不干，只会坐在那里安享荣华富贵，真让人不可理解。"然而，刘义康究竟是个不学无术的人，不识大体，朝廷中有才能的官员都被他延聘到自己的王府与录尚书府，而司徒府中那些无所作为以及冒犯了他的僚属，就都被他打发到朝廷里去做官。他自认为与宋文帝刘义隆是亲兄弟，是骨肉至亲，所以在宋文帝面前就不太顾及君臣之间的差别，有点率性而为，想怎么做就怎么做，怎么想就怎么说，完全不避嫌疑、不存戒心。刘义康还私自设置了六千多名僮仆，既没有对朝廷说明，也没有跟宋文帝刘义隆讲。各地地方官员给朝廷进献礼品，都是把上等的进献给刘义康，次一点的进献给宋文帝刘义隆。宋文帝刘义隆在冬季的一天吃柑橘，他感叹柑橘的外形以及味道都太差。刘义康说："今年的柑橘也很有些好东西。"于是便派人回宰相府去取柑橘，取来的柑橘比进贡给宋文帝的柑橘大三寸。

宋国担任领军将军的刘湛与担任尚书仆射的殷景仁之间有矛盾，刘湛想要利用彭城王刘义康的权势排挤、压倒殷景仁。刘义康的权势已经很大，刘湛就更加推崇刘义康，而对宋文帝刘义隆，竟然一点也不顾及人臣对君主应有的礼节，致使宋文帝刘义隆对此越来越感到不能容忍。刘湛刚刚从荆州任上调入京师的时候，宋文帝刘义隆对刘湛特别恩宠。刘湛谈论起治国之道头头是道，条条在理，对前朝的法律法规也很熟悉，每当说起什么事情，讲起什么道理，听的人几乎都忘记了疲倦。

龙门[442]，御者即解驾[443]，左右及羽仪[444]随意分散，不夕不出，以此为常。及晚节驱煽[445]义康，上意虽内离[446]而接遇[447]不改，尝谓所亲曰：“刘班[448]方[16]自西还宫[449]，与语[450]，常视日早晚，虑其将去[451]；比入[452]，吾亦视日早晚，苦其不去[453]。”

殷景仁密言于上曰：“相王[454]权重，非社稷计[455]，宜少加裁抑[456]。”上阴然之[457]。

司徒左长史刘斌，湛之宗也；大将军从事中郎[458]王履，谧[459]之孙也；及主簿[460]刘敬文、祭酒[461]鲁郡孔胤秀，皆以倾谄[462]有宠于义康。见上多疾，皆谓：“宫车一日晏驾[463]，宜立长君。”上尝疾笃，使义康具顾命诏[464]。义康还省[465]，流涕以告湛及景仁。湛曰：“天下艰难，讵是幼主所御[466]？”义康、景仁并不答。而胤秀等辄就尚书议曹[467]索晋咸康末立康帝旧事[468]，义康不知也。及上疾瘳[469]，微闻之。而斌等密谋，欲使大业终归义康，遂邀结朋党，伺察禁省[470]，有不与己同者，必百方构陷[471]之。又采拾景仁短长，或虚造异同[472]以告湛。自是主、相之势分矣。

义康欲以刘斌为丹杨尹，言次[473]，启上陈其家贫。言未卒，上曰：“以为吴郡[474]。”后会稽太守羊玄保求还[475]，义康又欲以斌代之，启上曰：“羊玄保求[17]还，不审以谁为会稽？”上时未有所拟[476]，仓猝曰[477]：“我已用王鸿。”自去年秋，上不复往东府。

五月癸巳[478]，刘湛遭母忧[479]去职。湛自知罪衅已彰，无复全地[480]，谓所亲曰：“今年必败。常日正赖口舌争[481]之，故得推迁[482]耳。今既穷

每次刘湛进入通往皇宫的云龙门，赶车的人就把马从车上卸下来，跟随的侍从以及仪仗队也都四散走开，因为他们都知道，刘湛晋见宋文帝，不谈论到天黑是不会出宫的，他们已经习以为常。等到后来，刘湛煽动彭城王刘义康，迫害尚书仆射殷景仁，宋文帝虽然心中对刘湛有些厌恶，但表面上对待刘湛的礼节依然没有改变，宋文帝曾经对自己的心腹说：“刘湛刚从西方回到京师宫中的时候，每次与他一起谈话，我常看看天色早晚，担心他又快要走了；现在他再入宫，我也要看看天色早晚，总是嫌他还不快点走。”

尚书仆射殷景仁秘密地对宋文帝刘义隆说：“担任宰相的彭城王刘义康权势太重，这不是国家的长治久安之计，应该逐渐削减一些他的权力、地位。”宋文帝刘义隆心中表示赞同。

宋国担任司徒左长史的刘斌，是刘湛的同宗；担任大将军从事中郎的王履，是王谧的孙子；再加上担任主簿的刘敬文、担任祭酒的鲁郡人孔胤秀，都以极尽谄媚之能事而得到彭城王刘义康的宠幸。他们看见宋文帝刘义隆疾病缠身，都认为：“皇帝如果忽然在哪一天驾崩，应该拥戴年纪稍大的人为君主。”有一次，宋文帝刘义隆一度病危，他让彭城王刘义康为他准备临终前安排后事的诏书。彭城王刘义康回到尚书省，流着眼泪告诉了刘湛和殷景仁。刘湛说：“国家正在遭遇艰难，这种局面岂是年幼的君主所能驾驭得了的?”刘义康与殷景仁都没有答话。而孔胤秀等竟然到尚书仪曹那里索要晋成帝司马衍末年议论立其弟晋康帝司马岳为皇帝时的档案资料，以备宋文帝刘义隆死后立彭城王刘义康为帝做参考，而彭城王刘义康毫不知情。等到宋文帝刘义隆病情好转之后，慢慢地得到了一点消息。而司徒左长史刘斌等竟然密谋，想使皇帝宝座归属于刘义康，于是便交结朋党，窥探宫廷内的动静，遇到与自己意见不同的，一定千方百计编造罪名，加以陷害。又到处搜罗殷景仁的材料，甚至不惜捏造虚构，然后报告给刘湛。从此以后，宋文帝刘义隆与司徒刘义康在感情上已经彻底破裂。

刘义康想让刘斌担任丹杨尹。一次，他在宋文帝刘义隆面前说完应说的主要事情之后，便话题一转，开始向宋文帝述说刘斌家境如何贫困。话还没有说完，宋文帝便说：“那就让他到吴郡去担任太守吧。”后来担任会稽郡太守的羊玄保请求返回朝廷，刘义康又想让刘斌接替羊玄保去担任会稽郡太守，于是便向宋文帝启奏说：“羊玄保请求返回朝廷，不知陛下准备让谁接替他去担任会稽郡太守?”宋文帝刘义隆事先并没有拟定好人选，仓促之间便回答说：“我已经任用王鸿为会稽郡太守。”从去年秋季以来，宋文帝没有再到过刘义康所在的东府。

五月初六癸巳，宋国担任领军将军的刘湛因为母亲去世，遂离职回家守丧。刘湛深知自己的恶行已经显露，已经没有保全性命的可能，因此便对自己的亲信说：“今年之内一定会失败。过去这段时日只是靠着说长道短为自己百般辩护，才得以使

毒[483]，无复此望[484]，祸至其能久乎！”

乙巳[485]，沮渠无讳复围张掖，不克，退保临松[486]。魏主不复加讨，但以诏谕之。

六月丁丑[487]，魏皇孙濬[488]生，大赦，改元“太平真君”。取寇谦之《神书》[489]云“辅佐北方太平真君”故也。

太子劭诣京口[490]拜京陵[491]，司徒义康、竟陵王诞[492]等并从，南兖州刺史、江夏王义恭自江都会之[493]。

秋，七月己丑[494]，魏永昌王健击破秃发保周于番禾[495]，保周走，遣安南将军尉眷追之。

丙申[496]，魏太后窦氏[497]殂。

壬子[498]，皇后袁氏[499]殂。

癸丑[500]，秃发保周穷迫自杀。

八月甲申[501]，沮渠无讳使其中尉[502]梁伟诣魏永昌王健请降，归酒泉郡及所虏将士元絜等。魏主使尉眷[503]留镇凉州。

九月壬子[504]，葬元皇后[505]。

上以司徒彭城王义康嫌隙已著[506]，将成祸乱。冬，十月戊申[507]，收刘湛付廷尉，下诏暴其罪恶，就狱诛之，并诛其子黯、亮、俨及其党刘斌、刘敬文、孔胤秀等八人；徙尚书库部郎何默子等五人于广州，因大赦。是日，敕义康入宿，留止中书省。其夕，分收湛等。青州刺史杜骥[508]勒兵殿内以备非常。遣人宣旨告义康以湛等罪状。义康上表逊位[509]，诏以义康为江州刺史，侍中、大将军如故，出镇豫章[510]。

初，殷景仁卧疾五年[511]，虽不见上，而密函去来，日以十数，朝政大小，必以咨之，影迹周密，莫有窥其际[512]者。收湛之日，景仁使拂拭衣冠[513]，左右皆不晓其意。其夜，上出[514]华林园延贤堂，召景仁。

灾祸推迟到来。如今遭遇母亲去世之忧，再也没有到朝廷之上为自己进行辩护的可能，灾祸的到来，不会等很久了！”

五月十八日乙巳，故北凉沙州刺史沮渠无讳再次率军围攻张掖，没有攻克，遂退回临松据守。北魏太武帝拓跋焘此次没有派兵前去征讨，只是下诏劝说沮渠无讳投降。

六月二十一日丁丑，北魏太武帝拓跋焘的孙子拓跋濬降生，实行大赦，改年号为“太平真君”。因为嵩山道士寇谦之所编造的《神书》上有“辅佐北方太平真君”这样的话，所以便用“太平真君”作为年号。

宋国皇太子刘劭前往京口拜谒京陵，担任司徒的彭城王刘义康、竟陵王刘诞等全都跟随太子前往，担任南兖州刺史的江夏王刘义恭从江都县出发，与太子一同前往京口扫墓。

秋季，七月初三己丑，北魏永昌王拓跋健在番禾郡击败了背叛魏国的张掖王秃发保周，秃发保周率领残余部众逃走，北魏派遣担任安南冠军的尉眷率军追击秃发保周。

七月初十丙申，北魏皇太后窦氏去世。

七月二十六日壬子，宋文帝刘义隆的皇后袁氏去世。

七月二十七日癸丑，张掖王秃发保周走投无路，自杀而死。

八月二十九日甲申，故北凉沙州刺史沮渠无讳派属下担任中尉的梁伟前往北魏永昌王拓跋健军中请求投降，并将夺取的酒泉郡以及俘虏的北魏将士元絜等送还魏国。北魏太武帝拓跋焘令安南将军尉眷留在凉州镇守。

九月二十七日壬子，宋国将元皇后袁氏安葬。

宋文帝刘义隆因为司徒彭城王刘义康已经罪行昭彰，即将酿成祸乱。冬季，十月戊申日，将担任领军将军的刘湛逮捕，交付主管司法的廷尉进行审理，宋文帝刘义隆亲自下诏揭露刘湛的罪行，并令人在狱中将刘湛杀死，同时被杀死的还有刘湛的儿子刘黯、刘亮、刘俨及其党羽刘斌、刘敬文、孔胤秀等八个人；将担任尚书库部郎的何默子等五人流放到广州，同时实行大赦。这一天，宋文帝刘义隆命令彭城王刘义康到宫中值班，遂将刘义康扣留在中书省。当天晚上，派人分头将刘湛等逮捕。担任青州刺史的杜骥率领禁卫军在宫殿之内担任警戒，以防发生意外事件。宋文帝刘义隆派人宣读圣旨，将刘湛等所犯罪行告诉彭城王刘义康。彭城王刘义康上疏请求辞职，宋文帝刘义隆下诏任命彭城王刘义康为江州刺史，依旧担任侍中、大将军，离开京师前往豫章镇守。

当初，担任尚书仆射的殷景仁在家卧病五年，他虽然不能进宫晋见宋文帝刘义隆，然而与宋文帝之间通过信函秘密往来，每天多达十几次，有关朝廷的事情不论大小，宋文帝都要向殷景仁咨询，而且行踪非常隐秘，没有人能看到其中任何迹象。逮捕刘湛的那天，殷景仁让人抖掉自己朝服官帽上的尘土，准备穿戴，他身边的人都不明白他的意思。当天夜间，宋文帝刘义隆来到华林园中的延贤堂，召见殷景仁。

景仁犹称脚疾，以小床[515]舆就坐[516]，诛讨处分，一以委之。

初，檀道济荐吴兴沈庆之[517]忠谨晓兵，上使领队防东掖门。刘湛为领军[518]，尝谓之曰："卿在省[519]岁久，比当相论[520]。"庆之正色曰："下官在省十年，自应得转[521]，不复以此仰累[522]！"收湛之夕，上开门召庆之，庆之戎服缚袴[523]而入。上曰："卿何意乃尔急装[524]？"庆之曰："夜半唤队主[525]，不容[526]缓服。"上遣庆之收刘斌，杀之。

骁骑将军徐湛之[527]，逵之[528]之子也，与义康尤亲厚，上深衔之[529]。义康败，湛之被收，罪当死。其母会稽公主[530]，于兄弟为长嫡[531]，素为上[532]所礼，家事大小，必咨而后行。高祖微时，尝自于新洲[533]伐荻，有纳布衫袄[534]，臧皇后手[535]所作也。既贵，以付公主，曰："后世有骄奢不节者[18]，可以此衣示之。"至是，公主入宫见上，号哭，不复施臣妾之礼，以锦囊盛纳衣掷地曰："汝家本贫贱，此是我母为汝父[536]所作；今日得一饱餐，遽欲杀我儿邪？"上乃赦之。

吏部尚书王球，履之叔父也，以简淡有美名，为上所重。履性进利[537]，深结义康及湛；球屡戒之，不从。诛湛之夕，履徒跣[538]告球，球命左右为取履，先温酒与之，谓曰："常日语汝云何？"履怖惧不得答。球徐曰："阿父[539]在，汝亦何忧？"上以球故，履得免死，废于家。

义康方用事，人争求亲昵[540]，唯司徒主簿江湛[541]早能自疏，求出为武陵内史[542]。檀道济尝为其子求婚于湛，湛固辞；道济因义康以请之，

殷景仁仍然说自己的脚有毛病，让人用轿椅抬到座位上，宋文帝便把对刘湛等实行逮捕、诛杀等处分权全部授予殷景仁。

当初，担任司空的檀道济向皇帝举荐吴兴沈庆之，说他为人忠诚谨慎，通晓军事，宋文帝刘义隆遂任命沈庆之率军守卫皇城的东掖门。刘湛担任领军将军，曾经对沈庆之说："你在领军省已经很多年了，最近我要帮你说一说，使你尽快得到提升。"沈庆之神情严肃地说："我在这个职位上已经十年，自然应该得到提升，不想以此事来麻烦您！"逮捕刘湛的那天晚上，宋文帝刘义隆打开东掖门召见沈庆之，沈庆之身穿军服，裤管紧缚进入宫中。宋文帝刘义隆惊奇地询问他说："你为何要做这样一副应对紧急的装束？"沈庆之回答说："半夜三更皇帝召见禁卫军的队长，一定有紧急之事，容不得身穿宽大衣服。"宋文帝刘义隆遂派遣沈庆之逮捕了刘斌，并将刘斌杀死。

宋国担任骁骑将军的徐湛之，是徐逵之的儿子，他与彭城王刘义康的关系尤其亲密深厚，宋文帝刘义隆因此对徐湛之怀恨在心。刘义康失败，徐湛之被逮捕，论其罪行应当被处死。徐湛之的母亲是会稽公主刘兴弟，在诸多的兄弟姐妹当中，既是宋武帝的原配臧皇后所生，又年龄最长，一向受到宋文帝刘义隆的尊重和礼遇，皇帝的家事无论大小，宋文帝都要先征求会稽公主的意见，然后再去施行。在宋高祖刘裕贫贱之时，曾经亲自到新洲打草砍柴，穿着一件打着补丁的布衫，是宋武帝的原配臧皇后亲手缝制的。等到刘裕做了皇帝，全家享受荣华富贵之后，臧皇后便把那件带补丁的布衫拿出来交给会稽公主说："后代子孙如果有人骄傲奢侈，不懂得节俭，你就把这件衣服拿出来让他们看。"现在，会稽公主入宫晋见宋文帝刘义隆，她只是号啕痛哭，也不按照臣妾朝见皇帝的礼节向宋文帝下跪叩拜，而是把丝绸袋子里装着的补丁衣服掏出来扔到地上，说："你家原本出身贫贱，这件破衣服就是我母亲亲手为你父亲做的；现在你能够吃上饱饭，就想要杀死我的儿子吗？"宋文帝于是赦免了徐湛之。

宋国担任吏部尚书的王球，是王履的叔父，因为生活俭朴、性情恬淡而享有美名，受到宋文帝刘义隆的敬重。而王履却与之相反，他贪进好利，千方百计交结刘义康与刘湛；王球为此多次向他提出警告，王履都不肯听从。诛杀刘湛的那天晚上，王履光着两脚跑来求告王球，王球令身边的侍从给王履找来鞋子让他穿上，又先温了一杯酒递给他压惊，然后对他说："我当初跟你说什么来着？"王履已经吓得答不出话来。王球这才慢慢地对王履说："有叔父在，你还怕什么？"宋文帝刘义隆果然看在王球的面上，赦免了王履的死罪，只是再也不允许他出来做官。

当彭城王刘义康权势炙手可热的时候，人们都争相凑上去与他拉关系、求亲近，只有担任司徒主簿的江湛能够早早地远离刘义康，主动请求出京到武陵担任内史。当时担任司空的檀道济曾经亲自为自己的儿子向江湛求婚，江湛坚决拒绝；檀道济

湛拒之愈坚，故不染于二公之难。上闻而嘉之。湛，夷[543]之子也。

彭城王义康停省[544]十余日，见上奉辞，便下渚[545]。上惟对之恸哭，余无所言。上遣沙门慧琳视之，义康曰："弟子有还理不[546]？"慧琳曰："恨公不读数百卷书[547]！"

初，吴兴太守谢述[548]，裕[549]之弟也。累佐义康[550]，数有规益[551]，早卒。义康将南[552]，叹曰："昔谢述惟劝吾退，刘班惟劝吾进。今班存而述死，其败也宜哉！"上亦曰："谢述若存，义康必不至此！"

以征虏司马萧斌为义康谘议参军，领豫章太守，事无大小，皆以委之。斌，摹之[553]之子也。使龙骧将军萧承之将兵防守[554]。义康左右爱念[555]者，并听随从；资奉优厚，信赐相系[556]，朝廷大事皆报示之。

久之，上就会稽公主宴集，甚欢。主起，再拜叩头，悲不自胜。上不晓其意，自起扶之。主曰："车子[557]岁暮必不为陛下所容，今特请其命。"因恸哭。上亦流涕，指蒋山[558]曰："必无此虑。若违今誓，便是负初宁陵[559]。"即封所饮酒赐义康，并书曰："会稽姊饮宴忆弟，所余酒今封送。"故终主之身，义康得无恙。

臣光曰："文帝之于义康，友爱之情，其始非不隆[560]也。终于失兄弟之欢，亏君臣之义，迹其乱阶[561]，正由刘湛权利之心无有厌已[562]。《诗》云：'贪人败类[563]。'其是之谓乎！"

征[564]南兖州刺史江夏王义恭为司徒、录尚书事。戊寅[565]，以临川王义庆为南兖州刺史；殷景仁为扬州刺史，仆射、吏部尚书如故。义恭

又请求刘义康出面做媒，江湛拒绝得更加坚决，所以没有被檀道济、刘义康的灾祸所牵连。宋文帝刘义隆得知此事后，对江湛非常赞赏。江湛，是江夷的儿子。

彭城王刘义康在中书省被软禁了十多天，后来见到宋文帝刘义隆，便恭恭敬敬地献上辞行的表章，然后便坐船离开秦淮渚，赶赴豫章。宋文帝只是对着他痛哭，什么话也没有对他说。宋文帝派佛门和尚慧琳前去看望刘义康，刘义康向慧琳询问说："我还有没有返回京师的可能？"慧琳回答说："遗憾的是你没有读过上百卷书！"

当初，担任吴兴太守的谢述，是谢裕的弟弟。谢述曾经先后在彭城王刘义康属下任职，对刘义康多次进行规劝，使刘义康获益匪浅，可惜的是谢述很早就去世了。刘义康准备南下前往豫章的时候，不由得叹息着说："过去谢述一直劝我谦退，而刘班一直劝我进取。如今刘班还活着，而谢述已经死去，我的失败也就势所必然了！"宋文帝刘义隆也说："如果谢述还活着的话，彭城王刘义康一定不会走到今天的地步！"

宋文帝刘义隆任命担任征虏司马的萧斌为彭城王刘义康担任谘议参军，并兼任豫章太守，豫章的所有事情，不论大小，全部托付给他。萧斌，是萧摹之的儿子。又令担任龙骧将军的萧承之率军进行监督、看管，防备刘义康会有非常举动。刘义康所喜爱、惦念的人，全都听任跟随他前往豫章；宋文帝刘义隆送给彭城王刘义康的财物也非常优厚，而且问讯及赏赐不断，朝廷有什么大事也都会派人告知他。

过了很久之后，宋文帝刘义隆亲自驾临会稽公主的家中，宴饮聚会，感情十分融洽、愉快。会稽公主从座位上站起身来，再次向宋文帝下拜磕头，悲伤之情简直无法控制。宋文帝不明白自己的姐姐为何会如此，赶紧亲手将她搀扶起来。会稽公主叫着刘义康的小名说："陛下肯定不会容忍车子活到年底，现在我特地为他向陛下求情，请陛下饶他一命。"说罢便放声痛哭。宋文帝也流下泪来，他用手指着蒋山发誓说："你不要有这样的顾虑。我如果违背了今天的誓言，便是对不起安葬在初宁陵中的父亲。"遂把正在饮用的酒封存起来，赏赐给远在豫章的彭城王刘义康，并附上一封书信说："我与会稽公主姐姐一同饮宴时想念起弟弟，现在将剩下的酒封好送给你。"所以在会稽公主活着的时候，彭城王刘义康得以安然无恙。

司马光说："宋文帝刘义隆对彭城王刘义康的手足之情，在开始的时候并非不深厚。最终兄弟之间感情破裂，使君臣大义受到亏损，考察、追溯灾祸的由来，都是因为刘湛这样的人利欲熏心、贪得无厌。《诗经》上说：'贪婪的人不仅仅害了他自己，还要使他的家族亲党都遭到毁灭。'大概说的就是这种情况吧！"

宋文帝将担任南兖州刺史的江夏王刘义恭调回朝廷担任司徒、录尚书事。十月二十三日戊寅，任命临川王刘义庆为南兖州刺史；任命殷景仁为扬州刺史，仍旧担

惩彭城之败[566]，虽为总录[567]，奉行文书[568]而已，上乃安之。上年[569]给相府钱二千万，他物称此[570]。而义恭性奢[571]，用常不足，上又别给钱，年至千万。

十一月丁亥[572]，魏主如山北[573]。

殷景仁既拜扬州，羸疾遂笃。上为之敕西州[574]道上不得有车声。癸丑[575]，卒。

十二月癸亥[576]，以光禄大夫王球为仆射。戊辰[577]，以始兴王濬[578]为扬州刺史。时濬尚幼，州事悉委后军长史范晔[579]、主簿沈璞[580]。晔，泰[581]之子；璞，林子[582]之子也。晔寻迁左卫将军，以吏部郎沈演之[583]为右卫将军，对掌禁旅[584]；又以庾炳之[585]为吏部郎[586]，俱参机密。演之，劲[587]之曾孙也。

晔有隽才，而薄情浅行，数犯名教[588]，为士流所鄙。性躁竞[589]，自谓才用不尽，常怏怏不得志。吏部尚书何尚之言于帝曰："范晔志趋异常[590]，请出为广州刺史。若在内衅成[591]，不得不加铁钺[592]。铁钺亟行[593]，非国家之美也。"帝曰："始诛刘湛，复迁范晔，人将谓卿等不能容才，朕信受谗言。但共知其如此，无能为害也。"

是岁，魏宁南将军王慧龙[594]卒。吕玄伯[595]留守其墓，终身不去。

魏主欲以伊馛为尚书，封郡公。馛辞曰："尚书务殷[596]，公爵至重，非臣年少愚近所宜膺受[597]。"帝问其所欲，对曰："中、秘二省[598]多诸文士，若恩矜[599]不已，请参其次[600]。"帝善之，以为中护军将军、秘书监[601]。

大秦王杨难当复称武都王[602]。

十八年（辛巳，公元四四一年）

春，正月癸卯[603]，魏以沮渠无讳为征西大将军、凉州牧、酒泉王。

彭城王义康至豫章，辞刺史[604]。甲辰[605]，以义康都督江、交、广三州诸军事。前龙骧参军巴东扶令育[606]诣阙上表，称："昔袁盎[607]谏汉文帝曰：'淮南王若道路遇霜露死[608]，陛下有杀弟之名。'文帝不用，

任尚书仆射、吏部尚书。刘义恭接受了彭城王刘义康失败的教训，因此虽然担任了总理一切事务的录尚书事，却只是上传下达、照章办事而已，宋文帝这才放下心来。宋文帝每年拨给宰相府的钱有二千万，赏赐的其他物品也与此成比例。然而刘义恭生性奢侈，总觉得经费不够用，宋文帝就另外再拨给他钱，每年累计达到一千万。

十一月初三丁亥，北魏太武帝拓跋焘前往武周山以北。

殷景仁被任命为扬州刺史，到任之后，病情更加沉重。宋文帝为此下令通往西州的路上，车子不许发出声响。十一月二十九日癸丑，殷景仁去世。

十二月初九癸亥，宋文帝任命担任光禄大夫的王球为仆射。十四日戊辰，任命始兴王刘濬为扬州刺史。当时，刘濬年纪还很小，所以扬州的事务全部委托给担任后军长史的范晔和担任主簿的沈璞。范晔，是范泰的儿子；沈璞，是沈林子的儿子。范晔不久便升任左卫将军，遂又任命担任吏部郎的沈演之为右卫将军，双双掌管皇帝的警卫军；又任命庾炳之为吏部郎，全都参与朝廷机密决策。沈演之，是沈劲的曾孙。

范晔很有才华，然而却薄情寡义，行为不检点，屡屡做出一些为当时的伦理道德所不容的事情来，因此受到当时士大夫阶层的鄙视。范晔又热衷于权势，喜好钻营，总认为自己是英雄没有用武之地，为此常常闷闷不乐。担任吏部尚书的何尚之对宋文帝说："范晔的志趣与平常人不同，请让他去担任广州刺史。如果仍然在朝中任职，一旦犯下罪过，就不得不将其斩首。屡屡诛杀大臣，对于国家来说可不是一件好事。"宋文帝说："刚刚杀死了刘湛，再把范晔贬逐到广州，别人将认为你们不能容人，而认为我听信谗言。只要大家都知道范晔是怎样的一个人，他就不能成为祸害了。"

这一年，北魏担任宁南将军的王慧龙去世。吕玄伯留下来为王慧龙看守坟墓，一直到死都没有离去。

北魏太武帝拓跋焘准备任用伊馛为尚书，并封伊馛为郡公。伊馛推辞说："尚书的任务繁重，公爵的地位崇高，不是像我这样年轻愚钝的人所应该获得的。"太武帝问伊馛希望得到什么，伊馛回答说："中书省、秘书省中有很多的文人雅士，如果陛下关心我、体恤我，就请允许我去那里充当一名工作人员。"太武帝很赞同伊馛的意见，遂任命伊馛为中护军将军、秘书监。

自称为大秦王的氐族首领杨难当又恢复称武都王。

十八年（辛巳，公元四四一年）

春季，正月二十日癸卯，北魏太武帝任命沮渠无讳为征西大将军、凉州牧、酒泉王。

宋国彭城王刘义康到达豫章之后，便向朝廷辞去了江州刺史的职务。正月二十一日甲辰，宋文帝任命刘义康为都督江、交、广三州诸军事。前龙骧参军巴东郡人扶令育前往皇宫门口上疏说："汉代的袁盎劝谏汉文帝说：'淮南王刘长如果在流放的道路上遭遇雨雪风霜而死，陛下就将背负着一个杀死弟弟的坏名声。'汉文帝没

追悔无及。彭城王义康，先朝[609]之爱子，陛下之次弟，若有迷谬之愆[610]，正可数之以善恶[611]，导之以义方，奈何信疑似之嫌[612]，一旦黜削，远送南垂[613]？草莱黔首[614]，皆为陛下痛之[615]。庐陵往事[616]，足为龟鉴[617]。恐义康年穷命尽，奄忽[618]于南，臣虽微贱，窃为陛下羞之[619]。陛下徒知[620]恶枝之宜伐[621]，岂知伐枝之伤树[622]！伏愿亟召义康返于京甸[623]，兄弟协和，君臣辑睦[624]，则四海之望塞[625]，多言之路绝[626]矣。何必司徒公、扬州牧然后可以置彭城王哉[627]？若臣所言于国为非，请伏重诛以谢陛下。”表奏，即收付建康狱，赐死。

裴子野[628]论曰：“夫在上为善，若云行雨施，万物受其赐；及其恶也，若天裂地震，万物所惊骇，其谁弗知？其谁弗见？岂戮一人之身，钳一夫之口，所能攘逃[629]，所能弭灭[630]哉？是皆不胜其忿怒[631]而有增于疾疹[632]也。以太祖[633]之含弘[634]，尚掩耳[635]于彭城之戮，自斯以后，谁易由言[636]？有宋累叶[637]，罕闻直谅[638]，岂骨鲠之气[639]、俗愧前古[640]？抑时王刑政[641]使之然乎？张约陨于权臣[642]，扶育毙于哲后[643]，宋之鼎镬[644]，吁，可畏哉！”

魏新兴王俊[645]荒淫不法，三月庚戌[646]，降爵为公。俊母先得罪死，俊积怨望[647]，有逆谋；事觉，赐死。

辛亥[648]，魏赐郁久闾乞列归[649]爵为朔方王，沮渠万年[650]为张掖王。

夏，四月，沮渠唐兒[651]叛沮渠无讳，无讳留从弟天周守酒泉，与弟宜得引兵击唐兒，唐兒败死。魏以无讳终为边患，庚辰[652]，遣镇南将军奚眷[653]击酒泉。

秋，八月辛亥[654]，魏遣散骑侍郎张伟来聘。

有接受袁盎的意见，后来追悔莫及。彭城王刘义康，是先朝皇帝的爱子，是陛下的二弟，如果因为一时的糊涂而犯了罪，就应该对他进行教育，给他分析什么是善，什么是恶，引导他走上正确的道路，为什么要相信那些似是而非的罪名，一天之内就罢了他的官，削了他的爵位，把他发配到遥远的南部边陲？即使是普通的黎民百姓，都为陛下的这种做法感到遗憾。庐陵王刘义真被驱逐、杀害的往事，已经足够我们吸取教训的了。我担心彭城王刘义康天年已穷，寿命已尽，很快便会在南方死去，我虽然地位卑微、身份贫贱，尚且私下里替陛下感到羞愧。陛下只知道坏树枝应该砍去，却不知道砍掉坏树枝的同时也损伤了树干本身！希望陛下赶紧将刘义康召回京师，兄弟君臣和睦相处，这样一来，天下人的愿望得到满足，对朝廷批评、埋怨的言论也就停止了。何必非要任用他为司徒、扬州牧，才能给彭城王安置一个职务呢？如果我说的话不利于国家，就请求将我杀死，以向陛下谢罪。”奏章呈递上去之后，扶令育立即就被逮捕关入建康的监狱，随后被勒令自杀。

裴子野评论说：“在上位的人做好事、善事，就像是天上的乌云密集，及时降下的甘霖，地上的万物都受到了恩泽；等到在上位的人做了坏事、恶事，就像是发生了天崩地裂，宇宙间的万物无不为之惊慌恐惧，这种情况有谁不知？有谁不见？岂是杀戮一个人，堵住一个人的嘴，就能逃避天下人的议论，就能掩盖自己的罪行？这都是因为控制不住自己的愤怒情绪而使病症变得更加厉害。以宋太祖刘义隆的宽容，尚且拒绝听取别人的劝谏而坚持要诛杀彭城王刘义康，从此以后谁还敢再轻易地讲真话？宋国自从开国以来，历代皇帝都很少能听到正直、守信义的话语，难道是现时正直而刚强的气概、风气不如古代？还是因为当时的君主所施行的刑罚、所营造的政治环境造成的这种局面呢？张约死于权臣之手，现在扶令育又被英明的君主刘义隆所杀，宋国刑罚的残酷，唉，太可怕了！”

北魏新兴王拓跋俊生活荒唐淫乱，不遵守法纪，三月二十八日庚戌，被降为公爵。拓跋俊的母亲早先因为触犯了太武帝拓跋焘而被处死，拓跋俊对太武帝积怨很深，于是阴谋叛乱；阴谋被发现，拓跋焘下诏令其自杀。

三月二十九日辛亥，北魏赐封郁久闾乞列归为朔方王，赐封沮渠万年为张掖王。

夏季，四月，沮渠唐兒背叛了沮渠无讳，沮渠无讳留下自己的堂弟沮渠天周守卫酒泉，自己则带领弟弟沮渠宜得率军进攻沮渠唐兒，沮渠唐兒兵败身死。北魏认为沮渠无讳最终会成为边境上的祸害，于是便在二十八日庚辰，派遣担任镇南将军的奚眷袭击酒泉。

秋季，八月初一辛亥，北魏派遣担任散骑侍郎的张伟为使者前往宋国的都城建康进行访问。

九月戊戌[655]，魏永昌王健卒。

冬，十一月戊子[656]，王球卒。己亥[657]，以丹杨尹孟𫖮为尚书仆射。

酒泉城中食尽，万余口皆饿死，沮渠天周杀妻以食战士。庚子[658]，魏奚眷拔酒泉，获天周，送平城，杀之。沮渠无讳乏食，且畏魏兵之盛，乃谋西度流沙，遣其弟安周西击鄯善[659]。鄯善王欲降，会魏使者至，劝令拒守。安周不能克，退保东城[660]。

氐王杨难当倾国入寇，谋据蜀土，遣其建忠将军苻冲出东洛[661]以御梁州[662]兵。梁、秦二州刺史刘真道击冲，斩之。真道，怀敬[663]之子也。难当攻拔葭萌[664]，获晋寿[665]太守申坦，遂围涪城[666]。巴西、梓潼二郡太守刘道锡婴城固守。难当攻之十余日，不克，乃还。道锡，道产[667]之弟也。十二月癸亥[668]，诏龙骧将军裴方明[669]等帅甲士三千人，又发荆、雍二州兵以讨难当，皆受刘真道节度。

晋宁[670]太守爨松子[671]反，宁州[672]刺史徐循讨平之。

天门蛮田向求[673]等反，破溇中[674]，荆州刺史衡阳王义季遣行参军曹孙念[675]讨破之。

魏寇谦之[676]言于魏主曰："今陛下以'真君'御世[677]，建'静轮天宫之法'，开古以来，未之有也。应登受符书[678]，以彰[679]圣德。"帝从之。

【段旨】

以上为第三段，写宋文帝元嘉十七（公元四四〇年）、元嘉十八年共两年间的大事。主要写：刘义康专权，对皇帝无君臣之礼，天下进贡者首先进给刘义康，皇帝倒在第二位；刘湛等借着刘义康以倾轧殷景仁，使殷景仁处于病休状态；文帝病时，刘湛等高唱要立长君，并预做了弟继兄位的种种准备，兄弟之间

九月十九日戊戌，北魏永昌王拓跋健去世。

冬季，十一月初十戊子，宋国担任尚书仆射的王球去世。二十一日己亥，任命担任丹杨尹的孟颉为尚书仆射。

酒泉城中的粮食已经吃光，一万多口人被饿死，留守酒泉的沮渠天周杀死了自己的妻子，将妻子的尸体分割后分给战士吃。十一月二十二日庚子，北魏镇南将军奚眷攻陷了酒泉，俘虏了沮渠天周，并将其押送到魏国的都城平城，沮渠天周在平城被杀。酒泉王沮渠无讳军中缺粮，又惧怕魏军的强大，于是便准备穿越沙漠向西逃走，他派遣自己的弟弟沮渠安周率军向西攻打鄯善国。鄯善国王正要向沮渠安周投降的时候，正遇上北魏的使者到来，北魏的使者劝说鄯善王据城坚守。沮渠安周没有办法攻克鄯善，遂退保东城。

氐王杨难当出动全部的兵力进犯宋国，谋求夺占蜀地，他派遣属下担任建忠将军的苻冲从东洛出兵，阻挡宋国的梁州兵。宋国担任梁、秦二州刺史的刘真道率军进攻苻冲，将苻冲斩首。刘真道，是刘怀敬的儿子。杨难当率军攻占了葭萌，活捉了宋国担任晋寿太守的申坦，并乘胜包围了涪城。宋国担任巴西、梓潼二郡太守的刘道锡在涪城四周设防，进行坚守。杨难当进攻了十多天也没有攻克，这才率军撤走。刘道锡，是刘道产的弟弟。十二月十五日癸亥，宋文帝刘义隆下诏，令龙骧将军裴方明等率领三千名全副武装的军士，又从荆州、雍州调兵前往征讨杨难当，这些人全部接受刘真道的指挥。

宋国担任晋宁太守的爨松子起兵谋反，被担任宁州刺史的徐循率军消灭。

宋国境内天门郡的蛮族首领田向求等起兵谋反，攻陷了溇中，宋国担任荆州刺史的衡阳王刘义季派遣属下担任行参军的曹孙念率军将其击败。

北魏嵩山道士寇谦之向北魏太武帝拓跋焘进言说:“陛下是以真君之体统治天下，又建立了静轮天宫之法，这是开天辟地以来所从来没有过的事情。应该登坛接受上天赐予的符书，以此来显扬陛下的圣德。”太武帝拓跋焘接受了寇谦之的建议。

怨隙已不可调和。宋文帝刘义隆乘刘湛在家丁母忧之际，突然起用殷景仁，收捕刘湛、刘斌等党羽杀之，出刘义康为江州刺史，又移为交、广刺史，徙广州，朝臣扶令育上书劝止，被杀；赖有会稽长公主护持，刘义康得暂时无事。殷景仁病死，朝廷任用王球、始兴王刘濬、范晔、沈演之、沈璞等主持国事。沮渠蒙逊之子沮渠无讳在国破之后坚持战斗，收复酒泉，又攻张掖；魏使拓跋健讨之，沮渠无讳兵败，欲西渡流沙，破鄯善而居之。氐王杨难当谋据蜀地，宋将刘道真、刘道锡、裴方明等进行了有效的抵抗。

【注释】

㊾正月己酉：正月二十日。⑳沮渠无讳：沮渠牧犍之弟，为北凉的沙州刺史，此时尚坚持反魏。北凉的沙州州治即今甘肃酒泉。㊴壬子：正月二十三日。㊷假通直常侍：临时任命的“通直常侍”。通直常侍，昼夜供奉于帝王周围的散骑常侍。假，借，以某官的名义，而实非其官。㊸四月戊午朔：四月初一是戊午日。㊹庚辰：四月二十三日。㊺删丹：即今甘肃山丹。㊻丙戌：四月二十九日。㊼永昌王健：即拓跋健，拓跋焘之子。传见《魏书》卷十七。㊽心劳辄发：用心一劳累就要犯病。㊾好吏职：精通也爱管各种行政事务。㊿纠剔文案：指发现、提出大臣们所送来的案卷中的问题。纠剔，挑出、指出。㊶方伯以下：指刺史、督军以外的其他官员。方伯，一方的诸侯霸主，晋宋时代即指大州刺史与各州的督军。㊷或以录命断之：有时就以录尚书事的名义加以判决。当时刘义康任录尚书事。㊸辐凑：犹车轮辐条之集中于车轴，以喻趋附者的人员之多，成为整个朝廷的中心。㊹每旦：每天早晨。㊺引接：迎接、接待。㊻强记：记忆力强。㊼标题所忆：引头说他熟记的东西。㊽意遇：犹言“赏识”“重用”。㊾王敬弘：本名王裕，性恬淡，乐山水，居高官而不理政务。传见《宋书》卷六十六。㊿王球：字倩玉，居高官不管事，以清虚淡泊自居。传见《宋书》卷五十八。㊶竟何所堪：叫人如何忍受，指其居官不管事。㊷己府：自己的王府与录尚书（实即宰相）府。㊸无施：无所作为。㊹斥为台官：打发到朝廷里去做官。㊺不复存君臣形迹：不再保持君臣间的差别。存，想、保持。形迹，指等级差别。㊻率心而行：顺着内心行事，怎么想就怎么说、怎么做。率，循、顺着。㊼曾无猜防：完全不避嫌疑、不存戒心。㊽僮：仆役。㊾不以言台：没有对朝廷讲，也就是没有对刘义隆讲。㊿四方献馈：各地方官给朝廷送礼。㊶荐：进献。㊷供御：进呈给帝王。㊸啖甘：吃柑子。甘，同“柑”。㊹殊有佳者：很有些好东西。殊，很。㊺东府：宰相府。东晋以来宰相照例是居于东府，其地在建康城的东部，四周有城墙。㊻大供御者三寸：比进贡给皇帝的柑子大三寸。㊼有隙：有矛盾，指刘湛忌恨殷景仁，甚至想派人刺杀之。事见本书卷一百二十二元嘉十二年。㊽倾：排挤；压倒。㊾浸不能平：逐渐感到越来越不能容忍。浸，渐渐。㊿谙：熟悉；懂得。㊶叙致铨理：每当说起什么事情，讲起什么道理。诠，解释。㊷云龙门：犹汉代之“司马门”，在皇宫的正门外，文武百官到此下马或下轿。㊸解驾：把马从车上卸下，因为知道他这一进去时间就短不了。㊹羽仪：即仪仗队，因为有些仪仗上饰有羽毛。㊺驱煽：促使、煽动。㊻内离：内心里厌恶。㊼接遇：接待；对待。㊽刘班：即刘湛，小名班虎。㊾方自西还宫：刚从西边的刺史府回到宫里来。㊿与语：与他说话的时候。㊶虑其将去：担心他又快要走了。㊷比入：如今他再进来。比，近、如今。㊸苦其不去：总是嫌他还不快点走。㊹相王：指刘义康，既是亲王，又是宰相（司徒），故如此称。㊺非社稷计：不是国家的长治久安之计。㊻宜少加裁抑：应该把他的权力、地位削减一点。少，通“稍”，裁抑、减损。㊼阴然之：内心里赞

同。㊺⑧大将军从事中郎：刘义康的僚属，刘义康当时任大将军，领司徒。㊺⑨谧：即王谧，字稚远，王导之孙，由于能早识刘裕于未达，在刘裕执政的晋宋之交位极通显。传见《晋书》卷六十五。㊻⓪主簿：大将军主簿。㊻①祭酒：这里指祭酒从事史，州刺史的属官，当时刘义康领扬州刺史。㊻②倾谄：邪恶、谄媚。㊻③宫车一日晏驾：隐指皇帝的死。晏驾，没能及时出来。㊻④顾命诏：帝王临终前安排后事的诏书。㊻⑤还省：回到尚书省，当时刘义康任录尚书事。㊻⑥讵是幼主所御：这种局面岂是小皇帝可以驾驭得了的。讵，岂。御，驾驭。㊻⑦尚书议曹：主管朝廷各种典礼、仪式的部门。〖按〗"尚书议曹"于情理不合，当依胡三省说改作"尚书仪曹"。㊻⑧索晋咸康末立康帝旧事：索取晋成帝末年议论立其弟晋康帝的有关记载，以备参考。"咸康"是晋成帝的年号，"咸康末"即指晋成帝死。胤秀等急于弄清成帝死后立其弟康帝的旧例，是为刘义隆死后立刘义康做准备。康帝，即司马岳，明帝之子，成帝之弟。成帝死后，被立以为帝。事见《晋书》卷七。㊻⑨疾瘳：病愈。㊼⓪伺察禁省：窥探宫廷内的动静。㊼①构陷：编造罪名，加以陷害。㊼②虚造异同：即编造事实。㊼③言次：说完应说的主要事情之后。㊼④以为吴郡：让他任吴郡太守。吴郡的郡治即今江苏苏州。㊼⑤求还：乞求返回朝廷。㊼⑥未有所拟：即没有一定的目标。㊼⑦仓猝曰：自己没有一定的目标，还必须"仓猝"地说一个，就是为了不让刘义康提出他的人选。㊼⑧五月癸巳：五月初六。㊼⑨母忧：母亲去世。当时为官的人凡遇父母去世，都必须离职回家守孝。㊽⓪无复全地：没有保全的可能。㊽①赖口舌争：靠着说长道短为自己辩护。㊽②推迁：推迟。㊽③穷毒：指母亲去世，儿子极端痛苦。毒，即痛苦。㊽④无复此望：再不可能在朝为自己辩护。㊽⑤乙巳：五月十八日。㊽⑥临松：郡名，郡治在今甘肃民乐西。㊽⑦六月丁丑：六月二十一日。㊽⑧皇孙濬：即拓跋濬，日后即为历史上的"文成帝"。㊽⑨寇谦之《神书》：嵩山道士寇谦之编造的鬼话。见本书卷一百一十九景平元年。㊾⓪京口：即今江苏镇江。㊾①京陵：也叫兴宁陵，刘裕父亲的坟墓，在今江苏镇江市南。㊾②竟陵王诞：即刘诞，刘义隆之子。竟陵是封地名，竟陵郡的郡治即今湖北钟祥。㊾③自江都会之：由江都县出发，一同去京口扫墓。当时刘义恭任南兖州刺史，州治广陵，在今江苏扬州西北。江都，县名，在今扬州南。㊾④七月己丑：七月初三。㊾⑤番禾：郡名，郡治即今甘肃永昌。㊾⑥丙申：七月初十。㊾⑦太后窦氏：即"保太后"，拓跋嗣之妃、拓跋焘的生母。㊾⑧壬子：七月二十六日。㊾⑨皇后袁氏：太子刘劭的生母。⑤⓪⓪癸丑：七月二十七日。⑤⓪①八月甲申：八月二十九日。⑤⓪②中尉：诸侯王国的武官名，略同于郡尉。⑤⓪③尉眷：魏国名将尉古真之侄。传见《魏书》卷二十六。⑤⓪④九月壬子：九月二十七日。⑤⓪⑤元皇后：即袁皇后，刘劭之母，谥曰元。⑤⓪⑥嫌隙已著：犹今之所谓"罪行已经昭彰"。嫌隙，矛盾、隔阂。这里指罪行。⑤⓪⑦十月戊申：十月初一是"丙辰"，本月中无"戊申"，疑字有误。《宋书·文帝纪》作"戊午"，戊午是十月初三。⑤⓪⑧杜骥：杜预的曾孙，刚被任为青州（州治即今山东青州）刺史，尚未赴任，还在京师。⑤⓪⑨逊位：请求辞职。⑤①⓪豫章：郡名，郡治即今江西南昌。⑤①①卧疾五年：殷景仁自元嘉十二年（公元四三五年）开始称病。见本书卷一百二十二。⑤①②窥其际：看到其中任何迹象。际，边沿，这里指苗头、破绽。⑬拂拭衣冠：抖掉尘土，准备穿戴。⑭出：出坐。⑮小床：当时指椅子。⑯舆就坐：让人抬到座位上。⑰沈庆之：字弘先，吴兴郡（郡治即今浙江湖州）人，原是檀道济的部下，宋代著名的将领。传见《宋书》卷七十七。⑱领军：指领军将军，统领帝王的护卫部队。⑲在省：指领军省。当时沈庆之属刘湛统领。⑳比当相论：很快地我要帮你说一说，犹今之所谓“推荐”“说情”。㉑自应得转：自然应该得到升迁。㉒不复以此仰累：不愿拿这种事麻烦您。㉓戎服缚袴：一种参加战斗的装束。㉔乃尔急装：做如此紧急的一套装束。㉕队主：犹今之所谓“部队首长”，不是具体的官名。㉖不容：容不下。㉗徐湛之：刘裕的女儿会稽公主之子，刘义隆的外甥。传见《宋书》卷七十一。㉘逵之：即徐逵之，刘裕的女婿，死于刘裕讨伐司马休之之役。㉙深衔之：记恨在心。㉚会稽公主：刘裕之女，臧皇后所生。㉛于兄弟为长嫡：在诸兄弟姐妹中，会稽公主年最长，而且又是嫡出，即皇后所生。㉜上：指文帝刘义隆。㉝新洲：小岛名，在当时建康城北的长江中。㉞纳布衫袄：打着补丁的布衫。纳，同“衲”，补丁。㉟手：亲手。㊱汝父：指刘裕。会稽公主与文帝刘义隆同父异母，又已嫁人，且正在生气中，故称曰“汝父”。㊲进利：贪进好利。㊳徒跣：光着双脚，表示请罪。㊴阿父：当时江南人呼伯、叔为“阿父”。为人叔、伯者亦以“阿父”自称。㊵求亲昵：拉关系、求亲近。㊶江湛：字徽渊，宋初的廉正之臣。㊷武陵内史：武陵王国的行政长官，职务相当于郡太守。武陵郡的郡治即今湖南常德西。㊸夷：即江夷，曾为湘州刺史。㊹停省：停留在中书省，刘义康暂时被软禁于此。㊺下渚：指船离秦淮渚，赴豫章贬地。㊻有还理不：有回来的可能吗。㊼不读数百卷书：言其不懂历史，不知早自戒慎。㊽谢述：字景先，早年被刘裕所知赏，为官清廉俭朴。传见《宋书》卷五十二。㊾裕：即谢裕，字景仁，谢安的侄孙，曾识刘裕于未达，晋末时对刘裕多有佐助。传见《宋书》卷五十二。㊿累佐义康：谢述先后曾任刘义康骠骑长史、司徒左长史等职。551规益：规劝、补益。552将南：指南去豫章贬地。553摹之：即萧摹之，萧思话的堂叔，当时任丹阳尹。曾建议抑制铺张事佛之风。见本书卷一百二十二元嘉十二年。554防守：指监督、看管。555爱念：所喜欢的人。556信赐相系：问讯及赏赐不断。相系，相连。557车子：刘义康的小名。558指蒋山：指着蒋山发誓。蒋山，即今南京东的钟山，刘裕的坟墓初宁陵就在这里。559负初宁陵：即对不起去世的父亲。560隆：深厚；亲密。561迹其乱阶：考察、追溯灾祸的由来。迹，追溯。乱阶，祸乱的发展由来。562无有厌已：没有个满足、停止。563贪人败类：语出《诗经·桑柔》，意谓贪婪的人不仅害了他自己，还要使他的家族亲党都遭到毁灭。类，群、辈。564征：调；调其进朝。565戊寅：十月二十三日。566惩彭城之败：接受刘义康失败的教训。彭城，对刘义康的敬称，因他被封为彭城王。567总录：犹言“总理”。“尚书录事”在当时总理一切政务。568奉行文书：指上传下达，照章办事。569上年：皇帝每年……570他物称此：赏赐的其他东西与此成比例。571性奢：应该说这是刘义恭的一种自我保护手段。当年刘穆之也曾使用过类似办法。572十一月丁亥：十一月初三。573山北：指武周山之北。武周山在今山西大同西，即云冈。574 西州：当时扬州刺史府的所在地，因其在建康的台城之西，故称“西州”。575 癸丑：十一月二十九日。576 十二月癸亥：十二月初九。577 戊辰：十二月十四日。578 始兴王濬：即刘濬，刘义隆之子，被封为始兴王。事见《宋书·二凶传》。579 范晔：字蔚宗，《后汉书》的作者。传见《宋书》卷六十九。580 沈璞：沈林子之子。传见《宋书》卷一百。581 泰：范泰，字伯伦，经学家范宁之子，为人正直，深受刘裕赏识。传见《宋书》卷六十。582 林子：即沈林子，刘裕的名将，在攻取洛阳、长安当中功勋卓著。传见《宋书》卷一百。583 沈演之：字台真，刘义隆的信臣。传见《宋书》卷六十三。584 禁旅：皇帝的警卫部队。585 庾炳之：东晋权臣庾冰的曾孙，庾登之之弟，当刘湛与殷景仁水火不容时，庾炳之独能出入于两家之门，并为皇帝与殷景仁传递信息。传见《宋书》卷五十三。586 吏部郎：即后代的吏部尚书。587 劲：即沈劲，字世坚，晋穆帝升平中，慕容恪攻洛阳，沈劲守城，不屈而战死，洗去了其父沈充助桓玄谋反的恶名。事见《晋书·忠义传》。588 数犯名教：屡屡做一些为当时的伦理道德所不容的事。589 躁竞：好钻营，如今之所谓“官迷”，想当官。590 志趋异常：志趣不同于平常人，指其似欲谋反。趋，同“趣”。591 若在内衅成：如果在朝廷犯下罪过。内，朝内。衅，祸变。592 加铁钺：将犯罪者斩首或腰斩。铁，同“斧”。593 铁钺亟行：指屡屡诛杀大臣。亟，屡。594 王慧龙：晋末贵族王愉之孙，刘裕微时被王愉所不礼，刘裕掌权后遂灭王愉全家，年幼的王慧龙被一和尚所救，辗转逃到魏国，立志为报家仇而坚决反刘裕，在魏宋两国的边境上屡次给檀道济、到彦之等造成麻烦，被封为宁南将军。为魏国治郡有方，宋朝廷曾派刺客行刺，竟被王慧龙所感化。传见《魏书》卷三十八。595 吕玄伯：原是刘宋派去刺杀王慧龙的刺客，结果受感动成了王的心腹。事见本书卷一百二十二元嘉八年。596 务殷：事情繁多。597 膺受：获得、承受。598 中、秘二省：中书省和秘书省。599 恩矜：犹今之所谓“关心”“体恤”。600 请参其次：请求去那里充当一个工作人员。601 秘书监：秘书省的长官。602 复称武都王：杨难当原称“武都王”，元嘉十三年（公元四三六年）自称“大秦王”，今又称“武都王”。603 正月癸卯：正月二十日。604 辞刺史：请求辞去江州刺史。605 甲辰：正月二十一日。606 巴东扶令育：巴东郡人姓扶，名令育。巴东郡的郡治在今重庆奉节东。607 袁盎：西汉文帝、景帝时人。事见《史记·袁盎晁错列传》。608 遇霜露死：实际指被汉文帝手下的人所害死。淮南王刘长是汉文帝之弟，因谋反罪被流放巴蜀，袁盎劝文帝不要这样做。事见本书卷十四文帝六年。609 先朝：此指先朝皇帝，即刘裕。610 迷谬之愆：因一时糊涂犯了罪过。611 数之以善恶：给他分析哪是善哪是恶。数，指说。612 疑似之嫌：似是而非的罪名。613 远送南垂：发配到南方边地。时刘义康被“任”为都督江、交、广三州诸军事，驻节于今广东广州。垂，同“陲”，边地。614 草莱黔首：普通的黎民百姓。615 皆为陛下痛之：都为您的这种做法感到遗憾。616 庐陵往事：指庐陵王刘义真被徐羡之等所杀害事。见本书卷一百二十元嘉元年。617 足为龟鉴：已经够我们吸取教训的了。龟指龟甲，可以占吉凶；鉴是镜子，可以照人形貌。二者连用都是给人提供教训的意思。618 奄忽：指死。619 窃为陛下羞之：替陛下您感到羞愧。⑳徒知：光知道。㉑恶枝之宜伐：以比喻坏人之当除去。㉒伐枝之伤树：剪除树枝要伤害树的本身。古语有所谓“木实繁者披其枝，披其枝者伤其心”，此处即从古语化来。㉓返于京甸：返回京城。甸的本义是郊区。㉔辑睦：和睦。㉕四海之望塞：天下人的愿望得到满足。塞，满足。㉖多言之路绝：对朝廷的批评埋怨得以停息。多言，指众人对朝廷的批评议论。㉗何必司徒公句：即给他安置一个什么样的职务都行。㉘裴子野：梁朝的历史家、文学家，著有《宋略》，下面的评论文字即出于该书。㉙攘逃：犹言“逃避”“躲避”。㉚弭灭：压制、消灭。㉛不胜其忿怒：克制不住生气。㉜有增于疾疹：使病症变得更加厉害。㉝太祖：以称宋文帝刘义隆，太祖是庙号。㉞含弘：宽容。㉟掩耳：不听取；拒绝接受。㊱谁易由言：谁还肯讲真话。由，用。㊲有宋累叶：刘宋王朝的历代皇帝。㊳罕闻直谅：很少能听到正直、守信义的话语。直，正直。谅，守信。㊴骨鲠之气：正直而刚强的气概。㊵俗愧前古：现时的风气不如古代。俗，风俗、风气。㊶时王刑政：当时最高统治者所使用的刑法、所营造的政治环境。㊷张约陨于权臣：张约是刘宋初年人，曾任吉阳县令。当徐羡之等盗用废帝刘义符的名义把庐陵王刘义真贬到新安郡的时候，张约上书劝阻，被徐羡之杀害。事见本书卷一百二十元嘉元年。㊸扶育毙于哲后：现在扶令育又被宋文帝所杀。骈体文讲究对偶，只好简称“扶育”以与“张约”相对。哲后，英明的帝王。刘义隆在南朝的历代皇帝中应该算少有的佼佼者。㊹鼎镬：古代的刑具，烧开水煮人，这里代指刘宋时代的刑法。㊺新兴王俊：即拓跋俊，拓跋嗣之子，拓跋焘之弟。传见《魏书》卷十七。㊻三月庚戌：三月二十八日。㊼怨望：怨恨。望，也是怨恨的意思。㊽辛亥：三月二十九日。㊾郁久闾乞列归：柔然可汗之兄，元嘉十六年（公元四三九年）进攻魏国时被魏国俘虏。㊿沮渠万年：沮渠牧犍之侄，于元嘉十六年（公元四三九年）率众以姑臧城降魏。651沮渠唐兒：沮渠牧犍的堂弟，时任敦煌太守。652庚辰：四月二十八日。653奚眷：北魏初期的名将。传见《魏书》卷三十。654八月辛亥：八月初一。655戊戌：九月十九日。656十一月戊子：十一月初十。657己亥：十一月二十一日。658庚子：十一月二十二日。659鄯善：古西域国名，首都扜泥，即今新疆若羌。660东城：在今新疆若羌东北。661东洛：胡三省以为在晋寿县界，晋寿在今四川剑阁东北。662以御梁州：阻挡梁州出兵救蜀。梁州的州治即今陕西汉中，当时属刘宋。御，抵抗、阻挡。663怀敬：即刘怀敬，刘裕的表兄弟。刘裕的生母早死，刘裕即吃刘怀敬之母的奶水长大。664葭萌：县名，县治在今四川广元西南。665晋寿：郡名，郡治即葭萌县。666涪城：即今四川三台西北，当时为巴西、梓潼二郡的郡治所在地。667道产：彭城人，刘裕的同乡，为地方官时甚有政绩。传见《宋书》卷六十五。668十二月癸亥：十二月十五日。669裴方明：当时益州的名将，在破流民军赵广、程道养的战斗中建有大功。670晋宁：郡名，郡治即今云南晋宁东。671爨松子：人名。672宁州：州治即今云南晋宁东。673天门蛮田向求：天门郡的蛮族头领名叫田向求。天门郡的郡治即今湖南石门。674溇中：县名，县治在今湖南慈利西北。675行参军曹孙念：任代理参军之职的曹孙念。行，代理。676寇谦之：当时有名的道士。⑥⑦⑦御世：统治国家。御，统治、驾驭。⑥⑦⑧登受符书：登台接受上天赐予的符书。⑥⑦⑨彰：显扬。

【校记】

［16］方：据章钰校，甲十一行本、乙十一行本、孔天胤本皆作“初”。［17］求：据章钰校，甲十一行本、乙十一行本、孔天胤本皆作“欲”，张敦仁《通鉴刊本识误》同。［18］者：原无此字。据章钰校，孔天胤本有此字，张敦仁《通鉴刊本识误》同，今从补。

【研析】

本卷写了宋文帝元嘉十三年（公元四三六年）至元嘉十八年共六年间的各国大事，其中值得议论的有以下几方面：

第一，写了刘宋权臣刘义康、刘湛乘文帝刘义隆抱病之际杀害名将檀道济及其诸子，自毁长城，致使魏人为之窃喜。其文曰：“司空、江州刺史、永修公檀道济，立功前朝，威名甚重，左右腹心并经百战，诸子又有才气，朝廷疑畏之。帝久疾不愈，刘湛说司徒义康，以为‘宫车一日晏驾，道济不复可制’。会帝疾笃，义康言于帝，召道济入朝。其妻向氏谓道济曰：‘高世之勋，自古所忌。今无事相召，祸其至矣。’既至，留之累月。帝稍间，将遣还，已下渚，未发；会帝疾动，义康矫诏召道济入祖道，因执之。三月己未，下诏称：‘道济潜散金货，招诱剽猾，因朕寝疾，规肆祸心。’收付廷尉，并其子给事黄门侍郎植等十一人诛之，唯宥其孙孺。又杀司空参军薛彤、高进之。二人皆道济腹心，有勇力，时人比之关、张。道济见收，愤怒，目光如炬，脱帻投地曰：‘乃坏汝万里长城！’魏人闻之，喜曰：‘道济死，吴子辈不足复惮！’”自古以来，大将功高震主、谋略超群，往往为当权的帝王所忌恨，必寻机会以除之，这是规律，如越王勾践之杀文种，秦昭王之杀白起，刘邦之杀韩信、彭越、黥布，司马昭之杀邓艾等，不胜枚举，无须吃惊；但像是刘宋这样，北方的魏国正不断强大，偏安的刘宋小朝廷正风雨飘摇，而且刘义隆又刚刚“北伐”惨败，居然也能向檀道济挥起屠刀！真是自毁长城，为敌兵的长驱直入扫清道路，简直就和宋高宗、秦桧的杀害岳飞一模一样。但要说起这檀道济，却又与以往被杀的列位名将有点不同：一来是他的功劳不能算太大，而且又给后人留有可议之处；二来刘宋统治者对檀道济的猜忌又是由来已久的。早在刘裕篡位前，在刘裕消灭桓玄的时候，刘裕的心腹刘穆之就对檀道济存有怀疑，怕他中途倒戈；迨至刘裕将死，檀道济虽然也列名于顾命大臣，但刘裕却对太子刘义符说：“檀道济虽有干略而无远志，非如兄韶有难御之气也。”这话虽不像是说谢晦“若有异同，必此人也”，但分明是对檀氏兄弟常存戒心，而不像说徐羡之、傅亮那样肯定的是“当无异图”。到刘义隆抱病的时候，刘义康、刘湛先禀明刘义隆才把檀道济调到京城看守起来的。因此虽说其中还有一些曲折，但檀道济的被杀，应该说是出于刘义隆本人的意愿。历史家写檀道济的死，是充满感情的，尤其是用檀道济自己的话与用魏主拓跋焘的话，倾吐了深沉的感慨。

第二，本文接续着上卷进一步写出了刘义康与刘湛狼狈为奸，企图乘文帝刘义隆病死之际，刘湛彻底消灭政敌殷景仁，刘义康则趁机取皇帝位而有之。这两个首恶与其党羽沆瀣一气，为所欲为，不料宋文帝与殷景仁早已暗中运筹部署，犹如当年郑庄公之制服共叔段一样地冷眼旁观，静待其条件成熟，待至刘湛一旦丁忧去职，殷景仁迅即复位，一声令下，凶党全部入网。刘义康是因为有长公主护佑，眼前暂时无虞；其他如刘湛、刘斌等则顿时满门诛灭。文章满怀感情地写了长公主为刘义康求情的情景；文章又全文著录了大臣扶令育上书文帝，请求释放刘义康的恳切陈词。应该说，用意都是很好的，但文帝一概不理，而且立即将扶令育处死了。宋文帝的做法自然是有些过分，但刘湛、刘义康的罪孽深重，也的确丝毫不让人同情。

第三，本文写了北凉沮渠蒙逊政权被魏国所灭，从此结束了在今甘肃境内曾前后存在过的五个凉国长达一百多年的分裂割据。五个凉国或此起彼伏，或相互并立，纷繁复杂，难以记住，今引用明代张大龄《玄羽外编》中的一段综合语，以表见其始末："昔晋室多难，张轨欲保据河西，而张氏九主俱能翼戴本朝，若茂、若骏、若重华，忠孝相传，贤能为之用，故四海鼎沸而河西小康，其永世而久也，宜哉（前凉）！吕光骄虐，一传而乱（后凉）；李暠乘时挟诈（西凉），段业文儒无断，及身幸矣，奚后之垂？蒙逊狡焉起疆，奸足以惑众，力足以摧邻，崛强三十载，神人先为之卜历乎（北凉）？何敦煌老父之书与虢降于莘者如出一辙也？傉檀雄桀，筹略亦长，人多感慕而从之，功业未就，死于暴虏（南凉），此如刘虞见戕于公孙，姚襄受戮于邓羌，要不可以成败论。夫区区河西，五凉分割，以五小郡而与中原抗衡，刘、石、苻、姚，亶亶虎视，至魏而始定，此其故何也？盖其土饶，饶则畜牧蕃；地险，险则关河隔；俗劲，劲则士卒犷悍：由是无事勤耕牧，有事便技击。又有忠孝智勇之士起而维持。当汉之衰，马超提一旅，曹孟德几为所摧，况其余乎？呜呼，此凉之所以为凉也。"说得挺有意思。

第四，本卷写了北燕主冯跋之死，其弟冯弘夺得政权；魏国起兵伐燕，冯弘东降于高句丽；投降后又不甘受其侮辱，又遣使南降于宋，结果冯弘被高句丽人所杀，北燕灭亡，拓跋氏的魏国政权从此统一北方。从此东起辽东，西至新疆，西南至秦岭，向南逐渐接近淮河，向北接近蒙古，其间的巨大区域，就是历史上的所谓拓跋魏，也就是通常所谓的"北朝"。也正是从这个时期开始，南北双方都开始尊崇儒术。宋文帝刘义隆令雷次宗建立儒学馆，令何尚之建立玄学馆，令何承天建立史学馆，令谢元建立文学馆，统称"四馆"。《资治通鉴》作者司马光对此不满，认为刘义隆没有独尊儒学。他说："史者儒之一端，文者儒之余事；至于老、庄虚无，固非所以为教也。夫学者所以求道，天下无二道，安有四学哉？"他认为只要儒家一门就够了。魏主拓跋焘灭掉北凉后，从凉州得到了不少儒学之士，魏主都对他们加以重用。有常爽其人，因开帐授徒有方，被人比作汉代蜀地的文翁。说他“文翁柔胜，先生刚克，立教虽殊，成人一也”。崔浩又召集各地区的历法学家，考校汉朝以来的历法。他们指出班固《汉书·高帝纪》所写的刘邦攻入咸阳时，有所谓“五星聚于东井”。他们说：这根本不是事实，是班固将那年七月发生的天文现象故意写到了十月，目的是用以神化刘邦。这种见解真令人刮目相看，真叫人心旷神怡！

卷第一百二十四　宋纪六

起玄黓敦牂（壬午，公元四四二年），尽柔兆阉茂（丙戌，公元四四六年），凡五年。

【题解】

本卷写宋文帝元嘉十九年（公元四四二年）至元嘉二十三年共五年间的刘宋与北魏等国的大事。主要写：魏主数道北伐柔然至鹿浑谷，太子晃劝魏主乘其不备，迅速出击，尚书令刘絜劝魏主持重，结果使柔然遁走，魏徒劳无功。魏尚书令刘絜的奸诈险恶，因劝阻魏主伐柔然未果遂必欲置魏军于大败，他篡改魏主的命令而导致诸将的因失期被杀；又派人袭扰魏军，再将失利之罪加之崔浩；又欲俟魏主失败不归后，改立乐平王，甚至图谋称帝等等，最后奸谋揭穿，被灭三族。魏主拓跋焘迷信道教，宠用道士寇谦之，亲自往受符箓，修筑静轮宫以接天神；同时又严厉地排斥沙门，先是下令凡私养或藏匿沙门巫觋者，"沙门、巫觋死，主人门诛"，后又在谋臣崔浩的支持下诛灭长安沙门，焚毁经像，并下诏全国一律照长安行事；太子晃劝阻不从，乃故意缓下诏书，使各地沙门得以躲避并转移藏匿经像。魏国境内卢水胡的头领盖吴兴兵作乱，与安定诸胡、河东蜀户相互呼应，最后被魏将陆俟所平定；未几，安定卢水胡刘超又反，陆俟乃单骑赴任

【原文】

太祖文皇帝中之中

元嘉十九年（壬午，公元四四二年）

春，正月甲申①，魏主②备法驾③，诣道坛④受符箓⑤，旗帜尽青。自是每帝即位皆受箓。谦之⑥又奏作静轮宫⑦，必令其高不闻鸡犬，欲以上接天神。崔浩⑧劝帝为之，功费万计，经年不成。太子晃⑨谏曰："天人道殊，卑高定分⑩，不可相接，理在必然。今虚耗府库，疲弊百姓，为无益之事，将安用之！必如谦之所言，请因东山万

长安，以智谋平定刘超之乱而还。宋文帝刘义隆送别其弟刘义季到兖州赴任，故意延误吃饭时间以教育其弟知人间疾苦，戒以节俭御物。刘宋的不良分子孔熙先鼓动朝廷近臣范晔等图谋作乱，欲杀害文帝而改立被流放于江州的权臣刘义康，结果因徐湛之叛变告密，孔熙先、谢综、范晔等被杀，而徐湛之、臧质诸人因与帝室的关系甚密而被放过。魏主纵兵寇宋青、兖、冀三州，至清东始还，杀掠甚众，宋文帝咨访群臣，何承天建议收缩边防，实行寓兵于民，建立兵民一体的边境力量，改变国家养兵、派兵远戍的做法。林邑王范阳迈遣使入贡于刘宋，而又寇盗不绝，刘宋派檀和之、宗悫往讨之；范阳迈用大象迎战，宗悫等乃仿制狮子之形以应之；范阳迈大败而走，宋军所获极多，宗悫一无所取，还家之日，衣栉萧然。武都、仇池地区与吐谷浑地区的动乱与反复争夺，与魏国的大臣李顺被崔浩进言所杀，宋将刘真道、裴方明因在平定仇池时贪匿金宝、善马被刘宋政权处死。

【语译】

太祖文皇帝中之中

元嘉十九年（壬午，公元四四二年）

春季，正月初七甲申，北魏太武帝拓跋焘乘坐皇帝的车驾，前往道士祭天的神坛接受文书，所用的旗帜一律都是青色。从此以后，北魏每位新皇帝登基时都举行接受来自上帝文书的仪式。嵩山道士寇谦之又向太武帝奏请修建静轮宫，静轮宫要修得极高，高到以听不到鸡犬之声为标准，目的是到上面去接近天神。担任司徒的崔浩也极力劝说太武帝批准寇谦之的奏请，修建静轮宫所耗费的财物数以万计，然而修建了一年也没有建成。皇太子拓跋晃向太武帝进谏说："上帝与人类原本不同，一个在天上，一个在地上，两不搭界，互不相关，不可能互相结交，这是肯定无疑的。如今耗损了大量资财，使国库空虚，使百姓疲惫不堪，兴建这种毫无益处的建筑，将用它做什么呢！如果一定要像寇谦之所说的那样，将静轮宫修建得高不闻鸡

仞之高⑪，为功差易⑫。”帝不从。

夏，四月，沮渠无讳⑬为[1]将万余家，弃敦煌西就沮渠安周⑭。未至，鄯善王比龙⑮畏之，将其众奔且末⑯，其世子⑰降于安周。无讳遂据⑱鄯善，其士卒经流沙⑲渴死者大半。

李宝⑳自伊吾㉑帅众二千入据敦煌㉒，缮修城府，安集故民㉓。

沮渠牧犍之亡㉔也，凉州人阚爽据高昌㉕，自称太守。唐契为柔然㉖所逼，拥众西趋高昌，欲夺其地。柔然遣其将阿若追击之，契败死，契弟和收余众奔车师前部王伊洛㉗。时沮渠安周屯横截城㉘，和攻拔之，又拔高宁、白刃[2]二城，遣使请降于魏。

甲戌㉙，上㉚以疾愈，大赦。

五月，裴方明㉛等至汉中㉜，与刘真道[3]分兵攻武兴㉝、下辨㉞[4]、白水㉟，皆取之。杨难当㊱遣建节将军符弘祖㊲守兰皋㊳，使其子抚军大将军和将重兵为后继。方明与弘祖战于浊水㊴，大破之，斩弘祖。和退走，追至赤亭㊵，又破之。难当奔上邽㊶，获难当兄子建节将军保炽。难当以其子虎为益州㊷刺史，守阴平㊸，闻难当走，引兵还至下辨。方明使其子肃之邀击㊹之，擒虎，送建康㊺斩之，仇池平㊻。以辅国司马㊼胡崇之为北秦州㊽刺史，镇其地。立杨保炽为杨玄后㊾，使守仇池。魏人遣中山王辰㊿迎杨难当诣平城(51)。秋，七月，以刘真道为雍州(52)刺史，裴方明为梁、南秦(53)二州刺史，方明辞不拜(54)。

丙寅(55)，魏主使安西将军古弼(56)督陇右(57)诸军及殿中虎贲(58)与武都王杨保宗自祁山(59)南入，征西将军渔阳皮豹子(60)等[5]与琅邪王司马楚之(61)督关中(62)诸军自散关(63)西入，俱会仇池。又使谯王司马文思(64)督洛、豫(65)诸军南趋襄阳，征南将军刁雍(66)东趋广陵(67)，移书徐州(68)，称(69)为杨难当报仇。

犬之声，那就把这座静轮宫修建在万仞之高的东山之上，建造起来还容易一些。”太武帝没有听从拓跋晃的劝告。

夏季，四月，沮渠无讳放弃了敦煌城，率领一万多家百姓前往西域投靠自己的兄弟沮渠安周。沮渠无讳等人还没有到达西域，鄯善国王比龙因为惧怕沮渠无讳，便率领自己的部众逃往且末去了，比龙的嫡长子则投降了沮渠安周。沮渠无讳遂占据了鄯善国的领土，沮渠无讳属下的士兵在穿越沙漠的时候因为找不到水源，渴死了一大半。

李宝率领二千多名部众从伊吾出发，向东占据了敦煌，维修了敦煌城及其官府，安抚、召集故西凉国的原有居民。

北凉河西王沮渠牧犍灭亡的时候，凉州人阚爽占据了高昌城，自称高昌太守。唐契受柔然国的逼迫，在伊吾无法立足，遂带领部众向西直奔高昌，准备夺取高昌城。柔然国派遣将领阿若率军随后追击，唐契战败被杀，唐契的弟弟唐和召集起残余的部众投奔了车师前部国国王伊洛。当时沮渠安周正率众屯扎在横截城，唐和打败了沮渠安周，占领了横截城，又攻克了高宁、白刃二城，然后派遣使者到北魏请求归降。

四月二十八日甲戌，宋文帝刘义隆因为病体痊愈而大赦天下。

五月，宋国的龙骧将军裴方明等人率军到达汉中，与宋国担任梁州刺史的刘真道分别率军攻打武兴郡、下辨县、白水郡，将这些地方全部攻占。氐族首领杨难当派遣属下担任建节将军的符弘祖镇守兰皋，派遣自己担任抚军大将军的儿子杨和率领重兵作为符弘祖的后续部队。裴方明与符弘祖在浊水城下展开激战，裴方明把符弘祖打得大败，将符弘祖杀死。抚军大将军杨和率军退走，裴方明率军追击杨和，一直追到赤亭，再次把杨和打败。杨难当一见大事不妙，立即逃奔上邽，宋将裴方明俘虏了杨难当担任建节将军的侄子杨保炽。杨难当任用自己的儿子杨虎为益州刺史，镇守阴平县，杨虎听到自己父亲杨难当战败逃走的消息，就率领军队撤回到下辨县。裴方明派遣自己的儿子裴肃之在半路伏击杨虎，将杨虎活捉，押送到宋国的都城建康斩首，杨难当在仇池地区发动的这场叛乱被平息。宋文帝任命在辅国将军刘道产属下担任司马的胡崇之为北秦州刺史，镇守北秦州。立杨难当的侄子杨保炽为杨玄的继承人，派杨保炽镇守仇池。北魏派遣中山王拓跋辰到上邽迎接杨难当前往北魏的都城平城。秋季七月，宋文帝任命刘真道为雍州刺史，任命龙骧将军裴方明为梁州、南秦州二州刺史，裴方明推辞，不接受任命。

闰五月二十一日丙寅，北魏主拓跋焘派遣安西将军古弼率领陇山以西各郡的兵马，以及在殿中担任护卫的武勇之士、武都王杨保宗从祁山向南进军，派担任征西将军的渔阳人皮豹子等与琅邪王司马楚之一同率领关中各军从散关出发向西进军，全都到仇池会师。又派遣谯王司马文思统率洛州、豫州各军南下袭击襄阳，派征南将军刁雍向东进攻广陵，同时向徐州地区发布讨伐刘宋的檄文，以替杨难当报仇雪恨为名义。

甲戌晦[70]，日有食之。

唐契之攻阚爽也，爽遣使诈降于沮渠无讳，欲与之共击契。八月，无讳将其众趋高昌。比至[71]，契已死，爽闭门拒之。九月，无讳将卫兴奴夜袭高昌，屠其城[72]，爽奔柔然。无讳据高昌，遣其常侍氾㑺奉表诣建康[73]。诏以无讳都督[74]凉、河、沙[75]三州诸军事，征西大将军，凉州刺史，河西王。

冬，十月己卯[76]，魏立皇子伏罗[77]为晋王，翰为秦王，谭为燕王，建为楚王，余为吴王。

甲申[78]，柔然遣使诣建康。

十二月辛巳[79]，魏襄城孝王卢鲁元[80]卒。

丙申[81]，诏鲁郡[82]修孔子庙及学舍，蠲墓侧五户课役[83]以供洒扫[84]。

李宝遣其弟怀达、子承奉表诣平城[85]，魏人以宝为都督西垂[86]诸军事、镇西大将军、开府仪同三司[87]、沙州牧、敦煌公，四品以下，听承制假授[88]。

雍州刺史晋安襄侯刘道产[89]卒。道产善为政，民安其业，小大丰赡，由是民间有《襄阳乐歌》[90]。山蛮[91]前后不可制者皆出[92]，缘沔为村落[93]，户口殷盛[94]。及卒，蛮追送至沔口[95]。未几，群蛮大动[96]，征西司马朱脩之[97]讨之，不利。诏建威将军沈庆之[98]代之，杀虏万余人。

魏主使尚书李顺[99]差次群臣[100]，赐以爵位。顺受贿，品第不平[101]。是岁，凉州人徐桀告之[102]，魏主怒，且以顺保庇沮渠氏[103]，面欺误国，赐顺死[104]。

二十年（癸未，公元四四三年）

春，正月，魏皮豹子进击乐乡[105]，将军王奂之等败没。魏军进至下辨，将军强玄明等败死。二月，胡崇之与魏战于浊水，崇之为魏所擒，

闰五月最后一天甲戌日，发生了日食。

唐契率领自己的部众攻打阚爽，阚爽派遣使者向沮渠无讳诈降，想与沮渠无讳共同攻击唐契。八月，沮渠无讳率领自己的部众赶往高昌城。等沮渠无讳到达高昌城的时候，唐契已经战败身亡，阚爽关闭城门拒绝沮渠无讳入城。九月，沮渠无讳的部将卫兴奴在夜间率人偷袭高昌城，攻入城中之后，便将城中的百姓全部杀光，阚爽逃出城后逃奔了柔然国。沮渠无讳占据了高昌城，他派遣担任常侍的泛儁携带表章来到宋国的都城建康，向宋国称臣。宋文帝下诏任命沮渠无讳为都督凉州、河州、沙州三州诸军事，征西大将军，凉州刺史，河西王。

冬季，十月初六己卯，北魏主拓跋焘册立皇子拓跋伏罗为晋王，拓跋翰为秦王，拓跋谭为燕王，拓跋建为楚王，拓跋余为吴王。

十月十一日甲申，柔然国派遣使者前往宋国的都城建康朝见宋文帝。

十二月初九辛巳，北魏襄城孝王卢鲁元去世。

十二月二十四日丙申，宋文帝下诏，命令鲁郡修建孔子庙和校舍，免除孔子墓周围五户居民的赋税和劳役，让他们专门负责孔子坟墓的保护与祭祀。

占据敦煌的李宝派遣自己的弟弟李怀达、儿子李承带着表章前往北魏的都城平城，魏主拓跋焘遂任命李宝为都督西垂诸军事、镇西大将军、开府仪同三司、沙州牧、敦煌公，并授予李宝在自己的辖区内以魏国皇帝的名义自由任命四品以下官员的权力。

宋国担任雍州刺史的晋安襄侯刘道产去世。刘道产善于治理地方，百姓在他的统治下能够安居乐业，无论是小户人家还是大户人家都能够丰衣足食，因此民间编了《襄阳乐歌》来赞美美好的生活。那些躲藏在深山里的各少数民族现在都主动走出深山，沿着沔水搭建房舍，逐渐形成村落，户口众多。等到刘道产去世，那些少数民族都追赶着刘道产的灵柩为他送行，一直送到沔口。刘道产去世不久，这里的少数民族就发动了大规模叛乱，担任征西司马的朱脩之率军前去镇压，作战失利。宋文帝下诏，命令担任建威将军的沈庆之接替朱脩之指挥作战，沈庆之斩杀俘虏了一万多人。

北魏皇帝拓跋焘派担任尚书的李顺负责评定与排列群臣功绩的大小与官爵的高低，授予群臣爵位。李顺因为收受了贿赂，所以对群臣的评定与官爵的排列很不公平。这一年，凉州人徐桀向北魏朝廷告发李顺的罪行，魏主拓跋焘勃然大怒，又因为李顺有意庇护沮渠蒙逊，于是便认为李顺当面欺君误国，因此令李顺自杀而死。

二十年（癸未，公元四四三年）

春季，正月，北魏征西将军皮豹子进攻宋国所属的乐乡，宋国将军王奂之等战败，全军覆没。北魏的军队遂乘胜进军，到达下辨县，宋军守将强玄明等战败被杀。二月，胡崇之率领宋军与北魏军队在浊水城交战，胡崇之又被魏军俘虏，残余的军

余众走还汉中。将军姜道祖兵败，降魏，魏遂取仇池。杨保炽走。

丙午⑯，魏主如恒山之阳⑰。三月庚申⑱，还宫。

壬戌⑲，乌洛侯国⑪遣使如魏。初，魏之居北荒也，凿石为庙，在乌洛侯西北，以祀其先，高七十尺，深九十步。及乌洛侯使者至魏，言石庙具在，魏主遣中书侍郎李敞诣石庙致祭，刻祝文于壁而还。去平城四千余里。

魏河间公齐⑪与武都王杨保宗⑫对镇雒谷⑬，保宗弟文德⑭说保宗，令闭险自固以叛魏，或以告齐。夏，四月，齐诱执保宗，送平城，杀之。前镇东司马[6]苻达⑮、征西从事中郎任朏等遂举兵立杨文德为主，据白崖⑯，分兵取诸戍⑰，进围仇池，自号征西将军，秦⑱、河、梁三州牧，仇池公。

甲午⑲，立皇子诞⑳为广陵王。

丁酉㉑，魏大赦。

己亥㉒，魏主如阴山㉓。

五月，魏古弼发上邽、高平㉔、汧城㉕[7]诸军击杨文德，文德退走。皮豹子督关中诸军至下辨，闻仇池解围，欲还。弼遣人谓豹子曰："宋人耻败，必将复来。军还之后，再举为难，不如练兵蓄力以待之。不出秋冬，宋师必至，以逸待劳，无不克矣。"豹子从之。魏以豹子为仇池镇将。

杨文德遣使来求援。秋，七月癸丑㉖，诏以文德为都督北秦、雍二州诸军事，征西大将军，北秦州刺史，武都王。文德屯葭芦城㉗，以任朏为左司马，武都、阴平㉘氐多归之。

甲子㉙，前雍州刺史刘真道，梁、南秦二州刺史裴方明坐破仇池减匿金宝及善马㉚，下狱死㉛。

九月辛巳㉜，魏主如漠南㉝。甲辰㉞，舍辎重，以轻骑袭柔然，分军为四道：乐安王范、建宁王崇㉟各统十五将出东道，乐平王丕督十五

队逃回了汉中。宋国的另一位将军姜道祖作战失败，竟然投降了魏军，魏军于是占领了整个仇池地区。杨保炽仓皇逃走。

丙午日，北魏皇帝拓跋焘前往恒山南麓。三月二十日庚申，拓跋焘返回平城的皇宫。

三月二十二日壬戌，乌洛侯国派遣使者前往北魏。当初，北魏的先人曾经居住在北方的荒凉地带，地处乌洛侯国的西北方，他们在那里凿山为庙，用以祭祀自己的祖先，开凿的石庙高七十尺，进深九十步。等到乌洛侯派来的使者到达北魏首都平城的时候，告诉太武帝那些石庙都还存在，拓跋焘于是派遣担任中书侍郎的李敞前往石庙祭祀祖先，李敞在石庙的墙壁上刻上了祝告的文字之后返回。石庙距离北魏首都平城有四千多里。

北魏河间公拓跋齐与武都王杨保宗分别镇守雒谷的两头，杨保宗的弟弟杨文德劝说杨保宗，让他据守险要背叛北魏，有人向河间公拓跋齐告密。夏季，四月，河间公拓跋齐诱骗杨保宗，将杨保宗逮捕，派人送往平城，到了平城之后便将杨保宗杀死了。杨保宗的僚属，担任前镇东司马的苻达、担任征西从事中郎的任朏等于是起兵拥立杨文德为主，占据白崖，然后派军队分别攻取各处的军事据点，进而包围了仇池。杨文德自称征西将军，秦州、河州、梁州三州牧，仇池公。

四月二十四日甲午，宋文帝立皇子刘诞为广陵王。

四月二十七日丁酉，北魏实行大赦。

四月二十九日己亥，北魏皇帝拓跋焘前往阴山一带巡视。

五月，北魏安西将军古弼征调上邽郡、高平郡、汧城县各处的军队进攻杨文德，杨文德率众退走。北魏征西将军皮豹子率领关中各军到达下辨县的时候，听说仇池已经解围，就准备撤军回国。安西将军古弼派人对皮豹子说："宋国人对这次失败必然感到耻辱，他们一定会卷土重来。我们的军队如果撤回，再想调动就很困难，不如暂且驻扎在这里进行训练，养精蓄锐等待宋军的反攻。我估计不超过秋冬季节，宋军一定会到来，我们以逸待劳，就能无往而不胜。"皮豹子听从了古弼的建议。北魏任命皮豹子为仇池镇将。

杨文德派使者到宋国请求派兵救援。秋季，七月十四日癸丑，宋文帝下诏任命杨文德为都督北秦州、雍州二州诸军事，征西大将军，北秦州刺史，武都王。杨文德将军队屯扎在葭芦城，任命任朏为左司马，武都、阴平一带的氐人多数都归顺了杨文德。

七月二十五日甲子，宋国前雍州刺史刘真道，梁州、南秦州二州刺史裴方明因为瞒报、私藏攻下仇池所缴获的金银财宝和好马而被判罪入狱，竟然死在狱中。

九月辛巳日，北魏皇帝拓跋焘到大沙漠以南巡视。初六日甲辰，拓跋焘舍弃了辎重，率领轻骑兵突然袭击柔然国，他把军队分成四路：乐安王拓跋范、建宁王拓跋崇各自统领十五位将军从东道进攻，乐平王拓跋丕统率十五位将军从西路进军，

将出西道，魏主出中道，中山王辰督十五将为后继。

魏主至鹿浑谷[136]，遇敕连可汗[137]。太子晃言于魏主曰："贼不意大军猝至，宜掩其不备，速进击之。"尚书令刘絜[138]固谏，以为贼营中尘盛，其众必多，出至平地，恐为所围，不如须诸军大集[139]，然后击之。晃曰："尘之盛者，由军士惊怖扰乱故也，何得营上而有此尘乎？"魏主疑之，不急击。柔然遁去，追至石水[140]，不及而还。既而获柔然候骑[141]曰："柔然不觉魏军至，上下惶骇，引众北走。经六七日，知无追者，乃始[8]徐行。"魏主深恨之。自是军国大事，皆与太子谋之。

司马楚之别将兵[142]督军粮，镇北将军封沓亡降[143]柔然，说柔然令击楚之以绝军食。俄而[144]军中有告失驴耳者，诸将莫晓其故，楚之曰："此必贼遣奸人入营觇伺[145]，割驴耳以为信耳。贼至不久[146]，宜急为之备。"乃伐柳为城，以水灌之，令冻。城立而柔然至，冰坚滑，不可攻，乃散走。

十一月，将军姜道盛与杨文德合众二万攻魏浊水戍，魏皮豹子、河间公齐救之，道盛败死。

甲子[147]，魏主还，至朔方[148]，下诏令皇太子副理万机[149]，总统百揆[150]。且曰："诸功臣勤劳日久，皆当以爵归第[151]，随时朝请[152]，飨宴朕前[153]，论道陈谟[154]而已，不宜复烦以剧职[155]，更举贤俊以备百官[156]。"十二月辛卯[157][9]，魏主还平城。

魏主拓跋焘亲率大军从中路进军，中山王拓跋辰统率十五位将领为后续部队。

北魏皇帝拓跋焘率领中路军到达鹿浑谷，恰好和柔然国敕连可汗遭遇。太子拓跋晃对魏主拓跋焘说："柔然贼寇做梦也想不到我们的大军会突然而至，应当趁其不备，迅速向他们发起进攻。"担任尚书令的刘絜坚决劝阻，他认为贼寇营垒中尘土飞扬，说明他们的人数一定很多，一旦在平地接战，恐怕被他们包围，不如等待各路大军全部到达以后，再向柔然人发起进攻。拓跋晃说："敌军营垒中尘土飞扬，是因为他们的士兵惊慌恐惧、扰攘混乱所引起，否则，为何只有军营上方有那么多尘土呢?"魏主拓跋焘犹豫不定，没有迅速进攻敌人。柔然遂得以趁机逃遁，魏主拓跋焘率军追赶到石水，没有追上，懊然而返。过后北魏军队抓获了柔然负责巡逻侦察的骑兵，他们说："柔然不知道魏军突然到来，上下惶恐惊骇，敕连可汗率众向北逃跑。连续奔跑了六七天，确信后面已经没有魏国的追兵之后，才开始放慢速度。"魏主拓跋焘非常悔恨。从此以后，凡是军国大事都与太子拓跋晃进行商议。

被北魏封为琅邪王的司马楚之另率一支军队负责为魏军押运军粮，镇北将军封沓叛逃投降了柔然国，他劝说柔然人，让他们袭击司马楚之以断绝北魏大军的军粮供应。不久军中有人向司马楚之报告，有一头驴被人割去耳朵，诸将领都不知道其中的缘故，司马楚之说："这一定是敌人派遣奸细入营侦察，割下驴耳朵回去作凭证。敌人不久就会到来，我们应当加紧做好战斗准备。"于是就近砍伐柳树建造围城，又把水浇到木桩上，使木桩冻上厚厚的冰。围城刚建好，柔然的军队就到了，柔然人看到司马楚之用柳树桩建造的围城又坚固又光滑，无法攻克，便撤军而去。

十一月，宋国将军姜道盛与杨文德会合，总计有两万多人进攻戍守浊水的北魏守军，北魏皮豹子与河间公拓跋齐率军赶来援助浊水的守军，姜道盛战败而死。

十一月二十七日甲子，北魏皇帝拓跋焘在返回平城的途中，经过朔方郡时，下诏命令皇太子拓跋晃协助自己处理军国大事，统领朝廷内外的文武百官。他说："各位功臣为国家已经操劳了很久，都应当解除军政大权，带着自己的爵号回家休养，按照季节、节日进宫朝见皇帝，与我共同饮酒欢聚，谈论国家的大事，为朝廷出出主意，不应该再让劳心费神的事务去麻烦你们，还要再遴选一批有办事能力的新人来组成领导班子。"十二月二十五日辛卯，北魏皇帝拓跋焘返回平城。

【段旨】

以上为第一段，写宋文帝元嘉十九年（公元四四二年）、元嘉二十年共两年间的大事。主要写：魏主拓跋焘迷信道教，宠用道士寇谦之，亲自往受符箓，修筑静轮宫，以上接天神，太子晃劝谏，魏主不从。魏主数道北伐柔然至鹿浑谷，太子晃劝魏主乘其不备，迅速出击，尚书令刘絜劝魏主持重，结果柔然遁走，魏徒劳无功，自此太子晃受亲重，副理万机；魏主又下令削释诸宿将之兵权，令其以闲职悠游，如日后赵匡胤之手段。魏国大臣李顺为魏主所杀。武都、仇池地区的动乱与反复争夺，先是宋将刘真道、裴方明讨伐氐酋杨难当，杀其将苻弘祖，擒其子杨虎，杨难当北逃上邽，仇池之乱被宋将平息；宋立杨玄之子杨保炽以续杨玄之后，使守仇池；接着魏主拓跋焘数道出兵攻仇池，并攻襄阳、广陵，声言为杨难当复仇，结果宋将或败或死，仇池又被魏军夺回。宋将刘真道、裴方明因在平定仇池时贪匿金宝、善马被刘宋政权下狱处死，宋可谓自毁长城。魏将因杀杨玄之子杨保宗，杨保宗之弟杨文德被部下拥立为头领，杨文德求救于刘宋，宋派将助之攻魏，结果宋将败死。北凉的残余势力沮渠无讳西据鄯善，又据高昌，奉表诣建康向刘宋称臣，宋封之为凉州刺史、河西王。敦煌一带的残余势力李宝奉表诣魏，魏人以宝为沙州牧、敦煌公。

【注释】

①正月甲申：正月初七。②魏主：指魏太武帝拓跋焘，明元帝拓跋嗣之长子，公元四二三至四五二年在位。事详《魏书》卷四。③法驾：皇帝的车驾之一。据《史记索隐》曰："天子卤簿有大驾、法驾、小驾。大驾：公卿奉引，大将军参乘，属车八十一乘；法驾：公卿不在卤簿中，惟京兆尹、执金吾、长安令奉引，侍中参乘，属车三十六乘。"④道坛：道士祭天的坛台。⑤受符箓：接受祭天道士所称的来自上帝的文书。符箓，道教的神职人员诈称是上帝、神灵赐予的符箓文字，据说可以降妖除怪，祛病消灾，赐人以福寿，致人以死，等等。胡三省引《隋书·经籍志》说："道士受道之法，初受《五千文箓》，次受《三洞箓》，次受《洞玄箓》，次受《上清箓》。箓皆素书……世所不识。"⑥谦之：寇谦之，字辅真，北魏的道士，上谷昌平（今属北京）人，早年在嵩山修道，后改变五斗米道，是"新天师道"的创立者。⑦静轮宫：胡三省引《水经注》曰："静轮宫在道坛东北，道坛在平城东灅水之左。"⑧崔浩：字伯渊，清河东武城（今山东武城西北）人，北魏的谋臣。仕魏主拓跋珪、拓跋嗣、拓跋焘三世，官至司徒。崔浩的谋事百不失一，于破高车、破燕、破宋等屡见奇效，其弊病在于迷信道教。传见《魏书》卷三十五。⑨太子晃：拓跋晃，拓跋焘的长子。事详《魏书》卷四下。⑩卑高定分：上帝与人类，一上一下，两不搭界，互不相关。⑪请因东山万仞之高：即把这所静轮宫修建于高高的东山上去。东山，指北魏都城平城东侧的高山。万仞，极言其高。古称八尺为一仞。⑫为功差易：建造起来还容易一点。差易，略为容易。⑬沮渠无讳：北凉国的主子沮渠蒙逊之子。北凉已在公元四三九年被魏国所灭，沮渠蒙逊之子沮渠牧犍被魏所俘，其弟沮渠无讳还在酒泉、敦煌一带坚持反魏斗争。事迹见《魏书》卷九十九。⑭沮渠安周：沮渠无讳之弟，开始也在酒泉一带进行反魏斗争，见前途无望，欲引兵西下，击西域诸国而居之，此时正攻击鄯善国。事见《魏书》卷九十九。⑮鄯善王比

龙：鄯善国的国王名比龙。鄯善是西域国名，都城即今新疆若羌，当时称扜泥城。⑯且末：西域小国名，都城即今新疆且末，在鄯善国的西南方。⑰世子：义同“太子”，古代帝王、诸侯的嫡长子。⑱据：占据；占领。⑲流沙：即今新疆境内罗布泊以东的白龙堆沙漠。⑳李宝：西凉主李暠之孙，西凉被北凉所灭后，李宝随其舅唐契西奔伊吾，向柔然称臣，现又乘机返回占领敦煌。传见《魏书》卷三十九。㉑伊吾：古地名，也称“伊吾卢”，旧城在今新疆哈密伊吾。㉒敦煌：在今甘肃敦煌西南。㉓故民：西凉国的故有居民。西凉国的都城开始时曾在敦煌。㉔沮渠牧犍之亡：沮渠牧犍是沮渠蒙逊的继承者，沮渠无讳之兄。沮渠蒙逊死后，沮渠牧犍继位为北凉主，于宋文帝元嘉十六年（公元四三九年）为魏国所灭。事见本书上卷。㉕高昌：西域小国名，都城即今新疆高昌，在今新疆吐鲁番城东，今其古城堡尚巍然耸立。㉖柔然：古族名，也叫“蠕蠕”或“芮芮”，当时活动在今蒙古国境内，随水草畜牧，区域广大。事见《魏书·蠕蠕传》。㉗车师前部王伊洛：车师前部国的国王名伊洛。车师前部，也称车师前国，是古西域国名，都城交河，在今新疆吐鲁番西北。㉘横截城：具体方位不详。胡三省引李延寿曰：“高昌国有四十六镇，交河、田地、高宁、白刃、横截等，余不具载。”㉙甲戌：四月二十八日。㉚上：此指宋文帝刘义隆。㉛裴方明：刘宋文帝时期的将领。传见《宋书》卷四十七。㉜汉中：郡名，郡治即今陕西汉中。时氐族头领杨难当进攻刘宋，占据汉中，裴方明为反击杨难当而到达汉中地区。事见本书上卷。㉝武兴：郡名，郡治在今陕西略阳，当时被杨难当所占据。㉞下辨：县名，县治在今甘肃成县西北，当时被杨难当所占据。㉟白水：郡名，郡治即今四川北部青川东北的白水岸边。㊱杨难当：氐族首领杨玄之弟。杨玄死后，杨难当夺杨玄子杨保宗的政权而自立。拓跋焘封杨难当为南秦王。事详见《宋书》卷九十八、《魏书》卷一百一。㊲符弘祖：胡三省以为“符”当作“苻”。㊳兰皋：古城名，在当时的将利县境内，在今甘肃成县的北方约二百里。㊴浊水：古城名，在今甘肃成县西南，郦道元以为即上文所说的白水城。㊵赤亭：在今甘肃成县西南。㊶上邽：古县名，县治在今甘肃天水，秦州的州治所在地，当时属于魏国。㊷益州：此指东益州，州治在今陕西略阳。㊸阴平：郡名，郡治在今甘肃文县西北。㊹邀击：阻截；伏击。㊺建康：刘宋的都城，即今江苏南京。㊻仇池平：杨难当在仇池地区所掀起的叛乱被平息。仇池，郡名，郡治在今甘肃成县西。这一带是氐羌杨氏占据一百多年的根据地，如今被刘宋的将领所平定。㊼辅国司马：辅国将军刘道产的司马官。司马是将军的高级僚属，在军中主管司法。㊽北秦州：州名，州治在今甘肃成县。㊾立杨保炽为杨玄后：永初中，宋武帝封氐族头领杨盛为武都王。盛死，其子玄继立。玄死，杨难当废玄子杨保宗自立。杨保宗后来接受魏太武帝的封号为武都王，故此刘宋立保宗之弟保炽为杨玄的后嗣，仍在仇池地区为一方之主。㊿中山王辰：拓跋辰，被封为中山王。51平城：北魏的都城，旧址在今山西大同东北。52雍州：州名，州治长安，在今西安北侧。但刘宋的雍州州治实际是在今湖北襄阳市襄城区。53梁、南秦：

二州名，刘宋的梁州州治、南秦州州治都在今陕西汉中。㊹不拜：不接受任命。㊺丙寅：闰五月二十一日。㊻古弼：北魏的名将，累官至侍中、吏部尚书、尚书令。传见《魏书》卷二十八。㊼陇右：指陇山以西地区，约当今之甘肃六盘山以西、黄河以东的部分。㊽殿中虎贲：护卫宫廷与护卫帝王出行的勇武之士。虎贲，如虎之奔腾，以像其勇。㊾祁山：山名，在今甘肃礼县东。㊿皮豹子：北魏名将。传见《魏书》卷五十一。(61)司马楚之：司马荣期之子，司马懿之弟司马馗的后代，在晋代世袭为琅邪王，因家族多被刘裕所杀而投归魏国，长期与刘宋作对。传见《魏书》卷三十七。(62)关中：地区名，相当于今陕西中部的渭水流域。因其东有函谷关，南有武关，西有散关，北有萧关，故称“关中”。(63)散关：也叫大散关，古代的军事要塞，在今陕西宝鸡西南的大散岭上。(64)司马文思：司马休之之子，司马懿之弟司马逊的后代，在晋代世袭为谯王。因其父司马休之忠于晋王朝，被刘裕打败，父子一道投归魏国，长期与刘宋作对。传见《魏书》卷三十七。(65)洛、豫：北魏所置的二州名，洛州州治在今河南洛阳，豫州州治在今河南荥阳西北的虎牢关旧址。(66)刁雍：原晋人，因其父刁逵被刘裕挟私所杀，故逃归北魏，被任为征南将军，与刘裕不共戴天。传见《魏书》卷三十八。(67)广陵：即今江苏扬州西北，当时为南兖州的州治所在地。(68)移书徐州：向徐州地区发布讨伐刘宋的檄文。移，原是文体名，与“檄”意同，即讨伐某人、某派别、某集团的公告。这里用作动词，意即发布。徐州，州治彭城，即今江苏徐州。(69)称：声称；以……为名义。(70)甲戌晦：这个月的最后一天，即闰五月二十九日，是甲戌日。〖按〗闰五月晦为三十日乙亥。此处疑记载有误。(71)比至：等到到达……时。(72)屠其城：将其城中人通通杀光。(73)奉表诣建康：即向刘宋称臣，归降于刘宋。(74)都督：总统；总指挥。(75)凉、河、沙：三州名，凉州的州治即今甘肃武威，河州的州治枹罕，在今甘肃临夏，沙州治所即今甘肃酒泉。(76)十月己卯：十月初六。(77)皇子伏罗：拓跋伏罗，与下文拓跋翰、拓跋谭、拓跋建、拓跋余传皆见《魏书》卷十八。(78)甲申：十月十一日。(79)十二月辛巳：十二月初九。(80)襄城孝王卢鲁元：卢鲁元是北魏名臣，被封为襄城王，孝是谥号。很受拓跋焘的敬重，累官至录尚书事。传见《魏书》卷三十四。(81)丙申：十二月二十四日。(82)诏鲁郡：命令鲁郡，主语是刘宋朝廷。鲁郡的郡治即今山东曲阜。(83)蠲墓侧五户课役：免除孔子墓周围的五户人家的赋税、劳役。蠲，免除。课役，赋税及徭役。(84)以供洒扫：使免除了赋税、劳役的五户人家，专门负责孔子坟墓的保护与祭祀。(85)奉表诣平城：即表示归服，愿向魏国称臣。(86)西垂：西部边疆。指今之甘肃西部与新疆一带地区。(87)开府仪同三司：古代的加官名，意思是让他享有像三司一样的隆重待遇，可以开设官署，自己聘请僚属。仪，仪仗、仪式，指表面上所有的一切华贵排场，但没有三司的任何实权。三司，也称三公，即司马、司徒、司空。(88)四品以下二句：可以用魏国皇帝的名义在自己的管理区域内自由任命四品以下的官员。承制，秉承皇帝的旨意，亦即用皇帝的名义。假授，意即任命、授予。假，给予。(89)晋安襄侯刘道产：刘裕的族弟，文帝时代有政绩的地方官，曾任雍州刺史、辅国将军，被封为晋安侯，死后谥曰襄。传见《宋书》卷六十五。⑩《襄阳乐歌》：当时的地方歌谣名，见郭茂倩《乐府诗集》。刘道产任雍州刺史，刘宋的雍州州治在襄阳市襄城区，故当地百姓作歌，以襄阳为名。⑪山蛮：此指今湖北北部山区的各少数民族。⑫前后不可制者皆出：历来不服当地政府管辖的百姓现在都自动地下山来。⑬缘沔为村落：沿着汉水搭起房子，形成村落。沔，水名，即汉水。⑭殷盛：众多。⑮沔口：也称夏口，汉水入长江的汇口，即今湖北武汉的汉口区。⑯群蛮大动：胡三省曰："道产卒未几而群蛮作乱，后之人不能容养之也。"⑰朱脩之：东晋功臣朱序之孙，为宋将守滑台，艰苦卓绝，城破被俘，受魏人钦敬，后又辗转逃回，累迁至江夏内史，又为征西司马。传见《宋书》卷七十六。征西司马，即征西将军的司马，在军中主管司法。⑱沈庆之：刘宋时期的名将，初建功于破谢晦之乱。传见《宋书》卷七十七。⑲李顺：北魏的名将，初以定策破柔然有功，又出使著节于北凉，最后被崔浩所谮杀。传见《魏书》卷三十六。⑳差次群臣：评定与排列魏国群臣的功绩大小与官爵高低。差次，排列次序。㉑品第不平：评定与排列得不公平。㉒凉州人徐桀告之：北凉主沮渠蒙逊灭西凉时，得到一和尚名昙无谶，魏主焘令蒙逊送该和尚至平城，蒙逊请于李顺，先是不送，后又将其杀死。徐桀所告即此事。但恐此事的背后有崔浩的挑动。㉓顺保庇沮渠氏：魏主欲讨伐北凉，李顺与其他数大臣极力反对，畅言北凉地区之荒凉无水草，无法行军，即使灭其国、取其地也毫无用处云云，详见本书上卷元嘉十六年。结果魏主听崔浩之言，灭北凉而还。㉔赐顺死：李顺畅言北凉无水草的确是掩盖事实，但李顺于魏国确实有大功，崔浩故意陷害，也罪在不赦。详情见《魏书·李顺传》。㉕乐乡：方位不详，疑当作"广乡"，广乡在今甘肃两当东北，在下文所说的下辨东北方，与文章叙事的方位相合。㉖丙午：葛晓音以为应作"丙子"，因"《魏书·世祖纪》及《北史·魏纪》载，这年春正月庚午，魏主'行幸中山。二月丙子，车驾至于恒山之阳'。故此'丙午'当是'丙子'之误"。其说可从。丙子，二月初五。㉗恒山之阳：北岳恒山的南面。恒山在今河北曲阳西北。㉘三月庚申：三月二十日。㉙壬戌：三月二十二日。㉚乌洛侯国：古代北方少数民族的小国名，故地约在今吉林西北部的洮儿河、嫩江流域。胡三省注："乌洛侯国在地豆干国北，去代四千五百余里。地豆干在室韦西千余里，室韦当勿吉之北，勿吉在高丽之北，则乌洛侯东夷也。"㉛河间公齐：拓跋齐，烈帝拓跋翳槐的后代，曾救魏太武帝拓跋焘于危殆，因功拜内都大官。传见《魏书》卷十四。㉜杨保宗：氐族头领杨玄之子。杨玄降魏后，被魏太武帝封为征南大将军、秦州牧、武都王。事详《魏书》卷一百一。㉝对镇雒谷：共同分守雒谷。雒谷，也写作"骆谷"，山道名，在今陕西周至西南，谷长四百余里，为关中与汉中间的交通要道。㉞文德：杨保宗之弟，当时称臣于刘宋，宋文帝封为之武都王。事迹见《宋书》卷九十八、《魏书》卷一百一。㉟镇东司马苻达：镇东将军的司马官名叫苻达。苻达及下文的任朏均为杨保宗的部下。㊱白崖：即古代的葭萌，在今四川剑阁县。㊲诸戍：各个军事据点。南北朝

时，北魏在边要形胜之地驻兵戍守，大者称镇，小者称戍，戍隶属于镇。南朝在与北朝交界之地亦置戍。(118)秦：州名，州治在今甘肃天水，当时属于魏国。(119)甲午：四月二十四日。(120)皇子诞：刘诞，宋文帝第六子。传见《宋书》卷七十九。(121)丁酉：四月二十七日。(122)己亥：四月二十九日。(123)阴山：横亘在今内蒙古自治区内呼和浩特、包头以北的东西走向的大山。(124)高平：郡名，郡治即今宁夏固原。(125)汧城：县名，县治即今陕西陇县。(126)七月癸丑：七月十四日。(127)葭芦城：古县名，也写作"茄芦城"，在今甘肃武都东南。(128)武都、阴平：二郡名，武都郡的郡治在今甘肃成县的西北侧，阴平郡的郡治在今甘肃文县西北，当时都为氐族人所聚居之地。(129)甲子：七月二十五日。(130)减匿金宝及善马：私藏、少报因攻下仇池所得的金银财宝和好马。减匿，私藏、少报。(131)下狱死：胡三省曰："宋人舍功录过，自戮良将，宜其为魏人所窥。"(132)九月辛巳：葛晓音曰："据《魏书·世祖纪》《北史·魏纪》载，魏太武帝这年'九月辛丑，行幸漠南'。故此'辛巳'当是'辛丑'之误。"辛丑，九月初三。(133)漠南：指蒙古高原的大沙漠以南，约当今之内蒙古的北部一带。(134)甲辰：九月初六。(135)乐安王范、建宁王崇：拓跋范、拓跋崇，连同下文的乐平王拓跋丕，都是魏明元帝（拓跋嗣）的儿子，魏主拓跋焘之弟。传见《魏书》卷十六。(136)鹿浑谷：地名，在今蒙古国哈拉和林北。(137)敕连可汗：名吴提，柔然牟汗纥升盖可汗（大檀）之子。传见《魏书》卷一百三。(138)刘絜：也作"刘洁"，北魏大臣。传见《魏书》卷二十八。(139)须诸军大集：等我们的大部队全部到达。须，等候。(140)石水：河水名，在今蒙古国境内。(141)候骑：侦察骑兵。候，窥伺、侦察。(142)别将兵：另率一支军队。(143)亡降：逃跑投降。(144)俄而：过后不久。(145)觇伺：窥探。(146)贼至不久：不久敌人就会到来。(147)甲子：十一月二十日。(148)朔方：郡名，郡治在今内蒙古乌拉特前旗东南。(149)副理万机：协助处理军国大事。(150)百揆：百官；朝里朝外的一切官

【原文】

二十一年（甲申，公元四四四年）

春，正月己亥[158]，帝耕藉田[159]，大赦。

壬寅[160]，魏太子始总百揆，命侍中、中书监穆寿[161]，司徒崔浩，侍中张黎[162]，古弼辅太子决庶政[163]，上书者皆称臣，仪与表同[164]。

古弼为人忠慎质直，尝以上谷苑囿太广[165]，乞减大半[166]以赐贫民。

员。⑮以爵归第：解除军政大权，只带着受封的爵号回家为民。⑯随时朝请：按季节、按节日进宫朝见皇帝。时，季节、四时。⑰飨宴朕前：在我跟前一起吃吃喝喝。⑱论道陈谟：议论议论国家大事，提一提你们的意见、建议。谟，谋略、计谋。⑲不宜复烦以剧职：不再让费心劳神的事务去麻烦你们。剧职，费心难办的职务，这里实指国家要害部门的职务。⑳更举贤俊以备百官：另选一批没有资历、没有功劳，但有办事能力的新人来组成领导班子。〖按〗日后赵匡胤"杯酒释兵权"就是用的这一套手段。㉑十二月辛卯：十二月二十五日。

【校记】

［1］为：原无此字。据章钰校，十二行本、乙十一行本、孔天胤本皆有此字，今据补。［2］白刃：原作"白力"。严衍《通鉴补》与胡三省注皆作"白刃"，当是，今据改。〖按〗李延寿曰："高昌国有四十六镇，交河、田地、高宁、白刃、横截等，余不具载。"［3］刘真道："道"下原有"等"字。据章钰校，十二行本、乙十一行本、孔天胤本皆无"等"字，今据删。［4］下辨：原作"下辩"。严衍《通鉴补》改作"下辨"，胡三省注及《汉书》亦作"下辨"，今据校正。下同。［5］等：原无此字。据章钰校，十二行本、乙十一行本、孔天胤本皆有此字，今据补。［6］马：原无此字。据章钰校，十二行本、孔天胤本皆有此字，张敦仁《通鉴刊本识误》同，胡三省注云："'司'上当有'军'字，否则'司'下当有'马'字。"今据三人说，补"马"字。［7］汧城：原作"岍城"。据严衍《通鉴补》及胡三省注，当作"汧城"，今据校正。［8］乃始：据章钰校，十二行本、乙十一行本、孔天胤本皆作"始乃"。［9］辛卯：原作"丁卯"。据章钰校，十二行本、乙十一行本、孔天胤本皆作"辛卯"，张瑛《通鉴校勘记》同，今据改。

【语译】

二十一年（甲申，公元四四四年）

春季，正月初三己亥，宋文帝刘义隆亲自到藉田进行耕种，实行大赦。

正月初六壬寅，魏国皇太子拓跋晃开始总管文武百官，魏主拓跋焘命令担任侍中、中书监的穆寿，担任司徒的崔浩，担任侍中的张黎以及安西将军古弼辅佐皇太子处理各种政务，要求大臣给太子上书的时候都要称自己为臣，格式和礼节与给皇帝上表的格式与礼节相同。

魏国担任安西将军的古弼为人忠厚谨慎、朴实正直，曾经因为在上谷郡建筑的皇家苑囿过于广大，致使贫民无地可种，就想请求魏主拓跋焘把上谷郡的苑囿减少一大半，把削减下来的土地赏赐给贫苦百姓耕种。于是便入宫面见魏主拓跋焘，想

入见魏主，欲奏其事。帝方与给事中⑯刘树围棋，志不在弼⑱。弼侍坐良久，不获陈闻⑲。忽起，捽树头⑰，掣下床⑱，搏其耳⑰，殴其背，曰："朝廷不治⑰，实尔之罪！"帝失容⑰，舍棋曰："不听奏事，朕之过也。树何罪？置之⑰！"弼具以状闻，帝皆可其奏⑰。弼曰："为人臣无礼至此，其罪大矣。"出诣公车⑰，免冠徒跣⑰请罪。帝召入，谓曰："吾闻筑社之役，蹇蹶而筑之，端冕而事之，神降之福⑰。然则卿有何罪？其冠履就职⑱。苟有⑱[10]可以利社稷、便百姓者，竭力为之，勿顾虑也。"

太子课民稼穑⑱，使无牛者借人牛以耕种，而为之芸田⑱以偿之，凡耕种二十二亩而芸七亩，大略以是为率⑱。使民各标姓名于田首⑱以知其勤惰，禁饮酒游戏者。于是垦田⑱大增。

戊申⑱，魏主诏王、公以下至庶人⑱，有私养沙门⑱、巫觋⑲于家者，皆遣诣官曹⑲。过二月十五日不出，沙门、巫觋死⑲，主人门诛⑲。庚戌⑲，又诏王、公、卿、大夫之子皆诣太学⑲。其百工⑲、商贾⑲之子，当各习父兄之业。毋得私立学校，违者，师死⑲，主人门诛。

二月辛未⑲，魏中山王辰、内都坐大官⑳薛辨⑳、尚书奚眷⑳等八将坐击柔然后期⑳，斩于都南。

初，魏尚书令刘絜，久典机要⑳，恃宠自专，魏主心恶之。及将袭柔然，絜谏曰："蠕蠕迁徙无常，前者出师⑳，劳而无功，不如广农积谷以待其来。"崔浩固劝魏主行，魏主从之。絜耻其言不用，欲败魏师⑳。魏主与诸将期会鹿浑谷⑳，絜矫诏⑳易其期⑳。帝至鹿浑谷，

奏明这件事情。当时魏主拓跋焘正与担任给事中的刘树下围棋，心思全不在古弼身上。古弼侍坐在一旁很久，一直没有得到奏事的机会。他突然站起来，揪住刘树的头发，把刘树从座位上拉下来，还扇了刘树的耳光，用拳击打刘树的脊背，说："朝廷的政务不能及时处理，都是你的过错！"皇帝拓跋焘立即改变了脸色，他推开围棋说："不听取大臣奏事，这是朕的过错。刘树有什么罪呢？放了他吧！"古弼这才把自己想要奏报的事情详细地说给魏主拓跋焘听，魏主拓跋焘对古弼的请求和建议全部批准。古弼谢罪说："我作为皇帝的臣属，竟然无礼到了如此的程度，我的罪过真是太大了。"出了宫门之后就立即前往公车署投案自首，他摘下自己的官帽，赤着两脚请求治自己的罪。魏主拓跋焘把古弼召进宫中，对古弼说："我听说在修建神庙的时候，需要光脚赤臂挑土和泥，运砖搬石，并不讲究什么礼节，等到社庙落成之后，在祭祀的时候能够对神灵规规矩矩、毕恭毕敬，神灵就会为他们降福。如此的话你有什么罪呢？赶快戴好帽子，穿好鞋袜，回到任上去办理公务吧。只要是有利于国家、方便百姓的事情，你就只管竭尽全力去做，不要有什么顾虑。"

太子拓跋晃督促百姓积极从事农业劳动，他让没有耕牛的农民借别人的牛进行耕种，然后再到别人的农田里除草作为借牛的补偿，并规定：凡是借别人的牛耕种二十二亩田地，就要替别人清除七亩地的杂草，以此数量作为换工的标准。还让百姓在地头立上牌子，写明这块地是谁耕种的，以便了解百姓是勤快还是懒惰，禁止百姓饮酒游戏。于是开垦的耕地面积大量增加。

正月十二日戊申，北魏太武帝拓跋焘下诏规定王、公以下文武官员一直到平民百姓，凡是私自在家供养和尚、尼姑以及以装神弄鬼等迷信活动为职业骗人钱财的男女巫师，都要把他们送交官署进行处理。超过二月十五日不送交官署的，不仅尼姑、和尚、男女巫师要被处死，就连供养他们的施主也要满门抄斩。十四日庚戌，太武帝又下诏王、公、卿、大夫的儿子都要送到太学里去读书。其他各种工匠、手艺人、商人的儿子，应当让他们学习、继承父兄的职业。不允许私自开办学校，违反规定的，老师处死，开办学校的主人满门抄斩。

二月初六辛未，北魏中山王拓跋辰以及担任内都坐大官的薛辨、担任尚书的奚眷等八位将领，因为在出兵攻打柔然的时候未能按约定的时间到达会师地点而获罪，全被押赴平城的南郊斩首。

当初，北魏担任尚书令的刘絜，长期掌管国家的要害大权，他依仗皇帝对自己的宠信，便独断专行，太武帝因此对他非常厌恶。等到要袭击柔然的时候，刘絜劝谏太武帝说："蠕蠕迁徙无常，前次对柔然用兵，就徒劳无功，不如推广农耕，广积粮食，等他们自己送上门来的时候再消灭他们。"而担任司徒的崔浩却坚持劝说太武帝御驾亲征，太武帝最后采纳了司徒崔浩的建议。刘絜因为自己的意见没有被太武帝采纳而感到耻辱，就故意想让北魏的军队作战失败。太武帝与各位将领约定日期在鹿浑谷会师，刘絜却私自篡改诏命，改变了约定的会师日期。太武帝到达鹿浑谷，

欲击柔然，絜谏止之，使待诸将。帝留鹿浑谷[11]六日，诸将不至，柔然遂远遁[210]，追之不及。军还，经漠中，粮尽，士卒多死。絜阴使人惊魏军[211]，劝帝委军轻还[212]，帝不从。絜以军出无功，请治崔浩之罪。帝曰："诸将失期[213]，遇贼不击，浩何罪也？"浩以絜矫诏事白帝[214]，帝至五原[215]，收絜[216]，囚之。帝之北行也，絜私谓所亲曰："若车驾不返，吾当立乐平王。"絜闻尚书右丞张嵩家有图谶[217]，问曰："刘氏应王，继国家后[218]，吾有姓名否[219]？"嵩曰："有姓无名。"帝闻之，命有司[220]穷治[221]，索嵩家[222]，得谶书。事连南康公狄邻[223]，絜、嵩、邻皆夷三族[224]，死者百余人。絜在势要[225]，好作威福，诸将破敌所得财物，皆与絜分之。既死，籍其家[226]，财巨万[227]，帝每言之则切齿。

癸酉[228]，乐平戾王丕[229]以忧卒。初，魏主[230]筑白台[231]，高二百余尺。丕梦登其上，四顾不见人。命术士董道秀筮[232]之，道秀曰："大吉。"丕默有喜色。及丕卒，道秀亦坐弃市[233]。高允[234]闻之，曰："夫筮者皆当依附爻象[235]，劝以忠孝[236]。王之问道秀也[237]，道秀宜曰：'穷高为亢[238]。《易》曰："亢龙有悔。"[239]又曰："高而无民[240]。"皆不祥也，王不可以不戒。'如此，则王安于上，身[241]全于下矣。道秀反之[242]，宜其死也。"

庚辰[243]，魏主幸庐[244]。

己丑[245]，江夏王义恭[246]进位太尉[247]，领司徒[248]。

庚寅[249]，以侍中、领右卫将军沈演之[250]为中领军[251]，左卫将军范晔[252]为太子詹事[253]。

想要进击柔然，刘絜劝阻他，以待诸将会合。太武帝停留在鹿浑谷已经六天，而诸位将领还都没有到达，使得柔然人得以远远地逃走，追赶已经来不及。班师途中，经过浩瀚的大沙漠，由于粮食已经吃尽，很多士卒被饿死在途中。刘絜暗中派人对魏军进行攻击、骚扰，又劝说太武帝舍弃军队独自返回，太武帝没有同意刘絜的意见。刘絜遂把出师无功而返的罪名强加在崔浩的头上，请求太武帝惩治崔浩。太武帝说："诸将没有按照约定的日期到鹿浑谷会合，遇上贼寇又没有袭击，才导致无功而返，崔浩有什么罪呢?"崔浩遂把刘絜私自篡改诏书上所规定的会师日期，以致诸将失期的事情报告给了太武帝，太武帝到达五原郡时，便逮捕了刘絜，把刘絜囚禁起来。在太武帝北征的时候，刘絜曾经私下里对自己的亲信说："如果皇帝的车驾不能平安返回，我就拥立乐平王拓跋丕为皇帝。"刘絜听说担任尚书右丞的张嵩家里藏有古代巫师等所编造的预言未来吉凶祸福的文字、图像，就向张嵩询问说："听说图谶预言即将由刘姓之人占有天下，在当代的皇帝去世之后接替为帝，图谶中除了预言姓氏之外，有没有名字呢?"张嵩回答说："图谶中只提到姓氏，没有具体的名字。"太武帝听说这件事情之后，立即命令主管此事的官员深究到底、严加惩处，并派人搜查了张嵩的家，果真搜出了谶书。事情牵连到南康公拓跋狄邻，于是刘絜、张嵩、拓跋狄邻都被夷灭三族，被杀死的有一百多人。刘絜在当政掌权的时候，喜好作威作福，诸将出征作战破敌所获得的金银财宝等，都必须分一份给刘絜。刘絜死后，抄没他的家产，登记在册的家财有亿万钱之多，太武帝每次提到刘絜都恨得咬牙切齿。

二月初八癸酉，乐平戾王拓跋丕忧虑成疾而死。当初，魏太宗明元帝拓跋嗣建造白台，高二百多尺。乐平王拓跋丕梦见自己登上了白台，他站在白台之上向四周望去不见一个人影。就让术士董道秀用蓍草为自己占卜吉凶，董道秀占卜之后说："大吉大利。"拓跋丕虽然默默不语，却面带喜色。等到拓跋丕去世后，董道秀也因为受到拓跋丕的牵连而获罪，被拉到闹市斩首。高允听说了这件事情之后说："凡是为人占卜，向人解释所占卜之事的吉凶，都应当依照每一爻的形象，劝说人们为国尽忠，为父母尽孝。当乐平王拓跋丕将自己所梦见的事物求董道秀卜筮的时候，董道秀应当说：'人处在最高的位置，这就是《周易》中所说的亢。《周易·乾卦》中有所谓，一条龙要是飞得过高了，那就会有危险，《文言》解释这句话的意思是，贤能的人看见他地位过高，志得意满，便不来辅佐他，这些都是不祥的预兆，大王不可以不警惧。'这样的话，乐平王拓跋丕虽然高高在上也会安然无恙，而董道秀自身也能保全性命。然而董道秀却恰恰相反，他的死也算罪有应得了。"

二月十五日庚辰，北魏太武帝驾临庐地。

二月二十四日己丑，宋国江夏王刘义恭被晋升为太尉，兼任司徒。

二月二十五日庚寅，宋文帝任命担任侍中兼右卫将军的沈演之为中领军，任命担任左卫将军的范晔为太子詹事。

辛卯[254]，立皇子宏[255]为建平王[256]。

三月甲辰[257]，魏主还宫。

癸丑[258]，魏主遣司空长孙道生[259]镇统万[260]。

夏，四月乙亥[261]，魏侍中、太宰、阳平王杜超[262]为帐下所杀。

六月，魏北部民杀立义将军、衡阳公莫孤，帅五千余落[263]北走。遣兵追击之，至漠南，杀其渠帅[264]，余徙冀、相、定[265]三州为营户[266]。

吐谷浑王慕利延[267]兄子纬世[268]与魏使者谋降魏，慕利延杀之。是月，纬世弟叱力延等八人奔魏，魏以叱力延为归义王[269]。

沮渠无讳卒，弟安周代立[270]。

魏入中国以来，虽颇用[271]古礼祀天地、宗庙、百神，而犹循其旧俗[272]，所祀胡神甚众。崔浩请存合于祀典者[273]五十七所，其余复重[274]及小神悉罢之。魏主从之。

秋，七月癸卯[275]，魏东雍州[276]刺史沮渠秉[277]谋反，伏诛。

八月乙丑[278]，魏主畋于河西[279]，尚书令古弼留守。诏以肥马给猎骑[280]，弼悉以弱者给之。帝大怒曰："笔头奴[281]敢裁量朕[282]，朕还台[283]，先斩此奴！"弼头锐，故帝常以笔目之[284]。弼官属惶怖，恐并坐诛[285]，弼曰："吾为人臣，不使人主盘于游畋[286]，其罪小。不备不虞[287]，乏军国之用[288]，其罪大。今蠕蠕方强，南寇[289]未灭，吾以肥马供军，弱马供猎，为国远虑，虽死何伤！且吾自为之，非诸君之忧也。"帝闻之，叹曰："有臣如此，国之宝也。"赐衣一袭[290]，马二匹，鹿十头。

他日，魏主复畋于山北[291]，获麋鹿数千头。诏尚书发牛车[12]五百乘[292]以运之。诏使已去，魏主谓左右曰："笔公必不与我，汝辈不如自[13]以马运之。"遂还。行百余里，得弼表曰："今秋谷悬黄[293]，麻菽布野，

二月二十六日辛卯，宋文帝立皇子刘宏为建平王。

三月初九甲辰，北魏太武帝从庐地返回平城的皇宫。

三月十八日癸丑，北魏太武帝派遣担任司空的长孙道生统兵屯驻于统万城。

夏季，四月十一日乙亥，北魏担任侍中、太宰的阳平王杜超被部下杀死。

六月，北魏北部的人杀死了立义将军、衡阳公莫孤后，带领五千多部落向北逃走。北魏太武帝派军队进行追击，一直追到大漠以南，杀死了他们的大头领，把其余的人强行迁移到冀州、相州、定州，成为直接接受军营管辖的居民户。

吐谷浑王慕容慕利延的侄子慕容纬世与北魏的使者秘密谋划投降北魏的事宜，被慕利延杀死。当月，慕容纬世的弟弟慕容叱力延等八人逃往北魏，北魏封慕容叱力延为归义王。

沮渠无讳去世，他的弟弟沮渠安周接替了他的职位。

北魏拓跋氏占据中原地区以来，虽然也多少采用一些中原地区的古礼祭祀天地、宗庙以及中国传统的各种神祇，但主要还是沿用他们旧有的风俗习惯，因此所祭祀的胡地神祇很多。担任司徒的崔浩请求保留与中原地区古代祀典相一致的五十七处场所，其余重复的以及其他一些小神全部取消。太武帝批准了崔浩的建议。

秋季，七月初十癸卯，北魏担任东雍州刺史的沮渠秉起兵谋反，被处死。

八月初三乙丑，北魏太武帝到黄河的西侧地区打猎，担任尚书令的古弼负责留守京师。太武帝下诏要求把那些肥壮的马提供给打猎的人员骑乘，而古弼却违背旨意，为打猎人员提供的全是瘦弱的马匹。太武帝不禁大怒说："笔头奴竟敢限制我，等我回到朝廷之后，先杀了这个奴才！"古弼的头顶长得有点尖，所以太武帝经常把他看作是一支笔。古弼的下属都感到非常惊惶恐惧，担心自己受到牵连一块被杀头，古弼说："我作为臣子，不能让皇帝充分享受打猎的乐趣，这个罪过很小。而不做好应对突发事件的准备，致使无法供应军国大事的需要，那样的罪行可就大了。如今蠕蠕国的势力正处在强盛时期，长江以南的刘宋政权也没有被消灭，我把肥壮的马匹供给军队使用，将弱马提供给狩猎的人员骑乘，是为国家的长远利益考虑，即使为此而被处死又有什么遗憾！再说这件事是我自己的主张，各位不必为此担惊受怕。"太武帝听到之后，感慨说："有这样忠心耿耿的大臣，真是国家的宝贝啊。"于是赏赐给古弼一套衣服、两匹马、十头鹿。

后来有一天，太武帝又到平城北山以北地区去打猎，捕获到了数千头的麋鹿。于是便下诏给尚书省的官员，让他们从百姓当中征调五百辆牛车来运送这些麋鹿。携带诏书的使者走了之后，太武帝对左右的人说："笔公古弼肯定不会给我调拨车辆，你们不如就用现有的马匹自己将这些麋鹿运回去。"于是就用马匹驮着捕获的麋鹿往回走。走了有一百多里，收到了古弼的奏章，古弼在奏章中说："如今已经进入秋季，谷穗已经下垂，颜色逐渐变黄，麻和大豆遍布田野，野猪和麋鹿不断地闯入农田偷

猪鹿窃食，鸟雁侵费，风雨所耗，朝夕三倍[294]。乞赐矜缓[295]，使得收载[296]。”帝曰：“果如吾言，笔公可谓社稷之臣[297]矣！”

魏主使员外散骑常侍高济[298]来聘[299]。

戊辰[300]，以荆州刺史衡阳王义季[301]为征北大将军、开府仪同三司、南兖州刺史，以南谯王义宣[302]为荆州刺史。初，帝以义宣不才[303]，故不用，会稽公主[304]屡以为言[305]，帝不得已用之。先赐中诏[306]敕[307]之曰：“师护[308]以在西[309]久，比表求还[310]，今欲听许，以汝代之。师护虽无殊绩，洁己节用[311]，通怀期物[312]，不恣群下[313]，声著西土[314]，为士庶所安[315]，论者[316]乃未议迁之[317]。今之回换，更为汝与师护年时一辈[318]，欲各试其能[319]。汝往，脱有一事减之[320]者，既于西夏交有巨碍[321]，迁代之讥[322]，必归责于吾[323]矣。此事亦易勉[324]耳，无为使人复生评论也！”义宣至镇[325]，勤自课厉[326]，事亦修理[327]。

庚辰[328]，会稽长公主卒。

吐谷浑吐力延等请师于魏以讨吐谷浑王慕利延，魏主使晋王伏罗[329]督诸军击之。

九月甲辰[330]，以沮渠安周为都督凉、河、沙三州诸军事，凉州刺史，河西王[331]。

丁未[332]，魏主如漠南，将袭柔然，柔然敕连可汗远遁，乃止。敕连寻卒[333]，子吐贺真立，号处罗可汗。

魏晋王伏罗至乐都[334]，引兵从间道[335]袭吐谷浑，至大母桥。吐谷浑王慕利延大惊，逃奔白兰[336]，慕利延兄子拾寅奔河西[337]，魏军斩首五千余级。慕利延从弟伏念等帅万三千落降于魏。

冬，十月己卯[338]，以左军将军徐琼为兖州刺史，大将军参军申

吃庄稼，飞鸟大雁也来啄食糟蹋，再加上风雨所造成的损失，朝夕之间就达三倍。请求陛下体恤百姓，宽限、减免对牛车的征调，使农民能够尽快把田地里的庄稼拉回来。”太武帝说：“果然像我预料的那样，笔公真可谓一心为国，是与国家同甘苦、共存亡的栋梁之臣！”

北魏太武帝派遣担任员外散骑常侍的高济到宋国进行友好访问。

八月初六戊辰，宋国任命担任荆州刺史的衡阳王刘义季为征北大将军、开府仪同三司、南兖州刺史，任命南谯王刘义宣为荆州刺史。当初，宋文帝认为南谯王刘义宣不成材，没有出息，所以一直没有任用他，会稽长公主屡次请求宋文帝任用刘义宣为荆州刺史，宋文帝在不得已的情况下才任用他。宋文帝先是直接赐给刘义宣亲笔诏书，告诫他说：“因为师护在荆州刺史任上的时间太久了，所以他接连上表请求回京，现在我准备答应他的请求，所以让你去接替他。师护在荆州刺史任上虽然没有建立什么特殊的政绩，但他洁身自好，为官清廉，生活俭朴，待人推心置腹，为人和善，对僚属要求很严，绝不放纵，所以在西部荆州一带享有很高的声誉，受到当地士大夫和平民百姓的拥护，朝廷中主管人事调动的部门从来没有提出过要调动他。如今让你前去将他换回京师，还因为你与师护年纪大小差不多，想让你们各自展示一下自己的才能。你去了之后，倘若有一件事处理得不如师护，既对荆州地区的工作造成重大的影响，而引起人们对这次人事调动失误的批评，必然把所任非人的责任归结到我的身上。此事要认真去做也不难做好，希望你努力，不要再引起人们的议论！”南谯王刘义宣到达荆州刺史府与都督府的驻地之后，能够严格要求自己，各项政务也处理得很有条理。

八月十八日庚辰，会稽长公主去世。

被北魏封为归义王的吐谷浑慕容吐力延等人向北魏请求派军队讨伐吐谷浑王慕利延，北魏太武帝遂派遣晋王拓跋伏罗率领各军攻打吐谷浑王慕利延。

九月十二日甲辰，宋国朝廷正式任命沮渠安周为都督凉州、河州、沙州三州诸军事，凉州刺史，并封他为河西王。

九月十五日丁未，北魏太武帝前往大漠以南进行巡视，并准备袭击柔然国，柔然敕连可汗郁久闾吴提得知消息后便率领国人远远地逃遁了，太武帝这才打消了攻打柔然的念头。不久，柔然敕连可汗郁久闾吴提去世，他的儿子吐贺真继位，号称处罗可汗。

北魏晋王拓跋伏罗率领魏军到达乐都，然后率领军队从隐蔽的小路前往袭击吐谷浑，大军前进到了大母桥。吐谷浑王慕利延闻讯后惊慌失措，立即率众逃往白兰，慕利延的侄子慕容拾寅逃往黄河以西地区，北魏的军队斩杀了吐谷浑五千多人。吐谷浑王慕利延的堂弟慕容伏念等人率领一万三千多个部落投降了北魏。

冬季，十月十七日己卯，宋文帝任命担任左军将军的徐琼为兖州刺史，任命担恬[339]为冀州刺史。徙兖州镇须昌[340]，冀州镇历下[341]。恬，谟[342]之弟也。

十二月丙戌[343][14]，魏主还平城。

是岁，沙州牧李宝入朝于魏，魏人留之，以为外都大官[344]。

太子率更令何承天[345]撰《元嘉新历》，表上之[346]。以月食之冲知日所在[347]。又以中星[348]检之，知尧时冬至日在须女十度[349]，今在斗[350]十七度。又测景校二至[351]，差三日有余，知今之南至日[352]应在斗十三四度。于是更立新法，冬至徙上三日五时，日之所在，移旧四度[353]。又月有迟疾，前历合朔，日[15]月食不在朔望[354]。今皆以盈缩[16]定其小余[355]，以正朔望之日。诏付外详之[356]。太史令钱乐之等奏，皆如承天所上，唯月有频三大，频二小[357]，比旧法殊为乖异，谓宜仍旧。诏可。

【段旨】

以上为第二段，写宋文帝元嘉二十一年（公元四四四年）一年间的大事。主要写：魏国直正大臣古弼坚持原则，敢于批逆鳞的三个故事，一个是因为欲奏陈魏主修筑苑囿过大不被理睬，而当魏主之面责打侍中刘树，一个是魏主为打猎之用让古弼调拨肥壮之马，古弼只给了一些瘦弱之马，一个是魏主打猎获禽兽甚多，欲发民车运载而被古弼驳回，魏主为此称道古弼“可谓社稷之臣矣”，说“有臣如此，国之宝也”；魏尚书令刘絜的奸诈险恶，因劝阻魏主伐柔然未果遂必欲置魏军于败，他篡改魏主的命令而造成了诸将的失期，致拓跋辰、薛辨、奚眷等八大将被杀，又派人袭扰魏军，劝魏主弃军而回，还将失利之罪加之崔浩，又欲俟魏主失败不归后，改立乐平王，又图谋自立为帝等，最后奸谋揭穿，被灭三族，乐平王亦牵连以忧死；刘义隆任其弟义宣为荆州刺史，亲自下诏予以恳切教导，严格要求，以致平时贪瞀不肖的刘义宣竟也能“勤自课厉，事亦修理”；吐谷浑地区内吒力延与慕利延两派势力对立纷争，吒力延求救于魏，魏助吒力延击走慕利延；魏主拓跋焘虽迷信道教，却又严厉地排斥沙门巫觋，下令凡私养或藏匿沙门巫觋者，“沙门、巫觋死，主人门诛”，佛道竟对立到如此程度！

任大将军参军的申恬为冀州刺史。把兖州的治所迁到须昌，把冀州的治所迁到历下。申恬，是申谟的弟弟。

十二月二十五日丙戌，北魏太武帝回到首都平城。

这一年，沙州牧李宝到北魏的首都平城朝见太武帝，魏国人留下李宝，任命李宝为外都大官。

宋国担任太子率更令的何承天编著了一本《元嘉新历》，他上表给宋文帝，同时呈上这本新历书。何承天根据月食发生时日与月相对，光芒被淹没这一天象而推知太阳所在的位置。又按照中星所在的位置进行推算，测出了古代尧帝时冬至的那一天，太阳在女宿十度的方位，而如今冬至的那一天太阳却在斗宿十七度的方位。又测定日影以校正夏至和冬至的时间，和古代尧帝时的二至相差了三天多，推算如今的冬至日，太阳应该在斗宿十三四度的位置。因此制定新历法，新历法的冬至日比原来的《景初历》向前提前了三天零五个时辰，新历法冬至的那一天，太阳所在的位置比《景初历》冬至日太阳在斗宿方向的位置减少了四度。又因为月亮运行有的时候慢，有的时候快，以前历法规定的每月初一，日食、月食都不在初一、十五。如今都用盈减缩加的计算方法确定出小余，使日食、月食一定发生在朔日、望日。宋文帝下诏将何承天所编著的新历法交付给朝中大臣详细讨论。担任太史令的钱乐之等人上奏，都同意何承天的见解，唯一的缺点是有连续三个月是大尽，有连续两个月是小尽，与旧时的历法相比出入太大，认为在这一点上应该沿用旧历法的做法。宋文帝表示同意。

【注释】

⑱正月己亥：正月初三。⑲帝耕藉田：宋文帝刘义隆亲自耕种藉田。藉田，帝王亲自耕种的土地。每逢春耕前，帝王亲自到一块特定的土地上去耕种土地，以表示他重视农业，为天下农民做榜样，鼓励农民努力生产。这块地上收获的粮食，用于祭祀宗庙。⑳壬寅：正月初六。㉑穆寿：北魏大臣。传见《魏书》卷二十七。㉒张黎：北魏大臣，善书计，综管北魏机要。传见《魏书》卷二十八。㉓决庶政：处理各种政务。庶，众多。㉔仪与表同：大臣给太子上书的格式与礼节，和给皇帝上表的格式与礼节一样。㉕上谷苑囿太广：在上谷郡建筑的皇家猎场过于广大。上谷郡的郡治在今北京市延庆区东南。〖按〗胡三省认为此说恐有误。“盖上谷距代都甚远，魏未尝置苑囿于其地。而道武帝起鹿苑于南台阴，北距长城，东苞白登，属之西山，广轮数十里。天兴六年，幸南平城，规度灅南夏屋山背黄瓜堆以建新邑。至天赐三年，遂筑灅南宫阙，引沟穿池，广苑囿。所谓‘太广’者，此也。”录以备考。㉖大半：一大半，有说即三分之

二。⑯⑦给事中：官名，职务与侍中略同，帝王的侍从官员。⑯⑧志不在弼：心思根本不在古弼身上。志，心思。⑯⑨不获陈闻：一直未能得到奏事的机会。⑰⓪捽树头：揪住刘树的头发。⑰①掣下床：把刘树从座位上拉下来。掣，拉。床，此指座椅。⑰②搏其耳：打他的耳光。⑰③朝廷不治：皇帝的工作做不好。朝廷，这里实指魏主拓跋焘。⑰④失容：变色，改变了平时的面色。⑰⑤置之：放开他。⑰⑥可其奏：答应了他的请求；采纳了他的建议。⑰⑦出诣公车：出了宫门，自己到公车署投案。诣，前往，到……去。公车，官署名，上属卫尉，负责宫前司马门的警卫和接待臣民的上书。⑰⑧免冠徒跣：古人表示认罪、请罪的样子。徒跣，赤脚步行。⑰⑨吾闻筑社之役四句：大致的意思是说在建造土神庙的时候，劳苦艰难，狼狈无状；但如果在建好神庙之后，能对神灵规规矩矩、毕恭毕敬地进行祭祀，那么鬼神仍是能降福给人的。“筑社”四句语本《韩非子·外储说左上》。社，社庙，祭祀土地神的地方。蹇蹶，颠沛造次，劳动时粗鲁莽撞的意思。端冕而事之，指身穿祭服，恭敬地进行祭祀。端冕，古代朝服，这里指身穿祭服。⑱⓪其冠履就职：请戴上帽子，穿好鞋，回去好好工作吧。⑱①苟有：如果有；只要有。⑱②课民稼穑：督促百姓积极从事农业劳动。课，检查，这里即督促的意思。⑱③芸田：在田里除草。芸，通“耘”。⑱④以是为率：以此数量作为换工的标准。是，此，指借人耕牛为自己耕地二十二亩，就要为牛的主人除草七亩。率，标准。⑱⑤标姓名于田首：在地头立上牌子，写明这块地是谁耕种的。⑱⑥垦田：开荒而成的可耕之地。⑱⑦戊申：正月十二日。⑱⑧庶人：平民百姓。⑱⑨沙门：和尚、尼姑。⑲⓪巫觋：以装神弄鬼等迷信职业骗人钱财的人。古称女巫为巫，男巫为觋。⑲①皆遣诣官曹：都把他们送交官府集中处理。⑲②沙门、巫觋死：僧尼、巫觋一律处死。⑲③主人门诛：窝藏者满门抄斩。⑲④庚戌：正月十四日。⑲⑤诣太学：到太学里读书。太学，古代朝廷在国家都城开办的最高学府。太学的正式建立从汉武帝尊儒开始。⑲⑥百工：各种工匠、手艺人。⑲⑦商贾：行商为商，坐商为贾，这里即泛指商人。⑲⑧师死：教师处死。⑲⑨二月辛未：二月初六。⑳⓪内都坐大官：官名，据严耀中《北魏三都大官考》，北魏建国之初设外都（坐）大官、内都（坐）大官、中都（坐）大官，总称三都。职掌均为听讼察狱，地位很高。至北魏迁都洛阳后废置。⑳①薛辨：葛晓音曰：“据《魏书》及《北史》本传，薛辨未曾任过三都大官之职，其事应属其子薛谨，《通鉴》误记。”⑳②奚眷：拓跋珪、拓跋嗣、拓跋焘三朝的名将。传见《魏书》卷三十。⑳③坐击柔然后期：因在攻打柔然时未能按约定的时间到达而获罪。⑳④久典机要：长期主管国家的要害大权。典，掌管。⑳⑤前者出师：指拓跋焘太延四年（公元四三八年），兴师动众，多路出兵，结果都未见蠕蠕，徒劳无功而还。⑳⑥欲败魏师：故意想让魏国的军队失败。⑳⑦期会鹿浑谷：约定日期在鹿浑谷会师。⑳⑧矫诏：假传诏令；篡改诏令。⑳⑨易其期：改变了会师的时间。易，改变。㉑⓪远遁：远远地逃走了。㉑①阴使人惊魏军：暗中派人对魏军攻击、骚扰。阴，暗中。㉑②委军轻还：弃军独自逃走。委，丢下。㉑③失期：超过约定的期限。㉑④白帝：向魏主报告。㉑⑤五原：郡名，郡治在今内蒙古包头西。㉑⑥收絜：将刘絜逮捕下狱。㉑⑦图谶：古代巫师或方士所编造的一种预言未来吉凶祸福的文字、图像、歌谣等，自秦末、汉代以来这种骗人的把戏越来越多。㉑⑧继国家后：在当代的皇帝去世后接替为帝。国家，此处以称现时的皇帝拓跋焘。㉑⑨吾有姓名否：除了有姓，还有名字吗？意思是打听图谶上是否有他的名字，是否该他接替做皇帝。〖按〗“吾”字无理，不成文意，乃沿上文而衍，应削。㉒⓪有司：主管此事的官员。㉒①穷治：彻底查办。穷，追根究底。㉒②索嵩家：搜查张嵩之家。索，查、查抄。㉒③南康公狄邻：拓跋狄邻，被封为南康公。㉒④夷三族：夷，灭、杀光。三族，指父族、母族、妻族。或说指父母之亲、自身之亲、子辈之亲。㉒⑤絜在势要：在刘絜当政掌权的时候。㉒⑥籍其家：抄家后登记其家产。籍，登记、统计。㉒⑦巨万：万万，即今之所谓“亿”，单位是铜钱。㉒⑧癸酉：二月初八。㉒⑨乐平戾王丕：拓跋丕，魏太宗拓跋嗣之子，被封为乐平王，“戾”字是其死后的谥。㉓⓪魏主：这里指魏太宗明元帝拓跋嗣，公元四〇九至四二三年在位。㉓①白台：在魏都平城之南。《魏书·太宗明元帝纪》载：“（泰常二年）秋七月，作白台于城南，高二十丈。”㉓②筮：用蓍草占卜吉凶。㉓③坐弃市：因受某人某事的牵连而被问斩。弃市，古代处决死刑犯常在市场，以表示与市人共弃之，故称处决犯人曰“弃市”。㉓④高允：北魏名臣，字伯恭，历事北魏五帝，长达五十余年，官至中书令，进爵咸阳公。传见《魏书》卷四十八。㉓⑤筮者皆当依附爻象：解释某一卦的吉凶都要依据每一爻的形象。爻是《周易》中组成卦的基本符号，每一卦由六爻组成。它们模拟或象征事物的运动和变化，包含着一定的吉凶休咎。人们利用这些“象”，通过想象，解释推论人事的变化。分“大象”“小象”。总释一卦的为“大象”，解说每卦各爻的称“小象”。㉓⑥劝以忠孝：指卜筮所呈现的卦象是客观存在，但在解释这些卦象的时候要结合着思想教育，鼓励人们为国尽忠，为父母尽孝。胡三省曰：“汉严君平卜筮于成都市，人有邪恶非正之问，则依蓍龟为言利害，与人子言依于孝，与人弟言依于顺，与人臣言依于忠，各因势道之以善。高允之言，祖君平之术也。”㉓⑦王之问道秀也：当乐平王将自己所梦见的事物求董道秀卜筮时。㉓⑧穷高为亢：人处于最高的位置，这就是《周易》中所说的“亢”。穷高，至高、最高。亢，高至极，壮至极。㉓⑨《易》曰二句：《周易·乾卦》中有所谓一条龙要是飞得太高了就会有危险。悔，《周易》中的用语，表示危险、失败、挫折等等。㉔⓪高而无民：语见《周易·乾卦·文言》。《文言》释此句意为贤人见其地位过高，志满意得，便不来辅助。㉔①身：指董道秀自身。㉔②反之：不仅不劝乐平王谦虚谨慎，反而怂恿他，纵容他。㉔③庚辰：二月十五日。㉔④魏主幸庐：魏主拓跋焘驾临庐。幸，敬称帝王的驾临。庐，其地不详。胡三省曰：“自南北国分治，人主所至，例不书‘幸’。此必误也。”㉔⑤己丑：二月二十四日。㉔⑥义恭：宋武帝刘裕之第五子，文帝刘义隆之弟，元嘉元年（公元四二四年）被封为江夏王。传见《宋书》卷六十一。㉔⑦太尉：官名，三公之一，秦汉时为军政首脑，晋宋时代多为大臣的加官。虽无实际职责，但表现政治地位的崇高。㉔⑧领司徒：兼任为司徒。司徒也是三公之一，主管教化，后来多为大臣的虚衔，地位仅次于太尉。㉔⑨庚寅：二月二十五日。㉕⓪沈演之：刘宋的大臣。谦虚好学，通义理，喜《老子》。元嘉中累官至吏部尚书。传见《宋书》卷六十三。㉕①中领军：中领军将军的简称，统率护卫朝廷、护卫宫廷的禁兵，兼管其他军中将领的任命，权力很大。㉕②范晔：南朝刘宋的史学家，字蔚宗，官至左卫将军、太子詹事，著《后汉书》。传见《宋书》卷六十九。㉕③太子詹事：官名，掌管太子宫中的事务。㉕④辛卯：二月二十六日。㉕⑤皇子宏：刘宏，宋文帝刘义隆的第七子。传见《宋书》卷七十二。㉕⑥建平王：封地建平郡，郡治即今重庆巫山。㉕⑦三月甲辰：三月初九。㉕⑧癸丑：三月十八日。㉕⑨长孙道生：北魏拓跋珪、拓跋嗣、拓跋焘三朝的老臣。传见《魏书》卷二十五。㉖⓪镇统万：统兵屯驻于统万城。统万是古城名，夏主赫连勃勃的都城，旧址在今陕西榆林市横山区西，内蒙古乌审旗南。㉖①四月乙亥：四月十一日。㉖②杜超：北魏明元帝拓跋嗣密皇后杜氏之兄。传见《魏书》卷八十三上。㉖③五千余落：五千多个部落。当时兵民一体，扶老携幼，都在军队之中。落，部落，古代少数民族分部而居的组织名。㉖④渠帅：大帅；大头领。㉖⑤冀、相、定：三州名，冀州的州治在今河北冀州，相州的州治即今河北临漳西南的邺镇，定州的州治即今河北定州。㉖⑥营户：直接受军营管辖的居民户。当时战争不断，人口稀少。军队为自己方便，常将所俘虏的民户编归自己统辖，称为“营户”。㉖⑦慕利延：姓慕容，名慕利延。《宋书》《南史》作慕延。太延二年（公元四三六年）继兄慕璝为吐谷浑王。事详《魏书》卷一百一。㉖⑧纬世：唐人为李世民避讳写作“纬代”。㉖⑨魏以吐力延为归义王：吐力延奔魏与魏封吐力延为归义王事，见《魏书》卷一百一《吐谷浑传》。㉗⓪沮渠无讳卒二句：沮渠无讳与沮渠安周皆北凉王沮渠蒙逊之子，沮渠牧犍之弟。沮渠牧犍被北魏打败被俘亡国后，其弟无讳与安周一直在敦煌与西域的高昌一带坚持反魏活动，今无讳死，其弟仍继续坚持反魏。㉗①颇用：采用一些。颇，表示不多的意思。㉗②犹循其旧俗：主要还是沿用旧的风俗习惯。㉗③合于祀典者：与中原地区的古代祀典相一致的部分。㉗④复重：即“重复”。㉗⑤七月癸卯：七月初十。㉗⑥东雍州：州名，州治在今山西闻喜东北。㉗⑦沮渠秉：沮渠蒙逊之子，随其兄沮渠牧犍降魏后，被任为东雍州刺史。事见《魏书》卷九十九。㉗⑧八月乙丑：八月初三。㉗⑨畋于河西：在黄河的西侧地区打猎。畋，打猎。此处之“河西”指今陕西北部与内蒙古邻近的黄河以西地区。㉘⓪给猎骑：供应打猎的人员骑乘。㉘①笔头奴：骂古弼的话。古弼头尖，敏正忠谨，明元帝拓跋嗣曾赐其名曰“笔”。拓跋焘常呼之为“笔头”，时人呼之曰“笔公”。㉘②裁量朕：等于说苛刻我、限制我。㉘③还台：即回到朝廷。当时朝廷的中书省、尚书省，也可以称中书台、尚书台。故回朝也就是回到台省。㉘④以笔目之：把他看成一支笔。㉘⑤恐并坐诛：害怕受牵连一块被杀。㉘⑥盘于游畋：充分享受打猎的乐趣。盘，乐，享受……的乐趣。㉘⑦不备不虞：不准备好意想不到的突然需要。不虞，意想不到，意外的需要。㉘⑧乏军国之用：无法供应军国大事的需要。㉘⑨南寇：指长江以南的刘宋政权。㉙⓪一袭：一身；一套。㉙①山北：平城的北山之北。㉙②发牛车五百乘：征调老百姓的牛车五百辆。发，征调。乘，原指一车四马，这里就指一辆。㉓悬黄：低垂着成熟的谷穗。㉔朝夕三倍：朝夕之间就达三倍。指粮食的损耗。㉕乞赐矜缓：求您体恤农民，宽免对牛车的征调。矜，怜悯。缓，放宽。㉖使得收载：让他们能把地里的庄稼赶紧拉回来。㉗社稷之臣：一心为国，与国家同甘苦、共存亡的大臣。㉘高济：高允的堂叔，年六十七而终。传见《魏书》卷四十八。㉙来聘：来刘宋友好访问。古代国与国之间互派使臣友好访问叫“聘”。因写史者是站在南朝刘宋的立场说话，所以说“来聘”。㉚戊辰：八月初六。㉛义季：刘义季，宋武帝刘裕的第七子。元嘉元年（公元四二四年）被封为衡阳王。传见《宋书》卷六十一。㉜义宣：刘义宣，宋武帝刘裕的第六子。元嘉元年（公元四二四年）被封为竟陵王，元嘉八年改封为南谯王。传见《宋书》卷六十八。㉝不才：不成才；没有出息。㉞会稽公主：亦作“会稽长公主”，宋武帝刘裕的长女，刘义隆等众兄弟的大姐。刘义隆对之深加礼敬，家中诸事，大小必询问之。㉟屡以为言：屡次请求刘义隆任用刘义宣为荆州刺史。荆州地居国都的上游，荆州刺史位高权重，刘裕生前有话，说让他的几个儿子都轮流做一任荆州刺史。按排行而言，刘义宣已经被压了一任了。㊱中诏：不经主管官吏而直接颁行的帝王的亲笔诏书。㊲敕：嘱咐；告诫。㊳师护：刘义季的小名。㊴在西：在都城的西方，即指荆州，此指刘义季任荆州刺史。㊵比表求还：接连地上表请求回京，因为刘义季也知道其父当年想让各个儿子都当一任荆州刺史的心思，而且他本人已经超过其兄刘义宣而提前出任了。比，挨着、一连几次。㊶洁己节用：即廉洁简朴。洁己，洁身、本身清廉。㊷通怀期物：即推心置腹，待人和善。㊸不恣群下：对僚属要求严格，不放纵。恣，放纵。㊹声著西土：在荆州声誉很高。著，彰显。㊺为士庶所安：被当地的士大夫和庶民所乐于接受。㊻论者：这里指朝廷主管人事调动的部门。㊼未议迁之：从未提出调动他。㊽年时一辈：年岁大小差不多。㊾欲各试其能：想看看你们每个人的本事。㊿脱有一事减之：如果你在哪一件事上做得不如他。脱，如果、一旦。减之，比不上、不如。(321)既于西夏交有巨碍：既对荆州地区的工作产生重大影响。西夏，胡三省曰：“江左六朝以荆楚为西夏。”(322)迁代之讥：有关调动失误的批评。迁代，指将刘义季调回，让刘义宣赴任。讥，批评、非议。(323)必归责于吾：胡三省曰：“言迁代之际，所任非人也。”(324)亦易勉：也很容易努力做好。(325)至镇：指到达刺史府与都督府的驻地。(326)勤自课厉：即严格要求自己。课厉，检查、磨炼。(327)事亦修理：各种政务也管理得还可以。(328)庚辰：八月十八日。(329)伏罗：魏太武帝拓跋焘的第二子，太平真君三年（公元四四二年）被封为晋王。事见《魏书》卷十八。(330)九月甲辰：九月十二日。(331)以沮渠安周句：此句的主语是刘宋朝廷，以沮渠安周能坚持反魏，并对刘宋称臣故也。(332)丁未：九月十五日。(333)寻卒：不久死去。(334)乐都：即今青海海东市乐都区，当时为北魏的鄯州州治所在地。(335)间道：小道，隐蔽而不被人知的道路。(336)白兰：地区名，在今青海都兰西南的布尔汗布达山一带，当时是西羌族白兰部落的聚居之地。(337)河西：这里指今之甘肃、青海的黄河以西地区，即河西走廊与湟水流域。(338)十月己卯：十月十七日。[339]申恬：字公休，历事刘裕、刘义隆、刘骏三朝，为将、为地方官都有很好的功勋政绩。传见《宋书》卷六十五。[340]徙兖州镇须昌：将兖州的州治迁到须昌。沈约曰："武帝平河南，治滑台，文帝元嘉十三年治邹山，又寄治彭城。"此又自彭城徙须昌也。当时的须昌，在今山东东平西北。[341]历下：即今山东济南东南。[342]谟：申谟，字符嗣，申恬之兄，曾与名将朱脩之共守滑台，城破被俘，后又逃回刘宋，先后任将军、内史。传见《宋书》卷六十五。[343]十二月丙戌：十二月二十五日。[344]外都大官：当时魏国有内都大官、外都大官、都坐大官，合称三都大官，皆掌刑狱。[345]何承天：晋宋时期的文史大臣、天文学家，曾参与改定《元嘉新历》。传见《宋书》卷六十四。[346]表上之：给皇帝上表并进呈新历法。[347]以月食之冲知日所在：月食时日与月相对，光相淹没，据此可知太阳所在的位置。[348]中星：古代天文学家把二十八宿分成四方，每方七宿，居中的星叫中星。或，从人的视感觉来说，二十八宿是按照一定的轨道转动，顺次每月在天中的星叫中星。[349]知尧时冬至日在须女十度：推测尧时冬至，太阳在女宿十度的方位。此据《尚书·尧典》中"日短星昴"句推算，因冬至日最短，昴为二十八宿中西方白虎的中星。须女，二十八宿中的女宿。[350]斗：斗宿，二十八宿之一。[351]测景校二至：测定日影以校正夏至和冬至的时间。[352]南至日：即冬至节。[353]移旧四度：何承天所修的《元嘉新历》，定冬至之日在斗宿十七度半。比原来所用的《景初历》定冬至之日在斗宿二十一度少，所以说与旧历比，移了四度。[354]前历合朔二句：以前的历法确定的每个月的初

【原文】

二十二年（乙酉，公元四四五年）

春，正月辛卯朔[358]，始行新历[359]。初，汉京房[360]以十二律[361]中吕上生黄钟，不满九寸[362]，更演为六十律[363]。钱乐之复演为三百六十律，日当一管[364]。何承天立议，以为上下相生，三分损益其一，盖古人简易之法，犹如古历周天三百六十五度四分度之一[365]也，而京房不悟，谬为六十。乃更设新率[17]，林钟长六寸一厘，则从中吕还得黄钟，十二旋宫[366]，声韵无失。

壬辰[367]，以武陵王骏[368]为雍州刺史[369]。帝欲经略关、河[370]，故以骏镇襄阳[371]。

魏主使散骑常侍宋愔[372]来聘[373]。

一，日食、月食不在初一、十五。合朔，指每个月的初一。㉟今皆以盈缩定其小余：古历法有大余、小余，指每年依朔法、至法计算的两种日数，各用六除，凡不满六十日的余数中，整日的称大余，不够一日的奇零数称小余。何承天推算每月的朔、望和弦（月半圆时），都定大小余，使日食、月食必在朔望。盈缩，指用盈减缩加的计算方法确定小余。㊱诏付外详之：宋文帝下令，将何承天这些制定历法的主张交给大臣们详细讨论。㊲月有频三大二句：有连续三个月是大尽，有连续两个月是小尽。

【校记】

［10］苟有：原无“有”字。据章钰校，十二行本、乙十一行本、孔天胤本皆有“有”字，今据补。［11］欲击柔然……鹿浑谷：原无此十七字。据章钰校，十二行本、乙十一行本、孔天胤本皆有此十七字，张敦仁《通鉴刊本识误》同，今据补。［12］牛车：原无“牛”字。据章钰校，十二行本、乙十一行本、孔天胤本皆有“牛”字，今据补。［13］自：原无此字。据章钰校，十二行本、乙十一行本、孔天胤本皆有此字，今据补。［14］丙戌：原无此二字。据章钰校，十二行本、乙十一行本、孔天胤本皆有此二字，张敦仁《通鉴刊本识误》同，今据补。［15］日：原无此字。胡三省注云：“‘月食’上当有‘日’字。”其义长，今据补。［16］盈缩：原作“赢缩”。据章钰校，十二行本、乙十一行本、孔天胤本皆作“盈缩”，今从改。

【语译】

二十二年（乙酉，公元四四五年）

春季，正月初一辛卯，宋国开始颁布实行《元嘉新历》。当初，汉朝人京房按照古人十二律上下相生的三分损益法，根据中吕管的长度反过来推算黄钟管的长度不满九寸，又用十二律分别确定五声的音高，而推演出六十律。钱乐之又在此基础上将其推演为三百六十律，并将三百六十天和三百六十律相配，每天和一个律管相对应。何承天的理论认为：上下相生，三分损益其一，是古人采用的简便易行的计算方法，就像古代历法以一回归年为三百六十五点二五天，因而把周天分成三百六十五点二五度一样，然而京房在这方面并没有彻底领悟，因而错误地推出六十律。于是重新规定新的音律，使林钟律管长六寸一厘，如此一来，从中吕律管的长度就可以准确地推算出黄钟律管的长度，十二旋宫，声韵恰好相符。

正月初二壬辰，宋文帝刘义隆任命武陵王刘骏为雍州刺史。宋文帝此时正在谋划收复关中以及黄河流域等地区，所以任命刘骏为雍州刺史，负责镇守襄阳。

北魏太武帝拓跋焘派遣担任散骑常侍的宋愔为使者前往宋国进行友好访问。

二月，魏主如上党[374]，西至吐京[375]，讨徙叛胡[376]，出配郡县[377]。

甲戌[378]，立皇子祎为东海王[379]，昶为义阳王[380]。

三月庚申[381]，魏主还宫。

魏诏诸疑狱皆付中书[382]，以经义量决[383]。

夏，四月庚戌[384]，魏主遣征西大将军高凉王那[385]等击吐谷浑王慕利延于白兰，秦州刺史代人封敕文[386]、安远将军乙乌头击慕利延兄子什归于枹罕[387]。

河西之亡也[388]，鄯善[389]人以其地与魏邻，大惧，曰："通其使人[390]，知我国虚实，取亡[391]必速。"乃闭断魏道[392]，使者往来，辄钞劫[393]之，由是西域不通者数年。魏主使散骑常侍万度归[394]发凉州[395]以西兵击鄯善。

六月壬辰[396]，魏主北巡。

帝谋伐魏，罢南豫州入豫州[397]，辛亥[398][18]，以南豫州刺史南平王铄[399]为豫州刺史。

秋，七月己未[400]，以尚书仆射[401]孟颢[402]为左仆射，中护军[403]何尚之[404]为右仆射。

武陵王骏将之镇，时缘沔诸蛮[405]犹为寇[406]，水陆梗碍[407]。骏分军遣抚军中兵参军[408]沈庆之掩击[409]，大破之。骏至镇，蛮断驿道[410]，欲攻随郡[411]。随郡太守河东柳元景[412]募得六七百人，邀击[413]，大破之。遂平诸蛮，获七万余口。涢山蛮[414]最强，沈庆之讨平之，获三万余口，徙万余口于建康。

吐谷浑什归闻魏军将至，弃城夜遁。八月丁亥[415]，封敕文入枹罕，分徙其民千家还上邽，留乙乌头守枹罕。

万度归至敦煌，留辎重，以轻骑五千度流沙，袭鄯善。壬辰[416]，鄯善王真达面缚[417]出降。度归留军屯守，与真达诣平城，西域复通。

二月，北魏太武帝前往上党郡，向西到达了吐京郡，讨伐那里叛乱的匈奴人，把他们全部迁移、发配到其他各郡县居住。

二月十四日甲戌，宋文帝封皇子刘祎为东海王，刘昶为义阳王。

三月初一庚申，北魏太武帝返回皇宫。

北魏太武帝下诏各州郡有疑问的案件一律上交给中书省，让中书省根据儒家经典的说法来衡量裁决。

夏季，四月二十二日庚戌，北魏太武帝派遣担任征西大将军的高凉王拓跋那等人率军前往白兰袭击吐谷浑王慕利延，担任秦州刺史的代郡人封敕文、担任安远将军的乙乌头率军前往枹罕攻击慕利延的侄子慕容什归。

自从黄河以西地区的几个凉国被北魏相继灭亡后，地处西域的鄯善国因为自己的国土与强大的北魏国土接壤，感到非常恐惧，他们说："如果与魏国互通使节，或是允许魏国的使者在鄯善国境内通行，他们就一定会把我国的虚实情况刺探得清清楚楚，我们必定会很快地自取灭亡。"于是就关闭了北魏通过鄯善国与西域之间的通道，如果有北魏的使者从鄯善经过，就派人抢劫他们，因此西域和北魏之间的交通断绝了好几年。北魏太武帝于是派遣担任散骑常侍的万度归征调凉州以西的军队前往袭击鄯善。

六月初五壬辰，北魏太武帝前往魏国的北方进行巡视。

宋文帝谋划讨伐北魏，他撤销了南豫州，把南豫州并入豫州，六月二十四日辛亥，任命担任南豫州刺史的南平王刘铄为豫州刺史。

秋季，七月初二己未，宋国朝廷任命担任尚书仆射的孟颢为左仆射，任命担任中护军的何尚之为右仆射。

武陵王刘骏准备前往襄阳镇所赴任，当时沔水沿岸的各少数民族仍然处在叛乱之中，造成水路、陆路交通全部断绝。刘骏于是便派遣担任抚军中兵参军的沈庆之率领一支部队对那些叛军突然发动袭击，把叛军打得大败。刘骏到达任所后，那些残余的叛军又切断了驿道，并准备攻击随郡。担任随郡太守的河东人柳元景招募了六七百人，进行拦击，再次将叛军打得大败。于是少数民族的叛乱被平息，抓获了七万多人。其中涢山的少数民族叛军力量最强大，被沈庆之率军讨平，沈庆之俘获了三万多人，把其中的一万多人强行迁徙到建康。

吐谷浑守卫枹罕城的慕容什归听到北魏的军队即将到达的消息，便立即抛弃枹罕城连夜逃跑了。八月初一丁亥，封敕文进入枹罕城，他把枹罕城中的一千户居民迁往上邽，留下担任安远将军的乙乌头镇守枹罕城。

万度归抵达敦煌，他留下军中的辎重，只率领五千名轻骑兵穿过大沙漠，前往袭击鄯善国。八月初六壬辰，鄯善国王真达反绑着双手出城向魏军投降。万度归留下部分军队屯守鄯善，便押解着鄯善国王真达返回魏国的都城平城，北魏通往西域的道路从此再次被打通。

魏主如阴山之北，发诸州兵三分之一，各于其州戒严[418]，以须后命[419]。徙诸种杂民五千余家于北边[420]，令就北畜牧[421]，以饵柔然[422]。

壬寅[423]，魏高凉王那军至曼头城[424][19]，吐谷浑王慕利延拥其部落西度流沙。吐谷浑慕璝之子被囊[425]逆战[426]，那击破之。被囊遁走，中山公杜丰帅精骑追之，度三危[427]，至雪山，生擒被囊及吐谷浑什归、乞伏炽磐[428]之子成龙[429]，皆送平城。慕利延遂西入于阗[430]，杀其王，据其地，死者数万人。

九月癸酉[431]，上饯衡阳王义季[432]于武帐冈[433]。上将行，敕诸子且勿食，至会所设馔[434]。日旰[435]，不至，有饥色。上乃谓曰："汝曹少长丰佚[436]，不见百姓艰难。今使汝曹识有饥苦，知以节俭御物[437]耳。"

裴子野[438]论曰："善乎太祖之训也！夫侈兴于有余，俭生于不足。欲其隐约[439]，莫若贫贱；习其险艰[440]，利以任使[441]；达[20]其情伪[442]，易以躬临[443]。太祖若能率此训[444]也，难其志操[445]，卑其礼秩[446]，教成德立[447]，然后授以政事，则无怠无荒[448]，可播之于九服[449]矣。高祖[450]思固本枝[451]，崇树襁褓[452]，后世遵守[453]，迭据方岳[454]。及乎泰始[455]之初，升明之季[456]，绝咽于衾衽[457]者动数十人[458]。国之存亡，既不是系[459]，早肆民上[460]，非善诲也[461]。"

魏民间讹言[462]灭魏者吴，卢水胡盖吴[463]聚众反于杏城[464]，诸种[21]胡

北魏太武帝前往阴山以北进行巡视，他下令各州征调本州三分之一的兵力，在各州实行戒严，进入紧急状态，等待新命令的到来。又把五千多家各族民众迁移到了北部的边疆地区，让他们向更北的方向放牧牛羊，以引诱柔然人前来攻击掠夺，制造消灭柔然人的机会。

八月十六日壬寅，北魏担任征西大将军的高凉王拓跋那大军抵达曼头城，吐谷浑王慕容慕利延得到消息，便率领他的部落向西穿越沙漠逃走了。故吐谷浑王慕容慕璝的儿子慕容被囊率众迎战北魏的军队，被高凉王拓跋那的军队打败。被囊率众逃走，北魏中山公杜丰率领部分精锐骑兵随后追赶，他们越过了三危山，到达雪山的时候，终于活捉了慕容被囊和吐谷浑慕容什归、原西秦王乞伏炽盘的儿子乞伏成龙，把他们全都押送到了平城。只有吐谷浑王慕利延向西逃入于阗国，慕利延杀死了于阗国王，占有了于阗国的领土，这一战役总计死了好几万人。

九月十七日癸酉，宋文帝在武帐冈设宴为衡阳王刘义季饯行。宋文帝在临行前，告诫前往参加饯行的各位皇子都暂且不要吃饭，到了聚会送行的场所再临时安排做饭。天色已晚，早已超过了吃饭的时间，而饭食还没有摆上，各位皇子饥肠辘辘，脸上不由得流露出了痛苦的神色。宋文帝趁机教导他们说："你们这些人从小到大一直生活在富足安逸之中，从来没有见到过百姓生活的艰难。如今让你们知道世上还有饥饿的痛苦，知道以俭朴节约管教人、驾驭人。"

> 裴子野评论说："宋太祖刘义隆对儿子们的训教实在是太好了！奢侈，在生活富足的情况下很容易产生，而节俭往往是源于生活物资的匮乏。想让他艰苦朴素，并由此养成虚心谨慎，不如先让他贫贱；经受过艰苦磨炼的人，才容易管理、使用；能明白下属是真情还是虚伪的人，才能够更好地去驾驭他们。宋太祖如果能够始终紧紧掌握好这一准则，严格地磨砺他们的意志操守，降低他们的待遇等级，等到他们接受教育成功、道德已经树立的时候，再授予他们权力，让他们去处理各种政事，他们就不会再怠惰、放纵，到那时就可以将他们派往全国各地去做官任职了。宋高祖刘裕为了巩固自己子孙的特权与地位，便把尚在襁褓之中的婴儿都封为郡王，任命为大州刺史，宋国后来继任的皇帝也都照着刘裕的样子做，遂使一群孩子一个接一个地轮流居于各大州刺史的高位。等到宋明帝刘彧泰始初年、宋顺帝刘准升明末年，还只能躺在床上的幼小孩童就被扼断咽喉而死的，动不动就是几十个。国家的生死存亡，既然不取决于此，而让子孙过早地高踞于万民之上作威作福，确实算不上是善于教诲子孙。"

北魏民间谣传灭魏者吴，卢水胡人的首领名叫盖吴的在杏城聚众造反，各种胡

争应之，有众十余万。遣其党赵绾来，上表自归[465]。冬，十月戊子[466]，长安镇副将[467]拓跋纥帅众讨吴，纥败死。吴众愈盛，民皆渡渭奔南山[468]。魏主发高平敕勒骑[469]赴长安，命将军叔孙拔领摄[470]并、秦、雍[471]三州兵屯渭北[472]。

十一月，魏发冀州民造浮桥于碻磝津[473]。

盖吴遣别部帅白广平[474]西掠新平[475]，安定[476]诸胡皆聚众应之。又分兵东掠临晋已东[477][22]，将军章直击破之，溺死于河者三万余人。吴又遣兵西掠，至长安，将军叔孙拔与战于渭北，大破之，斩首三万余级。

河东蜀[478]薛永宗聚众以应吴，袭击闻喜[479]。闻喜县无兵仗，令忧惶无计。县人裴骏帅厉乡豪[480]击之，永宗引去。

魏主命薛谨之子拔[481]纠合宗、乡[482]，壁于河际[483]，以断二寇[484]往来之路。庚午[485]，魏主使殿中尚书[486]拓跋处直[487]等将二万骑讨薛永宗，殿中尚书乙拔将三万骑讨盖吴，西平公寇提将万骑讨白广平。吴自号天台王，署置[488]百官。

辛未[489]，魏主还宫[490]。

魏选六州[491]骁骑二万，使永昌王仁[492]、高凉王那分将之为二道，掠淮、泗以北[493]，徙青、徐[494]之民以实河北。

癸未[495]，魏主西巡。

初，鲁国孔熙先[496]博学文史，兼通数术[497]，有纵横才志[498]。为员外散骑侍郎[499]，不为时所知，愤愤不得志。父默之为广州刺史，以赃获罪，大将军彭城王义康[500]为救解得免。及义康迁豫章[501]，熙先密怀报效[502]。且以为天文、图谶[503]，帝必以非道晏驾[504]，由骨肉相残[505]，江州应出天子。以范晔[506]志意不满[507]，欲引与同谋，而熙先素不为晔所重。

人都争相起兵响应他，盖吴很快便聚集起了十多万人。盖吴派遣他的党徒赵绾来到宋国的都城建康，上表给宋国朝廷请求归降宋国。冬季，十月初三戊子，北魏担任长安军镇副将的拓跋纥率领属下兵众前往杏城讨伐盖吴，结果拓跋纥战败被杀。盖吴的部众越来越多，人们纷纷渡过渭河逃入长安城南的大山之中以躲避战乱。北魏太武帝调动驻扎在高平军镇的敕勒族骑兵奔赴长安，命令将军叔孙拔兼管并州、秦州、雍州三个州的军队，屯扎在渭水河的北岸。

十一月，北魏征调冀州的百姓到黄河的碻磝津建造浮桥。

盖吴派遣另一个部落的统帅白广平率领自己的部众向西攻取新平郡，居住在安定郡的各种胡人也都纷纷起兵响应。盖吴又分出一部分兵力前往临晋县城以东的黄河沿岸地区进行掠夺，被北魏将军章直击败，光是被挤入黄河中淹死的就有三万多人。盖吴又派遣军队到西边去掠夺，叛军到达长安时，北魏将军叔孙拔在渭河北岸与他们展开激战，把他们打得大败，又杀死了三万多人。

从蜀地迁徙到黄河以东居住的薛永宗聚众响应盖吴，他率领党徒袭击闻喜县。闻喜县由于没有军队驻防，县令忧虑惶恐却无计可施。闻喜县人裴骏率领并激励各乡的勇敢之士奋勇抗击，薛永宗遂率众退走。

北魏太武帝命令薛谨的儿子薛拔去联络、集合自己的族人和乡人，驻扎在黄河沿线，以切断黄河以东的薛永宗与驻扎在陕甘交界一带盖吴之间的来往通道。十一月十五日庚午，北魏太武帝派遣担任殿中尚书的拓跋处直等人率领二万骑兵讨伐贼寇薛永宗，派担任殿中尚书的乙拔率领三万骑兵讨伐叛军首领盖吴，西平公寇提率领一万骑兵去讨伐白广平。盖吴自称天台王，还设置了文武百官。

十一月十六日辛未，北魏太武帝从阴山返回平城的皇宫。

北魏从冀州、定州、相州、并州、幽州、平州这六个州中挑选出二万名骁勇的骑兵，派永昌王拓跋仁、高凉王拓跋那分别率领，兵分两路，深入到宋国淮河、泗水以北的广大地区进行抢掠，强行把青州、徐州的百姓迁徙到黄河以北地区。

十一月二十八日癸未，北魏太武帝前往魏国的西部地区进行巡视。

当初，鲁国人孔熙先不仅在文史学方面知识渊博，而且精通天文历法、占卜吉凶等方面的学问，有一套搬弄是非、煽风点火的阴谋手段。他担任员外散骑侍郎，不被当时的人看好，因而感到愤愤不平。他的父亲孔默之担任广州刺史，因为贪赃枉法而被判罪，多亏担任大将军的彭城王刘义康多方营救，孔默之才得以免罪释放。等到彭城王刘义康被免职发配到豫章郡监管，孔熙先因为对刘义康心怀感激，就想秘密地组织人把刘义康从发配监管之地解救出来，以报答刘义康解救自己父亲的恩德。他通过观察天文星象的变化、研究图谶之书的预言，认为宋文帝一定会不得善终，而且是因为骨肉之间自相残杀而死，还认为新皇帝应该出自江州。孔熙先得知范晔对刘宋朝廷心怀不满，就想拉他作为自己的同谋，然而孔熙先一向不被范晔所重视。

太子中舍人[508]谢综，晔之甥也，熙先倾身事之[509]，综引熙先与晔相识。

熙先家饶于财，数与晔博，故为拙行[510]，以物输之。晔既利其财，又爱其文艺[511]，由是情好款洽[512]。熙先乃从容[513]说晔曰：“大将军[514]英断聪敏，人神攸属[515]，失职南垂[516]，天下愤怨。小人受先君遗命[517]，以死报大将军之德[518]。顷人情骚动[519]，天文舛错[520]，此所谓时运之至[521]，不可推移者也。若顺天人之心，结英豪之士，表里相应[522]，发于肘腋[523]。然后诛除异我[524]，崇奉明圣[525]，号令天下，谁敢不从！小人请以七尺之躯，三寸之舌，立功立事而归诸君子[526]，丈人以为何如？”晔甚愕然。熙先曰：“昔毛玠竭节于魏武[527]，张温毕议于孙权[528]，彼二人者，皆国之俊乂[529]，岂言行玷缺[530]，然后至于祸辱哉？皆以廉直劲正，不得久容。丈人之于本朝[531]，不深于二主[532]，人间雅誉[533]，过于两臣[534]。谗夫侧目[535]，为日久矣。比肩竞逐，庸可遂乎[536]？近者殷铁一言而刘班碎首[537]，彼岂父兄之仇[538]，百世之怨[539]乎？所争[540]不过荣名势利先后之间[541]耳。及其末[542]也，唯恐陷之不深，发[543]之不早，戮及百口，犹曰未厌[544]。是可为寒心悼惧，岂书籍远事[545]也哉？今建大勋，奉贤哲[546]，图难于易[547]，以安易危，享厚利，收鸿名，一旦包[23]举而有之[548]，岂可弃置而不取哉！”晔犹疑未决。熙先曰：“又有过于此者，愚则未敢道耳。”晔曰：“何谓也？”熙先曰：“丈人奕叶清通[549]，而不得连姻帝室[550]，人以犬豕相遇[551]，而丈人曾不耻之。欲为之死[552]，不亦惑乎[553]？”晔门无内行[554]，故熙先以此激之。晔默然不应，反意乃决。

晔与沈演之[555]并为帝所知。晔先至，必待演之俱入，演之先至，

担任太子中舍人的谢综是范晔的外甥，孔熙先便竭尽全力地讨好谢综，谢综于是把孔熙先引荐给范晔，使他们互相交往。

孔熙先的家中饶有财富，他多次与范晔赌博，故意装作赌博的技术不精而把钱物输给范晔。范晔既贪图他的钱财，又喜爱他的文学才华，因此两人的感情便逐渐亲密融洽起来。孔熙先遂不动声色地对范晔说："大将军刘义康英明果断，聪明敏锐，被所有的臣民与神灵所瞩目，他失去权位后，被流放到南部边陲，天下之人无不为此而感到愤怒与怨恨。我接受了先父的临终嘱托，准备以死来报答大将军刘义康的恩德。近来人心骚动，天文星象出现异常现象，这就预示着政治变乱即将发生，是无法避免的。如果顺天意应民心，广交天下英雄豪杰之士，朝廷内外互相呼应，在皇帝的身边发起变乱，然后清除异己，另外拥立一位圣明的皇帝，再号令天下，谁敢不服从呢！我愿凭借自己的七尺身躯，三寸不烂之舌，建此大功，成就大事，而后把功劳归于你们这几位在皇帝身边的显贵，前辈您认为怎么样呢？"范晔听后感到非常愕然。孔熙先又说："曹操的部将毛玠也曾经竭尽心力地侍奉过曹操，孙权的部下张温也曾经在孙权面前知无不言、竭尽忠诚，他们二人，都是国中的杰出人才，哪里是因为他们的言论或行为有什么缺失，才遭到灾祸、受到侮辱呢？都是因为他们太廉洁、太正直，不能被人长久所容罢了。前辈您与本朝皇帝的亲密程度，并不比毛玠与曹操、张温与孙权的关系更深厚、更密切，而您在臣民之间所享有的美好声誉，却超过了当年的毛玠和张温。朝中谗佞之徒对您充满仇恨，斜着眼睛看您已经很久了。您想与他们并肩竞争，怎么可能成功呢？最近，就因为殷景仁的一句话，就把刘湛送上了断头台，难道他们之间有不共戴天的杀父杀兄之仇，有即使事情过去了一百代也不能化解的怨恨吗？他们所争的只不过是荣誉、权势、利益被谁早得到了一点，被谁晚得到了一点罢了。争斗到最后，争斗的两方唯恐陷害对方不够深，动手不够早，即使杀戮了对方一百口人，还要说不解恨、不满足。这确实让人感到寒心，感到悲哀和恐惧，这难道是书本上所记载的遥远的事情吗？如今要想建立显赫的功勋，就要拥戴贤能圣明的人为天子，用轻便的办法完成艰难的事业，如此一来，不仅能使自己转危为安，而且又能享受厚利，博取美名，一旦有了这种可以夺取政权、囊括天下的机会，怎么能轻易抛弃而不利用呢！"范晔仍然犹豫不决。孔熙先说："还有比这更为严重的事情，只是我不敢说出来罢了。"范晔问："你指的是什么呢？"孔熙先说："您的祖上累世都享有清廉的好名声，却不能和皇家缔结姻亲，有些人竟然把你们当作猪狗一样看待，而您不曾为此感到耻辱。您反而准备为这样的朝廷效死卖命，这难道不是很糊涂的想法吗？"范晔家族里素有丑闻，所以孔熙先用这样的话来刺激他。范晔虽然表面上沉默不语，然而内心已经下定参与谋叛的决心。

范晔与沈演之都很受宋文帝的宠信。每当进宫拜见皇帝的时候，如果范晔先到宫门，必定等待沈演之到了之后再一同进宫，如果是沈演之先到了宫门，却经常独

尝独被引[556]，晔以此为怨。晔累经义康府佐[557]，中间获罪于义康。谢综及父述，皆为义康所厚，综弟约娶义康女。综为义康记室参军，自豫章还，申义康意[558]于晔，求解晚隙[559]，复敦往好[560]。大将军府史[561]仲承祖，有宠于义康，闻熙先有谋，密相结纳。丹杨尹徐湛之[562]，素为义康所爱，承祖因此结事[563]湛之，告以密计。道人法略[564]、尼法静[565]，皆感义康旧恩，并与熙先往来。法静妹夫许曜，领队在台[566]，许为内应。法静之豫章，熙先付以笺书[567]，陈说图谶[568]。于是密相署置[569]，及素所不善者，并入死目[570]。熙先又使弟休先作檄文，称贼臣赵伯符[571]肆兵犯跸[572]，祸流储宰[573]，湛之、晔等投命奋戈[574]，即日斩伯符首及其党与。今遣护军将军臧质[575]奉玺绶迎彭城王正位辰极[576]。熙先以为举大事宜须以义康之旨谕众，晔又诈作义康与湛之书，令诛君侧之恶，宣示同党[577]。

帝之燕武帐冈[578]也，晔等谋以其日作乱。许曜侍帝，扣刀目晔[579]，晔不敢仰视。俄而座散，徐湛之恐事不济，密以其谋白帝[580]。帝使湛之具探取本末[581]，得其檄书、选署姓名[582]，上之。帝乃命有司收掩穷治[583]。其夜，呼晔置客省[584]，先于外收综及熙先兄弟，皆款服[585]。帝遣使诘问晔，晔犹隐拒[586]。熙先闻之，笑曰："凡处分[587]、符檄[588]、书疏，皆范所造，云何[589]于今方作如此抵蹋[590]邪？"帝以晔墨迹示之，乃具陈本末。

明日，仗士[591]送付廷尉[592]。熙先望风吐款[593]，辞气不桡[594]。上奇其才，遣人慰勉之曰："以卿之才而滞于集书省[595]，理应有异志，此乃我负卿[596]也。"又责前吏部尚书何尚之曰："使孔熙先年将三十作散骑郎，

自被皇帝召见，范晔因此而心怀怨恨。范晔曾经累次在刘义康的王府中任职，任职期间曾经得罪过刘义康。谢综和他的父亲谢述，都受到刘义康的厚待，谢综的弟弟谢约聘娶了刘义康的女儿为妻。谢综在刘义康手下担任记室参军，他从豫章回到京师，向范晔转达了刘义康的意思，请求消除两人之间后来的矛盾，重修旧好。在大将军刘义康王府中担任僚属的仲承祖很受刘义康的宠信，他听说孔熙先阴谋政变的消息，就暗中结交孔熙先。担任丹杨县令的徐湛之，一向受到刘义康的宠爱，因此仲承祖也主动结交徐湛之，为徐湛之做事，并把密谋之事告诉了徐湛之。一个名叫法略的和尚、一个名叫法静的尼姑，都因为感激刘义康往日对他们的恩德，而与孔熙先互相往来。尼姑法静的妹夫许曜在宫廷中负责统领卫队，他答应为发动政变做内应。法静准备前往豫章郡，孔熙先便托法静为刘义康带去一封书信，他在这封书信中为刘义康讲述图谶。于是又暗中封官许愿，凡是涉及平素与自己关系不好的，都被列入政变成功后要处死的黑名单中。孔熙先又让自己的弟弟孔休先撰写檄文，檄文中说叛臣赵伯符放纵军人弑杀皇帝，并连带杀害了皇太子刘劭，徐湛之、范晔等人豁出性命挥戈讨贼，当天便斩下了赵伯符的头颅，消灭了他的党羽。现在派遣担任护军将军的臧质捧着皇帝玺绶迎接彭城王刘义康回京师即皇帝位。孔熙先认为发动这样大的政变必须以刘义康的名义晓谕众人，于是范晔又模仿刘义康的笔迹写信给徐湛之，命令徐湛之清除皇帝身边的恶人，并把这封伪造的书信宣示给同谋的有关人员。

宋文帝到武帐冈为衡阳王刘义季设宴饯行的时候，范晔等人密谋在这一天发动叛乱。统领皇宫卫队的许曜侍奉在宋文帝刘义隆身边，他微微拔刀出鞘，同时用眼神向范晔示意，而范晔因为恐惧竟然不敢仰视。不久饯行宴会结束，众人散去，丹杨令徐湛之担心事情不能成功，就秘密地把范晔等人准备发动叛乱的阴谋告诉了宋文帝。宋文帝让徐湛之深入了解，全部弄清叛乱活动的具体安排，徐湛之得到了孔休文所起草的作乱檄文，以及他们准备任命的乱党头目名单，呈交给宋文帝。宋文帝于是命令有关部门立即将那些乱党逮捕起来，盘根究底严加审问。当天夜里，将范晔传进宫来，安置在客人的下榻之处，预先在外边逮捕了谢综以及孔熙先、孔休先兄弟，他们都对自己的叛乱行为供认不讳。宋文帝派使者去责问范晔，范晔还想隐瞒、抵赖。孔熙先听说后，笑着说:“凡是谋反活动的具体安排、串联活动所使用的证件以及叛乱的檄文、书信，都是出自范晔之手，为什么到现在范晔要如此抵赖呢?”宋文帝于是把范晔的墨迹拿给范晔看，范晔这才全部供出了事情的始末。

第二天，手执兵仗的士兵把范晔押送到负责司法的廷尉那里。孔熙先问什么就说什么，顺风而下，说话的声音情态没有一点屈服的意思。宋文帝对孔熙先的才气感到很惊奇，遂派人去安慰劝导孔熙先说:“以你的才能却滞留在集书省，理应产生异志，是我先对不起你。”又责备前任吏部尚书何尚之说:“让孔熙先年近三十还在担任散骑郎，

那不作贼!”熙先于狱中上书谢恩，且陈图谶[597]，深戒上以骨肉之祸[598]，曰:“愿且[24]勿遗弃[599]，存之中书[600]。若囚[601]死之后，或可追录[602]，庶九泉之下，少塞衅责[603]。”

晔在狱为诗曰:“虽无嵇生琴[604]，庶同夏侯色[605]。”晔本意谓入狱即死，而上穷治其狱，遂经二旬，晔更有生望[606]。狱吏戏之曰:“外传詹事[607]或当长系[608]。”晔闻之，惊喜。综、熙先笑之曰:“詹事畴昔[609]攘袂瞋目[610]，跃马顾盼，自以为一世之雄。今扰攘[611]纷纭，畏死乃尔。设令赐以性命，人臣图主[612]，何颜可以生存!”

十二月乙未[613]，晔、综、熙先及其子弟、党与皆伏诛。晔母至市，涕泣责晔，以手击晔颈，晔色[25]不怍[614]。妹及妓妾来别，晔悲涕流涟。综曰:“舅殊不及夏侯色[615]。”晔收泪而止。

谢约不预[616]逆谋，见兄综与熙先游，常谏之曰:“此人轻事好奇[617]，不近于道，果锐无检[618]，未可与狎[619]。”综不从而败。综母以子弟自蹈逆乱，独不出视。晔语综曰:“姊今不来，胜人多矣。”收籍晔家[620]，乐器服玩，并皆珍丽，妓妾不胜[621]珠翠。母居止单陋，唯有一厨盛樵薪。弟子冬无被，叔父单布衣。

裴子野论曰:“夫有逸群[622]之才，必思冲天之据[623]，盖俗之量[624]，则愤[26]常均之下[625]。其能守之以道，将之以礼[626]，殆为鲜乎[627]!刘弘仁[628]、范蔚宗，皆忸志[629]而贪权，矜才以徇逆[630]，累叶风素[631]，一朝而陨[632]。向之所谓智能，翻为亡身之具矣。”

他能不谋反吗!”孔熙先在狱中上书给宋文帝，感谢皇帝对自己的恩德，并且向宋文帝报告了图谶上是怎么说的，态度极为诚恳地请求宋文帝警惕自己身边亲人当中的叛乱分子，他说:“请暂且不要把我的这封信抛弃，希望把它存放在中书省的档案里。如果我死之后，人们能从我的这封信里汲取一些有用的东西，那将使我在九泉之下，或多或少能感到一些对生前罪责的弥补。”

范晔在狱中作诗说:“我虽然不能像魏末的嵇康那样临死前索琴顾影弹奏《广陵散》，但我仍可以像魏末名士夏侯玄那样临死而脸不变色。”范晔本来认为入狱就会被处死，而宋文帝却对未遂政变的内幕穷究不舍，所以经过了二十天都没有动范晔，范晔便又产生了一线生存的希望。狱吏戏弄范晔说:“外边谣传你有可能被长期囚禁。”范晔听后，又惊又喜。谢综、孔熙先讥笑范晔说:“范詹事当初捋袖子、瞪眼睛，跨马奔驰，左顾右盼，自以为是一代英雄。如今却神魂颠倒，情绪纷乱，竟然怕死成这个样子。即使皇帝赦免你不死，作为一个臣子，竟然要谋害自己的君主，还有何脸面活在世上呢!”

十二月十一日乙未，范晔、谢综、孔熙先以及他们的子弟、党羽全部被诛杀。范晔的母亲来到闹市的刑场，痛哭流涕地责备范晔，并用手击打范晔的脖子，范晔没有一点羞愧的神色。范晔的妹妹和他的伎妾来到刑场向范晔告别，范晔却泪流满面。谢综说:“舅舅的表现确实赶不上夏侯玄的样子。”范晔这才收住眼泪停止了哭泣。

谢约没有参与范晔等人的政变阴谋，他看见哥哥谢综与孔熙先交往，曾经劝谏谢综说:“孔熙先这个人做事轻率，喜欢标新立异，不走正道，果敢敏锐，不知道收敛，不要和他太亲近。”谢综没有听从谢约的劝告而导致败亡。谢综的母亲认为自己的子弟参与谋逆是自取灭亡，因此只有她不肯出门看望。范晔对自己的外甥谢综说:“我姐姐不肯前来告别，比别人强多了。”抄了范晔的家，将他的全部家产登记造册，他家中的乐器、服装、珍玩，全都很珍贵、华丽，每个伎妾都有数不清、用不完的珠宝翡翠。而他的母亲所居住的地方却很简陋，只有一个厨房，里面盛放些柴草。他的侄子在寒冷的冬天也没有被褥，他叔父的身上也只有单布衣裳。

裴子野评论说:“有超越众人才能的人，必然要寻找一个冲天的依托，投靠某一权贵，一个气量超越世俗的人，往往不能心平气和地生活在一般人的状态下。这样的人能够严守正道，持之以礼，恐怕是很少有的!刘湛、范晔，都属于那种随心放纵、不知道收敛，而又贪图权力的人，自负才能而跟从逆党，一连几代的清白家风，竟然毁于一旦。一向被称道的智慧与才能，反而成了杀身的工具。”

徐湛之所陈多不尽[633]，为晔等辞[634]所连引，上赦不问。臧质，熹[635]之子也，先为徐、兖二州刺史，与晔厚善，晔败，以为义兴[636]太守。

有司奏削彭城王义康爵，收付廷尉治罪。丁酉[637]，诏免义康及其男女皆为庶人，绝属籍[638]，徙付安成郡[639]。以宁朔将军沈邵为安成相[640]，领兵防守。邵，璞[641]之兄也。义康在安成，读书，见淮南厉王长[642]事，废书叹曰："自古有此，我乃不知，得罪为宜也。"

庚戌[643]，以前豫州刺史赵伯符为护军将军。伯符，孝穆皇后[644]之弟子也。

初，江左二郊[645]无乐[646]，宗庙[647]虽有登歌[648]，亦无二舞[649]。是岁，南郊始设登歌[650]。

魏安南、平南府[651]移书兖州[652]，以南国侨置诸州[653]多滥北境名号[654]，又欲游猎具区[655]。兖州答移[656]曰："必若因土立州[657]，则彼立徐、扬[658]，岂有其地[659]？复知欲游猎具区[660]，观化南国[661]。开馆饰邸[662]，则有司存[663]。呼韩入汉[664]，厥仪未泯[665]。馈饩之秩[666]，每存丰厚[667]。"

【段旨】

以上为第三段，写宋文帝元嘉二十二年（公元四四五年）一年间的大事。主要写：魏伐吐谷浑，吐谷浑王什归与慕璝之子被囊被魏军所擒，另一支吐谷浑王慕利延率众西渡流沙，攻杀于阗王而据其地，原有的吐谷浑之地遂尽入于魏。西域的鄯善国王为恐被魏所灭而关闭西域交通，魏主派其将万度归率军攻鄯善，鄯善向魏国投降。魏国境内卢水胡的头领盖吴兴兵作乱，与安定诸胡、河东蜀户相互呼应而严重一时。宋文帝送别其弟刘义季到兖州赴任，故意延误吃饭时间以教育其弟知人间疾苦，戒以节俭御物；裴子野赞扬宋文帝的能教训家人以节俭，但不能改变刘宋皇帝自刘裕开始以来过早地让年幼诸子执掌大权，实则使权力落于其身边野心家之手的严重弊病。刘宋的不良分子孔熙先鼓动朝廷近臣范晔等图谋作乱，欲杀害文帝刘义隆而改立被流放于江州的权臣刘义康，结果因徐湛之叛变徐湛之向宋文帝交代的有关叛乱的事情大多数都不彻底，他被范晔等人的供词所牵连，但宋文帝还是赦免了他，没有再追问。臧质，是臧熹的儿子，原先曾经担任徐州、兖州二州刺史，与范晔亲密友善，范晔败亡后，臧质被改任为义兴太守。

有关部门奏请宋文帝削去彭城王刘义康的爵位，把刘义康逮捕起来交付给最高司法部门治罪。十二月十三日丁酉，宋文帝下诏，免除刘义康的爵位，将刘义康及其全家男女老少全部贬为平民，将他们开除出刘氏皇族的名册，流放到安成郡，交由安成郡看管。任命担任宁朔将军的沈邵为安成国的丞相，领兵防守。沈邵，是沈璞的哥哥。刘义康在安成郡，读书的时候读到淮南厉王刘长因谋反被流放，途中自杀的故事，便放下书叹息着说："自古就有这样的事情，我竟然一点都不知道，得罪也是应该的。"

十二月二十六日庚戌，宋文帝任命前豫州刺史赵伯符为护军将军。赵伯符，是孝穆皇后弟弟赵伦之的儿子。

当初，东晋在江东建立政权的时候，冬至在南郊祀天，夏至在北郊祭地，都没有合适的音乐伴奏，祭祀宗庙时虽然有乐师登堂唱歌，也没有使用文德之舞和武德之舞。这一年，在南郊祭天的时候第一次使用登歌。

北魏安南将军府、平南将军府向宋国的兖州刺史发出通告，指责地处江南的东晋和刘宋政权为安置从中原南渡的人口，在南方地区设置了很多与北方地名相同的州、郡，并威胁、扬言要到江南的具区进行打猎。宋国的兖州刺史对北魏将军府所发布的挑衅文书给予答复说："如果必须拥有实际地盘才能使用名目，那么你们国家在北方所设立的徐州、扬州，难道也占有这两块地盘吗？又得知你们准备到具区进行狩猎，想到南国来观光受教。我们将会建筑馆驿，装修府邸，有关接待事宜自然会有人专门负责。呼韩邪单于归附西汉，当时接待客人的礼仪现在都还没有忘记。馈赠客人的礼物，供应客人吃喝的等级，我们一定会照着最优厚的规格办理。"

告密，孔熙先、谢综、范晔等被杀，而徐湛之、臧质诸人因与帝室的关系深密而被放过。魏国出兵掠夺刘宋的淮、泗以北，移其民以实河北，魏国边将向刘宋示威，扬言要"游猎具区"（今太湖一带），刘宋的兖州刺史以巧妙辞令回敬之。

【注释】

㊳㊽ 正月辛卯朔：正月初一。㊳㊾ 新历：即《元嘉新历》。㊱⓪ 京房：汉元帝时的阴阳五行家，《易》学京氏学的创始人。本姓李，字君明，官至魏郡太守。传见《汉书》卷七十五。㊱① 十二律：古人使用的十二个定音管，名叫黄钟、大吕、太簇、夹钟、姑洗、中吕、蕤宾、林钟、夷则、南吕、无射、应钟，可以分别吹出十二个高度不同的标准音。㊱② 中

吕上生黄钟二句：十二律各有固定的音高。律管的长度是固定的，黄钟管长九寸，其余的律管依黄钟为准，按比例缩短。黄钟管长三分减一，得六寸，就是林钟的管长；林钟管长三分增一，得八寸，就是太簇的管长。以下按此类推。除由应钟到蕤宾、由蕤宾到大吕都是三分增一以外，其余都是先三分减一，后三分增一，这就是十二律上下相生的三分损益法。十二律终于中吕，反归黄钟。京房认为按此古法，由中吕不能还生到黄钟律的标准尺寸。但按《月令注》，中吕律长六点一二九七四寸，若上生黄钟，当不止九寸。据唐孔颖达考证，认为大略可得九寸之数。㊁更演为六十律：古人把宫、商、角、徵、羽称为五声，它们只有相对音高，在实际音乐中，其音高要用律来确定。用十二律分别确定五声的音高，一共可得六十声。京房即据此推出六十律。㊂日当一管：钱乐之将三百六十天和三百六十律相配，每天与一个律管相应。㊃古历周天三百六十五度四分度之一：我国古历以一回归年为三六五又四分之一日，因而把周天分成三六五又四分之一度。㊄十二旋宫：宫、商、角、徵、羽加变徵、变宫，称为七音，以七音配十二律，每律都可作为宫音，叫作旋相为宫，简称“旋宫”。㊅壬辰：正月初二。㊆武陵王骏：刘骏，刘义隆之子，即日后的孝武帝。被封为武陵王，武陵是郡名，郡治即今湖南常德西。㊇雍州刺史：刘宋王朝的雍州州治，即下文所说的襄阳，在今湖北襄阳市之襄城区。㊈经略关、河：即收复关中及黄河流域等一带地区。经略，经营，这里即指开辟、收复。关，函谷关，关中即今陕西的渭水流域地区。河，黄河，指今山西、河南与河北南部、山东西部等黄河流域的一带地区。㊉以骏镇襄阳：襄阳是当时南方朝廷进兵中原的重要桥头堡。372散骑常侍宋愔：宋愔传见《北史》卷二十六，时任散骑常侍。散骑常侍是帝王的侍从官员，起参谋顾问之用。373来聘：来刘宋进行友好访问。374上党：郡名，郡治在今山西长治北。375吐京：也就是汉代的吐军县，北魏时是吐京郡的郡治所在地，即今山西石楼。376讨徙叛胡：讨伐叛变的匈奴，并强制他们搬迁。胡，当时指匈奴人。377出配郡县：把他们分配到其他各郡县居住。378甲戌：二月十四日。379皇子祎为东海王：刘祎是刘义隆的第八子，传见《宋书》卷七十九。被封为东海王，东海郡的郡治即今江苏镇江。380昶为义阳王：刘昶是刘义隆的第九子。传见《宋书》卷七十二。义阳郡的郡治即今河南信阳。381三月庚申：三月初一。382诸疑狱皆付中书：各州郡有疑问的案件一律上交中书省。中书，中央制定政策、制定规章、起草文件诏令的部门。383以经义量决：根据儒家经典的说法衡量裁决。袁黄曰：“魏以夷狄主中国，行事一以华夏为法，盖欲以华变夷也。”384四月庚戌：四月二十二日。385高凉王那：拓跋那，拓跋孤的玄孙。传见《魏书》卷十四。386封敕文：北魏的将领，时为秦州刺史。秦州的州治上邽，即今甘肃天水。387枹罕：县名，在今甘肃临夏，当时是河州的州治所在地。388河西之亡也：指今甘肃境内的几个凉国被灭，整个河西走廊落入北魏之手。389鄯善：西域国名，国都在今新疆若羌东。390通其使人：如果与其通使，或允许他们的使者在鄯善境内通行。391取亡：自取灭亡。392闭断魏道：关闭了北魏与西域之间的通道。393钞劫：抢劫。

钞，通“抄”。㊴万度归：姓万，名度归。㊵凉州：州治姑臧，即今甘肃武威。㊶六月壬辰：六月初五。㊷罢南豫州入豫州：刘宋永初二年（公元四二一年），分淮东之地为南豫州，州治在今安徽和县；分淮西之地为豫州，州治在今安徽寿县，或在今河南汝南县。今将其合并，体现了刘宋要巩固现有的豫州地区，并要收复西晋时豫州旧境的企图。㊸辛亥：六月二十四日。㊹南平王铄：刘铄，刘义隆的第四子。传见《宋书》卷七十二。南平郡是其封地，南平郡的郡治江安，即今湖北公安西北。㊺七月己未：七月初二。㊻尚书仆射：尚书令的副职，原设一人，从此改设为左右仆射二人，相当于副宰相。㊼孟颉：字彦重，孟昶之弟。传见《南史》卷十九。㊽中护军：刘宋置护军将军一人，掌外军。资历浅的为中护军，资历深的为护军将军。㊾何尚之：刘宋的权臣，侍刘裕、刘义隆、刘骏三朝。传见《宋书》卷六十六。㊿缘沔诸蛮：沔水沿岸的各少数民族。沔水，即今之汉水。406犹为寇：缘沔山区的少数民族在刘道产为雍州刺史时，都自动地走出山区，缘沔为村落，安居乐业。刘道产离任后，继任者为政无方，致群蛮大动，沈庆之讨之，杀万余人，至今未能平息。407水陆梗碍：水路、陆路的交通都被断绝。408抚军中兵参军：抚军将军的属官，主管中兵曹。409掩击：突然袭击。410驿道：国家修建的供军政人员通行，并有驿站为之提供食宿及交通工具的大道。411随郡：郡名，郡治即今湖北随州。412柳元景：刘义隆、刘骏时代的名将。传见《宋书》卷七十七。413邀击：拦击。414涢山蛮：涢山地区的少数民族。涢山在今湖北随州西南。415八月丁亥：八月初一。416壬辰：八月初六。417面缚：缚手于背后，自前只见其面。418戒严：进入紧急状态。419须后命：等待新命令的到来。须，等候。420北边：北部边境。421就北畜牧：向更北的方向放牧牛羊。422以饵柔然：以引诱柔然人前来攻击掠夺。饵，这里用作动词，引诱。423壬寅：八月十六日。424曼头城：在白兰地区的东方。425被囊：人名，慕璝之子。426逆战：迎战。427三危：山名，在今甘肃敦煌以南。428乞伏炽磐：十六国时西秦国的国王，公元四一二至四二八年在位。传见《魏书》卷九十九。429成龙：公元四三一年，夏国主赫连定灭西秦，虏秦民渡河，被吐谷浑国击败，成龙在这次战斗中陷入吐谷浑。430慕利延遂西入于阗：从此吐谷浑的领地全部落入魏国之手。于阗，西域国名，国都在今新疆和田境。431九月癸酉：九月十七日。432上饯衡阳王义季：刘义季是刘裕之子，刘义隆之弟，因其往任南兖州刺史，故文帝为之饯行。刘义季，传见《宋书》卷六十一。433武帐冈：胡三省引杜佑曰：“武帐冈在建康城广莫门外宣武场，设行宫殿便坐其上，因名。”武帐，帝王的帷幄周围设有武器者。语见《史记·汲郑列传》。434至会所设馔：到了送行的地方再临时安排做饭。会所，聚会送行的场所。设馔，安排饭食。435日旰：天色向晚，超过了吃饭的时间已经很久。436少长丰佚：从小到大一向生活在富足安逸之中。佚，此处意思同“逸”。437以节俭御物：以俭朴节约管教人、驾驭人。438裴子野：齐梁时期的史学家，著有《宋论》，下面的引文即出自《宋论》。但《宋论》原本今已佚，存者只有辑本。439隐约：艰苦朴素，并由此养成的虚心谨慎。440习其险艰：经受过艰苦磨炼的人。㊶利以任使：容易管理、使用。㊷达其情伪：能明白下属是真情还是假意的人。情伪，真情与假意。㊸易以躬临：就能够更好地去驾驭他们。躬临，亲临其上。㊹率此训：紧紧地掌握好这一准则。率，遵循、牢牢掌握。㊺难其志操：严格地磨砺其意志操守。㊻卑其礼秩：降低他们的待遇等级。㊼教成德立：要等他们所受的教育成功，道德树立。㊽无怠无荒：到那时他们就不会再懒散、放纵。㊾可播之于九服：即可以派他们到全国各地去做官任职了。九服，意即全国各地。据说西周时代曾将天子所住的王畿以外的地区按远近分成九圈，叫九服，每服的直径是五百里。对这九个远近不同的地区实行不同的管理政策，规定它们应尽不同的义务。说见《周礼》，可姑妄听之。㊿高祖：指宋武帝刘裕。(451)思固本枝：想巩固自己子孙的特权、地位。(452)崇树襁褓：把一些尚在襁褓的婴儿都封为郡王，任为大州刺史。树，建立，指封王任政。如刘裕灭掉后秦，打下长安，自己要回建康篡皇帝位，留下儿子刘义真镇守长安时，刘义真年仅十二岁。又，刘义恭任南豫州刺史时年十二，刘义康为豫州刺史时年十二。(453)后世遵守：指刘义隆、刘骏等都照着刘裕的样子办。(454)迭据方岳：一个接一个地高踞于大州刺史的高位。方岳，一方诸侯之长，晋宋时代指大州刺史。如刘义隆任其子刘绍为江州刺史时年十二，任其子刘诞为南兖州刺史时年十二，刘休茂为豫州刺史时年十一，刘休范为下邳太守时年九岁。(455)泰始：宋明帝刘彧的年号（公元四六五至四七一年）。(456)升明之季：宋顺帝的末年。升明是宋顺帝的年号（公元四七七至四七九年）。(457)绝咽于衾衽：即被杀死在床上。绝咽，咽气、停止呼吸，即死。衾衽，卧席，此指孩子的幼小，还只能在床上躺着。(458)动数十人：一杀就是几十个。动，动不动地，一来就是如此。此指宋明帝刘彧残酷杀戮其兄孝武帝刘骏之子的情景，和萧道成篡宋后残酷杀戮刘氏子孙的情景。(459)既不是系：既然与此无关。系，有关系。(460)早肆民上：过早地让他们高踞于万民之上作威作福。肆，放纵、为所欲为。(461)非善诲也：不是一种好的教训。过早地让儿子们掌管军政大权，其实他们也管不了，不过是便宜了他们身边的那些野心家而已。(462)讹言：谣言；流言。(463)卢水胡盖吴：卢水胡的头领名叫盖吴。卢水胡，匈奴的一个分支，名称始见于《汉书·苏武传》，北魏时住在安定郡，即今甘肃泾川县一带地区。(464)杏城：古城名，在今陕西黄陵西南。(465)上表自归：给刘宋朝廷上表，请求归降于刘宋。(466)十月戊子：十月初三。(467)长安镇副将：葛晓音曰："北魏采用镇兵制，地方军队分为州郡军和军镇军。军镇武官设都大将为长，下有副将等属官。这里指长安所设的军镇。"(468)南山：长安城南的大山，即今之秦岭。(469)高平敕勒骑：驻扎在高平军镇的敕勒族的骑兵。高平军镇即今宁夏固原。敕勒，北方的少数民族名，也称"铁勒"，又称"高车部"，后为突厥所并。(470)领摄：兼任；兼管。(471)并、秦、雍：三州名，并州的州治在今山西太原西南，秦州的州治上邽，即今甘肃天水，雍州的州治长安，在今西安市区的北部。(472)渭北：渭河以北。当时的渭河自今陕西西部流来，流经当时的长安城北侧，东流汇入黄河。(473)碻磝津：东晋南北朝时的军事要地，在今山东茌平西南的古黄河上。(474)别部帅白广平：另一个部落的头领名叫白广平。㊏新平：郡名，郡治即今陕西彬州。㊐安定：郡名，郡治在今甘肃泾川北。477临晋已东：临晋县城以东的黄河沿岸地区。临晋县的县治在今陕西大荔东南，东距黄河不远。478河东蜀：蜀人迁居河东者。河东，郡名，郡治在今山西永济西南的蒲州镇。胡三省曰："蜀人迁居河东者谓之'河东蜀'，居绛郡者谓之'绛蜀'，居关中赤水者谓之'赤水蜀'。"479闻喜：县名，即今山西闻喜。480帅厉乡豪：率领、激励着各乡的勇敢之士。帅厉，率领、鼓励。481薛谨之子拔：薛谨之子薛拔。薛谨原是河东地区的大族头领，后成为拓跋焘的著名地方官，复为将军从讨柔然，因刘絜假传圣旨失期被杀。传见《魏书》卷四十二。482纠合宗、乡：联络、集合起本乡本族的一些人。胡三省曰："宗谓薛之宗族，乡谓乡人。"483壁于河际：驻扎在黄河沿线。484二寇：指河东的薛永宗与陕甘交界一带的盖吴。485庚午：十一月十五日。486殿中尚书：官名，北魏初置，掌管殿内兵马、仓库。487拓跋处直：姓拓跋，名处直。488署置：设职任官。489辛未：十一月十六日。490还宫：自阴山返回宫省。491六州：指今河北、山西境内和与之邻近的河南北部、辽宁西南部的六个州，即冀州、定州、相州、并州、幽州、平州。492永昌王仁：拓跋仁，拓跋嗣之孙，继其父拓跋健之爵位为永昌王。传见《魏书》卷十七。493淮、泗以北：淮河、泗水以北地区，大体相当于今之江苏、安徽、山东、河南四省交界的一带地区，当时属于刘宋。494青、徐：二州名，青州的州治即今山东青州，徐州的州治彭城，即今江苏徐州。495癸未：十一月二十八日。496孔熙先：刘宋文帝时的一个心术不正的文人。事迹附见《宋书》卷六十九《范晔传》。497数术：此指天文历法、占卜吉凶的学问，杂有骗子行径。498有纵横才志：有一套搬弄是非、煽风点火的阴谋与手段。499员外散骑侍郎：挂名的侍从官员，在帝王身边起参谋顾问之用，刘宋时隶属于集书省。500彭城王义康：刘义康，刘义隆之弟，前因专权跋扈，又与阴谋家刘湛图谋不轨，被罢职流放豫章郡。事见本书上卷元嘉十七年，与《宋书》卷六十八。501迁豫章：发配到豫章郡监管。迁，降职、发配。豫章，郡名，郡治即今江西南昌。502密怀报效：意即想组织人把刘义康从发配监管之地解救出来。503天文、图谶：天文星象显示的变化，与图谶之书的预言所讲。图谶，是一种预言未来以达到某种目的的骗术书，与假借天文星象的变化以鼓动人间动乱的言论，同为古代骗子所习用。504必以非道晏驾：一定是不得好死。非道，非正常。晏驾，宫车晚出，隐指帝王之死。505由骨肉相残：是被自己的亲人所杀死。506范晔：字蔚宗，刘宋时期的史学家，官至左卫将军、太子詹事。著《后汉书》的纪传。传见《宋书》卷六十九。507志意不满：范晔的家族中因有一些丑闻，刘宋的宗室不愿与范晔联姻，故范晔对朝廷不满。508太子中舍人：太子的属官，执掌文翰。509倾身事之：倾尽全力地讨好谢综。510故为拙行：故意装作赌博的技术不精。511文艺：文学才华。512情好款洽：感情融洽。513从容：自然地；不动声色地。514大将军：指刘义康，原在朝任大将军之职。自汉武帝以来，历代都以大将军为朝廷百官的权力地位最高者，权位在丞相之上。515人神攸属：被所有的神灵与臣民所共同瞩目。攸，虚词，这里的意思同“是”“所”。属，瞩目、众望所归。⑯失职南垂：失去权位，被抛弃于南方边陲。垂，同“陲”，边陲。⑰受先君遗命：接受先父的命令以跟从刘义康。先君，指孔熙先的父亲孔默之。⑱德：恩；恩情。⑲顷人情骚动：前不久人心浮动。顷，近来、不久前。⑳天文舛错：天文星象出现差错，如日月食、彗星出现等。㉑时运之至：指政治变乱的发生。㉒表里相应：朝外与朝里联合行动。㉓发于肘腋：在皇帝的身边发起变乱。㉔异我：异己分子。㉕崇奉明圣：另拥立一位圣明的皇帝。㉖归诸君子：把一切功劳都归于你们皇帝身边的这几位显贵。㉗毛玠竭节于魏武：曹操的部下崔琰本来是忠于曹操的，因受诬陷被曹操所杀。尚书仆射毛玠也是忠于曹操的，因同情崔琰的无辜，又受人诬告被曹操废黜于家。事见本书卷六十七汉献帝建安二十一年。㉘张温毕议于孙权：孙权的部下张温引荐暨艳任选官。暨艳因好讥弹，受众人怨恨，被孙权赐死。张温也因直言，被孙权所废，死于家中。事见本书卷七十魏文帝黄初五年。㉙俊乂：俊杰。乂，才能出众。㉚岂言行玷缺：哪里是因为言论或行动有什么缺失。㉛丈人之于本朝：先生您与当今皇帝的亲密程度。本朝，指当今皇帝。㉜不深于二主：不比毛玠与曹操、张温与孙权的关系更深厚、更紧密。㉝人间雅誉：臣民之间对于您的赞美与歌颂。㉞过于两臣：要比毛玠和张温的威望高得多。㉟侧目：斜着眼睛看，形容仇恨极深的样子。㊱比肩竞逐二句：您想跟他们并排竞争，怎么会取得胜利呢？庸，岂、岂能。遂，胜利、成功。㊲殷铁一言而刘班碎首：殷铁即殷景仁，刘班即刘湛。殷景仁一句话就把刘湛送上了断头台，详情见本书上卷元嘉十七年。㊳父兄之仇：杀父杀兄之仇，古代以为是不共戴天的必须报的仇恨。㊴百世之怨：即使事过百代也还是要报的仇恨。世，代，通常指三十年。㊵所争：所差的；区别只是。㊶先后之间：谁早了一点，谁晚了一点。㊷及其末：发展到最后。㊸发：动手。㊹未厌：不满足。㊺岂书籍远事：这难道是书本所写的遥远的事情。㊻奉贤哲：拥立圣明的人为皇帝。㊼图难于易：用轻便的办法完成艰难的事业。㊽包举而有之：一旦有了这种可以夺取政权、囊括天下的机会。包举，包而有之。㊾奕叶清通：累世都有清廉之名。范晔之父范泰、祖范宁、曾祖范汪都有清白的名声。奕叶，累世。㊿连姻帝室：与皇室结成姻亲。551人以犬豕相遇：有些人竟把你们家族当成猪狗对待。遇，对待。552欲为之死：还想为这样的朝廷卖命。553不亦惑乎：这难道不是很糊涂的想法吗？554门无内行：家族里有丑闻。555沈演之：刘义隆时期的名将。传见《宋书》卷六十三。556被引：被皇帝接见。557累经义康府佐：范晔曾任刘义康的王府冠军参军、右军参军等职。558申义康意：向范晔表达刘义康的意思。559晚隙：晚年的矛盾。560复敦往好：重修旧好。561大将军府史：刘义康王府的僚属。562徐湛之：徐羡之的侄孙，又为刘义康一党，但始终为刘宋的贵幸之臣。传见《宋书》卷七十一。563结事：交结而为之做事。564道人法略：和尚名法略。565尼法静：尼姑名法静。566领队在台：在宫廷中统领卫队。567付以笺书：托之为刘义康携带书信。笺，文体名，古代写给王公贵族的书信。568陈说图谶：申说现在皇帝当死，另有皇帝当立，并说这新皇帝就是身处江州的刘义康。⑲密相署置：暗中封官许愿。⑳并入死目：都被列入了要处死的黑名单。㉑赵伯符：宋武帝刘裕的表弟，在朝任领军将军。㉒肆兵犯跸：纵兵谋杀皇帝。犯跸，侵犯皇帝的车驾，此处即指杀害皇帝本人。㉓祸流储宰：并连带杀害了皇太子刘劭。储宰，储君，即皇太子。〖按〗从孔休文预作的檄文看，他们这一群叛乱分子预谋的是以声讨赵伯符为名而发动叛乱，在叛乱中要杀害宋文帝刘义隆，并连同杀害太子刘劭。㉔投命奋戈：豁出性命挥戈讨贼。㉕臧质：臧焘之子，刘义隆的表兄弟，帝室的勋戚。传见《宋书》卷七十四。㉖正位辰极：就位做皇帝。辰极，皇位。胡三省曰："北辰为天极，故以帝位为辰极。"㉗宣示同党：把刘义康的意思转告有关诸人。㉘燕武帐冈：即前之饯送刘义季赴南兖州刺史任。燕，此处同"宴"。㉙扣刀目晔：微微拔刀示意于范晔。扣刀，胡三省曰："拔刀微出削为扣刀。"㉚白帝：报告给了文帝刘义隆。㉛具探取本末：全部地弄清叛乱活动的具体安排。㉜得其檄书、选署姓名：得到了孔休文起草的作乱檄文，以及他们准备新任命的官员名单。㉝收掩穷治：逮捕起来彻底追查。收掩，突然逮捕。穷治，盘根究底地审问。㉞呼晔置客省：传范晔进宫，将其安置在客人下榻的住处。客省，客人居住之处。㉟款服：招供认罪。㊱隐拒：隐瞒不承认。㊲处分：指谋反活动的具体安排。㊳符檄：串联活动所使用的证件与叛乱的檄文。符，证件。㊴云何：为何。㊵抵蹋：抵赖。㊶仗士：手执兵器的军士。㊷送付廷尉：送交给司法部门。廷尉，九卿之一，全国最高的司法长官。㊸望风吐款：问什么说什么，顺风而下。㊹辞气不桡：说话的声音情态没有任何屈服的意思。㊺集书省：南朝所设的官署，所属的官员有散骑侍郎、通直散骑侍郎、员外散骑侍郎、给事中、奉朝请、驸马都尉等，均为散官。㊻我负卿：是我先对不起你。㊼且陈图谶：并报告了图谶上是怎么说的。㊽深戒上以骨肉之祸：恳切地请皇帝警惕身边亲人当中的叛乱分子。㊾愿且勿遗弃：请暂且不要丢弃我这封信。㊿存之中书：请把它保存在中书省的档案里。601 囚：指自己。602 或可追录：如果其中还有一些能够让人回味的东西。录，记、吸取。603 少塞衅责：多少能弥补一点生前的罪责。604 虽无嵇生琴：我虽然不能像魏末的嵇康那样临死前索琴顾影而弹奏《广陵散》。嵇康被杀见《晋书》卷四十九。605 庶同夏侯色：但我仍可以像魏末名士夏侯玄那样临死而脸色不变。夏侯玄被杀事见《三国志》卷九。606 更有生望：又产生了求活的希望。607 詹事：以称范晔，范晔下狱前任太子詹事。608 或当长系：也许被长期囚禁。609 畴昔：从前；当初。指策划造反的时候。610 攘袂瞋目：捋袖子瞪眼，形容范晔当初慷慨激昂的样子。611 扰攘：颠倒反复、情绪纷乱的样子。612 人臣图主：作为一个臣子，竟然要谋杀皇帝。613 乙未：十二月十一日。614 不怍：不感到羞愧。615 舅殊不及夏侯色：舅舅您的表现实在赶不上夏侯玄的样子。袁黄曰："于母不动色，对妻妾悲涕，不唯贼臣，兼是逆子。词虽佳，比之鸲鹆能言可耳，史载若辈临终相语，似有怜意，谬哉！"616 不预：没参与。617 轻事好奇：举动轻率，喜欢猎奇。618 果锐无检：果敢锐敏，不知收敛。619 未可与狎：不能和他太亲近。狎，亲近、亲昵。620 收籍晔家：抄范晔之家，登记其家产。㉑ 不胜：多的是；用不完。㉒ 逸群：超众。㉓ 思冲天之据：寻找冲天的依托，指投靠某一权贵。㉔ 盖俗之量：一个气量盖俗的人。盖俗，超越世俗，与“逸群”意同。㉕ 则愤常均之下：就往往不能心平气和地生活在一般人的状态下。愤，愤慨不平。常均，平常人。㉖ 将之以礼：持之以礼；以礼相持。将，持。㉗ 殆为鲜乎：恐怕是很稀少的。鲜，稀少。㉘ 刘弘仁：即刘湛，字弘仁。因与殷景仁作对而叛乱被杀，事见上卷元嘉十七年。传见《宋书》卷六十九。㉙ 忸志：随心放纵而无收敛。胡三省曰：“忸，女九翻，骄也，玩也，狎也。”㉚ 徇逆：跟从逆党。㉛ 累叶风素：一连几代的清白家风。㉜ 一朝而陨：毁于一旦。陨，落、毁。㉝ 所陈多不尽：问题交代得很不彻底。㉞ 辞：口供。㉟ 熹：臧熹，刘裕的妻弟，佐刘裕破桓玄有大功。传见《宋书》卷七十四。㊱ 义兴：郡名，郡治即今江苏宜兴。㊲ 丁酉：十二月十三日。㊳ 绝属籍：开除出刘氏皇族的名册。㊴ 徙付安成郡：迁往安成郡，交由安成郡看管。安成郡的郡治平都，在今江西安福。㊵ 安成相：安成国的丞相，也就是说当时刘义康在名义上还是安成王，但被沈邵所看管。袁黄曰：“熙先笺义康，陈图谶而已，未尝与闻反谋，而废徙之，且绝属籍，甚矣，况终杀之乎？”㊶ 璞：沈璞，晋宋时期的名将沈林子之少子，在宋颇为朝廷所重。事见《宋书》卷一百。㊷ 淮南厉王长：刘长，刘邦之子，被封为淮南王，汉文帝六年（公元前一七四年）因谋反被流放，在途中自杀。传见《史记·淮南衡山列传》。㊸ 庚戌：十二月二十六日。㊹ 孝穆皇后：孝穆是宋武帝刘裕之母赵氏的谥号。传见《宋书》卷四十一。㊺ 二郊：冬至在南郊祀天，夏至在北郊祭地。㊻ 无乐：没有合适的音乐可用，因为在西晋末年洛阳陷落时，前代相传的古乐已经迭失。㊼ 宗庙：在祭祀宗庙的时候。㊽ 登歌：宗庙举行祭典时，乐师登堂所唱之歌。㊾ 二舞：祭祀宗庙时使用的文德之舞与武德之舞。㊿ 南郊始设登歌：在南郊祭天时，第一次使用登歌。(651) 安南、平南府：安南、平南二将军的司令部。(652) 移书兖州：向刘宋的兖州刺史发出文告。移书，文体名，表示声讨、问罪的一种文体，性质与檄文大体相同。刘宋的兖州州治在今山东兖州东北。(653) 南国侨置诸州：东晋和刘宋政权为安置从中原南渡的人口，在南方设置了许多使用北方地名的州郡，如徐州、豫州、颍川郡、新蔡郡等，称为侨置的州、郡。(654) 多滥

【原文】

二十三年（丙戌，公元四四六年）

春，正月庚申[668]，尚书左仆射孟颢罢。

戊辰[669]，魏主军至东雍州[670]，临薛永宗垒[671]，崔浩曰：“永宗未知陛下自来，众心纵弛[672]。今北风迅疾，宜急击之。”魏主从之。庚午[673]，

北境名号：使用了许多北方地区的名目，意思是讽刺南方政权这种打肿脸充胖子，徒有虚名的妄自尊大。⑮ 又欲游猎具区：并威胁、扬言要到江南的具区打猎一回。古代的“具区”即今跨界江苏、浙江两省的太湖。〖按〗魏国将军的这种“欲游猎具区”，与日后金主完颜亮的要“立马吴山第一峰”意思相同。⑯ 兖州答移：刘宋的兖州刺史回答魏国将军的挑衅文书。⑰ 必若因土立州：如果非有实际地盘，才能使用名目。⑱ 则彼立徐、扬：那么你们国家所设立的徐州、扬州。⑲ 岂有其地：也有实际地盘吗。⑳ 复知欲游猎具区：又听说你们想到具区打猎。㉑ 观化南国：想到南国来观光受教（那我们会很欢迎）。㉒ 开馆饰邸：建筑馆驿，装修府邸。㉓ 则有司存：都会有人专门负责。有司，负责这方面事务的官员。㉔ 呼韩入汉：公元前五二年，匈奴呼韩邪单于归附西汉，到达长安。㉕ 厥仪未泯：当时接待客人的礼仪都还没有忘记。㉖ 馈饩之秩：赠送礼品、供应吃喝的等级。秩，规格、等级。㉗ 每存丰厚：一定会照着最优厚的规格办理。

【校记】

［17］新率：原作“新律”。据章钰校，十二行本、乙十一行本皆作“新率”，今据改。［18］辛亥：原无此二字。据章钰校，十二行本、乙十一行本、孔天胤本皆有此二字，张敦仁《通鉴刊本识误》同，今据补。［19］曼头城：原作“宁头城”。严衍《通鉴补》改作“曼头城”，当是，今据改。〖按〗《魏书·世祖纪》作“曼头城”。《太平寰宇记》卷一百八十八中亦有“曼头城”条。［20］达：原作“为”。据章钰校，十二行本、乙十一行本皆作“达”，今据改。［21］种：原作“众”。据章钰校，十二行本、乙十一行本、孔天胤本皆作“种”，张敦仁《通鉴刊本识误》、熊罗宿《胡刻资治通鉴校字记》同，今据改。［22］已东：原作“巴东”。据章钰校，孔天胤本作“已东”，胡三省注云：“‘巴’当作‘已’。”当是，今据改。［23］包：原作“苞”。据章钰校，乙十一行本作“包”，今据改。［24］且：原无此字。张敦仁《通鉴刊本识误》有此字，其义长，今据补。［25］色：原作“颜色”。据章钰校，十二行本、乙十一行本、孔天胤本皆无“颜”字，今据删。［26］愤：原作“偾”。据章钰校，十二行本、乙十一行本、孔天胤本皆作“愤”，今据改。

【语译】

二十三年（丙戌，公元四四六年）

春季，正月初六庚申，宋国担任尚书左仆射的孟颉被免职。

正月十四日戊辰，北魏太武帝拓跋焘所率领的军队抵达东雍州，已经逼近叛乱势力薛永宗的营垒，担任司徒的崔浩对太武帝说：“薛永宗不知道陛下亲自率领大军到来，他们军心放纵、纪律松弛。如今北风强劲，应当赶紧出兵进攻他们。”太武帝

围其垒。永宗出战，大败，与家人皆赴汾水[674]死。其族人安都[675]先据弘农[676]，弃城来奔[677]。

辛未[678]，魏主南如汾阴[679]，济河[680]，至洛水桥[681]，闻盖吴在长安北。帝以渭北地无谷草，欲渡渭南，循渭而西，以问崔浩。对曰："夫击蛇者先击其首，首破则尾不能掉。今盖吴营去此六十里，轻骑趋之，一日可到，到则破之必矣。破吴，南向长安亦不过一日，一日之乏，未至有伤[682]。若从南道，则吴徐入北山[683]，猝未可平[684]。"帝不从，自渭南向长安。庚辰[685]，至戏水[686]。吴众闻之，悉散入北地山，军无所获，帝悔之。二月丙戌[687]，帝至长安。丙申[688]，如盩厔[689]，历陈仓[690]，还，如雍城[691]，所过诛民、夷[692]与盖吴通谋者。乙拔等诸军大破盖吴于杏城[693]，吴复遣使上表求援[694]。诏以吴为都督关陇诸军事[695]、雍州刺史、北地公[696]，使雍、梁二州[697]发兵屯境上，为吴声援。遣使赐吴印一百二十一纽[698]，使吴随宜假授[699]。

初，林邑王范阳迈[700]，虽遣[27]使入贡，而寇盗不绝，所[28]贡亦薄陋，帝遣交州[701]刺史檀和之讨之。南阳宗悫[702]，家世儒素[703]，悫独好武事，常言愿乘长风破万里浪。及和之伐林邑，悫自奋[704]请从军。诏以悫为振武将军，和之遣悫为前锋。阳迈闻军出，遣使上表[29]请还所掠日南[705]民，输金一万斤，银十万斤。帝诏和之若阳迈果有款诚[706]，亦许其归顺。和之至朱梧戍[707]，遣府户曹参军[708]姜仲基等诣阳迈，阳迈执之，和之乃进军围林邑将范扶龙于区粟城[709]。阳迈遣其将范毗沙达[710]救之，宗悫潜兵[711]迎击毗沙达，破之。

魏主与崔浩皆信重寇谦之，奉其道[712]。浩素不喜佛法，每言于魏主，

听从了崔浩的建议。十六日庚午，北魏军包围了叛军薛永宗的营垒。薛永宗率军出战，被魏军打得大败，薛永宗与他的家人全部跳入汾河溺水而死。他的族人薛安都原先占据着弘农，他见薛永宗已死，便放弃弘农向南逃亡投奔了宋国。

正月十七日辛未，北魏太武帝向南来到汾阴，他向西渡过黄河，到达了洛水桥，听说叛胡首领盖吴正在长安以北。太武帝认为渭水以北地区田中没有谷，荒野里没有草，就准备向南渡过渭水，然后沿着渭水向西进军长安，太武帝就此事征求司徒崔浩的意见。崔浩回答说："击蛇的人首先应该击打蛇头，蛇头被打碎之后蛇尾就不能再摆动。如今叛胡首领盖吴的军营距离这里只有六十里的路程，如果派遣轻骑兵前去，一日就可以到达，而且到达那里之后一定能够将盖吴打败。打败了盖吴，向南奔袭长安也不过一天的工夫，一天的劳乏还不至于使我们的军队受到损伤。如果从渭水南岸西向进攻盖吴，盖吴就会从容地进入长安城北的山区，一时半会之间就很难将他们平定。"太武帝这次没有听从崔浩的意见，坚持从渭水南岸向西进攻长安。二十六日庚辰，魏军到达戏水。盖吴的部众听到消息，全部分散进入北边的山地躲藏起来，结果魏军一无所获，太武帝非常后悔没有采纳崔浩的意见。二月初二丙戌，太武帝抵达长安。十二日丙申，太武帝前往盩厔县，途经陈仓县，然后从陈仓县回师，向东北进入雍县县城，所过之处，凡是参与盖吴谋反的，不论是汉民还是少数民族的人一律诛杀。殿中尚书乙拔等各路讨伐叛胡的军队在杏城大败盖吴的叛军，盖吴又派遣使者给宋文帝上表请求出兵支援。宋文帝刘义隆下诏任命盖吴为都督关陇诸军事、雍州刺史、北地公，让宋国所属的雍州、梁州二州发兵屯扎在边境之上，作为对盖吴的声援。又派使者赏赐给盖吴一百二十一枚印信，让盖吴根据需要任命官职。

当初，林邑国王范阳迈虽然派遣使者向南朝进贡，然而抢劫偷盗的事件却不断发生，使节所携带的贡品数量很少也很简陋，宋文帝遂派遣担任交州刺史的檀和之率军讨伐林邑王。南阳人宗悫，家族世代学习儒学，唯独宗悫自幼爱好武功，他常说愿乘长风破万里浪。等到檀和之奉命出兵讨伐林邑国的时候，宗悫便挺身而出请求从军。宋文帝下诏任命宗悫为振武将军，交州刺史檀和之任命宗悫为前锋。范阳迈听说宋国大军出动，赶紧派使者前往宋国上表请求送还以前所劫掠的日南郡人，赔偿一万斤黄金、十万斤白银。宋文帝下诏对檀和之说如果范阳迈果真是诚心诚意，就允许他归顺。檀和之率军抵达宋国设在朱梧县的军事据点之后，便派遣担任府户曹参军的姜仲基等人前往林邑国晋见范阳迈，范阳迈拘捕了他们，檀和之于是率军前进，把林邑国的将领范扶龙围困在区粟城。范阳迈派遣属下将领范毗沙达率军前往救援范扶龙，宋国振武将军宗悫隐蔽出兵迎击范毗沙达，把范毗沙达打得大败。

北魏太武帝拓跋焘与司徒崔浩都非常信任、敬重道士寇谦之，信奉寇谦之所鼓吹的那一套玩意。司徒崔浩一向不喜欢佛法，经常在太武帝面前议论此事，认为佛法虚

以为佛法虚诞，为世费害[713]，宜悉除之。及魏主讨盖吴，至长安，入佛寺，沙门饮从官酒[714]。从官入其室，见大有兵器，出以白帝，帝怒曰："此非沙门所用，必与盖吴通谋，欲为乱耳。"命有司按诛[715]阖寺沙门[716]。阅[717]其财产，大得酿具及州郡牧守[718]、富人所寄藏物以万计，又为窟室[719]以匿妇女。浩因说帝悉诛天下沙门，毁诸经像[720]，帝从之。寇谦之与浩固争[721]，浩不从。先尽诛长安沙门，焚毁经像，并敕留台[722]下四方[723]令一用长安法[724]。诏曰："昔后汉荒君[725]，信惑邪伪以乱天常[726]，自古九州之中[727]，未尝有此[728]。夸诞大言[729]，不本人情[730]，叔季之世[731]，莫不眩焉[732]。由是政教不行，礼义大坏，九服之内[733]，鞠为丘墟[734]。朕承天绪[735]，欲除伪定真[736]，复羲、农之治[737]，其[738]一切荡除，灭其踪迹。自今已后，敢有事胡神[739]及造形像泥人、铜人者门诛[740]。有非常之人，然后能行非常之事，非朕孰能去此历代之伪物！"有司宣告征镇诸军[741]、刺史，诸有[742]浮图形像[743]及胡经，皆击破焚烧，沙门无少长悉坑[744]之。太子晃素好佛法，屡谏不听。乃缓宣诏书，使远近豫闻[745]之，得各为计。沙门多亡匿获免，或收藏经像，唯塔庙在魏境者无复孑遗[746]。

魏主徙长安工巧[747]二千家于平城。还，至洛水，分军诛李闰叛羌[748]。

太原颜白鹿[749]私入魏境，为魏人所得，将杀之，诈云青州刺史杜骥[750]使其归诚[751]。魏人送白鹿诣平城，魏主喜曰："我外家也[752]。"使崔浩作书与骥，且命永昌王仁、高凉王那将兵迎骥。攻冀州刺史申恬[753]于历城，杜骥遣其府司马夏侯祖欢[754]等将兵救历城。魏人遂寇兖、

妄怪诞，白白地消耗国家和百姓的资财，给社会造成危害，应当把佛教彻底铲除。等到太武帝讨伐叛胡盖吴到达长安的时候，进入佛寺，寺中的和尚们招待太武帝的侍从官员喝酒。侍从官员进入和尚们的居室，看见里面有大量的兵器，就出来报告给太武帝，太武帝于是大怒说："这些兵器不是僧徒所应使用的，他们一定与叛胡首领盖吴串通一气，想要谋乱。"遂立即命令有关部门将所有寺庙的和尚全部查办、诛戮。查抄、清点他们的财产，得到了大量酿酒的器具以及州郡太守、富人寄藏在那里的数以万计的财物，他们还挖掘地窖用来藏匿妇女。崔浩趁机劝说太武帝将天下所有僧众全部诛灭，焚毁各种佛家经典与塑像、图像，太武帝采纳了崔浩的建议。寇谦之坚决反对，与崔浩发生激烈的争执，而崔浩根本不听从寇谦之的意见。先是把长安的所有僧众全部诛杀，焚毁了长安城中所有的佛经、佛像，太武帝还下诏给平城的留守朝廷令其下诏给全国各地，一律遵照长安处理僧徒的办法办理。诏书中说："往昔东汉末年的荒淫君主，因为信奉佛法迷惑了心智而扰乱了朝廷与社会的正常秩序，自古以来在中国的区域中，从来就没有这种佛教。佛教夸大其词，荒诞不经，不孝敬父母，不尊敬君长，有悖于儒家的忠孝之说，当一个国家处在穷途末路的时候，任何人都被这一套邪说弄得神魂颠倒。因此而导致政治教化得不到推行，礼乐仁义被破坏，九州之内，全都变成了一片荒丘废墟。我自从继承祖先的传统大业以来，就准备扫除一切虚假的东西，坚持真实可靠的东西，恢复伏羲氏、神农氏时代那种风俗淳朴的政治局面，令其他一切歪理邪说荡除干净，消灭它们的踪迹。从今以后，有胆敢信奉外来的佛教以及捏造泥人、铜人者，一律满门抄斩。有非同寻常的人，然后才能做出非同寻常的事情，除了朕以外，有谁能够铲除这些历代流传的佛教呢！"有关部门要通告四征将军、四镇将军等，以及各州刺史，凡是存有有关佛教徒的塑像与画像以及佛教经书的，都要将佛像打碎，将佛经烧毁，和尚、尼姑不论年老年少一律活埋。皇太子拓跋晃一向尊崇佛法，他屡次劝阻太武帝拓跋焘，而拓跋焘就是不肯听从。皇太子拓跋晃便延缓宣布诏书的时间，以便让远近寺庙僧徒预先知道消息，各自逃生。因此，很多僧徒得以及时逃匿而免遭杀戮，有的还将佛经、佛像收藏起来，只是在北魏境内的塔庙全部被毁坏，一座也没有留存下来。

北魏太武帝把长安城中的两千家能工巧匠迁徙到北魏的都城平城。在返回平城的路上，到达洛水，又分出一部分兵力去讨伐居住在李闰城的叛乱羌人。

宋国管辖之下的太原郡人颜白鹿私自进入魏国境内，被魏国人抓获，在他就要被杀死的时候，他谎称自己是宋国担任青州刺史的杜骥派来向魏国投降的。魏国人把颜白鹿押送到魏国的都城平城，太武帝高兴地说："杜骥是我外祖父家族的亲戚。"让司徒崔浩给宋国青州刺史杜骥写信，并命令永昌王拓跋仁、高凉王拓跋那率领军队前去迎接杜骥。魏军前往历城攻打宋国担任冀州刺史的申恬，青州刺史杜骥派遣属下担任府司马的夏侯祖欢等人率领宋军救援历城。魏军趁机进犯宋国的兖州、青

青[30]、冀三州[755]，至清东[756]而还，杀掠甚众，北边骚动。

帝以魏寇为忧，咨访群臣。御史中丞何承天上表，以为："凡备匈奴之策[757]，不过二科：武夫尽征伐之谋，儒生讲和亲之约。今欲追踪卫、霍[758]，自非大田淮、泗[759]，内实青、徐[760]，使民有赢储[761]，野有积谷[762]，然后发精卒十万，一举荡夷[763]，则不足为也[764]。若但欲遣军追讨，报其侵暴[765]，则彼必轻骑奔走，不肯会战。徒兴巨费，不损于彼，报复之役，将遂无已，斯策之最末者也。安边固守，于计为长[766]。臣窃以曹、孙之霸[767]，才均智敌[768]，江、淮之间不居各数百里[769]，何者？斥候之郊[770]，非耕牧之地，故坚壁清野[771]以俟其来，整甲缮兵以乘其弊[772]。保民全境[773]，不出此涂[774]。要而归之[775]，其策有四：一曰移远就近[776]。今青、兖旧民及冀州新附，在界首[777]者三万余家，可悉徙置大岘[778]之南，以实内地。二曰多筑城邑以居新徙之家，假其经用[779]，春夏佃牧[780]，秋冬入保[781]。寇至之时，一城千家，堪战之士，不下二千。其余羸弱，犹能登陴鼓噪[782]，足抗群虏三万矣。三曰纂偶车牛[783]以载粮械。计千家之资，不下五百耦牛[784]，为车五百两，参合钩连[785]以卫其众。设使城不可固，平行趋险[786]，贼所不能干[787]，有急征发[788]，信宿可聚[789]。四曰计丁课仗[790]。凡战士二千，随其便能[791]，各自有仗。素所服习[792]，铭刻由己[793]，还保[794]输之于库[795]，出行请以自新[796]。弓簳利铁[797]，民不得者，官以渐充之[798]。

州、冀州三个州，一直到达清水以东才撤军，所到之处杀死抢掠了很多人，宋国北部边境人心骚动。

宋文帝因为北魏军队侵扰北部边境之事而感到忧虑不安，他向群臣咨询应对的办法。担任御史中丞的何承天上表给宋文帝，何承天认为："归纳起来，对付北方少数民族入侵的办法不外乎两个方面：武将所说的全是如何进行征讨，文臣主张的是如何缔结和亲条约。如果想要效法西汉时期卫青、霍去病那种大举征伐的壮举，就非得在淮河、泗水一带大规模开垦种植，充实、加强青州、徐州一带的防守力量，让百姓家中都有丰富的粮食储备，公家又有许多露天的谷仓，然后动员十万精锐的士兵，一举荡平北方，如果能这样做，那当然是可以的了。如果只是想派遣军队随后追赶讨伐，报复一下他们的侵略暴行，那么他们一定会率领轻骑兵四处奔跑，不肯与我们决战。这使我们白白浪费国家的巨额财物，而对他们来说一点损失也没有，他们反而会卷土重来，进行报复，如此循环不已，这是最下等的策略。安定边疆、固守边境，在各种计策中算是最好的。我认为曹操、孙权相互争霸的时代，双方领导人的才能和智慧势均力敌，不相上下，而使长江、淮河之间隔着几百里无人居住的中间地带，为什么要这样做呢？因为这个中间地带是双方侦察人员的出没之地，而不是耕田放牧的地方，所以双方都坚壁清野，随时等候敌人的到来，同时修整好铠甲，磨砺好兵器，当窥伺到敌人疲惫的机会，便乘隙出击。保护百姓的安宁，保全国土的完整，没有比这种做法更好的了。总而言之，归纳起来有四种策略：第一是把孤悬于远处的居民与军事据点都撤回到能够有效防守的近处来。如今青州、兖州原有的居民和冀州新来归附的人，在国境边上居住的就有三万多户，可以把他们全部迁移、安置到大岘山以南地区，以充实内地的人口。第二是多修筑一些城邑用来安置那些新迁徙过来的人，借给他们日常生活所必需的费用，春夏两季让他们耕田、放牧，秋冬两季则入城防守。贼寇来了的时候，一城之中有一千户居民，能够参与作战的人员不会少于两千人。其余的羸瘦病弱人员，还能够登上城头呐喊助威，完全可以抵抗三万强敌的进攻。第三是把百姓的车与牛全都集中起来，每两头牛共拉一辆车，为军队运载粮食军械。估算一千户人家的资产，不会少于一千头牛，五百辆车，可以将牛车互相连接起来，构成一道外围的屏障，用来保护民众。假设不能牢固地坚守城邑，可以由平路转移到险要之地，贼寇将奈何我不得，一旦情况紧急，需要征调人力或物资，一两天之内就可以凑齐。第四是按照壮丁人数准备武器。凡是有二千名战士的城邑，都要按照每个人的使用习惯，做到人手一件适合自己的兵器。就是平常一贯使用的武器，听任他们在兵器上面刻上自己需要的东西或是自己的名字，回到城里不用的时候就把兵器交回到武器库统一保存，出兵作战的时候就让他们各自领回自己的兵器，并要求把兵器磨得锋利如新。制作弓箭用的竹竿和打造刀枪用的精铁，民间不容易得到，官府要逐渐给予补充。

数年之内，军用粗备⑲矣。近郡之师⑳，远屯清济㉑，功费既重，嗟怨亦深。以臣料之，未若即用彼众㉒之易也。今因民所利，导而帅之㉓，兵强而敌不戒㉔，国富而民不劳，比于优复队伍㉕，坐食粮廪㉖者，不可同年而校㉗矣。"

魏金城边固⑱[31]、天水梁会⑲，与秦、益杂民万余户据上邽东城⑩反，攻逼西城。秦、益二州刺史⑪封敕文拒却之。氐、羌万余人，休官、屠各⑫二万余人，皆起兵应固、会，敕文击固，斩之，余众推会为主，与敕文相攻。

夏，四月甲申⑬，魏主至长安。

丁未⑭，大赦。

仇池⑮人李洪聚众，自言应王。梁会求救于氐王杨文德⑯，文德曰："两雄不并立，若须我者，宜先杀洪。"会诱洪斩之，送首于文德。五月癸亥⑰，魏主遣安丰公闾根⑱帅骑赴上邽，未至，会弃东城走。敕文先掘重堑⑲于外，严兵守之，格斗从夜至旦。敕文曰："贼知无生路，致死于我⑳，多杀伤士卒，未易克也。"乃以白虎幡㉑宣告会众，降者赦之，会众遂溃。分兵追讨，悉平之。略阳㉒人王元达聚众屯松多川㉓，敕文又讨平之。

盖吴收兵屯杏城，自号秦地王，声势复振。魏主遣永昌王仁、高凉王那督北道诸军㉔讨之。

檀和之等拔区粟，斩范扶龙，乘胜入象浦㉕。林邑王阳迈倾国来战，以具装被象㉖，前后无际。宗悫曰："吾闻外国有师子㉗，威服百兽。"乃制其形，与象相拒，象果惊走，林邑兵大败。和之遂克林邑㉘，阳迈父子挺身㉙走。所获未名之宝，不可胜计，宗悫一无所取，还家之日，

几年之内，军用物资就大体齐备了。都城建康周围各郡的军队，如今都让他们去驻扎在遥远的济水一带，军队支出的费用既大，军人的劳苦怨恨也深。据我估计，不如在北部沿边地区征发调用就近的百姓来保卫边境更为容易一些。如果照顾民众的利益，然后去引导他们，驱使他们，即使当地这种兵民一体的武装力量强盛起来，北方的魏国政权也不会对其特别的介意，这样一来，国家富强而民不劳苦，比起那种享受国家免除赋税和劳役等优待、一切粮食供应都由国家负担的常备部队来，其优越性简直不可同日而语。”

北魏金城郡人边固、天水郡人梁会，与秦州、益州一万多户各族民众一起占据了上邽东城举旗造反，他们攻打、逼近了上邽的西城。北魏担任秦州、益州二州刺史的封敕文率军将他们击退。氐族、羌族中有一万多人，休官族、屠各族有二万多人，全都起兵响应边固、梁会，封敕文率军袭击边固，将边固斩首，边固的残余部众又推举梁会为头领，梁会率领这些部众继续与封敕文互相攻击。

夏季，四月初一甲申，北魏太武帝拓跋焘抵达长安。

四月二十四日丁未，宋国实行大赦。

仇池郡人李洪聚集起一些民众，宣称自己应该为王。变民首领梁会向氐王杨文德求救，杨文德说：“两个英雄不可能同时存在，如果需要我的支援，就应当先杀掉李洪。”梁会于是诱骗李洪，把李洪杀掉，并把李洪的人头送给了杨文德。五月十一日癸亥，北魏太武帝拓跋焘派遣安丰公拓跋闾根率领骑兵奔赴上邽，他们还没有到达上邽，梁会就准备放弃上邽的东城逃走。封敕文预先在上邽东城外挖掘了多重壕沟，命令士兵严加防守，两军短兵相接，从夜间一直格斗到天明。封敕文说：“贼寇知道自己已经无路可走，所以才与我军拼命作战，杀伤了我们的很多士兵，看来战胜他们并不容易。”于是就用上面画有白虎的旗子向梁会的部众宣告：凡是投降的人一律赦免，梁会的部众立即崩溃。封敕文分兵追赶败军，把叛军全部剿灭。略阳郡人王元达聚集众人屯扎在松多川，封敕文又把王元达剿灭。

背叛北魏的胡人首领盖吴集结起残余的部众驻扎在杏城，自称秦地王，声势逐渐振作起来。北魏太武帝派遣永昌王拓跋仁、高凉王拓跋那率领屯扎在长安以北的诸路军队讨伐盖吴。

宋国交州刺史檀和之等人攻占了区粟，斩杀了林邑国将领范扶龙，遂乘胜进入象浦。林邑王范阳迈调集了全国的军队前来迎战，他们把战马的铁甲披在大象身上，组成浩浩荡荡、望不到头看不到尾的象队。宋国担任振武将军的宗悫说：“我听说外国有一种名叫狮子的猛兽，可以镇服百兽。”于是就制作了大量的狮子模型，运到阵前与林邑王的大象对抗，大象看见狮子果然受惊逃窜，林邑国的军队于是被打得大败。檀和之遂攻克了林邑国，范阳迈父子脱身逃走。宋军所缴获的叫不出名字的宝物多得不可胜数，振武将军宗悫一无所取，回家的时候，只有随身的衣服和梳头用

衣袷萧然[830]。

六月癸未朔[831]，日有食之。

甲申[832]，魏发冀、相、定三州兵二万人屯长安南山诸谷，以备盖吴窜逸[833]。丙戌[834]，又发司、幽[835]、定、冀四州十万人[32]筑畿上塞围[836]，起上谷[837]，西至河[838]，广纵千里。

帝筑北堤[839]，立玄武湖[840]，筑景阳山于华林园[841]。

秋，七月辛未[842]，以散骑常侍杜坦[843]为青州刺史。坦，骥之兄也。初，杜预[844]之子耽，避晋乱居河西，仕张氏[845]。前秦克凉州[846]，子孙始还关中。高祖灭后秦[847]，坦兄弟从高祖过江。时江东王、谢诸族[848]方盛，北人晚渡者，朝廷悉以伧荒[849]遇之，虽复人才可施[850]，皆不得践清涂[851]。上尝与坦论金日磾[852]，曰："恨今无复此辈人[853]！"坦曰："日磾假生[854]今世，养马不暇，岂办见知[855]！"上变色曰："卿何量朝廷之薄[856]也！"坦曰："请以臣言之。臣本中华高族[857]，晋氏丧乱，播迁凉土[858]，世业相承[859]，不殒其旧[860]。直以[861]南渡不早，便以荒伧赐隔[862]。日磾，胡人，身为牧圉[863]，乃超登[864]内侍，齿列名贤[865]。圣朝虽复拔才[866]，臣恐未必能也。"上默然[33]。

八月，魏高凉王那等破盖吴，获其二叔，诸将欲送诣平城。长安镇将陆俟[867]曰："长安险固，风俗豪忮[868]，平时犹不可忽[869]，况承荒乱之余[870]乎！今不斩吴，则长安之变未已[871]也。吴一身潜窜，非其亲信，谁能获之？若停十万之众以追一人，又非长策。不如私许吴叔，免其妻子[872]，使自追吴，擒之必矣。"诸将咸曰："今贼党众已散，唯吴一身，何所能至[873]？"俟曰："诸君不见毒蛇乎？不断其首，犹能为害。吴天性凶狡，今若得脱，必自称王者不死，以惑愚民，为患愈大。"

的篦子，再无他物。

六月初一癸未，发生日食。

六月初二甲申，北魏征调冀州、相州、定州三州的兵力总计二万人屯扎在长安城南面的山谷中，以防备盖吴逃窜。初四丙戌，又征调司州、幽州、定州、冀州四州达十万人在京畿之内修筑起与其郊区四周的界墙，界墙从上谷郡开始，向西到达黄河，广纵上千里。

宋文帝在建康城北侧修筑堤坝，开挖玄武湖，还在华林园修筑景阳山。

秋季，七月二十日辛未，宋文帝任命担任散骑常侍的杜坦为青州刺史。杜坦是担任青州刺史的杜骥的哥哥。当初，西晋名将杜预的儿子杜耽，为躲避西晋末年的战乱移居到黄河以西，在张氏所建立的前凉政权中任职。前秦苻坚灭掉前凉以后，杜耽的子孙开始返回关中居住。宋高祖刘裕消灭了后秦以后，杜坦兄弟跟随宋高祖刘裕东渡长江来到江东。当时居于江东，把持朝政的王、谢两大家族势力强盛，北方中原人凡是较晚渡江依附东晋的，朝廷全都把他们当作土老帽看待，即使他们当中有的人的才能完全可以派上用场，但也不能踏上任高官、掌大权、不干实事，每日过着优哉游哉的清官之路。宋文帝曾经与杜坦一起谈论金日磾，宋文帝说：“我深恨如今再也没有像金日磾那样的人！”杜坦答复说：“如果金日磾生在今世，忙着养马都来不及，哪里能受到皇帝的赏识呢！”宋文帝马上变了脸色，说：“你怎么把当今皇帝估计得如此没有眼光，不能识拔人才呢！”杜坦说：“就请以我做例子吧。我本是中原地区的高门大族，晋朝皇帝丧失权力，全国战乱不断，我的先祖辗转流离，最后流落到了凉州地区，先辈的事业，我们一直坚守秉承，从来没有丧失过原来的传统与光荣。只是因为南渡长江较晚，便把我们看成了土老帽，把我们划入另册，予以歧视。金日磾原本是个匈奴人，他在汉朝，最早只是一个养马人，竟然被破格提拔，得以进入皇宫侍奉皇帝，与当时的名臣贤才并列一起。我朝虽然一再选拔贤才，我认为恐怕未必能像汉武帝那样。”宋文帝听后默不作声。

八月，北魏高凉王拓跋那等人率军打败了叛胡首领盖吴，活捉了盖吴的两位叔叔，诸将领都主张把他们押送到平城献功请赏。担任长安镇将的陆俟说：“长安地势险要，城垣坚固，风俗强悍凶狠，清平时节尚且不能轻视，何况是在兵荒马乱之后呢！如今不杀掉盖吴，那么长安的叛变就没有停止的时候。盖吴孑然一身潜逃流窜，如果不是他的亲信，谁能够将他擒获呢？如果留下十万人马用来追捕他一个人，也不是好办法。倒不如私下里与盖吴的叔叔协商，答应赦免他们的妻儿，让他们去追捕盖吴，一定能将盖吴捉获。”诸将领都说：“如今贼寇的党徒已经溃散，只剩下盖吴一个人，他还能跑到哪里去呢？”陆俟说：“各位将军难道没有见到过毒蛇吗？不斩断毒蛇的头，毒蛇仍然能够害人。盖吴天生凶残狡猾，如今一旦逃脱，必然宣传自己称王是受上天的保佑，所以不会死去，以此来蛊惑愚蠢的百姓，所造成的灾祸会更大。”

诸将曰："公言是也。但得贼不杀，而更遣之，若遂往[874]不返，将何以任其罪？"俟曰："此罪，我为诸君任之。"高凉王那亦以俟计为然，遂赦二叔，与刻期[875]而遣之。及期，吴叔不至，诸将皆咎俟[876]。俟曰："彼伺之[877]未得其便耳，必不负也。"后数日，吴叔果以吴首来，传诣平城[878]。永昌王仁等[34]讨吴余党白广平、路那罗等[35]，悉平之。以陆俟为内都大官。

会[879]安定卢水胡刘超等聚众万余人反，魏主以俟威恩著于关中[880]，复加俟都督秦、雍二州诸军事，镇长安，谓俟曰："关中奉化日浅[881]，恩信未洽[882]，吏民数为逆乱[883]。今朕以重兵授卿，则超等必同心协力，据险拒守，未易攻也。若兵少，则不能制贼，卿当自以方略[884]取之。"俟乃单马之镇[885]。超等闻之，大喜，以俟为无能为[886]也。

俟既至，谕以成败[887]，诱纳超女[888]，与为姻戚以招之。超自恃其众，犹无降意。俟乃帅其帐下亲往见超，超使人逆谓俟曰[889]："从者过三百人，当以弓马相待；不及三百人，当以酒食相供。"俟乃将二百骑诣超。超设备[890]甚严，俟纵酒尽醉而还。顷之[891]，俟复选敢死士五百人出猎，因诣超营[892]，约曰[893]："发机当以醉为限[894]。"既饮，俟阳醉[895]，上马大呼，手斩超首。士卒应声纵击，杀伤[896]千数，遂平之。魏主征俟还[897]，为外都大官。

是岁[898]，吐谷浑复还旧土[899]。

诸将都说:“您说得很对。但是，捉到叛贼不杀掉，反而派遣他去抓捕盖吴，如果他趁机逃走，一去不返，将由谁来承担罪责呢?”陆俟说:“这个罪名，就由我来为你们承担。”高凉王拓跋那也认为陆俟的计策正确，于是便赦免了盖吴的两位叔叔，与他们约定期限，然后派遣他们去抓捕盖吴。到了约定的日期，盖吴的两位叔叔却没有按期返回，诸将于是都埋怨陆俟。陆俟分析说:“他们寻找机会捉拿盖吴，只是还没有机会下手，他们一定不会辜负我们。”过了几天以后，盖吴的叔叔果然带着盖吴的人头回来了，于是用驿车把盖吴的人头传送到平城。永昌王拓跋仁等率军讨伐盖吴的余党白广平、路那罗等，把他们全部讨平。北魏擢升陆俟为内都大官。

恰逢居住在安定郡的卢水胡人刘超等聚集了一万多人起兵造反，北魏太武帝因为陆俟对关中的百姓有大恩，就又擢升陆俟为都督秦州、雍州二州诸军事，前往镇守长安，太武帝对陆俟说:“关中地区的百姓接受北魏教化的时间较短，朝廷的恩德与威信人们还感受不深，那里的官吏和民众屡次闹事造反。如果我把重兵交付给你，则刘超等人必然同心协力，据守险要，就不容易将他们攻破。如果带去的军队数量少，就不能制服贼寇，你应当自己想办法，用智慧来获取胜利。”陆俟于是单枪匹马前往长安军府上任。刘超等听到这个消息，不禁喜出望外，认为陆俟不可能有什么作为。

陆俟到达长安任所后，立即派人给刘超分析形势，指明利害关系，为引诱刘超上钩，陆俟便假说要聘娶刘超的女儿为妻，与刘超结为姻戚关系，以此来招降他。刘超依仗自己人多势众，仍然没有投降的意思。陆俟于是率领自己帐下的亲兵亲自到刘超的驻地会见刘超，刘超派人迎接陆俟，并告诉陆俟说:“如果跟随你的超过三百人，我们就用弓箭兵马来招待你们;如果跟随你的随从不超过三百人，我们就用酒食来招待你们。”陆俟便率领着二百名骑兵前往刘超驻地。刘超戒备森严，而陆俟纵情饮酒，一直喝到酩酊大醉才返回长安。没过多久，陆俟又挑选了五百人的敢死队出去打猎，趁便来到刘超的营垒前，他与部下的众人约定说:“当你们看到我喝得大醉的时候你们就立即动手。”到达刘超大营之后，就与刘超一起饮起酒来，陆俟假装喝醉了酒，突然飞身上马，一边大声呼喊，一边手起刀落砍下了刘超的人头。跟随前来的五百名士卒也应声奋起杀敌，杀死、杀伤了上千人，于是平定了刘超的叛乱。北魏太武帝拓跋焘将陆俟调回平城，任命陆俟为外都大官。

这一年，吐谷浑人又回到他们原来居住的地方。

【段旨】

以上为第四段，写宋文帝元嘉二十三年（公元四四六年）一年间的大事。主要写：魏国的叛变势力盖吴求援于刘宋，刘宋授以为雍州刺史，使宋之雍、梁二州为之声援。魏军破盖吴于长安城北，盖吴逃窜，魏获其二叔，魏将陆俟建议释放二叔使之往杀盖吴，结果盖吴被其二叔所杀，盖吴之乱平；未几，安定卢水胡刘超又反，魏主派陆俟单骑赴任长安，巧妙地用文用武，以智谋平定刘超之乱而还。魏国谋臣崔浩支持魏主拓跋焘诛灭长安沙门，焚毁经像，并下诏全国一律照长安行事，太子晃劝阻不从，乃故意缓下诏书，使各地沙门得以躲避并藏匿经像。林邑王范阳迈虽遣使入贡于刘宋，但仍寇盗不绝，刘宋派檀和之、宗悫往讨之；范阳迈倾国迎战，使用大象于战场，宗悫等乃仿制狮子之形以应之，范阳迈大败而走，宋军所获极多，宗悫一无所取，还家之日，衣栉萧然。魏主纵兵寇宋青、兖、冀三州，至清东始还，杀掠甚众，宋文帝咨访群臣，何承天建议收缩边防，寓兵于民，建立兵民一体的边境力量，改变国家养兵，派兵远戍的章程。宋文帝刘义隆与杜预的后代杜坦议论西汉金日磾之为人，杜坦应对如冯唐之对汉文帝，刘义隆默然无语，今乃用之为青州刺史。魏国金城、天水一带的居民举兵反魏，又与仇池氐主杨文德相勾结，被秦州刺史封敕文讨平。

【注释】

㊽正月庚申：正月初六。㊾戊辰：正月十四日。㊿东雍州：州治即今山西闻喜东北。㉛临薛永宗垒：逼近叛乱势力薛永宗的营盘。垒，军营的营盘与其周围或防御工事。⑫纵弛：放纵、松弛。⑬庚午：正月十六日。⑭汾水：今山西境内的大河，北自宁武一带南流，经太原、临汾，至河津入黄河。⑮安都：薛安都，刘宋时期的著名将领。传见《宋书》卷八十八。⑯弘农：县名，县治在今河南灵宝城东。⑰弃城来奔：放弃弘农城，南逃投靠刘宋。⑱辛未：正月十七日。⑲汾阴：县名，县治在今山西万荣西南的庙前村，薛氏家族世代居于此地。⑳济河：向西渡过黄河。㉛洛水桥：洛水上的桥梁。此洛水指陕西境内的洛水，西北自吴旗一带流来，经富县、黄陵，至大荔城南入渭水。㉜未至有伤：不至于使我们的军队受到损伤。㉝北山：长安城北的山区。㉞猝未可平：一时半会的再难以平定。猝，突然、迅速。㉟庚辰：正月二十六日。㊱戏水：河水名，源出骊山，流经当时长安城东的新丰县（今陕西西安临潼区）东，北流入渭水。㊲二月丙戌：二月初二。㊳丙申：二月十二日。㊴盩厔：县名，县治即今陕西周至东的终南镇。㊵陈仓：县名，县治在今陕西宝鸡东。㊶还二句：又从陈仓往回走，向东北进入雍县县城。当时的雍县在今陕西凤翔南，是春秋战国时代的秦国都城。㊷民、夷：魏国人与魏国境内的少数民族。魏国人指鲜卑人与汉族人。夷，指其他的少数民

族。693 杏城：古城名，在今陕西黄陵西南。694 上表求援：向刘宋上表求援。695 都督关陇诸军事：总管关中、陇右的军事。都，总。关，关中，指陕西的渭水流域地区。陇，陇右，陇山以西，指今甘肃东部一带地区。696 北地公：封号，封地北地郡，郡治在今甘肃庆阳。697 雍、梁二州：刘宋的雍州州治在今湖北襄阳市襄城区，梁州州治即今陕西汉中。698 纽：此处用作量词，一纽等于一方。699 假授：即任命，授之以职。700 林邑王范阳迈：林邑国的国王姓范名阳迈。林邑国的都城在今越南广治北的阿贲浦。范阳迈在位的时间大约在宋武帝永初与宋文帝元嘉年间。701 交州：州治龙编，在今越南河内东北。702 宗悫：南阳郡（郡治即今河南南阳）人，刘宋的著名将领。传见《宋书》卷七十六。703 家世儒素：家族世代习儒。儒素，儒学事业。孔子被称为素王，故儒业称素王的事业。704 自奋：自己挺身而出。705 日南：古郡名，郡治在今越南中部，在林邑国的北侧。706 款诚：真心实意。707 朱梧戍：刘宋设在朱梧县的军事据点。朱梧县在当时的日南郡内。708 府户曹参军：指交州刺史府掌管土地户口的官员。709 区粟城：在当时的日南郡卢容县（今越南境内），是林邑国贮藏武器之地。710 范毗沙达：姓范，名毗沙达。711 潜兵：隐蔽出兵。712 奉其道：信奉他所鼓吹的那一套骗人的说法。713 为世费害：白白地消耗国家与百姓的物资。714 沙门饮从官酒：和尚们招待魏主的侍从官员喝酒。饮，招待使之饮用。715 按诛：查办、诛戮。716 阖寺沙门：所有寺庙的和尚。阖，全部。717 阅：查抄；清点。718 州郡牧守：州、郡两级的行政长官，州刺史也称州牧，郡长官称太守。719 窟室：地窖。720 经像：佛经与塑像、图像。721 固争：极力与之辩论、劝阻。僧道前已水火不容，而寇谦之尚为之劝阻者，大概也是出于兔死狐悲，物伤其类吧。722 留台：国都平城的中央行政机构。因皇帝不在京城，故称之曰“留台”。胡三省注：“魏王出征，太子居守，故谓平城为留台。”723 下四方：下诏书给全国各地。724 一用长安法：一律仿照长安的做法行事。725 后汉荒君：东汉的桓帝、灵帝之流。荒，荒淫、荒悖。726 乱天常：搞乱了原来的朝廷与社会秩序。胡三省曰：“佛法自汉明帝时入中国，楚王英最先好之，至桓帝始事浮屠。”727 九州之中：大中国的区域之内。古称中国曰“九州”“九域”“九有”。728 未尝有此：从未有过什么佛教。729 夸诞大言：漫无边际地吹大话。730 不本人情：不孝父母，不敬君长，有背儒家的忠孝之说。731 叔季之世：叔世、季世，也就是指一个国家的穷途末路，死到临头。732 莫不眩焉：任何人都被这一套邪说弄得神魂颠倒。眩，被迷惑。733 九服之内：九州之内；全国各地。九服，意同九州、九域。734 鞠为丘墟：全变成了一片废墟。735 承天绪：继承祖先的传统大业。736 除伪定真：扫除一切虚假的东西，坚持真实可靠的东西。737 复羲、农之治：恢复伏羲氏、神农氏那种风俗淳朴的政治局面。羲，伏羲氏。农，神农氏。都是古代传说中的很有道德的帝王。738 其：祈请语、命令语。739 事胡神：信奉外来的宗教，这里即指佛教。事，供奉。740 门诛：满门抄斩。741 征镇诸军：四征与四镇将军，即征东、征西与镇东、镇西等等。742 诸有：凡是存有。743 浮图形像：有关佛教的塑像与画像。浮图，也写作“浮屠”，是梵文“Buddha”

的简称，即佛，有时也指佛教所修的塔。⑭悉坑：全部活埋。⑮豫闻：事先听到消息。豫，这里同“预”。⑯无复孑遗：一个没有留下。孑，一个。⑰工巧：能工巧匠。⑱诛李闰叛羌：讨伐居住在李闰城的叛乱羌人，指与盖吴相呼应的作乱者。诛，讨、讨伐。李闰，也写作“李润”，古城名，在今陕西大荔北。⑲太原颜白鹿：刘宋的太原郡人姓颜名白鹿。〖按〗太原郡本属并州，在今山西境内，当时属魏。胡三省曰：“江左以郡人南徙者侨立太原郡。……元嘉十年，割济南泰山为太原郡境，属青州。”⑳青州刺史杜骥：青州的州治即今山东青州。杜骥，刘宋有惠政的地方官，西晋名将杜预的后代。传见《宋书》卷六十五。㉑使其归诚：派他来投降魏国人。归诚，意同“纳款”，投诚。㉒我外家也：我外祖父一族的亲戚。〖按〗魏主之母姓杜，故称杜骥为外家。㉓冀州刺史申恬：刘宋的冀州刺史名申恬。冀州本在今河北境内，当时属魏。此处所说乃指刘宋侨立的冀州，在今江苏连云港市东云台山一带。申恬，刘宋时期的名将。传见《宋书》卷六十五。㉔府司马夏侯祖欢：刺史府的僚属姓夏侯名祖欢。司马是军中掌管刑法的官员。㉕兖、青、冀三州：即今山东的西部一带地区。㉖清东：清水以东，约当今之山东中部地区，当时属于刘宋。清水即济水，西自巨野泽流来，东北经今济南，到利津一带入海，大体相当于现今的黄河。㉗备匈奴之策：对付北方少数民族入侵的办法。何承天嘴里说的是匈奴，实际就是指鲜卑人的拓跋魏。㉘今欲追踪卫、霍：如果想学习卫青、霍去病那种大举征伐。今，这里有假如、如果的意思。追踪，效法。卫、霍，指西汉武帝时的名将卫青与霍去病。事见《史记·卫将军骠骑列传》。㉙大田淮、泗：在淮河、泗水一带大规模开垦种植。田，农垦，包括民垦与军垦。淮、泗，淮河、泗水流域，指今江苏、安徽的中北部地区。㉚内实青、徐：加强青州、徐州一带的防守力量。实，充实，包括军队与粮食两方面。㉛民有赢储：私家都有丰富的粮食贮藏。㉜野有积谷：公家有很多露天的粮仓。㉝荡夷：扫平。夷，铲平。㉞则不足为也：如果能这样做，那当然是可以的了。不足为，不难做、不难完成。㉟报其侵暴：只是想报复一下他们对我们的骚扰掠夺。㊱于计为长：在各种计策中是最好的。㊲曹、孙之霸：曹操与孙权相互争霸的时代。曹操与孙权争霸在汉献帝建安年间（公元一九六至二二〇年）。其实曹丕与孙权也仍是如此。㊳才均智敌：双方领导者的才能智慧不相上下。敌，相当、对等。㊴不居各数百里：两国之间隔着几百里的中间地带。㊵斥候之郊：这中间地带是双方侦察人员出没之地。斥候，侦察兵、探子。㊶坚壁清野：双方都坚守工事，收好原野上的东西，不让敌方获得。㊷以乘其弊：窥伺其疲惫而乘隙出击。㊸保民全境：保护百姓的安宁，保全领土的完整。㊹不出此涂：没有比这种做法更好的了。㊺要而归之：归结其主要精神。㊻移远就近：把孤悬于远处的居民与军事据点，都撤回到能够有效防守的近处来。㊼界首：边头；国境边上。㊽大岘：大岘山，在今山东临朐东南。㊾假其经用：借给他们日常生活必需的费用。假，借、给予。经，常、日常。㊿佃牧：种田与放牧。(781)入保：入城而守。保，守城以得安宁。(782)登陴鼓噪：登上城头，呐喊助威。陴，也称“女墙”，城上的小墙。⑦⑧③ 纂偶车牛：把百姓的车与牛都搜集起来。纂，搜集。偶，并，两牛共拉一辆车。⑦⑧④ 五百耦牛：即一千头牛。耦，两牛为一耦。⑦⑧⑤ 参合钩连：指将牛车互相连接起来，构成一道外围的屏障。⑦⑧⑥ 平行趋险：由平路转移险要之地。⑦⑧⑦ 贼所不能干：敌人奈何不了我。干，拦、阻止。⑦⑧⑧ 有急征发：有情况紧急，需要征调人力或物资。征发，征调。⑦⑧⑨ 信宿可聚：一两天之内就能凑齐。信宿，第二个夜晚。⑦⑨⓪ 计丁课仗：按照壮丁人数准备武器。课，要求，这里意即准备、配备。⑦⑨① 随其便能：按着自己的使用方便。⑦⑨② 素所服习：平常一贯使用的东西。服习，熟悉其性能，用起来顺手。⑦⑨③ 铭刻由己：想在上面刻上点自己需要的东西或姓名等等，都听任其便。⑦⑨④ 还保：回到城里，平常不用的时候。⑦⑨⑤ 输之于库：送到武器库统一保存。⑦⑨⑥ 请以自新：各自领回兵器，磨砺加工。⑦⑨⑦ 弓榦利铁：做箭用的竹竿与打造刀枪的精铁。⑦⑨⑧ 官以渐充之：官府逐渐给予补充。⑦⑨⑨ 粗备：大体齐备。⑧⓪⓪ 近郡之师：都城建康周围的一些郡里的军队。胡三省曰：“近郡，谓南徐州所领诸侨郡及三吴，近在邦城之中者。”⑧⓪① 远屯清济：如今都让他们去驻扎在遥远的济水一线。⑧⓪② 即用彼众：指征发调用北部沿边地区的居民。⑧⓪③ 导而帅之：引导他们，率领、驱使他们。⑧⓪④ 兵强而敌不戒：即使当地这种兵民一体的武装强大起来，北方的魏国政权也不会特别介意，因为这种武装不可能像卫青、霍去病那样长驱直入地大举进攻魏国。⑧⓪⑤ 优复队伍：指优待常备兵，免除常备兵的一切赋税、劳役等政策。⑧⓪⑥ 坐食粮廪：指常备兵的一切粮食供应都由国家开支。⑧⓪⑦ 不可同年而校：极言其两者之间的利弊悬殊之大。校，同“较”，比较。⑧⓪⑧ 金城边固：金城人边固。金城是郡名，郡治在今甘肃兰州西北。⑧⓪⑨ 天水梁会：天水郡人梁会。天水郡的郡治上邽，即今甘肃天水。⑧①⓪ 上邽东城：当时天水郡的郡治上邽有东、西二城。⑧①① 秦、益二州刺史：魏将封敕文时任秦、益二州刺史。秦州的州治即当时上邽的西城。益州指东益州，州治在今陕西略阳。⑧①② 休官、屠各：北魏管辖下的少数民族名，都是匈奴的分支。⑧①③ 四月甲申：四月初一。⑧①④ 丁未：四月二十四日。⑧①⑤ 仇池：郡名，郡治在今甘肃成县西。⑧①⑥ 氐王杨文德：氐族头领杨氏，世代在仇池一带称雄，此时名义上归附于刘宋。⑧①⑦ 五月癸亥：五月十一日。⑧①⑧ 安丰公闾根：拓跋闾根，被封为安丰公。⑧①⑨ 重堑：多重壕沟。⑧②⓪ 致死于我：和我拼命。⑧②① 白虎幡：晋代朝廷使用的一种宣令罢兵的旗子，上面画有白虎，垂直悬挂。与现代战场持白旗表示停战、讲和、投降等意同。⑧②② 略阳：郡名，郡治在今甘肃秦安东北的陇城镇。⑧②③ 松多川：地区名，其地有松多水，出自陇山，西南汇入秦水。在今陕甘川交界地区。⑧②④ 北道诸军：指屯驻于长安以北的魏国军队。⑧②⑤ 象浦：即卢容浦，在日南郡的卢容县。⑧②⑥ 以具装被象：用铁甲把大象武装起来。具装，战马的铁甲。被，披、披挂。⑧②⑦ 师子：同“狮子”。⑧②⑧ 遂克林邑：胡三省引《水经注》曰：“林邑国都治典冲，在寿泠县阿贲浦，西去海岸四十里。”⑧②⑨ 挺身：脱身；甩开部从而独自逃跑。⑧③⓪ 衣栉萧然：只有随身衣服、梳头发的篦子。极言其两袖清风，一无所取的样子。⑧③① 六月癸未朔：六月初一是癸未日。⑧③② 甲申：六月初二。⑧③③ 窜逸：逃脱。逸，逃掉。⑻34丙戌：六月初四。⑻35司、幽：二州名，司州的州治在今山西大同东北，幽州的州治蓟县，即今北京。⑻36畿上塞围：国家首都与其郊区四周的界墙。畿上，意即畿内，首都的四郊以内。北魏道武帝拓跋珪曾划定畿上的范围：代郡（郡治即今山西大同以北）以西，善无（今山西右玉东南）以东，阴馆（今山西代县西北）以北，参合（今山西阳高南）以南。⑻37上谷：郡名，治所在今北京市延庆区。⑻38西至河：西至今山西与陕西交界的黄河。⑻39北堤：当时建康城北侧的堤坝。⑻40玄武湖：在今南京市内的东北部。⑻41华林园：三国时吴国所建，故址在今南京鸡鸣山南的古台城城内。⑻42七月辛未：七月二十日。⑻43杜坦：杜骥之兄，一个冯唐式的人物。传见《宋书》卷六十五。⑻44杜预：西晋的名将，于灭吴国有大功。事见《晋书·杜预传》。⑻45张氏：指建都于姑臧（今甘肃武威）的前凉政权，是凉州刺史张轨的后代，西晋灭亡后，凉州孤悬于西北，张寔乃割据自保，称为前凉，公元三一七年建国，历七世，至公元三七六年为前秦所灭。事见《晋书·张轨传》。⑻46前秦克凉州：指前秦主苻坚灭前凉，俘去前凉主张天锡，事在公元三七六年。⑻47高祖灭后秦：指宋高祖刘裕灭后秦，掳后秦主姚泓，事在公元四一七年。⑻48王、谢诸族：东晋以来居于江东，把持朝廷大权的世家豪族，以王、谢两家为首，其他还有庾氏、褚氏、顾氏等。⑻49伧荒：犹今之所谓“土豹子”“土老帽”等等。胡三省曰：“南人呼北人为伧。荒，言其自荒外来也。”⑻50可施：可任用；可派上用场。⑻51践清涂：踏上任高官、掌大权，而优哉游哉，不干实事的寄生之路。两晋南北朝时，官职有清浊两途。清官悠闲而不问庶务，由士族担任；浊官忙于实际事务，由寒族担任。⑻52金日磾：原是匈奴休屠王的太子，后由于其父被杀，金日磾被没入汉朝宫廷养马，由于忠诚驯顺，受到了汉武帝的宠幸，被任命为顾命大臣。事见《汉书·金日磾传》。⑻53此辈人：这样的人，指极端忠诚驯顺而言。⑻54假生：假如生活在。⑻55岂办见知：哪里能受皇帝赏识。办，能、有机会。⑻56量朝廷之薄：把当今皇帝估计得如此不能识拔人才。量，估计。朝廷，代指当今皇帝，即自己。薄，浅、没有眼光。⑻57中华高族：中原地区的高门大族。⑻58播迁凉土：流浪到了凉州地区，今甘肃河西走廊一带。⑻59世业相承：先辈祖先的事业，我们一直在坚守秉承着。⑻60不殒其旧：从来没有丧失过原来的传统与光荣。⑻61直以：只是因为；所差的只是。⑻62便以荒伧赐隔：便把我们看成了土豹子，把我们划入了另册。赐隔，予以歧视。⑻63牧圉：养马人。⑻64超登：破格提拔。⑻65齿列名贤：与当时的贤才们并列一起。齿列，一同排列。⑻66虽复拔才：即使一再选拔人才。〖按〗以上杜坦对宋文帝的言论，颇似汉文帝时的冯唐，见《史记·张释之冯唐列传》。⑻67陆俟：拓跋焘时代的名将。传见《魏书》卷四十。⑻68豪忮：雄豪凶狠。⑻69不可忽：不可轻视。⑻70荒乱之余：兵荒马乱之后。⑻71未已：永远不会停止。⑻72免其妻子：赦免吴叔的妻子诸人。⑻73何所能至：他还能跑到哪里去。⑻74遂往：趁机逃走。⑻75刻期：约定期限。⑻76咎俟：埋怨陆俟。⑻77伺之：寻找机会。⑻78传诣平城：用驿车送到平城。传，驿站或驿站的车马，这里用作动词。诣，到。⑻79会：适逢。⑻80威恩著于关中：对关中地区的百姓有大恩。著，显。⑧⑧① 奉化日浅：接受北魏教化的时间还不长。⑧⑧② 恩信未洽：朝廷的恩德与威信人们还感受不深。恩信，恩泽、信誉。⑧⑧③ 数为逆乱：屡屡闹事造反。⑧⑧④ 自以方略：自己想办法，用智慧。⑧⑧⑤ 之镇：前往军府上任。之，往。⑧⑧⑥ 无能为：干不成什么。⑧⑧⑦ 谕以成败：给他分析形势。⑧⑧⑧ 诱纳超女：假说要娶刘超的女儿为妻。⑧⑧⑨ 逆谓俟曰：迎着告诉陆俟说。逆，迎。⑧⑨⓪ 设备：设兵防备。⑧⑨① 顷之：没过多久。⑧⑨② 因诣超营：趁便来到刘超的营盘。⑧⑨③ 约曰：与部下众人约定说。⑧⑨④ 发机当以醉为限：当你们看我喝醉时就立即动手。发机，拨动弩的机关，这里即指采取行动。为限，为准。⑧⑨⑤ 阳醉：假装醉酒。阳，这里同“佯”，假装。⑧⑨⑥ 杀伤：杀死与杀伤。⑧⑨⑦ 征俟还：调陆俟回平城。⑧⑨⑧ 是岁：这一年。⑧⑨⑨ 复还旧土：又回到他们原来居住的地方。〖按〗去年（公元四四五年）八月吐谷浑被魏军打败，西移入于阗，见本卷元嘉二十二年。旧土，旧境，吐谷浑的旧土在今青海柴达木盆地一带地区。

【校记】

［27］遣：原作“进”。据章钰校，十二行本、乙十一行本、孔天胤本皆作“遣”，今据改。［28］所：原作“使”。据章钰校，甲十一行本、乙十一行本、孔天胤本皆作“所”，张敦仁《通鉴刊本识误》、张瑛《通鉴校勘记》同，今据改。［29］上表：原无此二字。据章钰校，十二行本、乙十一行本、孔天胤本皆有此二字，张敦仁《通鉴刊本识误》同，今据补。［30］兖、青：原作“青、兖”。据章钰校，十二行本、乙十一行本、孔天胤本二字皆互乙，今据改。［31］固：严衍《通鉴补》改作“冏”。［32］四州十万人：原作“四州兵十万人”。据章钰校，十二行本、乙十一行本、孔天胤本皆无“兵”字，今据删。〖按〗前魏发冀、相、定三州兵二万人，此处不应再发冀州兵；且十万兵数目过大，以兵筑畿又不合理，故去“兵”字义长。［33］默然：据章钰校，十二行本、乙十一行本、孔天胤本皆作“嘿然”。［34］等：原无此字。据章钰校，十二行本、乙十一行本、孔天胤本皆有此字，今据补。［35］等：原无此字。据章钰校，十二行本、乙十一行本、孔天胤本皆有此字，张敦仁《通鉴刊本识误》同，今据补。

【研析】

本卷写宋文帝元嘉十九年（公元四四二年）至元嘉二十三年共五年间的刘宋与北魏等国大事，其中令人注意的问题有以下几个：

第一是何承天修定《元嘉新历》完毕，上表呈送宋文帝刘义隆，刘义隆让众专家讨论后，太史令钱乐之代表众人说：除了极个别的几个地方还应维持原样外，大多数的修改都是好的。这是个很专业的问题，我们应该如何认识这件事？王夫之《读通鉴论》说：“历法至何承天而始得天，前此者未逮，后此者为一行，为郭守敬，皆踵之以兴，而无能废承天之法也。……承天之法，以月食之冲，知日之所在；因日躔之异于古，知岁之有差。以月之迟疾置定朔，以参合于经朔，精密于前人。”山东省档案局科研所的文章称此历说：“这部当时最精密的历法有许多创造发明：一是创立了定朔算法，使日食、月食必定发生在朔望日。二是创近距取元法，简化了古代历法使用上元积年的烦琐计算。三是发明了调日法以求得准确的日法和朔余。四是利用月食测定冬至日度，比此前使用的中星法既简便又趋精密。五是重新测定了二十四节气晷影的数值，纠正了前代历法中春分、秋分晷影长度不同的错误。何承天的这些创造发明多被后世广泛采用，而他的《元嘉新历》作为我国古代的名历之一，自宋经齐，至南朝梁武帝天监八年（公元五〇九年）才被祖冲之的《大明历》代替，前后行用达六十五年。”

第二是关于范晔的谋反被杀。范晔只不过是一个太子詹事，位在九卿以下，历史并未交代此人更有何等的根基，也并未表明此人更有何等的实权，单就这样一个人，听受孔熙先一个小丑的挑动，就能让徐湛之、臧质这些朝廷重臣的后裔所亲附？范晔与宋文帝并无切身的利害与仇恨，相反范晔还是“被帝所知”的，怎么能一下子就要动手谋杀皇帝？再有就是写到范晔的一些生活细节，也深为人所不齿。诸如范晔就刑前，所谓“晔母至市，涕泣责晔，以手击晔颈，晔色不怍。妹及妓妾来别，晔悲涕流涟”；又追说“收籍晔家，乐器服玩，并皆珍丽，妓妾不胜珠翠。母居止单陋，唯有一厨盛樵薪。弟子冬无被，叔父单布衣”；又说范晔在狱中曾作诗曰“虽无嵇生琴，庶同夏侯色”，简直又跟旧时李斯、谢灵运的既无耻又逞才完全相似。个人对此虽一时找不出多少证据，但总觉得有些墙倒众人推的痕迹。

第三是魏国直臣古弼直正谏君的三个故事都很生动：第一个是当魏主大兴土木，奢侈扰民时，古弼“入见魏主，欲奏其事。帝方与给事中刘树围棋，志不在弼。弼侍坐良久，不获陈闻。忽起，捽树头，掣下床，搏其耳，殴其背，曰：‘朝廷不治，实尔之罪！’”这个情节如果写入滑稽列传是很合适的，但可惜古弼的身份不是俳优。明代袁黄对此说：“古弼在魏，颇着直声，然亦何至于君前‘起捽侍臣’？古之谏君者伏青蒲、攀殿槛而极矣，何尝失礼若此乎？”作家的意思是很好的，由于夸张太甚，因而使读者感到不可信。第二个是魏主畋于河西，命令古弼留守后方事宜。魏主让古弼调派肥壮的马匹供应猎场，结果古弼只是选送了一些瘦弱病残的马匹敷衍了事。当魏主震怒，古弼的僚属人人惴恐时，古弼说：“吾为人臣，不使人主盘于游畋，其罪小。不备不虞，乏军国之用，其罪大。今蠕蠕方强，南寇未灭，吾以肥马供军，弱马供猎，为国远虑，虽死何伤！且吾自为之，非诸君之忧也。”这样说，道理自然是充分的，但魏主要马，也不过是充一时之用，而且数量有限，并未因此弱国弱民。古弼如此庄严地板起面孔说话，总觉得有些小题大做；写在一位国家三公的身上，也有些过于琐碎。第三个是魏主又“畋于山北，获麋鹿数千头。诏尚书发牛车五百乘以运之。诏使已去，魏主谓左右曰：‘笔公必不与我，汝辈不如自以马运之。’遂还。行百余里，得弼表曰：'今秋谷悬黄，麻菽布野，猪鹿窃食，鸟雁侵费，风雨所耗，朝夕三倍。乞赐矜缓，使得收载。'帝曰：'果如吾言，笔公可谓社稷之臣矣!'"故事很生动，文笔也很好。写在一个县令身上很合适，写在一个宰相身上，就有点使用大炮打蚊子了。

第四是魏太武帝诛灭佛教的故事。魏太武帝拓跋焘与其谋臣崔浩都迷信道教，宠信道士寇谦之，甚至亲诣道坛，受其符箓；相反，对于佛教与僧尼却又无端地忌之如仇。魏主先是下诏说："王、公以下至庶人，有私养沙门、巫觋于家者，皆遣诣官曹。过二月十五日不出，沙门、巫觋死，主人门诛。"不久，又"先尽诛长安沙门，焚毁经像，并敕留台下四方令一用长安法。诏曰：'昔后汉荒君，信惑邪伪以乱天常，自古九州之中，未尝有此。夸诞大言，不本人情，叔季之世，莫不眩焉。……朕承天绪，欲除伪定真，复羲、农之治，其一切荡除，灭其踪迹。……'有司宣告征镇诸军、刺史，诸有浮图形像及胡经，皆击破焚烧，沙门无少长悉坑之"。真是雷厉风行，干净利索，比起当年秦始皇的焚书坑儒要严格彻底得多了。对于魏主之所以要这样做，以及对他们这种做法的评价，明代袁黄说："魏主与崔浩皆信重寇谦之，崇道教而疏佛法，适入寺见兵器、窟室、妇女，知藏奸畜秽，有不可胜言者，此魏主之奋然诛沙门也。"这是在说他们的做法是事出有因。尹遂昌说："自佛入中国，人皆敬奉其法以求福利，未有敢訾之者。至魏主焘乃毅然去之，亦可谓刚正不惑者矣。然世之议者，或以魏主不得其终为毁佛之报，抑不知梁主衍奉佛尤笃，得祸尤惨，岂佛独灵于魏而不灵于梁邪?"这是认为魏主的做法"刚正不惑"，佛教被灭绝是活该。丘琼山则说："人君之于民，其贤者、智者固当爱之，其愚者、不肖者亦当怜之。故民有悖于教、违于礼、犯于法者，必先原其心、察其情，而推究其所自。苟上之所不为，而又明有禁令，而民犯之违之，然后罪之诛之，彼固甘心而受也。上之人分明为之，而又无禁令，一旦不分彼此，而施之以一切之刑，则彼固有辞矣。元魏之诛沙门，虽若痛快人心，然未尝有禁约之令、限断之期，而即加之以不可复生之刑，使之欲改过而无由，亦云惨矣。况其心偏有所向，非一于扶正教以辟邪说也，安能服其心哉?"这段话有两层意思：其一是不先行引导教育而突然实行杀戮，不合先王、圣人的教导；其二是宠道教，灭佛教，厚此忌彼，不是一碗水端平。这样做不能让人心服。这种说法是有道理的。道教、佛教，都是宣传唯心主义，这不假；但宗教在社会上究竟起什么作用，这要看政治家与当政者如何引导。这方面的道理结合下文《周易》一起讲。

第五是如何正确地理解《周易》。魏国的乐平王拓跋丕心怀不轨，做梦梦见登上了一个四顾不见人的高台。他找术士董道秀给他算卦，董道秀说是"大吉"。于是拓跋丕加入了谋反集团，结果拓跋丕作乱被杀，董道秀也被牵连丧了性命。魏国的名臣高允听说此事而感叹地说："夫筮者皆当依附爻象，劝以忠孝。王之问道秀也，道

秀宜曰：‘穷高为亢。《易》曰：“亢龙有悔。”又曰：“高而无民。”皆不祥也，王不可以不戒。’如此，则王安于上，身全于下矣。道秀反之，宜其死也。”说得非常精彩。清代王夫之《读通鉴论》说：“高允几于知《易》矣。……圣人之作《易》也，使人度也，使人惧也。使人占也，即使人学也。……拓跋丕从刘絜而欲谋篡，梦登白台，四顾不见人，使董道秀筮之，而道秀曰‘吉’。此以占为占，而不知以学为占也。允曰：‘亢龙有悔，高而无民，不可以不戒。’此以学为占，而不于得失之外言吉凶也。……小人之为不善，行且为天下忧，故《易》不为小人谋，而为天下忧。惩小人之妄而使之戢，则祸乱不作，故大义所垂以遏小人之恶者，亦昭著而不隐。呜呼！知此者鲜矣。……朱子乃谓《易》但为筮卜之书，非学者所宜学，何其言之似王安石，而顾出允下也。”实在妙极了！古人之所以如此地重视《周易》，是因为《周易》也是可以为现实政治服务的，关键就在于你准备怎样给人讲。《周易》如此，佛教、道教也是如此。都是为政治服务，不为这种政治服务，就为别的政治服务，重点在于究竟怎样做才能对国家民族、社会发展、人民大众起的作用好一些。

此外，本卷所写的宗悫的故事、陆俟的故事、杜坦回答宋文帝有关金日磾的故事、兖州刺史回答魏国边将对刘宋威胁挑衅的故事等，也都写得生动活泼，使人过目不忘。